Das Erbe von Shadowbrook

Beverly Swerling

Das Erbe von Shadowbrook

Roman

Aus dem Amerikanischen von
Ursula Wulfekamp

HEYNE

Die Originalausgabe erschien unter dem Titel
SHADOWBROOK
bei Simon & Schuster, New York

Gesetzt aus der 10,4/14 Punkt Aldus in PostScript
Satz: Christine Roithner Verlagsservice, Breitenaich
Herstellung: Helga Schörnig
Druck und Bindung: GGP Media GmbH, Pößneck
Printed in Germany

ISBN 3-453-00086-2

www.heyne.de

Inhalt

Die Hauptpersonen der Handlung
13

ERSTES BUCH
1754 – Shadowbrook
19

ZWEITES BUCH
1754 bis1756 – Die Welt, die aus dem Bauch des Fisches kam
267

DRITTES BUCH
1757 – Die Neue Welt und die Alte
513

VIERTES BUCH
1758 bis 1759 – Québec
617

FÜNFTES BUCH
1759 bis 1760 – Das Abkommen
717

EPILOG
1763 bis 1769 – Die Welt der Tränen
745

Danksagung
751

Wie immer für Michael, R.I.P.,
und für Bill

Dies entspricht der Wahrheit …

Über die Europäer

In der ersten Hälfte des achtzehnten Jahrhunderts kämpften Großbritannien und Frankreich um die koloniale Vorherrschaft auf dem amerikanischen Kontinent. Dieser Roman spielt während der entscheidenden Schlachten in diesem langen Konflikt. Was für die Europäer der Siebenjährige Krieg war, ging in Nordamerika als »French and Indian War« in die Geschichte ein. Dieser unerbittliche Kampf tobte in einer Neuen Welt, deren Pracht und Größe die Vorstellungskraft der rivalisierenden Mächte überstieg und deren reiche und bemerkenswerte Kultur sie nicht verstanden.

Über die amerikanischen Ureinwohner

Sobald die Europäer ihr Paradies entdeckt hatten, war es dem Untergang geweiht, doch die Ureinwohner des Kontinents – das Wahre Volk, wie sie sich nannten – setzten sich entschlossen zur Wehr, um diese Entwicklung zu verhindern.

Ich habe mich bemüht, die Geschichte dieses Volkes und seine Bräuche möglichst wahrheitsgetreu zu schildern, doch dies ist keine historische Studie, und ich bin Geschichtenerzählerin. Wo es mir an Einzelheiten einer Zeremonie oder eines Rituals fehlte, habe ich sie frei erfunden. Dabei machte ich es mir allerdings zur Regel, nur von dem zu extrapolieren, was meine Recherchen tatsächlich zutage gefördert hatten, das heißt, ich arbeitete vorhandene Muster heraus, ohne das Gewebe als solches selbst neu zu wirken.

Negatives habe ich nie eigens ausgeschmückt. Was es an Schrecklichem gab – oder was uns vor dem Hintergrund unserer Kultur und unserer Zeit als solches erscheint –, ist dokumentarisch belegt.

Über die Sprache

Im achtzehnten Jahrhundert gab es, wie wir von Linguisten wissen, rund einhunderttausend Sprachen, während es heute noch ganze sechstausend sind. Zudem wurden von allen Sprachen, die es je gab, nur zweihundert schriftlich festgehalten. Die amerikanischen Ureinwohner besaßen ein komplexes und kompliziertes System von Piktogrammen, doch im Grunde basierte ihre Tradition auf mündlicher Überlieferung. Sie war von immenser Vielfalt und Tiefe, doch ein Großteil davon ging verloren. Ich habe mit Wörterbüchern der Irokesen- und der Algonkin-Sprache gearbeitet (die in neuerer Zeit aus dem Bemühen heraus entstanden, diesem Sterben Einhalt zu gebieten) und versucht, den Stil ihrer Sprache so authentisch wie möglich wiederzugeben. Verzichtet habe ich allerdings auf die komplizierten Akzente, die als Aussprachehilfen entwickelt wurden. Sie gehen über den Rahmen dieser Geschichte wie auch über meine eigene Kompetenz hinaus. Dasselbe gilt für die Grammatik. Die Fehler, die sich daraus zwangsläufig ergeben, möge man mir nachsehen.

Über die Religion

Mir ist bewusst, dass es mir nicht gelungen ist, die Tiefe und Komplexität des Glaubenssystems der amerikanischen Ureinwohner angemessen zu vermitteln. Alles, was der Roman hierzu enthält, entspricht so weit wie möglich meinen Rechercheergebnissen, ist aber zweifellos weit von der Wahrheit entfernt. Alles andere gehört zu meiner eigenen jüdisch-christlichen Herkunft und ist insofern vertrautes Terrain. In dem Zusammenhang möchte ich nur anmerken, dass die katholische Theologie ein langer, stetig strömender Fluss ist. Wie man ihn wahrnimmt, hängt ganz davon ab, an welcher Stelle am Ufer man sich befindet. Die Einstellungen, Bräuche und Praktiken, selbst einige der Grundüberzeugungen, die hier beschrieben werden, entsprechen denen der Kirche und der religiösen Orden zur damaligen Zeit. In vielen Fällen sind sie heute völlig unterschiedlich.

Auch dies entspricht der Wahrheit …

Über uns alle

Die Liebe in all ihren prachtvollen Spielarten hat sich nicht grundlegend geändert. Sie war vor zweihundertfünfzig Jahren genau wie heute – sie konnte die Welt bewegen.

Die Hauptpersonen der Handlung

Die Menschen auf Shadowbrook, auch bekannt als das Hale-Gut:

Im großen Haus

QUENTIN HALE auch bekannt als Uko Nyakwai, Roter Bär, oder gelegentlich auch unter seinem geheimen Potawatomi-Mannheitsnamen Kwashko, »Der über Feuer springt«

JOHN HALE Quentins älterer Bruder

EPHRAIM HALE Vater von John und Quentin

LORENE DEVREY HALE Ephraims Frau, die Mutter von John und Quentin

NICOLE MARIE FRANCINE WINIFRED ANNE CRANE eine junge Frau französisch-englischer Herkunft, unterwegs durch die amerikanischen Kolonien nach Québec

KÜCHEN-HANNAH Köchin im großen Haus

MAISBESEN-HANNAH Dienstmädchen im großen Haus

SECHS-FINGER-SAM stilles Faktotum, verrichtet verschiedene Arbeiten

CLEMENCY DIE WASCHFRAU Dienstmädchen, das für die Wäsche zuständig ist und bei den Sklaven von Shadowbrook als Hüterin der mündlichen Überlieferung gilt

JEREMIAH der Stallmeister

GEORGE JUNIOR Jeremiahs Gehilfe

FLINKE RUTH Dienstmädchen im großen Haus und Mutter der Zwillinge Lilac und Zucker-Willie

TABA eine junge Ibo, 1754 auf dem Sklavenmarkt in New York City erworben

Im Zuckerhaus

MOSES FRANKEL der Müller, zuständig für die Herstellung von Rum, Bier und das Mahlen von Weizen- und Maismehl

SARAH FRANKEL Moses' Frau

ELLIE FRANKEL BLEECKER Tochter von Moses und Sarah, verwitwet
TIM FRANKEL Sohn von Moses und Sarah; unverheiratet
KÖSTLICHE MAY Mutter von Flinke Ruth und Sklavin auf dem Hale-Gut, den Frankels zur Verfügung gestellt
GROSSER JACOB Mann von Köstliche May und Vater von Flinke Ruth; Sklave des Hale-Guts, dem Zuckerhaus und der Mühle zur Verfügung gestellt; außerdem Pferdezureiter des Guts
LILAC UND ZUCKER-WILLIE Zwillinge von Flinke Ruth, dem Zuckerhaus zur Verfügung gestellt; vier Jahre alt, als Quent 1754 nach Shadowbrook zurückkommt

Im Sägewerk

ELY DAVIDSON der Säger
MATILDA KIP DAVIDSON Elys Schwiegertochter
HANK DAVIDSON Elys Sohn
JOSIAH, SAMPSON UND WESTERLY Brüder im Alter von vierzehn, zwölf und elf Jahren. Hale-Sklaven, dem Sägewerk zur Verfügung gestellt
SOLOMON DER FASSMACHER Küfer und Hale-Sklave, auf dem Gut geboren
SALLY ROBIN Imkerin, Lieferantin von Honig sowie von allen Salben und Medikamenten, die auf dem Gut verwendet werden; Solomons Frau, seit sie 1720 auf dem Sklavenmarkt in New York City gekauft wurde

In Do Good,

dem Handelsposten für die Indianer auf dem Gut, geleitet und geführt ausschließlich von Mitgliedern der Gesellschaft der Freunde, auch als Quäker bekannt

ESTHER SNOWBERRY
MARTIN SNOWBERRY Esthers Mann
JUDITH SNOWBERRY Tochter von Esther und Martin, spätere Judith Snowberry Foster

PRUDENCE deren Sklavin
EDWARD TAYLOR Schatzmeister der Gemeinschaft
HEPSIBAH JANE FOSTER Judiths Tochter
DANIEL WILLIS ein Freund aus Rhode Island, der zu Besuch kommt, um die Botschaft des Inneren Lichts über die Abschaffung der Sklaverei zu verkünden

Die Menschen der Stadt Albany, Provinz New York

JOHN LYDIUS Kaufmann und gelegentlich Waffenhändler
GENEVIEVE LYDIUS Johns Frau, eine Mestizin, halb Piankashaw und halb Französin
PETER GROESBECK Wirt der Schänke zum Pferdekopf in Albany
ANNIE CROTCHETT eine Prostituierte; geht ihrem Gewerbe in der Schänke zum Pferdekopf nach
HAMISH STEWART ein einäugiger Schotte, Jakobit aus Appin, überlebte die berüchtigte Schlacht von Culloden Moor; gelegentlich auch in Québec anzutreffen
AUSSERDEM: diverse hurende Kellnerinnen, gerissene Müller, unternehmungslustige Witwen, betrunkene Seeleute, Herumtreiber und Tunichtgute; ebenso zahlreiche gottesfürchtige *huisvrouwen* und *burgher* aus der Zeit der niederländischen Herrschaft

Die Menschen im Potawatomi-Dorf Singender Schnee

CORMAC SHEA ein Mestize, Sohn einer Potawatomi-Squaw und eines irischen Pelzhändlers
IXTU der Geschichtenerzähler des Dorfs
BISHKEK Mannheitsvater des Mestizen Cormac Shea sowie Quentin Hales
KEKOMOSON der zivile Sachem von Singender Schnee zur Zeit der Romanhandlung
SOHANTES Kekomosons Frau

SHABNOKIS Priesterin der mächtigen Midewiwin-Gemeinschaft
LASHI Bishkeks jüngste Tochter
PONDISE deren Sohn

Die Menschen von Québec in Neufrankreich

Die Franziskaner

PÈRE ANTOINE PIERRE DE RUBIN MONTAIGNE Abgesandter der Franziskaner in Neufrankreich
MÈRE MARIE ROSE Äbtissin der Armen Klarissen-Colettinnen von Québec
SŒUR MARIE CÉLESTE, SŒUR MARIE FRANÇOISE, SŒUR MARIE JOSEPH, SŒUR MARIE ANGÉLIQUE Nonnen der Armen Klarissen-Colettinnen von Québec

Die Jesuiten

MONSIEUR LOUIS ROGET Provinzialoberer der Jesuiten von Neufrankreich
MONSIEUR PHILIPPE FAUCON Jesuitenpriester und Maler; dokumentiert die kanadische Flora
MONSIEUR XAVIER WALTON Engländer und Jesuit, zudem Chirurg

Die Zivilregierung

FRANÇOIS BIGOT Intendant Kanadas, Haushofmeister und Zahlmeister der gesamten Provinz
PIERRE FRANÇOIS RIGAUD, MARQUIS DE VAUDREUIL Generalgouverneur Kanadas ab Juni 1755

In Port Mouton in Akadien (Nova Scotia)

MARNI BENOIT

Militärische Figuren

JOSEPH COULON DE VILLIERS DE JUMONVILLE französischer Leutnant; sein Tod läutet den Beginn des Siebenjährigen Krieges ein

TANAGHRISSON, DER HALBKÖNIG gebürtiger Catawba, aufgewachsen als Seneca, zur Zeit der Romanhandlung Sprecher der Irokesen-Föderation im Ohio Country

GEORGE WASHINGTON Oberstleutnant der Miliz aus Virginia, zu Beginn der Romanhandlung 1754 zweiundzwanzig Jahre alt

PONTIAC Kriegssachem der Ottawa

SHINGAS Kriegssachem der Lenape, auch als Delaware bekannt

SCAROUADY Sprecher der Irokesen-Förderation im Ohio Country nach dem Tod Tanaghrissons

THOYANOGUIN, AUCH BEKANNT ALS KÖNIG HENDRICK Kriegssachem der Mohawk, die auch als Kahniankehaka bekannt sind; als Mitglieder der Irokesen-Föderation unter dem Namen Hüter der östlichen Tür bekannt

GENERALMAJOR WILLIAM JOHNSON, MILIZ VON NEW YORK (YORKERS) aus Irland gebürtig, treibt Handel mit Indianern, ab 1738 in Amerika; zunächst mit einer deutschen Dienstverpflichteten verheiratet, später mit einer Kahniankehaka-Squaw; als Häuptling des Stamms adoptiert

GENERALMAJOR EDWARD BRADDOCK Befehlshaber der Truppen Seiner Majestät in Amerika zu Beginn des Siebenjährigen Krieges

GÉNÉRAL JEAN ARMAND, BARON DE DIESKAU Befehlshaber der französischen und kanadischen Truppen

GÉNÉRAL LOUIS JOSEPH, MARQUIS DE MONTCALM-GOZON DE SAINT-VÉRAN Dieskaus Nachfolger

GENERAL JOHN CAMPBELL, EARL OF LOUDOUN Braddocks Nachfolger

GENERALMAJOR JEFFREY AMHERST Loudouns Nachfolger

JAMES WOLFE britischer Brigadekommandeur in der Schlacht von Louisbourg 1758; britischer Generalmajor in der Schlacht von Québec 1759

ERSTES BUCH

1754

Shadowbrook

1

Mittwoch, 27. Mai 1754

Québec, Neufrankreich

Miserere mei, Domine … Herr, erbarme dich meiner nach deinem reichen Erbarmen.

Ihrer selbst erbarmten sich die fünf Frauen nicht.

Sie geißelten sich mit geknoteten Schnüren. Jede von ihnen trug einen schwarzen Schleier, der das Gesicht beschattete, und ein dünnes graues Gewand.

Die Schnüre peitschten herab, landeten zuerst auf der einen, dann auf der anderen Schulter, jeder dritte Hieb traf die empfindliche Nackenhaut. Gelegentlich entwich einer von ihnen ein leises Aufstöhnen, kaum hörbar unter dem lateinischen Gesang. *De profundis clamavi ad te, Domine* … Aus der Tiefe rufe ich zu dir, o Herr. *Domine exaudi vocem meam.* Herr, erhöre meine Stimme.

Zwölf hohe weiße Kerzen erleuchteten den schmalen, rechteckigen Raum und warfen den verlängerten Schatten der Frauen, die hintereinander auf dem bloßen Steinfußboden knieten, auf die geweißelten Steinwände. Wenn eine von ihnen gelegentlich in einer kraftvollen Aufwallung besonders fest zuschlug, spritzten Blutstropfen auf die hinter ihr Kniende.

Jede Schnur war nach einer jahrhundertealten Methode hergestellt. Sie maß die Armeslänge von der Schulter zum Daumen der Frau, die sie benutzen sollte, und bestand aus festem, zwei Finger dickem Seil. Die Knoten waren regelmäßig über die ganze Länge verteilt, sieben an der Zahl. Sieben wegen der Leiden Mariens. Sie wurde die Zucht genannt und jeder Nonne überreicht an dem Tag, an dem sie das Gelübde als Anhängerin des heiligen Franziskus ablegte und eine Klarissen-Colettinne der strengen Observanz wurde.

Quoniam non est in morte qui memor sit tui … Denn niemand ist, der im Tode deiner gedenkt. *In inferno autem quis confitebitur tibi* … Im Totenreich aber, wer wird dich da preisen?

Vorn in der Klosterkapelle befand sich das heiligste Heiligtum, der kleine, kunstvoll gearbeitete Tabernakel, der die Hostien enthielt und rundum von einem Eisengitter umgeben war. Die Hostien waren bei der heiligen Messe geweiht worden und waren nun der Leib und das Blut Jesu Christi. Vor dem Gitter hingen schwere Vorhänge. Damit jene, die auf der anderen Seite saßen, in der Besucherkapelle, keinen Blick auf die in strikter Abgeschiedenheit lebenden Töchter der heiligen Klara werfen konnten.

In jener Mittwochnacht war nur eine Person im öffentlichen Teil der Kapelle – ein Mann, der aufrecht am Boden kniete, die Arme ausgestreckt wie der Gekreuzigte. Ohne jede Stütze harrte er in dieser Position aus. Er hörte die leisen, seufzenden Geräusche der geknoteten Schnüre, die zartes Frauenfleisch geißelten. Gelegentlich zuckten als Antwort darauf seine Schultern.

Antoine Pierre de Rubin Montaigne von den Minderen Brüdern war ebenfalls ein Anhänger des heiligen Franziskus, ein Priester des Seraphischen Ordens, wie die Kirche ihn nannte – Männer, die gelobt hatten, dem Besitz zu entsagen und um ihr täglich Brot zu betteln. Im Verlauf der fünfhundert Jahre, seit der selige Franziskus von der Herrlichkeit der Dame Armut gepredigt hatte, waren die Regeln verändert worden, doch die Priester trugen noch immer den schlichten Titel Vater. Rubin Montaigne war allen als Père Antoine bekannt, vor allem den Frauen jenseits des Gitters.

In der Kapelle der Nonnen peitschten die Geißelhiebe immer schneller herab, steigerten sich zur großen Anrufung des *Miserere. Erbarme dich meiner, Herr, denn ich vergehe.* Die Seile schnellten so rasch durch den Raum, dass sie im Dämmerlicht zu einer schattenhaften Bewegung verschwammen.

Das hatte Père Antoine so angeordnet, der Gesandte des Generalministers der Franziskaner in Rom, der in Neufrankreich für alle Ordensmitglieder die höchste Instanz darstellte. Zusätzlich zur traditionellen Züchtigung freitags vor Sonnenaufgang griffen die

Armen Klarissen von Québec jeden Montag und Mittwoch nach dem Mitternachtsamt der Matutin zur Zucht. Und das würden sie beibehalten, bis das Land, das die Briten Ohio Country nannten, auf das aber schon lange im Namen Louis' XV. Anspruch erhoben worden war, endlich unangefochten Bestandteil Neufrankreichs war. Wenn die heilige Mutter Kirche nach Süden zog, um die eingeborenen Stämme zu bekehren, würden diese Nonnen und ihre Narben die Juwelen in ihrer Krone sein.

Verbirg dein Gesicht vor meinen Sünden, tilge all meine Frevel!

Keine setzte die Zucht mit größerem Eifer ein als Mère Marie Rose, die Äbtissin. An den Schultern war ihr Gewand verkrustet vom getrockneten Blut früherer Geißelungen. Wenn sie starb, würde dieses Gewand ihr Leichentuch sein – sie hatte bereits angeordnet, dass es nicht gewaschen werden dürfe. Sie würde mit dem Zeugnis ihrer Frömmigkeit ins Grab gelegt werden.

Quoniam iniquitatem meam ego cognosco ... Denn ich erkenne meine Verfehlung.

Wegen meiner Verfehlungen, den Verfehlungen meiner Töchter, um des Ruhms Gottes willen. Diese Worte ergriffen Besitz von der Äbtissin, wurden eins mit dem Schmerz, der Gesang vereinte beides, pulsierte durch ihre Adern. *Miserere* ... Erbarme dich, Herr. Des Königs. Des neuen Frankreichs. Unserer tapferen Soldaten.

Die Muskeln in Père Antoines Schultern brannten. Seine Arme fühlten sich an wie Bleigewichte, doch er versagte sich, sie herabsinken zu lassen. Der Schmerz war eine Art Ekstase, verzückte ihn. Um der Kirche willen. Um des Ordens willen. Um der Eroberung des Landes südlich des *pays d'en haut* und der Bezwingung der ketzerischen Engländer willen.

2

Die drei Indianer gingen hintereinander auf einem Pfad von der Breite eines Mokassins. Der dichte Urwald des Ohio Country, auf das sowohl die Franzosen als auch die Engländer Anspruch erhoben, das aber keiner von ihnen besaß, teilte sich, als sie vorbeigingen, und schloss sich hinter ihnen wieder.

Quentin Hale hielt mit den Tapferen mühelos Schritt. Seine Schultern waren doppelt so breit wie ihre, er überragte sie um Haupteslänge, aber er bewegte sich ebenso lautlos wie sie, sein Tritt war ebenso sicher wie der ihre, und er war ebenso ausdauernd wie sie. Die vier Männer trabten den tückischen Pfad entlang, wie schon den Großteil der Nacht, ohne ihren Rhythmus zu verändern, ohne an Zielstrebigkeit zu verlieren.

Die Tapferen, denen Quent folgte, waren zwei Seneca und ein Cayuga, Mitglieder des Bundes der Sechs Nationen, die sich *Haudenosaunee* nannte, das Langhaus-Volk. Alle, die sie hassten wegen ihres Wagemuts in der Schlacht, bezeichneten sie mit dem Algonkin-Namen *Irinakhoiw*, Schlangen. Bei den Franzosen – die sie hassten wegen der Stärke ihres Bundes, der ihnen Handelsmacht verlieh, und wegen ihrer Allianz mit den Engländern – hießen sie Irokesen.

Vor vielen Jahren hatten sie die einheimischen Shawnee und die Lenape – die die Weißen Delaware nannten – in einem blutigen Krieg besiegt, und daraufhin hatte der Große Rat der *Haudenosaunee* Vertreter der zu ihnen gehörigen Stämme zu den unterworfenen Völkern geschickt, damit sie bei diesen lebten und den *Kainerekowa* hielten, den Großen Frieden. Die Irokesen des Ohio Country waren als Mingo bekannt.

Es war kurz vor Sonnenaufgang, Ende Mai, warm und feucht. Der heftige Regen, der den Großteil der vergangenen Nacht herniedergeprasselt war, hatte vor einer Weile aufgehört, doch von den Bäumen tropfte es immer noch. Die Tapferen, nackt bis auf Lendenschurz und Mokassins, verschmolzen mit dem Wald. Auch Quent trug Mokassins, dazu eine lederne Kniehose, die dunkel war vom Schweiß und vom Rauch zahlreicher Feuer. Über seiner Schulter hing ein schwarzes Gewehr mit einem polierten eichernen Schaft, glänzenden Messingbeschlägen und einem fast fünf Fuß langen Lauf. Der gezogene Lauf, dem die Waffe ihre Präzision verdankte, war bereits vor rund zwanzig Jahren erfunden worden, doch waren solche Gewehre noch immer eine Seltenheit. Und die wenigen, die es gab, gehörten nahezu ausschließlich Weißen.

Ab und zu wandte der Cayuga den Kopf und warf einen Blick auf diese Flinte. Wenn es zur Schlacht kommt, dachte er sich, und wenn Uko Nyakwai fällt, Großer Geist, dann lass mich derjenige sein, der neben ihm steht.

Uko Nyakwai, Roter Bär in der Sprache der Irokesen, war der Name, unter dem Quent bei praktisch jedermann im Ohio Country bekannt war. Rot wegen seiner Haare. Bär wegen seiner Größe – und der Größe seines Mutes. Und gelegentlich auch wegen der Größe seines Zorns. Der Cayuga wusste, dass er das Langgewehr nie bekommen würde, solange Uko Nyakwai lebte.

Großer Geist, ist es wirklich möglich, dass dieser Bär einmal einen Baum mit bloßen Händen aus dem Erdreich riss? Dass er damit zwölf Gegner erschlug? Dass er das wegen einer Frau tat, einer Ottawa-Squaw namens Shoshanaya, die aber dennoch starb? Und dass der Rote Bär nach ihrem Tod das Land seines Vaters im Seengebiet verließ und schwor, nie zurückzukehren? Das sind wohl nur Geschichten, die die Squaws am Feuer erzählen.

Der Cayuga berührte das Wolf-Totem, das ihm um den Hals hing, und verlagerte ein wenig das Gewicht seiner eigenen Flinte, einer Muskete der Marke Brown Bess, wie sie an die britischen Soldaten und Kolonialmilizen ausgegeben wurde: kein Rückstoß – die Langgewehre hatten einen heftigen Rückstoß –, aber unmöglich, genau damit zu zielen. Ein solches Langgewehr zu besitzen … *Ayi.* Mit dieser Waffe wäre er unbesiegbar.

Die Indianer einschließlich Quent trugen zudem einen Tomahawk und ein Messer an der Hüfte, aber Quent hatte eine weitere Waffe bei sich, einen sehr kleinen schottischen Dolch, der in einer Scheide verborgen an seinem Rücken steckte. Die Mingo trugen Kriegsbemalung.

Quent und den Tapferen folgten rund dreißig Soldaten des kürzlich gebildeten Virginia-Regiments. Wie alle Männer, die in den Kolonien aufgewachsen waren, hatten sie eingewilligt, einige Monate zu dienen, und das nur zu einer Zeit, in der sie auf der Farm, im Dorfladen oder bei den Geschäften, denen sie nachgingen, nicht fehlen würden. Die Soldaten des Virginia-Regiments erhielten acht Pence pro Tag, ein einfacher Arbeiter verdiente das Dreifache. Sie hatten sich gemeldet, weil ihnen im Gegenzug dafür Land am Monongahela oder am Allegheny versprochen worden war, sobald sie die Franzosen in die Flucht geschlagen hatten.

Quents Meinung nach würden sie dieses Land allerdings am Sankt-Nimmerleins-Tag zu pflügen beginnen.

Die Milizionäre trampelten in klobigen, schlecht sitzenden Stiefeln den Pfad entlang. Ihre Dreispitze verfingen sich in den tief hängenden Zweigen, ihre wollenen Jacken und Hosen waren vom Regen durchnässt. Und jeder der armen Kerle kratzte sich wund. Außer Washington.

Der junge Offizier marschierte an der Spitze der noch verbliebenen Kolonne – mindestens sieben Männer waren ihm in der langen, dunklen Nacht auf dem sich windenden Pfad abhanden gekommen – und tat, als würde seine litzenbesetzte Uniform nicht stinken und jucken. Ein Narr auf einer närrischen Mission. Meine Sorge soll's nicht sein, sagte Quent sich. Du hast dich nur verpflichtet, als Führer zu dienen und ein bisschen zu übersetzen, und nicht, einem zweiundzwanzigjährigen Oberstleutnant bei seinem ersten Befehl zu erklären, dass man den Schlangen nicht trauen kann. Am allerwenigsten Tanaghrisson, dem Halbkönig. Denn nichts ist gefährlicher als ein Irokese, der keinen Befehl vom Großen Rat mehr entgegennimmt, sondern seinen eigenen Weg geht.

Irgendwo stimmte ein Königssatrap seinen Morgengesang an.

Quent sah, wie die Schultern des Seneca, der als zweitnächster vor ihm lief, sich bewegten, als er zur Antwort mit der Zunge schnalzte. Tanaghrisson und neun weitere Tapfere trabten einen parallel verlaufenden Pfad entlang. Die beiden Gruppen waren vor einer Stunde aufeinander gestoßen.

Der Königssatrap rief erneut, jetzt in größerer Ferne. Der Seneca antwortete. Die andere Gruppe bog ab.

Quent spürte Washingtons Hand auf der Schulter. Er verlangsamte seinen Schritt und wandte sich ein wenig um. Die Männer waren beide über sechs Fuß groß. Ihre Blicke trafen sich auf gleicher Höhe. Washingtons Miene verriet Eifer. Konnte es wohl nicht erwarten, Blut zu sehen. Zuerst war er aus Virginia als Landvermesser gekommen, dann als Gesandter, um den Franzosen auszurichten, sie sollten ihr Fort verlassen. Dieser Befehl war missachtet worden. Also war Washington, ein junger Mann ohne Ausbildung und ohne Erfahrung, beauftragt worden, ein Regiment auszuheben, ein englisches Fort zu errichten und die Kanadier zu vertreiben. Wenn nötig, mit Waffengewalt. Politiker waren allesamt Narren.

»Die Vogelrufe«, flüsterte Washington heiser. »Das waren die Mingo, oder? Was geht da vor sich?«

»Wir sind bald da. Tanaghrisson und seine Tapferen nehmen einen anderen Weg. Sie beziehen Stellung auf der anderen Seite des französischen Lagers.«

Washington nickte und setzte ein ausdrucksloses Gesicht auf; er wollte sich nicht anmerken lassen, wie unangenehm es ihm war, die Frage stellen zu müssen. Dieser Quentin Hale bereitete ihm Unbehagen. Allein schon die Haare. Unmodisch kurz geschnitten, weil er dann nicht so leicht zu skalpieren sei, wie er sagte. Dieses flammende rote Haar war eine beständige Herausforderung. Und die kalten, eisblauen Augen hatten etwas Furchteinflößendes.

Der Name Uko Nyakwai war sogar im fernen Virginia bekannt. Und in Virginia, wo derlei Dinge zählten, hieß es, Quentin Hales

Mutter sei eine Devrey aus New York City, sein Großvater sei Will Devrey gewesen, der ein Vermögen damit verdient hatte, schwarzes Gold aus Guinea zu holen und auf dem Sklavenmarkt an der Wall Street zu versteigern. Angeblich gingen die Devreys auf eine mittellose Engländerin zurück, eine Apothekerin, die vor neunzig Jahren nach New York gekommen war, als die Stadt noch Nieuw Amsterdam hieß. Und angeblich hatte sie einen niederländischen Doktor geheiratet, ihn im Schlaf erwürgt und dann, mit Teer beschmiert, an den Galgen gehängt, damit die Niederländer glaubten, es sei das Werk des Teufels. Hatten sie wohl auch. Die Niederländer waren alle abergläubisch, und dumm obendrein.

Auf der Hale-Seite sah es besser aus: niederer Adel, ursprünglich aus Kent eingewandert. Quentin Hales Vater besaß Tausende von Tagwerk Land rund um die Seen in der Provinz New York, ein ertragreiches Gut. Shadowbrook hieß es.

Wie kam sein Sohn dazu, ein Waldläufer zu sein und ein Gelegenheitsführer im Ohio Country, und nicht der herrschaftliche Landbesitzer, zu dem er geboren war? Das wusste wohl nur Gott allein.

Seine Beine waren schwer wie Blei, bei jedem Atemzug glaubte er, Feuer zu schlucken. Verfluchte Wilde, legten die nie eine Rast ein? Und dieser Hale, rang er nicht ebenso nach Atem wie jeder andere Weiße auch? Aber egal, angeblich konnte er mit dem Langgewehr aus hundert Schritt Entfernung einem Mann das rechte Ohrläppchen durchschießen. Vielleicht würde er etwas in der Art noch am heutigen Morgen erleben. Der berüchtigte Rote Bär und sein Langgewehr, unter Befehl des Oberstleutnants George Washington aus Virginia. Gütiger Gott, es war kaum zu glauben.

Gerade schleppten sie sich eine steile Anhöhe hinauf. Es war eben hell genug, dass er einen Blick über die Kolonne nach hinten werfen konnte. Zuerst sah er Montrose nicht, seinen Französisch sprechenden Zivilübersetzer, aber als er den spitzgesichtigen Mann schließlich ausmachte, hob dieser gerade die Flasche an den Mund. Verfluchter Mistkerl. Keine Disziplin. Zwanzig Stunden am Tag besoffen. Na, an diesem Tag konnte es ihm einerlei sein. Diesmal sind wir nicht hier, um mit den Dreckskerlen zu reden, sagte er sich. Wenn der Halbkönig nicht hätte melden lassen, dass er ihr Lager entdeckt hatte, hätten sie uns ausgekundschaftet, und dann hätten wir uns ihnen bei den Forks stellen müssen, bei Great Meadows. Dabei ist das Fort erst halb fertig, und meine paar hundert Raufbolde hätten gegen weiß der Teufel wie viele Franzosen und ihr Geschütz antreten müssen.

Er blickte wieder nach vorn, beobachtete Hale und fragte sich, wie der es schaffte, nicht zu sehen, wo er hintrat, und trotzdem nie zu stolpern.

Quent spürte den Blick des jüngeren Mannes, der sich in seinen Hinterkopf bohrte. Solange er sich erinnern konnte, hatte er gespürt, wenn er beobachtet wurde – nützlich auf einem Gut wie Shadowbrook, überlebenswichtig für einen Waldläufer im Ohio Country.

Nur das Atmen der Tapferen in der Vorhut, die schlurfenden Soldaten am Ende der Kolonne und das leise Rascheln der Blätter waren zu hören. Dann hob der Seneca, der die Kolonne anführte, die Hand. Das Zeichen wurde die Reihe hinunter weitergegeben, alle kamen zum Stillstand.

Der Trupp Franzosen lagerte in einem Talkessel zwischen zwei steilen Hügeln. Gut versteckt, aber nicht leicht zu verteidigen. Ein einsamer Soldat saß auf einem Stein am Feuer, die Muskete zwischen die Knie geklemmt, in den Händen einen Becher.

Der fahle Morgen nahm eine leicht rosige Tönung an. Ein paar Soldaten taumelten aus den mit Rinden bedeckten Hütten, die sie vor dem Regen geschützt hatten, und traten ans Feuer.

Ein Mädchen trat auf die Lichtung. Sie konnte kaum mehr als ein Kind sein, dachte Quent, aber da sie mit dem Rücken zu ihm stand, konnte er sie nicht genau sehen. Etwas jung für eine Hure, aber was sollte sie sonst sein?

Quent hörte, wie Washington scharf einatmete. Das war ihm nicht zu verdenken. Guter, heiliger Gott – waren französische Soldaten wirklich derart lüstern, dass sie eine Hure sogar im Spähtrupp mitschleppten? Und um einen solchen handelte es sich, so viel stand fest. Ein Einsatz, um herauszufinden, was genau die Amerikaner in Great Meadows trieben.

Ein Mann erschien und ging durchs Lager. Die wenigen anderen traten ihm aus dem Weg. Der Mann war durchschnittlich groß, schlank und dunkel und trug eine Kniehose, die Quents sehr ähnlich war. Eine Hand lag auf dem Langgewehr, das ihm über die Schulter hing. Seine Haare waren mit einem Lederriemen zurückgebunden, nicht mit einem Band, und eine gezackte Narbe verzerrte seine linke Gesichtshälfte zu einer unnatürlichen Grimasse. Selbst im Dämmerlicht und aus der Entfernung von fünfzig Fuß war er nicht zu verkennen.

Washington beugte sich zu Quent vor. »Das ist doch Cormac Shea, oder?« In seiner Stimme lag ungläubiges Staunen.

»Ja.«

Gütiger Gott. Die zwei tapfersten Waldläufer Nordamerikas, jeder ein legendärer Schütze, auf gegnerischen Seiten einer Schlacht, die unter seinem Befehl stand. Angst schnürte Washington die Kehle zu und raubte ihm die letzte Luft. Er wollte schlucken, doch sein Mund war wie ausgedörrt. Jedermann wusste, dass es Quentin Hales Messer gewesen war, das Cormac Shea für den Rest seines Lebens entstellt hatte. Der junge Oberstleutnant flüsterte Quent direkt ins Ohr. »Ich wusste nicht, dass Shea so weit nach Süden kommt. Angeblich ist er doch in Kanada.«

»Sieht nicht so aus.«

»Was sucht ein *coureur des bois* wie Shea bei den …«

Mit einer Geste brachte Quent ihn zum Verstummen; er ließ den Mann mit der Narbe nicht aus den Augen.

Cormac Shea war Kanadier, aber kein französischer Patriot. Seine Mutter war eine Potawatomi-Squaw gewesen. Sein Vater, ein Ire, war von der englischen Armee desertiert, hatte sich in den Wäldern im Norden herumgetrieben und als Fallensteller und Händler gelebt. Bis er zerstückelt und bei lebendigem Leibe aufgegessen wurde von Huronen, die sich dagegen verwahrten, dass er den feindlichen Mohawk Gewehre verkaufte. Trotz seiner hellen Haut und seines christlichen Vornamens war Shea die Geißel von Französisch-Kanada, denn er hatte öffentlich gelobt, alle Weißen aus dem Land im Norden zu vertreiben.

Warum also, fragte Quent sich, warum reist er mit einem Trupp französischer Soldaten? Noch dazu mit einer weißen Hure im Schlepptau?

Shea hatte am Feuer zwei gefüllte Becher geholt und brachte sie zu dem Mädchen zurück. Die Kleine wandte sich um und nahm einen entgegen. Irgendwo zu seiner Rechten nieste jemand, ein Schwarm kleiner Vögel flatterte aus dem Dach des dichten Waldes auf und flog aufgebracht zwitschernd davon.

Einige lange Sekunden hing nur dieses Geräusch in der stillen, feuchten Luft. Dann stießen die Franzosen Warnungen aus, rannten zu ihren Waffen. Shea riss dem Mädchen den Becher aus der Hand und drängte sie in eine Hütte, aus der Feuerlinie. Gleichzeitig gelang es ihm, Pulver in den Lauf seines Langgewehrs zu stopfen.

Quent grinste. Er hatte drei, vielleicht vier Sekunden Vorsprung beim Laden.

Der Wachposten hatte seinen Stein verlassen. Er warf den Becher beiseite und hob die Muskete an die Schulter.

Washington sprang auf. Quent verlor beim Laden kostbare Momente, um ihn wieder zu Boden zu reißen. Die Kugel der Muskete sirrte über ihre Köpfe hinweg und landete im Wald. Mittlerweile hatte Cormac Shea sein Gewehr geladen und hob es an die Schulter. Aber er feuerte nicht.

Quent saugte die Wangen ein und pfiff den kehligen, aus drei Noten bestehenden Ruf des Seetauchers. Dann legte er an und feuerte. Aber nicht auf Shea, sondern auf einen französischen Soldaten auf der anderen Seite der Lichtung, dessen Finger gerade den Abzug seiner Muskete drücken wollte. Der Mann sackte zusammen, zuckte einmal und blieb dann reglos liegen.

Eine weitere Musketenkugel sauste aus dem Tal herauf. Wieder sprang Washington auf die Beine. Diesmal konnte er »Feuer!« rufen, bevor Quent ihn erneut zu Boden zerrte. Das Virginia-Regiment feuerte die erste Salve, ließ Kugeln in den Kessel hageln.

Eine Brown Bess hatte keine Kimme, zudem waren die Männer aus Virginia schlecht ausgebildet. Trotzdem, sie hatten den Vorteil des erhöhten Standorts. Eine Reihe Franzosen fiel. »Sagen Sie ihnen, sie sollen niedriger zielen, sonst schießen sie übers Ziel hinaus und machen nur Verletzte, keine Toten«, murmelte Quent. »Aber bleiben Sie liegen. Sie können doch auch im Liegen brüllen, oder?«

Washington zitterte vor Aufregung, selbst seine Stimme bebte. »Ja, freilich, aber ... aber ...«

»Kein Aber. Tun Sie's einfach.«

»Feuer!«, schrie Washington wieder, blieb diesmal aber liegen. »Niedrig zielen!«, fügte er hinzu, aber erst nachdem eine zweite Feuersalve auf das Tal niedergegangen war.

Oben auf der Anhöhe, wo die Männer aus Virginia standen, war der Lärm ohrenbetäubend. Quent wusste, dass das Gewehrfeuer dort unten hundert Mal lauter war, da es donnernd zwischen den beiden Hügeln widerhallte. Eine dicke, beißende Rauchwolke hatte sich über den Kessel gelegt. Kaum konnte er erkennen, wie viele Franzosen dem Musketenfeuer in die entgegengesetzte Richtung zu entkommen versuchten. Die Mühe konnten sie sich sparen. Tanaghrisson und seine Tapferen blockierten den einzigen anderen Ausgang aus dem Tal.

Quent spähte durch den Dunst, entdeckte aber nicht, was er suchte. Guter Gott. Wieder pfiff er den Ruf des Seetauchers. Nichts. Dann ein drittes Mal. Wenige Sekunden später hörte er zur Antwort dieselben drei Noten. Erleichtert atmete er auf.

Seit dem ersten Schuss waren vier, vielleicht fünf Minuten vergangen. Etwa ein Dutzend Franzosen lagen am Boden. Bei den Amerikanern, so hieß es, sei ein Mann gefallen, drei verletzt.

Aus dem Kessel unter ihnen hallte ein Schrei herauf. »Wir haben vertrauliche Nachrichten für Sie! Wird uns Schonung zugesichert?« Auf Englisch, wenn auch mit einem starken Akzent.

»Ja!«, rief Washington. »Stellt das Feuer ein, dann stellen wir unseres ein.« Nach einem Moment stand er auf und blickte zu Hale, der noch am Boden lag und in das französische Lager spähte. »Ich gehe hinunter. Ich möchte, dass Sie mitkommen.«

»Und ein paar Ihrer Soldaten auch, Oberstleutnant. Um die Gefangenen zu begleiten, rund zwanzig, würde ich sagen.«

»Natürlich.«

»Außerdem Montrose zum Übersetzen.«

Washington warf einen Blick über die Schulter. »Das wird kaum möglich sein. Er ist weit hinter uns. Pökelt seine Eingeweide mit Rum.«

»Der Glückspilz«, meinte Quent und erhob sich.

Acht Soldaten des Virginia-Regiments begleiteten sie in den Talkessel. Mit angelegten Waffen rutschten die Männer quer über den steilen Abhang hinab. Sobald sie die Talsohle erreichten, konnten sie das Blut riechen und was die Angst mit den Gedärmen einiger Franzosen angestellt hatte. Washington musste die Stimme erheben, um sich über das Stöhnen der Verletzten hinweg Gehör zu verschaffen. »Ich bin Oberstleutnant George Washington aus Virginia. Wer hat hier den Befehl?«

»*C'est moi.* Joseph Coulon de Villiers de Jumonville.«

Der Mann lag neben dem Steinblock, der noch vor wenigen Minuten dem einzelnen Wachposten als Sitzplatz gedient hatte. Er umklammerte die blutige Masse, zu der sein Oberschenkel zerfetzt worden war. »*Je regrette, Monsieur le Colonel, il m'est impossible de me mettre debout.*«

»Sprechen Sie Englisch, Sir?«

»*Je regrette encore,* Colonel Washington. Nur ein paar Worte. Nicht genug.« Jumonville wandte den Kopf zu der Gruppe französischer Soldaten, die mittlerweile von den Amerikanern entwaffnet worden waren und gerade in die entlegenste Ecke des Lagers getrieben wurden. »Sisson!« Er zischte den Namen, da er nicht die Kraft besaß zu rufen.

Ein Franzose, in Zivil gekleidet, murmelte einem der amerikanischen Soldaten etwas zu und trat aus der Reihe der Gefangenen. »Ich bin Henri Sisson, Monsieur le Colonel Washington. Ich bin der offizielle Dolmetscher dieses Trupps.« Er näherte sich den beiden Amerikanern und dem verwundeten Jumonville und verbeugte sich steif. Washington verbeugte sich ebenfalls. Jumonville sagte kurz etwas auf Französisch. Sisson übersetzte. »Mein Kommandeur hat einige Briefe für Sie bei sich. Er wünscht, dass ich sie Ihnen überreiche. Gestatten Sie?«

Washington nickte. Quent spannte sein Gewehr. Sisson kniete sich neben den Verwundeten, griff in eine Innentasche des Rocks, den der Franzose trug, und zog einen Stapel Briefe hervor, den er Washington reichte. »Für Sie, Monsieur le Colonel.«

Washington nahm sie entgegen und öffnete den obersten. »Das ist auf Französisch. Ich bin nicht sicher, ob ich alles richtig verstehe. Hale, Sie sprechen doch Französisch, oder?«

»Etwas. Vermutlich lese ich es nicht besser als Sie.«

Offenbar merkte Jumonville, worum sich das Gespräch drehte. Er sagte etwas zu Sisson, allerdings mit so schwacher Stimme, dass der Dolmetscher sich tief über ihn beugen musste. »Mein Kommandeur wünscht, dass ich Ihnen sage, der Inhalt dieser ehrenwerten Briefe besteht darin, dass es sich hier um französisches Gebiet handelt, und uns ist zu Ohren gekommen, dass Sie an der Stelle der Flussmündung, die als die Forks bekannt ist, ein Fort errichten, auf der Ebene, die Great Meadows genannt wird.«

Wieder sprach Jumonville, wenn auch mit großer Mühe. Blut schoss aus der Wunde zwischen seinen Fingern hervor.

»Es ist die Pflicht meines Kommandeurs, Sie davon in Kenntnis zu setzen, dass Seine Majestät Louis XV. Ihnen untersagt, dieses Fort weiterzubauen.« Sisson sprach rasch, womit er die Dringlichkeit des Verwundeten unterstrich.

Washington setzte zu einer empörten Antwort an. Quent fiel ihm ins Wort und wandte sich direkt an Sisson. »Sagen Sie ihm, dass ich ihm einen Druckverband anlegen kann, um die Blutung zu stoppen. Dann lebt er noch lange genug, um das Gespräch fortzusetzen.«

Sisson übersetzte und beugte sich dann wieder vor, um die geflüsterte Antwort zu verstehen. »Mein Kommandeur sagt, er wäre Ihnen zu Dank verpflichtet, Monsieur.«

Quent sah zu Washington, der zustimmend nickte, dann kniete er sich neben den verwundeten französischen Leutnant. »Für den Verband muss ich Ihren Rock zerreißen. Außer« – er sah zu Sisson – »das junge Mädchen, das ich vorhin bemerkte, würde einen ihrer Unterröcke für den Zweck beisteuern.«

»Mademoiselle Nicole ist …«

»Ist hier, Messieurs. Und steht Ihnen zur Verfügung.«

Sehr zierlich, das ja, aber älter, als er zunächst angenommen hatte – achtzehn oder neunzehn. Unter ihrer Haube lugten ein paar dunkle Locken hervor, dazu Augen in der Farbe von Veilchen und eine Haut wie Sahne. Cormac Shea trat vor, sobald sie sich bewegte, das entging Quent nicht; und er sah auch, dass Shea nicht mehr sein Langgewehr bei sich hatte. Einer der Soldaten aus Virginia hatte es ihm abgenommen, wie allen Franzosen. Warum hat Corm Shea zugelassen, dass ein Grünschnabel, der noch nicht trocken hinter den Ohren war, ihn entwaffnete? Weil er den Schlachtplatz nicht verlassen wollte, natürlich. Ebenso wenig wie die Seite des zauberhaften Geschöpfs, das Sisson Mademoiselle Nicole genannt hatte. Quent schaute von ihr zu ihrem Begleiter. Einen kurzen Moment erwiderte Cormac seinen Blick. Dann sahen beide wieder beiseite.

Doch keiner der Männer sah beiseite, als sich Nicole ihres Unterrocks entledigte. Was ihnen aber auch nichts nützte: Mit dem Rücken zu ihnen gewandt, zog sie ihn aus, ohne auch nur den Ansatz eines Knöchels zu entblößen. Dann riss sie einen spitzenverzierten Streifen vom Saum und reichte ihn Quent. Der Stoff war noch warm. »Genügt das für Ihren Zweck?«

»Aufs Beste, Mademoiselle.« Die blassblauen Augen wanderten an ihr auf und ab und versuchten gar nicht, seine Bewunderung zu verhehlen. Dann wandte Quent sich dem Verletzten zu.

Jumonville versuchte noch immer, den Blutstrom mit den Händen einzudämmen. Sanft schob Quent die Finger beiseite, legte den Druckverband an und steckte einen starken, kurzen Zweig in den Knoten, um ihn wirklich festzuziehen. Mittlerweile herrschte volles Tageslicht, der Rauch der kurzen Schlacht hatte sich nahezu vollständig verzogen. Aber die aufgehende Sonne, die auf seinen Nacken schien, barg nichts Gutes, ebenso wenig wie der mühelose Sieg. Den Grund für diese Vorahnung aber konnte er nicht benennen.

Noch während er den Verband enger zog, hob er den Kopf. Jetzt konnte er das andere Ende des Talkessels ausmachen, wo Tanaghrisson mit seinem Dutzend Männer wartete. Guter Gott, irgendetwas stimmte nicht. Er konnte ihren Hass förmlich riechen, ihre Ungeduld.

Der Druckverband erfüllte seinen Zweck. Kein Blut schoss mehr aus Jumonvilles Oberschenkel. Quent richtete sich auf, und ohne den Kopf zu bewegen, sah er von den Indianern zu Cormac Shea, der nach wie vor neben der Frau stand. Quents Blick fiel auf die entstellende Narbe, eine weiße, gezackte Linie, die auf Cormac Sheas gebräunter Haut wie eine Kriegsbemalung wirkte. Sie verlief von der Stirn bis zum Kinn. Quent fühlte wieder, wie er seinen Dolch packte und wie ihm heißes Blut über die Finger rann. Jungen waren sie damals gewesen, beide gefangen im Hass eines Mannes. Zwanzig Jahre, und er spürte den Zorn noch immer. Die Blicke der beiden begegneten sich erneut, vielleicht eine Sekunde sahen sie sich in die Augen.

Dann wandte Quent sich an Washington. »Gehen wir da hinüber.« Er deutete auf die von den Indianern entfernteste Stelle im Talkessel. »Wir sehen uns Ihren Brief etwas genauer an.« Sie ließen Jumonville zurück und näherten sich den Virginia-Soldaten und den einundzwanzig Gefangenen, die dicht gedrängt beisammen standen.

Nicole machte sich daran, ihren Unterrock weiter in Streifen zu reißen, die als Verbände dienen könnten.

Shea fasste sie am Arm und zog sie zu Hale und Washington. »*Pas maintenant*«, sagte er leise.

»*Mais c'est nécessaire.* Ich möchte den anderen helfen.«

»*Pas maintenant*«, wiederholte Shea dringlicher und packte sie fester am Arm. Nicole folgte ihm, ihr blieb keine andere Wahl.

Washington studierte den Brief. Als Shea und die junge Frau auf ihn zukamen, blickte er auf. »Vielleicht können Sie uns helfen, Mademoiselle. Ich vermute, dass Sie fließend Französisch und auch

Englisch sprechen. Dieses Wort« – er deutete mit einem langen Finger auf die Seite –, »meiner Ansicht nach bedeutet es ›verteidigen‹, und Mr. Sisson sagt dasselbe, aber Hale meint …«

Er brachte den Satz nicht zu Ende. Ein Schrei ertönte, der allen das Blut in den Adern gefrieren ließ. Tanaghrisson und seine Mingo-Tapferen stürmten brüllend in die Mitte des Kessels, ihre Tomahawks über die Köpfe schwingend.

Nicole schrie auf. »Nein! Das kann nicht … Was machen die da?«

»Genau das, was Sie von Schlangen zu erwarten haben«, antwortete Quent leise.

Tanaghrisson und seine Tapferen schlachteten die Verwundeten systematisch ab, drehten sie auf den Bauch, zogen einen raschen Schnitt über den Nacken von Ohr zu Ohr und skalpierten sie. Von den französischen Soldaten erhob sich wütendes Protestgeschrei. Quent schwieg, ebenso wie Cormac. Washington führte das Kommando, es lag an ihm, die Franzosen vor den Mingo zu schützen.

Der junge Oberstleutnant öffnete den Mund, doch kein Ton kam heraus. Halb hob er eine Hand, dann ließ er sie wieder sinken. Die wütenden Irokesen hielten den Talkessel und alle, die sich dort befanden, mit ihrem Blutrausch in Bann.

Keine zwei Minuten dauerte es, so schätzte Quent, bis sie die hilflosen französischen Verwundeten abgeschlachtet und skalpiert hatten. Alle, bis auf Jumonville.

Tanaghrissons bloße tätowierte Brust war mit Blutklumpen und Knochensplittern bespritzt. Einen Augenblick blieb er im sonnenbeschienenen Talkessel stehen und hob das Gesicht zum Himmel, dann ging er zu dem französischen Kommandanten, kniete sich neben ihn und hob den Tomahawk. »*Tu n'es pas encore mort, mon Père.*« Der Tomahawk sauste herab und zertrümmerte Jumonville die Schädeldecke. Tanaghrisson tauchte beide Hände in die graue Gehirnmasse und zog sie heraus. Schließlich erhob er sich und rieb sich vor aller Augen die Hände, wusch sie im Gehirn des Franzosen.

Dann setzte wieder das Geheul ein. Die Mordlust der Mingo war noch nicht gestillt. Ein Tapferer hieb den Rest von Jumonvilles Kopf ab und spießte ihn auf einen Pfahl. Die anderen begannen, die Toten zu zerstückeln.

Wie erstarrt verfolgten die französischen und amerikanischen Soldaten das Gemetzel. Noch immer kam kein Wort von Washington. Quent blickte sich nach dem Mädchen um. Sie hatte sich abgewandt und übergab sich in den Büschen. Ein kurzer Blick zu Cormac, der näher zu Nicole trat. Quent machte ein paar Schritte nach links, stellte sich zwischen das unbewaffnete Paar und die Kolonialsoldaten.

Cormacs Langgewehr hing dem Jungen, der es ihm abgenommen hatte, über der Schulter. Im Anschlag hielt er seine Muskete, wartete auf den Befehl zu feuern und das Blutbad, das vor seinen Augen stattfand, zu beenden. Doch Washington stand noch immer reglos wie eine Statue da und schwieg.

Quent griff nach seinem kleinen Dolch und trat noch näher zu dem Milizionär. Mit einem raschen Schnitt der scharfen Klinge war der lederne Trageriemen durchtrennt. Quent griff nach der Waffe, bevor sie zu Boden fiel, und warf sie zu Cormac hinüber, der sie mit einer Hand auffing. Der junge Soldat spürte, dass ihm das kostbare Gewehr nicht mehr über der Schulter hing, und drehte den Kopf. »Was ...«

»Tu du deine Pflicht, Junge«, sagte Quent streng. »Oberstleutnant Washington, sollten Sie nicht ...«

»Ja, natürlich ...« Den Befehlshaber des Virginia-Regiments durchlief ein Schauer, als sei er verhext und würde gerade erst den Bann abschütteln. »Aufhören!«, brüllte er. »Sonst feuern wir!«

Tanaghrisson blickte auf und sah die acht Musketen, die auf ihn und seine Tapferen gerichtet waren. Er hob die Hand. Sofort ließen die Indianer von den Toten ab und wichen zurück. Zielstrebig schritten die Soldaten vor, als wäre es noch nicht zu spät, dem Morden Einhalt zu gebieten.

Währenddessen glitten die beiden Waldläufer lautlos in den Wald, Nicole in ihrer Mitte. Als die junge Frau das erste Mal stolperte, hob Quent sie auf und legte sie sich über die Schulter. Dann verfielen er und Cormac in den Laufschritt.

Zehn Minuten später hielten sie auf einer Lichtung an. Quent setzte die junge Frau auf den Boden und wandte sich wortlos ab. Die beiden Männer gingen aufeinander zu, umfingen jeweils die linke Hand des anderen und hielten sie hoch in die Luft. »*Nekané*«, sagte Quent. Das bedeutete in der Sprache der Potawatomi so viel wie »kleiner Bruder«.

»*Sizé*«, sagte Cormac. Älterer Bruder. »*Ahaw nikan.*« Mein Geist grüßt dich.

»*Bozho nikan.*« Und der meine dich.

Benommen und zitternd von dem eben erlebten Grauen, stand Nicole dort, wo Quent sie abgesetzt hatte, und verstand nicht das Geringste.

3

Das Ohio Country bestand vorwiegend aus dichtem Urwald, Nadel- ebenso wie Laubbäumen, doch die Lichtung lag auf einer kleinen Anhöhe, wo die Bäume weniger gedrängt standen und etwas Sonnenschein auf den Waldboden fiel. Quent und Corm stillten ihren Durst mit dem eisigen Bachwasser, dann blieben sie inmitten von Gänseblümchen und Hahnenfuß stehen und ließen sich von der frühen Morgensonne den Schweiß trocknen. Nicole hatte sich mittlerweile auf den Boden gekauert, die Arme um die angezogenen Beine geschlungen, das Gesicht auf die Knie gelegt.

Quent nahm eine Blechflasche vom Gürtel und füllte sie mit Bachwasser, das er ihr brachte. Sie trank, ohne ihn anzusehen, und reichte ihm die Flasche wortlos zurück.

»Bist du verpflichtet, zu den Kolonialisten zurückzugehen?«, fragte Cormac.

»Nicht wirklich. Unsere Vereinbarung geht immer nur von einer Woche zur nächsten. Die Woche ist morgen vorbei. Außerdem hat Washington erreicht, weswegen er hergekommen ist. Er hat dem Gegner eine Warnung zukommen lassen. Er wird zu den Forks zurückkehren. Tanaghrisson gibt ihm sicher einen Tapferen mit, der ihm den Weg zeigt.«

»Ist Washington der Junge, der das Kommando hatte?«

»Ja.«

»Dem muss man wohl noch sehr viel mehr zeigen als nur den Weg.«

»Das ist sein erster Befehl. Muss noch ein bisschen dazulernen, aber ich glaube, das geht schnell. Das Ohio Country lässt einen schnell erwachsen werden.« Quent unterbrach sich und betrachtete Cormac genauer. »Ich hab gesagt, ich wäre nicht verpflichtet, zu ihm zurückzugehen. Das stimmt auch, es sei denn … Meinst du, dass Washington und seine Jungs auf dem Rückweg nach Great Meadows Ärger bekommen?«

»Ich wüsste von keinem Ärger«, antwortete Cormac. »Meines Wissens war die Sache genau das, wonach sie aussah – ein Einsatz, um herauszufinden, was bei den Forks vor sich geht, und auszurichten, dass das ein Ende haben muss.«

»Aber das ist nicht deine Sache? Du musst niemandem Bericht erstatten?«

Cormac grinste. »Ich bin nicht zur französischen Armee gegangen, wenn du das meinst. Ich habe mich verpflichtet, aber nicht ihnen gegenüber.«

Quent folgte Corms Blick. Er sah zu der Frau hinüber, die noch immer mit dem Kopf auf den Knien dasaß. »Eine Verpflichtung ihr gegenüber?«, fragte er.

»Nicht so, wie du meinst. Aber lassen wir das für den Augenblick. Ich erklär's dir später.«

Quent nickte zustimmend. »Gut. Nächste Frage: Was machst du hier?«

»Ich suche nach dir.«

»Das habe ich mir fast gedacht. Deswegen hab ich dich wissen lassen, dass ich in der Nähe bin.« Der Ruf des Seetauchers war seit ihrer Kindheit ihr persönliches Erkennungszeichen. »Aber das erklärt nicht, warum.«

»Weil Miss Lorene mich darum gebeten hat.«

Quent nickte. Die große Schande in Lorene Devrey Hales Leben hatte darin bestanden, dass ihr Mann seine Potawatomi-Squaw unter demselben Dach ins Bett nahm, unter dem auch seine Frau und seine Kinder lebten. Aber wie das Leben so spielt, waren Lorene und der Sohn der Squaw sich herzlich zugetan. Quent nahm sein Gewehr von der Schulter und polierte den Lauf mit dem Ärmel. »Schade, dass meine Mutter dich ganz umsonst auf die lange Reise geschickt hat. Ich habe John alles gesagt, was ich ihm zu sagen habe. Jedes weitere Gespräch ist überflüssig.«

»Ich wäre nicht gekommen, wenn's nur darum ging, Frieden zwischen dir und deinem Bruder zu stiften.«

»*Ahaw.*« Irgendwie war das Potawatomi-Wort für »ja« ausdrucksvoller als das englische. »Das wärst du schon. Du würdest alles tun, wenn meine Mutter dich darum bittet.«

Cormac schüttelte den Kopf. »John ist ein bösartiger Narr, und er ist auf dem besten Weg, Shadowbrook zu ruinieren. Ich finde, dass du zurückgehen und etwas dagegen unternehmen solltest. Aber das ist nicht der Grund, warum ich hier bin.«

Quent zuckte mit den Schultern. »Shadowbrook geht mich nichts mehr an. Das hat mein Vater klipp und klar gesagt – John ist der Ältere, alles geht an ihn. Das Haus, das Land.«

»Quent, hör mal ...«

Quent hielt mit dem Polieren inne und sah auf. Cormacs Ton hatte sich verändert. »Du willst doch was sagen. Nun spuck's schon aus.«

»Dein Vater wird bald sterben. Deswegen hat Miss Lorene mich gebeten, dich zu suchen. Nur noch ein paar Monate, vielleicht auch weniger. Sie bat mich, dir zu sagen, dass du danach mit ihrem Segen tun kannst, was du willst; aber wenn du deinen Vater sterben lässt, ohne dass ihr euren Streit beilegt, wird sie dir das nie verzeihen. Das würdest du dir auch selbst nie verzeihen. Das soll ich dir von ihr ausrichten.«

Nach diesen Worten fühlte Cormac sich wohler. Er ging in die Hocke und beschäftigte sich mit dem Riemen, den der Dolch durchtrennt hatte. Quent ging zum Rand der Lichtung und blickte in die Bäume. Ab und zu schaute Cormac zu seinem durchgestreckten Rücken hinüber.

Da, wo Quent stand, war der Schatten tiefer, und der Waldboden war von einem Meer nickender Sternhyazinthen bedeckt. Sternhyazinthen gab es in Shadowbrook nicht, es lag zu weit nördlich. Aber es gab unzählige andere Blumen. Shadowbrook war der schönste Fleck der ganzen Welt. Zumindest hatte er bislang keinen schöneren gesehen. Aber für ihn ging im Land der Seen immer noch der Geist Shoshanayas um. Im Ohio Country war er davon erlöst, konnte ein freier Mann sein. Und im Ohio Country war er kein Sklavenbesitzer.

»Das Land ist das Land von deinem Pa, aber gehören tut's keinem«, sagte Solomon der Fassmacher 1732 zu Quentin Hale, als der gerade neun Jahre alt war. Solomon war der Sohn eines Sklaven, den Quentins Großvater gekauft hatte. Er war immer im Besitz der Hales gewesen und verstand etwas von dem Unterschied zwischen Besitz und Eigentum. »Das Land, das gehört dem Allmächtigen. Du kannst viel von ihm lernen, davon hast du gar keine Ahnung. Noch nicht.«

Das Land, das als Hale-Gut bekannt war, hatte Quentins Großvater 1696 von König William und Königin Mary erhalten. Es bestand aus einem großen Stück der Wildnis im oberen Teil von New York, das dem niederen Hofbeamten aus der Stadt Lewes in Kent geschenkt worden war – nicht, weil er dem Adel angehörte oder die Krone ihm etwas schuldete, sondern, weil er als tollkühn genug galt, mit seiner jungen Frau dorthin zu ziehen.

Südlich davon lebten die niederländischen Familien mit Namen wie VanSlyke, de Vlackte und Schuyler, die sich am Rand von Nieuw Nederland niedergelassen hatten, bevor die Engländer das Land 1664 den Niederländern abnahmen. Die wilden Kahniankehaka, die zur Irokesen-Föderation gehörten und von den Europäern Mohawk genannt wurden, lebten westlich davon. Im Norden waren die verhassten Franzosen. Es kam den Briten gelegen, auf einige hunderttausend Morgen Wildnis einen Kolonisten zu setzen, der der englischen Krone, der englischen Sprache und den englischen Sitten verhaftet war.

Als schließlich Ephraim Hale – der auf dem Gut geboren wurde, das sein Vater Shadowbrook getauft hatte – den Besitz erbte, hatte die Neue Welt sie alle verändert. Engländer waren sie noch immer, sicher, und zweifellos König George II. treu ergeben. Doch im tiefsten Inneren waren sie das, wozu das Land ihrer Geburt sie gemacht hatte: Amerikaner, die Seite an Seite mit Menschen zu leben gewohnt waren, die völlig anders waren als sie, und die ihren eigenen Regeln folgten an einem Ort, an dem es ihnen an nichts zu mangeln brauchte.

Das Gut verfügte über immense Reichtümer, eingebettet zwischen den Bergen der Adirondacks im Westen und dem Hudson's River im Osten. Dazwischen lagen kleine Seen sowie einige, die so breit waren, dass ein Mann einen Tag brauchte, um sie im Ruderboot zu überqueren, und eine ganze Woche, um sie der Länge nach im Kanu abzufahren. Es gab mehr Laubbäume, als ein Dutzend Generationen für Feuer- und Bauholz fällen konnte. In den Bächen und Flüssen wimmelte es von Fischen, im Wald lebte jede nur erdenkliche Art von Wild. Die vielen Seen und der Fluss milderten das raue nördliche Klima. Zwischen ihnen waren die fruchtbare schwarze Erde des hügeligen Landes und weite Schwemmebenen, wo der Sommerweizen dicke Ähren bildete, wo Gerste, Roggen und Mais gediehen, ebenso wie der anspruchsvolle Hopfen, der zum Brauen von Bier nötig war.

An einer seiner vielen Grenzen verlief das Hale-Gut entlang dem großen See, den die Englisch Sprechenden »Bright Fish Water« nannten, »Helles Fischwasser«, eine Übersetzung des Namens, den das Volk des Großes Flusses dem Gewässer gegeben hatte. Die Europäer nannten dieses Volk Mahican, aber es war schon vor vielen Jahren großteils von den Kahniankehaka aufgerieben worden. Die Franzosen, die am anderen Ende des Bright Fish Water lebten, nannten den See Lac du St. Sacrement. An einer anderen Stelle folgte das Grundstück den Windungen eines Flusses, der von den Sturzbächen aus den Bergen genährt wurde und in den Hudson's River mündete, der von Albany südlich nach New York City floss.

Als Quent neun war, lag Shadowbrook ihm schon im Blut, er kannte den Rhythmus des Landes. Dann, an einem frostig weißen Dezembertag, als er mit Solomon dem Fassmacher am Fuß des Tenant Mountain stand, bei der Schlucht Swallows Children – die englische Übersetzung des Indianernamens Schwalbenkinder –, und hörte, dass er noch nicht alles wusste, was Shadowbrook ihn lehren konnte, sah er zum ersten Mal in seinem jungen Leben etwas, das er weder erwartet hatte noch verstehen konnte.

Quents Vater tauchte aus dem Schatten der schneebeladenen Nadelbäume auf, die die Schlucht säumten, jene tückische keilförmige Kluft im Land, trügerisch schmal am oberen Rand und ein rauschender unterirdischer Fluss in der Tiefe. Ephraim Hale saß auf einem kräftigen braunen Wallach, hinter ihm eine Squaw. Sie hatte die Arme um seine Taille geschlungen, und bevor die beiden Berittenen bemerkten, dass Quent und Solomon sie beobachteten, schmiegte sie die Wange an seinen Rücken.

Sobald Ephraim seinen Sohn sah, hielt er das Pferd an. Er flüsterte der Frau etwas zu, und sie setzte sich auf. Das Pferd, das ihnen folgte – ein kleiner Grauschimmel –, blieb ebenfalls stehen. Quent achtete gar nicht darauf. Er war vollauf damit beschäftigt, die Squaw zu betrachten. Sie sah weder aus wie eine Kahniankehaka noch wie eine Mahican. Sie trug Beinkleider aus reinweißem Leder, fest mit weißen Lederriemen verschnürt. Auch der Rock ihres Überkleids war weiß, und die dicke Jacke, die ihren Oberkörper schützte, war aus einem glänzenden weißen Fell gearbeitet, während die Kapuze aus einem anderen weißen, langhaarigen Pelz bestand – womöglich Fuchs, nur hatte Quent noch nie einen weißen Fuchs gesehen.

»Das ist mein Jüngster, Quentin«, sagte Ephraim Hale. »Wird immer Quent genannt. Und der Nigger neben ihm ist mein Sklave. Der heißt Solomon der Fassmacher.«

Die Squaw schob ihre weiße Fellkapuze zurück, ihr schwarzer Zopf fiel ihr über die Schulter und glänzte in der Mittagssonne. Ihre Züge waren zart, ihre schwarzen Augen riesengroß. Sie sagte nichts, lächelte Quent aber zu, und dabei blitzten weiße Zähne in ihrem honigfarbenen Gesicht.

»Das ist Pohantis«, fuhr Ephraim fort. »Sie stammt aus einem Potawatomi-Dorf ein Stück im Nordwesten. Singender Schnee heißt es. Sie bleibt jetzt eine Weile bei uns.« Er wandte sich halb um und deutete auf den Grauschimmel. »Das ist ihr Sohn, Cormac Shea. Der bleibt auch bei uns. Er ist ein Jahr jünger als du. Ist noch nie hier gewesen, du kannst ihm also die Gegend zeigen.«

Da sah Quent zum ersten Mal zu dem Jungen hinüber. Er trug eine gewöhnliche Kniehose aus braunem Leder, genau wie

Quent. Auch das Fell, aus dem seine Jacke bestand – dunkelbraun wie die Haare und Augen des Jungen – war Quent bekannt. Wahrscheinlich Biber. Das Überraschende an ihm aber war seine Haut: weiß – wie sein Name. Quent spürte, dass sein Vater ihn beobachtete.

Solomon stupste ihn mit seiner großen Hand in den Rücken. Quent nickte dem fremden Jungen zu. Cormac drehte den Kopf und schaute zu seiner Mutter und Ephraim Hale.

»Ihr zwei solltet lernen, miteinander auszukommen«, sagte Ephraim. »Ihr werdet zusammen unterrichtet. Da ist es für alle leichter, wenn ihr euch vertragt.«

Diesen ersten Eindruck sollte Quent nie vergessen: Sein Vater mit einer Squaw, ganz in weiß gekleidet, an seinen Rücken geschmiegt, und ein weißer Junge mit einem englischen Namen, der ihr Sohn sein sollte. Und wie sein Vater leichthin sagte: »Und der Nigger neben ihm ist mein Sklave.« Es war das erste Mal, dass er das laut ausgesprochen hörte.

Einmal hatte er Solomon gefragt, wie es dazu kam, dass er jemandem gehörte wie ein Pferd oder ein Buch oder ein Ballen Tuch. »Weil ich gegen Geld gekauft worden bin, deshalb.«

»Aber du bist doch ein Mensch. Wie ich. Kann mein Vater mich auch verkaufen?«

»Das wird er nie zulassen. Du bist weiß. Weiße sind nie keine Sklaven nicht. Nur schwarze Nigger.«

»Warum?«

Solomon hobelte gerade die Längsseite einer Eichenplanke, die kürzlich vom Sägewerk auf Shadowbrook angeliefert worden war, saß rittlings auf seiner Werkbank, die schmale Planke über die Knie gelegt, während er mit dem Breitbeil vor und zurück fuhr, vor und zurück. Damit das Holz, wenn er es an die anderen Planken des Fasses fügte, glatt anlag; und nachdem er es mit Lederstreifen zusammengebunden und für einen Monat in Wasser gelegt hatte, würden diese Fuge und alle anderen zugequollen sein.

»Da gibt's kein Warum«, sagte er, ohne den gleichmäßigen Rhythmus seiner streichenden Bewegungen zu unterbrechen. »So isses eben. So steht's in der Bibel. ›Die Sklaven sind ihrem Herrn untertan.‹ Von 'nem Warum steht da nichts.«

Mit der Bibel kannte Quent sich aus.

Eine der Siedlungen auf dem Hale-Land hieß Do Good. In dem Dorf lebten rund ein Dutzend Familien, und es gab die kleine Kirche, eigentlich nicht mehr als eine Scheune, nur dass sie weiß gestrichen war, während die Scheunen gemeinhin ungeschützt dem Wetter ausgesetzt waren und verwitterten. Lorene Devrey Hale hielt nicht viel vom Gottesdienst in der Kirche von Do Good. Es gäbe keine Predigt, sagte sie. Keine Lesung aus der Bibel. Keine Musik. Keine Blumen, nicht einmal im Hochsommer, wenn sie überall blühten. Nur die Leute von Do Good, die dort saßen und fast nichts sagten, und wenn doch, dann komisches Zeug.

Quents Mutter hielt im Salon des großen Hauses jeden Sonntag ihren eigenen Gottesdienst ab. Und sie bestand darauf, dass alle sechsundzwanzig Sklaven ihres Mannes daran teilnahmen und natürlich auch ihre beiden Söhne. Meistens kamen auch die Pächter der Umgebung dazu, außerdem die Davidsons, die das Sägewerk leiteten, und die Frankels, die die Mühle betrieben und im Zuckerhaus destillierten. Manchmal nahm sogar ihr Mann daran teil. Aber ob Ephraim nun anwesend war oder nicht, es war stets Lorene, die aus der Bibel las.

»Das kann sie besser«, sagte Ephraim, als er einmal gefragt wurde, warum Lorene den Gottesdienst abhielt. Meistens sang er auch nicht mit, und er war der Einzige, dem das erlassen wurde. Bei allen anderen bestand Lorene darauf, dass sie laut mitsangen, während sie sie auf dem Hackbrett begleitete, und bevor Pohantis und ihr Sohn Cormac nach Shadowbrook kamen, schenkte Lorene nach dem Gottesdienst jedem ein Lächeln. Nach der Ankunft der Potawatomi und ihres Jungen wurde das Lächeln seltener.

Wenige Tage später hörte Quent seine Eltern darüber reden. Sie wussten nicht, dass er vor der halb geöffneten Tür des Zimmers stand, in dem sein Vater über seinen Büchern saß. »Ich bin versessen auf sie, deswegen. Es ist praktisch, sie in der Nähe zu haben.«

»Früher warst du auf mich versessen.«

»Das stimmt.«

»Aber nicht mehr seit …«

»Lorene, sie ist eine Squaw und eine Hure. Sie hat ihr Volk verlassen und ist mit einem verrückten Iren davongelaufen. Ist erst in ihr Dorf zurück, als er sich von den Huronen bei lebendigem Leib hat auffressen lassen. Sie hat nichts zu tun mit dir oder unserem Leben hier.«

»Wie kannst du das sagen? Du hast sie hergebracht. Sie lebt unter meinem Dach.«

»Ich entscheide, wer …«

»Wenn ich nicht gewesen wäre, hättest du das Land verloren! Jetzt wende dich nicht ab, Ephraim Hale! Du weißt, dass es stimmt. Ohne meine Mitgift …«

Quent hörte etwas knallen. Vielleicht eine Schublade, die zugeschlagen wurde. Vielleicht etwas anderes. Dann hörte er seine Mama weinen. Da bekam er es mit der Angst zu tun und rannte davon.

Am nächsten Tag brachte sein Vater Cormac in den Unterricht, den Lorene ihrem Jüngsten jeden Tag ein paar Stunden lang gab. Zufällig waren die beiden Frankel-Kinder – die achtjährige Ellie und ihr fünf Jahre alter Bruder Tim –, die manchmal auch zum Unterricht erschienen, nicht da. Es war das erste und einzige Mal, dass er seinen Vater das Klassenzimmer betreten sah.

Ephraim schob Pohantis' Sohn auf den Sitzplatz neben Quent. »Bring ihm auch was bei«, sagte Ephraim zu seiner Frau. »Er spricht ganz gut Englisch, muss aber noch was lernen. Und neben Lesen und Schreiben würde ein bisschen Erdkunde auch nicht schaden.«

Er hatte ihr stets den Wunsch abgeschlagen, die Sklavenkinder unterrichten zu dürfen. Sagte, das gehöre sich nicht. Und jetzt brachte er ihr ein Halbblut. »Warum?«

»Ich hab's versprochen.«

Lorene kniff die blauen Augen zusammen und nickte verbittert. »Nicht ihr. Wenn du ihr etwas versprochen hättest, wäre es dir egal. Du hast es dem Häuptling versprochen, stimmt's? Um sie zu kriegen.«

»Schlau«, sagte Ephraim leise. »Zu schlau für 'ne Frau. Schau zu, dass er was lernt.«

Und Cormac lernte, schnell sogar. Auch wenn es vieles gab, das er Quent beibringen konnte.

Ein paar Tage nachdem Cormac zum ersten Mal am Unterricht teilgenommen hatte, standen die beiden Jungen auf einem Hügel oberhalb des großen Hauses, um im Wald Reisig zu sammeln. Quent erspähte ein Kaninchen, das reglos dasaß, die Löffel hoch aufgerichtet, das Näschen zuckend, um eine mögliche Gefahr zu erschnuppern, bevor es sich in der beißend kalten Abenddämmerung ans Äsen machte. Aber das Kaninchen schnupperte in die verkehrte Richtung; den Menschengeruch nahm es nicht wahr.

Zwei Jahre zuvor hatte Quent den kleinen Dolch bekommen, von einem Schotten, der aussah wie ein Fass auf Beinen und mit einem Akzent sprach, den der Junge kaum verstand. Der Mann war gekommen, um Ephraim zu besuchen, und zwei Wochen lang erkundeten die beiden Männer zu Pferd und im Boot ganz Shadowbrook. Bevor der Schotte ins »alte Land«, wie er es nannte, zurückkehrte, schenkte er Quent einen Dolch, und seitdem übte er damit. Als er das Kaninchen sah, sauste das Messer in einem perfekten Bogen durch die Luft, fast zu schnell, um wahrgenommen zu werden. Die schmale Spitze landete im Nacken des Kaninchens und tötete es auf der Stelle. »*Tkap iwkshe*«, murmelte Cormac. Gut gemacht. Es war das erste Mal, dass er zu Quent etwas in der Algonkin-Sprache der Potawatomi sagte. Dieser verstand die Worte zwar nicht, wusste von ihrem Klang aber, dass sie freundlich gemeint waren.

Er sagte erst etwas, nachdem er die Beute geholt hatte, um sie zu Hause Küchen-Hannah zu geben, die sie häuten, säubern und braten würde. Sie hieß so in Unterscheidung zu Maisbesen-Hannah, die das große Haus sauber hielt und nichts mit der Küche zu tun hatte. Quent wusste, dass Namen wichtig waren – sie sagten etwas über ihren Träger aus. »Welchen Namen hast du bei den Indianern?«, fragte er, nachdem er dem Kaninchen den Hals aufgeschlitzt und es hatte ausbluten lassen, bevor er es in den Ledersack zu dem gesammelten Reisig legte.

»Ich hab keinen.«

»Warum nicht?«

»Mein Vater hat mir meinen Namen gegeben. Nach einem großen Krieger seines Volkes.«

»Ich dachte, die Klanmütter würden Kindern ihren Namen geben.«

»Nur bei den *Irinakhoiw*, den Schlangen. Nicht bei uns. Bei den Potawatomi sind die Männer stark. Sie werden nicht von den Frauen beherrscht.«

»Die Kahniankehaka sind keine Schlangen. Und sie sind auch stark.« Quent deutete mit dem Kopf auf die Hügel in der Ferne, wo das Land der Mohawk lag. »Die anderen *Haudenosaunee* nennen sie die Hüter der östlichen Tür.« Seit er sich erinnern konnte, lauschte er den Indianergeschichten, die Besucher in Shadowbrook erzählten.

»Nicht so stark wie wir«, widersprach Cormac. »Die Potawatomi sind das Volk vom Ort des Feuers. Und nichts ist stärker als Feuer.«

»Kahniankehaka heißt das Volk des Feuersteins. Feuerstein brennt nicht.«

»Feuer steht über allem. Es ist das Stärkste überhaupt. Wart's nur ab, das wirst du schon noch sehen.«

Später sollte er es tatsächlich sehen. Doch in dem Winter, in dem Pohantis und Cormac kamen und seine Welt veränderten, entdeckte Quent ein paar andere Wahrheiten. Etwa, wie bösartig sein Bruder John sein konnte.

John war siebzehn. In den acht Jahren, die zwischen den beiden Brüdern lagen, waren sechs andere Kinder zur Welt gekommen, aber keins hatte länger als ein paar Monate gelebt. Einmal hatte Quent Küchen-Hannah sagen hören, dass John genau das am wenigsten an seinem kleinen Bruder leiden mochte – dass er überlebt hatte. »John Hale, der hat sich doch dran gewöhnt, dass er geliebt wird, einfach weil er nicht gestorben ist. Hat nichts anderes tun müssen, um was Besonderes zu sein. Und dann ist der kleine Quentin dahergekommen und ist auch nicht gestorben, und das hat John Hale überhaupt nicht gepasst.«

Quent vermutete, dass sie Recht hatte, dachte aber nicht weiter darüber nach. John beachtete ihn kaum. Der Jüngere war etwas, womit er sich abfinden musste, wie mit den Fliegen im Frühling und den Mücken im Sommer und den Mäusen, die ins Haus kamen, sobald es kalt wurde. Quent versuchte, John auch nicht zu beachten, aber das war nicht immer möglich.

Do Good lag ganz im Norden des Lands von Shadowbrook, einige Stunden flussaufwärts vom großen Haus. Die Leute, die in Do Good lebten, nannten sich die Freunde. Alle anderen nannten sie Quäker, und es hieß, dass sie angesichts des Herrn zitterten. Vielleicht war das der Grund, warum sie in den Kolonien bekannt waren als die Leute, die am aufrechtesten Handel trieben.

Eben deswegen hatte Ephraim Hale ihnen erlaubt, sich auf seinem Land niederzulassen. Sie leiteten seinen Handelsposten und wickelten alle Geschäfte von Shadowbrook mit den Indianern ab. Die Kahniankehaka brachten Felle nach Do Good und tauschten sie gegen Metallwerkzeug und gewebtes Tuch und natürlich auch Bier und Schnaps. In regelmäßigen Abständen brachten die Quäker die Biber-, Otter-, Bären- und Robbenfelle zum Verkaufen nach New York City. Ephraim mischte sich nicht in die Geschäfte des Handelspostens in Do Good, doch zweifelte er keinen Augenblick daran, dass er die ihm zustehenden zwei Fünftel der Gewinne erhielt. So lautete ihre Vereinbarung, und wenn die Quäker ein Abkommen trafen – sie weigerten sich, einen Eid zu leisten, denn das würde bedeuten, sie würden jemals die Unwahrheit sagen –, hielten sie sich auch daran.

Im Februar schickte Ephraim seinen ältesten Sohn nach Do Good, um den Anteil abzuholen, der Shadowbrook zustand. »Nimm die beiden Kleinen mit.«

John hatte Cormac Sheas Namen noch nicht in den Mund genommen. »Beide?«, fragte er.

»Ja.«

»Warum?«

»Weil ich's dir sag.«

John warf einen raschen Blick die Treppe hinauf zu den beiden angrenzenden Zimmern, in denen seine Mutter und sein Vater schliefen, dann zu dem kleinen Raum neben der Küche, in dem die Potawatomi-Hure den Großteil des Tags verbrachte. »Vielleicht hat Mutter Lust auf eine Ausfahrt«, sagte er und sah seinem Vater in die Augen. »Soll ich sie fragen?«

Ungerührt hielt Ephraim dem Blick seines Ältesten stand. »Deine Mutter bleibt hier. Und wenn du auch hierbleiben willst, dann tu, was ich dir sage.«

Damit war die Sache erledigt. John nahm Quent und Cormac mit nach Do Good.

Der Handelsposten, aus gespaltenen Baumstämmen erbaut, war nicht nur das erste, sondern auch das größte Haus in der Siedlung. Die Häuser, in denen die Quäker wohnten, waren erst später errichtet worden, ebenso wie die beiden Scheunen am Anfang und Ende der Dorfstraße. Diese bestanden aus Holzplanken, die im Sägewerk von Shadowbrook hergestellt worden waren. Die Scheune gegenüber dem Handelsposten diente als Versammlungshaus der Freunde und war mit der weißen Tünche das Schmuckstück des Ortes, übertroffen vielleicht nur von dem weißen Schild, auf dem in schwarzen Lettern »Handelsposten Do Good« stand.

Als sie das Blockhaus betraten, stand Esther Snowberry hinter der langen Holztheke. Auf der Regalwand hinter ihr lagen Ballen von Köper, daneben stapelten sich Blechtassen, Keramikschüsseln und schwere metallene Bratpfannen auf drei kurzen Beinen, die man neben der Feuerstelle absetzen konnte. Ein Regal stand voll brauner Keramikkrüge mit Rum. Den destillierte Moses Frankel aus dem karibischen Zucker, der per Schiff zum Hafen von Shadowbrook weiter flussabwärts gebracht wurde. Sobald der Zucker entladen war, wurde der Schiffsrumpf mit Getreide, Gemüse und Fässern voll gepökeltem Schweinefleisch und Wild gefüllt, alles Erzeugnisse von Shadowbrook. Ohne diese Lebensmittel würden die Plantagenbesitzer auf Barbados mitsamt ihren Sklaven verhungern, denn auf der Insel wurde jeder Quadratzoll mit Zuckerrohr bebaut, dem König der Kulturpflanzen.

Auf der Theke lag ein Berg Felle – dicke, braune Biberhäute und einige grau-schwarze Robbenhäute. Esther begutachtete sie gerade, schaute aber auf, sobald die Hale-Brüder und Cormac Shea eintraten. »Willkommen, John Hale. Ich hoffe, bei dir und den Deinen im großen Haus steht alles zum Besten.«

»Es geht. Ich bin gekommen, um unseren Anteil abzuholen.«

»Natürlich. Das Geld ist beiseite gelegt. Aber zuerst musst du dich ans Feuer setzen und etwas Warmes trinken und essen. Und deine beiden jungen Begleiter ebenfalls.«

Auf der anderen Seite des Raums brannte ein großes Feuer, seitlich dazu standen rechts und links zwei lange Kiefernbänke mit hoher Rückenlehne, die die Zugluft abhielt, und dicke Sitzkissen obenauf, auf denen man sich ausruhen und die Wärme der Flammen genießen konnte. Außer Esther und den drei Neuankömmlingen befanden sich nur noch ein Indianer im Raum, der am Ende des langen Tresens eine Sammlung von Jagdmessern begutachtete, sowie ein kleines Mädchen, das genau wie Esther ein graues Kleid ohne jede Zierde trug – nicht einmal Knöpfe oder einen Kragen –, und dazu eine makellos weiße Haube ohne Rüschen.

Das Mädchen saß eifrig nähend am Feuer und tat, als würde sie die Besucher gar nicht bemerken. »Judith, geh und hol deinen Vater und Edward Taylor. Sag ihnen, dass John Hale gekommen ist, um den Anteil seines Vaters abzuholen. Und sag Prudence, sie soll Maiskuchen und heißen Apfelwein bringen.«

Quent beachtete die Kleine überhaupt nicht. Er blickte ins Dämmerlicht zu dem Tapferen hinüber, der sich über die Messer beugte. Die blaue Tätowierung auf seinem Rücken wies ihn als Kahniankehaka aus. Sein langes, schwarzes Haar fiel ihm offen über die Schultern. Quent wusste, wäre er auf dem Kriegspfad, würde er seinen Schädel kahl scheren und nur eine Locke stehen lassen, um seine Feinde herauszufordern, sie ihm zu nehmen. Er hatte viele Geschichten von furchtlosen Kahniankehaka-Kriegern gehört, die an der Seite der Engländer gegen die Franzosen gekämpft hatten. Das war vor seiner Geburt gewesen, in dem Krieg, den sein Vater den Queen-Ann-Krieg nannte, aber alle sagten, dass die Kahniankehaka in der Umgebung von Shadowbrook friedfertig waren. Wie dem auch sei, Quent wusste nicht, was passieren würde, wenn dieser Tapfere erfuhr, dass Cormac halb Potawatomi war. Corm hatte ihm erzählt, dass die Potawatomi die Erzfeinde der *Irinakhoiw* waren.

Offenbar überlegte John dasselbe. »Meinen kleinen Bruder Quentin kennst du, Esther. Der andere da ist ein Halbblut, halb Potawatomi. Es heißt, die Huronen hätten seinem Vater das Herz rausgeschnitten und gegessen, und offenbar waren sie zu satt, um sich den Balg auch noch vorzunehmen.«

Er sprach laut genug, dass der Tapfere ihn hören musste, doch der sah erst auf, als er schließlich eines der Messer ausgesucht hatte. Mit der Waffe in der Hand trat er näher. Cormac starrte ihn an und machte zwei Schritte, sodass er vor Quent und John zu stehen kam. Quents Blick schoss zwischen dem Mohawk und Cormac Shea hin und her; der Junge reichte dem Indianer kaum bis zur Schulter. Quent trat ebenfalls einen Schritt auf Corm zu. Nur für den Fall. John blieb stehen und lachte leise.

Der Tapfere achtete gar nicht auf die Kinder. »Das Messer«, sagte er und zeigte es Esther Snowberry. »Und das Tuch, das du abgemessen hast. Und zwei Krüge.«

Esther runzelte ein wenig die Stirn, nahm aber zwei Krüge Rum vom Regal und stellte sie neben das Tuch und das Messer auf die Theke. Die Quäker enthielten sich des Alkoholgenusses, wie sie sich jedes anderen Genusses enthielten, doch eine der Bedingungen, sich auf Ephraim Hales Land niederlassen zu dürfen, war gewesen, dass sie im Handelsposten den Rum von Shadowbrook verkauften. Andernfalls würden kaum Indianer zum Handeln kommen. »Damit bist du für deine Felle bezahlt«, sagte Esther und deutete mit dem Kopf auf den Berg Pelze neben sich. »Bist du einverstanden?«

Der Indianer nickte und nahm seine Waren an sich. Auf dem Weg zur Tür sagte er leise, ohne einen einzigen direkten Blick zu den beiden Jungen zu werfen, die nebeneinander standen: »Die Herzen von denen, die sich hinter Squaws und Kindern verstecken, sind nicht wert, gegessen zu werden. Die Kahniankehaka würden sie den Hunden vorwerfen.«

Kaum hatte sich die Tür hinter dem Tapferen geschlossen, ging sie wieder auf. Esthers Ehemann trat ein, gefolgt von zwei Männern. »Sei willkommen, John Hale«, sagte Martin Snowberry. »Du kennst Edward Taylor.« Martin deutete mit dem Kopf auf seinen Nachbarn in Do Good, dann schaute er zu dem dritten Mann. »Das ist ein weiterer Gast. Daniel Willis, der aus Rhode Island zu uns gekommen ist.«

Die Männer setzten sich ans Feuer. Prudence erschien mit einem Korb voll warmer Maiskuchen in der einen und einem Krug mit süßem Apfelmost in der anderen Hand; der Wein dampfte, als sie ihn in kleine Keramikschalen goss. Zuerst servierte die Schwarze den Männern, dann Quent und Cormac und schließlich der kleinen Judith. Esther lehnte den angebotenen Imbiss mit einem Kopfschütteln ab und verschnürte stattdessen die Felle zu einem ordentlichen Bündel.

Edward Taylor war in seiner Eigenschaft als Verwalter der Gemeinschaftskasse von Do Good gerufen worden. Er reichte John einen Beutel aus weichem Rehleder. »Da drin ist der Anteil deines Vaters an der letzten Reise nach New York City. Siebzehn Pfund und elf Shilling. Alles in guten Münzen. Louis d'ors, *daalder* und portugiesische Cruzados. Wenn du wünschst, darfst du es gern nachzählen.«

John nahm den Beutel und drückte ihn, sodass die Münzen leise klingelten. Er löste die Schnur, die den Beutel zusammenhielt, machte aber keine Anstalten, das Geld zu zählen.

»Was führt Sie nach Shadowbrook, Mr. Willis?«

»Du brauchst mich nicht Mister zu nennen, John Hale. Ich habe gehört, dass du nicht unseren Glauben teilst, aber du sollst wissen, dass es mich nach keinem Titel verlangt.«

»Also gut, dann eben Daniel. Die Frage bleibt dieselbe. Was bringt Sie mitten im Winter von Rhode Island nach Shadowbrook? Es kann keine einfache Reise gewesen sein.«

»Einfach genug, da sie ein sicheres Ende fand. Ich komme auf Drängen des Inneren Lichts, John Hale. Um eine Botschaft zu bringen.«

»Ach, welche Botschaft denn?«

»Dass es an der Zeit ist, damit aufzuhören, andere Geschöpfe zu kaufen und zu verkaufen.«

John blickte zu dem Berg Felle auf der Theke, für den der Mohawk im Tausch Rum, ein Messer und ein Stück Tuch erhalten hatte. »Ihnen tun die Robben und Biber Leid, Daniel? Die Viecher würden überhand nehmen, wenn wir sie nicht erlegen würden.«

»Ich spreche nicht von Tieren, John Hale, sondern von Menschen. Von Negern wie Prudence.«

Quent sah zu der Schwarzen hinüber. Sie stand reglos da und starrte vor sich hin. Als hörte sie gar nicht, was gesagt wurde. »Und was sagst du dazu, Prudence?«, sagte John. »Findest du, dass man gerecht mit dir umgeht?«

Prudence gab keine Antwort.

»Wenn du willst, darfst du gerne deine Meinung kundtun«, sagte Martin Snowberry ruhig. »Es würde mich freuen, sie zu hören.«

»Hier gibt's niemand, wo schlecht zu mir ist.« Prudence hielt nach wie vor den Blick gesenkt, beschäftigt damit, die Maiskuchen wieder in den Korb zu packen.

»Aber du wirst für deine Arbeit nicht bezahlt«, wandte Daniel Willis ein. »Du bekommst keinen Lohn für deinen Schweiß. In der Bibel steht, dass, wer arbeitet, ein Recht auf seinen Lohn hat.«

Verwundert blickte Esther zu Prudence und dann zu Daniel Willis. »In seinem Brief an die Kolosser schreibt Paulus, dass man seine Sklaven gerecht behandeln muss. Würde er das sagen, wenn es gegen das Gebot Gottes wäre, sie zu besitzen?«

»Glaubst du nicht, dass das Innere Licht mehr Gewicht hat als jedes geschriebene Wort, Esther?«

»Natürlich glaube ich das. Aber wir haben Prudence von einem Mann gekauft, der sie regelmäßig auspeitschte. Hier wird sie von niemandem ausgepeitscht. Sie bekommt gute Kleidung, ein Bett und zu essen. Du musst doch zustimmen, dass wir gut daran taten, sie von einem Herrn zu kaufen, der sie so schändlich behandelte.«

Daniel Willis schüttelte den Kopf. »Man kann einen Menschen nicht kaufen.«

»Das würde das Parlament und den König aber sehr überraschen«, wandte John ein. Die Provinz New York war die einzige englische Kolonie, über die ein direkt in London ernannter königlicher Gouverneur herrschte. Alle anderen hatten das Recht auf Selbstbestimmung. Nördlich von Virginia wurden in keiner Kolonie so viele Sklaven gekauft, verkauft oder besessen wie in New York, doch alle – ob im Norden oder Süden – waren aus finanziellen Gründen auf den Sklavenhandel angewiesen. »Und ich glaube auch nicht, dass die Kaufleute von Rhode Island sich über diese Botschaft freuen.«

»Sklaverei entspricht nicht dem Willen Gottes«, wiederholte Daniel Willis. »Man darf seine Mitmenschen nicht kaufen oder verkaufen und auch nicht erwarten, dass sie ohne angemessene Bezahlung für einen arbeiten.«

John erhob sich. »Vielleicht nicht andere Weiße. Aber Nigger und Indianer sind was anderes. Und ein Halbblut natürlich auch.« John setzte seinen Dreispitz auf.

Beim Hinausgehen drehte er sich um und reichte Cormac den Lederbeutel mit den Münzen. »Trag du den nach Hause. Kannst dich ein bisschen nützlich machen.«

Als sie im großen Haus ankamen, enthielt der Beutel nur sechzehn Pfund und fünf Shilling. Es fehlten ein Pfund und sechs Shilling von der Summe, die Ephraim Hale laut Edward Taylor zustand.

Quent wusste sofort, dass sein Bruder das Geld herausgenommen hatte, bevor er Cormac den Beutel gab. Das versuchte er, seinem Vater zu sagen, doch Ephraim hörte gar nicht auf ihn. Und John lachte nur, als Quent ihn darauf ansprach. Seine Mutter war seine letzte Rettung.

Quent fand sie in dem kleinen Zimmer, in dem die Wäsche aufbewahrt wurde. Es lag direkt neben dem Holzschuppen, in den Ephraim mit Cormac gegangen war.

»Cormac war's nicht«, stieß er hervor. »Er hat Vaters Geld nicht geklaut. Das war John. Er hat Corm den Beutel zum Tragen gegeben, nur um ihm Schwierigkeiten zu machen.«

Lorene stand mit dem Rücken zu ihm und drückte sich einen Stapel sorgsam gefalteter Küchentücher ans Gesicht.

»Mama, hörst du mich? Bitte, Mama, du musst ...«

»Ist ja gut, Quent. Ich höre dich.« Lorene wandte sich um und legte den Wäschestapel auf den Tisch. Sie atmete schwer, ihre Wangen waren gerötet, und diese Röte zog sich über den Hals hinab zur Haut oberhalb ihrer Brüste.

Beide hörten das Zischen, mit dem Ephraims Streichriemen durch die Luft sauste und dann auf Fleisch landete. Quent zuckte zusammen. »Mama, er war's nicht. Das war John.«

»Sag's deinem Vater.«

»Das habe ich doch versucht. Er hat gar nicht zugehört.«

Sie schüttelte den Kopf. »Dein Vater ist ... Ich kann ihm nichts sagen, Quentin. Es tut mir Leid. Ich ... Jetzt geh, Kind. Ich habe zu tun.«

Soweit Quent das sehen konnte, hatte sie nichts anderes zu tun, als ein Küchentuch zu falten und wieder aufzufalten, immer und immer wieder. Ihre Augen glänzten merkwürdig. Das Zischen des Streichriemens aus dem Nebenzimmer war deutlich zu hören, aber Lorene scheuchte ihren Sohn einfach fort, während sie mit seltsam glänzenden Augen auf einen Punkt in der Ferne starrte.

»Er hat gewusst, dass nicht du es warst, sondern John«, sagte Quent später zu Corm. »Deswegen hast du nur sechs Schläge bekommen.«

»Wenn er wusste, dass ich's nicht war, dann war es verkehrt, mich überhaupt zu schlagen«, widersprach Cormac.

Quent gab ihm zwar Recht, wusste aber nicht, wie er dem Jüngeren Ephraims Verhalten erklären sollte, also ließ er es bleiben.

Am nächsten Tag wurde John zu einem Verwandten nach Philadelphia geschickt, wo er ein Jahr bleiben und etwas über das Druckereigewerbe lernen sollte, denn Ephraim meinte, vielleicht wolle er eines Tages eine Druckerei eröffnen.

Im April erschienen vier Potawatomi-Tapfere. Sie kamen nicht ins Haus, blieben einfach am Rand der langen Auffahrt stehen, die von der Haustür zur Anlegestelle führte, und warteten. »Sie kommen, um Cormac abzuholen«, sagte Ephraim.

»Nicht sie?«, fragte Lorene mit seltsam flacher, unnatürlicher Stimme.

»Nicht sie«, bestätigte Ephraim. »Sie bleibt. Cormac verbringt den Winter bei uns und lernt, wie ein Weißer zu leben. Den Sommer über ist er in Singender Schnee und lernt, wie ein Roter zu leben.« Ephraim zuckte mit den Schultern. »Sie wollen, dass er sich in beiden Welten bewegen kann, sagte der Sachem. Damit er später für die Potawatomi mit den Europäern reden kann.«

»Sie bleibt«, sagte Lorene. Als hätte sie kein anderes Wort ihres Mannes gehört.

»Ja, sie bleibt.« Er fuhr ihr mit einem Finger über die Wange und lächelte. »Es braucht unsere … unsere gemeinsamen Interessen nicht im Geringsten zu beeinträchtigen.« Dann, als wäre ihm der Gedanke soeben erst gekommen, wiederholte er: »Nicht im Geringsten.«

Ephraim Hale verließ das Haus, ging zu den Indianern und redete eine Weile mit ihnen. Eine Stunde später zogen sie mit Cormac wieder von dannen, und Quent nahmen sie ebenfalls mit.

Als Quent in der Lichtung im Ohio Country stand, dachte er an den Tag in Do Good zurück. Er wusste nicht, zu welcher Entscheidung die Quäker hinsichtlich der Sklaven gekommen waren, doch je älter er war, desto mehr wurde ihm bewusst, wie sehr er das System verabscheute. Und was er vielleicht am meisten verabscheute, war, dass die Sklaven, die er kannte, sich einfügten, das System für richtig hielten, tatsächlich glaubten, dass ein anderer Mensch sie besaß und dass das der Ordnung der Dinge entsprach.

Nein, was er am meisten verabscheute – was ihn vor zwei Jahren schließlich endgültig vertrieben hatte –, war, dass John die Sache auf die Spitze trieb. Er schob die sinkenden Gewinne auf die Sklaven und behandelte sie wie Tiere. Schlimmer noch. Nicht einmal John war dumm genug, seine Pferde auf halbe Verpflegung zu setzen. Aber er war so dumm – oder so bösartig –, zu übersehen, dass nicht das geringere Angebot Shadowbrook in finanzielle Schwierigkeiten brachte, sondern die geringere Nachfrage. Es war der billige Weizen aus Pennsylvania, der das höherwertige New Yorker Getreide vom Markt verdrängte, und nicht mangelnder Einsatz auf Seiten der Sklaven.

Quent ging zurück zu Corm, der am Boden hockte und die Kimme seines Langgewehrs überprüfte. »Mein Vater ist seit Jahren gebrechlich. Ich kann mich nicht erinnern, wann er das letzte Mal nicht am Stock ging. Aber er war immer zu streitsüchtig, um zu sterben. Weshalb glaubt meine Mutter, dass es diesmal anders ist?«

Cormac stand auf und zog prüfend am Tragriemen des Langgewehrs, den er geflickt hatte. »Nur gut, dass dein Dolch so scharf ist. Du hast es mit einem glatten Schnitt durchgetrennt. War nicht schwer zu richten.«

Quent betrachtete die entstellende Narbe und fühlte wieder das vertraute Schuldgefühl. Nach zwanzig Jahren war der Schmerz um keinen Deut geringer geworden. Obwohl Corm ihm wenig später das Kalumet angeboten und die beiden Jungen es feierlich, jedes Ritual beachtend, geraucht hatten. Der Kampf war vorbei, vergessen und vergeben. Quent zwang sich, die Narbe nicht zu beachten. Alles andere wäre ein Vergehen gegen das Kalumet. »Sag mir, warum meine Mutter glaubt, dass der alte Schuft wirklich stirbt.«

»Dein Onkel Caleb Devrey, der Bruder von Miss Lorene, ist Arzt, und der ist gekommen und hat's gesagt.«

»Eigens aus New York City ist er gekommen?«

»Ja. Er sagte …«

Ein grauenvolles Klagen ertönte. Nicole wiegte sich vor und zurück und gab dabei einen Ton von sich, der so voller Trauer und Elend war, dass er durch Mark und Bein fuhr wie das Kratzen eines Steins auf Glas.

Cormac wirbelte herum. »*Est-ce que vous êtes folle? Silence!*«

Das Mädchen hörte nicht auf zu wimmern. »Wer ist sie?«, fragte Quent. »Warum bist du ihr gegenüber verpflichtet?«

»Das ist eine lange Geschichte. Ich hab dir schon gesagt, ich erklär's dir später. Hör, wegen deines Vaters, du musst …«

Quent marschierte zielstrebig auf Nicole zu. »Seien Sie still! Wir sind mitten im Irokesenland.«

Ihr Schreien schwoll an, sie sah ihn an, als sei er gar nicht vorhanden. Mit einem Blick wurde Quent klar, dass sie vor einem schauerlichen Abgrund stand, der nur in ihrem eigenen Kopf existierte.

Er hob sie auf. Wie leblos überließ sie sich seinen Armen, die Hände über dem Herzen gefaltet, den Mund geöffnet, und noch immer drang das schreckliche Geräusch über ihre Lippen. Quent trug sie zum Bach und watete hinein, dann ließ er sie fallen. Mit dem Gesäß voran tauchte sie ihrem zarten Körperbau zum Trotz mit einem lauten Platschen unter.

Sogar um diese Jahreszeit war das Wasser eisig durch die Schneeschmelze in den hohen Bergen im Osten. Nicole begann zu strampeln, schlug mit den Fäusten auf das Wasser, versuchte aufzustehen, doch ihre Füße rutschten auf den schlüpfrigen, unebenen Felsen des Bachbetts aus. Quent sah ihr zu, ohne ihr zu helfen. Endlich gelang es ihr, sich aufzurichten. Sie war von Kopf bis Fuß durchnässt, und ihr Kleid, das bei der Flucht durch den Wald zerfetzt und beschmutzt worden war, klebte an den üppigen Rundungen ihres zarten Körpers. »Sie sind verrückt! *Un idiot!*«

»Ich hab Ihnen doch gesagt, wir befinden uns auf Irokesenland. Sie haben so geschrien, dass jeder blinde und taube Alte uns finden konnte, ganz zu schweigen von ein paar blutrünstigen Tapferen.«

Sie zuckte zusammen. »Die Indianer dort in dem Tal – suchen sie nach uns?«

»Das glaube ich nicht. Die haben keinen Grund, uns umzubringen, aber allen Grund, uns am Leben zu lassen. Das heißt allerdings nicht, dass Sie mit Ihrem Geschrei das Schicksal herausfordern sollten. Hier gibt es auch welche, die was anderes im Sinn haben könnten.«

»Es tut mir Leid. Ich habe gar nicht gemerkt, dass ich überhaupt einen Ton von mir gegeben habe.« Sie wandte den Blick von ihm ab und sah an sich hinab. Als sie merkte, was ihr nasses Kleid alles enthüllte, errötete sie. »Es tut mir Leid«, wiederholte sie leise.

»Ist nicht weiter schlimm«, sagte Quent freundlich. »Wie's scheint, sind wir im Augenblick ganz allein. Das Ohio Country ist groß.«

»Was ist eigentlich dieses Ohio Country? Ich dachte, wir wären im *pays d'en haut.*«

»Nicht ganz. So nennen die Kanadier das Land nördlich von hier, rund um die großen Seen. Und die Potawatomi, die Miami, die Mascoutin und die Huronen glauben sowieso, dass es ihr Land ist. Und Ohio Country ist als Name ganz in Ordnung. Übrigens, was sind Sie eigentlich – französisch oder englisch?«

»Von Geburt bin ich beides, Monsieur. Mein Vater war Engländer und meine Mutter Französin. Aber mein Herz ist nicht geteilt. Es ist hundertprozentig französisch.«

Die Art, wie sie das sagte, der Stolz, der in ihrer Stimme lag, ließen ihn lächeln.

»Sie machen sich über mich lustig.«

»Überhaupt nicht.«

Sie schien nicht überzeugt. »Das ist mein Ernst, Monsieur. Sie dürfen nicht ...«

»Hale. Oder Quent, wenn Ihnen das lieber ist. Aber nicht Monsieur.«

»Also gut, Monsieur Hale.« Nicole machte einen Schritt aus dem eisigen Wasser aufs Ufer zu, stolperte aber gleich wieder und fiel auf die Knie.

Dieses Mal erbarmte Quent sich ihrer und hob sie auf. »Dieses Bachbett ist tückisch, und Sie tragen nicht die richtigen Schuhe, um darin zu waten. Außerdem, wenn Sie schon wie ein Indianer im Bach baden wollen, sollten Sie vorher alle Kleider ablegen.«

»Im Freien zu baden ist ungesund«, widersprach sie. »Das weiß doch jeder.« Und als er sie auf dem grasbewachsenen Ufer absetzte: »Was wären denn die richtigen Schuhe?«

»Solche.« Quent hielt einen Fuß hoch. Sein durchnässter Mokassin, knöchelhoch mit dünnen Lederriemen geschnürt, schmiegte sich an seinen Fuß. »Das tragen die Indianer. Die sind im Wald viel besser als Stiefel. Stiefel« – er deutete mit dem Kopf auf ihre schwarzen Lederschuhe, die weit über ihre Knöchel reichten – »haben harte Sohlen, auf denen man leicht ausrutscht. Die Indianer machen Mokassinleder, das immer weich bleibt, das die Füße schützt, aber man kann darin gehen, als wäre man barfuß. Man fühlt den Boden.«

»Barfuß«, wiederholte Nicole leise. »Das ist gut. Genau das will ich.«

Quent blieb keine Zeit, näher auf ihre Erwiderung einzugehen. Cormac hatte inzwischen ein Feuer entzündet. »Kommt rüber und lasst euch trocknen. Mit dem Feuer und der Sonne geht das ganz schnell.«

Quents Beine und seine Mokassins wurden rasch trocken, ebenso wie Nicoles Röcke. Doch ihre festen Lederstiefel blieben feucht, ebenso wie das Oberteil ihres Kleides. Ihre Brustwarzen zeichneten sich durch das enge Mieder ab. Beide Männer versuchten, sie nicht anzustarren.

»Und wie entscheidest du dich?«, fragte Cormac Quent. »In welche Richtung gehst du, wenn wir aufbrechen?«

»Mein Onkel Caleb – du bist dir sicher, dass er sagte, mein Vater würde bald sterben?«

»*Ahaw.*« Ja. »Er sagt, es wäre Wassersucht. Nur ein paar Monate noch, vielleicht auch weniger. Das hab ich ihn selbst sagen hören.«

Quent zögerte. Er spürte in der Umgebung keine feindliche Macht lauern. Und selbst wenn, Cormac Shea wäre ihr gewachsen. Corm war der geborene Waldläufer und unbesiegbar im Kampf, außer vielleicht gegen Quent. Corm und das Mädchen brauchten ihn nicht. Aber seine Mutter rief ihn nach Hause. Und Shadowbrook. Ja, bei Gott, das war die Wahrheit. Shadowbrook rief nach ihm. »Ich gehe mit euch nach Norden, *nekané*.«

»Mein Geist ist erfreut«, antwortete Cormac leise auf Potawatomi.

4

Samstag, 30. Mai 1754
Québec, Neufrankreich

In Neufrankreich wohnte der Abgesandte des Generalministers des Ordens der Minderen Brüder in einer Steinhütte mit zwei Zimmern, kaum mehr als eine Kate, direkt am Flussufer in der Unterstadt Québecs. Der größere der beiden Räume war quadratisch, hatte ein winziges Fenster und eine vom Feuer geschwärzte Balkendecke, einen grob gezimmerten Tisch und zwei geradlehnige Stühle. Der Raum diente Père Antoine für alles außer zum Schlafen und Beten. Die zweite Kammer war seine Zelle, wie er sie nannte. Ein paar mit Stroh bedeckte Planken stellten das Bett dar, der bloße Boden war gerade groß genug, dass er knien und beten und sich geißeln konnte. Zudem war der Raum breit genug, dass er die Arme ausstrecken konnte wie der Gekreuzigte, ohne die Wände zu berühren. Um die heilige Messe zu lesen oder das Offizium in Gegenwart des Heiligen Sakraments zu sprechen, musste er ein Stück die Straße hinaufgehen und den öffentlichen Teil der kleinen Kapelle der Armen Klarissen betreten.

So ärmlich die Hütte auch sein mochte, so tat sie der einschüchternden Persönlichkeit des Priesters doch keinen Abbruch. Im Licht einer einzelnen Kerze über die vor ihm ausgebreiteten Papiere gebeugt, schien er seinen Besucher dennoch zu dominieren. »Diese Karte – du bist dir sicher, dass sie stimmt?«

»*Oui, mon Père.*«

Der Mann, ein Schotte namens Hamish Stewart, sprach passabel Französisch. Er war der Sohn eines niederen Gutsherrn aus den Highlands – einer derjenigen, die seit den Tagen der geheiligten »Reine Marie«, der schottischen Königin Maria Stuart, nicht vom wahren Glauben abgefallen waren. Alle, die ihr treu ergeben waren seit ihrem Tod vor vielen Jahren, hießen Jakobiten nach James II., dem letzten katholischen König, der über Großbritannien geherrscht hatte und der seines Glaubens wegen vom Thron vertrieben worden war. Viele Jakobiten schickten ihre Kinder heimlich zur Erziehung nach Frankreich, aber *mon Dieu*, den schottischen Akzent verloren sie nie. Die schauerliche Aussprache war eine Beleidigung für die Ohren des Priesters. »Wir unterhalten uns auf Englisch. Damit du mich auch richtig verstehst. Dieses Land zwischen dem See und dem Fluss – ist es wirklich genau so, wie du es gezeichnet hast?«

Père Antoine richtete sich auf und trat einen Schritt zur Seite. Die Kerze beleuchtete die Landkarte ebenso wie den Priester. Er war von durchschnittlicher Größe, so schlank, dass er fast schon hager wirkte, und sein braunes Haar war von grauen Strähnen durchzogen, doch er hielt sich noch so aufrecht und würdevoll wie der Adelige aus der Familie Rubin Montaigne, der er von Geburt war – eine Art, die Schultern zu straffen und den Kopf zu heben, die sich jeder Askese und Zucht widersetzte. »Ganz genau?«, fragte er wieder und deutete auf die Landkarte. »Denn wenn etwas nicht genau stimmt ...«

»Die stimmt ganz genau, mon Père. Ich hab sie selbst gezeichnet. Genau so ist die Umgebung von Shadowbrook, genau so hab ich sie gesehen.«

»Nun, dann kommt es wohl darauf an, wie gut du siehst. Ich möchte nicht taktlos sein, aber mit nur einem ...«

Ein Auge hatte Hamish Stewart 1746 auf dem Culloden Moor verloren, als er für Charles Edward Stuart kämpfte, den »Bonnie Prince Charlie«, und alles aufs Spiel setzte, damit wieder ein katholischer König über Britannien herrschen möge. In Culloden wurden eintausend Jakobiten abgeschlachtet. Tausende mehr wurden so grauenvoll verstümmelt, dass sie sich nicht mehr als Männer fühlten. Verraten – wie schon so oft – von schottischen Landsleuten, die ihre Seele an die verfluchten Sassenachs verkauften, die teuflischen Engländer. Auf dass sie an ihrer verfluchten Personalunion erstickten. Gebenedeit sei die Heilige Jungfrau samt allen Heiligen, dass er auf dem blutdurchtränkten Moor bloß ein Auge verloren hatte und nicht mehr. Aber selbst wenn er noch beide hätte – er riskierte einen Seitenblick auf den Franziskaner –, selbst dann würde er diesen verrückten Priester nicht mit seinem Blick bezwingen können. Wie brennende Kohlen waren dessen schwarze Augen. Und wenn er ein ketzerischer Protestant wäre, würde er dem nie und nimmer in die Augen gucken können.

»Der Pass …«, sagte Père Antoine.

Stewart beugte sich über den Tisch und studierte die Karte, als sehe er sie zum ersten Mal, kniff das eine Auge im Licht der flackernden Kerze zusammen. Wenige Sekunden später richtete er sich wieder auf. »Ich hab das Gut 1730 gesehen, mon Père, und da hatte ich noch beide Augen. Ephraim Hale selbst hat es mir gezeigt. Da hab ich keinen Fehler gemacht.«

»Und erzähl mir noch einmal, weshalb du da warst.«

»Der Klan hat mich geschickt. Damals gab's in den Highlands noch ein klein bisschen Geld. Die haben überlegt, ob sie in der Neuen Welt nicht ein Stück Land kaufen, wo die Jüngeren hingehen können, ohne dass die verteufelten Sassenachs ihnen auf den Pelz rücken.«

»Aber die Verhandlungen verliefen ergebnislos?«

»Völlig, mon Père. Hale wollte zu viel, wir hatten zu wenig. Und das Weibervolk wollte nicht, dass die Jüngeren weggehen.«

Père Antoine beugte sich erneut über die Karte. »Genau so?«, wiederholte er.

»Ja, bei Gott, das schwör ich.«

»Spar dir deine Schwüre für die Versprechungen, die du Gott gegenüber machst, mein Sohn. Wir reden hier nur vom menschlichen Verstand.«

»Aber zum Wohl der heiligen Kirche, mon Père. Ist das nicht dasselbe?«

»Vielleicht.« Die schwarzen Augen musterten den Schotten. Er war klein und untersetzt, das strähnige schwarze Haar, schon halb ergraut, hing ihm bis auf die Schultern herab. Seine Kniehose und der hüftlange gegürtete Rock waren verblichen und fadenscheinig.

»Deswegen also zeigst du mir die Karte, Hamish Stewart? Zum Nutzen der heiligen Kirche?«

»Natürlich, warum sonst …«

»Weil du die Hale-Ländereien haben möchtest. Deswegen kommt es dir gelegen, Ephraim Hale zu ruinieren. Wenn ich meine Indianer zu ihm schicke, damit sie seine Felder abbrennen und seine Ernte verloren ist …«

Deine Indianer, dachte Stewart. Tja, das ist der springende Punkt. Warum soll ich glauben, dass ein Franziskanerpfaffe einem wilden Huronen was auftragen kann, und der tut's einfach so? Nach allem, was ich höre, ist dieser Lantak nicht bloß ein Rebell, sondern ein Schlächter obendrein. Ein gnadenloser Wilder, der von seinem eigenen Volk vertrieben worden ist, obwohl sie doch weiß Gott allesamt Wilde sind. Aber so ist es, hab ich gehört. Dieser Priester und Lantak. Zwei Verrückte, die gemeinsame Sache machen, solange es ihnen nützt. Aber, bei Gott, ich hab schon komischere Sachen gehört. »Und die Gebäude, mon Père. Es ist wichtig, dass so viele Scheunen wie möglich angezündet werden. Die Ernte, die sie schon eingefahren haben – die ist da drin.«

»Aber nicht das Wohnhaus, wie? Ich soll also Lantak und seinen Tapferen ausdrücklich sagen, dass sie das Haus von Ephraim Hale nicht anrühren dürfen?«

Er konnte dem Mann nicht in die Augen sehen, so oft er's auch versuchte. Verdammter Kerl. War der so hochnäsig, weil er'n Franzose war oder weil er aus 'ner vornehmen Familie kam? Oder weil er das Gelübde abgelegt hatte? So war das doch nicht gedacht. Bettler sollten sie sein, nichts besitzen, barfuß durch die Gegend laufen und Gutes tun. So hatte der heilige Franziskus es gesagt. Dem hätt's gar nicht gefallen, dass dieser Franzosenteufel so arrogant daherkam und einem Haufen Wilder Befehle gab. Wenn er's denn wirklich konnte. »Shadowbrook ist ein prächtiges Haus, mon Père. 'n Schöneres gibt's in der ganzen Gegend keins.« Heiliger Strohsack, warum brummelte er nur vor sich hin und schaute dem verdammten Priester ständig auf die Füße? Sandalen, nicht barfuß. Und was würde der heilige Franziskus dazu sagen?

»Mein Schuhwerk hat es dir angetan, mein Sohn? Denkst du vielleicht, ich solle barfuß gehen, wie der Heilige es uns auftrug?«

Jesus, Maria und Josef, der verfluchte Kerl konnte auch noch Gedanken lesen! Stewart merkte, dass ihm trotz der Kälte Schweiß über den Rücken lief. In diesem verfluchten Québec war's noch kälter als in den Highlands. Im Kamin brannte ein Feuer, aber so spärlich, dass es wenig Licht und noch weniger Wärme gab. »Ich glaube, ich sollte mich auf den Weg machen, mon Père.« Stewart deutete auf den Beutel mit Münzen, der neben der Karte auf dem Tisch lag. »Da sind sechshundert *livres* drin. Ich will von Ihnen wissen, ob's gemacht wird.«

Père Antoine legte die Hand auf den Beutel, nahm ihn aber nicht an sich. »Ephraim Hales Land abbrennen und plündern? Denn davon reden wir doch, nicht wahr?« Denn wenn es zu der Zeit passiert, dachte der Priester, die du vorschlägst – im August, wenn gerade die Ernte begonnen hat –, dann ist Hale bankrott. Wie die meisten Gutsbesitzer hat er kein Bargeld, nur das Land. Und das Land hat er bis auf den letzten *sou* belastet. Wenn ich also deinen Wunsch erfülle, du einäugiger Schotte – wenn ich das Gut im August anzünden lasse –, dann ist Ephraim Hale am Ende. Und seine Gläubiger werden froh sein, dir sein Land um sechs deiner britischen Pennys pro Pfund zu verkaufen.

Der Schotte stand da, die Hände über dem gewölbten Bauch verschränkt, sein eines Auge auf das Kruzifix an der Wand geheftet, und wartete auf das letzte Wort des Priesters. Das Bild eines geduldigen Gläubigen, der nur danach trachtete zu dienen.

Du bist ein Schuft, Hamish Stewart. Dir ist die Mutter Kirche so gleichgültig wie mir der Käfer, der da vor dem Kamin herumkrabbelt. Noch gleichgültiger. Aber du wirst trotzdem unsere heilige Sache voranbringen. »Es wird genau so geschehen, wie du es dir wünschst, mein Sohn. Du hast mein Wort darauf. Und im Gegenzug gibst du mir dein Wort darauf, dass danach die französischen Truppen und ihre Verbündeten sicheres Wegerecht auf diesem Stück Portage haben.« Der Franziskaner fuhr mit einem schlanken Finger über das obere Ende der unbeholfenen Zeichnung des Hale-Guts, von der

Südspitze eines lang gestreckten Sees zum Beginn des schmalen Wasserwegs, der in einen anderen mündete. Wer die Kontrolle über das Land zwischen den beiden Gewässern hatte, dem stand der Weg in alle Himmelsrichtungen offen. Der Weg nach Westen führte direkt zu den französischen Forts im Ohio Country.

Hamish betrachtete das Gelände, auf das der Priester deutete. Great Carrying Place hieß die Gegend; das hatte Ephraim Hale ihm damals gesagt, vor vielen Jahren, und er hatte es nie vergessen. Bei Gott, er hatte nichts vergessen von dem, was er gesehen hatte. »Ja, das schwör ich.« Stewart zwang sich, dem Priester in die bohrenden Augen zu blicken.

»Dann kannst du frohen Muts nach New York zurückkehren, mein Sohn. Ich werde alles veranlassen.« Der Beutel mit Münzen verschwand in den Falten seiner Kutte. »Und jetzt gebe ich dir meinen Segen für deine Reise.«

Stewart wusste, was er zu tun hatte. Mühsam sank er auf ein Knie. Acht Jahre waren seit dem gottverfluchten Culloden Moor vergangen, da war er noch in Kampfform gewesen. Jetzt hatte er 'nen Bauch, und Schenkel wie bester, fettester Schinken. Früher hatte er mal ein halbes Jahr von einem Sack Hafer leben können. Jetzt schlug er sich regelmäßig den Wanst voll an der unglaublichen Fülle der Neuen Welt, wo höchstens der dümmste Faulpelz Hunger leiden musste. Richtig weibisch wurde er. Aber wenn er erst mal Shadowbrook hatte, würde alles anders werden. Dann würde er ein Gutsherr sein, bei Gott. Er würde sich aus der Heimat eine junge, kräftige Schottin holen und ihr den Bauch mit Söhnen voll stopfen. Das war doch das Leben, das ein Mann führen sollte. Und nicht mit Kämpfen und Töten und Verlieren, wo einem die Knochen gebrochen wurden und das Herz obendrein. Er senkte den Kopf und wartete, dass der Priester ein Gebet über ihn sprach.

Père Antoine schlug das Zeichen des Kreuzes über Stewarts gebückter Gestalt und murmelte auf Lateinisch einen Segen. Möglicherweise ist das das letzte Mal für den Schotten, dachte er sich. Hamish Stewart, du treibst ein gefährliches Spiel. Es gibt andere, die das weitaus besser können als du, und sie werden dich zerquetschen, wann und wie es ihnen beliebt. Und wenn der Tag kommt, möge der Allmächtige dir deine Habgier und deine Korruptheit vergeben. Möge dir die Hölle erspart bleiben, aber mögest du im Fegefeuer leiden, bis die Engel verkünden, dass der Heiland in all seiner Herrlichkeit gekommen ist, um zu richten die Lebenden und die Toten. »Gute Reise«, murmelte er, als er den Segen beendet hatte und der andere Mann sich ächzend erhob.

»Danke, mon Père. Ich zähle auf Ihre Gebete, dass mir nichts passiert.«

»Ich werde in wenigen Stunden eine Messe dafür lesen.«

Gemeinsam gingen sie zur Tür. Stewart war in einen dicken Wollumhang gekleidet, doch der Priester trug lediglich seine fadenscheinige braune Kutte. Die Nacht war sternenklar und umso kälter. Vom Fluss trieb ein Wind herüber, der ihnen um die Ohren peitschte, die Sterne blitzten wie Eis am schwarzen Himmel. Über ihnen zeichnete sich die mächtige Befestigungsanlage ab, die die Siedlung umschloss, deutlich zu sehen im silbernen Licht des dreiviertel vollen Mondes.

Seit Samuel de Champlain 1608 der Verlockung Montréals mit seinen Wäldern und den zahlreichen nach Westen führenden Wasserwegen widerstanden und stattdessen die natürliche Zitadelle von Québec zu seiner Militärbasis erkoren hatte, war sie die befestigte Stadt von Neufrankreich. Sie lag auf einem Felsen zwischen zwei Flüssen, dem mächtigen Sankt-Lorenz-Strom und dem kleineren St. Charles, und hatte sich seit beinahe hundertfünfzig Jahren als uneinnehmbar erwiesen. Damit war sie der unangefochtene Stützpunkt der französischen Krone in Kanada.

Champlain hatte den Aufbau Québecs in der jetzigen Unterstadt begonnen, dort, wo der Priester und sein Besucher nun standen. Eineinhalb Jahrhunderte später drängte sich in diesem Viertel eine Ansammlung drei- und vierstöckiger Holzhäuser dicht an dicht in engen, steinigen Gassen, direkt am Wasser und fast immer durchnässt von der Gischt, die vom Hafen aufspritzte, dem weiten Becken im Sankt-Lorenz-Strom, das hundert Schiffen Platz bot. Im Lauf der Jahre war die Siedlung die Klippen hinaufgewandert. Nun war die Oberstadt von massigen Mauern umgeben, überragt vom Turm des Doms. In einiger Entfernung erhob sich, kaum weniger beeindruckend, der Kirchturm der mächtigen Gesellschaft Jesu, der Jesuiten. Schwarz gekleidete Intriganten, Priester wie Père Antoine, aber gerissener als die schlichten Söhne des heiligen Franziskus. Schlauer als die meisten von uns, verbesserte sich der Franziskaner.

Der gute Gott hatte ihn zu den Minderen Brüdern gerufen, doch sein Verstand war ihm bei seiner Ordination nicht abhanden gekommen. Die Schwarzkutten stießen beim Bischof von Neufrankreich auf ein stets geneigtes Ohr, sogar beim Papst selbst. Und auch bei Louis XV., wie manche sagten. *Eh bien,* Antoine verließ sich ebenfalls darauf, bei Gott ein geneigtes Ohr zu finden. Und was diesen komischen Jakobiten betraf, der würde der heiligen Kirche dienen trotz seiner eigenen Absichten. »Geh mit Gott, mein Sohn.« Wieder das Kreuz, in die kalte Luft geschlagen.

»Gute Nacht, mon Père.«

Père Antoine sah Stewart nach, wie er die Gasse zwischen den geduckten Häuschen entlanghastete, bis der Klang seiner Stiefel auf den Pflastersteinen verhallte. Trotz der Kälte blieb er noch einen Augenblick stehen, sah zum Hospiz, das als Hôtel Dieu bekannt war, ließ den Blick hinaufwandern zur Schanze außerhalb der Stadtmauer und der Hochebene, die Plains of Abraham hieß und wo einige Kolonisten als *habitants* in der allzu kurzen Vegetationszeit mühselig einige Feldfrüchte anbauten. Sie waren nur mäßig erfolgreich, und das nicht nur wegen der schier endlosen eisigen Winter. Die kanadische Wirtschaft war durch und durch korrupt. Einige wenige häuften Reichtum an, die vielen anderen hungerten, vor allem die einheimische Bevölkerung, deren Existenzgrundlage durch die Ankunft der Europäer zerstört worden war. In schlechten Jahren, hatte der Priester gehört, mussten die Indianer die Lederwindeln ihrer Kinder essen, auch wenn ihre Kleinen sie hundertmal verschissen hatten. Père Antoine hatte mehr als einmal wahren Hunger gesehen, er hielt den Bericht nicht für übertrieben.

Doch die wohlhabenden Québécois, die im Schutz der mächtigen Zitadelle lebten, kannten keinen Hunger. Sie aßen nur das Beste und lebten wie die Könige. Europas Vorliebe für die Pelze des hohen Nordens machte sie reich. *Oui*, und ihre Bereitschaft, weder vor Betrug noch Diebstahl zurückzuschrecken. Sie haben die alten Lebensweisen der Indianer zerstört und die Einheimischen praktisch zu Sklaven gemacht, dachte Antoine bei sich. Sie haben sie gezwungen, Fallen zu stellen und Handel zu treiben im Tausch für die Güter, ohne die sie jetzt nicht mehr auskommen. Tuch und Metallwaren, aber vor allem Waffen. Und Schnaps, das teuflische Feuerwasser. Antoine war überzeugt, dass die Jesuiten – möge der Herr sich ihrer erbarmen – in diesem hinterhältigen Tausch die Fäden zogen. Unter ihrem allmächtigen Provinzial Louis Roget waren sie wie schwarze Spinnen, die in der Mitte eines riesigen Netzes saßen. Noch mehr Morden und Hunger, Krankheit und Tod, das ist das Einzige, was die Wilden von Louis Rogets missionarischem Eifer zu erwarten haben.

Lieber Herr Jesus, lass mich ihnen dein heiliges und liebendes Gesicht zeigen. Lass sie errettet werden für dich, der du nach Seelen dürstest.

Einige Franziskaner hatten Champlain auf seiner Reise in die Neue Welt begleitet. Gott sei's geklagt, sie hatten aufgegeben. Die Jesuiten waren in die Lücke gesprungen und zu den Missionaren der Indianer in Neufrankreich geworden.

Gewähre uns, zur reichen kanadischen Ernte zurückzukehren, Herr. Gib uns die Möglichkeit zum Märtyrertum, auf dass unser Blut dir zur Herrlichkeit gereiche und die Zukunft unseres Ordens sicherstelle.

Trotz der Kälte der Nacht fror Père Antoine nicht. Noch einen Augenblick blickte er auf die Symbole der Macht, die über der Stadt aufragten, dann wandte er sich zu der Hütte, die ganz in der Nähe hier in der Unterstadt lag. Sie war größer, aber immer noch eine Kate. Dafür hatten die Jesuiten schon gesorgt. Doch als die Armen Klarissen das schlichteste Haus der ganzen Stadt bezogen, hatte sie das in den Augen des Erlösers nur noch würdiger gemacht.

Das Dach des erzbischöflichen Palasts ragte auf halber Höhe der steilen Klippen auf, genau zwischen der Stelle, wo der Priester stand, und den Türmen der mächtigen Kirchen ganz oben in der Stadt. Dem Vatikan zufolge war der Erzbischof von Québec verantwortlich für das geistliche Wohlergehen von ganz Neufrankreich, das – unter Berücksichtigung des gesamten Landes, auf das Frankreich Anspruch erhob – wesentlich größer war als Europa. Neufrankreich erstreckte sich vom Atlantik weit nach Westen in bislang unerforschte Wildnis. Es umfasste das Tal des Mississippi sowie die Gegend, die als das Louisiana-Territorium bekannt war. Im Gegensatz zu seinen Vorgängern hielt sich der gegenwärtige Erzbischof, Henri-Marie du Breuie de Pontbriand, vorwiegend in Québec auf.

Wieder schlug Père Antoine das Zeichen des Kreuzes, nun zum Dank. Wie wundersam sind deine Wege, o Herr. Denn hätte die Familie de Pontbriand nicht uralte Schulden bei der Familie de Rubin Montaigne, wären die Armen Klarissen nie in einer stinkenden, halb verfallenen Fischerkate am Rand der Befestigungsstadt untergebracht worden. Um deren Seelen zu retten. Und die Seelen ungezählter Wilder, deren Zahl nur du allein kennst.

Nur wegen dieser alten Familienverbindungen und der damit einhergehenden Verpflichtungen setzte de Pontbriand sich gegen den Wunsch der allmächtigen Jesuiten durch und erlaubte den Nonnen, sich in Québec niederzulassen und Père Antoine als Hausgeistlichen mitzubringen. Und eben diese fünf Nonnen würden dafür sorgen, dass die Franziskaner und nicht die Schwarzkutten das heilige Evangelium im Ohio Country verbreiteten. Wer eignete sich besser, die primitiven Herzen und Seelen der Indianer anzusprechen als die schlichten Söhne des seligen Franziskus?

Der Priester blickte noch einmal auf die Kate, die das Kloster der Armen Klarissen von Québec darstellte. Der Großteil des Mörtels im Steinfundament war zerbröckelt; der Glockenturm, in aller Eile vor der Ankunft der Nonnen errichtet, war schief und krumm und gerade groß genug, um einer Glocke Platz zu bieten. Als die Nonnen den Bau sahen, waren sie entzückt. Genau wie San Damiano, sagten sie, die Ruine, in der Franziskus Klara als erste Nonne des Seraphischen Ordens unterbrachte.

Jene fünf Frauen, die den Himmel im Namen des Ordens der Minderen Brüder erstürmten, würden obsiegen. Daran bestand nicht der geringste Zweifel. Zwar waren sie nicht die ersten heiligen Frauen in Québec – es gab die Ursulinen, die in ihrem großen, wunderschönen Kloster an der Rue des Jardins die Mädchen der besten Familien unterrichteten, und die Augustiner-Hospitalières, die im Hôtel Dieu die mittellosen Kranken pflegten, außerdem die Splittergruppe desselben Ordens, die in der Oberstadt ein besseres Krankenhaus eingerichtet hatte, das Hôpital Général. Doch Frauen, die durch ihr Gelübde verpflichtet waren, ihr Leben mit Beten, Fasten und Buße zu verbringen … In der immensen Weite Neufrankreichs gab es nichts, was mit den fünf ihm anvertrauten Armen Klarissen vergleichbar wäre. Und bald würden es sechs sein. Erst gestern hatte Mère Marie Rose ihm mitgeteilt, dass sie in Kürze eine Postulantin erwarte, die in den Orden eintreten wolle. Sie wäre die Erste seit ihrer Ankunft in Kanada im vorherigen Frühjahr.

Eine neue Postulantin war ein Omen, ein Zeichen Gottes, dass die Gebete und Bußen der Franziskaner in Québec angenommen wurden. Père Antoine war sich dessen so sicher, dass er bereits eine Nachricht an ein Haus des Ordens zweitausend Meilen weiter im Süden, in Havanna, überstellt hatte: Sie möchten ihm Mönche schicken, die als Missionare – und mit Gottes Segen vielleicht als Märtyrer – unter den Heiden im Ohio Country wirken könnten.

Die Glocken des Doms über ihm verkündeten Mitternacht. Père Antoine schaute zu dem Kloster und sah, wie erwartet, das flackernde Licht von fünf Kerzen am Fenster vorbeiziehen. Die Armen Klarissen hatten die sechs Stunden Schlaf, die ihnen im Verlauf von vierundzwanzig Stunden zugebilligt wurden, unterbrochen. Sie waren auf dem Weg, um die Matutin zu singen, das erste Stundengebet des neuen Tages. Eine Stunde später würden sie zu ihrem Strohlager auf den Holzplanken zurückkehren und bis vier Uhr morgens ruhen, um sich dann wieder zu erheben, die Laudes zu singen und einen weiteren Tag mit Fasten, Beten und Arbeit zu beginnen.

Dem Herrn sei Dank, der Same war gesät. Er würde mit Märtyrerblut begossen werden.

»*Ici*. Hier.«

Stewart wandte sich in die Richtung, aus der die Stimme ertönte. »Schön, dich zu sehen, Kumpel. Hab schon gedacht, du könntest weg sein.«

»Aber warum sollte ich, Hamish Stewart? Ich hab Ihnen doch gesagt, dass ich auf Sie warte.«

»Doch, das hast du.« Stewart beäugte die Leine, mit der das kleine Boot – ein Dory, wie es hier genannt wurde – am Poller am Rand des steinernen Kais vertäut war, so nah am Ufer, dass er hineinspringen konnte. So weit sah's ganz ungefährlich aus, obwohl er immer misstrauisch war, wenn's um Kanadier ging. Und misstrauisch, dass er hier – wo immer er war, um welche Stunde auch immer – beobachtet wurde.

Stewart setzte einen Fuß auf das Dollbord. Der Franzose, Dandon hieß er, beobachtete das Manöver mit einem fast schon hämischen Grinsen. Eine Welle wiegte das Boot und trieb es ein Stück vom Ufer fort. Dandon ließ die Leine etwas nach. Der Abstand zwischen Stewarts Beinen wurde größer. Der Franzose lachte. »Sie müssen sich schon entscheiden, *mon ami*, See oder Ufer.« Mühsam behielt Stewart das Gleichgewicht, erst im letzten Moment warf er sich nach vorn, sodass er weniger in das Dory sprang als vielmehr stolperte. Wieder lachte Dandon auf. »Geht doch, oder? Wenn man sich erst mal entscheidet.«

Das Schwein. Hätte das verfluchte Boot auch näher ans Ufer rudern und ruhig halten können. Na, auch egal. Jetzt war er an Bord.

Der Kanadier hatte eine Laterne zwischen seinen Beinen vorgeholt und hielt sie über die Seite, fuhr mit der Hand über die Lichtöffnung und gab damit ein Signal an die Schaluppe, die in eineinhalb Meilen Entfernung draußen auf See wartete. Sofort wurde eine Antwort zurücksignalisiert. »*Alors*. Sie warten. Nehmen Sie sich ein Ruder, *mon ami*. Damit Sie was von dem fetten Essen abarbeiten, das der Priester Ihnen vorgesetzt hat.«

»Was für ein Essen soll das gewesen sein? Nichts als Gebete, keinen einzigen Krümel gab's.«

»*Eh bien*, so ist das, wenn man sich mit den Braunkutten abgibt, *mon ami*. Die halten's mit Schwester Armut. Bei den Schwarzkutten bekommt man die besten Weine, die Neufrankreich zu bieten hat, und das beste Essen.«

Stewart griff nach dem Ruder und tauchte es im Rhythmus des anderen ins Wasser. »Und was weiß einer wie du übers Essen mit den hochnäsigen Schwarzkutten?«

Dandon zuckte die Achseln. »Ich hab doch Ohren, oder? Da hör ich so manches.«

Das stimmte wohl. Warum sollte er nicht alles hören, was wichtig war? Schließlich arbeitete er für den allmächtigen Bigot. Und bei Gott, es gab in ganz Amerika keine bessere Stellung als die von Bigot. Der Intendant von Kanada, so hieß er, der zivile Verwalter von Neufrankreich. Jeder Penny, der durch Handel eingenommen wurde, ging durch seine Hand. Und drei von fünf Pennys blieben an ihr hängen. Aber der Unterschied bei Bigot war – weshalb er mehr Erfolg hatte als die anderen Schufte –, dass er schlau genug war, seinen Gewinn mit seinen Freunden zu teilen. *La grande société*, so nannten sie sich, und Hoch und Niedrig gehörte dazu. Sogar dieser Dandon, so untergeordnet er war, bekam seinen klitzekleinen Anteil. So konnte sich niemand gegen Bigot wenden, ohne sich selbst zu schaden. Eine gute Methode war das. Einfach, aber wirksam.

Und einer von Bigots Ränken würde sich als wahres Gottesgeschenk erweisen, wenn Shadowbrook erst einmal Hamish Stewart gehörte. Bigot kaufte kanadisches Getreide zum gesetzlich festgelegten Preis – fünf bis sieben *livres* pro *minot* –, mahlte es auf Kosten der Regierung und verkaufte das Mehl an die Krone, also an sich selbst, zum gängigen Marktpreis von zwanzig oder mehr *livres* pro *minot*. Aber wie die Dinge in Kanada so liefen – Inflation, angeheizt durch das Papiergeld, und Farmer, die ihr Getreide vor den Vertretern des Intendanten versteckten, um es auf dem Schwarzmarkt zu verkaufen –, konnte man mit dem Franzosen

Bigot auch schottische Geschäfte treiben. Vor allem, wenn man keine Skrupel hatte und sich nicht der ketzerischen britischen Krone verpflichtet fühlte. Du musst bloß wissen, wie sein Verstand arbeitet, Hamish, und der Verstand von dem verrückten Pfaffen, dann bist du ein gemachter Mann.

Vor ihnen tauchte die Schaluppe auf. Ihr einer Mast und der degenförmige Bugspriet glänzten im Widerschein der weißen Segel, die im Mondlicht schimmerten. Jetzt füllten sie sich mit dem auffrischenden Wind der nahenden Morgendämmerung; alles wartete nur auf den Befehl, auf den hin zwölf Männer in die Takelage klettern und das Schiff nach Süden fliegen lassen würden.

»Ahoi!«, mehr geflüstert als gerufen. »Wer da?«

»Ich, wer sonst, Jungchen. Spar dir dein Gerede für die, die du damit beeindrucken kannst. Ich hab für die Überfahrt bezahlt, da brauch ich mir dein Geschwätz nicht auch noch anzuhören.«

Der Seemann ließ die Strickleiter herab. »Kommen Sie an Bord, Mr. Stewart. Die Flut läuft ein. Der Steuermann hat gesagt, wir legen ab, sobald Sie an Bord sind.«

Bis sie die Untiefen und Riffe von La Traverse überwunden hatten, die teuflische Strecke, wo der Sankt-Lorenz-Strom sich teilte zwischen der Südspitze der langen Insel, die Ile d'Orléans hieß, und dem Festland von Québec, galt das Wort des ergrauten kanadischen Steuermanns als Wort Gottes, als elftes Gebot. »Je früher, desto besser, sag ich.« Stewart packte die Leiter und hievte sich aus dem Dory hoch. »Ich kann's gar nicht erwarten, aus dieser verdammten Kälte rauszukommen.«

»*Un moment s'il vous plaît, mon ami*«, flüsterte Dandon besorgt. »Mein Bericht – was soll ich sagen?«

»Ja, das sollst du sagen. Ja und noch mal ja. Sag *la grande société*, dass alles genau so läuft, wie ich's versprochen hab.«

Der Mann, der bäuchlings auf den modrigen Planken einer verlassenen Werft lag, klappte das Fernglas zusammen, sobald er sah, dass zwei Matrosen den Schotten von der Leiter ins Boot hoben. Wie Dandon ans Ufer zurückruderte, brauchte er nicht zu verfolgen. Das hatte er schon oft genug gesehen, da passierte nichts. Der

Schotte und der eifrige Franziskaner waren allerdings eine andere Sache. Und was war mit Lantak, dem verrückten Wilden? Seine Spione draußen in der Wildnis hatten ihm berichtet, dass Père Antoine sich häufig mit Lantak traf. Wenn du den außer Acht lässt, gehst du ein großes Risiko ein, ermahnte sich Monsieur Louis Roget, Priester des Allmächtigen Gottes und Provinzialoberer der Gesellschaft Jesu in Neufrankreich. Und eine Gefahr für die heilige Mutter Kirche.

Roget erhob sich, hüllte sich fester in seine schwarze Robe und machte sich an den langen Aufstieg zur mächtigen Festung in der Oberstadt, die das Collège des Jésuites beherbergte.

Quent, Cormac und Nicole marschierten tagsüber und lagerten nachts. Sie kamen langsam voran, weil immer wieder einer der beiden Männer Nicole tragen musste. Sie mochte es nicht und bemühte sich, Schritt zu halten, aber wenn ihre Kräfte erlahmten und es noch mehrere Stunden Tageslicht zu nutzen galt, legten Quent oder Cormac sie sich über die Schulter und gingen weiter.

Sie aßen zweimal am Tag: morgens vor Sonnenaufgang, bevor sie aufbrachen, und abends, nachdem sie ihr Lager aufgeschlagen hatten. Essen und Trinken war kein Problem. Die Männer erlegten Kleinwild, Eichhörnchen, Kaninchen und gelegentlich einen Fasan, und überall stießen sie auf Bäche und kleine Flüsse. Allerdings fehlte es ihnen an Gemüse, und es war noch zu früh im Jahr, um Beeren zu sammeln. Doch einmal fand Quent ein paar junge Farnwedel, ein anderes Mal brachte Cormac zwei Hände voll Pilze für das Abendessen mit.

Nachts hielten die Männer abwechselnd Wache, während Nicole erschöpft in einen tiefen Schlaf fiel. Um zu reden, blieb ihnen wenig Zeit. Manchmal tauschten Cormac und Quent, bevor sie das Kochfeuer löschten, ein paar Minuten lang Kindheitserinnerungen aus – die langen Sommertage in Singender Schnee, die bittere Kälte des Winters, die sie von der behaglichen Wärme Shadowbrooks aus erlebten. Über die Gegenwart und was Quent bei seiner Heimkehr erwartete oder über Cormacs Pläne sprachen sie nicht.

Nicole schwieg die meiste Zeit, bis sie eines Abends, nachdem Cormac tief in den Wald gegangen war, um sich zu erleichtern, mit Quent allein war. Sie vergrub gerade die Knochen der Wachteln, die sie gegessen hatten, so, wie die Männer es ihr gezeigt hatten. Als sie Erde über die Stelle strich, sah sie über die Glut des sterbenden Feuers hinweg zu ihm. »Sie sagten, sie hätten jeden Grund, uns am Leben zu lassen. Warum?«

Quent begriff erst nach einigen Sekunden, wovon sie sprach. »Tanaghrisson und seine Tapferen?«

»Die Indianer, die ... Die mordlüsternen Wilden. Sie sagten, sie wollten, dass wir am Leben bleiben. Warum? Um uns zu foltern? Weil sie alle Weißen hassen?«

»Sie haben wohl ziemlich viele Geschichten gehört.«

»Stimmt es denn nicht, dass die Wilden die Weißen foltern? Sie sogar essen?«

»Manchmal schon. Aber nicht nur Weiße. Auch untereinander. Das gehört zu ihrer Lebensweise. Zu ihrer Religion, wenn Sie so wollen.«

Nicole bekreuzigte sich. »Das ist Ketzerei, was Sie da sagen. Das hat nichts mit Religion zu tun, das ist heidnische Barbarei.«

Quent zuckte die Achseln. »Nennen Sie's, wie Sie's mögen. So ist es nun mal.« Ihre papistische Geste überraschte ihn nicht. Cormac hatte ihm erzählt, dass sie eine Katholikin war und auf dem Weg nach Québec. Er hatte gesagt, sie sei seit zwei Wochen in seiner Obhut. Nicht, dass er sich freiwillig dazu entschlossen hätte – es war eine Verpflichtung. Nicole war mit ihrem Vater, einem Engländer und früheren Armee-Offizier, unterwegs gewesen; er hieß Livingston Crane. Als Cormac auf seiner Suche nach Quent in Alexandria ankam, waren die beiden auch dort. Einige amerikanische Fallensteller erkannten Corm, wussten, dass an rund einem Dutzend Orte in den Kolonien ein Kopfgeld auf ihn ausgesetzt war, und legten ihm einen Hinterhalt. Livingston Crane erfuhr zufällig davon und warnte Cormac nicht nur, sondern bestand auch darauf, Seite an Seite mit ihm zu kämpfen. Der Engländer erlitt einen Messerstich ins Herz und starb in Cormacs Armen. Seine letzte Bitte an ihn war, Nicole unbeschadet nach Québec zu bringen. Deswegen hatte er sich Jumonvilles Trupp angeschlossen – er verhieß eine gefahrlose Reise, zumindest für einen Teil der Strecke, und einen gewissen Komfort, den Frauen selbst hier brauchten.

»Wenn sie uns nicht foltern und essen wollen, warum wollen die Irokesen uns dann am Leben lassen?«, fuhr Nicole auf.

»Der Halbkönig braucht Zeugen.«

»Wieso will ein Mörder Zeugen? Und wie kann jemand ein halber König sein?«

»Das ist die Art der Irokesen. Ein König spricht für das ganze Volk, ein Halbkönig nur für einen Teil. Tanaghrisson spricht im Namen der Irokesen im Ohio Country.«

»So, wie Sie von ihnen reden, klingen sie beinahe zivilisiert.«

»Nicht beinahe«, stellte Quent richtig. »Hier in der Wildnis ist das eine wichtige Lektion. Nicht beinahe.«

»Sie und Monsieur Shea nennen sie Schlangen.«

»Wir haben nie behauptet, dass sie nicht gerissen sind. Tanaghrisson will Zeugen, die erzählen können, wie er Onontio ermordet hat. Das ist ihr Name für den französischen Generalgouverneur. Ursprünglich war das ein Wort der Huronen, aber jetzt nennen alle Indianer ihn so. Es heißt Vater. Sie haben doch gehört, was er zu Jumonville sagte, bevor er ihn tötete: *Tu n'es pas encore mort, mon Père.* Sie sind noch nicht tot, mein Vater. Er meinte damit, dass Onontio noch nicht tot ist – die französische Präsenz im Ohio Country.« Fast hätte er noch hinzugefügt, dass der Halbkönig aus demselben Grund seine Hände in Jumonvilles Gehirn gebadet hatte, aber sie war wieder bleich geworden, schockiert angesichts der Erinnerungen.

»Das verstehe ich nicht«, sagte Nicole.

»Die Irokesen wollen, dass in diesem Teil Amerikas die Engländer den Sieg davontragen«, erklärte Quent geduldig. »Sie sind Verbündete der Engländer, also würde ihnen das zupass kommen.«

Cormac kehrte zurück und hockte sich neben sie. Er nahm eine Hand voll feuchter Erde und streute sie auf die letzte Glut des Kochfeuers. Unter anderen Umständen hätten sie das Feuer über Nacht brennen lassen, um räuberische Tiere zu vertreiben, doch jetzt hielten sie sich an das sicherere Vorgehen, die Flammen zu löschen und Wache zu halten. »Das klingt, als würdest du Mademoiselle Nicole eine Lektion in Politik erteilen.«

»So ungefähr.« Quent sah von Cormac zu Nicole. Verband sie mehr als nur die Verpflichtung? Wenn Quent an der Reihe war, sie durch den Wald zu tragen, kamen ihm derlei Gedanken völlig ungebeten in den Sinn.

»Quent hat einiges ausgelassen«, warf Cormac ein. »Im Grunde sind die Irokesen nicht mit den Engländern verbündet. Sie wollen selbst die Herrschaft ausüben. So sind die Irokesen eben. Sie nennen es *Kainerekowa*, den Großen Frieden, aber das ist ein Frieden zu ihren Bedingungen. Und den wollen sie erzwingen, um jeden Preis, und zwar in erster Linie durch einen großen Krieg. Die Irokesen fallen über alle her, die schwächer sind als sie, ob Freund oder Feind. Aus ihrer Sicht gibt es nur dann Frieden, wenn sie herrschen.«

»Sie mögen sie also nicht?«

»Ich verabscheue sie.«

»Ich dachte, Sie hassen nur Weiße«, sagte sie leise. »Das haben die Leute in Alexandria gesagt.«

»Die irren sich. Ich bin halb weiß. Ich hasse mein weißes Blut nicht, so wenig wie das anderer. Mir gefällt nur überhaupt nicht, wie die Weißen mit der Lebensweise der Indianer umgehen. Wenn sie Kanada den Indianern überlassen und hier unten bleiben würden, jenseits der Berge dort drüben« – er deutete mit dem Kopf zu den Alleghenys, die im Osten aufragten –, »könnte alles gut sein.«

»Vielleicht«, sagte Quent. »Sicher ist es nicht.«

Cormac lächelte. Es sah aus, als schneide er eine Grimasse, weil eine Gesichtshälfte wegen der Narbe starr blieb. »Ein alter Streit«, sagte er erklärend zu Nicole. Und dann zu Quent: »Vielleicht, ich gebe dir Recht. Aber so, wie's jetzt ist, ist es tödlich für die *Anishinabeg.*« Er wandte sich wieder an Nicole. »*Anishinabeg* heißt Wahres Volk. So nennen sich die Menschen, die die Weißen Indianer nennen. Aber es ist egal, welchen Namen man ihnen gibt.

Das Wahre Volk wird bald ausgerottet sein, also muss man etwas anderes versuchen. Die Weißen müssen aus Kanada verschwinden.«

Nicole hing noch ihrem früheren Gedankengang nach. »Neulich im Talkessel, als die Irokesen all die hilflosen Männer umbrachten – ist das der Grund, warum der amerikanische Oberstleutnant nicht einschritt? Weil die Irokesen mit den Engländern verbündet sind?«

Quent schüttelte den Kopf. »Ganz und gar nicht. Das wäre ein schändlicher Schmutzfleck auf Washingtons unbefleckter Ehre. Er hatte den französischen Truppen Schonung zugesagt.«

»Warum also?«

»Die Indianer nehmen nach einer Schlacht Skalps und Beute. Da in dem Talkessel wollte Tanaghrisson den anderen Indianern im Ohio Country – den Shawnee und Delaware, die sich vielleicht den Franzosen anschließen könnten, wenn es zu ihrem Vorteil wäre – zeigen, dass die Irokesen in der Region immer noch die mächtigsten Krieger sind. Nichts verkündet die Botschaft deutlicher, als wenn sie einen Haufen skalpierter und zerstückelter Leichen zurücklassen, den die nächsten Indianer auf der Jagd finden. Und was Washington betrifft – ich glaube, er war einfach zu überrascht und entsetzt, um zu wissen, wie er Tanaghrisson Einhalt gebieten sollte. Er ist ehrgeizig, aber sehr jung. Jetzt macht er sich bestimmt in die Hosen vor Angst, dass die Geschichte die Runde machen könnte.«

Über drei Wochen waren sie bereits unterwegs und begegneten dabei keiner Menschenseele außer einem Jagdtrupp der Mingo. Quent bemerkte sie als Erster; sie verließen den Pfad und verbargen sich tief im Wald, bis die Mingo vorüber waren. Der Letzte in der Reihe drehte sich um und blickte lange über die Schulter, als hätte er etwas gehört. Quent griff nach dem Tomahawk, der ihm an der Hüfte hing. Doch schließlich liefen die Mingo weiter.

Am nächsten Tag näherten sie sich einem großen Shawnee-Lager am Ufer eines schnell dahinfließenden Bachs.

»Was meinst du?«, fragte Corm.

»Es wäre ein ganzes Stück einfacher, wenn wir ein Kanu hätten.« Am Ufer lag ein halbes Dutzend aufgereiht. »Es sollte nicht zu schwer sein, eins zu klauen.«

Cormac fasste an seinen Rucksack. Darin befanden sich ein Kaninchen und zwei Moorhühner, die er in den vergangenen beiden Tagen erlegt hatte. »Besser, wir feilschen um eins. Dann kommt uns kein Kriegstrupp hinterher.«

Quent spürte das Verlangen in Cormac – die Sehnsucht, seine indianische Seite auszuleben. Bei den Shawnee war das möglich. Sie waren seit langem mit den Potawatomi verbündet. Außerdem waren die Potawatomi die geschicktesten Kanufahrer der *Anishinabeg*. Auf den Wasserwegen würden sie sehr schnell vorankommen. Quent blickte zu Nicole. Sie stand ein Stück abseits und starrte mit unverhohlenem Grauen zu dem Indianerdorf hinüber. »Was ist mit ihr?«

»Wir nehmen sie mit. Müssen wir ja.«

»Sicher. Aber die Indianer versetzen sie in Angst und Schrecken. Wie wird sie damit zurechtkommen?«

Cormac zuckte die Achseln. »Das ist mir ziemlich egal. Die Squaws werden sich um sie kümmern, bis wir wieder aufbrechen.«

5

Montag, 22. Juni 1754
Ohio Country

Der Wigwam, in dem die Shawnee-Squaws das Essen zubereiteten, war genau wie alle anderen im Dorf: Der Rahmen aus jungen Baumstämmen war mit Rinde bedeckt, länger als breit und so hoch, dass man aufrecht darin stehen konnte, und mit einem gewölbten Dach versehen, von dem der Regen gut abfloss. Doch in dieser Nacht gab es keinen Regen. Es war ein lauer Juniabend, der Mond ging leuchtend gelb am Himmel auf.

Die Squaws saßen vor dem Koch-Wigwam am Boden, in einiger Entfernung zu den großen Feuern und den Tapferen. Sie umdrängten Nicole, berührten ihr Haar und das Gesicht, streichelten ihre Arme und befingerten den Stoff ihres Kleides, liebkosten ihre Knöchel, während sie die Verschnürung der Stiefel untersuchten. Zuerst wehrte Nicole ab und versuchte, die Frauen zu vertreiben, doch dann gab sie es auf, zwang sich, die Musterung willenlos über sich ergehen zu lassen und nicht mehr auf sie zu achten. Stattdessen sah sie gebannt zu Quentin Hale und Cormac Shea hinüber. Die beiden Männer, mit denen sie viele Tage durch die Wildnis marschiert war, waren verschwunden. An ihre Stelle waren zwei Wilde getreten.

Monsieur Shea war nackt bis auf einen Lendenschurz. Ober- und unterhalb der Ellbogen trug er Perlenketten, ebenso an den bloßen Beinen. Das Haar hing ihm offen herab, an den Hinterkopf hatte er Federn gesteckt. Monsieur Hale trug keine Perlen, und sein Haar war für einen Federschmuck zu kurz, doch auch er war nackt bis auf seine lederne Kniehose und eine Art Amulett, das ihm an einem Lederriemen um den Hals hing.

Er hatte ihr gesagt, dass dies ein Sommerlager sei, dass die Shawnee sich im Winter in kleinere Jagdgruppen aufteilten und getrennter Wege gingen, doch mit dem Nahen des Sommers versammelten sie sich an Orten wie diesen. »Es ist ein großes Familienfest, das drei Monate dauert. Nahezu jeder, der kein Feind ist, wird hier willkommen geheißen.«

»Und Sie und Monsieur Shea sind keine Feinde der Shawnee?«

»Nein, warum auch? Corm ist halb Potawatomi, sie sind entfernt mit den Shawnee verwandt. Und ich bin Potawatomi durch Adoption. Außerdem bin ich der Feind keines Indianers.«

»Nicht einmal der Irokesen?«

»Genau genommen nicht.«

»Und nicht so genau genommen?«

Quent wich ihrem Blick aus. »Ich bin Engländer. Die meisten Irokesen sind Verbündete der Engländer. Das reicht fürs Erste.«

»Die sind Ihre Verbündeten gegen die Franzosen, meinen Sie also.«

»Genau das meine ich.«

Bevor sie etwas darauf erwidern konnte, hatte er sie im Wigwam der Squaws zurückgelassen. Nachdem die Frauen den Männern zu essen gebracht hatten, bedienten sie auch Nicole und sich selbst aus den Töpfen. Der Duft von gebratenem Fleisch – Kaninchen, Moorhuhn und Opossum – hing noch in der Luft. In wenigen Fuß Entfernung nagten einige räudige halbzahme Hunde an den weggeworfenen Knochen. Die Abenddämmerung ging in die Nacht über. Die Fische, die hinter den Männern an Schnüren zum Räuchern aufgehängt waren, sahen aus wie Fledermäuse, die das Feuer umschwirrten.

Nicole bemerkte, wie Quentin Hale sich vorbeugte. Die Flammen beleuchteten seinen roten Haarschopf. Er sah aus wie ein Teufel. Er sagte etwas zu einem der Indianer, und der Wilde warf den Kopf in den Nacken und lachte. Offenbar hörten ein paar Squaws, die in der Nähe saßen, was er sagte, denn auch sie lachten. Nicole lief es kalt über den Rücken. Guter Gott, was soll an diesem Ort bloß aus mir werden? Heilige Maria, steh mir bei.

»Freust du dich, die Männer deines Stammes als Wahre Menschen zu sehen, *neya*?«

Die Frau, die ihr ins Ohr flüsterte, sprach Englisch, doch der Waldgeruch – wie Pfefferminze, dachte Nicole – stammte von einer Squaw. Nicole drehte sich um und sah sich einer Frau gegenüber, die etwa vierzig sein mochte, oder auch älter. Ihr Gesicht war runzlig, ihr fehlten einige Zähne, doch ihr Haar glänzte noch tiefschwarz. Es fiel ihr in einem Zopf über die Schulter, der in einem Büschel leuchtend bunter Federn endete. Ihre Arme waren mit Perlenketten bedeckt, sie trug ein kurzes Kleid aus Rehleder. Sie streichelte Nicole die Wange. »Zwei starke Tapfere. Bei welchem liegst du? Vielleicht bei beiden?«

»Gar nicht. Bei keinem. Es ist eine Sünde ... Und hör auf, mit dem Finger an mir herumzustochern.«

»Ich wollte dich nur begrüßen. Ich hatte vergessen, dass weiße Frauen einander nicht berühren.« Die Squaw zog ihre Hand zurück. »Ich bin schon seit vielen Sommern nicht mehr bei den Weißen. Ich heiße Torayana. Früher war ich bei einem weißen Mann. Viele Sommer lang, viele Jahre. Als er starb, bin ich zu meinem Volk zurückgekommen.«

Nicole blickte von der Squaw zu den Männern, die im Kreis um das riesige Feuer saßen. Die Indianer waren so nackt wie Cormac, und wie er waren sie mit Federn und Perlen geschmückt. Die Männer – die Tapferen, sollte sie wohl sagen – hatten alle lange Haare und Federn am Hinterkopf. Vor ein paar Tagen, als sie unterwegs ein bisschen redeten, hatte Monsieur Hale erzählt, dass neugeborenen Jungen bei vielen Stämmen ein Brett an den Hinterkopf gebunden wurde, damit der Schädel abgeflacht wurde und man später leichter Federn anbringen konnte. »Das ist eine Art, um festzustellen, zu welchem Stamm jemand gehört, und zu welchem Klan innerhalb des Stamms – anhand der Federn, die sie tragen.«

Es war eine warme Nacht, und die Hitze der lodernden Flammen erreichte sogar den Wigwam der Squaws. Trotzdem konnte Nicole nicht aufhören zu zittern.

Torayana holte eine Decke und legte sie ihr um die Schultern. Der Stoff roch indianisch, rauchig und fremd, aber sie war trotzdem froh darum. »Heute Nacht«, flüsterte die Squaw, »wenn ich noch jung wäre und gut anzusehen, würde ich mich Uko Nyakwai anbieten. Ich würde mich auf den Rücken legen und die Beine breit machen und ihn bitten, mich zu decken, wie die weißen Männer es tun. *Ayi*! Es wäre großartig, wenn Uko Nyakwai auf mir herumhüpfen würde, mit seinem Mannteil in mir. Nach hundert Feuern würden meine Schwestern mich noch bitten, die Geschichte zu erzählen. Ach, noch nach tausend, *neya*?«

Torayanas Gesicht war von der Hitze gerötet, auf ihrer Oberlippe standen Schweißperlen. »Uko Nyakwais Frau zu sein, das wäre aufregend«, flüsterte sie. »Sie sagen, sein Mannteil ist so dick wie sein Arm und fast so lang. Sie sagen, Shoshanaya sei vor Angst fast gestorben, als sie sein Mannteil das erste Mal sah. Aber hinterher war sie so zufrieden mit ihm, dass sie sich ihm Tag und Nacht anbot. Der andere« – sie deutete mit einem Kopfnicken auf Cormac – »ist auch nicht übel. Ihm würde ich gern meinen hinteren Eingang anbieten. Aber er ist nicht Uko Nyakwai, stimmt's?«

»Uko Ny…« Nicole mühte sich, die Wörter auszusprechen.

»Uko Nyakwai«, wiederholte Torayana langsamer. »Das heißt Roter Bär. Das ist der Indianername des Mannes, den du Hale nennst.«

»Und was war mit dieser Squaw, von der du erzählt hast, mit Shoshanaya – war sie seine Frau?«

»Seine Ehefrau«, sagte Torayana stolz. »Die Heiratsworte wurden in einem Jesushaus über sie gesprochen. Sie war eine Ottawa-Prinzessin. Ihr Vater war Recumsah, ein großer Ottawa-Häuptling. Er gab seine Tochter Uko Nyakwai, und der Rote Bär nahm sie ins Land seines Vaters, und sie waren sieben Monate zusammen. Bis eines Nachts ein Kriegstrupp der Huronen kam.« Torayana wandte sich ab und spuckte aus, um den Namen ihrer Feinde nicht mehr schmecken zu müssen. »Als sie Shoshanaya allein in dem Wigwam fanden, den Uko Nyakwai für sie gebaut hatte, tat jeder von ihnen ihr Gewalt an, obwohl sie sich keinem Einzigen angeboten hatte. Sie waren noch nicht fertig, da kam Uko Nyakwai zurück, und sein Zorn war so groß, dass er einen Baum ausriss und damit alle Huronen-Tapferen tötete, die sich Shoshanaya aufgezwungen hatten. Aber er kam zu spät, um sie zu retten. Ihr Geist war zu beschämt, um noch in ihrem Körper bleiben zu wollen. Sie trug Uko Nyakwais Sohn in sich, den nahm sie mit und verließ mit ihm diese Erde.«

»Aber warum haben die Huronen-Tapferen das gemacht?«

Torayana zuckte die Achseln. »Sie sagen, früher hätte es einen Kampf gegeben, und Uko Nyakwai hätte einen Huronen getötet, der ein Dieb war. Sie sagen, die Brüder des toten Huronen hätten sich zum Land von Uko Nyakwais Vater aufgemacht. Sie sagen, es sei aus Rache geschehen, aber wer weiß schon, warum Männer Dinge tun, *neya*? Außerdem sind die Huronen Dreck.« Wieder spuckte sie aus. »Schau, siehst du den Tapferen da drüben?« Sie deutete auf einen Mann, der sich erhoben hatte, am Feuer stand und sprach. Alle im Umkreis lauschten ihm gebannt. »Das ist Pontiac, ein Ottawa wie Shoshanaya. Er gehört zu ihrem Klan. Er ist der Sohn von Recumsahs Bruder.«

Quent spürte, dass die Frauen zu ihm schauten. Er warf einen Blick in Nicoles Richtung. Es freute ihn zu sehen, dass sie, in eine Decke gehüllt, mit einer der Squaws sprach, obwohl er vermutete, dass sie über ihn redeten.

Sonst achtete niemand auf die Frauen. Alle hörten Pontiac zu. »Wenn wir die alten Wege vergessen, was wird dann aus uns werden? Wir fallen nur noch tiefer in die Grube, die wir uns selbst graben mit den Waffen des weißen Mannes, mit seinem Werkzeug und seinem Feuerwasser. Bald wird uns nicht mehr vor seinem Gestank ekeln.« Pontiacs gelbbraune Haut schimmerte im Schein des Feuers, die Klan-Federn an seinem Kopf waren in eine Rauchschwade gehüllt. Sein Haar war lang, wie das der Shawnee, das Amulett um seinen Hals war ein Stein, in das eine Schildkröte graviert war. Das Amulett um Quents Hals sah genauso aus. Shoshanayas Vater hatte es ihm gegeben.

»Es ist an der Zeit, dass wir unsere Streitigkeiten vergessen und uns daran erinnern, dass wir rote Männer sind und die Weißen unser gemeinsamer Feind«, fuhr Pontiac fort. »Es dürfen keine Kriegswampune unter den *Anishinabeg* mehr ausgesandt werden.

Wir müssen uns verbünden und nur gegen jene kämpfen, die uns von unserem Land vertreiben und unsere Lebensweise zugrunde richten wollen.« Er wandte sich um und blickte direkt zu Quent, der noch neben dem Tapferen saß, mit dem er kurz zuvor gescherzt hatte. »Schaut, was aus uns geworden ist. Wir erlauben weißen Männern, uns unsere Frauen wegzunehmen. Und weil sie zu schwach sind, sie zu beschützen, werden unsere Squaws zu Huren unserer Feinde.«

Quent erhob sich. Er überragte den Ottawa, doch er wusste, dass der Kampf trotzdem nicht leicht sein würde. Pontiacs Kraft war allgemein bekannt, ebenso wie seine Gerissenheit. Quent spürte den Druck seines Dolchs am unteren Rücken, doch er griff nicht danach. »Pontiac spricht wie ein Kind, das Nüsse stiehlt und dann sagt, er habe das Eichhörnchen getötet.«

»Ich bin kein Kind, Uko Nyakwai. Und ich verwechsle Nüsse nicht mit einem Eichhörnchen.« Der Ottawa ging Quent gerade bis zum Kinn, doch seine Schultern waren breit wie die eines Stiers, und bei jeder Bewegung traten seine kraftvollen Muskeln an Brust und Armen hervor. Bei einem Rede-Feuer wie diesem trug niemand Waffen bei sich, doch Pontiac hatte zuvor mit seinem Messer das Fleisch zerteilt. Es steckte im Boden zu seinen Füßen. Er bückte sich und hob es auf.

»Ich habe mit Recumsah das Kalumet geraucht«, sagte Quent ruhig. »Ich kann jetzt nicht wegen desselben Versagens mit dir kämpfen.«

»Ich war bei der Zeremonie nicht dabei, und du hast nicht mit mir geraucht.« Pontiac packte das Schildkrötenamulett um Quents Hals, riss es ab und schleuderte es zu Boden.

Quent hatte keine Wahl. Er musste gegen Pontiac kämpfen. Und wenn er ihn tötete, würde Recumsah vor Wut aufheulen und Quent zum Feind aller Ottawa erklären. Zum Feind des Volks von Shoshanaya. Es war undenkbar. »Ich habe keinen Streit mit dir, Pontiac, Sohn des Bruders von Recumsah. Heb das Amulett auf, gib es mir zurück, und wir legen diesen Augenblick ins Feuer und verwandeln ihn in Rauch.«

»Ich habe einen Streit mit dir, Uko Nyakwai. Du stinkst zwar nicht wie ein weißer Mann, aber du kannst deiner weißen Haut nicht entkommen. Schlimmer noch, du bist Engländer. Deine Art will mehr als nur die Herzen und Körper der *Anishinabeg*, mehr als unser Jagdgeschick, um euren endlosen Hunger nach Fellen zu stillen. Die Engländer wollen unser Land, und das ist unsere Seele. Einer weniger von euch ist eine gute Sache.«

Quent fasste an seinen Rücken und fühlte den Dolch. Er spürte Cormacs Blick auf sich und wusste, dass sein Freund angespannt und bereit war. Niemand würde in den Kampf eingreifen, bis Pontiac tot war. Dann würden sie wütend sein, weil ein Ottawa-Gast zu Friedenszeiten an einem Shawnee-Feuer gestorben war, und die Shawnee würden zur Entschuldigung immense Wiedergutmachungen an Recumsahs Klan leisten müssen. Und sobald den Shawnee das bewusst wurde, würden sie vor Wut ein wildes Gemetzel beginnen. Dann standen sechzehn Tapfere gegen ihn und Corm. Ihre Langgewehre waren mit allen anderen Waffen zehn Schritte zu seiner Linken verwahrt. Das Mädchen saß zwanzig Schritte in die andere Richtung, umgeben von Shawnee-Squaws, die im Notfall ebenso entschlossen kämpfen konnten wie die Tapferen. Herr des Himmels, was für eine verfahrene Situation.

Pontiac schlug nach ihm aus. Quent täuschte einen Vorstoß an, dann riss er den Dolch in der geballten Faust nach oben, und die Spitze traf die Schulter des Indianers.

»Hört auf!« Die Stimme des Tapferen namens Teconsala war nicht laut, doch alle hörten sie. »Hört auf«, wiederholte er, und Quent und Pontiac traten einige Schritte auseinander. Beide wirkten ruhig, doch aus Pontiacs Schulter tropfte etwas Blut über seine bloße Brust.

»Wir sitzen an einem Feuer des Sommerfriedens, und niemand hier hat einen Streit mit Pontiac oder Uko Nyakwai«, sagte Teconsala. »Ihr werdet eure Auseinandersetzung an einem anderen Ort und zu einer anderen Zeit beilegen. Nicht hier.«

Teconsala war zwar kein Häuptling, aber doch der älteste Tapfere im Dorf – und offenbar der kühlste Kopf. Die anderen nickten und murmelten beifällig. Das Vergnügen, zwei große Krieger bei einem Kampf auf Leben und Tod zu beobachten, musste abgewogen werden gegen die Höhe der Wiedergutmachung, sollte Pontiac dabei den Tod finden. Teconsala gab einen weisen Rat.

»Ich habe Blut verloren«, sagte Pontiac und deutete auf seine Schulter. »Mir steht Vergeltung zu.«

»Das ist wahr.« Teconsala betrachtete den weißen Mann, den die Potawatomi adoptiert hatten. Lass uns sehen, ob dein Mut wirklich der des Bären ist, den sie dich nennen, Mann mit den roten Haaren. »Pontiac darf zur Wiedergutmachung einen Schnitt ausführen. Wo es ihm beliebt.« Er hätte eine bestimmte Stelle für den Vergeltungsschnitt nennen können, hätte sagen können, es dürfe kein tödlicher Stoß sein oder kein Schnitt, der Uko Nyakwai seiner Männlichkeit beraubte. Er hatte keine derartige Einschränkung ausgesprochen. Nun war der Rote Bär Pontiac ausgeliefert. »Stimmst du zu, Uko Nyakwai?«

»Teconsala spricht gerecht und weise. Ich stimme zu.« Quent öffnete die Hand und ließ den Dolch zu Boden fallen. Dann stand er breitbeinig da, ließ die Arme herabhängen und blickte geradeaus vor sich.

Pontiac trat auf ihn zu. Sein Messer bestand aus geschliffenem Feuerstein und war so scharf, dass er damit mühelos einen derben Lederriemen durchtrennen konnte. Er hielt es in der rechten Hand, um zu zeigen, dass ihn der Schmerz von der Schulterwunde nicht beeinträchtigte. Er richtete seine Waffe auf Quents Herz.

Quent sah am Indianer vorbei ins Feuer. Er öffnete sich und erlaubte seinem Geist, seinen Körper zu verlassen und fortzufliegen. Lautlos sang er das Todeslied, das er als Junge komponiert hatte, unter der Anleitung von Bishkek, seinem Mannheitsvater, dem alten Tapferen, der ihm geholfen hatte, ein Potawatomi und ein Mann zu werden. Unendliches Weiß. Schnee, der die Erde bedeckte. Ein Geist, der der Freiheit zuflog.

Pontiac wartete, musterte das Gesicht des Roten Bären, versuchte vergebens, seinem Blick zu begegnen. Das einzige Geräusch war das Krachen der brennenden Holzscheite.

Pontiac stach nicht zu. Er senkte das Messer, bis es nicht mehr auf das Herz seines Feindes gerichtet war, sondern auf dessen Lenden.

Kastration. Die gerechte Strafe für einen Mann, der seine Ottawa-Squaw nicht richtig beschützen konnte und den Huronen erlaubt hatte, sie zu schänden. Der lebende Tod. Quent rührte sich nicht. Unendliches Weiß und ein freier Geist.

Pontiac verlagerte das Gewicht nach vorn und stieß zu. Im letzten Moment drehte er das Messer, sodass die Klinge lediglich über die harten Muskeln an Quents Seite fuhr. Tief genug, dass er blutete, aber nicht mehr. Pontiac wischte die Schneide an seiner verletzten Schulter ab zum Zeichen, dass er für den Verlust seines eigenen Blutes gerächt war, dann steckte er das Messer fort. Er bückte sich, hob das Schildkröten-Amulett und den Dolch auf und reichte beides Quent. »Diese Dinge gehören dir, Uko Nyakwai. Ich hörte dein Todeslied, als es aus deinem Kopf aufstieg und in der Luft zwischen uns hing. Es war ein gutes Lied, so wie der weicheste Schnee gut ist. Vielleicht werde ich dich eines Tages töten, um Shoshanaya zu rächen, aber nicht hier und nicht auf diese Art.«

Quent schöpfte tief und lange Atem, und langsam, schmerzvoll, kehrte sein Geist in seinen Körper zurück.

Die anderen sahen ihm zu, warteten. Sie wussten, Uko Nyakwai hatte dem sicheren Tod ins Auge geblickt und brauchte nun Zeit, um wieder zu sich zu kommen. Nach einigen Sekunden durchfuhr ihn ein Schauder. Teconsala bemerkte es und nickte den Trommlern zu. Das Tanzen konnte beginnen.

Zuerst bewegten sich die Füße der Männer nur langsam, doch als der Schlag der Trommeln immer schneller wurde, beschleunigte sich auch der Tanz. Der Sänger, ein Junge, stimmte eine Weise an, gelegentlich fielen die Tapferen ein. Auch Quent sang. Der Rhythmus der Trommeln ging ihm ins Blut und ließ sein Herz im selben Takt schlagen.

Die Squaws erhoben sich und wiegten sich zum Klang der Musik. Torayana zog Nicole auf die Füße. »Es zeugt von mangelnder Achtung, am Boden sitzen zu bleiben, wenn der Tanz beginnt.

Und jetzt musst du jemanden wählen«, flüsterte sie mit eindringlicher Stimme.

»Was meinst du? Ich ...«

»Wen du haben willst – einen Tapferen oder einen der beiden, mit denen du hergekommen bist. Wenn du nicht selbst wählst, heißt das, dass du nur einen Häuptling nimmst. Heute Abend würde das bedeuten, dass du Teconsala gehörst. Wenn er wollte, könnte er dich dann Pontiac anbieten. Wenn du nicht selbst wählst, gibst du ihm das Recht dazu.«

Der Tanz hatte sich zu einem treibenden Wirbel gesteigert, der Gesang war eine einzige gellende Raserei, die in Nicoles Ohren wie heulendes Gejammer klang. »Du bist verrückt. Ich liege bei keinem Mann. Ich habe einen Schwur geleistet.«

Torayanas dunkle Augen weiteten sich. »Du bist eine Jungfrau. *Ayi*! Welch ein Preis!«

Nicole wollte in den Schutz des Wigwams schlüpfen, doch Torayana packte sie so fest am Arm, dass kein Entkommen möglich war. »Nein! Das heißt nur, dass du Teconsala aufforderst.«

Aus den Augenwinkeln bemerkte Quent den Vorfall, überlegte sich aber nicht, was er bedeuten könnte. Inzwischen hatte er sich ganz dem Tanz und dem Rhythmus der Trommeln hingegeben. Die Musik war eins mit seinem Herzen. Sein Leben war ihm wiedergegeben worden, und sein Körper stimmte in die Freude, das Verlangen und das Drängen der Trommeln ein. Als er an dem Tanz das erste Mal teilgenommen hatte, war er dreizehn gewesen und gerade zum Potawatomi-Mann geworden, weil er sich das Recht darauf erworben hatte. Damals war er verlegen gewesen ob der Wirkung, die die Trommeln und das Tanzen auf ihn hatten, bis er sah, dass es den anderen Tapferen ebenso erging. Wenige Momente später hatte eine Squaw ihn erwählt – keine junge, eine ältere Frau, deren Brüste schlaff herabhingen und die nur noch wenige Zähne hatte. Sie führte ihn in den Wald, hockte sich nieder und zeigte ihm, wie er sie von hinten bestieg, und er hatte seine Jungfräulichkeit in einem Aufschrei von Erregung und Triumph verloren. Beim nächsten Mal, hatte sie ihm gesagt, könne er eine junge und schöne

Squaw haben und brauche keine Schande auf sich zu laden, sondern wisse, was er zu tun habe.

Die erste Frau, die sich aus der Gruppe der Squaws löste, ging zu Pontiac, berührte ihn an der Schulter, und er folgte ihr in den Wald.

»Schnell«, flüsterte Torayana. »Wenn du Uko Nyakwai willst, dann geh jetzt zu ihm. Sonst nimmt ihn eine andere.« Ihr Rat kam zu spät. Eine der Squaws, die jüngste und hübscheste, eilte vor und berührte Quent an der Schulter. Er folgte ihr zu den Bäumen, ohne einen einzigen Blick auf Nicole zu werfen.

Torayana sah den völlig verängstigten Blick der jungen Weißen. Sie wartete noch eine Sekunde, bis Cormac direkt in ihrem Blickfeld stand, dann versetzte sie Nicole einen kräftigen Stoß in seine Richtung. Das Mädchen stolperte gegen den tanzenden Cormac. Er packte sie, damit sie nicht zu Boden fiel, dann hob er sie hoch und trug sie fort.

6

Montag, 29. Juni 1754
Ohio Country

Die sieben Männer saßen im Kreis auf einer Lichtung gleich hinter der kleinen Siedlung, die als Gists Handelsposten bekannt war. Washington und sein ziviler Quartiermeister, ein Ire namens George Corghan, den es nach Virginia verschlagen hatte, waren die einzigen Weißen. Tanaghrisson, der Halbkönig, war bei ihnen, darüber hinaus ein Delaware, zwei Mingo und ein Shawnee. Laut Tanaghrisson waren die Indianer allesamt Kriegshäuptlinge, doch bislang trieb es keinen von ihnen zu dem Kampf, auf den Washington drängte.

Die Basis des Oberstleutnants in dieser Region, das Fort, das er in Great Meadows errichtet hatte, lag achtzehn Meilen im Osten. Er hatte hundert Mann zur Bewachung dort zurückgelassen. Die Franzosen waren sechsunddreißig Meilen westlich in Fort Duquesne.

Wenn Washington sich umblickte, sah er die dreihundert Milizionäre, die er mitgebracht hatte. Sie waren in Gruppen von rund zwanzig Mann aufgeteilt, die jeweils bestimmte Aufgaben verrichteten: Bäume fällen, sie fortschaffen, den Weg ebnen, den Boden so weit befestigen, dass die Holzräder ihrer Lastkarren nicht darin stecken blieben. Es war eine qualvolle und undankbare Fronarbeit, und die Männer fluchten und schwitzten. Ihre Schinderei hatte nur ein Ziel: die Straße fertig zu stellen, auf der sie das französische Fort erreichen würden. Seit zwei Wochen mühten sie sich ab, und die Nächte waren viel zu kurz, als dass sie genügend Schlaf bekämen. Zoll um Zoll schoben sie sich mit ihren Vorratswagen und den großen Drehbassen durch die Wildnis voran. Aber, sagte Washington sich, der Erfolg war ihm sicher. Letzten Endes würden die Männer es ihm danken. Sie würden den Allmächtigen preisen, dass sie das

Glück gehabt hatten, unter George Washington zu dienen. Ihm war Großes bestimmt, das fühlte er. Aber im Augenblick musste er sich mit diesen Indianern befassen.

Ein verfluchtes Pack von Wilden waren sie, und Tanaghrisson war der Schlimmste von allen. Eine Bestie, die ihre Hände im Gehirn eines anderen Menschen wusch. Herr des Himmels … Daran wollte er überhaupt nicht denken. Einen Monat war das her, aber noch hatten sich für ihn keine nachteiligen Folgen ergeben. Keiner hatte sich überrascht gezeigt, als er berichtete, dass die Musketiere aus Virginia an dem Tag zehn Soldaten getötet hatten, darunter Jumonville, und hinterher die Indianer die Toten skalpiert hatten. Jeder wusste doch, dass die das taten. Und was die französischen Gefangenen betraf – nichts als Spione und Lügner. Jeder, der auch nur ein bisschen Verstand besaß, würde doch viel eher George Washington aus Virginia glauben als einem verlogenen Franzosen. Vergiss es, sagte er sich. Kümmer dich um das, was jetzt ansteht. Tanaghrisson hat Recht. Es wird uns nicht schaden, die Beile dieser Wilden und ihrer Krieger auf unserer Seite zu haben. Wird den Franzosen einen Höllenschreck einjagen. Aber so wahr mir Gott helfe, es ist verdammt komisch, einem bemalten Wilden über eine Viertelstunde zuzuhören, ohne die geringste Ahnung zu haben, wovon er redet.

Meist führte Tishcohantin, der Delaware, das Wort. Er ging in der Mitte des Kreises auf und ab. In der Linken hielt er einen Wampumgürtel. Croghan sagte, das täten sie, um ihren Worten größeres Gewicht zu verleihen. Er sagte, die Wichtigkeit dessen, was einer sage, könne man daran erkennen, wie oft sich der Sprechende den Wampum um den Arm wickelte. Und – auch das nach Auskunft des Iren – dass der Beutel aus Eichhörnchenfell, der dem Delawaren um den Hals hing und aus dem eine Pfeife herausragte, bedeutete, dass er ein Mann des Friedens war. Er wollte keinen Frieden, verdammt noch mal. Nicht jetzt. Noch nicht. Den Frieden musste man sich verdienen, erst kam der Krieg. Und du, du verfluchter Heide, solltest bald damit rausrücken, ob du für oder gegen uns bist. Recht viel länger lasse ich mir den eisigen Blick nicht bieten.

Tishcohantin von den Lenape, die bei den Weißen – den *Cmokmanuk* – Delaware hießen, hatte sich den Wampum vier Mal ums linke Handgelenk geschlungen. Er sprach langsam, scheinbar unbewegt, und sein Blick blieb unverwandt auf den jungen Weißen gerichtet. »Letzten Winter warnte ich dein Volk und den Winter davor auch. Trotzdem habt ihr Engländer nichts unternommen. Zwei Winter lang hat Onontio in diesem Tal seine Festungen errichtet, und ihr habt nicht darauf gehört, als ich sagte, was das bedeutet. Und jetzt, da du die Kraft deiner Krieger darauf verwendet hast, herzukommen, du deine Männer getrennt hast, dreihundert hier und hundert da bei deinem neuen Fort …«

Tishcohantin sah zu Croghan und dann zu Tanaghrisson. Die beiden verstehen meine Worte, aber nicht dieser Grünschnabel, der der Anführer sein soll, der Kriegssachem. Der Junge versteht kein einziges Wort. Macht nichts. Die anderen werden ihm sagen, dass ich ihn durchschaut habe. Insgesamt vierhundert Männer. Sie sagen, dass mehr unterwegs sind, aber wo will er sie unterbringen, wenn sie wirklich kommen – und bei diesen Engländern kann man nie sicher sein. In diesem stinkenden Loch, das er Fort Necessity nennt und das jetzt einen harten Marsch lang hinter ihm liegt? Wenn er in Great Meadows Stellung beziehen wollte, hätte er dort bleiben sollen. Der weite Weg zum Feind hat seine Wagen ruiniert, und die und seine schweren Geschütze haben die schlechten Wege noch schlechter gemacht. Das weiß ich alles – jede Dummheit, die er begangen hat –, und trotzdem erwartet er, dass ich für ihn das Beil hebe, für die Engländer gegen die Franzosen kämpfe – warum sollte ich? Warum sollte das irgendeiner von uns?

Washington erwiderte den Blick, ohne mehr zu verstehen als die Frage, die der Rothaut von den Augen abzulesen war. Er beugte sich zu Tanaghrisson. »Sag ihm, ich will weitermarschieren und Fort Duquesne einnehmen. Sag ihm, dass wir alle Franzosen, Onontios Soldaten, aus dem Tal vertreiben werden. Wenn die Delaware und die anderen mit uns kämpfen, sind wir stärker als früher, und dann können alle in Frieden leben.«

Tishcohantin redete wieder, bevor der Halbkönig der Schlangen etwas sagen konnte. Bevor der Junge, der ein Kriegssachem sein wollte, merkte, dass Tishcohantin, der Lenape, seine Sprache verstand, aber nicht gebrauchen wollte. »Wenn ihr Engländer und die Franzosen hier kämpfen wollt, dann sind unsere Familien in dem Tal nicht sicher. Dann müssen wir sie zu euren Siedlungen bringen in den Gegenden, die ihr Pennsylvania und Virginia nennt.« Er wirbelte herum, sodass er den Kriegssachem der Mingo und die beiden Shawnee direkt anblickte. »Und was wären unsere Frauen und Kinder dort, in den stinkenden Löchern, in denen die Weißen sich vom Gefühl und Geruch der Welt des Großen Geistes entfernen und jeden Bezug zur Wirklichkeit verlieren? Sie wären Flüchtlinge, Fremde, die niemand achtet. Und was verstehen diese Engländer schon von Gastfreundschaft? Gar nichts. Ihr alle wisst das.« Tishcohantin hielt einen Atemzug lang inne.

»Früher lebten *Anishinabeg* an den Orten, wo heute nur noch *Cmokmanuk* sind. Es ist unmöglich, dass das Wahre Volk und die Engländer Seite an Seite leben. Langsam pressen sie das Leben aus uns heraus. Dieses Volk ist krank, es hungert nach Land. Sie glauben, sie könnten die Erde unter unseren Füßen besitzen. Die Franzosen kommen und treiben Handel; manchmal kämpfen sie gegen uns und wollen uns töten, das gebe ich zu, aber sie verschwinden immer wieder. Die Engländer kommen mit ihren Frauen und Kindern und bleiben hier. Sie bringen nur Verderben mit sich. Sollen wir für sie das Beil ergreifen, unsere Tapferen in den Kampf schicken und sterben lassen, nur damit sie uns dann verjagen? Das ist kein weiser Plan.«

Der Halbkönig regte sich nicht, doch er las die Entscheidung der anderen in ihrem Blick. Tishcohantin, der Lenape, hatte sie überzeugt. *Ayi!* Sie würden nicht nur nicht für Washington kämpfen, sondern sie würden das Beil für Onontio ergreifen, der schließlich doch nicht tot war, so sehr er, der mächtige Tanaghrisson, sich auch bemüht hatte, ihn umzubringen.

Der Halbkönig warf einen Blick auf Croghan, den Iren. Er wusste es auch. Das stand ihm ins Gesicht geschrieben. Würde er es

Washington sagen? Vielleicht. Vielleicht auch nicht. Aber es war gleichgültig, ob der junge Sachem es wusste oder nicht. Es war zu Ende. Der große Plan, Onontio aus dem Ohio Country zu vertreiben, war gescheitert. Tanaghrisson spürte, wie tief unten in seinem Bauch etwas erzitterte – ein Wissen, das sich in seinem Körper einnistete. Wahrscheinlich würde es ihn umbringen, dieses Wissen. Aber zuvor würden er und die Seinen noch mehr leiden. Möge der Große Geist alle *Cmokmanuk* verfluchen und uns vergeben, dass wir je dachten, wir könnten hier gemeinsam mit ihnen leben.

»Warum bist du allein zurückgekommen?«, fragte Tanaghrissons Frau ihn. »Wo sind die Soldaten und die anderen, die mit dir gegangen sind?«

»Sie sind nicht hier.«

»Das sehe ich. Glaubst du, mir fehlt etwas an den Augen?«

»Du hast die Zunge eines Eichhörnchens. Klick-klack, klickklack, und du sagst nichts. Es ermüdet mich, dir zuzuhören. Pack alles zusammen, wir brechen auf.«

»Wir alle?« Ihr Mann hatte rund achtzig Menschen mitgebracht. Nur zwölf von ihnen waren Tapfere, der Rest waren Frauen, Kinder und Alte.

»Alle«, sagte er.

»Weit?«

Tanaghrisson zuckte mit den Schultern, und sie wusste, dass das wohl ein Ja bedeutete.

Also würden sie erneut aufbrechen mit übermüdeten Kindern und erschöpften Ältesten, ohne richtiges Kochfeuer, dafür allen Unannehmlichkeiten, die eine weitere Reise mit sich brachte. Mindestens vier Frauen mit dickem Bauch würden unterwegs gebären, ohne richtige Geburtshütte. Männer waren dumm, aber das war immer schon so gewesen. »Vielleicht gehst du nur mit den Tapferen«, schlug sie vor. »Wir anderen bleiben hier und kommen später nach.«

»*Alle*, habe ich gesagt. Kannst du die einfachsten Worte nicht verstehen?«

Ayi! Es musste also sein. »Wohin gehen wir?«

Er wusste es nicht. Vielleicht nach Aughwick, Croghans Handelsposten. Drei Tagesreisen nach Osten. Vielleicht auch vier, mit den Squaws und den Kindern. »Wenn wir ankommen, weißt du, wo wir sind. Pack jetzt.«

Tanaghrisson wandte sich ab und sah zu der Todesfalle, die Washington Fort Necessity nannte. Sobald dieses läppische Ding auf der Wiese dort drüben errichtet wurde, hätte er wissen sollen, dass er sich auf einen schlechten Tausch eingelassen hatte. Der Plan, sich mit den Engländern zu verbünden, um Onontio zu besiegen und ihn, Tanaghrisson, zum Obersten aller Kriegshäuptlinge im Ohio Country zu machen, verlangte nach kampferprobten Verbündeten. Stattdessen hatte er sich mit ein paar wenigen, schlecht ausgebildeten Soldaten zusammengetan, die hinter einer Einfriedung aus Holzscheiten lebten, kaum höher als der Kindsachem selbst. Der Platz dort drinnen war gerade groß genug, um ein paar Waffen und einige Zelte zu schützen. Ein Mann konnte den Kreis mit vierzig Schritten abgehen.

Ein Läufer, den er ausgeschickt hatte, war vor kurzem mit einer Kundschaft eingetroffen. Fünfhundert von Onontios Soldaten hatten Fort Duquesne verlassen. Sie waren schwer bewaffnet, und wie er befürchtet hatte, waren rund hundert Lenape und Mingo bei ihnen. Wenn Onontio im Wald auf die Amerikaner traf, würden Washington und seine Männer auf der Stelle sterben, alle. Wenn die Franzosen hierher kamen, würden sie sich auf die Hügel rund um dieses Tal verteilen und die Verteidiger des Forts einen nach dem anderen töten. Tanaghrisson seufzte. Er konnte die nahende Katastrophe körperlich spüren. Es rumorte in seinem Gedärm wie schon ein paar Tage zuvor bei Gists Handelsposten. »Pack«, wiederholte er. »Ich sage den anderen Bescheid.«

Seine Frau warf ihm einen wissenden Blick zu. »Du hast alles verloren, was du aufs Spiel gesetzt hast. Wie ist es dazu gekommen?«

»Dieser Washington ist ein gutmütiger Junge, der eines Tages ein guter Mann sein wird, aber er hat keine Erfahrung.« Tanaghrisson blickte wieder zu dem schlecht platzierten Fort mit seinen kümmerlichen Verteidigungsanlagen. »Schlimmer noch, er will nicht auf die hören, die es besser wissen.«

Zwei Tage später wurde Washington berichtet, dass Tanaghrisson und seine Leute – einschließlich des Dutzends Tapfere – Great Meadows verlassen hatten. Washington schickte einen Botschafter aus, der den Halbkönig zur Umkehr bewegen sollte, aber er wusste, wie gering die Aussichten auf Erfolg waren. Nur zwei Indianer waren noch bei ihm, Unzufriedene, die lieber bei den Weißen blieben, als zu ihrem Volk zurückzugehen. Sie waren alles andere als vertrauenswürdig, seine Männer würden also mehr oder weniger auf sich gestellt sein. Es war schwer, nicht der Verzweiflung anheimzufallen. Nein, niemals, sagte er sich. In einem heldenhaften Leben gab es für Verzweiflung keinen Platz. Ihm war Großes bestimmt. Er hatte den Befehl erhalten, das Ohio Country von den Franzosen zu befreien, und genau das würde er tun. Aber ohne eine beträchtliche Anzahl Indianer, die seine Truppen ergänzten, wagte er es nicht, Fort Duquesne anzugreifen. Also gut, dann musste er eben auf die Verstärkung aus Virginia und Pennsylvania warten, aber nicht hier bei Gists Handelsposten. So erschöpft die Männer waren, irgendwie würde er sie weitere achtzehn Meilen zum Handelsposten bei Red Stone Creek treiben. Zum Red Stone Fort, wie manche es nannten. Der Ort eignete sich bestimmt besser, um Stellung zu beziehen.

Nur dank seiner Entschlossenheit wurden die zusätzlichen achtzehn Meilen gottverfluchter Straße gebaut. Und als sie nach Red Stone Creek kamen – das doch kein Fort war, nur ein einzelnes befestigtes Gebäude, das Blockhaus genannt wurde –, wurden nur aufgrund seines eisernen Willens die Schützengräben ausgehoben, um ihre Stellung zu verteidigen. Er war ein Verrückter, der die Welt und alle, die auf ihr lebten, zwang, sich seinem Willen zu beugen, und wie durch ein Wunder gehorchten sie. Zwei Tage später war alles anders.

»Der Kundschafter ist wieder da, Sir.« Der Leutnant deutete mit dem Kopf auf einen Indianer. Ein Mingo, der aus einiger Entfernung die Schlachtvorbereitungen beobachtete, die in seiner Abwesenheit durchgeführt worden waren. Beeindruckt wirkte er nicht.

»Bring ihn zu mir.«

Die Nachricht war sehr einfach. Sechshundert Bewaffnete hatten Fort Duquesne verlassen – fünfhundert französische Infanteristen sowie rund hundert Indianer. Den Soldaten aus Virginia stand die doppelte Anzahl Männer auf französischer Seite gegenüber. »Was für ein Trupp ist es?«, wollte Washington wissen. »Sehen sie aus, als wollten sie nur kundschaften?«

»Die kommen, um zu kämpfen.« Der Blick des Mingo wanderte immer wieder über das Lager, die flachen Schützengräben und die erschöpften Männer. »Soldaten und Tapfere, wie ich schon sagte. Und mit vielen Skalps am Gürtel. Und große Geschütze. Größer als die da.« Er deutete auf die Drehbassen, die Washington unter derartigen Mühen mitgebracht hatte. »Viel größer.«

Washington wandte sich ab, damit weder der Offizier noch der Wilde mitbekam, wie er innerlich mit sich rang. Er hatte seine Größe ausreichend unter Beweis gestellt, einfach indem er so weit gekommen war. Aber Willenskraft allein genügte hier nicht. Sie würde keine Kanonenkugeln abwehren und keine Männer vor Musketenbeschuss schützen. Washington wandte sich wieder um. Der Mingo ging Richtung Wald, vermutlich für immer, doch der Leutnant erwartete einen Befehl. »Sagen Sie den Männern, sie sollen sich auf den Abmarsch vorbereiten. Wir kehren nach Fort Necessity zurück.«

»Jetzt, Sir? Die Jungs sind erschöpft, sie …«

»Sie sind am Leben, und ich beabsichtige, dass dies auch so bleibt. Auf der Stelle, Leutnant.«

Wieder in Great Meadows angekommen, versammelte Washington seine Männer auf den offenen Feldern und wartete auf die Begegnung mit dem Feind. Als die Franzosen eintrafen, verteilten sie sich zwischen den Bäumen rundum und nahmen seine Linien unter Musketenbeschuss. Das Virginia-Heer zog sich in die flachen Gräben um Fort Necessity zurück. Und dann, heiliger Herr des Himmels, begann es in Strömen zu gießen. Die Gräben füllten sich mit Wasser, und das Flankenfeuer nahm kein Ende.

Rund zehn Stunden nach Beginn des Gefechts robbte ein Junge – er war kaum fünfzehn –, den Washington wenige Tage zuvor zum Unteroffizier ernannt hatte, durch den Dreck zu dem Schützengraben, wo der Oberstleutnant Stellung bezogen hatte. »Die Männer, Sir. Sie haben den Rum gefunden. Ziemlich viele sind reichlich betrunken.«

»Gegen Betrunkenheit kenne ich kein sofort wirksames Mittel, Unteroffizier. Und unter den Umständen können wir nichts tun, um ihnen ihr Vergehen vorzuhalten. Aber wenn es vorbei ist, werden sie bestraft.« Das konnte man ihnen verflucht noch eins nicht verdenken, dass sie ihre panische Angst in Rum ersäufen wollten, aber bald würden sie ein paar Stunden Ruhe bekommen. Washington blickte zum Horizont. Es war acht Uhr abends, es dämmerte stark. Bald würde es zu dunkel sein, um zu feuern. Und bei Sonnenaufgang, wer konnte das wissen … Vielleicht hörte es auf zu regnen. Vielleicht kam die Verstärkung.

»Ja, Sir. Aber da ist der verdammte Regen. Die Musketen der Jungs sind klitschnass, Sir. Mit denen kann man keinen Schuss abgeben. Nicht, wenn sie nicht getrocknet und gereinigt werden. Und die Schraube, mit der sie gereinigt werden, Sir – von denen haben wir nur zwei.«

»Es gibt wenig, das ich …«

»Monsieur le Colonel Washington!« Die Stimme aus den Bäumen donnerte über die regennasse Wiese wie der Ruf des Erzengels Gabriel. »Monsieur le Colonel, hören Sie mich?«

Zum Teufel! Wenn er aufstand, stellte er eine erstklassige Zielscheibe dar. Aber Ruhm verlangte nach Taten. Washington erhob sich. Der junge Unteroffizier packte ihn am Ärmel und wollte ihn zu Boden ziehen. »Nicht, Sir! Es ist noch nicht ganz dunkel. Die können Sie noch sehen, Sir.«

Washington schüttelte ihn ab. »Ich bin der Befehlshaber der Virginia-Kompanie, Unteroffizier. Sie sollen mich sehen.« Dann richtete er sich zu seiner vollen Größe auf, formte die Hände zum

Trichter um den Mund, damit sie genau wussten, aus welcher Richtung der Ruf kam: »Ich bin hier, Sir! Und ich höre Sie deutlich.«

»*Eh bien, mon Colonel.* Möchten Sie verhandeln?«

Heiliger Herr des Himmels. Vielleicht würden sie doch nicht alle in diesem gottverfluchten Morast sterben.

»Er heißt Hauptmann de Villiers, Oberstleutnant Washington. Er sagt, er ist der Bruder des französischen Leutnants, der abge... der letzten Monat im Talkessel ums Leben gekommen ist. Joseph Coulon de Villiers de Jumonville.«

»Doch, ich habe seinen Namen gut in Erinnerung.« Der Vorratsraum war der trockenste, den das Lager zu bieten hatte. Und es gab nur eine qualmende Kerze, die gerade genug Licht zum Lesen spendete. »Der Satz hier ...« Washington schob das Dokument näher zu dem Französisch sprechenden Hauptmann, dem er die Verhandlung überlassen hatte. »Was heißt das?«

»Das sind die Bedingungen, Oberstleutnant. Uns wird freier Abzug mit allen militärischen Ehren zugesichert. Wir können unsere Waffen behalten, wenn wir einwilligen, das Ohio Country zu verlassen, und uns verpflichten, innerhalb des nächsten Jahres nicht wiederzukommen. Und wir müssen ihre Gefangenen in die Heimat entlassen sowie zwei Offiziere als Geiseln im Fort Duquesne zurücklassen. Ich bleibe, Sir, und ich bin mir sicher, dass noch jemand ...«

»Warum diese großzügigen Bedingungen, Hauptmann? Haben Sie eine Ahnung?« Verdammt und zugenäht. Wusste dieser de Villiers etwas, das ihm nicht bekannt war?

»Das weiß ich nicht, Sir. Wie es aussieht, haben sie sich in den Bäumen ganz gut eingerichtet. Die haben uns umzingelt, Sir. Und ...«

»Ich weiß, dass wir von ihnen umzingelt sind.« Die Salven waren stundenlang aus allen Richtungen auf sie niedergegangen. »Was ist mit Munition? Den Vorräten? Gehen sie allmählich zur Neige?«

»Möglicherweise, Sir. Das kann ich nicht sagen. Wie sollte man das herausfinden? Aber Villiers ...«

»Ja?«

»Er sagt, er sei gekommen, um den Tod seines Bruders zu rächen, Sir. Und seiner Ansicht nach hat er das getan.«

Bei Gott, das hatte er auch. Kurz zuvor hatten sie ihm die Zahlen übermittelt: Dreißig seiner Männer waren tot, siebzig verwundet. Und der Chirurg glaubte nicht, dass er viele von ihnen würde retten können. Im ganzen Lager gab es kein Maultier, kein Pferd und kein Schwein, das noch am Leben war. Damit hatten sie nicht nur kein vierbeiniges Transportmittel, sie verfügten auch über keine lebenden Fleischvorräte mehr. Washington klopfte mit dem Finger auf das Dokument, das die Kapitulationsbedingungen nannte. »Dass Jumonville erm… Dass sein Bruder tot ist, Hauptmann, steht davon etwas drin?«

»Einige Worte, Sir, nichts Wichtiges.« Was sollte er sonst schon sagen, verdammt? De Villiers hatte das Papier auf den Knien geschrieben. Das verfluchte Dokument war praktisch unleserlich. Er hatte geglaubt, da stünde etwas davon, dass Washington die Verantwortung übernahm für Jumonvilles Ermordung, aber als er wieder nach der Stelle suchte, konnte er sie nicht finden. Vielleicht hatte er sich getäuscht. Er bot sich als Geisel an, damit die Männer mit heiler Haut davonkamen. Was in Gottes Namen konnte man noch von ihm erwarten? Es war nicht an ihm gewesen, dort in dem Talkessel dem Gemetzel Einhalt zu gebieten. »Meiner Ansicht nach steht dort nichts von Belang, Sir. Über Jumonville, meine ich. Aber eines …«

»Ja?«

»Die Indianer, die mit ihnen kämpfen, Oberstleutnant Washington. Ich dachte, es wären die üblichen Verbündeten der Franzosen, Ottawa und Huronen. Aber das stimmt nicht.«

Washington wusste, wie die Antwort lauten würde, doch er wollte es aus dem Munde eines anderen hören. »Also, Hauptmann, welche Indianer sind es denn?«

»Unsere, Sir. Oder die die Unseren sein sollten. Mingo und Shawnee und Delaware.«

Washington griff nach dem Federkiel. »Hoffen wir, dass die Tinte nicht zu verwässert ist, um noch lesbar zu sein.« Er schrieb seinen Namen mit dem üblichen Schwung.

Die Virginia-Kompanie verließ Fort Necessity mit Washington an der Spitze am folgenden Morgen, dem 4. Juli 1754. Die meisten Männer waren barfuß, und kein einziger trug mehr eine richtige Uniform. Sie hielten die Musketen gesenkt, wie der Brauch es verlangt von Truppen, die sich ergeben.

De Villiers hatte nicht mehr als drei seiner sechshundert Männer verloren, einige wenige hatten leichte Verletzungen davongetragen. Die Sieger verfolgten den Abzug der Kolonialmilizen, dann zerstörten sie Fort Necessity, bevor sie nach Westen marschierten. Auf dem Rückweg nach Fort Duquesne, auf der Straße, die Washingtons Truppen gebaut hatten, legten die Franzosen Gists Handelsposten und das Red Stone Fort in Schutt und Asche. Das Ohio Country war wieder im Besitz Neufrankreichs.

7

Samstag, 4. Juli 1754

Québec Oberstadt, Neufrankreich

Der Mann, ein *habitant* in lederner Kniehose und einem gegürteten Jagdhemd, den breitkrempigen Hut tief in die Stirn gezogen, ging über die Place d'Armes, das Zentrum der Oberstadt, auf die Porte du Palais zu.

Das Tor war bewacht von einem Kanadier, der die Uniform der kolonialen *troupes franches de la marine* trug. Er warf einen Blick auf den Korb, den der *habitant* auf dem Rücken trug. »Du willst Feuerholz sammeln?«

»*Bien sûr, mon ami.* Wie soll meine Familie sonst was zu essen kriegen?«

Der Wachposten bedeutete ihm zu passieren.

Der Mann schlurfte weiter, blieb nicht stehen, um den Palast am Ufer des Flusses St. Charles zu betrachten, in dem Intendant Bigot lebte. Es hieß, Bigot verliere an den Spieltischen in seinem Ballsaal Tausende von *livres,* ohne mit der Wimper zu zucken. Nichts für einen Mann, dessen Überleben davon abhing, dass er im Wald Brennholz sammelte.

Sobald er außer Sicht der Palisaden des Palastes und seiner Kanonen war, wurde der Wald dichter. Jetzt brauchte Louis Roget den Rücken nicht mehr so stark zu krümmen. Er schritt etwas rascher aus, freute sich an den hohen Kiefern und Tannen und den Nadeln unter seinen Füßen, freute sich am Schatten und der Brise, die vom Fluss herüberwehte. Wäre da nicht der eigentliche Zweck seines Ausflugs gewesen, hätte der Provinzialobere der Gesellschaft Jesu großes Vergnügen an diesem Spaziergang in der freien Natur gefunden.

»*Vous! Ici!*«

Der Wilde war von Kopf bis Fuß mit blauen Tätowierungen bedeckt. Über beide Wangen zogen sich feine Narben, die so präzise waren, dass es sich eindeutig um zeremonielle Wunden handelte und nicht um Kampfverletzungen. In seinem langen schwarzen Haar steckten Federn, und er trug einen Lendenschurz, dazu zahlreiche Bänder um Arme und Beine. Um den Hals hing ihm eine große Medizintasche, die aus einem einzigen Otterfell bestand und ihn als Schamanen der mächtigen Midewiwin-Priesterschaft auswies. Der Jesuit unterdrückte ein Seufzen. Guter Gott, dass du uns an einen solchen Ort geschickt hast, um mit solchen Männern zu verhandeln.

»*Tu n'as pas de savoir-vivre, mon fils.*« Roget sprach langsamer und deutlicher als sonst. Bei diesen Wilden wusste man nie, wie viel Französisch sie verstanden. »Wo sind deine Manieren, mein Sohn? Vergiss nicht, mit wem du sprichst, und verhalte dich entsprechend.«

Der Indianer machte eine abschätzige Geste. »Wir sind beide Priester, nicht wahr? Glaubst du, dass du über mir stehst?«

»Ich bin ein Priester des einen Großen Geistes, der Himmel und Erde beherrscht.«

Die Sonne stand direkt über ihnen. Der Indianer wartete in diesem Wald, seit sie ein Viertel des Wegs über den Horizont gewandert war, und hatte erst vor kurzem gegessen. Er rülpste laut und hockte sich dann nieder. In seiner eigenen Sprache war er ein Twightwee, einer vom Kranichvolk. Die Europäer hatten das Ojibwe-Wort übernommen und nannten sie Miami. Aber welcher Name auch immer, sein Volk wohnte in dem Land, das die Franzosen *pays d'en haut* nannten, schon seit langer Zeit, schon bevor die *Cmokmanuk* gekommen waren. Wichtiger noch, er war ein Priester der Midewiwin, Mitglied einer der mächtigsten Wigwams, ein heiliger Mann, der mit den Geistern zu sprechen verstand. Er hatte wenig übrig für Europäer, gleich, welchem Stamm sie angehörten, ob dem französischen oder dem englischen, aber er hatte gelernt, eine Wahl zwischen dem kleineren und dem größeren Übel zu treffen.

Die Franzosen trieben Handel, machten Geschenke, zeigten Respekt – zumindest die meisten; diese arrogante Schwarzkutte war eine Ausnahme –, und es gab nicht allzu viele von ihnen.

Die Engländer vermehrten sich wie die Heuschrecken und verschlangen das Land, wie Insektenschwärme das Gras verschlangen. Wenn die Engländer kamen, wurden die Jagdgründe zerstört, und die *Anishinabeg* mussten ihr Heim und die Knochen ihrer Vorfahren verlassen und einen neuen Ort suchen, an dem sie leben konnten. »Da wir übereinstimmen, dass es nur einen Großen Geist gibt, sind all seine Priester gleich«, sagte der Indianer.

Roget war nicht hergekommen, um mit einem Wilden theologische Streitfragen zu erörtern. Er blieb stehen, zog einen kleinen Beutel aus Sämischleder voll Münzen unter seinem Hemd hervor und hielt ihn hoch. »Mir wurde berichtet, dass du Wichtiges zu sagen hast. Ich höre, aber ich höre nur geringe Worte.«

Der Midè-Priester blickte auf und dachte, dass er diesem arroganten Europäer am liebsten das Herz herausschneiden würde, und dann würde er es nicht essen, sondern den Dorfhunden zum Fraß vorwerfen. Aber er dachte auch, dass man mit dem Beutel voller Münzen eine große Menge Feuerwasser bezahlen konnte. Sein Mund war trocken, so sehr brauchte er es, aber er schmeckte auch die Bitterkeit des Verrats. Er fuhr sich mit der Zunge über die Lippen. »Ich spreche große Worte, Schwarzkutte, wichtige Worte. Ich biete dir mehr Macht über die roten Männer, als du für möglich hältst. Ich mache dich zum König aller *Anishinabeg*. Du wirst sie rufen können, für Onontio zu kämpfen und die Englischen ein für alle Mal zu besiegen.«

»Deine Sprüche und Zaubereien will ich nicht hören. Du musst mir mehr bieten als nur Worte.«

Der Indianer sammelte allen Speichel im Mund, um sprechen zu können und um die aufsteigende Übelkeit zu unterdrücken. »Memetosia, ein alter und geachteter Miami-Häuptling, ist gerade in Albany. Er trifft sich zu einem Powwow mit den Englischen, die Onontio besiegen wollen.«

»Schon vor drei Jahren, vor vielen Monden haben die Miami ihrem Vater Onontio den Rücken gekehrt und sich entschieden, auf die Lügen der Englischen zu hören. Es überrascht mich nicht, dass sie ein Powwow mit Onontios Feinden abhalten.«

Ayi! Halb hoffte er, dieses Stück Hundescheiße würde den Handel ablehnen und versuchen wegzugehen. Dann würde er ihn töten und das Geld nehmen und brauchte Memetosia nicht zu verraten. Aber bestimmt hat er nur einen Teil des Geldes bei sich. Und wenn ich ihn jetzt umbringe, bekomme ich den Rest nicht mehr. »Willst du mir sagen, dass du nicht wissen willst, was zwischen Memetosia und den Englischen in Albany passiert?«

»Mich interessiert nur der Ruhm des einen wahren Gottes und seiner Kirche. Die Englischen haben sich von dieser Kirche losgesagt. Sie haben eine Todsünde begangen und werden dafür ins Höllenfeuer kommen.«

Unmöglich, mit Männern zu verhandeln, die glaubten, sie wüssten alles. Der Midè-Priester fühlte, dass er furzen musste, und erhob sich ein wenig, um die Luft aus seinem Darm entweichen zu lassen. Insgeheim lachte er über die leicht angewiderte Miene der Schwarzkutte. »Wenn du die Englischen nicht magst, musst du zugeben, dass ich große Worte spreche.«

»Wenn es um die Feinde des allmächtigen Gottes geht, dann ja«, sagte Louis Roget und hockte sich schließlich neben den Indianer. »Dann sind es große Worte. Und ich höre dir aufmerksam zu.«

»Wie viel hast du dabei?«

So, jetzt kommen wir zum Kern der Sache, dachte der Jesuit. Der Diener bittet, der Herr bezahlt. »Einhundert *livres.*« Ein Drittel der vereinbarten Summe.

Angewidert spuckte der Miami aus. »Das ist nicht genug.«

»Es ist nur die Anzahlung. Einhundert jetzt. Zweihundert mehr, wenn du das ›gute Große‹ zustande bringst, das du versprochen hast.«

Der Miami zögerte einen Augenblick, überlegte, wie viel Feuerwasser er für dreihundert *livres* kaufen konnte, dachte an den Hunger, der immer in seinem Bauch tobte, und sein Verlangen. Schließlich nahm er einen Zweig in die Hand und ritzte eine Reihe von

Symbolen in die Erde. »*Papankamwa,* der Fuchs.« Er deutete auf das erste Zeichen, dann erklärte er sie der Reihe nach. »*Eehsipana,* der Waschbär. *Ayaapia,* der Elchbulle. *Anseepikwa,* die Spinne. *Eeyeelia,* das Opossum. *Pileewa,* der Truthahn.« Nach jeder Erklärung blickte er auf, um sich zu vergewissern, dass die Schwarzkutte Acht gab.

Roget wartete, bis die Aufzählung beendet war. »Ich habe dir gesagt, dass ich nicht für deine Sprüche und Zaubereien bezahle«, sagte er dann.

Der Midè-Priester empfand ein so starkes Verlangen, diesem Mann die Zunge herauszuschneiden, dass er ihm beinahe nachgegeben hätte, aber sein großer Durst hielt ihn davon ab. »Wenn du deine Worte bei der Messe über das Brot und das Feuerwasser sprichst, glaubst du dann nicht, dass deine Worte bewirken, dass das Wirkliche etwas anderes wird als das, was es vorher war?«

»Ja, aber ...«

»Also stimmen wir überein, dass Worte sehr machtvoll sein können.« Und bevor die Schwarzkutte weitere Einwände erheben konnte: »Dein Brot und dein Feuerwasser sehen genauso aus, nachdem du deine Worte gesprochen hast, aber du sagst, sie seien etwas anderes. Ich spreche von etwas, das du sehen und berühren kannst. Alte Steine, Schwarzkutte, ein Zauber, der mächtiger ist als die Worte deiner Messe. »*Papankamwa, eehsipana, ayaapia, anseepikwa, eeyeelia, pileewa*. Meine Worte machen dich zum König.«

Montag, 13. Juli 1754
Provinz New York

Das Schilfgras, das an dieser Stelle entlang dem Hudson's River wuchs, reichte Nicole und selbst den beiden Männern über den Kopf. Die Gräser teilten sich mit einem leisen Seufzen, als die drei sich einen Weg durch das Dickicht bahnten, und schlossen sich hinter ihnen wieder.

Seit der Nacht am Shawnee-Feuer waren drei Wochen vergangen. Für Nicole war die Reise im Kanu weitaus weniger beschwerlich gewesen, doch am Tag zuvor hatten sie das Boot am Flussufer versteckt und gingen nun wieder zu Fuß weiter.

»Wir wollen unsere Ankunft nicht aller Welt verkünden und an der Werft von Albany vorbeipaddeln«, sagte Quent. Als Nicole ihn nach dem Grund fragte, zögerte er, dann grinste er. Sie mochte es, wenn er grinste. Dann sah er aus wie ein schelmischer kleiner Junge. »Eine richtige Antwort weiß ich darauf auch nicht«, räumte er ein. »Aber so etwas machen Corm und ich einfach nicht.«

Sie verstand, was er damit meinte. Heimlichkeit war ihnen zur zweiten Natur geworden. So überlebten sie. Außerdem machte es ihr weniger aus, das Kanu zu verlassen, als sie gedacht hatte. Hier waren die Pfade besser erkennbar und auch breiter als im Ohio Country. Der Marsch war einfacher gewesen als erwartet, bis sie dieses schreckliche Schilfgras erreichten.

Wie immer ging sie zwischen den beiden Männern. Die Sonne stand noch nicht im Zenit, doch der Schweiß rann bereits in Strömen an ihr hinab, und die ledernen Hosen der Männer waren dunkel vor Schweiß. Sie roch den moschusartigen Geruch ihrer Körper, der sich mit der stinkenden Hitze vermischte, die aus dem Sumpf aufstieg. Wenn der Abend kam, würden sie alle drei die Kleider ausziehen und im Fluss baden. Das war der Lohn, das Ziel, das es ihr möglich machte, den ganzen Tag einen Fuß vor den anderen zu setzen.

Das Blatt eines Schilfgrases strich ihr über die Wange, sie spürte ein Brennen und wusste, dass sie sich geschnitten hatte. Sie wischte sich das Blut und den Schweiß mit einem Zipfel ihres zerschlissenen, schmuddeligen Rocks ab. Dann blieb Monsieur Shea, der vorausging, stehen, und Monsieur Hale legte ihr eine Hand auf die Schulter. So verharrten sie einige Herzschläge lang reglos. Mittlerweile fragte sie nicht mehr, was und warum. Nicole hielt die Luft an.

Ein Mann trat auf den Weg, ein Indianer mit dunkler Haut, flachem Gesicht und weiten Nasenlöchern. Wie Cormac und Quent trug er eine lederne Kniehose, an der Hüfte hing ihm ein Tomahawk. Sonst trug er keine Waffe, soweit Nicole feststellen konnte. Sein Haar war schwarz und dick und fiel ihm offen bis auf die Schultern herab. An seinem Ohrläppchen baumelte etwas, das wie die Schwanzfedern mehrerer Vögel aussah, und sein Gesicht war überzogen von den merkwürdigen Mustern, die Tätowierungen hießen, wie sie erfahren hatte. Nicole hatte es gelernt, die Reaktion ihrer Weggefährten zu deuten. Sie wusste sofort, dass der Indianer kein Feind war.

Die drei Männer unterhielten sich kurz in der schnellen, gutturalen Sprache, die sie nicht verstand. Der Indianer starrte ständig zu Nicole hinüber und deutete immer wieder auf eine Stelle irgendwo zu seiner Rechten. Schließlich machten Cormac Shea und der Fremde einige Schritte in die gewiesene Richtung und wurden sofort vom Schilfgras verschluckt.

»Wichtige Dinge mag er nicht vor einer Squaw besprechen«, erklärte Quent.

»Aber ich verstehe doch kein Wort von dem, was er sagt.«

Quent zuckte mit den Schultern. »Das weiß er nicht. Warten Sie hier. Wenn Sie sich nicht im Schilf verlaufen wollen, dann warten Sie genau an dieser Stelle.« Er folgte den beiden anderen. Nicole hatte keine Ahnung, wohin sie verschwunden waren. Die hohen Gräser nahmen ihr jedes Gefühl für Himmelsrichtungen, doch sie hörte das leise Murmeln der Männerstimmen.

Wenige Augenblicke später tauchte Quent wieder an ihrer Seite auf. Er war allein. »Wir gehen weiter. Cormac muss jemanden besuchen. Er holt uns später ein.«

»Ich hätte mich nicht verlaufen, wenn ich weitergegangen wäre«, sagte sie. »Sie hätten mich gefunden.«

»Vermutlich.«

»Warum haben Sie das dann gesagt?«

»Damit Sie artig sind.«

»Ich bin kein Kind. Sie müssen aufhören, mich zu behandeln, als würde ich nichts verstehen und wäre dumm.«

»Sie haben Recht. Ich tu's nicht mehr«, versprach er und fügte dann hinzu: »Diese Reise kann nicht leicht gewesen sein für eine

Weiße, die noch nie in der Wildnis gewesen ist. Sie haben sich wacker gehalten.«

Nicole errötete ob des Lobs und nickte steif. »Wo ist Monsieur Shea hingegangen? Und wer war der andere?«

»Der Mann heißt Mikamayalo. Er ist ein Twightwee, die Weißen nennen sie Miami.«

»Wie hat er uns denn gefunden, hier, in diesem … grauenvollen Dschungel?« Sie schob das Schilf beiseite, als sie sprach, und blieb dicht hinter Quent, der ihr einen Weg durch die peitschenartigen Gräser bahnte.

»Indianer sehen Dinge einfach«, sagte er. Er redete unbefangener als bislang auf dieser Reise, mit einer normalen Stimme und nicht leise flüsternd. »Mikamayalo hat erfahren, dass wir kommen.«

»Wie denn? Wer soll ihm das gesagt haben?«

»Andere Indianer. Sie haben viele Arten zu kommunizieren.« Er fügte nicht hinzu, dass ein oder zwei Tapfere ohne eine Frau im Schlepptau sie längst überholt hätten. »Mikamayalo sollte Cormac etwas ausrichten. Jemand in der Stadt will ihn sehen.«

»Wer ist er, dieser Jemand?«

»Kein Er, eine Sie.«

»Eine Frau?«

Er lachte. »Eine Sie ist meist auch eine Frau, oder?«

»Machen Sie sich nicht über mich lustig.«

»Aufgezogen zu werden gefällt Ihnen wohl nicht, oder?« Sein Ton war leichthin, aber er spürte, wie sich etwas in ihm vor Zorn zusammenzog. Wieso erkundigte sie sich so angelegentlich, wohin Corm ging und was er tat? »Hören Sie, wenn Sie nichts mehr sagen und einfach weitergehen, dann sind wir in einer knappen Stunde aus dem Schilf heraus.«

»Und dann?«

»Dann sind wir in Albany, oder zumindest so gut wie.«

In den Tagen, als die Niederländer über Nieuw Nederland herrschten, hieß der Vorposten rund hundertsechzig Meilen nördlich von Nieuw Amsterdam am Hudson's River Fort Orange und war vorwiegend ein Handelsposten für die dort lebenden Indianer. Die Siedlung, die darum entstand, wurde Beverwyck genannt. Als die Engländer 1664 Nieuw Nederland einnahmen, wurde Nieuw Amsterdam zu New York, Fort Orange und Beverwyck wurden in Albany umgetauft.

Die Stadt, noch immer von einem Palisadenzaun aus grob behauenen Stämmen umgeben, bestand aus wenig mehr als dreihundert Holzhäusern, die sich auf einem Gitterraster von etwa einem Dutzend meist enger Straßen drängten und verwinkelte Gassen säumten, die fast alle am Flussufer endeten. Fort Orange war aus Holz erbaut und stand nah am Fluss, war aber mittlerweile verfallen. Die Rotröcke wurden im neu errichteten Fort Frederick untergebracht, eine aus Stein gebaute Schanze auf zwei Drittel Höhe der höchsten Erhebung der Stadt. Wie schon seit den Anfangstagen lagen die Gasthäuser und Schenken weit unterhalb der Festung, vor allem an der Kreuzung der Green Street und der Beaver Street mit der breiten Market Street, die am Fluss entlang verlief.

Ein Dutzend Kutter, Schaluppen und Schoner lagen in Ufernähe vor Anker. »So viele Schiffe«, staunte Nicole, als Quent sie zu einer Schänke führte, über der ein Schild mit einem Pferdekopf hing. »Für diesen Ort.«

»Reden Sie nicht so abschätzig. Dieser Ort ist der Brotkorb für die Zuckerplantagen in der Karibik. Genauer gesagt, die Gutshöfe in der Umgebung. Ohne dem, was wir hier anbauen, würden sie auf den Inseln verhungern. Und wie sollte das Getreide ohne den Fluss zu den Käufern gelangen?«

Nicole zog die Nase kraus. »Trotzdem, es riecht.«

»Das ist nicht der Fluss, das ist die Stadt. Und nur, weil's Hochsommer ist«, sagte Quent lachend. »Außerdem bleiben wir nicht lange.«

Sie roch wie der Wald. Ihn verblüffte, wie sehr sie sich in den Wochen ihrer Reise verändert hatte. Sie hatte sich angewöhnt, wie er und Corm im Bach oder Fluss zu baden, während die beiden – darauf bestand sie – ihr den Rücken zukehrten und Wache hielten.

Er konnte sich keine andere weiße Frau vorstellen, die das tun würde. Und es war offenkundig, dass sie ihren bloßen Körper nach Art der Squaws mit wilden Kräutern einrieb. Wie sollte sie sonst nach Minze und Thymian riechen? Genau wie Shoshanaya.

Er fragte sich, ob wohl die Shawnee-Frauen ihr gezeigt hatten, wie man sich badet und parfümiert, und ob sie das tat, weil sie jetzt offiziell Corms Frau war. In der Nacht des Shawnee-Tanzes hatte er die beiden zusammen aus dem Wald kommen sehen. Seitdem hatten Nicole und Corm wenig Zeit allein miteinander verbracht. Das könnte sich jetzt ändern.

Das große Haus an der North Pearl Street war aus Stein und weißen Kieferschindeln gebaut, wie es sich für einen wohlhabenden, angesehenen Mann wie John Lydius gehörte. Der Giebel war nach Art der alten niederländischen Häuser zur Straße hin ausgerichtet. Einige Stufen führten von der ebenen Erde zu einer tiefen Veranda mit langen Bänken beiderseits der Tür. Cormac Shea war schon oft im Lydius-Haus gewesen. Nun erlebte er zum ersten Mal, dass es von Miami-Tapferen bewacht wurde, die bewegungslos rechts und links der Eingangstür standen.

Mikamayalo trat vor und sprach einige Worte. Zeremonielle Formen waren für die Miami sehr wichtig. Corm wusste das. Er wartete respektvoll, stellte keine Fragen, passte sein Verhalten dem der Tapferen an. Nach einem Moment öffnete einer von ihnen die Tür und bedeutete Corm und Mikamayalo einzutreten.

Im geräumigen Flur stand ein weiterer Tapferer. Er verlangte Corm die Waffen ab. Ohne zu zögern streifte dieser das Langgewehr von der Schulter und lehnte es an die Wand. Der Tapfere wartete. Corm nahm seinen Tomahawk ab und legte ihn auf den Tisch. »*Maalhsi*«, sagte der Tapfere, das Miami-Wort für Messer. Corm zog es aus seinem Gürtel und legte es neben den Tomahawk. Zufrieden nickte der Tapfere und bedeutete Corm, weiter ins Haus zu treten.

Nun waren sie allein. Mikamayalo flüsterte dem Wachposten etwas zu und verschwand durch die Tür ins Freie. Corm konnte nicht verstehen, was sie sagten. Die Miami-Sprache war der der Potawatomi, der Shawnee und den anderen Algonkin-Sprachen im *pays d'en haut* eng verwandt. Zu eng. Corm verstand den Großteil problemlos und hatte sich deshalb nie die Mühe gemacht, sie richtig zu lernen.

Ohne seine Waffen kam er sich nackt vor, doch damit hatte er gerechnet. Kein Volk erwies seinen Häuptlingen mehr Ehrerbietung als das des Kranichs. Bewaffnet in deren Gegenwart zu treten wäre eine grobe Unhöflichkeit. Zudem, wenn es stimmte, was Mikamayalo gesagt hatte, dann hatte niemand anders als Memetosia nach ihm geschickt, der Großvater des mächtigen Kriegssachem Memeskia. Vor nicht allzu langer Zeit hatte Memeskia das ausschließliche Handelsabkommen mit den Franzosen aufgekündigt, sich mit den Briten verbündet und andere Stämme, die unterhalb der Seen im *pays d'en haut* lebten, aufgefordert, sich ihm anzuschließen. Die Franzosen betrachteten das als Bedrohung ihrer Ansprüche auf das Ohio Country. Sie und die mit ihnen verbündeten Ottawa und Ojibwe hatten Memeskias Dorf Pickawillany angegriffen, es völlig zerstört und alle Bewohner abgeschlachtet oder gefangen genommen.

Die Wunden schmerzten Memeskias Klan noch immer. Und die Potawatomi waren Brüder der Ottawa und Ojibwe. Früher waren die drei als die Feuer-Nation bekannt gewesen. Was hatte Cormac Shea also hier zu suchen? Wichtiger noch – warum war ein alter Häuptling wie Memetosia, der in einem friedlichen Dorf unter seinem eigenen Volk auf den Tod warten sollte, überhaupt nach Albany gekommen? Wenn das nicht stimmte, wenn Mikamayalo log, dann tappte Corm in eine Falle. Er konnte sich nicht erinnern, dieses Haus je so dunkel und still erlebt zu haben.

Genevieve Lydius war eine Mestizin wie er selbst, halb französisch und halb Piankashaw-Indianerin. John sprach französisch, stammte aber von Wallonen ab und war Protestant. Aus Neufrankreich hatte man ihn verwiesen, weil er angeblich für die Briten spioniert hatte. Corm wusste nicht, ob das stimmte. Auf jeden Fall war Lydius einer der wohlhabendsten Kaufmänner in Albany.

Er hatte geschäftlich häufig mit Ephraim Hale zu tun und unterhielt einen Handelsposten mit den Indianern auf dem Land, das er von Ephraim gepachtet hatte in dem Teil des Guts, der als Great Carrying Place bekannt war. Cormac wusste, dass Lydius über diesen Posten Gewehre zu den Indianern in Kanada schmuggelte. Als Cormac ein Kind gewesen war, waren John und Genevieve Lydius häufig in Shadowbrook zu Gast gewesen. »*Alors*«, sagte sie eines Tages, als sie Corm entdeckte, der geradewegs auf Küchen-Hannahs Reich und ihre frisch gebackenen Ingwerkekse zusteuerte. »*Le petit métis.*« Das kleine Halbblut. »*Moi, je suis la grande métisse*. Wenn du das nächste Mal in der Stadt bist, musst du mich besuchen kommen.«

Jetzt würde er sich sehr freuen, sie zu sehen. Dann würde er wissen, dass er nicht geradewegs in eine Bärengrube tappte.

Es war ein großes, weitläufiges Haus. John und Genevieve hatten acht Kinder und mindestens doppelt so viele Enkel. Normalerweise hörte man junge Stimmen und unbeschwertes Lachen, sobald man zur Tür hereintrat. Heute herrschte tiefste Stille. Er ging einige Schritte weiter. Als es noch dunkler wurde, beschleunigte sich sein Herzschlag. Einfältig war er gewesen. Er hätte darauf bestehen sollen, zumindest sein Messer zu behalten.

»Cormac. *Ici.*« Es war nicht mehr als ein Flüstern, doch er erkannte Genevieves Stimme und drehte sich in die Richtung, aus der sie gekommen war. In der Dunkelheit konnte er die Frau gerade noch ausmachen. Sie stand vor einer geschlossenen Flügeltür mit aufwändiger Schnitzarbeit. Genevieve Lydius war eine üppige Frau mit einer würdevollen Ausstrahlung, ihr schwarzes Haar zeigte nach wie vor keine grauen Strähnen. Heute war sie von zwei Miami-Tapferen flankiert, und sie wirkte dabei wie eine Königin.

Mittlerweile hatten Cormacs Augen sich an die Dunkelheit gewöhnt. Er konnte sehen, dass beide Tapfere Musketen bei sich trugen. Damit waren mindestens fünf bewaffnete Miami im Haus. Was, wenn sie nicht hier waren, um ihren Häuptling zu beschützen, sondern aus irgendeinem Grund Genevieve gefangen genommen hatten? Gedanken wirbelten ihm durch den Kopf, schneller noch als sein Herzschlag. Sein Langgewehr konnte es mit fünf Musketen aufnehmen, doch es war drei Zimmer entfernt und wurde von einem weiteren Miami bewacht. Er suchte nach einer Taktik, einer Finte, die ihm helfen würde, in einem derart ungleichen Kampf zu bestehen. Dann trat Genevieve vor und begrüßte ihn mit einem Kuss auf beide Wangen. Die Spannung fiel von ihm ab. Er hätte die Angst an ihr gerochen, aber er nahm nichts dergleichen wahr. Sie würde sich nicht willentlich gegen ihn verschwören. Genevieve würde nie seine Feindin sein.

»Ich bin froh, dass du endlich gekommen bist, Cormac. Wir haben erfahren, dass du unterwegs bist, und warteten auf dich. Memetosia ist sehr krank. Wahrscheinlich bleibt nicht mehr viel Zeit« Sie deutete auf die Flügeltür.

»Also ist es wahr? Er ist hier? Im Haus war es so still, so dunkel. Ich habe mir Sorgen gemacht. Die Kinder …«

»Wir haben sie alle weggeschickt. Memetosia ist zu krank, um den Lärm meiner Kinder und deren Kinder zu ertragen.«

Cormac sah kurz zu den Tapferen, die die Flügeltür bewachten. Sie blickten starr vor sich hin, als würde die Unterhaltung sie in keiner Weise interessieren. Doch Cormac wusste, dass mindestens einer von ihnen genau zuhörte und später jedes Wort wiedergeben würde. »Warum ist der verehrte Häuptling der Miami in Albany?«

»Wegen einer Versammlung. Der Albany-Kongress wurde sie genannt. Gouverneur De Lancey aus New York City und viele andere bedeutende Männer nehmen daran teil.«

»Weiße Männer, *Cmokmanuk*«, sagte Corm. Was hatte ein Kongress in Albany mit Memetosias Anwesenheit in der Stadt zu tun?

»Ja, aber auch eine Reihe von Häuptlingen. Mein verehrter Onkel, sogar Thoyanoguin von den Kahniankehaka.« Sie sagte nicht, warum diese Männer gekommen waren: Es gab den Plan, Land im Westen zu verkaufen. Die Irokesen, die das Ohio Country beherrschten, hatten vor langer Zeit die als Wyomink und Shamokin bekannten Gebiete den Delawaren überlassen, doch eben dieses

Land hatten sie in Albany gerade an die Briten verkauft. John war genau aus diesem Grund nicht da, weil er versuchte, im Auftrag eines Kaufmanns aus Connecticut Kontrolle über das Land am Fluss Susquehanna zu bekommen. Aber von all dem erzählte sie Cormac nichts. Er würde nur zornig werden. »Mr. Franklin aus Philadelphia unterbreitete einen Vorschlag, wie die Kolonien sich zusammentun können, um sich zu schützen. Eine Art Union.«

»Eine Union englischer Weißer, um sich vor den französischen Weißen zu schützen.« Seit mehr als hundert Jahren versuchten die indianischen Stämme zu überleben, indem sie die eine Gruppe weißer Männer gegen die andere ausspielten und dazwischen Platz für sich selbst zu finden hofften. Trotzdem wurde die Zahl der Wahren Menschen immer kleiner, ihre Lebensweise war immer mehr bedroht.

Genevieve zuckte die Achseln. »Natürlich vor den Franzosen. Im Moment sind sie der Feind, zumindest hier in Albany. Aber das ist nicht von Bedeutung. Die Versammlung jeder Kolonie muss dieser so genannten Union zustimmen, und daraus dürfte sowieso nichts werden.«

Die Widersprüchlichkeit der Männer kümmerte sie wenig. Sie war mit einem Mann verheiratet, der sich als Engländer bezeichnete, wenn es gelegen kam, und als Franzose, wenn ihm das Vorteile verschaffte. Sie selbst mochte ja halb französisch sein und halb indianisch, aber ihre Aufgabe bestand darin, ihre Familie und ihre Blutsverwandten zu schützen. »Memetosia ist so alt und so geschätzt, dass er tun kann, was ihm beliebt. Er wollte kommen, also ist er gekommen.«

»Das wird ihnen nichts nützen. Keinem der Stämme«, sagte Cormac düster. »Letztlich ist es egal, ob sie sich mit den Franzosen oder den Engländern verbünden, das Wahre Volk ist zum Untergang verurteilt, wenn nicht …«

»Cormac, ich weiß, wie du darüber denkst. Und du kennst meine Meinung.« Genevieve unterdrückte ein ungeduldiges Seufzen. Wie oft hatte sie ihn sagen hören, die *Anishinabeg* müssten einen Weg finden, ihre Lebensweise zu bewahren, aber mit den Weißen

Frieden schließen. Schon als Halbwüchsiger hatte er ihr das gesagt. Und sie hatte immer dasselbe erwidert: *Du planst und unterbreitest Vorschläge für die ganze Welt. Plane lieber für dich selbst. Wir können diesen Kampf nicht gewinnen, Cormac Shea. Die Wahren Menschen können nicht gewinnen. Wir gehen zu sehr im Kampf untereinander auf, um die Weißen erfolgreich zu bekämpfen. Überleg dir einen Weg, um zu überleben und es zu etwas zu bringen. Lass dich von deiner weißen Hälfte leiten und vergiss alles andere.*

Genau das hatte sie selbst getan. Genevieve sah aus, wie die Ehefrau des wohlhabenden John Lydius auszusehen hatte. Das schwarze Haar am Hinterkopf zusammengesteckt, ein vornehmes, dunkelrotes Kleid mit Spitzenbesatz, ein Rock, modisch weit geschnitten, der bei jedem Schritt rauschte, ein Umschlagtuch aus weicher blauer Wolle. Doch halb war sie eine Piankashaw, das Volk ihrer Mutter war ein Schwesterstamm der Miami. Häuptling Memetosia war aus bestimmten Gründen nach Albany gekommen. Genevieve verstand diese Gründe nicht ganz, aber das kümmerte sie nicht. Und kein Mensch, nicht einmal ein geachteter Häuptling der Miami, konnte seinem Schicksal entgehen. In Albany war der Alte krank geworden. Es gehörte sich einfach, dass er im Heim einer Tochter seines Volkes rastete und genas. Außerdem, alle Leute zufriedenzustellen, war gut fürs Geschäft. Denn ob französische *livres* oder englische *pounds*, sie füllten die Konten der Lydius' gleichermaßen.

»Hier ist er«, sagte sie, nahm Cormac an der Hand und führte ihn zur Tür. Die bewaffneten Tapferen starrten weiterhin geradeaus, traten aber beiseite. »Du kennst die Sitten der Miami? Vergiss nicht, Memetosia ist ein ganzer Häuptling.«

»Ja, ich weiß, wie ich mich zu verhalten habe.«

Sie schien zufrieden. »Wir verdunkeln den Raum, weil das Licht seinen Augen Schmerz bereitet. Aber er kann uns gut sehen. Und er hört noch ausgezeichnet.« Genevieve öffnete die Tür. »*Teepinko hka neewaki*«, flüsterte sie und verneigte sich tief. Ich bitte, in deine Gegenwart aufgenommen zu werden.

Es kam keine Antwort, doch der alte Mann hob die Hand. Er lag neben dem Kamin auf einem Sofa, auf dem zahllose Kissen und Decken verteilt waren. Fast alles waren Möbel der weißen Männer, doch die Decke, die dem alten Häuptling um die Schultern lag, hatte eine Miami-Squaw gewebt. Selbst in dem abgedunkelten Raum konnte Cormac das Kranich-Muster erkennen.

»Ich bringe dir Cormac Shea, verehrter Onkel«, sagte Genevieve. »Er ist der Potawatomi-Tapfere, den du sehen wolltest.«

Cormac tat, was von ihm erwartet wurde. Er trat etwas näher ans Sofa und hockte sich nieder, um zu warten, dass Memetosia seine Gegenwart zur Kenntnis nahm. Nach einigen Sekunden streckte der Häuptling die Hand aus. Darin hielt er einen geschnitzten Stock, der in einem Büschel Kranichfedern endete. Damit deutete er auf Cormacs Schultern, zuerst auf die eine, dann die andere. »*Teepahki neeyolaani.*« Es ist gut, dich zu sehen. Corm erhob sich. »Jetzt schick die Squaw weg«, sagte Memetosia. »Dann reden wir.«

Cormac wandte sich zu Genevieve. Sie trat bereits rückwärts zur Tür hinaus.

Memetosia hustete. Cormac machte Anstalten, ihm zu helfen, doch der alte Mann winkte ihn fort. Mehrere Sekunden lang keuchte er, dann spuckte er in eine Schüssel, die neben dem Sofa stand. Schließlich war der Anfall vorüber. »Du musst mir verzeihen, wenn ich nicht von den Dingen spreche, von denen ich zuerst sprechen sollte, aber ich bin krank und muss bald mein Todeslied singen.« Er entschuldigte sich, dass er sich nicht erkundigte, wie Cormacs letzte Jagd verlaufen war und wie die Dinge in seinem Dorf standen – die üblichen Höflichkeiten, mit denen jedes Gespräch unter *Anishinabeg* beginnen sollte, die sich in freundlicher Absicht trafen. »Es gibt Dinge, die ich schnell sagen muss, solange ich noch die Kraft dazu habe. Ich habe gehört, Cormac Shea, dass du dem Ottawa begegnet bist. Pontiac. Und dass dein Bruder, der dein Gesicht gezeichnet hat, dabei war. Und dass entweder er Pontiac getötet hätte oder Pontiac ihn, wenn Weisere ihnen nicht Einhalt geboten hätten.«

»Memetosia hört alles, was in unserer Welt vor sich geht, und so soll es auch sein. Aber es war nicht Uko Nyakwais Entscheidung, gegen Pontiac zu kämpfen, verehrter Häuptling. Pontiac hat ihn herausgefordert. Er zweifelte an Uko Nyakwais Recht, das Totem zu tragen, das ihm der große Ottawa-Häuptling Recumsah gegeben hat.«

Cormac wunderte sich, mit welcher Gelassenheit der alte Mann über die Ottawa sprechen konnte. Schließlich waren es die Ottawa, die, nachdem sie Pickawillany zerstört hatten, Memeskia, den Enkel des alten Mannes, getötet und gegessen hatten.

Cormac hatte sich mittlerweile an die Dunkelheit des Zimmers gewöhnt und konnte den Häuptling jetzt deutlich erkennen. Trotz Memeskias Kühnheit auf dem Schlachtfeld hatten die Franzosen ihn *La Demoiselle* genannt, das Fräulein, wegen seiner zarten Züge. Memetosia hatte dieselbe zierliche Nase, die großen Augen und das schmale Gesicht. Auch er hätte in seiner Jugend wohl ein hübsches Mädchen abgegeben. Die Krankheit hatte ihn hager und grau werden lassen, und seine Wangen waren unter seinen zahlreichen Tätowierungen mit Narben übersät, die bezeugten, dass er die große Krankheit überlebt hatte, die Pocken, die so viele Miami dahingerafft hatten.

Die wässrigen alten Augen musterten Cormac. Der Häuptling schien die Gedanken des Jüngeren zu lesen. Er machte eine ungeduldige Geste, als wollte er nicht über das Unrecht sprechen, das ihm und seinem Klan durch die Ottawa, Brüder der Potawatomi, zugefügt worden war. »Du nennst Uko Nyakwai bei einem Namen, der ihn zu einem Wahren Menschen macht«, sagte Memetosia. »Aber er ist weiß.«

»Er ist durch das Potawatomi-Feuer gegangen, verehrter Häuptling.«

Cormac ließ die Worte im Raum hängen. Memetosia wusste, dass es so war. Es bedeutete, dass Quent durch Adoption ein Potawatomi war. Trotz seiner weißen Haut war er ein wahrer *Anishinabeg*. Das konnte nicht rückgängig gemacht werden – nicht einmal von einem ganzen Miami-Häuptling.

»*Ayi!*«, brummte der Alte. »Erzähl mir nichts, das ich schon weiß. Du vergeudest meine Zeit!«

Rasch senkte Cormac tief den Kopf. »Ich bitte um Vergebung, verehrter Häuptling.«

Der Stock mit den Kranichfedern wurde über seinem Kopf gewedelt, damit war seine ungebührliche Bemerkung abgetan, seine Entschuldigung angenommen. »Es heißt, dass du mit beiden Welten vertraut bist, dass du nicht auf Kosten der einen in der anderen aufgehst. Das habe ich von vielen Menschen gehört. Ist das wahr?«

»So wahr es mir möglich ist, verehrter Häuptling.«

Memetosia wollte etwas darauf erwidern, doch ein weiterer Hustenanfall schnitt ihm das Wort ab. Cormac sah sich um, entdeckte einen gefüllten Becher und roch daran. Wasser. »Kann das dir helfen, verehrter Häuptling?«

Der alte Mann trank von dem Wasser und ließ sich dabei von Cormac den Becher halten. Dann sprach er wieder. »Es gibt andere, die wie du und die Piankashaw-Squaw sind.« Memetosia deutete mit dem Kopf auf die Tür, hinter der er Genevieve vermutete. »Andere, die das Blut sowohl der Weißen als auch der Wahren Menschen haben. Das ist wahr, oder nicht?«

»Es gibt viele von uns, verehrter Häuptling. Einige nennen uns *métis*.«

Der Häuptling nickte. »Das ist wahr. Der, den sie Charles Langlade nennen, er ist auch ein *métis*, nicht wahr?«

Langlade war halb Franzose und halb Ottawa. Er hatte den Überfall auf Pickawillany angeführt. Cormac hatte gehört, dass es Langlade gewesen war, der Memeskia in den Topf warf. *Ayi!* Wie konnte er das nur vergessen haben. »Das stimmt, verehrter Häuptling, aber …«

Memetosia unterbrach ihn mit einem Wink der Kranichfedern. »Ein Mensch kann gut sein oder schlecht, kann ganz *Anishinabeg* sein oder ganz weiß. Warum sollte eine Mischung daraus anders sein? Sag mir etwas anderes: Lantak, der Ausgestoßene, der seinen eigenen Häuptlingen nicht mehr folgt – kennst du ihn?«

Cormac tat sein Bestes, seinen Schrecken zu verbergen. Memetosia wollte offenbar andeuten, dass auch Lantak ein *métis* war. Das hatte er noch nie gehört. »Ich habe Lantak gesehen, verehrter Häuptling, aber nur am anderen Ende meines Gewehrlaufs.«

»Wie schade, dass du ihn nie erschossen hast. Er ist eine Gefahr für das Wahre Volk und für die Weißen.«

»Der Meinung bin ich auch.«

»Wirst du ihn jetzt erschießen?«

Cormac wusste weder, in welche Richtung diese Unterhaltung trieb, noch, worum es tatsächlich ging. »Wenn er mir vors Gewehr läuft, erschieße ich ihn. Was du sagst, ist wahr, keine Seite kann Lantak trauen. Und er schont auch Squaws und Kinder nicht.«

Der alte Mann nickte. »Ja. Das alles ist wahr. Aber meist sind es weiße Squaws und weiße Kinder. Die sind auch unsere Feinde, oder nicht?«

Cormac sprach langsam, wählte seine Worte mit Bedacht. »Ich achte dein hohes Alter und deine Weisheit sehr, Memetosia, Häuptling der Miami. Aber ich habe auch viele Monde damit verbracht, über das nachzudenken, was mit dem Land der *Anishinabeg* geschehen ist.«

Memetosias Blick wurde wacher. Vielleicht stimmte ja alles, was er über diesen jungen Mann gehört hatte. »Deine Haut ist weiß, Cormac Shea. Aber sie sagen, dass du wirklich ein *Anishinabeg* bist.«

»Ich bin wirklich rot und wirklich weiß, verehrter Häuptling. Das ist ja das Seltsame an mir und anderen, die sind wie ich. Als die weißen Männer in unser Land kamen, schufen sie einige wie mich, in denen das Blut beider Welten fließt.«

Der alte Mann nickte, forderte den Jüngeren mit einem Blick auf, weiterzusprechen. Zustimmend wedelte er mit den Kranichfedern.

»Ich stehe weder auf der einen noch auf der anderen Seite, wenn ich sage, dass die *Anishinabeg* verlieren werden, wenn sie weiterhin versuchen, die weißen Männer zu bekämpfen. Schließlich wird es keine Wahren Menschen mehr geben, weder in den Wäldern am

Salzwasser noch an den großen Wassern ohne Salz, nicht einmal mehr in den hohen Bergen.« Cormacs Leidenschaft riss ihn fort, seine weiße Haut zählte nicht mehr. Er war wahrhaftig einer von ihnen, das konnte der alte Häuptling sehen. »Wir sind nicht mehr nur mit Messern aus Feuerstein und Tomahawks aus Stein zufrieden. Wir wollen Waffen aus Eisen. Wir wollen ihre Kleidung und ihren Schmuck. Wir haben nahezu jeden Biber im Land getötet, um ihren Hunger nach Fellen zu stillen und unseren Hunger nach dem, was sie haben. Aber nie ist es genug. Wir sind ihnen auf Gedeih und Verderb ausgeliefert. Wir bekommen Gewehre, und sie kommen mit noch größeren Gewehren. Und von ihnen gibt es sehr viel mehr als von uns. Schlimmer noch, sie machen uns mit ihrem Feuerwasser zu Sklaven und bringen Seuchen über uns. Wir müssen einen Weg finden, um mit den *Cmokmanuk* in Frieden zu leben und gleichzeitig die zu bleiben, die wir sind. Miami und Potawatomi und Fox und Ojibwe und auch die *Irinakhoiw*.«

»Selbst die *Irinakhoiw* wurden vom Großen Geist in diese Welt gebracht«, stimmte Memetosia leise zu. »Ich habe gehört, was du gesagt hast. Und ich denke, du glaubst nicht an das, was Pontiac sagt. Dass wir uns alle verbünden und die Weißen gemeinsam bekämpfen müssen, wenn die *Anishinabeg* überleben sollen.«

»Es mag wahr sein, verehrter Häuptling. Aber ich glaube nicht, dass es jemals dazu kommen wird. Damit Pontiacs Plan aufgeht, müssten die Wahren Menschen ihre uralten Feindseligkeiten vergessen und Seite an Seite miteinander kämpfen.«

Memetosia gab ein würgendes Geräusch von sich. »Gemeinsam mit den *Irinakhoiw* zu kämpfen, den Schlangen … Bevor das passiert, fällt die Sonne vom Himmel.«

»Ja, das glaube ich auch. Deswegen wird aus Pontiacs Plan nichts werden.«

»Die Squaw da draußen« – er deutete mit dem Kopf auf die Flügeltür, hinter der Genevieve wartete –, »sie sagt, du hättest einen anderen Plan.«

Endlich verstand Cormac, weshalb er hier war. Genevieve hatte Memetosia von seinem Traum erzählt. Und wenn Memetosia ihn an sein Sterbebett rief – was es zweifelsohne war –, um darüber zu sprechen, dann musste der alte Häuptling eine Vorstellung haben, wie sich der Plan umsetzen ließ. »Verehrter Häuptling«, sagte er eifrig, »ich glaube, wir und die Weißen müssen das Land teilen. Sie bleiben in einem Teil und wir im anderen. Wir nehmen das Land der Kälte und des Schnees, denn wir sind große Jäger. Sie nehmen den Rest, das Land, wo die Sonne in jedem Mond scheint, denn dort wachsen ihre Feldfrüchte. Wir handeln mit ihnen, wenn es gut für uns ist und gut für sie, aber dann brauchen wir kein Blut mehr zu vergießen.«

»Und auf welcher Seite wirst du sein, Cormac Shea? Bei den *Anishinabeg* oder bei den Weißen?«

»Ich kann mein Schicksal nicht ändern, verehrter Häuptling. Ich und alle, die sind wie ich, werden uns immer zwischen den beiden Welten bewegen.«

Der alte Mann nickte. »Ja, so ist es. Aber es ist auch so, dass niemand Land besitzen kann. Es gehört dem Großen Geist, der es erschaffen hat.«

»Ich weiß. Aber Menschen können das Land aufteilen je nachdem, wie sie es nutzen wollen, und können beschließen, wer seine Dörfer wo erbauen darf, damit sie in Frieden leben können.«

»Das ist die Frage«, sagte Memetosia leise, als spräche er mehr zu sich selbst als mit Cormac. »Können die Weißen je zu Wahren Menschen werden? Kann man ihnen vertrauen, dass sie ihr Wort auch halten?«

»Einigen schon.«

Der Häuptling nickte. »Das sagst du. Das sagen auch andere. Erzähl mir, mein Sohn« – zum ersten Mal verwendete er diese Anrede familiärer Zuneigung –, »hat dein Totem dir diesen Plan im Traum enthüllt?«

Cormac senkte den Kopf und dachte lange über seine Antwort nach. Ein Plan, der einem im Traum enthüllt wurde, hatte sehr viel mehr Gewicht. Aber bei einer solchen Frage zu lügen … Er konnte nicht auf Erfolg hoffen, wenn er alles, was er an den Feuern von Singender Schnee gelernt hatte, missachtete. Wenn er sich gestattete, mehr Weißer zu sein als Potawatomi, wäre er keine Brücke mehr, und keine seiner Hoffnungen könnte sich je erfüllen.

»Der Weg wurde mir nicht im Schlaf gewiesen, verehrter Häuptling. Er wurde mir langsam enthüllt. Viele Male ging ich in meinem Dorf, als Junge und später als Mann, an den Ort der Reinigung, und nachdem ich gereinigt war, öffnete ich mich und ließ mir vom Geist die Wahrheit zeigen. Auf diese Art wurde mir der Weg gewiesen, wie die beiden Welten in Frieden miteinander leben können. Sehr langsam. Nach langer Zeit und vielen Reinigungen.«

Memetosia nickte bedächtig und sehr feierlich. »Manchmal spricht der Geist auch auf diese Art. Ja, auch ich habe mich in den letzten Tagen meiner Zeit meinem Totem geöffnet.« Er griff unter die Decken und zog etwas hervor. Eine Art Medizinbeutel. Cormac hatte keine Ahnung, was er enthielt. »Ich bin an diesen Ort gekommen, um mit den weißen Häuptlingen zu sprechen, obwohl ich wusste, dass für mich bald die Zeit kommt, meinen Geist loszulassen«, murmelte Memetosia. »Ich dachte, ich müsste noch einmal versuchen ...«

»Ja? Was versuchen, verehrter Häuptling?«

»Es ist gleichgültig. Sie sind im Augenblick mehr mit sich selbst beschäftigt als mit uns.« Die Stimme des alten Mannes wurde zunehmend schwächer, und Cormac musste sich vorbeugen, um ihn zu verstehen. »Es wird einen Krieg zwischen den Franzosen und den Briten geben.«

»Zwischen den Franzosen und den Briten ist immer Krieg.«

»Ja. Aber mit jedem Sonnenaufgang werden die Trommeln in ihren Ohren lauter. Es gibt ein Fort, das die gebaut haben, die sich Menschen aus Virginia nennen, dort, wo sich die beiden Flüsse im Land der Schlangen, die Mingo heißen, treffen.«

»Fort Necessity«, sagte Cormac. »Uko Nyakwai hat mir davon erzählt. Der junge Mann, der Washington heißt, er ...«

»Er war von den Franzosen mit ihren großen Gewehren umzingelt, sie haben all seine Pferde, seine Maultiere und seine Ochsen getötet, und er hat kapituliert. Die Franzosen waren dumm und ließen ihre Feinde laufen, also müssen sie wieder gegen sie kämpfen, aber eines Tages – und ich glaube, bald – wird einer von ihnen wirklich gewinnen, und der andere wird wirklich verlieren. Wenn es dazu kommt, ist der Sieger stark genug, um das Wahre Volk völlig zu vernichten. Für den Tag müssen wir uns wappnen. Vielleicht auf Pontiacs Weise, vielleicht auf deine. Aber irgendein Weg muss gefunden werden. Wenn wir weitermachen wie bisher, werden sie unser Fleisch essen und unsere Knochen ins Feuer werfen.«

»Memetosia spricht weise.« Cormac nahm den sauren Atem des anderen wahr, den ungesunden Geruch seines schwindenden Lebens.

Die Hand, die den Medizinbeutel umfasste, bewegte sich auf Cormac zu. »Nimm das, Cormac Shea, der sowohl weiß ist als auch *Anishinabeg*. Es ist das kostbarste Geschenk, das ich geben kann. Nimm es, und benütze es, wenn die Zeit gekommen ist.«

»Verehrter Häuptling, wie werde ich wissen …«

Der alte Mann hatte die Augen geschlossen. Er wandte das Gesicht ab und machte mit den Kranichfedern eine müde, abwehrende Geste. Das Gespräch war zu Ende.

Der Medizinbeutel war kleiner als Cormacs Handfläche, gearbeitet aus feinem, sehr weichem Rehleder, rein weiß und mit rot-schwarzen Kranichsymbolen verziert. Verschnürt war er mit einem langen rehledernen Riemen, der eine Schlaufe bildete. Corm befühlte den Beutel. Was immer er enthielt, es war mehr als nur ein Objekt. Er fühlte mehrere harte, unebene Gegenstände; nicht so flach wie Münzen, nicht so klein und röhrenförmig wie Wampum.

Auf dem Sofa liegend, stöhnte Memetosia laut. Der alte Falke schlief nicht, und ganz offensichtlich wollte er nicht, dass Cormac das Geschenk hier und jetzt öffnete. Was immer es war, der alte Mann würde seine Bedeutung nicht erklären. Corm schlang die Schlaufe um seinen Hals und steckte den Medizinbeutel unter sein Hemd, sodass er nicht zu sehen war, dann trat er rückwärts aus dem Raum.

Inzwischen hielt nur ein Tapferer Wache vor der Tür. Cormac fragte sich, wo der andere wohl hingegangen war, doch bevor er sich darüber Sorgen machen konnte, kam Genevieve auf ihn zu. Sie musterte sein Gesicht, um zu sehen, ob er irgendwie verändert wirkte. »Und?«

»Er ruht. Ich glaube, er schläft. Es geht ihm nicht schlechter als vorhin.« Ihr stechender Blick beunruhigte ihn. Er glaubte nicht, dass der Zustand des alten Häuptlings sie derart beunruhigte, aber was sollte es sonst sein? Und bildete er sich nur ein, dass sie auf das Band um seinen Hals starrte?

»Du siehst müde aus, Cormac.« Jetzt klang sie mehr wie sonst, mütterlich, wie immer ihm gegenüber. Sie fuhr ihm über die Wange und zeichnete die wulstige Narbe nach, obwohl sie wusste, dass er das nicht mochte. Er wich zurück. »Entschuldige«, murmelte sie. »Aber …« Sie unterbrach sich, wieder veränderten sich ihr Blick und ihr Ton. »Komm mit«, sagte sie fest. »Ich will dir etwas zeigen.«

Er warf einen Blick zu dem Miami, der noch immer die Flügeltür zu dem Raum bewachte, in dem Memetosia auf dem Sterbebett lag. Der Tapfere starrte unbewegt vor sich, seine Miene verriet nichts. Und nirgends war ein Zeichen von Cormacs Gewehr, seinem Tomahawk und seinem Messer zu sehen. Vermutlich lagen sie noch im Flur. Schnell folgte er Genevieve.

In der Küche hockte eine Miami-Squaw vor dem Feuer und rührte in einem großen Topf. Wohl das Essen für Memetosia. Cormac roch den unverkennbaren strengen Geruch von ranzigem Bärenfett und geröstetem Mais. Vermutlich der besondere weiße Mais, den nur die Miami anbauten. »Hier lang.« Genevieve ging rasch durch die geflieste Butterkammer, die hinter der Küche lag, und den Raum zum Trocknen von Kräutern, der sich daran anschloss. Sie führte ihn durch den Garten, vorbei an Beeten mit Kräutern, Kürbissen und Bohnen, die in der Sommerhitze reiften. Mit wenigen Schritten erreichten sie den Wald, der einen Großteil von Lydius' Grundbesitz ausmachte. Cormac war froh, in den Schatten zu kommen. »Wo gehen wir hin?«

»Das siehst du gleich. Da drüben, schau.«

Sie hatten das Ufer eines kleinen Bachs erreicht, der durch einen Teil des Grundstücks floss. Daneben lag eine kürzlich gerodete Lichtung, die Baumstümpfe glänzten noch feucht. Die Stelle war gerade groß genug, um einem kleinen Wigwam Platz zu bieten. Er bestand aus Weidentrieben, die kreisförmig in den Boden gesteckt und oben zusammengebunden waren, darüber lagen verschiedene Felle gebreitet. Cormac konnte keine Kaminöffnung entdecken, doch dann sah er eine Feuergrube direkt vor der Lederklappe, die als Tür diente. Eine Schwitzhütte, bereit, benutzt zu werden. Er spürte die Hitze, die sie verströmte, selbst aus dieser Entfernung. Ein weiterer Miami, dem Anschein nach fast ebenso alt wie Memetosia, ging zwischen dem Wigwam und einem zweiten lodernden Feuer, in dem die Steine für die Feuergrube erhitzt wurden, hin und her.

»Das ist genau das, was du brauchst«, sagte Genevieve. »Das wusste ich, sobald ich dich vorhin sah. Ich habe Takito gebeten, alles für dich herzurichten. Als geehrter Gast.« Während sie sprach, legte der Alte mit zwei gegabelten Zweigen einen weiteren heißen Stein in die Feuergrube und hockte sich dann daneben.

Es war undenkbar, dass Cormac einen derartigen Beweis der Gastfreundschaft ablehnte und die Schwitzhütte nicht betrat. Für die Miami, die Piankashaw und die Potawatomi, ja nahezu für alle Stämme, war das Dampfbad sowohl ein religiöses Ritual als auch ein Zeichen der Zuneigung und Wertschätzung. »Diese Ehre habe ich nicht verdient«, wehrte er ab.

»Unsinn. Wir haben es für Memetosia hergerichtet, um seine müden Knochen zu wärmen und ihm zu helfen, sich auf den Tod vorzubereiten. Jetzt nutze du es, um dich fürs Leben vorzubereiten, für was immer du tun musst.«

Gedanken wirbelten ihm durch den Kopf, er versuchte, die vielen Ereignisse der letzten Stunden zu ordnen. Auf jeden Fall spielte Genevieve bei allem eine große Rolle. Wie sonst sollte Memetosia wissen, dass Cormac einen Plan für das Überleben der *Anishinabeg* hatte. Vielleicht wusste sie auch, dass der alte Häuptling ihm ein Geschenk überreicht hatte. Vielleicht wusste sie sogar, was es war.

Cormac spürte den Rehlederbeutel an seiner Brust. Er schien Hitze abzustrahlen, wie die Grube und das Feuer. Ihm wurde bewusst, dass Genevieve darauf wartete, ob er den Beutel erwähnte, ihr womöglich zeigte, was er enthielt. Aber sie sagte nichts. Stattdessen rief sie zu dem alten Mann, der sich um das Feuer der Schwitzhütte kümmerte: »Takito, ich bringe dir hier den Tapferen, der Cormac Shea heißt. Er ist vom Volk der Potawatomi aus dem Dorf Singender Schnee.«

Der alte Mann legte die Zweige aus der Hand und erhob sich. Er war nackt bis auf einen Lendenschurz. Er bewegte sich langsam, sein Körper war sehnig vom Alter. Ein Bein war kürzer als das andere, und beim Gehen schwankte er deutlich nach links. »*Kihkeelimaahsiiwaki*«, murmelte er. Ich kenne ihn nicht. »Aber ich habe von seinen Taten gehört und von seinem Geschick mit dem Langgewehr.«

Cormac war überrascht, einen Medizinbeutel aus einem Otterfell um seinen Hals hängen zu sehen. Grüßend hob er die Hand, dann wurde ihm klar, dass die Geste Takito nichts bedeuten würde. Er war blind. Dort, wo seine Augen sein sollten, befanden sich zwei wulstige Narben. Auch die Tätowierungen auf seinen Wangen und Unterarmen waren eindeutig und unverkennbar, sie bestätigten, was schon der Medizinbeutel besagte. »Ich fühle mich geehrt, einem Priester der Midewiwin zu begegnen«, sagte Cormac. »Ich verdiene es nicht, dass ein derart geachteter Heiler die Schwitzhütte für mich bereitet.«

Die Priesterschaft der Midewiwin war auch bei den Potawatomi bekannt, bei den Miami, den Ojibwe und den Ottawa. Bei ihrer Entstehung war es der Wille des Großen Geistes, durch einen Fischotter mit ihnen zu reden, der einem Tapferen – einem Potawatomi laut der Geschichte, die Cormac gehört hatte – half, als ihm bei einem Unglück ein Bein zerschmettert wurde. Der Otter sagte dem ersten Midè-Priester, dass er und alle, die sich ihm anschlossen, im Gegenzug für das verlorene Bein die Mittel bekommen würden, die *Anishinabeg* zu schützen. Deshalb war es für Mitglieder der Midewiwin üblich, bei der rituellen Feier, bei der sie in die Priesterschaft aufgenommen wurden, einen Teil ihres Körpers zu opfern. Es war durchaus denkbar, dass Takito sich die Augen selbst ausgestochen hatte.

Der Priester deutete auf die Schwitzhütte. »Alles ist bereit. Komm.«

Cormac sah sich nach Genevieve um, doch sie war verschwunden. Jetzt hatte er keine andere Wahl, außerdem war die Verlockung eines Schwitzbads zu groß. »Mit deiner Erlaubnis, geschätzter Priester, werde ich mich für diese große Ehre vorbereiten.«

Am Rand der Lichtung bildeten drei hohe Kiefern einen natürlichen Vorhang um einen flachen Felsvorsprung, der über den Bach hinausragte. Die Sitte verlangte, dass er in die Wiedergeburt, die eine Schwitzhütte verhieß, so eintrat, wie er in die Welt bei seiner Geburt eingetreten war, völlig nackt, ohne jedes Totem und ohne Medizinbeutel. Zuerst zog Cormac die Mokassins und die Hose aus, faltete sie sorgsam zusammen, zögerte, bevor er aus dem Hemd schlüpfte, versuchte zu spüren, ob jemand ihn beobachtete. Der Instinkt sagte ihm, dass niemand da war außer dem alten Priester, der singend neben der Feuergrube hockte.

Haya, haya, ahseni … Es war ein leises, beruhigendes Geräusch, das ihn zu den Wonnen des Dampfes lockte. Eigentlich spielte es keine Rolle, wo er Memetosias Geschenk hinlegte. Sie waren allein, Takito war blind. Er konnte den Beutel einfach unter seine Kleider stecken, er würde sicher noch dort liegen, wenn er wiederkam … *Ayi!* Der Dampf verwandelte seine Gedanken schon zu Rauch. »*Das kostbarste Geschenk, das ich geben kann*«, hatte der alte Häuptling gesagt.

Der Gesang brach ab, der Priester rief: »Cormac Shea vom Volk des Feuers, komm. Diese Steine warten auf dich.«

»Ich bereite mich vor, verehrter Priester. Nur noch einige Atemzüge.«

Ein Stück entfernt wuchs ein Ahorn, der zu drei Vierteln gefällt worden war, vermutlich durch einen Blitzschlag. Der Großteil des

Stamms lag am Boden, war unbelaubt und verwitterte. Nur ein schmaler Teil des Hauptstamms ragte empor, kämpfte ums Überleben. Die meisten Blätter waren gelb und kräuselig, nur ein einziger Ast ganz oben war noch grün und voller Leben.

Cormac umfasste die verbliebene dünne Säule des aufrechten Stamms und begann, sie hinaufzuklettern. Schwankend beugte sie sich zur Erde hinab. Die zersplitterte Rinde riss ihm die Haut an den Beinen auf, doch er achtete nicht darauf. Der eine lebende Ast ragte zu einer Seite hinaus und hing fast über dem Bachlauf. Cormac zog vorsichtig daran. Er schien kräftig genug, ihn zu halten, aber sicher konnte er nicht sein.

Haya, haya, ahseni ... Der Gesang setzte wieder ein. Gleichmäßig, ohne jede Unterbrechung. Es hieß, dass ein Midewiwin-Priester mit geschlossenen Augen sehen konnte. Vielleicht konnte Takito selbst ohne Augen sehen? Aber was machte das schon? Takito war nicht sein Feind. Seitdem die Stammeshäuptlinge nicht mehr in der Lage waren, der Not Herr zu werden, die die Krankheiten des weißen Mannes mit sich brachten, gab es Schwierigkeiten zwischen ihnen und den Midè-Priestern. So hatten die Midewiwin an Einfluss gewonnen, bei manchen Stämmen rangen sie mit den Häuptlingen sogar um die Macht. Wenn Takito dem alten Mann, der in Genevieves Raum im Sterben lag, nicht treu ergeben war, wäre er jetzt nicht hier.

Haya, haya, ahseni. Haya, haya, ahseni.

Der eine lebende Ahornast neigte sich gefährlich zum Wasser hinunter. *Ayi!* Er würde hineinfallen und sich zum Narren machen. Vorsichtig rückte er einige Zoll zurück. Der Ast schwankte nicht mehr so stark. Er warf einen letzten Blick zur Schwitzhütte hinüber. Takito saß mit dem Rücken zu ihm da. Mit einer Hand nahm Cormac den Medizinbeutel vom Hals und band ihn sorgsam um den Ast des sterbenden Baums. Als er wieder am Boden stand, konnte er den kostbaren Beutel zwischen den grünen Blättern nicht mehr sehen.

Völlig nackt trat er endlich auf die Schwitzhütte zu. Takito brach seinen Gesang ab und erhob sich. Er rieb Cormac von Kopf bis Fuß mit Bärenfett ein, dann hielt er ihm wartend die Klappe des kleinen Wigwams auf.

Cormac musste sich bücken, um einzutreten, und selbst im Inneren konnte er nicht aufrecht stehen. Etwa zwei Hand breit über dem Boden befand sich ein Rahmen aus verwobenen Schösslingen, darauf war ein aus Lederriemen gewebtes Gitter gebreitet. Als Cormac sich darauf niederließ, hatte er das Gefühl zu schweben. Die Luft war dicht vor Dampf, er hörte, wie Wasser auf die Steine in der Feuergrube tropfte und noch mehr Dampf in den Wigwam trieb. Die feuchte Hitze umgab ihn, drang in seine Muskeln ein und tat ihr Werk. Er überließ sich dem heilenden Zauber der Midewiwin.

8

Montag, 13. Juli 1754

Albany, Provinz New York

Hamish Stewart konnte Städte nicht besonders leiden. Und Albany, obwohl er seit fast zwölf Monaten hier lebte, war für ihn die schlimmste überhaupt. Flache Holzhäuser, nicht der schöne rote Stein wie in Edinburgh oder der prächtige graue Granit in Glasgow. Nichts, was einen mit Ehrfurcht erfüllte oder auch nur staunen ließ. Bloß viel zu viele Menschen, die sich auf viel zu wenig Platz drängten. Mit einer lächerlichen Holzpalisade um alles, was wichtig war, die Befestigung und derlei, und die Leute feilschten und fluchten und spuckten und pissten alle zur selben Zeit in dieselben winzigen Abwassergräben, die die erdigen Straßen entlang verliefen und ihren Dreck in den Fluss spülten. Und die Frauen – na, die gottesfürchtigen drehten das spitze Gesicht ab und taten, als würden sie von all dem nichts mitkriegen. Und die anderen, die Dirnen, die hinter den Tavernen und Grogschänken ihre Röcke hoben und sich vorbeugten für jeden, der fünf Kupferpennys für einfaches Vögeln hatte – oder 'n bisschen mehr für was Besonderes –, denen war das piepegal.

Und Dirnen gab's hier reichlich. Die Schänke gehörte einem Niederländer, Peter Groesbeck, und wie im übrigen Albany hörte man unter seinem Dach das Fränkisch der Niederlande mindestens genauso oft wie das Englisch des verdammten Königs. Wie die meisten sprach Groesbeck beide Sprachen. Was ihn von den anderen unterschied, war, dass er seine Huren in seiner Schänke mit dem Schild des Pferdekopfs so viel arbeiten ließ, wie's ihnen Spaß machte. Hauptsache, er bekam am Abend seinen Schnitt. Da hatte Hamish nichts dagegen. Jeder musste zusehen, wie er überlebte. Was ihn an Groesbecks Schänke störte, war, dass man zwar einen

Genever um einen halben Penny das Glas bekam und Rum um einen Penny, aber ein Schluck Whiskey war um keinen Preis zu haben. Nirgends in dieser verdammten Stadt. Wenn ihm erst mal Shadowbrook gehörte, würde er nie wieder einen Fuß in dieses elende Kaff setzen. Dafür würde er Sklaven haben. Die würde er herschicken, wenn er was in Albany zu erledigen hatte.

Hamish leerte seinen Rum und rief nach einem neuen. Der alte Groesbeck höchstpersönlich brachte den Krug und schenkte dem Schotten nach. Hamish legte einen Holzpenny auf den Tisch, den der Holländer nahm und dann verschwand.

Sklaven. Heiliger Bimbam, das war schon seltsam, sich das auszumalen. Eigentlich konnte er sich nicht vorstellen, dass ihm das taugen würde. Männer und Weiberleute, die tun, was man ihnen aufträgt, ohne dass sie was dafür bekommen. Und nur, weil die Sklaven 'ne schwarze Haut hatten und die Herren 'ne weiße. Vielleicht war diese ganze Sache mit den Sklaven ja so 'n ketzerisches Ding von den Protestanten. Andererseits, der heilige Paulus hatte gesagt, dass die Sklaven ihren Herren gehorchen müssen. Außerdem gehörten Shadowbrook und Sklaven einfach zusammen. Als er das eine zum ersten Mal sah, sah er auch das andere zum ersten Mal. Und so wahr ihm Gott helfe, Shadowbrook war ihm bestimmt.

Das hatte er schon gewusst, als er noch zwei Augen hatte, damals, als er das herrliche Stückchen von Gottes Schöpfung sah, das Hale-Gut hieß. Shadowbrook war sein Schicksal. Daran hatte er damals geglaubt, und daran glaubte er heute noch. Deswegen hatte der Allmächtige ihn dieses teuflische Höllenloch Culloden Moor überleben lassen, auch wenn er ein Auge dort verloren hatte. Deswegen hatte er das blutige Gemetzel überlebt, als die Sassenachs nach der Schlacht auf Jagd gingen und die Highlander in jeden *brae* und jeden *ben* verfolgten, jeden umbrachten, der ihnen über den Weg lief, und dann hatten sie ihnen die Schafe abgeschlachtet und die Felder eingegattert und die Überlebenden aus ihren winzigen Katen vertrieben. Nach Culloden durften die Highland-Männer nicht mal mehr ihren traditionellen Umhang tragen und die Frauen das bunt karierte Tuch, Gott steh ihnen bei. Aber Hamish Stewart hatte seinen Umhang noch. Seine eigene Großmutter hatte ihm den gewebt, im weichen Blau und Rosenrot des Tartans der Stewarts von Appin. Und bei Gott, Hamish Stewart würde wieder seinen Umhang tragen – wenn er der Herr von Shadowbrook war.

Sein Schicksal, wiederholte Hamish, und schob das leise Unbehagen fort, das ihn immer überfiel, wenn er daran dachte, wie er überhaupt das Geld dafür zusammenbekommen hatte. Heilige Güte, wäre er nach London gefahren und hätte dem Arschkriecher von Höfling bezahlt, was er haben wollte – was wäre dann passiert? Nichts. So winzig der Gefallen war, den der Sassenach den armen Kleinbauern tun sollte, die Hamish Stewart damit beauftragt hatten, ihre gesamten Ersparnisse dem Engländer zu geben – er hätte es nicht getan. Einem Sassenach war nicht über den Weg zu trauen. Ach, es war doch sinnlos, jetzt noch drüber zu grübeln. »Wirt! Noch 'nen Rum. Hier könnt man ja verdursten, ohne dass du das mitkriegst.«

»Spendierst du mir auch einen?«, fragte eine Frauenstimme irgendwo hinter ihm.

»Aber gern, immer doch, Annie. Wenn du dich hersetzt und 'n bisschen mit mir plauschst.«

»Das Plauschen ist kein Problem, Hamish, aber das mit dem Sitzen ist 'ne andere Sache.« Annie Crotchett, schon jenseits der fünfundzwanzig, fehlten zwei Vorderzähne, und ihre Haut nahm allmählich die Beschaffenheit von schlecht gegerbtem Leder an. Ihre Titten allerdings waren noch prachtvolle Dinger. Sie wogten aus ihrem Mieder hervor wie zwei Schiffe unter vollen Segeln. Hamish hatte gehört, dass sie zwei Pennys extra verlangte, wenn ein Mann ihr das Mieder aufschnüren und daran saugen wollte. Genaueres konnte er nicht sagen, weil er nie mit Annie hinter die Schänke gegangen war. Ein Mann sollte nie dort scheißen, wo er aß – die Lektion hatte er schon früh gelernt. Und für ihn war Annie 'ne geschäftliche Sache.

Vorsichtig setzte sie sich zu Hamish auf die Bank und versuchte, auf nur einer Backe zu sitzen. »Ich sag mir immer wieder, nicht mal für 'ne Guinea lohnt sich's, mir von 'nem Mann den Schwanz in den Hintern rammen zu lassen, von 'nem Shilling ganz zu schweigen«, seufzte sie, »aber ich geb jedes Mal nach.« Groesbeck erschien und schenkte ihnen jeweils einen Rum ein. Hamish legte zwei Pennys auf den Tisch, die der Wirt einsammelte. Er wandte sich schon zum Gehen, da sagte Annie: »Wart mal.« Sie griff zwischen ihre Brüste und holte drei Sixpennystücke hervor. »Das ist dein Anteil an dem, was ich heute verdient hab, Peter. Ich arbeit erst morgen wieder. Ich muss meinem armen Arsch 'ne Pause gönnen, sonst könnt ihr mich am Sonntag begraben.«

Hamish wartete, bis der Wirt verschwunden war, bevor er fragte: »Und was ist mit John Hale? Will er ihn dir auch in den Hintern rammen?«

Annie lachte. »Guter Gott, nein. Ich wünsch, das würd er wollen. Ich würd mir's Scheißen 'nen Monat verkneifen, wenn ich dann den Schwanz von dem Schuft da drin vergraben könnt. Nee, John Hale, der mag andere Sachen.«

»Zum Beispiel?«

»Das geht dich nichts an. Das hab ich dir aber gesagt, bevor ich dein Geld genommen hab. Ich erzähl dir alles, was er sagt, aber nicht, was er tut.« Sie schämte sich zu sehr zu berichten, wozu John Hale sie zwang bei den zwei oder drei Malen im Monat, die er sie aufsuchte. Der Schotte hatte ihr eine goldene Guinea geboten, wenn sie das ausplauderte, aber sie war ihrem Wort treu geblieben, und kein Geld der Welt würde sie dazu bringen, es zu brechen. »Außerdem hab ich John Hale in den letzten zwei Wochen überhaupt nicht gesehen.« Nicht, dass er ihr fehlte. Höchstens der Shilling, den er ihr jedes Mal bezahlte.

»Als du ihn das letzte Mal gesehen hast, hat er dir da was von der Ernte erzählt? Hat er gesagt, wie ...« Hamish brach ab. Fast alle in der Schänke waren verstummt.

Ein groß gewachsener rothaariger Mann war hereingekommen, und mit ihm ein Mädel, ein winziges Ding. Fast halb nackt, so zerfetzt war ihr Kleid. Der Rotschopf setzte sich an einen Tisch bei der Tür und bestellte laut ein Glas Bier für sich und ein Glas Rheinwein für die Dame. Offenbar bemerkte er nicht, wie still es in der Schänke auf einmal geworden war, oder wenn, dann störte es ihn nicht. Hamish spürte, wie eiskalte Hände nach ihm griffen. Er biss die Zähne aufeinander, um nicht laut zu stöhnen.

»'ne Dame will die sein, oder was? Trinkt kein Bier, nur Wein«, brummte Annie. »So sieht die mir nicht aus.« Was in Hamish vorging, schien sie nicht zu bemerken.

Ihm war es egal, wer oder was das Mädel genau war. »Das ist doch Quentin Hale, oder?«

»Das ist er«, bestätigte Annie.

Die Leute redeten weiter und taten so, als würden sie nicht zu dem neuen Gast und seiner Begleiterin spähen. »Der Rote Bär. So nennen sie ihn doch, oder?«

»Uko Nyakwai, so nennen ihn die Rothäute. Ist praktisch selber eine, wenn man's recht bedenkt. Er hat 'ne Squaw geheiratet, wenn auch in 'ner richtigen christlichen Kirche. Und als …«

»Ich dachte, er wäre weg? Ich hab gehört, dass Quentin Hale, als die Squaw starb, für immer von Shadowbrook fort und ins Ohio Country gegangen ist.« Hamishs Stimme klang in seinen eigenen Ohren heiser und unnatürlich.

»Nicht gleich. Vielleicht 'n Jahr ist er noch da geblieben. Dann hat er einen gewaltigen Krach mit seinem Pa gehabt und ist verschwunden. War eh egal. Shadowbrook wird nie ihm gehören, John ist der Ältere. Und so geht's doch bei den Reichen, oder? Der Erste kriegt das Beste, und die anderen dürfen sich um die Krümel prügeln.«

»Manchmal ist es so«, sagte Hamish.

Verflucht und zugenäht! Er war fest davon überzeugt gewesen, nichts mit Quentin Hale zu tun haben zu müssen. Zumindest nicht, bis alles geregelt war, bis er das Recht und den Besitz auf seiner Seite hatte. Verflucht und zugenäht, aber manchmal konnte das Schicksal einen Mann verdammt hart treffen.

Nicole war froh, Albany hinter sich zu lassen. Die Frauen hatten sie erst überrascht angesehen und sich dann missbilligend abgewandt. Ihr dunkles Haar fiel ihr in einem Zopf über den Rücken, wie bei einer Squaw, denn sie hatte alle Haarnadeln verloren. Sie hatte keine Unterröcke und kein Leibchen, und ihr Kleid bestand nur noch aus Fetzen, die sie kaum bedeckten. Die musternden Blicke der Männer waren am schlimmsten. Sie wusste genau, was sie dachten. Wenn Quentin Hale nicht bei ihr wäre, würden sie sie wie eine gemeine Hure behandeln. »Wo gehen wir hin?«, fragte sie, als sie die Stadt verließen. »Wo ist Monsieur Shea? Sie sagten, er würde wieder zu uns stoßen.«

»Das tut er auch. Sobald er kann.« Wenn sie Cormac Sheas Frau werden wollte, würde sie aufhören müssen, sich ständig Sorgen zu machen und so viele Fragen zu stellen. Aber das war nicht seine Sache, sagte Quent sich. Corm hatte sie zu der Seinen erklärt. Es lag an ihm, sie mit seiner Lebensweise vertraut zu machen. »Wir gehen dahin, wohin wir schon die ganze Zeit unterwegs sind«, sagte er. »Nach Shadowbrook. Wir können noch vor morgen Mittag da sein, wenn Sie aufhören, so viel zu reden, und einfach nur gehen.«

»Da sind Sie doch zu Hause, oder? Ich habe Sie und Monsieur Shea darüber reden hören.«

»Richtig.« Mehr sagte er nicht. Den restlichen Tag marschierten sie schweigend weiter.

In der Dämmerung stiegen sie über einen steilen Abhang zu einer kleinen Bucht neben dem Fluss hinab. Ein schmaler Sandstreifen endete in einem Felsvorsprung, der von Muscheln übersät war, am Fuß der Klippen wuchsen im Halbkreis Weiden. Quent hielt Wache, während Nicole badete. »Bleiben Sie auf dieser Seite der Felsen«, ermahnte er sie. »Dahinter ist eine Strömung.« Als sie erfrischt und hungrig aus dem Wasser kam, hatte er bereits den Oberkörper entblößt und die Mokassins ausgezogen. »Ich hole uns unser Abendessen«, rief er über die Schulter, als er davonging, seine Kniehose auszog und sie dann aufhob. Ihre Wangen röteten sich, rasch wandte sie den Blick ab. Als sie sich wieder umdrehte, war vom bloßen Rücken des Roten Bären nichts mehr zu sehen.

Nicole fragte sich, warum er kein Feuer gemacht hatte, über dem sie die Fische braten konnte, die er fangen wollte; doch als Quent zurückkam, hatte er einen aus Weidenruten geflochtenen Korb bei sich. In der Kniehose kletterte er über die Felsen, Wassertropfen hingen noch auf seinen Schultern, seiner Brust und den roten Haaren. »Abendessen«, erklärte er und stellte den Korb vor ihren Füßen ab. Er war voller Muscheln, jede beinahe so groß wie ihre Handfläche. »Die größten und besten, die Sie je gegessen haben«, versprach er. Er bückte sich, um seinen Dolch aus den Sachen zu holen, die er am Strand abgelegt hatte, öffnete eine der rauen Schalen und reichte sie ihr.

Nicole schlürfte die glänzende Muschel. »Köstlich«, stimmte sie zu. »Ich liebe Muscheln. Maman lehnte sie ab. Kein Essen, das sich für eine Dame schickt, sagte sie immer. Das sei nur was für einfache Leute.«

»Was würde Ihre Maman sagen, wenn sie Sie jetzt sehen könnte?«, fragte Quent, verschlang zwei Muscheln hintereinander und öffnete zwei weitere für sie.

»Sie würde mir mit dem Finger drohen«, gestand Nicole. »Aber wenn ich ihr erklärte, dass es Muscheln gibt oder nichts, und dass ich sehr hungrig bin, würde sie verstehen. Wo haben Sie den her?« Sie deutete auf den Weidenkorb, der grau war vor Alter und Nässe.

»Unter den Felsen ist eine Höhle. Der Eingang liegt unter Wasser, und wenn man nicht genau weiß, wo er ist, kann man ihn kaum finden. Der Korb war in der Höhle.«

»Sie wussten, wo Sie suchen müssen.«

»Ja. Wir befinden uns mittlerweile auf Grund, der zu Shadowbrook gehört. Hier bin ich schon als Junge geschwommen.«

»Mit Monsieur Shea?«

»Ja.« Verdammte Frau. Jedes Gespräch mit ihr endete immer bei Cormac.

Am nächsten Morgen verließen sie das Flussufer und marschierten landeinwärts. »Den Fluss entlang ginge es schneller«, sagte Quent, »aber zwischen der Bucht und dem Haus liegt ein großes Moor, da sind die Mücken faustgroß. Die meiden wir besser.«

Nicole war dankbar, dass sie stattdessen in den schattigen Wald kamen. Und offenbar machte es Monsieur Hale Spaß, auf dies und jenes aufmerksam zu machen. Wenn auch mehr sich selbst als sie, ging es Nicole durch den Kopf. Als müsste er sich alles wieder ins Gedächtnis rufen.

»Die Straße da führt zum Sägewerk. Die war früher nur halb so breit, aber vor ein paar Jahren haben wir sie ausgebaut. Das hier ist der hintere Weg zur Mühle. Auf der anderen Seite verläuft die große Straße, so nennen wir sie; die hat mein Großvater angelegt, als er herkam.« Quent ging in die Hocke und begutachtete die ausgefahrene Erdstraße, die er als hinteren Weg zum Sägewerk bezeichnet hatte. »Sieht nicht so aus, als wäre sie in den letzten zwei Jahren planiert oder aufgefüllt worden.«

Gut drei Meilen weiter lichteten sich die Bäume, und sie gelangten zu einem Weg, der breit genug war für Pferd und Wagen. »Das ist der hintere Weg zur Mühle und zum Zuckerhaus«, sagte er. »Aber ohne Wagen ist es schneller, wenn wir die Abkürzung bei den zwei Weißkiefern nehmen. Da kommt man am Big Two vorbei.«

»Was wird im Zuckerhaus gemacht? Und was ist Big Two?«

»Aus Zucker wird Rum gemacht.«

»Und Big Two?«

»Das sind zwei Berggipfel.« Er erklärte nicht, dass die »Großen Zwei« so hießen, weil sie weiblichen Brüsten ähnlich sahen.

Ein Stück weiter führte der Weg einen Hügel hinauf, von dem aus sie über eine Art Binnenmeer zu blicken schienen, vielleicht einen See. Erst als Nicole genauer hinsah, wurde ihr bewusst, dass es ein Weizenfeld war. Die hohen Ähren wogten in der Brise des frühen Morgens.

Eine Weile blieben sie dort stehen. Quent beschattete die Augen mit der Hand und ließ den Blick über das Feld schweifen. »Dem Geruch nach ist es fast reif«, sagte er. »Aber da wächst viel zu viel Unkraut dazwischen. Ich verstehe gar nicht, warum …« Er brach ab.

»Was verstehen Sie nicht?«

»Nichts.« Wozu sollte er ihr sagen, dass es höchst merkwürdig war, wenn keine Sklaven auf den Feldern waren, um das Unkraut im Weizenfeld zu jäten, obwohl die Sonne seit fast vier Stunden am Himmel stand. Der Gedanke, Nicole von den Sklaven in Shadowbrook erzählen zu müssen, behagte ihm gar nicht.

Es beunruhigte ihn, dass er niemanden auf der Straße zum Sägewerk angetroffen hatte oder unterwegs zum Zuckerhaus oder der Mühle. In diesem südlichen Teil der Ländereien wohnten über fünfzig Leute. Mit den Leuten von Do Good weiter im Norden lebte insgesamt die dreifache Anzahl Menschen auf dem Gut. Aber seit sie den Grund von Shadowbrook betreten hatten, hatten sie keinen einzigen zu Gesicht bekommen. Die Härchen in seinem Nacken stellten sich auf und schickten Warnsignale seinen Rücken hinab. Das war nie ein gutes Zeichen. Quent nahm das Gewehr von der Schulter und füllte beim Gehen Pulver in die Mündung.

Nicole beobachtete ihn mit sorgenvollem Blick. Doch Quent sagte nichts, und ausnahmsweise stellte sie keine Frage.

Rund eine Stunde später, als die Sonne direkt über ihnen stand, kam das Haus in Sicht. »Das ist Shadowbrook«, sagte Quent leise.

Wegen des Umwegs um den Sumpf näherten sie sich dem Haus nicht von vorn, sondern von der Seite, doch das nahm ihm nichts von seinem Reiz. Wie die meisten Häuser, die Nicole in der Neuen Welt gesehen hatte, war es mehr oder minder quadratisch, ragte solide auf einer Anhöhe auf und gab den Blick auf den Fluss frei. Soweit sie sehen konnte, besaß Shadowbrook keine Seitenflügel und hatte auch sonst nichts Prächtiges an sich, obwohl sich nach hinten der eine oder andere Anbau erstreckte. Es war aus Holz gebaut und schimmerte weiß unter dem blaugrauen Schieferdach, in dessen Farbe auch die Fensterläden gehalten waren. Sie zählte vier Kamine, obwohl es vermutlich mehr gab. »Ein schönes Haus«, sagte sie.

Er hörte ihre Stimme wie aus weiter Ferne und hob die Hand, damit sie verstummte. Quent lauschte angestrengt, ob er die Gefahr hören konnte. Er wusste, dass etwas in der Luft lag – in den Geruch des Flusses und der üppigen Sommervegetation mischte sich der Gestank von Angst. Zuerst nahm er nichts als Stille wahr, dann trieb die heiße Julibrise ein Flüstern herüber, das wie ein Stöhnen klang.

Einen Augenblick fragte er sich, ob sein Vater gestorben war, ob er da die Totenklage um Ephraim Hale hörte. Nein, das konnte es nicht sein, dann wären alle oben beim Friedhof in Squirrel Oaks. Dieses Geräusch kam aus der Nähe des Hauses.

Dann wurde es lauter. Ein gemeinsames Aufstöhnen erklang, Ausdruck kollektiven Leids. Jetzt konnte auch Nicole es hören. »*Mon Dieu*, was ist das?« Rasch bekreuzigte sie sich.

»Ich weiß nicht genau. Vielleicht …« Er brach ab, denn in dem Moment hörte er etwas anderes, ein Sausen und Knallen, eine Sekunde später erneut. »Guter Gott! Bleiben Sie hier. Rühren Sie sich nicht vom Fleck.« Er rannte los, überwand mit großen Schritten die Entfernung zwischen sich und dem Haus.

Einen Augenblick sah sie ihm nach, ließ die Einsamkeit des Waldes in ihrem Rücken auf sich wirken. Dann, ungeachtet seiner Worte, folgte sie ihm.

Normalerweise war das Gras rings um das Haus kurz geschnitten und leuchtend grün. Jetzt war es braun und so hoch, dass es sich unter Quents Schritten niederlegte. Das Stöhnen hatte aufgehört, er hörte nur ein weiteres Sausen und dann ein Knallen.

Auf der anderen Seite des Hauses war eine ebene Wiese. Frolic Ground, Platz der Lustbarkeit, hieß sie. Als Quentin Hale nach den vielen schwächlichen Neugeborenen, die bald gestorben waren, schreiend und strampelnd zur Welt kam und dann noch seinen ersten Geburtstag erlebte, da hatte die Wiese diesen Namen erhalten. Sein Vater veranstaltete ein großes Fest – eine Lustbarkeit, wie es hieß –, um zu feiern, dass er einen zweiten Sohn hatte, der nun ein Jahr alt war. Als Veranstaltungsort wählte Ephraim eine Wiese linker Hand des Hauses, das der erste Hale bald nach seiner Ankunft auf dem Gut gebaut hatte.

Der Frolic Ground war hundert Klafter lang – ein großer Mann ging die Länge mit zweihundert Schritten ab – und beinahe ebenso breit. Rundum standen Zierpfosten, an denen Laternen zum Erhellen der Dunkelheit befestigt werden konnten. An einer Seite befand sich eine riesige Feuergrube, groß genug, um darin zwei Ochsen und zahlreiches Geflügel zu braten – wie damals bei Ephraims Fest anlässlich Quents erstem Geburtstag. Der Familienlegende zufolge waren mehr als hundert Indianer aus der Umgebung gekommen, dazu jede Menschenseele, die je auf dem Gut gelebt und gearbeitet hatte, unabhängig von ihrer Hautfarbe und ihrem Glauben. Selbst die Quäker von Do Good kamen, standen ein wenig steif am Rand und nahmen weder am Tanz noch an der ausgelassenen Munterkeit teil.

Abermals durchschnitt ein Sausen und Knallen die sommerliche Stille. Quent zuckte zusammen. Rasch überwand er die letzten zwanzig Schritte.

Rund fünfzig Männer und Frauen standen zusammengedrängt auf dem Frolic Ground, die Negersklaven ebenso wie die weißen Pachtbauern, die auf dem Gut arbeiteten. Sie bildeten einen Halbkreis um einen der großen Wagen, mit denen die gefällten Bäume zum Sägewerk transportiert wurden. Das Geschirr hing auf den Boden herab, wo es mit Pflöcken befestigt war, beide Seiten waren mit Spannseilen gesichert, damit der Wagen nicht umkippte. Seine Räder waren fast so hoch wie Quent, massig genug, um vier oder fünf dicke Baumstämme zu befördern. Und mehr als massig genug, um dem Gewicht des großen Mannes standzuhalten, der an ein Rad gebunden war.

Der Mann stand da, alle viere von sich gespreizt, mit dem Bauch an die Nabe gepresst, Arme und Beine jeweils an eine Speiche gefesselt, der Oberkörper nackt. Auf seinem breiten, ebenholzschwarzen Rücken zeichneten sich rote Striemen ab, von den sieben Peitschenhieben, die er erhalten hatte, seit Quent das erste Knallen gehört hatte. Er hielt den großen, kahlen Kopf abgewandt, doch Quent wusste auch so, dass der an den Wagen Gefesselte Solomon der Fassmacher war.

Die Menge klagte nicht mehr. Alle Aufmerksamkeit galt dem Mann mit der Peitsche.

Quent legte das Langgewehr an die Schulter, den Finger am Abzug. »Schlag noch mal zu, und ich schieß dir den Kopf ab.«

Wie auf ein Kommando hin wirbelte die Menge zu ihm herum. »Master Quent«, murmelte jemand. »Master Quent ist wieder da.«

»Wo zum Teufel kommst du her?« John Hale trat hinter dem Wagen vor auf den Platz, den die Umstehenden frei gelassen hatten. In der Hand hielt er eine Pistole. »Auspeitscher, achte nicht auf ihn. Tu deine Pflicht.«

Der Auspeitscher sah zuerst zu dem großen Rotschopf in der ledernen Kniehose, der mit seinem tödlichen Langgewehr direkt auf ihn zielte, dann auf den weitaus kleineren Mann in schwarzer Kniehose und weißem Leinenhemd, ohne Rock wegen der heißen Sonne.

»Wenn ihm sein Leben lieb ist, tut er's nicht«, rief Quent. »Und wie immer du nennst, was hier vor sich geht – mit Pflicht hat das nichts zu tun. Seit Großvaters Tagen hat es auf Shadowbrook keine öffentliche Auspeitschung mehr gegeben. Das hat Vater verboten.«

»Vater ist krank. Jetzt verwalte ich das Gut. Der Fassmacher hat mich angelogen.« John hob die Hand, in der er die Pistole hielt, und spannte sie. Er zielte direkt auf seinen Bruder. »Leg das Gewehr hin, oder ich schieße.«

»Sei kein Idiot«, sagte Quent. »Du kannst nicht schneller schießen als ich, und das weißt du auch. He, du, Auspeitscher, leg das Ding weg, hab ich gesagt. Noch mal sag ich's dir nicht. Sonst schieß ich dir die Hand ab.«

»Hör auf …«, begann John, doch der Mann ließ die Peitsche bereits fallen.

»Gut«, sagte Quent. »Und jetzt schieb sie zu mir rüber. Ja, gut.« Die Lederpeitsche, die in der Hand eines Geübten grausame Verletzungen hervorrufen konnte, lag jetzt in sicherer Entfernung, stellte keine Gefahr mehr dar. Quent sprach zur Menge, ohne den Kopf zu drehen oder den Blick von seinem Bruder zu nehmen. »Großer Jacob, bist du da?« Er hatte den alten Mann in der Menge stehen sehen, als er auf den Frolic Ground zulief. Großer Jacob lebte im Zuckerhaus und kümmerte sich um die jungen Pferde, die auf einer Koppel in der Nähe weideten.

»Ich bin hier, Master Quent. Und froh, Sie wieder mal hier zu sehen.«

»Und ich freu mich, hier zu sein, Jacob. Jetzt sei so gut und binde Solomon los.«

John drehte sich auf dem Absatz um und richtete die Pistole auf den Sklaven. »Bleib, wo du bist.«

»John, wenn du abdrückst, auf wen oder was auch immer, schieß ich dich in tausend Stücke. Das verspreche ich dir. Tu, was ich dir sage, Jacob.«

Einen Moment regte sich niemand. Dann war das Flüstern einer Frau zu hören. Quent konnte nicht verstehen, was sie sagte, aber er war ziemlich sicher, dass es von Clemency der Waschfrau kam. Clemencys Wort hatte bei den Sklaven großes Gewicht. Quent sah in die Menge, erblickte aber nur Sechs-Finger-Sam, der sich um den Küchengarten kümmerte und anstehende Arbeiten im großen Haus erledigte. Während der Apfelernte war er für die Presse zuständig, um Apfelwein zu machen, und für die riesigen Töpfe, in denen Apfelmarmelade gekocht wurde; außerdem überwachte er, dass ein Teil der Ernte getrocknet wurde, damit sie den Winter hindurch zumindest auf diese Weise die Früchte genießen konnten. Sechs-Finger-Sam sprach so gut wie nie, im Gegensatz zu Clemency, die bei den Negern auf dem Gut als die Geschichtenerzählerin galt. »Clemency hütet unser Gestern«, hatte Küchen-Hannah Quent vor vielen Jahren anvertraut. »Die Waschfrau weiß, wer wer und was was ist und warum alle sind, wie sie sind. Clemency kümmert sich um das innere Freisein von uns Sklaven.«

Quent wusste Bescheid über das innere Freisein. »Das ist der richtige Unterschied zwischen Weißen und Negern, Master. Wir Nigger haben bloß das innere Freisein.«

»Jacob«, wiederholte Quent. »Mach, was ich dir sage. Niemand wird dir was zuleide tun.«

»Bleib, wo du bist!« Panik schwang in Johns Stimme mit. Sein ausgestreckter Arm zitterte, und alle Umstehenden wussten, dass er den Finger fest auf den Abzug der Pistole drückte, die Waffe in Wirklichkeit aber nicht unter Kontrolle hatte. »Ich bin hier der Herr«, keifte er schrill. »Du tust, was ich dir sage.«

»Das stimmt noch nicht ganz.« Eine weitere Stimme. Eine schwache, die von Krankheit gezeichnet war, aber noch immer mit

Autorität sprach, wie es John nie gelingen würde. Ephraim Hale stand im Tor, das auf den Frolic Ground führte. Quent wandte den Blick nur lange genug von John, um seinen Vater anzusehen. Er stützte sich gebeugt auf zwei Stöcke die ihm bis zur Hüfte reichten. Beim Sprechen wurde seine Stimme sicherer und fester. »Solange ich lebe, bin ich hier der Herr. John, Quent, legt beide eure Waffen nieder. Jacob, mach, was Master Quentin dir aufgetragen hat. Binde Solomon vom Rad.«

Quent fühlte sich unendlich erleichtert. Er brauchte seinen Bruder nicht zu töten; zumindest jetzt noch nicht. Johns ausgestreckter Arm zitterte heftig. Keine Waffe war unzuverlässiger als eine Pistole. Sie konnte jederzeit losgehen und jemanden völlig unbeabsichtigt verwunden. »Beide gleichzeitig, John«, sagte Quent ruhig. »Wie Vater sagt. Bei drei. Eins, zwei …«

Dann lagen die Waffen am Boden, und Jacob befreite Solomon den Fassmacher. Und mit rauschenden Unterröcken und voller Entschlusskraft eilte Lorene Devrey Hale herbei und übernahm die Kontrolle über ihren Haushalt.

Cormac vermochte nicht zu sagen, wie viel Zeit vergangen war. Nicht nur Dampf umhüllte ihn, auch ein seltsamer Duft. Scharf und doch auch süß. Ein Duft, wie er ihn nie zuvor gerochen hatte, der ihn völlig erfüllte. Es war wunderbar. Er öffnete den Mund und schluckte den Duft. Er hungerte danach, wollte so viel davon bekommen, wie er in sich aufnehmen konnte. Der Zauber fuhr ihm direkt in die Lenden. Er war groß und hart, das wusste er, erfüllt von einem süßen, heißen Druck, der befriedigt werden musste. Er dachte an Nicole. Mindestens einmal flüsterte er laut ihren Namen.

Er wusste nicht, ob er wachte oder schlief, aber er fühlte, wie jemand ihn umfing. Nur vage glaubte er, dichtes, schwarzes Haar und blasse, nackte Haut wahrzunehmen, die sich trotz der Hitze in der Schwitzhütte erstaunlicherweise kühl anfühlte. Der Dampf war zu dicht, um etwas zu sehen, aber es war ihm ohnehin gleichgültig. Er schauderte vor Lust, gab sich der Wonne hin und dann dem Schlaf.

Das Nächste, das er wahrnahm, war, dass jemand seinen Namen rief. Er erkannte Takitos Stimme. »Dreh dich um, mein Sohn. Ich beende, was der Dampf begonnen hat.«

Cormac leistete keinen Widerstand, stellte keine Fragen. Der Dampf hatte ihn willenlos gemacht. Er drehte sich auf den Bauch. Mit kraftvollen Fingern begann der heilende Priester seinen Nacken zu kneten und arbeitete sich rasch zum unteren Ende der Wirbelsäule vor, ertastete jeden Muskel, jede alte Narbe. Nichts entging ihm. Takito konnte mit den Fingerspitzen nicht nur seinen Körper lesen, sondern auch seine Gedanken, das wusste Cormac.

Nach einer Weile veränderte sich die Berührung, wurde kraftvoller, dringender. Die Finger bewegten sich weniger geschickt, drückten allzu fest. Der Priester war nicht groß, doch Cormac spürte, dass er sich in dem niedrigen Wigwam ducken musste. Dann merkte er, dass der Priester um das Gitter aus Lederriemen auf die andere Seite ging. Rasch und geschmeidig, ohne zu schwanken. Das war kein Mensch, der ein Bein nachzog.

Cormac rührte sich nicht, wollte nicht zu erkennen geben, dass er mittlerweile völlig wach war, nicht mehr berauscht vom Dampf und dem starken Kräuterzauber der Midewiwin. Die Finger des Mannes, die ihn massierten, versuchten, unter ihn zu fassen – und das war nicht mehr Takito, davon war er überzeugt.

»*Ayi!*« Cormac drehte sich abrupt zu dem falschen Medizinmann um und setzte sein ganzes Gewicht ein, um ihn und sich selbst zu Boden zu bringen. Der Mann schnaubte überrascht, und noch im selben Moment wurde Cormac bewusst, dass es sich bei seinem Gegner um einen erfahrenen Ringer handelte. Er wehrte sich gegen die Versuche des anderen, sein Bein zu umklammern. Zu hören war nur das mühsame Atmen der beiden Männer, die miteinander rangen.

Der andere war stärker; jeder Atemzug brachte ihn dem Sieg näher. Aufschub gewährte Cormac nur die Tatsache, dass seine Haut noch ölig war vom Bärenfett. Er war zu schlüpfrig, als dass der andere ihn richtig zu fassen bekam, doch es war nur eine Frage der Zeit, bis der ihn überwältigte.

Der Angreifer gab den Versuch auf, Cormacs Bein zu umklammern, und richtete sich auf, wobei er ihn mit sich zog. Dann sprang er mit einer raschen Bewegung hinter Cormac, schlang ihm beide Arme um die Brust und drückte zu. *Ayi!* Er hatte zwar gehört, dass der *métis* ein Kämpfer aus dem Land der Wolken war, ein *kapí* aus der Welt jenseits, wo die rothaarigen Krieger aus dem Volk seines Vaters mit den furchtlosen *Anishinabeg*-Tapferen alter Zeit auf Jagd gingen. Aber nach den Aufmerksamkeiten, die der Priester ihm hatte zukommen lassen, war er nicht auf derartigen Widerstand gefasst.

Cormac spürte, wie das Leben aus ihm wich. Die Arme des Angreifers lagen wie Eisenringe um seine Brust. Er leerte seinen Kopf, bis er vor sich nur das heilige Feuer der Potawatomi sah. Er sah das glühend rote Holz seiner Mannheitszeremonie, spürte, wie er danach griff und es eiskalt in seinen Händen lag. Kraft stieg aus seinem Inneren auf und erfüllte ihn. Er hob die Arme und legte die Hände um den Hals des anderen. Er war wie ein Baumstamm, breit und unnachgiebig. Die kräftigen Arme, die ihn umklammert hielten, verstärkten ihren Griff. Cormac bekam keine Luft mehr, er war nicht stark genug, den Angreifer über seinen Kopf zu ziehen. Bald würde er seinen Geist ganz loslassen. Nein, beim heiligen Feuer, das würde nicht geschehen. Ihm war nicht bestimmt, sein Todeslied in einer dunklen Schwitzhütte freizusetzen, gekrümmt wie ein wundes Tier.

Eine letzte gewaltige Anstrengung. Der Baumstamm beugte sich. Das Kinn des Angreifers berührte fast seine Schulter. Näher, noch näher, schließlich so nah, dass er seine Zähne in dessen Fleisch graben konnte. Der Mann schrie auf.

Cormac schmeckte das Blut des Tapferen, biss aber immer weiter zu, bis er ein Stück Fleisch herausgerissen hatte. Der andere schrie wieder, Cormac zog noch fester an dem mächtigen Hals, dann hörte er ihn brechen, und schließlich spürte er das schwere Gewicht des Todes.

Einen Augenblick blieb er in seiner Position kauern, rang nach Atem, dann wurde ihm bewusst, dass er noch das Stück Wange seines Gegners im Mund hatte. Ihn schauderte. Das war das Einzige, bei dem er nicht einmal zur Hälfte ein Wahrer Mensch war. Der Ekel der Weißen vor Menschenfleisch war auf ihn übergegangen. Er spuckte es aus und taumelte aus dem Wigwam. Wenn der Priester noch da war, würde er auch ihn töten. Cormacs Augen gewöhnten sich nur sehr langsam an die Helligkeit nach der langen Zeit im Dunkeln, aber er war sicher, dass sich außer ihm niemand auf der Lichtung befand. Beide Feuer waren gelöscht, die Dämmerung setzte ein und mit ihr die Kühle des Abends. Er musste fünf oder sechs Stunden in der Schwitzhütte gewesen sein.

Er dachte an den Medizinbeutel, den er im sterbenden Ahorn versteckt hatte. »*Ayi!*« Großer Geist, lass ihn noch dort sein. Er musste da sein. Hätten sie den rehledernen Beutel gefunden, warum hätten sie dann jemanden zu ihm in die Schwitzhütte geschickt, der ihn durchsuchte? Und genau das hatte der Angreifer getan. Sonst hätte er Cormac sofort die Kehle durchgeschnitten.

Schweiß rann noch immer in Strömen an ihm herab, und sein Herz schlug wie eine Kriegstrommel. Was immer mit Memetosias kostbarem Geschenk geschehen war, war geschehen. Jetzt war das Wichtigste, einen klaren Kopf zu bekommen, damit er seine nächsten Schritte überlegen konnte. Wankend trat Cormac zum Bach und stürzte sich hinein.

Der Schock des eisigen Wassers auf seiner überhitzten Haut raubte ihm die Luft, gierig schöpfte er nach Atem. Allmählich beruhigte das kühle Wasser ihn, ließ ihn wieder klar sehen, sein Herz schlug langsamer, die Kraft kehrte in seine Muskeln zurück. Als er aus dem Bach stieg, war er wieder er selbst.

Einen Moment blieb er lauschend stehen, all seine Sinne waren aufs Äußerste geschärft, doch er spürte keine unmittelbare Gefahr. Er war allein.

Seine Kniehose lag noch auf dem flachen Felsen, auf den er sie gelegt hatte. Sie war eindeutig durchsucht worden. Nachdem er sich angekleidet hatte, stieg er auf den sterbenden Ahorn. Als er den einen noch lebenden Ast erreichte, der über das Wasser hing, hielt er einen Moment inne und bereitete sich vor auf das, was ihn erwarten mochte. Schließlich robbte er vorwärts und streckte die Hand aus. Sofort spürte er den Lederriemen von Memetosias Medizinbeutel. Cormac umfasste den Beutel – was immer darin lag, es war noch da. Er fühlte es. Er flüsterte ein Dankesgebet an den Großen Geist des heiligen Feuers, und dann, in Erinnerung an die vielen Sonntagmorgen, die er im großen Salon von Shadowbrook verbracht hatte, auch eines an Miss Lorenes Jesus Christus.

Kurz kehrte er in die Schwitzhütte zurück und tat, was getan werden musste, dann ging er zum Haus. Der Tag war vorüber, es war dunkel, doch nirgends sah er den Schein von Kerzenlicht durch die Fenster dringen. Das Lydius-Haus lag dunkel drohend in der Nacht. Cormac drückte auf die Klinke der hinteren Tür. Sie war offen. Achtsam trat er ein und ging durch die Zimmer. Das Haus war leer, selbst die Feuerstelle war kalt. Keine Spur von Genevieve oder einem anderen Mitglied der Familie, ganz zu schweigen vom Miami-Häuptling und seinen Leuten. Der einzige Beweis, dass Memetosia und seine Tapferen tatsächlich da gewesen waren, dass Cormac das Ganze nicht nur geträumt hatte, war der Medizinbeutel um seinen Hals und der schwache Geruch von Bärenfett, der in der Küche hing.

Sein Tomahawk und sein Messer lagen dort, wo er sie im Flur abgelegt hatte. Sein Langgewehr war fort.

Donnerstag, 16. Juli 1754
Shadowbrook

Nicole hatte nicht gemerkt, wie ausgehungert sie war nach etwas anderem als Fleisch. Der gedeckte Tisch hielt Karotten bereit, kurz, dick und leuchtend orange, glasiert mit Honig und Butter, dazu Kartoffeln mit Sahne und Steckrüben, die in der Pfanne unter dem am Spieß gebratenen Geflügel gegart worden waren. Das Geflügel selbst war zart goldbraun geröstet und wurde noch am Spieß aufgetragen, der in einem eigens für diesen Zweck gefertigten Behälter stand. Wachteln vielleicht, womöglich auch sehr junge Täubchen. Nicole konnte es nicht sagen, und es war ihr auch gleichgültig. Die große, mit würzigem Wild gefüllte Pastete sprach sie weitaus mehr an, aber nicht so sehr wie die Ernte aus dem Garten, den sie hinter dem Haus gesehen hatte, oder das Gebackene aus Weizenmehl, das auf dem Gut selbst gemahlen wurde, wie man ihr gesagt hatte.

»Vor allem Eichhörnchen und Vögel und, sobald wir am Fluss waren, auch Fische.« Es war, als würde Monsieur Hale ihre Gedanken lesen, doch er beantwortete lediglich eine Frage seiner Mutter. »Und Kaninchen. Mengenweise. Aber kein Salat, kein Gemüse, kein Brot und keine Maiskuchen. Das sind die Sachen, die man in der Wildnis am meisten vermisst.« Beim Sprechen nahm er sich zwei weitere Brötchen.

»Angesichts des guten Gemüses, das hier in Shadowbrook wächst, und des herausragenden Weizens bleibst du vielleicht nicht wieder so lang in der Wildnis«, sagte Lorene Devrey Hale. Sie hatte eine wunderschöne Stimme, tief und klar wie das Rauschen von Seide. Während sie sprach, musterte sie ihren Erstgeborenen. John erwiderte ihren Blick nicht, sondern richtete seine ganze Aufmerksamkeit darauf, mit Händen und Zähnen ein Täubchen zu zerreißen.

Nicole beobachtete ihn ebenfalls. Er aß mit derselben Wut, mit der er nahezu alles andere auch zu tun schien. Ganz anders als ihre Weggefährten. Die beiden fühlten sich wohler in ihrer Haut als dieser John Hale. Und sie selbst begann sich in dessen Gegenwart unbehaglich zu fühlen.

Gestern war Madame Hale erschienen, als alle noch auf der Wiese standen, die sie den Frolic Ground nannten. Sie war zwar auch außer sich gewesen – sehr blass, bis auf zwei leuchtend rote Flecke auf den Wangen –, doch verstand sie es, Ordnung in den Tumult zu bringen. Es war unverkennbar, dass es für sie an ein Wunder grenzte, dass ihre beiden Söhne noch lebten. Ihr Blick war ständig zwischen ihnen hin und her gewandert, hatte jedoch länger auf dem Jüngeren verweilt, glaubte Nicole.

Madames Anweisungen waren rasch befolgt worden. Zwei der Sklaven fassten sich an den Händen und bildeten damit einen provisorischen Sitz, auf dem sie Ephraim Hale ins Haus tragen konnten. Bevor Nicole und Papa in Virginia gelandet waren, hatte sie noch nie einen Menschen mit schwarzer Haut zu Gesicht bekommen. Doch seitdem hatte sie sehr viele gesehen. Und jeder, stellte sie fest, gehörte einem Weißen. Die Inhaberin der Pension, in der Nicole und ihr Papa übernachteten, erklärte ihr, wie es dazu gekommen war. »Das steht in der Bibel, warum das so ist, Kind. Noah hat seinen Sohn Ham verflucht. Ham ist nach Afrika gegangen und ist schwarz geworden, und er und seine Nachkommen sind immer schon Sklaven gewesen. Das ist der Wille Gottes, des Allmächtigen, Kind. Es ist nur recht und billig, dass schwarze Heiden für gute weiße Christenmenschen arbeiten. Solang sie tun, was ihnen aufgetragen wird, und keinen Ärger machen, werden sie gerecht behandelt.«

Oui, wie der große Schwarze mit dem kahlen Kopf gerecht behandelt worden war. Nicole hatte verfolgt, wie zwei Sklavinnen dem schwarzen Mann mit den blutigen Striemen auf dem Rücken halfen, den Ort der Auspeitschung zu verlassen.

Auch Madame Hale hatte ihnen nachgeblickt, dann hatte sie sich der Menge zugewandt. »Jetzt müsst ihr alle wieder an die Arbeit. Die Sache ist vorbei und vergessen.« Dann sprach sie zu ihrem jüngeren Sohn. »Und du, Quentin, deine Aufgabe – zumindest im Augenblick – ist, mir zu sagen, wer das ist.« Und damit blickte sie zum ersten Mal direkt zu Nicole.

Offenbar bemerkte Quentin Hale erst da, dass sie ihm gefolgt war. »Ich hatte Ihnen doch gesagt, Sie sollen da oben warten.«

»Ich habe es vorgezogen, Ihnen zu folgen.«

»Offenbar.« Mehr sagte er nicht, denn seine Mutter wartete. »Darf ich dir Mademoiselle Nicole Crane vorstellen. Sie war mit Cormac unterwegs, als er mir begegnete. Wir konnten sie nicht in der Wildnis zurücklassen, also haben wir sie mitgenommen. Mademoiselle, das ist meine Mutter.«

»*Enchantée, Madame.*« Nicole wusste, was für ein Bild sie abgab, doch sie tat, als stünde sie in Papas Salon und würde einem

General oder Diplomaten vorgestellt. Sie machte einen tiefen, anmutigen Knicks.

Lorene kniff leicht die Augen zusammen, nickte und murmelte eine höfliche Erwiderung. Nicole hätte zu gern gewusst, was die Frau dachte. Und was bedeutete der kurze, aber durchdringende Blick, den sie ihrem Jüngeren zuwarf? Doch sie sagte lediglich: »Quentin, du siehst aus wie ein Wilder, und dein Geruch ist noch schlimmer. Wo ist Cormac?«

»Er musste in Albany jemanden besuchen. Er kommt nach.«

»Also gut. Jetzt geh und richte dich manierlich her. Ich kümmere mich um unseren Gast. Kommen Sie, meine Liebe.« Und sie streckte die Hand aus, sodass Nicole nichts anderes übrig blieb, als ihre Linke in die Rechte ihrer Gastgeberin zu legen. Dabei war ihr schmerzlich bewusst, dass sie viele Monate lang weder eine Creme noch eine Lotion zur Verfügung gehabt hatte und ihre Haut sich anfühlte wie Baumrinde.

Lorene verlor kein Wort über ihre raue Haut. Sie führte Nicole in eines der großen Schlafzimmer von Shadowbrook. Und beauftragte eine Sklavin mit Namen Flinke Ruth – »Als Quentin klein war, nannte er sie immer so, weil Küchen-Hannah sie ständig auf Botengänge schickte und sie immer herumlief, und irgendwie ist ihr der Name geblieben« –, eine große Kupferwanne sowie Eimer mit heißem Wasser zu bringen. »Sie werden ein Bad nehmen wollen, Mademoiselle. Und Sie werden etwas zum Anziehen brauchen. Ich lasse Ihnen Kleider von mir bringen, wenn es Sie nicht stört, geliehene Kleidung zu tragen.«

»Es wäre mir eine Ehre, Madame. Sie sind zu liebenswürdig.« Nicole fragte sich, was Quents Mutter wohl sagen würde, wenn sie wüsste, dass Nicole im Wald nackt in Bächen und Flüssen gebadet hatte, während Quent und Cormac Wache hielten. Wann immer sie zu ihnen schaute, hatten die beiden ihr den Rücken zugekehrt, aber sie war sich nicht sicher, ob sie nicht dann und wann doch einen Blick riskiert hatten.

»Es ist mir ein Vergnügen«, beruhigte die ältere Frau sie. »Ich schicke auch eine Näherin zu Ihnen, die die Sachen für Sie ändert.«

Quentins Mutter war mindestens einen Kopf größer als Nicole. »Sie sind so zierlich, Mademoiselle. Mein Sohn wirkt neben Ihnen wie ein Riese.«

»Ihr Sohn ist eine Riese, Madame. Das weiß jeder.«

Madame Hale hatte einfach gelächelt und ihr gesagt, dass sie angesichts der Ereignisse beschlossen habe, das nachmittägliche Essen für alle zu streichen.

Als Flinke Ruth mit den Kleidern in ihr Zimmer kam, brachte sie auch einen Korb mit verschiedenen Tinkturen. »Die werden alle hier auf dem Gut gemacht, für die Herrin. Die meisten macht Sally Robin. Weil nämlich Honig drin ist, und Sally Robin, die kann das. Die Bienen lieben es, wenn sie kommt und ihnen den Honig wegnimmt. Sie singt dabei, und die Bienen denken sich nichts und stechen niemanden nicht. Aber das hier, das ist Ungarisch-Wasser.« Ruth holte einen kleinen Flakon aus den Tiefen des Korbs. »Das kommt den ganzen Weg den Fluss von New York City rauf.« Sie sprach den Namen aus, als läge die Stadt am anderen Ende der Welt. »Das riecht so süß, wie was bloß riechen kann, Fräuleinchen. Das wird Ihnen gefallen, das Ungarisch-Wasser.« Nicole erzählte ihr nicht, dass ihre eigene Mutter den Duft geliebt hatte.

Später, nach dem Bad und den Anproben, wurde Nicole Essen aufs Zimmer gebracht – eine Scheibe kalte Schweinspastete und ein paar flache, gelbliche Maiskuchen aus dem indianischen Mehl, das offenbar jeder in Amerika gern mochte, dazu ein Krug Bier. Anscheinend aßen die anderen im Haus ebenfalls auf ihrem Zimmer. Einmal trat Nicole auf den Flur hinaus und lugte die Treppe hinunter, hörte aber nichts als das leise Murmeln und die Geräusche der Bediensteten, die ihrer Arbeit nachgingen. Schließlich legte sie sich ins Bett. Sie staunte, dass sie nach all der Zeit, in der sie im Freien geschlafen hatte, Schwierigkeiten hatte, es sich im weichen Federbett behaglich zu machen.

Seit 1745, als Nicole neun gewesen war, hatte sie Angst vor ihren Träumen. In der Wildnis jedoch, mit den beiden Männern in der Nähe, war sie kein einziges Mal schreiend und zitternd hochgeschreckt, vielleicht wegen der weitaus unmittelbareren Gefahren. In ihrer ersten Nacht in Shadowbrook allerdings träumte sie eine andere Art Traum.

Sie war fünf Jahre alt, und Maman hatte ein Fest vorbereitet, das auf der Wiese unter den Bäumen stattfinden sollte, ohne Bedienstete und ohne richtiges Besteck. Nicole erinnerte sich, dass sie ein weißes Kleid trug mit einer langen blauen Schärpe. Und als sie den Schmetterlingen nachlief und sie mit ihren pummeligen Kleinmädchenhänden zu haschen versuchte, flatterten die Enden der Schärpe in der Brise hinter ihr her, und ihr Papa lachte und nannte sie sein Blauschwänzchen. Doch als sie sich zu ihren Eltern umdrehte, atemlos lachend wegen der erfolglosen Jagd, bemerkten die beiden sie zuerst gar nicht, weil sie sich einen Kuss gaben, die Lippen aufeinander gepresst, Hand in Hand. »Maman! Papa! Schaut mal!« Das taten sie auch, breiteten die Arme aus, und Nicole lief zu ihnen und fiel ihnen um den Hals. Trotzdem empfand sie einen schmerzlichen Stich der Eifersucht, denn sie wusste, dass ihre Eltern ein paar Sekunden lang mehr mit sich selbst als mit ihr beschäftigt gewesen waren. Vielleicht, dachte Nicole beim Aufwachen, wurde die Erinnerung durch den Duft des Ungarisch-Wassers hervorgerufen.

Heute, an ihrem zweiten Tag in Shadowbrook und dem dritten, den sie auf dem Gut war, sah sie zum ersten Mal die Familie auf normale Weise versammelt. Alle bis auf den älteren Monsieur Hale, der krank war und das Bett hüten musste.

Nicole kaute langsam eine Karotte und freute sich am leicht süßen Geschmack. Wie ungewöhnlich, Quentin Hale – den Waldläufer, den Mann, der zu Indianertrommeln tanzte – in einer Kniehose aus Tuch zu sehen und einem feinen weißen Leinenhemd mit Rüschen am Hals und langen Ärmeln. Wie ein Gentleman in Paris oder London. Aber was hatte sie erwartet? Dass er in einer ledernen Kniehose an der Tafel seiner Mutter sitzen würde? Er wirkte etwas unbehaglich in seiner neuen Rolle. Und um ehrlich zu sein, war ihr ähnlich zumute. An einer solchen Tafel hatte sie nicht mehr gesessen, seit sie und Papa aus England abgereist waren. Nein, länger noch. Seit 1750, als Maman gestorben war.

Der ältere Bruder sah sie an. In seinen Augen blitzte Wut. John riss die letzten Fleischbrocken von dem Täubchen und warf die Knöchelchen über die Schulter in Richtung Kamin. Es war zu heiß, als dass ein Feuer dort brannte. Die Knochen landeten in der leeren Feuerstelle, um später von Dienstboten fortgeräumt zu werden. John streckte den Arm an ihr vorbei nach einem Stück Wildpastete aus. Nicole bemerkte, dass er sich dabei kaum Mühe gab, ihre Brüste nicht zu streifen. Sie errötete. Er hielt sie für eine Hure. Und warum auch nicht? So, wie er sie am Tag zuvor gesehen hatte, halb nackt und von der Sonne verbrannt, die Haare wie eine Wilde zum Zopf geflochten.

Neben allem anderen hatte Madame Hale ihr auch Nadeln gegeben, und heute trug sie ein Kleid aus blass lavendelfarbener Seide mit weißer Spitze, richtigen Unterröcken und einem Korsett darunter. Flinke Ruth hatte ihr beim Ankleiden geholfen. »Jetzt«, hatte sie gesagt, als sie die Schnüre abermals festgezogen hatte, bevor sie sie band, »jetzt haben Sie so 'ne Wespentaille, dass Master Quent seine Hände drum legen könnt.« Nicole wusste, dass sie damit die Sünde des Hochmuts beging, aber sie freute sich über ihre schmale Taille. Nur jetzt, bei Tisch, wünschte sie sich, das Korsett wäre nicht ganz so eng geschnürt. Es war nahezu unmöglich, genug zu essen, um ihren Hunger zu stillen.

Der Tisch bog sich unter den vielen Gerichten, Herzhaftes und Süßes im bunten Durcheinander, wie es hier allgemein üblich war. Maman hatte alles nacheinander serviert, auf die französische Art, aber das hübsche Geschirr – einiges dunkelblau, anderes cremeblau – hätte ihr gefallen. Und der Tisch hätte ihr auch gefallen. Er war lang und aus glänzend poliertem, goldfarbenem Eichenholz gefertigt. Darüber hingen drei Zinn-Kandelaber, jeder mit einem Dutzend oder mehr Kerzen bestückt, aber sie brannten nicht. Es war helllichter Nachmittag, die Sonne stand noch hoch am Himmel und schien durch die Fenster herein, die den Blick auf den langen, breiten Pfad zum Fluss hinab freigaben. Rund um die weißen Wände des großen, quadratischen Raums waren in Hüfthöhe vergoldete Leisten angebracht, direkt unter der Decke verlief ein vergoldeter

Gipsfries mit Früchten und Blumen. Nicole entging nicht, dass alles einen neuen Anstrich vertragen könnte, aber es war trotzdem einer der schönsten Räume, den sie in Amerika gesehen hatte.

Küchen-Hannah trug eine riesige Platte mit halb entblätterten Maiskolben herein; die seidigen Haare waren entfernt, die Außenblätter aber wieder zurückgeklappt worden, damit das Feuer die Körner nicht verbrannte. »Die ersten in dem Sommer«, sagte sie stolz. »Hab sie selbst angebaut. Draußen hinter der Latrine, auf dem Beet, das fast den ganzen Tag Sonne kriegt.« Die Kolben waren nicht länger als Nicoles Hand, die Kerne so blassgelb, dass sie nahezu weiß wirkten. Als die Platte ihr gereicht wurde, nahm sie rasch einen Kolben, nur mit den Fingerspitzen, weil er noch so heiß war, und legte ihn auf den Rand ihres Tellers.

Quentin Hale schien die Hitze nichts auszumachen. Herzhaft biss er hinein und sah sie dabei unverwandt an. Auf die eine oder andere Art beobachtete er sie, seit sie Platz genommen hatten. In diesem vornehmen Haus, in seiner vornehmen Kleidung, mit seiner Mutter und seinem Bruder und all dem Zorn, der unter der Oberfläche schwelte und in der Luft tanzte mit den winzigen Staubpartikeln, die von den hochsommerlichen Sonnenstrahlen beleuchtet wurden, kam er ihr vor wie ein Fremder. Unmöglich, sich vorzustellen, dass dies derselbe Mann war, den sie halb nackt mit den Wilden hatte tanzen sehen, der dann mit einer Squaw im Wald verschwunden war, um sie zu decken, als wären sie schamlose Tiere.

Bei dem Gedanken beschleunigte sich ihr Atem, und sie widmete sich ganz dem Maiskolben.

»Du hast noch nichts von Cormac erzählt.« Lorene Hale wandte sich an ihren jüngeren Sohn. »Es gäbe jemanden, den er in Albany besuchen muss, sagtest du. Sollte er mittlerweile nicht schon hier sein?«

»Er kommt bestimmt, sobald es ihm möglich ist. Er und Mademoiselle Crane sind unterwegs nach Norden.«

Lorene blickte auf ihren Teller, als hätte er etwas gesagt, das ihr missfiel.

»Crane ist kein französischer Name«, sagte John. Er schaute Nicole nicht ins Gesicht, sondern starrte ganz unverhohlen auf ihre Brüste, die vom Mieder hochgeschoben wurden.

»Meine Mutter war Französin, mein Vater Engländer«, erklärte Nicole und tat, als würde sie seinen aufdringlichen Blick nicht bemerken.

»Und Sie sind unterwegs nach … Norden.« Aus seinem Mund klang es, als hätte sie gesagt, sie sei auf dem Weg in die Hölle.

»*Oui*, Monsieur. Nach Québec.«

»Ich verstehe. Und was genau haben Sie vor in Québec?«

Quent kam ihr mit der Antwort zuvor. »Das geht dich überhaupt nichts …«

»*Non, non*«, warf Nicole ruhig ein, dann rasch an John Hale gewandt: »Ich habe in Québec eine Familiensache zu erledigen, Monsieur.«

»Passen Sie auf, Mademoiselle, man könnte Sie leicht für eine französische Spionin halten.« John klang, als meinte er das als Witz, aber seine Augen blickten ernst.

Als Nicole und Quent später eine Weile auf der Holzbank saßen, die rund um den massigen Stamm einer Kastanie auf halbem Weg zwischen Haus und Fluss gebaut war, und sich an der Kühle des Abends und der leichten Brise freuten, sagte Quent: »Eine französische Spionin. Warum bin nicht ich auf die Idee gekommen?«

»Weil Sie wissen, dass das lächerlich ist.«

»Ja. Und das weiß mein dummer Bruder auch. Er hat es nur gesagt, um Sie zu ärgern. Ich glaube, er hält das für eine Art Werbung.«

Sie wollte nicht von John Hale reden und noch weniger von ihm umworben werden. »Was denken Sie, wann Monsieur Shea kommen wird?«

Quent fragte sich dasselbe. Es kam ihm unwahrscheinlich vor, dass die Sache, die Genevieve Lydius und Mikamayalo, der Miami-Tapfere, mit Corm besprechen wollten, so lange dauern sollte. Aber noch war seine Sorge nicht so groß, als dass er nach Albany gehen und seinen Freund suchen würde. Corm konnte allein auf sich aufpassen. Außerdem hatte es, wenn es nach Quent ging, noch Zeit, bis Corm die junge Frau in ihrer neuen Aufmachung sah. Er wollte die Freude an ihrer Verwandlung für sich allein genießen, zumindest eine Weile. »Ich weiß nicht, wann er kommen wird. Sobald er kann.«

Verdammt! Warum hatte er so scharf geklungen? Konnte er sich nicht wenigstens bemühen, seine Gefühle zu verbergen, wenn Nicole so deutlich zu erkennen gab, dass sie Cormac bevorzugte? Guter Gott, was das Kleid mit der Farbe ihrer Augen anstellte – von ihren Brüsten ganz zu schweigen. Die hochgesteckten dunklen Locken waren elegant, aber es gefiel ihm besser, wenn ihr die Haare über den Rücken fielen. Oder zum Zopf geflochten waren wie bei einer Squaw. Aber wenn er sie so sah, als Dame, die sie ja auch war, da fühlte er sich … er wusste nicht genau, wie. Anders. Sie war in Shadowbrook anders und er auch.

Noch später, als die Kerzen zuerst entzündet und dann wieder gelöscht worden und die Frauen zu Bett gegangen waren, stieß Quent auf seinen Bruder, der sich noch ein letztes Glas Rum einschenkte, um es mit auf sein Zimmer zu nehmen. »Sie ist nicht das, was du denkst«, sagte Quent. »Ihr Vater war ein englischer Offizier, ein Held von Culloden Moor. Ihre Mutter war die Enkelin eines französischen Marquis.«

»Ich bin entzückt, den Familienstammbaum der Dame zu erfahren, Quent. Das heißt, sie ist zu haben?«

»Ich sage dir das nur, damit du weißt, wie du dich zu benehmen hast. Und noch was … Ich finde es völlig verkehrt von dir, einen Sklaven auf dem Gut auspeitschen zu lassen, ganz zu schweigen von einem so wunderbaren Mann wie Solomon, aber was gestern passiert ist, tut mir Leid. Natürlich hast du hier das Sagen, da Vater so krank ist.«

»Und auch, wenn er nicht mehr ist.« John hielt das Glas mit Rum ins Licht einer Kerze, die in einem Wandleuchter steckte, und betrachtete die Farbe – blassgold mit einem Stich ins Bernsteinfarbene. Der Beste, den sie auf dem Gut destillierten. Der Rum, den die Indianer im Gegenzug für ihre Felle bekamen, war trüb und nahezu geschmacklos, weil er durch den sehr hohen Alkoholgehalt praktisch nichts anderes tat, als einem den Mund und die Kehle zu verbrennen, und die Eingeweide obendrein. »Ich bin der Ältere. Nach Vaters Tod gehört Shadowbrook mir.«

»Das weiß ich. Deswegen warne ich dich. Solange ich hier bin, solltest du niemanden mehr auspeitschen lassen. Halt dich zurück, bis ich weg bin. Ich bleibe nicht lange, das kann ich dir versprechen.« Sobald er das Gut betrat, hatte Shadowbrook wieder von ihm Besitz ergriffen. Die Bäche, die Bäume und die Berge flüsterten, dass er auf dieses Land gehörte, viel mehr, als es ihm je gehören könnte – oder auch irgendjemand anders. Aber er war der Zweitgeborene, je früher er sich also aus der Umarmung des Guts losmachte, desto besser. »Sei schlau«, riet er seinem Bruder. »Halt deinen verdammten Auspeitscher im Zaum, solange ich hier bin. Ich würde dich ungern umbringen, John. Nicht hier, nicht solange Mutter und Vater noch am Leben sind.«

»Und danach?«, fragte John, kippte den Rum hinunter und schenkte sich erneut nach. »Wirst du versuchen, mich umzubringen, wenn sie nicht mehr sind?«

»Ich hoffe, das wird nicht nötig sein«, antwortete Quent.

»Ah – aber das ist die einzige Möglichkeit, damit du Shadowbrook bekommst, oder?«

Quents Schlafzimmer lag im östlichen Winkel des ersten Geschosses, an dessen Hauswand ein violett blühender Wein emporrankte. Dieser wuchs dort, so lange er zurückdenken konnte. Der Hauptstamm war dick wie der eines Baums, meist blühte er im Juni, gelegentlich schon im Mai. Und wenn er in Blüte stand, blieben die Fenster immer weit geöffnet. Der Duft war zwar zart, aber betörend, selbst für einen kleinen Jungen.

Jetzt war der Juli schon fortgeschritten, der Wein war verblüht. Quent konnte sich nicht erinnern, das Fenster geöffnet zu haben, doch als er in sein Zimmer trat, wo das Mondlicht auf den Flickenteppich zwischen dem Bett und dem kalten Kamin fiel, saß Corm an dem kleinen runden Tisch neben der Feuerstelle. »Ist die Haustür kaputt?«, fragte Quent.

»Ich wollte mit dir reden, bevor ich die anderen sehe. Wie geht's deinem Vater?«

»Er ist sehr krank. Er wird bald sterben.«

»Aber er lebt noch? Hast du mit ihm sprechen können?«

»Ja, und ja. Wir haben Frieden geschlossen, soweit das möglich ist. Du hast deinen Auftrag erfüllt, um den meine Mutter dich gebeten hat, keine Sorge. Was hast du denn da Geheimnisvolles?« Corms Hand bedeckte etwas, das er auf den Tisch gelegt hatte. »Ein Medizinbeutel, oder? Wo kommt er her?«

»Das erzähle ich dir gleich. Aber zuerst musst du mir was sagen. Welcher Tag ist heute?«

»Donnerstag. Was denn sonst?«

»Es war Montag, als Mikamayalo uns im Schilfgras begegnete.« Die Hand umklammerte den Medizinbeutel noch fester; Corms Knöchel waren weiß vor Anspannung. »Also waren es drei Tage, nicht sechs Stunden. Das erklärt einiges.«

»Mir nicht.«

»*Co.*« Corm verwendete die Potawatomi-Verneinung, dann, als müssten seine zwei Hälften an diesem Ort mehr als anderswo miteinander ringen, wiederholte er das Wort auf Englisch. »Nein, ich weiß, für dich ergibt das keinen Sinn. Setz dich. Ich erzähl dir, was passiert ist.«

»Gibt's einen Grund, warum wir kein Licht machen sollten?«

Corm warf einen raschen Blick zum Fenster. »Ich wüsste keinen.«

Die Frage war nicht ernst gemeint. Hier hatten sie seit fünfzig Jahren keine Feinde mehr. Corms Blick verriet eine Vorsicht, die Quent unangemessen erschien, doch er vertraute dem Freund. Er ging zum Kamin und überlegte dabei, mit wie vielen Schritten er den Schrank erreichen konnte, neben dem sein Langgewehr stand. Drei, dachte er. Bei dieser Überlegung fiel ihm auf, dass Corm sein Gewehr nicht bei sich hatte. Er schlug mit der Zunderbüchse einen Funken und entzündete daran zwei Kerzen, die auf dem Tisch standen, dann setzte er sich. Aus Gewohnheit streckten beide Männer ihre langen Beine zum leeren Kamin hin aus. Die silbernen Schnallen an Quents Lederschuhen schimmerten im Kerzenschein und bildeten einen starken Gegensatz zu Corms abgetragenen Mokassins. Quent sagte sich, er trage die Kniehose und das Rüschenhemd – seine Hauskleidung, wie er sie nannte – nur seiner Mutter zuliebe. Die Tatsache, dass Nicole bemerkte, dass er auch etwas anderes als ein Waldläufer sein konnte, hatte damit gar nichts zu tun. Corm besaß ebenfalls eine Hauskleidung. Wenn er wollte, konnte er wie ein weißer Gentleman aussehen. »Erzähl«, sagte Quent. »Ich höre dir zu.«

»Der alte Miami-Häuptling Memetosia war im Lydius-Haus, genau wie Mikamayalo gesagt hatte. Genevieve war auch da, aber weder John noch sonst jemand von der Familie. Außer Mikamayalo habe ich vier Tapfere gesehen. Und eine Squaw, die in der Küche Essen zubereitete. Und dann war da noch ein Midè-Priester namens Takito.«

Corm schilderte alles, was passiert war. Schweigend hörte Quent zu, bis er seine Erzählung beendet hatte. »Und du dachtest, du wärst nur sechs oder sieben Stunden in der Schwitzhütte gewesen?«

»Das dachte ich zuerst, ja. Aber auf dem Weg hierher merkte ich, dass ich völlig ausgehungert war. Ich musste eine Pause machen und mir was zu Essen erlegen, bevor ich weitergehen konnte. Da dachte ich mir schon, dass es länger gewesen sein musste. Ich habe knapp einen Tag und eine Nacht gebraucht, um herzukommen. Wenn heute also Donnerstag ist, waren wir vier Tage getrennt, und knapp drei davon war ich in der Schwitzhütte.«

»Dieser Takito muss ziemlich starke Kräuter in den Dampf gegeben haben.«

»Offenbar.« Cormac dachte an die junge Frau, die ihm mit dem Mund Lust bereitet hatte, von der er sich eingebildet hatte, sie sei Nicole Crane, obwohl er wusste, dass das unmöglich war. Vielleicht war überhaupt keine junge Frau da gewesen. Vielleicht war die ganze Erfahrung nur Midewiwin-Zauber. »Sehr starke Kräuter. So was habe ich noch nie erlebt.«

Quent wollte nicht näher nachfragen, was Corm in der Schwitzhütte erlebt hatte. Die Priester, insbesondere die Midewiwin, kannten viele Arten, um die Entfernung zwischen dieser und der nächsten Welt zu überbrücken. Die Schwitzhütte war eine der wirksamsten. Er hatte vier Mal an dem Ritual teilgenommen, nie mehr als ein oder zwei Stunden, und jedes Mal war es eine tief greifende Erfahrung gewesen, die ihn verändert hatte. Er wandte sich einem Thema zu, von dem er mehr verstand. »Der Tapfere, den du umgebracht hast – war das ein Miami?«

»Nein, das ist ja das Seltsame daran. Ein Hurone.«

Quent holte überrascht Luft. »Ein Hurone«, wiederholte er. Die Huronen waren erbitterte Feinde der Miami. »Vielleicht hat es Ärger gegeben. Vielleicht haben die Huronen einen Kriegstrupp zum Lydius-Haus geschickt, und …«

»Die Huronen würden keinen Kriegstrupp nach Albany schicken. Außerdem habe ich nichts entdecken können, was auf einen Kampf hingedeutet hätte. Das Haus war leer, aber nichts war zerstört.« Corm erwähnte nicht, dass sein Messer und sein Tomahawk an dem Platz gewesen waren, an dem er sie abgelegt hatte – was nicht der Fall gewesen wäre, wenn ein Kriegstrupp das Lydius-Haus geplündert hätte. Wenn er Quent das erzählte, müsste er ihm auch sagen, dass sein Langgewehr gestohlen war. »Wann immer Genevieve und die Miami fort sind – in Eile sind sie nicht gewesen.«

»Das passt alles nicht zusammen.«

»Überhaupt nicht. Und das auch nicht.« Corm lockerte den Griff um den Medizinbeutel und schob ihn ins Licht der Kerzen. Das zarte weiße Rehleder und die roten und schwarzen Kranichsymbole glänzten in ihrem Schein. »Zumindest verstehe ich nicht, warum ich es habe.«

»Das hat Memetosia dir gegeben?«

»Ja.«

Quent war immens neugierig, was der Beutel wohl enthalten mochte, doch es lag an Corm, zu entscheiden, wann er ihn öffnete. »Was hast du mit der Leiche des Huronen gemacht?«

»In den Bach geworfen.« Corm war nicht bereit gewesen, seinem Angreifer die Ehre einer Bestattung zu gewähren. Diese stand nur einem würdigen Gegner zu und nicht einem, der sich feige an einen von Kräutern berauschten Mann heranschlich. Er hatte die Leiche einfach ins Wasser gestoßen. Zuvor aber hatte er sie skalpiert und den Skalp im Flur an der Stelle zurückgelassen, wo sein gestohlenes Langgewehr hätte stehen sollen.

Cormac befingerte den weißen Beutel. Es war ein Wunder, dass er nicht gestohlen worden war, während er Takitos Zauber erlag. Großartig war das Versteck nicht gewesen. Der Geist des heiligen Feuers hatte den Medizinbeutel beschützt, weil er für Corm bestimmt war, damit er, Corm, eine Aufgabe damit erfüllte. Aber welche, das wusste er beim besten Willen nicht.

Er schob den Beutel zu Quent hinüber. »Schau's dir an. Sechs Muscheln. Eine Art Wampum, aber völlig anders als alles, was du je gesehen hast.«

Quent schloss die Augen und atmete tief durch. Erst als er sich ruhig und bereit fühlte, löste er die Schnur, holte sorgsam, mit großer Achtung, den Inhalt heraus und breitete ihn auf dem Tisch aus.

Jede Muschel war etwa so groß wie Quents Daumennagel. Corm hatte Recht. Wampum von dieser Größe hatte er noch nie gesehen. In den Tagen vor der Ankunft der Europäer besaßen die *Anishinabeg* kein Metallwerkzeug. Sie verwendeten Steinbohrer, um Muscheln mit Löchern zu versehen, die sie dann an Gürtel und Bänder nähten. Die Anordnung der Wampume auf einem Gürtel stellte die Botschaft dar, die sie einander zu feierlichen Anlässen zukommen ließen. Mittlerweile konnte ein geschickter Handwerker mit Metallbohrern viel kleinere Wampume herstellen, doch mit gewöhnlichen Wampumen hatte Memetosias Geschenk nicht das Mindeste gemein. Wampume waren stets weiß und röhrenförmig. Diese waren flache Perlen aus dem purpur-schwarzen Gehäuse der großen, Quahog genannten Muschel. Eine einzelne hieß Súki-Perle, mehreren wurden Suckáuhock genannt. »Was meinst du, wie alt die sind?«, fragte Quent leise.

»Das frage ich mich auch, seit ich den Medizinbeutel geöffnet habe.« Corm hatte das Geschenk, das ihn beinahe das Leben gekostet hätte, erst geöffnet, als er Albany weit hinter sich gelassen hatte; erst nachdem er seinem Hunger nachgegeben, eine Pause eingelegt und einen dicken Fisch gefangen hatte, dessen rohes Fleisch er mit den Zähnen abgerissen hatte. Ein echter Tapferer verschlang zwar sein Essen nicht roh wie ein verhungertes Tier, aber Corm wollte nicht das Risiko eingehen, Feuer zu machen. Außerdem hatte er es kaum erwarten können, den Geschmack des Menschenfleischs loszuwerden. Erst nachdem er gegessen hatte, öffnete er Memetosias Geschenk. »Ich vermute, sie sind mindestens zweihundert Jahre alt. Könnten aber auch älter sein.«

»Vielleicht sehr viel älter«, sagte Quent.

»Vielleicht.«

»Die Schnitzerei ist großartig. So etwas habe ich noch nie gesehen.«

Jeder von Memetosias Wampumen zeigte ein detailliertes Bild. An manchen Stellen war die Muschel durchbohrt, an anderen lediglich tief eingraviert. Auf der winzig kleinen Fläche hatte der Künstler alter Zeiten Zeichen abgebildet, die verschiedene Tiere darstellten, und sie mit einem Universum anderer, rätselhafterer Symbole umgeben. Quent erkannte den Truthahn, die Spinne, das Opossum. »Was bedeuten diese hier?« Vorsichtig schob er drei der Perlen zu Cormac.

»Das ist *papankamwa*, der Fuchs. Der andere ist *eehsipana*, der Waschbär. Bei dem dritten bin ich mir nicht sicher. Es ist ein Elch, aber ich weiß nicht, ob es *ayaapia*, der Elchbulle ist oder *apeehsia*, das Kitz.«

»Es gibt sechs Miami-Nationen, oder?«

»Ja, die Miami selbst und dann die Kilatika, die Mengkonkia, die Pepikokia, die Wea und die Piankashaw.«

»Du meinst, die Perlen stellen die sechs Nationen dar?«

»Das vermute ich, aber ich weiß nicht, welches Symbol für welche Nation steht oder was sie alle zu bedeuten haben. Oder auch was Memetosia meint, was ich damit tun soll.«

»Und als du aus der Schwitzhütte kamst, war er fort?«

»Sie waren alle fort. Selbst Genevieve.«

»Glaubst du, sie steckt mit dem, der dich töten wollte – wer immer es war –, unter einer Decke?«

»Ich weiß nicht, was ich glauben soll. Sie war immer …« Er brach ab. Sich vorzustellen, dass Genevieve an einem Mordkomplott gegen ihn beteiligt sein sollte, war ebenso schwer wie zu glauben, Miss Lorene könnte ihm den Tod wünschen. Seiner leiblichen Mutter war er lästig gewesen, eine Bürde. Aber die zwei Frauen, die eine weiß, die andere eine *métis* wie er selbst, hatten ihm die Zuneigung geschenkt, die Pohantis ihm verweigert hatte. »Genevieve ist halb Piankashaw. Deshalb wurde Memetosia auch zu ihr gebracht.«

»Als er mit dir sprach, gab er dir da keinerlei Hinweis, warum er …«

»Ich hab dir doch gesagt, er hat vor allem darüber gesprochen, welche Gefahr die Weißen für die *Anishinabeg* bedeuten. Und er hat einen neuen Krieg zwischen den Franzosen und den Engländern vorhergesagt. Ach ja, eins habe ich noch vergessen, dir zu erzählen. Der junge Oberstleutnant, mit dem du unterwegs warst, als ich dich traf, dieser Washington – offenbar hat er sein Fort Necessity den Franzosen ausgehändigt und ist mit eingezogenem Schwanz nach Virginia zurück.«

Quent machte eine wegwerfende Geste. »Das habe ich in einer von Vaters Zeitungen auch irgendwo gelesen. Die Verstärkung ist nie eingetroffen. Hätte sowieso nicht viel genützt. Angeblich hatten sie an Munition nur ein Fass nasses Schießpulver dabei. Den Truppen aus North Carolina wurden drei Shilling am Tag versprochen. Als sich herumsprach, dass der Sold gekürzt werden sollte, sind sie auf und davon.« Er zuckte die Achseln. »Wie auch immer. Außerdem, das so genannte Fort, das die Männer aus Virginia bei den Forks gebaut hatten, hätte den gut ausgebildeten französischen Soldaten nie standgehalten. In der Zeitung hieß es, Jumonvilles Bruder habe den Angriff der Franzosen befehligt.«

»Jumonville? Der, den Tanaghrisson …«

Quent nickte. Einen Augenblick schwiegen beide. Dann ergriff Quent als Erster wieder das Wort. »Du meinst also, es war Genevieve, die Memetosia von deiner Idee erzählte, dass Kanada die Heimat der *Anishinabeg* sein könnte, wenn nur die Franzosen verschwinden?«

»Das muss er von ihr gehört haben. Allerdings weiß Memetosia genauso gut wie ich, dass die Franzosen nicht einfach verschwinden werden. Irgendjemand muss sie dazu zwingen.«

Quent sah auf die Perlen. »Diese sechs Stämme?«

Corm zuckte mit den Schultern. Er hörte den Zweifel in Quents Stimme. Ihm ging es ähnlich. Der Bund der Miami war nicht mächtig genug, um die Franzosen zu besiegen. Früher einmal wären sie vielleicht stark genug gewesen, aber seit der Ankunft der Europäer hatten sie immer mehr ihrer einstigen Größe eingebüßt. »Vielleicht schaffen es ja die Engländer.«

»Das sieht mir nicht danach aus. Nicht, wenn sie nur Schulbuben schicken, die die Arbeit von Männern verrichten sollen. Aber selbst wenn die Engländer die Franzosen aus Kanada vertreiben sollten, werden sie das Land kaum den roten Männern überlassen, oder?«

»Höchst unwahrscheinlich«, stimmte Corm zu. »Außer, sie werden dazu gezwungen.«

»Das bringt uns zur selben Frage zurück«, sagte Quent. »Von wem?«

Die kunstvoll geschnitzten Suckáuhock blitzten im Kerzenlicht. Einen Augenblick später sammelte Cormac die Perlen ein und steckte sie wieder in den ledernen Beutel.

»Hast du Hunger?«, fragte Quent.

»Wenn was da ist, würde ich nicht Nein sagen.«

»Komm, gehen wir in die Küche und schauen, was wir finden können.«

Die meisten Sklaven im großen Haus schliefen auf Matratzen aus Maiskolben, die zwischen den Dachsparren lagen. Das lange Zimmer nannten sie den Raum, obwohl es kein richtiger Raum war, sondern lediglich ein Speicher. Küchen-Hannah schlief auch auf Maiskolben, aber ihre Matratze lag in einem Alkoven hinter der Kochstelle. So nah bei ihrem Reich, dass sie hörte, wie ihre Speisekammer geplündert wurde. Von zwei Leuten, soweit sie das beurteilen konnte. Zwei Männern. Aber nicht Master John. Wenn der mitten in der Nacht was wollte, weckte er sie auf und ließ es sich von ihr bringen. Also waren's Master Quentin und wahrscheinlich Cormac. Sie hatte die beiden schon viele Male hier unten gehört. Küchen-Hannah wusste, dass sie am Morgen keinen einzigen Maiskuchen in der Kammer mehr vorfinden würde, und ein Gutteil vom Honig würde sicher auch fehlen. Sie lächelte ihr zahnloses Lächeln, drehte sich um und schlief weiter.

Normalerweise hatte Cormac keine Schwierigkeiten einzuschlafen. »Was immer dir Sorgen bereitet, in der Zeit, in der die Sonne kommt, findest du eine Lösung dafür.« Das hatte Bishkek ihm gesagt, der weise alte Mann, der sein und Quents Mannheitsvater war. »Die Zeit der Dunkelheit ist zum Ruhen da, um die Geister zu uns zu bitten, die in unseren Träumen sprechen. Schwierigkeiten werden gelöst, wenn der Große Geist die Sonne schickt.« Diesen Rat hütete Cormac wie einen Schatz und versuchte, ihn zu ehren. Das war eines der Dinge, die hier in Shadowbrook, wo sonst seine weiße Hälfte die Oberhand gewann, seine Potawatomi-Hälfte am Leben erhielten. An diesem Abend aber konnte Bishkeks kluger Rat ihm nicht helfen.

Er schlief in diesem Bett, seit er nach Shadowbrook gekommen war. Es gefiel ihm, dass es gerade breit genug war für eine Person und dass das kleine Zimmer unter den Dachsparren lag. Im ersten Winter, etwa einen Monat nach seiner Ankunft auf dem Gut, wollte Miss Lorene ihm ein größeres Zimmer im ersten Stock geben, das Quents gegenüberlag. Corm hatte sich geweigert. »Du bist kein Dienstbote«, hatte sie gesagt. »Du brauchst nicht auf dem Speicher zu schlafen.« Damals hatte er nicht verstanden, warum sie so eindringlich auf ihn einredete und ihm diesen merkwürdigen Blick zuwarf, als tue ihr vieles Leid, von dem er keine Ahnung habe.

»Ich will bleiben, wo ich bin.«

»Möchte«, hatte Miss Lorene ihn automatisch korrigiert. »Es ist höflicher, ›Ich möchte bleiben, wo ich bin‹ zu sagen. Und vergiss nicht, Ma'am zu sagen.«

»Ja, Ma'am. Also, das will ich. Bleiben, wo ich bin.« So sprachen die Weißen eben zu einer Squaw – als wäre sie ebenbürtig oder manchmal sogar etwas überlegen. Das hatte er gelernt, seit er wenige Wochen zuvor nach Shadowbrook gekommen war, und viele andere Dinge auch. Aber das hieß nicht, dass er sich jeder weißen Vorstellung unterwerfen würde. Manchmal schlüpfte er nachts aus dem Haus und schlief auf der Erde, wie er es alle Nächte bis zu seinem neunten Lebensjahr gewohnt war. Das tat er nur, wenn seine Sehnsucht nach Singender Schnee zu groß wurde, und wenn er im Zimmer gegenüber von Quent schlief, würde er erwischt werden.

Jetzt, zweiundzwanzig Jahre später, lag Cormac im vertrauten Bett unter dem Dach, hielt Memetosias wundersames Geschenk in der Hand und wurde von Fragen gequält, auf die er keine Antwort wusste. *Benütze es, wenn die Zeit gekommen ist.* Wie? Wofür? Woher würde er wissen, wann die Zeit gekommen war? Und warum war ein Midewiwin-Priester der Miami im Bunde mit einem feindlichen Huronen? Warum hatte Genevieve Lydius, mit der er befreundet war, seit er zurückdenken konnte, ihn verraten? Schließlich schlief er doch ein. Und die *Anishinabeg*-Hälfte von ihm träumte.

Schnee von reinstem Weiß. Und über dem Schnee kreiste ein Falke, lautlos und wunderschön. Sehr hoch oben. Dann erschien Blut auf dem Schnee, ein blutroter Fluss schnitt einen schartigen Pfad in die makellos weiße Fläche. Der Falke folgte dem Blutstrom, der ihn zu einem riesigen Schwarm Vögel führte; sie kauerten am Boden auf einer Stelle im Schnee, die nicht vom Blut befleckt war, die Köpfe unter die Flügel gesteckt. Ein Bär, so weiß wie der Schnee selbst, tauchte am Horizont auf und trottete auf die Vögel zu. Mit ausgestreckten Klauen stürzte der Falke herab. Laut kreischend flatterten die Vögel auf, der Falke griff den Bären an, riss mit Klauen und Schnabel an ihm. Die anderen Vögel schwebten wartend über dem Kopf des Bären. Dann erschien zwischen den Bäumen ein weißer Wolf und trabte auf sie zu.

Im einen Moment schlief Quent, im nächsten war er hellwach. Er regte sich nicht, atmete ebenso regelmäßig wie zuvor. Er war plötzlich bei sich und wusste, dass er nicht allein im Raum war. Langsam, sehr vorsichtig, öffnete er die Augen. Das Licht hatte sich verändert.

Er hatte nicht den schweren Vorhang vor das geöffnete Fenster gezogen, draußen wich die schwarze Nacht allmählich dem dunklen Grau des frühen Morgens. Leise fuhr Quent mit einer Hand unter das Laken, das ihm als Decke diente, und tastete nach seinem Dolch. Er hörte nichts, aber er wusste, dass der Eindringling näher kam. Gut, er war bereit.

»Quent, ich bin's. Ich weiß, dass du wach bist.«

»Na ja, das war ich zwar nicht, aber jetzt schon.« Er sah Corms große, schlanke Gestalt am Fenster vorbei auf das Fußende des Bettes zukommen. »Was ist los?«

»Ich muss weg.«

»Du bist doch gerade erst gekommen. Wo willst du hin?«

»Nach Norden. Nach Singender Schnee. Ich muss sofort aufbrechen.«

»Du hattest einen Traum.« Etwas anderes konnte in den Stunden, seit sie sich eine gute Nacht gewünscht hatten, nicht passiert sein. Cormac erzählte ihm, was er geträumt hatte. »Und du bist der *wabnum*, der weiße Wolf«, sagte Quent. Er hatte zu lange bei den Potawatomi gelebt, um den Traum nicht zu verstehen.

»Ich glaube schon, er ist ja mein Totem.«

»Und es ist dein Traum. Aber der *wabnum* ist auch mein Totem. Soll ich mitkommen? Wenn in Singender Schnee etwas passiert ist …«

»Nein, nicht jetzt. Solange dein Vater noch lebt, gehörst du hierher. Wenn ich dich brauche, lasse ich es dich wissen. Aber eine Sache …«

»Was?«

»Ich möchte, dass du dich um Nicole kümmerst.«

»Natürlich.« Etwas in ihm zog sich schmerzhaft bei dem Gedanken zusammen, dass Corm es ihm unmöglich machte, um ihre Zuneigung zu werben, indem er sie seiner Obhut überließ.

»Aber du sollst dich nicht nur um sie kümmern«, beharrte Corm. »Du musst auch mein Versprechen erfüllen.«

Quent stieg aus dem Bett und griff nach dem Morgenrock, den Maisbesen-Hannah auf dem Stuhl bereitgelegt hatte. Die Seide war kühl auf seiner Haut, beruhigte ihn aber nicht. »Und was für ein Versprechen hast du ihr gegeben, das ich jetzt erfüllen soll?«

»Nicht ihr. Der letzte Wunsch ihres Vaters war, dass ich sie nach Québec bringe.«

»Ja. Wie du willst. Wenn ich weg kann. Wenn mein Vater …«

»*Ahaw.*« Das Potawatomi-Wort der Zustimmung. »Das ist kein Problem. Ich habe nicht das Gefühl, dass sie es unbedingt eilig hat, dahin zu kommen. Ich möchte nur, dass sie sicher dorthin gelangt.«

Der Himmel verfärbte sich rosa, der Tag würde wieder sehr heiß werden. Jetzt konnte Quent seinen Freund deutlich ausmachen. Die Narbe zeichnete sich weiß in seinem gebräunten Gesicht ab. Corm trug wieder seine lederne Kniehose. Beim Einschlafen hatte Quent sich gefragt, ob Corm wohl in seiner Hauskleidung zum Frühstück erscheinen würde und was Nicole von ihm denken würde, wenn sie ihn so sah, mehr weiß als rot. »Du willst jetzt gehen? Noch vor dem Frühstück?«

»Ja. Ich muss. Ich wollte mich nur verabschieden und dich bitten, dich um Nicole zu kümmern.«

Beide wussten, dass an Quents Antwort auf diese Bitte nie ein Zweifel bestanden hatte. »Dir fehlt was«, sagte Quent und blickte auf den Tomahawk und das Messer an Corms Hüfte.

Cormac gab keine Antwort. Quent ging zum Schrank, der in der Ecke stand, nahm das Langgewehr, das dort lehnte, und warf es zu Corm hinüber. Der fing es mit einer Hand auf, schlang es sich aber nicht über die Schulter. »Bevor ich zu Memetosia ging, musste ich meine Waffen im Flur abgeben. Als ich zurückkam, war mein Gewehr fort.«

»Aber nicht dein Tomahawk und auch nicht das Messer.«

»Nein, die nicht.«

»Das passt alles nicht zusammen.« Dass ein Miami eine Waffe stahl, die jemand zu Ehren eines ihrer Häuptlinge abgelegt hatte, war unvorstellbar.

»Nein, ich weiß. Nichts von dem, was vorgefallen ist, passt zusammen. Aber der Traum war klar.« Corm streckte ihm die Waffe entgegen. »Hier. Danke, aber das kann ich nicht annehmen.«

»Du kannst nicht losziehen, um gegen einen Falken und einen Bären zu kämpfen, ohne ein Gewehr zu haben. Außerdem gibt es in Shadowbrook keine Feinde.« Beide dachten an John und lächelten. »Zumindest nicht solche von der Art, mit denen du es zu tun hast«, fügte Quent hinzu. »Keine Sorge, ich weiß, wo ich ein anderes herkriege.«

Corms Miene wurde ernst. »Aber kümmere dich gleich darum. Da ist etwas …«

»Was? Hast du noch etwas geträumt? Etwas, was mit Shadowbrook zu tun hat?«

Corm schüttelte den Kopf. »Nein, nichts. Aber …«

»Ich hab dir doch gesagt, mach dir keine Sorgen.«

Corm hob die linke Hand. Quent presste seine Handfläche dagegen. Und weil er der ältere Bruder war, sprach er zuerst. »*Pama kowabtemin mine*«, sagte er. Wir werden uns wieder sehen. »Pass auf dich auf. Der Bär ist ein mächtiger Gegner.«

»*Wabnum* ist ein mächtiger Kämpfer. *Pama mine*«, wiederholte Corm. »Sag Nicole, es tut mir Leid, dass ich mich nicht von ihr verabschieden konnte.«

Quent brauchte nicht zu fragen, ob Cormac die Suckáuhock der Miami mitnahm. Er sah den Lederriemen des Medizinbeutels um seinen Hals hängen.

9

Freitag, 17. Juli 1754
Shadowbrook

»Hab meine alten Knochen ganz früh aus dem Bett hieven müssen, um die Maiskuchen zum Frühstück fertig zu kriegen«, sagte Küchen-Hannah. »Noch bevor die Sonne aufgegangen ist, hab ich schon das Küchenfeuer nachgelegt und den Backstein heiß gemacht, hab mein Indianermehl mit 'nem klein bisschen Zuckersirup und meinem ganz besondren Wasser vermischt, das von der Quelle oben bei der Brennerei kommt – das, was die arme Köstliche May mir den ganzen Weg vom Zuckerhaus herschleppen muss, und jetzt hab ich schon wieder keins mehr –, um die Maiskuchen zu machen. Sonst gäb's nämlich keine. Weil, mitten in der Nacht, wo anständige Leute im Bett liegen und schlafen, ist mein Vorrat geplündert worden.«

Sie legte Quent drei frische Maiskuchen auf den Teller, nach kurzem Zögern noch einen vierten. »Manche Bäuche werden einfach nie satt, egal, wie viel man reinstopft.«

Nicole musste sich erst an die Sprache der Neger auf dem Gut gewöhnen. Der melodische Singsang gefiel ihr zwar, war ihr aber fremd. Jetzt allerdings war auch ihr klar, dass Küchen-Hannah Quentin ausschimpfte – und dass sie kein Wort ernst meinte, sondern sich ganz im Gegenteil freute, ihn wiederzusehen.

»Die Sache ist die«, fuhr die Alte fort, »ich hätt schwören mögen, dass da zwei Leute waren, wo meine Maiskuchen aufgefuttert haben. Haben Sie vielleicht 'ne Ahnung, wer dieser zweite war, Master Quent?« Sie warf einen Blick zum Speicher hinauf. »Glauben Sie, ich sollte ein paar von diesen frischen Kuchen aufheben für jemand, der noch auftauchen kann?«

»Nein, Hannah, ich glaube nicht, dass das nötig ist.« Die Überraschung, mit der sowohl seine Mutter als auch die alte Küchensklavin ihn ansahen, bewies, dass Küchen-Hannah ihrer Herrin von Corms Ankunft erzählt hatte. »Soweit ich weiß, wird niemand zu einem späten Frühstück erscheinen.«

»Aber Hannah hat gesagt …« Lorene brach ab und wartete auf eine Erklärung ihres Sohnes.

»Corm ist nachts tatsächlich gekommen, aber nur, um mir etwas auszurichten.« Quent wich Nicoles Blick aus. Er fürchtete, seine Gefühle könnten ihm allzu deutlich ins Gesicht geschrieben stehen. Verdammt, sie brachte ihn dazu, alles zu vergessen, was er je gelernt hatte. »Es tat ihm Leid, euch beide nicht zu sehen«, sagte er mit einem Kopfnicken zu seiner Mutter und Nicole, »aber er musste gleich wieder weg.«

»Und wann kommt er wieder?« Offenbar fiel es Nicole ebenso schwer wie ihm, die Fassung zu bewahren. »Hat er gesagt, wann er …«

»Er wusste es nicht.«

»Aber er hat es mir versprochen! Monsieur Shea hat es mir versprochen, und Papa auch …«

»Ich weiß. Wir haben darüber geredet. Corm hat mich gebeten, Sie nach Québec zu bringen, und ich habe eingewilligt.«

»Aber er …«

Sie unterbrach sich, und Quent fragte sich, was Corm ihr noch alles versprochen haben könnte.

»Trinken Sie noch etwas, meine Liebe. Das tut Ihnen gut.« Lorene schenkte Nicole aus dem Krug mit dem schaumigen braunen, mit erwärmter Milch versetzten Bier nach. Sie bedauerte, Corm nicht gesehen zu haben, aber so war er eben, seit er erwachsen war – er kam und ging nach Belieben und immer ohne große Erklärungen. Außerdem freute sie sich, das Mädchen noch eine Weile bei sich zu haben. Das blaue Kleid stand ihr noch besser als das lavendelfarbene. Lorene nahm sich vor, später die Reste des blauen Stoffs zu suchen, bevor die Schneiderin in der kommenden Woche wiederkam. Es war ein sehr teurer Ballen gewesen, aus London importiert, und sie hatte vorgehabt, sich aus den letzten Ellen einen Umhang nähen zu lassen. Aber sie konnte den blauen Stoff auch als gute Investition betrachten.

John trat herein und setzte sich an seinen Platz, dann wartete er, dass Küchen-Hannah ihn bediente. Er war schon einige Stunden auf den Feldern unterwegs gewesen und hatte von Cormacs Ankunft gehört. »Ach, ich dachte, unser zahmer Wilde wäre hier.« Er richtete seine Worte an die Runde allgemein. »Es ist immer spannend zu sehen, ob er im Lendenschurz und Federn erscheint oder sich in seinem Weißen-Aufzug verkleidet.«

Quent ließ sich von der Bemerkung nicht provozieren, aber er spürte das Unbehagen der beiden Frauen und wollte deshalb rasch das Thema wechseln. »Corm war kurz da, musste aber gleich weiter nach Norden. Er ist nicht mehr hier. Wie steht's mit der Ernte?«

»Gut. Sehr gut sogar. Die wird die beste seit Jahren. Es braucht zwar eine verdammt starke Hand, damit die Nigger was tun, aber wenn ihnen erst mal klar ist, dass sie nicht zum Faulenzen da sind, spuren sie schon.«

Quent brummte vage und fragte dann: »Und welche Arbeit hast du heute für sie vorgesehen?«

John hörte zu kauen auf und starrte seinen Bruder an. »Was zum Teufel geht dich das an? Drei Jahre lang bist du weg, dann kommst du wieder und willst Erklärungen hören?«

»Ich habe nur gefragt. Und wegen des Weizens – das Feld unten beim Zuckerhaus ist voll Unkraut. Wenn das nicht bald gejätet wird, wird verdammt viel Spreu anfallen.«

»Sag du mir nicht, wie ich Shadowbrook führen soll.« John spuckte die Worte zwischen zusammengebissenen Zähnen hervor.

»Das würde mir im Traum nicht einfallen. Ich hab es nur zufällig bemerkt, als wir an dem Feld vorbeikamen, und dachte mir, ich erwähn's mal. In Anbetracht dessen, worüber wir gestern Abend gesprochen haben. Du erinnerst dich bestimmt noch.«

Nicole bemerkte den Wortwechsel kaum, ebenso wenig wie die Feindseligkeit zwischen den Brüdern und die Miene, mit der Madame Hale zwischen ihren beiden Söhnen hin und her blickte. Sie war gefangen in ihrem eigenen Kummer.

Lorene versuchte, die Situation zu entspannen. »Am Sonntag ist im großen Saal eine kleine Andacht, Mademoiselle. Vielleicht möchten Sie …«

»Mademoiselle Crane ist katholisch.« Quent sagte das eher beiläufig, als wüsste er nicht, wie unangenehm diese Vorstellung für seine Mutter war.

Doch Lorene wirkte keineswegs überrascht. »Ja, davon bin ich ausgegangen. Ich dachte nur …«

»Vielen Dank für die Einladung, Madame Hale. Sie sind zu liebenswürdig. Aber wenn Sie nichts dagegen haben, bleibe ich auf meinem Zimmer, um meine Gebete zu sprechen.«

»Ja, natürlich.« Lorene stand vom Tisch auf, und rasch erhoben sich auch ihre beiden Söhne.

Später saßen Quent und Nicole wieder auf der kreisförmigen Bank bei der Kastanie beisammen. »Er hat es mir versprochen«, sagte sie. »Monsieur Shea hat es mir versprochen. Er hat nicht Wort gehalten.«

»Doch, das hat er. Er hat die Verantwortung an mich weitergegeben, das ist ein heiliges Versprechen und dasselbe, als würde er selbst es tun. Ich bringe Sie nach Québec. Sobald ich kann.« Kein Wunder, dass sie gekränkt war. Da hatte Corm sie zuerst genommen und dann wortlos verlassen. Das wäre für jede weiße Frau schwer zu verstehen. Vor allem für eine wie Nicole. Wahrscheinlich war sie bis zu der Nacht im Wald Jungfrau gewesen. Shoshanaya war als stolze Ottawa-Squaw zu ihm gekommen, erfahren und wissend. Nicole hingegen hatte vermutlich noch nie bei einem Mann gelegen vor der Nacht damals mit Corm. Sie würde … Verdammt, er war ein Narr und, schlimmer noch, ein treuloser Freund.

»Sie verteidigen ihn«, sagte Nicole bitter. »Aber ein Gentleman würde so etwas nie tun. Er würde nicht ein Versprechen brechen, das er einem Sterbenden gegeben hat.«

»Sehen Sie, Corm ist nicht wie wir. Nicht ganz wie wir. Er ist halb Potawatomi. Deren Sitten unterscheiden sich von denen, die

Sie kennen. Das wissen Sie doch. Das müssen Sie auch gewusst haben, bevor Sie seine …« Er brach ab.

»Seine was?«, fuhr sie auf. »Bitte, Monsieur Hale, ich möchte wissen, was Sie denken.«

»Bevor Sie seine … Corms Frau geworden sind. Am Abend bei den Shawnee, als Sie ihn gewählt …«

»Ich habe an dem Abend nichts und niemanden gewählt, Monsieur Hale. Die Squaw, die sich Torayana nannte, sagte mir, ich müsse mir einen Mann aussuchen, aber ich habe mich geweigert. Sie hat mich zu Monsieur Shea hingestoßen. Ich habe nicht gewählt.«

Quent machte eine wegwerfende Geste. »Das ist egal. Was passiert ist, ist passiert.«

Ihre Wangen röteten sich. Nicht vor Verlegenheit, sondern vor Zorn. »Nichts ist passiert, Monsieur Hale! Nicht das, was Sie meinen! Ich bin keine Squaw, keine Wilde, die …«

Quent sah sie an, bemerkte ihren Zorn. »Halt, langsam. Wollen Sie mir sagen … Wollen Sie sagen, dass Sie und Corm gar nicht … Sie haben nicht versprochen …«

»Wir haben nichts getan. Und ich habe Monsieur Shea nichts versprochen, außer meinen unendlichen Dank und meine lebenslangen Gebete dafür, dass er mich nach Québec bringt. Ich habe ein Gelübde abgelegt, Monsieur. Ich …«

»Aber bei den Shawnee …«, fiel Quent ihr ins Wort. »Sie und Corm, Sie haben doch die Nacht im Wald verbracht. Ich habe Sie am nächsten Morgen gesehen.«

Sie starrte ihn an. Ein Teil des Feuers wurde zu Eis. »Ich habe viele Nächte mit Ihnen beiden im Wald verbracht, Monsieur, und auch viele Tage. War mein Verhalten nicht immer so, wie es sich für eine Dame geziemt? Hatte ich denn eine andere Wahl?«

»Nein, aber das war etwas anderes. Die Trommeln …«

»Einige von uns werden nicht gleich zu Tieren, nur weil wir im Wald sind, Monsieur Hale.«

Das Herz schlug ihm wild gegen die Rippen. Am liebsten hätte er gejauchzt, aber das wagte er nicht. »Hören Sie, ich erfülle Ihnen Ihren Wunsch. Ich bringe Sie nach Québec. Ich habe Ihnen mein

Wort gegeben, und dabei bleibt es. Aber eines müssen Sie dafür tun, und zwar sofort. Sonst sind alle Versprechen hinfällig.«

»Und was ist das, Monsieur Hale?«

»Genau das. Hören Sie auf, mich Monsieur Hale zu nennen. Ich heiße Quent. Nennen Sie mich Quent. Versprochen?«

Einige Sekunden starrte sie ihn an. Schließlich nickte sie. Der Blick in seinen Augen war erstaunlich. Fast eine Art ... Triumph. So sahen Männer aus, wenn sie eine Schlacht gewonnen oder etwas sehr Gefährliches getan und überstanden hatten. Papa und die anderen Offiziere, die sie seit ihrer Kindheit kennen gelernt hatte, die hatten manchmal so geblickt. Sie schauderte, dann erhob sie sich.

Quent ballte die Hände zu Fäusten. In ein paar Wochen, in einem Monat vielleicht würden sie wieder in der Wildnis sein. Aber dieses Mal würden sie nur zu zweit sein. Und nichts stand ihm im Weg. Corm hatte sie nicht zur Seinen erkoren, sie hatte ihm nichts versprochen.

Lorene Hale verfolgte, wie Nicole ins Haus zurückkehrte, dann ließ sie den Vorhang fallen. Quentin war auf der Bank sitzen geblieben und starrte dem Mädchen nach. »Ephraim, ich glaube, Quent ist ganz hingerissen von der jungen Mademoiselle. Hast du sie gesehen? Sie ist sehr schön. Und hat eine ausgezeichnete Kinderstube.«

Sie wandte sich zu ihrem Mann. In letzter Zeit fror ihn trotz der Sommerhitze. Auch sein Geist war nicht mehr so rege wie früher. Die Zeitungen, die ihm einmal im Monat zugestellt wurden, wenn das Postboot in Albany anlegte – *The Weekly Post-Boy* aus Boston und *The Gazette* aus New York – stapelten sich auf dem Tisch vor dem Fenster und blieben ungelesen, wenn nicht Quent oder John sie aufschlugen. Ephraim erkundigte sich nicht mehr – oder zumindest nicht mehr so begierig wie früher –, wie es um die Ernte stand oder welche Berichte vom Handelsposten in Do Good eintrafen. Ihr Mann löste sich von ihr, von dieser Welt, und bereitete sich auf die nächste vor. Heute saß er zwar im Stuhl, aber auf seinen Knien lagen zwei Decken, und ein Wolltuch hing ihm um die Schultern. »Ist dir noch immer kalt, Ephraim? Ich könnte ...«

»Sie ist weiß, oder?«

»Wer? Mademoiselle Nicole? Natürlich. Ihre Mutter war Französin, ihr Vater Engländer. Ein Offizier.«

»Ich hätte nie gedacht, dass Quentin sich für eine Weiße erwärmen könnte, nach …«

»Shoshanaya ist tot, Ephraim. Quentin ist hier, und er hat eine junge Frau bei sich, die sich bestens dafür eignet …«

»Wofür? Sprich nur weiter. Die sich eignet, Hausherrin von Shadowbrook zu werden. Das meinst du doch, oder?«

Lorene nickte.

»John ist der Ältere.«

»Quent hat bemerkt, dass die Weizenfelder beim Zuckerhaus voll Unkraut sind. Das hat er John heute Morgen beim Frühstück gesagt. Ich glaube, John hat diese Felder einfach vergessen.«

Hale bekam einen Hustenanfall. Kalter Schweiß strömte ihm übers Gesicht. Nachdem er ein paar Schluck Bier getrunken hatte und nicht mehr ganz so heftig schwitzte, wiederholte er: »John ist der Ältere. Und Quent hat eine Vorliebe für rote Frauen.«

»Die hattest du auch einmal.« Erschrocken schnappte sie nach Luft, überrascht über die Worte, die auszusprechen sie all die Jahre nicht vorgehabt hatte.

»Und was ist mit dir?«, sagte ihr Mann leise. »Und was ist mit dir?«

Lorene wandte sich ab. »Das alles gehört der Vergangenheit an, Ephraim.« Erinnerungen so plötzlich heraufzubeschwören sah ihr gar nicht ähnlich. »Mir geht es um Shadowbrook. Uns beiden geht es um Shadowbrook.« Sechzehn war sie gewesen, als sie ihn geheiratet und er sie von New York City hierher gebracht hatte. Jetzt war sie fünfzig. Sie hatte den Großteil ihres Lebens auf dem Gut verbracht. »Du hast die falsche Entscheidung getroffen«, sagte sie. »Quentin würde sich um die Felder kümmern und um alle, die hier leben. Du musst …«

»Ich bin müde«, unterbrach Hale sie. »Geh. Und schick jemanden, der mich zu Bett bringt.«

»Ephraim …«

»Geh, hab ich gesagt!« Dann, bevor sie zur Tür hinaus verschwand: »Später, vielleicht nachdem ich etwas gegessen habe, bring doch diese Mademoiselle Wie-auch-immer zu mir. Damit ich sie mir mal anschauen kann.«

Sonntag, 26. Juli 1754
Québec, Neufrankreich

In der Unterstadt von Québec gab es zahlreiche ärmliche Straßen, und dort verbrachte Père Antoine einen Großteil seiner Zeit. Sie alle aber waren nichts im Vergleich zu der trostlosen kleinen Siedlung St. Pierre auf der Ile d'Orléans. Die Kirche, in der er die Heilige Messe zu Ehren der heiligen Anna, der Mutter Marias, abhielt, war das schönste Bauwerk des ganzen Orts und wenig mehr als eine einfache Kate, ohne jeden Schmuck und heiß und stickig, obwohl die Tür offen stand.

»*Introibo ad altare Dei*«, sagte der Priester leise. Zum Altare Gottes will ich treten.

»*Ad Deum qui laetificat juventutem meam.*« Der Junge, der als Ministrant diente, erinnerte daran, dass Gott die Jugend erfreut.

Antoine schwitzte heftig unter dem schweren grünen Satin-Messgewand – die Oberbekleidung, die Priester seit dem Mittelalter zu tragen verpflichtet waren, wenn sie das Messopfer darboten. Darunter trug er ein langes weißes Gewand, das Albe hieß, dazu einen Seilgürtel, einen grünen Manipel über dem linken Arm und eine grüne Satinstola um den Hals. Und darunter noch seine braune Kutte. Guter Gott, dieses Kanada war ein Ort der Buße. Den Großteil des Jahres fror es Stein und Bein, und in den paar Tagen im Sommer war es heiß wie im Backofen, als wäre das Höllenfeuer hervorgebrochen. »*Gaudeamus omnes in Domino.*« Freuen wir uns alle im Herrn.

Père Antoine stand mit dem Rücken zur Gemeinde, doch er wusste, wer auf den Bänken hinter ihm saß. Vor Beginn der Messe hatte er allen Kirchgängern die Beichte abgenommen. Zwanzig waren es insgesamt. Neun katholische Huronen – fünf Squaws und vier Tapfere –, fünf französische Bauern mit ihren Ehefrauen sowie drei Französinnen, deren Ehemänner entweder tot oder der Sünde anheim gefallen waren und sich weigerten, um Absolution zu bitten. All die weißen Frauen waren vermutlich vor vielen Jahren aus Frankreich hergeschickt worden im Rahmen eines Programms, das angeblich Louis XV. selbst entworfen hatte. Ledige Frauen ohne Aussteuer, die in der Heimat keinen Mann fanden und als potenzielle Bräute nach Neufrankreich verschifft wurden.

Nur *le bon Dieu* wusste, wie sehr die weißen Frauen von St. Pierre sich bemüht hatten, die Hoffnungen, die Seine Majestät in diesen nördlichen Teil Neufrankreichs setzte, zu erfüllen. Die acht hier Anwesenden hatten insgesamt vierzig bis fünfzig Kinder zur Welt gebracht, und so war es überall. Rund siebzigtausend Weiße, gute katholische Christen französischer Abstammung, nannten diese Gegend ihre Heimat. Weniger als fünfzehntausend lebten in den drei Städten am Sankt-Lorenz-Strom – Québec, Trois Rivières und Montréal –, die übrigen bewirtschafteten Höfe in kleinen Dörfern, Missionen und als Lehensgüter und taten ihr Bestes, den König – und den Allmächtigen – zufrieden zu stellen. Gehet hin und mehret euch. Aber das Land war so riesig und der Großteil davon so unwirtlich, dass die Frauen noch so viele Kinder gebären und noch so viele Säuglinge durchbringen konnten – ein Großteil des Territoriums war und blieb eine Eiswüste, in der nur heidnische Wilde lebten. Und die weißen Frauen selbst, wie die in seiner Gemeinde heute Morgen, sahen in der Wildnis bald aus wie alte Hexen – die Zähne fielen ihnen aus, die Haut wurde zu Leder gegerbt –, obwohl keine Einzige über vierzig sein konnte.

Die Heilige Messe ging weiter, bis sich der Franziskaner schließlich über den Altar beugte, und seine ganze Aufmerksamkeit auf die dünnen Weizenoblaten und den Kelch voll wässrigen, sauren Weins richtete. »*Sacrificiis praesentibus quaesumus, Domine, placatus intende: ut per intercessionem beatae Annae …*« O Herr, schau gnädig auf diese geweihten Gaben, damit durch die Fürbitte der seligen Anna … Aus irgendeinem unverständlichen historischen Grund hieß dies das stille Gebet und wurde nicht laut gesprochen. Es war gleichgültig, denn alle Worte der Messe blieben für diese Gemeinde ein Geheimnis. Keiner verstand auch nur ein Wort Latein, und vermutlich könnte auch keiner eine Übersetzung in seiner Sprache lesen, wenn es denn eine gäbe.

Père Antoine spürte ihre Frömmigkeit. Am innigsten, wenn er die Hostie weihte – »*Hoc est enim corpus meum*« – und sie über den Kopf hielt. Wenige Sekunden später hatte er, durch die Ehrfurcht gebietende Macht des Allmächtigen, den Wein in das Blut Jesu Christi verwandelt. »*Hic est enim calix sanguinis mei.*« Blut, das vergossen wurde, um zu retten. Herr, blicke gnädig auf meinen Wunsch, dich zu preisen. Lass alles so geschehen, wie ich es geplant habe.

Er ging die Altarschranke entlang, verteilte den Leib und das Blut Christi. Die Männer, die den Mund öffneten, um die geweihte Hostie zu empfangen, waren – ob rot oder weiß – über das Alter eines Kriegers hinaus. Zwar war Père Antoine eigens wegen der Krieger hergekommen, doch erwartete er nicht, sie hier in St. Pierre zu finden.

Schließlich war die Messe vorüber. Die Dorfbewohner verließen die Kirche, wenig später folgte der Priester ihnen. Der Weg zum Flussufer, wo das Boot wartete, um ihn nach Québec zurückzubringen, führte durch den Wald. Dort war es still, bis auf ein gelegentliches Vogelzwitschern und das Knirschen seiner Sandalen auf dem Boden. Er war froh, endlich nur noch seine fadenscheinige braune Kutte tragen zu können, und froh über den Schatten der Bäume.

Langsam näherte der Priester sich einem großen Felsen, der oben wie ein Tisch abgeflacht war. Vor ihm tauchte, wie aus heiterem Himmel, ein Indianer auf. Ein Hurone, aber keiner derjenigen, die an der Messe teilgenommen hatten. Dieser hatte eine Muskete über die Schulter geschlungen, in der Hand hielt er einen Tomahawk. Der Franziskaner deutete auf die Waffen. »Die kannst du weglegen. Ich bin derjenige, auf den du wartest.«

Der Hurone achtete nicht auf die Worte, sondern zeigte mit dem Tomahawk auf einen schmalen, halb verborgenen Pfad, der den breiten Weg kreuzte, den der Priester gekommen war. »Gut. Ich folge dir.« Genau, wie er es veranlasst hatte; worum er gebetet hatte.

Wenige Minuten später saß er auf dem Boden, Lantak gegenüber. Der Abtrünnige sagte nichts, sondern wartete schweigend, bis der Priester sprach. »Ich freue mich, dass du mich hier treffen konntest«, begann Père Antoine. »Es ist gut, dich wiederzusehen, Lantak. Hast du darüber nachgedacht, worüber wir beim letzten Mal sprachen?«

»Deine Worte sind wie der Schnee, Priester. Wenn er fällt, scheint er schwer zu sein, doch sobald die Sonne kommt, schmilzt er und ist verschwunden.«

»Jesus Christus verschwindet nicht, mein Sohn. Er ist stets bei denen, die ihm folgen. Hier.« Der Priester fasste sich ans Herz. »In der Messe gibt er uns seinen Leib und sein Blut zu essen, eine Nahrung, an der nie Mangel herrscht.«

»Vor zwei Wintern sind in der Mission von St. Charité siebenundzwanzig Huronen an Krankheit und Hunger gestorben. Die Schwarzkutten, die mit ihnen dort lebten, starben ebenfalls.«

»Ja, aber Lantak denkt nur an dieses Leben. Unsere Zeit auf Erden ist sehr kurz. Wichtig ist sie nur, weil sie eine Prüfung ist, eine Gelegenheit, uns der Liebe zu Jesu Christi zu widmen. Wenn sie vorüber ist, frohlocken wir mit ihm im Himmel. Wenn ...« – der Priester hielt kurz inne, um seinen Worten mehr Wirkung zu verleihen – »wenn wir die Prüfung bestanden haben.«

Lantak spuckte aus. »Deine Worte machen mir einen schlechten Geschmack im Mund. Vielleicht sollte ich ihn mit deinem Blut fortwaschen.«

Tief in seinem Inneren spürte Père Antoine ein angenehmes Schaudern. Dieselbe ungebetene Ekstase, die ihn nachts manchmal überkam, wenn er schlief und keine Kontrolle ... Nein, nein. Das konnte er nicht erwarten. Das wäre zu einfach. Hier und jetzt zum Märtyrer zu werden, am Festtag der Mutter Unserer Lieben Frau, kurz nachdem er die Heilige Messe gehalten hatte. An diesem Tag direkt in den Himmel zu kommen. Danke, Herr, aber um eine solche Ehre bitte ich dich noch nicht, denn ich habe noch viel für deine Kirche zu tun. »Ich glaube nicht, dass du das wirklich willst, mein Sohn. Ich bin dir nützlich, oder nicht?«

Der Franziskaner holte einen Beutel Münzen aus einer Tasche in seiner Kutte und legte ihn auf den Boden zwischen sich und Lantak. Würde es als Märtyrertod zählen, wenn er wegen Geld ermordet würde? Überdies Blutgeld. Die Antwort konnte ihm gleichgültig sein, denn dazu würde es nicht kommen. Lantak war schlau genug zu wissen, dass die Gans keine goldenen Eier mehr legen würde, wenn man ihr den Hals umdrehte. »Zweihundert jetzt«, sagte der Priester, »und zweihundert, wenn es getan ist.« Ein Drittel der sechshundert *livres* von Hamish Stewart hatte er dem Unterhalt der Armen Klarissen gestiftet. Ihre Gebete würden den Schotten vielleicht vor dem ewigen Höllenfeuer bewahren.

Einige Herzschläge lang antwortete Lantak nicht. Der Priester beobachtete ihn abwartend. Es hieß, dass Lantak zwar in einem Langhaus zur Welt gekommen war, aber einen Weißen zum Vater hatte. Das mochte stimmen, war ihm aber nicht anzusehen. Die bronzefarbene Gesichtshaut spannte sich über markante Wangenknochen, seine Nase war auf die für Huronen typische Art schnabelförmig gebogen. Das gerade, schwarze Haar fiel ihm fast bis auf die Schultern, darin steckte eine einzelne weiße Feder, die auf seine rechte Schulter deutete. Die Feder und seine Tätowierungen bildeten einen auffälligen Kontrast zu seinem sonstigen Erscheinungsbild: Er war weder mit dem Lendenschurz des Langhauses bekleidet noch mit dem Leinenhemd und der weiten Hose der Jesuiten-Missionen. Lantak trug die lederne Kniehose eines Waldläufers. Vermutlich gestohlen von einem der vielen Männer, die er ermordet hatte. Ein Langgewehr lag in Reichweite auf dem Boden. Das hatte er zweifellos auf dieselbe Art erworben.

Endlich sprach der Indianer. »Doch, manchmal bist du nützlich.« Père Antoine wusste endgültig, dass er an diesem Tag nicht als Märtyrer sterben würde. »Warum wolltest du mich sehen?«

»Shadowbrook«, sagte der Priester leise. »Ich möchte mit dir über einen Ort viele Meilen im Süden von hier sprechen. Er heißt Shadowbrook.« *Dann sagte Jesus: Ich bin gekommen, um Feuer auf die Erde zu werfen; was wollte ich lieber, als dass es schön brennte!* Blut, das vergossen wurde, um zu erretten.

Der Weg zum Zuckerhaus führte durch einen dichten, sehr schattigen Wald. Zumeist handelte es sich um Eichen, gemischt mit Ulmen und Ahorn, erklärte Quent, dazwischen standen einige Nadelbäume, Kiefern und Blautannen. Es waren große, mächtige Bäume, deren Stämme Nicole nicht mit den Armen umfangen konnte. Im Ohio Country waren sie genauso mächtig gewesen. »In der Alten Welt habe ich nie so große Bäume gesehen«, murmelte sie, als sie den schmalen Pfad entlanggingen, Monsieur Quent wie immer vor ihr, der ihr den Weg wies.

»Das kommt daher, weil die Weißen in der Alten Welt die Bäume schon sehr viel länger fällen als hier. So etwas machen die Indianer nicht, und wir Weißen sind noch nicht lange genug hier, um die Neue Welt schon zerstört zu haben. Aber ich glaube, das werden wir bald schaffen. Passen Sie auf, wo Sie hintreten«, fügte er hinzu. »Der Pfad wird schmaler.«

Einen Mokassin breit, hatte er gesagt. So legten die roten Männer einen Pfad durch den Wald an. Mehr brauchten sie nicht, sie wollten den Wald nicht mehr stören als unbedingt nötig. Auch sie trug Mokassins, weiße, aus der Haut eines weißen Bären, aber Nicole kam es vor, als gäbe es überhaupt keinen Pfad. Nur Monsieur Quent, der ... Nein, nicht Monsieur. Er wollte, dass sie ihn Quent nannte, und er war ein Mann, der es gewohnt war, seinen Willen durchzusetzen.

Seine große, kräftige Statur verstellte ihr die Sicht auf nahezu alles andere. Wie oft war sie jetzt schon hinter ihm her gegangen? Unzählige Male, aber trotzdem konnte sie sich noch an jedes einzelne erinnern; so kam es ihr zumindest vor.

»Die Mokassins sind noch bequem?«

»Sie sind wunderbar.« Das stimmte. Quent – es fiel ihr nicht allzu schwer, ihn in Gedanken so zu nennen, aber ihn laut so anzusprechen, war eine andere Sache – hatte gewartet, bis sie außer Sichtweite des Hauses waren, ehe er sie ihr gab. Er hatte auf einen Baumstamm gedeutet, auf den sie sich setzen konnte. »Sie müssen die Stiefel ausziehen«, sagte er, »und die Strümpfe. Man muss barfuß sein, sonst sitzen die Mokassins nicht richtig. Ich wollte Ihnen dieses Paar schon länger geben. Ich glaube, sie werden Ihnen passen.«

Er besaß den Anstand, ihr den Rücken zuzukehren, während sie Stiefel und Strümpfe auszog. Als hätte er ihre Knöchel und sogar ihre Beine nicht schon sehr oft gesehen. »Ich bin so weit«, sagte sie schließlich. »Bitte geben Sie sie mir.«

Er drehte sich zu ihr und kniete neben dem Baumstamm nieder. »Lassen Sie mich das machen. Sie müssen wirklich gut am Fuß sitzen, der Riemen muss richtig festgezogen werden, sonst sind sie nicht bequem.«

Seine Berührung machte sie verlegen, ebenso wie das Gefühl, das sie lieber nicht näher benennen wollte. Irgendwie war die Geste intimer als die vielen Male, als er sie durch den Wald getragen hatte. Seine großen Hände umschlossen ihre Füße, als er ihr zuerst einen, dann den zweiten Mokassin überstreifte, die Riemen festzog und das Leder an den Spann drückte. Seine Hände waren erstaunlich sanft. Sie wollte ihn fragen, ob die Mokassins seiner Frau gehört hatten, doch er ließ ihr keine Gelegenheit dazu, knotete nur die Senkel ihrer Stiefel zusammen und schlang sie sich um den Hals. »Die kann ich für Sie tragen. Sie werden sie später wieder brauchen.«

Dieses »später« war anscheinend gekommen. »Wir sind fast da. Sie sollten sich wieder die Stiefel anziehen.« Quent reichte sie ihr, und wieder setzte Nicole sich auf einen Baumstamm, um das Schuhwerk zu wechseln. Dieses Mal half er ihr nicht, wandte sich jedoch wieder rücksichtsvoll ab. Zum hundertsten Mal fragte sie sich, ob er wohl je gelinst hatte, als sie nackt in den Waldbächen gebadet hatte. Ein winziger Teil von ihr wünschte sich, er hätte es getan. Sie errötete, ihr Atem ging rascher. Nicole schnürte die Stiefel so fest, dass sie schmerzten, um sich in Erinnerung zu rufen, wer sie war und was vor ihr lag. »Gut, ich bin so weit.«

Er wandte sich um. »Soll ich die nehmen?« Er deutete mit dem Kopf auf die Mokassins in ihrer Hand.

»Die kann ich in die Tasche stecken.«

»Gut. Sie gehören Ihnen. Sie können damit tun, was Sie wollen, aber jetzt sollten wir gehen.« Er schritt aus, ihr blieb keine andere Wahl, als ihm zu folgen.

»Die Mokassins«, stieß sie hervor. »Haben sie früher Shoshanaya gehört?«

Einen kurzen Moment stockte er beim Gehen – ein halber Schritt, den er strauchelte, bevor er sich wieder fing –, aber er wandte sich nicht um. »Was wissen Sie von Shoshanaya?«

»Nur, dass sie eine Ottawa-Prinzessin war und Ihre Frau, und dass sie gestorben ist. Mein Beileid für Ihren Schmerz«, fügte sie hinzu. Es fiel ihr schwer, jetzt wieder in den Stiefeln mit den festen Sohlen zu gehen, nachdem sie sich daran gewöhnt hatte, mit den Mokassins über den Waldboden zu gleiten. Außerdem hatte sie die Stiefel so fest geschnürt, dass sie ihr wirklich wehtaten. Rutschend und stolpernd mühte sie sich, mit Quent Schritt zu halten. »Ich habe gehört, dass Shoshanaya sehr schön war.«

»Das stimmt.« Er wurde langsamer. Nicole wusste nicht, ob er das tat, weil er ihre Schwierigkeiten beim Gehen bemerkte, oder wegen der dunklen Gedanken. »Hat meine Mutter Ihnen von Shoshanaya erzählt?«

»Nein, Madame Hale hat sie nicht erwähnt. Aber Torayana, die Shawnee-Squaw, am Abend mit den Trommeln.«

»An dem Abend ist ja offenbar einiges getan und gesagt worden.«

»Ich wollte Sie nicht kränken, Monsieu… Quent. Ich wollte es nur wissen.«

»Die Mokassins stammen von Potawatomi, nicht von Ottawa. Das sieht man an der Art, wie sie gearbeitet sind, und daran, dass sie nicht mit Perlen besetzt sind. Außerdem sind sie aus weißer Bärenhaut. Das ist ungewöhnlich. Sie haben Pohantis gehört, Corms Mutter. Sie hatte eine Vorliebe für weißes Leder. Und sie wusste, wie man es bekommt. Pohantis ist schon lange tot. Sie wurde oben in Squirrel Oaks begraben, auf dem Friedhof von Shadowbrook. Aber ein paar von ihren Dingen sind noch da. Alles, was Shoshanaya gehört hatte, wurde nach ihrem Tod zu ihrem Volk zurückgeschickt. Zum Zeichen der Ehrerbietung.«

Nicole wollte fragen, warum das nicht auch bei Pohantis der Fall gewesen war, wenn das die bei Indianern übliche Art der Totenverehrung war, aber sie hatte gelernt, Quents Rücken zu deuten. Jetzt riet er ihr zu schweigen.

»Wir sind fast da«, sagte er nach einer Weile. »Gleich hinter den Eichen dort oben treffen wir auf die Straße.«

Der Schatten lichtete sich, wenig später standen sie im vollen Sonnenschein auf einer der breiten Straßen, die er ihr gezeigt hatte, als sie das Gut betreten hatten. Nach der Kühle des Waldes erschien ihr die Hitze der Straße unerträglich. Zum Glück brauchten sie nicht weit zu gehen. »Das ist das Zuckerhaus.« Quent deutete auf ein großes Blockhaus mit sehr steilem Dach und einem riesigen gemauerten Kamin. »Und da ist schon Köstliche May, sie erwartet uns.«

Die schwarze Frau hatte weißes Haar, tiefe Falten durchzogen ihr Gesicht. Sie war vermutlich noch älter als Küchen-Hannah, dachte Nicole, und Quent schien sie ebenso zu mögen. Zur Begrüßung schloss er sie in die Arme und wirbelte sie durch die Luft, bis Köstliche May wie ein junges Mädchen kicherte. »Zeit isses geworden, dass Sie heimgekommen sind, Master Quent. Und wieso haben Sie sich mehr als 'ne Woche Zeit gelassen, um zu Köstliche May zu kommen? Na, macht nichts, ich hab zwei Hasen in 'n bisschen Sirup vom letzten Winter eingelegt, so, wie Sie's am liebsten mögen, und zwei Pfirsichkuchen können gleich ins Rohr. Lilac! Mädel, hörst du mich? Hast du hier auch brav gewartet?« Beim Reden musterte die Schwarze Nicole von Kopf bis Fuß, bemüht, es nicht zu offen zu zeigen. *Grace à Dieu*, die Mokassins waren in ihrer Tasche und nicht an ihren Füßen.

Ein Kind sprang hinter einer großen Ulme hervor. Etwa um die vier, dachte Nicole, ein Mädchen mit schwarzen Locken, in der Mitte gescheitelt und über jedem Ohr festgesteckt, und erstaunlich heller Haut. »Das ist eine von den beiden, die aus meiner Flinken Ruth rausgerutscht sind im Jahr, bevor Sie weg sind. Wissen Sie das noch, Master Quent?«

»Aber selbstverständlich, Köstliche May. Der andere ist ein Junge, oder? Willie?«

»Jetzt heißt er Zucker-Willie«, bestätigte die Frau stolz. »Der bringt den Zucker schneller her als jeder Maulesel.« Köstliche May deutete mit dem Kopf zum Zuckerhaus, gleichzeitig schob sie Lilac in die entgegengesetzte Richtung. »Ab nach Hause mit dir, Mädel, und sag Mistress Sarah, dass Master Quent und sein Gast gekommen sind. Mach schon! Und hilf Mistress, die Pfirsichkuchen ins Rohr zu schieben. Das ist jetzt gerade richtig heiß.«

Bevor sie weitergingen, zeigte Quent Nicole das Innere des Zuckerhauses. Es war ein sehr großer, offener Raum, in einer Ecke stand ein aufwändiger Destillierapparat. Die Luft war stickig und süßlich, der Geruch geradezu überwältigend. Nicole wurde leicht übel, doch Quent bemerkte es offenbar nicht. »Der Zucker kommt von den Inseln auf den Schiffen, die Mehl und Gemüse von uns zurückbringen«, sagte er, »und …«

»Ich wusste gar nicht, dass Flinke Ruth einen Mann und Kinder hat.«

»Keinen Mann. Nur die Zwillinge.«

»Aber die sind hier im Zuckerhaus, während sie …«

»Jeder arbeitet dort, wo er gebraucht wird. Außerdem ist Köstliche May die Mutter von Ruth, die Großmutter von Lilac und Willie. Sie kümmert sich um sie. Ihr Mann, der Großvater der beiden, ist Großer Jacob. Der lebt die meiste Zeit auch hier im Zuckerhaus. Seine Aufgabe ist vor allem, die jungen Pferde zu versorgen. Die Koppel ist ganz in der Nähe.«

»Der Tag neulich … Als Sie den Auspeitscher zwangen aufzuhören, da war Großer Jacob der, den Sie baten …«

»Genau.« Der Gedanke, dass ihr erstes Erlebnis auf Shadowbrook dieser Frevel auf dem Frolic Ground gewesen war, berührte ihn unangenehm. »Die Frankels, die Leute, die das Sägewerk und das Zuckerhaus führen, behandeln ihre Sklaven gut. Das werden Sie selbst sehen.«

Nicole nickte. »Ich bekomme jetzt schon einiges zu sehen«, sagte sie. »Dieses Gut, Ihr Shadowbrook, ist ein großes Unternehmen.«

»Das stimmt. Das Zuckerhaus zum Beispiel – wir machen hier nicht nur Rum für uns selbst, sondern auch, um mit den Indianern Handel zu treiben. Ich gehe mit Ihnen mal nach Do Good. Da können Sie …«

»Ich muss nach Norden, Quent. Nach Québec. Das haben Sie mir versprochen.«

»Do Good ist im Norden. Ein paar Stunden in der Kutsche. Auf der Straße ist es etwas weiter, weil der Weg um die Berge herumführt. Wenn Ihnen ein bisschen Klettern nichts ausmacht, kann man auch zu Fuß gehen. Auf jeden Fall, machen Sie sich keine Sorgen, ich habe mein Versprechen nicht vergessen.«

Unterwegs im Wald war er derart abweisend gewesen, und jetzt … Sein durchdringender Blick war mehr, als sie ertragen konnte. Er versetzte ihr einen Stich ins Herz. Zwei Menschen, ein Mann und eine Frau, die sich im Sonnenlicht küssten, eine so traute Einheit, dass selbst das eigene Kind ihre Tiefe nicht verstehen konnte. Nicole schob die Erinnerung beiseite. »Sie haben mir vom Zucker erzählt.«

»Ja, er wird in den Karren vom Fluss hergebracht.«

Er deutete auf drei große, offene Holzkarren, jeweils mit zwei Holzrädern und kurzen Zugriemen, die in einem Geschirr endeten. »Mit Maultieren?«

»Manchmal.« Diese Frage war ihm offensichtlich unangenehm. Zuerst begriff sie nicht, warum, dann wurde ihr klar, dass der Junge, den sie Zucker-Willie nannten, so hieß, weil er vor den schweren Holzkarren gespannt wurde und ihn voll beladen vom Fluss zum Zuckerhaus zog. Wie weit war das? Mindestens drei Meilen.

Sie traten ins Freie. Köstliche May war fort. Quent führte Nicole einen Waldpfad entlang zu einem Haus, wo eine andere Frau sie erwartete. Diese war weiß, groß und hager, mit eingefallenen Schultern und einer unschön langen Nase. Alles in ihrem Gesicht lief in der Mitte spitz zusammen. »Das ist Sarah Frankel«, sagte Quent. »Sie und ihr Mann leiten das Zuckerhaus.«

Durch Sarahs herzliches Lächeln wirkte ihr unscheinbares Gesicht fast anziehend. Sie war zurückhaltender als die Sklavin, schien sich aber mindestens ebenso zu freuen, Quent zu sehen, und war nicht minder neugierig, was die junge Frau in seiner Begleitung betraf. Nicole war froh, dass der Schmutz vom Wald auf dem dunklen Taftkleid, das sie für diesen Ausflug angezogen hatte, nicht zu sehen war, und ebenso froh, dass die Mokassins in ihrer Tasche steckten.

Sie nahmen zu neunt am Mittagstisch Platz. Außer den Gästen zählten dazu Sarah und ihr Mann Moses, ein kräftiger Mann mit rotem Gesicht und den kürzesten, dicksten Fingern, die Nicole je gesehen hatte. Sie wirkten an seinen großen Händen völlig fehl am Platz, als gehörten sie einer anderen Person. Tim, der Sohn des Hauses, war still und in sich gekehrt; er hatte offenbar keine Frau.

»Ellie, Tim und ich sind praktisch zusammen aufgewachsen. Wir bekamen gemeinsam Unterricht im großen Haus«, erzählte Quent. Es war unverkennbar, dass er Nicole das Gefühl geben wollte, in dieser Gruppe, die sich schon so lange und so gut kannte, nicht ausgeschlossen zu sein.

»Und Monsieur Shea?«, fragte sie. »War er beim Unterricht auch dabei?«

»Corm auch.« Quent warf ihr nur einen kurzen Blick zu, doch seine blauen Augen blitzten dunkel.

Wenn ein Mann dir gefällt, ma petite, *ist es immer klug, ein ganz klein wenig Eifersucht in ihm zu nähren.* Derlei Dinge hatte Maman gesagt, bevor sie wusste, dass Nicole Nonne werden würde. Es war eine Sünde, jetzt an so etwas zu denken. Und schlimmer noch, den Ratschlag in die Tat umzusetzen. Zur Buße würde sie zwei Rosenkränze aufsagen. Jedesmal mit allen fünfzehn Gesätzen.

Und sie würde sich von ihren sündigen Gedanken ablenken und sich mit den anderen beschäftigen, nicht mit Quent. Ellie – sie war ihr als Mistress Bleecker vorgestellt worden – hatte weder das faltige Spitzmausgesicht ihrer Mutter noch deren hagere Gestalt. Ganz im Gegenteil, sie war eine kräftige, rotwangige Frau, und ihre Kinder, zwei Mädchen und ein Junge, schienen nach ihr zu schlagen. Sie saßen schweigend am Ende des Tisches und stopften sich das Essen in den Mund, als wären sie am Verhungern, trotz wiederholter Ermahnungen der Mutter und der Großmutter, auf ihre Manieren zu achten. Es gab keinen Vater, der sie zur Ordnung rief.

»Mein Mann war letzten Winter im Wald beim Baumfällen.« Ellies Stimme war ausdruckslos, ohne jedes Gefühl, als würde sie um einen weiteren Maiskuchen bitten. »Ist ausgerutscht und im Sturzbach zerquetscht worden.«

»Das tut mir sehr Leid, Madame.« Ellie zuckte mit den Schultern. Nicole beugte sich vor und nahm den abgestandenen Geruch wahr, den das braune Wollkleid der Frau durch weiß Gott wie langes Tragen angenommen hatte. Sie legte ihre Hand auf Ellies und zog sie gleich wieder zurück, schenkte ihr Trost und Würde in der Dauer von nur drei Atemzügen.

»Sie haben sich den anderen gegenüber sehr freundlich verhalten«, sagte Quent, nachdem sie gegangen waren. »Sie haben ihnen gefallen.«

Shoshanaya hatte nie viel mit den Pächtern zu tun gehabt. Er hatte nicht von ihr erwartet, dass sie sich um sie kümmerte, und die Pächter hätten es auch nicht akzeptiert. Er hatte sich gesagt, dass es keine Rolle spielte, auch heute nicht. Er würde nie der Herr von Shadowbrook sein. Trotzdem, Nicole war anders. Dumm, solchen Gedanken nachzuhängen. Die Umstände waren genau wie früher. John war immer noch der Ältere und der Erbe.

10

Montag, 3. August 1754
Lorette, Neufrankreich

Als Jacques Cartier 1535 den Sankt-Lorenz-Strom erforschte und im Namen Frankreichs Anspruch auf die Halbinsel Gaspé erhob, lebten die *Anishinabeg*, die Irokesisch sprachen und als Wyandot bekannt waren, in ihrem Stammland in der Nähe des Sees, den die Franzosen anfangs das »Große Süßwassermeer« nannten. Die Wyandot bezeichneten ihr Land als Ouendake. Die Franzosen benannten sie um in »Huré«, Raufbolde, woraus »Huronen« wurde. Das Meer wurde schließlich als Huronsee bekannt, das Land der Wyandot als Huronia.

Die Huronen waren gute Bauern. Niemand konnte besser Kürbisse, Bohnen und Mais anbauen als sie und sicherstellen, dass es nie zu einer Hungersnot kam, doch um Trauer zu überwinden, führten sie Krieg. So war es gewesen seit Anbeginn der *Haudenosaunee*, im ersten Langhaus, das auf dem Rücken der Schildkröte errichtet worden war, wo die Himmelsfrau den Tod ihres Vaters beweinte.

Wenn eine Familie einen Verlust zu beklagen hatte, ob durch Krankheit, ein Unglück oder einen Überfall, wurden die trauernden Überlebenden zehn Tage von allen Gemeinschaftspflichten befreit, selbst von den persönlichsten Verrichtungen wie Waschen und Ankleiden. Ein ganzes Jahr lang vernachlässigten sie ihre äußere Erscheinung, nahmen aber allmählich wieder am dörflichen Leben teil. Wenn aber die Tränen der Frauen nicht versiegten, dann, so hieß es, konnte ihr Schmerz nur gelindert werden, indem der gestorbene Verwandte durch einen Kriegsgefangenen ersetzt wurde. Wenn dann die jungen Männer, die mit den Überlebenden verwandt waren, keinen Überfall unternahmen, um Männer heimzubringen, die in die hinterbliebene Familie adoptiert werden konnten, warfen die Frauen ihnen öffentlich Feigheit vor und beschämten die Tapferen damit vor dem ganzen Volk.

Also bildeten die Tapferen Kriegstrupps und brachen auf, um bei ihren traditionellen Feinden – manchmal waren es andere Irokesisch Sprechende, manchmal solche, die zu den Algonkin-Nationen gehörten – Gefangene zu machen und sie in ihr Dorf zu bringen. Dort unterwarfen die Frauen sie vielen Prüfungen, um zu sehen, welche Gefangenen die größten Schmerzen ertragen konnten und damit der Adoption würdig waren.

Jene, die sich als unwürdig erwiesen, waren dem Tod geweiht. Doch zuvor wurde dieser Mann als Onkel oder Neffe bezeichnet und zeremoniell für das Todesfest bemalt, bei dem er seine im Krieg errungenen Ehren aufzählen und die Huldigung des gesamten Dorfes entgegennehmen konnte. Dann wurde er an einen Pfosten gebunden, und die Dorfbewohner – vom kleinsten Kind bis zur ältesten Squaw – steckten ihn mit flammenden Holzscheiten in Brand. Das taten sie auf erfindungsreiche, kunstfertige Art und Weise. Sie begannen mit den Füßen und erläuterten rituell die Liebkosungen, die sie ihm zuteil werden ließen. Bevor der Gefangene starb, wurde er skalpiert, und heißer Sand wurde ihm auf den Schädel geworfen. So konnte er seine Tapferkeit beweisen und ruhmreich das nächste Leben betreten. Schließlich wurde sein Leben mit einem Messer oder einem Beil beendet. Dann zerteilten die Frauen die Leiche und warfen die Teile in Kochtöpfe, aus denen sich das ganze Dorf beim Fest satt aß. Einschließlich der erwählten Adoptierten, die nun als wahre Huronen galten.

So wurde die Wunde im Geist der Hinterbliebenen geheilt und der leere Platz an ihrer Feuerstelle im Langhaus gefüllt. Seit Anbeginn der Zeit hatte es bei allen Stämmen derartige Trauerkriege gegeben. Bis »überall Gefahr war und überall Trauer«, um mit den Worten der Geschichtenerzähler im Langhaus zu sprechen. Angesichts dieses nie versiegenden Tränenflusses flüsterte der Große Geist den Häuptlingen der fünf Irokesisch sprechenden Nationen Weisheit ins Ohr, und sie schlossen sich zum Großen Bund von

Frieden und Macht zusammen. Doch die Huronen hatten viele Jahre zuvor bereits eine Föderation mit einigen anderen Irokesisch sprechenden Stämmen gebildet und schlossen sich diesem neuen Bund nicht an. Deshalb wurden sie von dessen Mitgliedern überfallen und aus Huronia vertrieben. Sie sagten, das sei, um den Trauerkriegen ein Ende zu bereiten und den Huronen die *Kainerekowa* zu geben, den Großen Frieden.

Als Cartier erstmals denen begegnete, die er Huronen nannte, gab es rund vierzigtausend von ihnen. Hundert Jahre später, nach den von den Europäern eingeschleppten Krankheiten und den Kriegen, die die Fünf Nationen des Großen Bundes gegen sie führten, waren es noch rund eintausend. Der Rest – der aus Huronia vertrieben worden war und Unterschlupf in einem Dorf nördlich von Québec gefunden hatte, das die Franzosen Lorette nannten – zählte weniger als dreihundert Männer, Frauen und Kinder. Viele von ihnen waren Christen geworden, andere jedoch nicht, und diese lebten getrennt von den Bekehrten.

Am Morgen eines schwülen, heißen Tags Anfang August betrat Monsieur Philippe Faucon von der Gesellschaft Jesu das größte Langhaus außerhalb von Lorette. Um durch die Tür zu schreiten, musste er den Kopf einziehen, dann richtete er sich auf und blinzelte, um durch den Rauch der Feuerstellen zu sehen. Insgesamt waren es fünf, die sich in einer Reihe bis zum anderen Ende des Hauses hinzogen. Es war rund fünfzehn Faden lang, dreißig Schritte eines groß gewachsenen Mannes, und bestand aus Schösslingen, die mit Rinde bedeckt waren. Im halbrunden Dach gab es mehrere Öffnungen, durch die der Rauch der vielen Feuer abziehen konnte. Entlang beider Seiten waren Familienwohnstätten errichtet. Jede bestand aus einer Plattform, etwa kniehoch über der Erde und mit Rindenvorhängen abgetrennt, und war so tief und hoch, dass selbst ein Mann von der beträchtlichen Größe des Jesuiten sich ausstrecken und aufrichten konnte. »Der Friede Jesu Christi sei mit euch.«

Mehrere Squaws rührten in den Töpfen, die über den Feuerstellen hingen. Einige blickten zu ihm auf und dann wieder fort. Da sie keine Christen waren, brachten sie ihm keine besondere Verehrung entgegen, betrachteten ihn aber auch nicht als Feind. Durch die pralle Sonne und die Hitze der Kochfeuer herrschte im Langhaus eine unangenehm stickige Atmosphäre. Kein Tapferer hielt sich dort auf, ebenso wenig wie die Kinder. Nur die Köchinnen sowie ein alter Mann, der eine Pfeife schmauchte. Er war so dünn, dass seine Knochen hervortraten; offenbar behagte ihm die große Wärme. Nach einigen Sekunden mühte der alte Mann sich aufzustehen. »Ah, Zauberschatten. Willkommen an meinem Herd.«

»Du hast nach mir schicken lassen, Geechkah. Es ist mir eine Ehre, dich aufzusuchen.«

»Ja, ja ... Hast du deine Medizin dabei?«

»Hier ist sie.« Der Jesuit hielt eine rehlederne Mappe hoch, in der er seinen Skizzenblock, Federn und Holzkohlestückchen aufbewahrte. Seine Fähigkeit zu zeichnen erfüllte die Huronen mit Ehrfurcht. Offenbar hatte keiner von ihnen je versucht, etwas, das er vor sich sah, auf nur annähernd realistische oder proportional richtige Art darzustellen. Ihre Sprache kannte kein Alphabet vergleichbar dem der Europäer, und so gesehen konnten weder sie noch die anderen Rothäute, von denen Faucon gehört hatte, schreiben. Doch war er lange genug unter ihnen gewesen, um die Streifen gegerbten Leders zu kennen, die sie Gürtel nannten und mit anderen Stämmen austauschten. Diese Gürtel trugen komplexe Botschaften in Gestalt von Wampum-Stickereien und Symbolen, die ins Leder geritzt wurden. Die Wilden konnten diese ebenso lesen wie ein gebildeter Weißer ein Buch. Selbst Stämme, die nicht dieselbe Sprache verwendeten, konnten sich mithilfe dieser Gürtel verständigen, da die Zeichen – stilisierte und symbolische Bilder – seit Urzeiten vereinheitlicht waren. Doch so erstaunlich diese Leistung auch war – die realistischen Zeichnungen des Jesuiten waren den Huronen unbekannt und riefen bei ihnen Erstaunen hervor. »Ich habe meine Geräte bei mir, Geechkah. Ich wusste, dass ich sie mitbringen sollte.«

Der alte Indianer blickte auf die lederne Mappe und nickte zufrieden. Dann ging er seinem Gast voran zum Langhaus hinaus, vorbei an Feldern mit Maispflanzen, die schwer mit reifenden Kolben besetzt waren und dem Jesuiten bis zur Hüfte reichten. Kletterbohnen, die in den Zwischenräumen wuchsen, rankten sich an den dicken Stielen nach oben, im Schutz der hohen Pflanzen drängten sich Kürbisse. Fische hingen zum Trocknen von Schnüren, die zwischen die Langhäuser gespannt waren, und blitzten wie Wimpel am Mast mächtiger Schiffe. In einiger Entfernung zerteilte eine Gruppe junger Männer ein Reh. Es würde mit dem eingekochten Saft von Ahornbäumen bestrichen und dann über einem Feuer aus Balsamtannen geräuchert werden, als Vorrat für den Winter. »Der Große Geist hat den Huronen gezeigt, das Land und alles, was darauf gedeiht, gut zu nutzen«, sagte Faucon, als er dem Alten folgte. Dieser blieb nicht stehen, sondern führte den Priester schweigend weiter durchs Dorf. Doch der Jesuit gab nicht auf. »Jetzt hat der Geist die Schwarzkutten geschickt, um den Huronen vom großen Herrn über alle Menschen zu berichten, von Jesus Christus und der Wahrheit, die das ewige Leben allen verheißt, die …«

Noch immer ohne sich umzudrehen, hob Geechkah eine Hand. »Deine Worte ermüden mich, Zauberschatten. Wir haben viele Male darüber gesprochen. Es ist unnötig, heute wieder davon zu reden.«

»Aber da ich dein hohes Alter und deine große Weisheit achte, muss ich …«

»Genug. Dies ist ein Grund, warum ich dich hergeführt habe.« Sie hatten eine Ecke des Dorfes erreicht, wo eine Squaw einen Säugling stillte. »Die Tochter meiner Tochter hat einen Sohn zur Welt gebracht. In einem Traum habe ich erfahren, dass er ein großer Häuptling sein wird. Mach, dass das Gesicht des Kindes auf deiner Zauberrinde erscheint.«

Bei der Rinde handelte es sich um die weiße Borke einer gewöhnlichen Birke, und Faucon zeichnete die flüchtige Skizze von Mutter und Kind mit Kohle in einem Stil, der in Europa seit hunderten von Jahren bekannt war. Dennoch betrachtete der alte Mann sie mit großem Staunen, als der Jesuit ihm das Rindenstück reichte, und blickte immer wieder zwischen der Zeichnung und dem Kind hin und her. »Was ich auf der Rinde sehe, ist wirklich das, was meine

Augen sehen, aber es wird bleiben, wenn die Squaw fortgeht«, sagte er ehrfürchtig. »Das ist starker Zauber«, fügte er nach einigen Sekunden hinzu. »Der Schatten, der sich nicht bewegt, wird den Jungen schützen, bis er heranwächst und seinem Schicksal begegnet.«

»Ich kann dem Kind einen noch besseren Zauber geben. Wenn du mir gestattest, ihn zu taufen und auf eine Missionsschule zu schicken, wird er …«

Wieder hob Geechkah die Hand. »Komm. Da ist noch etwas.«

Faucon folgte dem alten Indianer. Er hatte nicht wirklich erwartet, dass ihm gestattet würde, das Kind zu taufen und zu einer Missionsstation zu schicken, wo es im katholischen Glauben unterwiesen und seine Seele gerettet würde. Das war unvorstellbar angesichts der großen Zukunft, die Geechkah dem Kind prophezeite. Dennoch versuchte der Priester bei jedem Besuch im Langhaus, die Bewohner zu bekehren. Sonst wäre es ihm unmöglich, der Kritik des Provinzials reinen Herzens zu widersprechen. Louis Roget hatte wenig übrig für die detaillierten Zeichnungen der einheimischen Flora, denen Philippe Faucons große Liebe galt.

Philippes Familie – seit Generationen Züchter und Abrichter der königlichen Falken – hatte ihn zum Jesuitenpriester bestimmt; der Allmächtige hatte ihn zum Maler auserkoren, ihm ein gewisses Talent für Porträts geschenkt, aber eine wahre Leidenschaft dafür, die kanadische Flora zu dokumentieren. Angeblich entzückten seine Zeichnungen den König selbst. Doch Philippes Einschätzung nach entzückten nur Essen und Wollust Louis XV., und es musste deshalb seine Mätresse, die einflussreiche Madame de Pompadour, sein, die sich für die Skizzen des Jesuitenmissionars begeisterte und veranlasste, dass die Samen, die er nach Versailles schickte, in den *Jardins du Roi* gepflanzt und gehegt wurden. Es war einerlei. Da für Monsieur le Provincial der König von Frankreich und allemal dessen offizielle Konkubine weitaus weniger wichtig waren als sein Jesuiten-Oberer, musste Faucon stets auf der Hut sein.

»Was ist, Geechkah? Was hast du für mich gefunden?«

»Die Pflanze, von der ich dir erzählt habe, die, die nur in diesem Mond blüht. Ich glaube, ich habe sie gefunden.«

»Die Alpen-Pechnelke«, murmelte Faucon. Vor Aufregung begann sein Herz schneller zu schlagen. Die europäischen Botaniker glaubten, *Lychnis alpina* wachse ausschließlich in den Schweizer Alpen, doch konnte es sich bei der Pflanze, die Geechkah ihm beschrieben hatte, um keine andere handeln. Mit Sicherheit würde er das natürlich erst sagen können, wenn er sie in Blüte sah. Dann musste er die Identifizierung bestätigen und die Pflanze zeichnen. Und natürlich Vorkehrungen treffen, um Samen zu ernten. Wenn das stimmte, wäre das …

»Warte.« Unvermittelt blieb Geechkah stehen. Sie waren auf einem Grat am äußersten Dorfrand angekommen. Der alte Mann hob Stille gebietend die Hand, dann ließ er sich im hohen Gras auf den Bauch nieder und bedeutete dem Priester, es ihm gleichzutun. Er zeigte ins Tal hinab. »Schau.« Seine Stimme war ein leises Flüstern, das nicht das mindeste Echo aus dem engen Tal hervorrief. »Nimm dein Glas zum Großsehen. Auch das ist ein Anblick, den man nicht allzu häufig sieht.«

Mehrere Indianer ritten in einer Reihe das Tal entlang. Selbst mit bloßem Auge und aus der großen Entfernung konnte man erkennen, dass sie wachsam waren, gewappnet für jede Gefahr, die von den umliegenden Bergen drohte. Der Jesuit tastete nach seinem Fernrohr, das ihm an der Hüfte hing, zog es zur vollen Länge heraus und spähte auf die Männer hinab. Insgesamt waren es neun – fünf im traditionellen schwarz-roten Lendenschurz der Huronen, die anderen vier mit einer eng anliegenden ledernen Kniehose bekleidet. Alle waren am ganzen Körper schwarz-rot bemalt, und alle hatten das Haar geschoren bis auf einen Streifen, der von der Stirn bis zum Nacken verlief. »Skalplocken«, sagte der Priester leise.

»Ja. Sie fordern ihre Gegner heraus, sich ihren Skalp zu nehmen. Wenn sie es können.«

Faucon schob das Rohr zusammen. »Das ist ein Kriegstrupp.«

Geechkah nickte. Das war also der eigentliche Grund, weshalb der Alte nach ihm geschickt hatte. Irgendwie hatte er gewusst, dass der Kriegstrupp – wer immer die Männer waren – um diese Zeit hier vorbeikommen würde. Und er hatte Philippe auf den Grat geführt, um sicherzugehen, dass dieser die Indianer sah.

Geechkah robbte vom Grat zurück. Philippe folgte ihm, rutschte bäuchlings rückwärts, sodass keiner der Tapferen ihn bemerken konnte, sollte er aufblicken. »Das sind Huronen«, flüsterte der Jesuit eindringlich. »Warum sollten die Huronen Krieg gegen Québec führen, wo …«

»Die Männer, die du gesehen hast, sind Lantak und seine Abtrünnigen. Sie gehören zu keiner Feuerstelle in keinem Langhaus.« Das war eine feierliche Aberkennung jeder Stammeszugehörigkeit. Ohne Verbindung zu einem Langhaus zu sein bedeutete, für immer und ewig als Ausgestoßener zu leben. »Und sie reiten nicht nach Québec.«

»Wohin sonst? Und woher weißt du das alles?«

»Wenn ein Arm vom Körper abgetrennt wird, ob durch ein Unglück oder durch einen Feind, wird er in der Nähe der Feuerstelle begraben, zu der der Tapfere gehörte. Damit der Tapfere oder seine Verwandten der Erde darüber lauschen können und immer wissen, was der Arm tut. Meine Feuerstelle war früher Lantaks. Ich höre der Erde um ihn zu und weiß, was er tut. Wohin er reitet … Es ist ein sehr weiter Weg, viele Sonnenaufgänge entfernt. Ich kenne den Ort nicht, aber ich weiß, dass die Braunkutte Hunderte von *livres* bezahlt hat, damit Lantak diesen Kriegspfad nimmt.«

Einige Stunden später hörte der Provinzial der Gesellschaft Jesu in Neufrankreich im eichengetäfelten Empfangsraum seiner Privatresidenz in Québec Faucons Bericht schweigend zu. Als er schließlich sprach, lag Trauer in seiner Stimme, ein unverkennbares Zeichen, dass der Jüngere ihn enttäuschte. »Es ist schwer – nein, unmöglich zu glauben, dass Père Antoine Indianer bezahlen würde, um einen Mord zu begehen. Irgendeinen Indianer, ganz zu schweigen vom abtrünnigen Lantak und seiner Schar.« Louis Roget erhob sich von seinem Stuhl am Schreibtisch und betrachtete den erregten Priester, dessen unsterbliche Seele in seiner Obhut lag. »Du begehst die Sünde der üblen Nachrede, mein Sohn. Eine schwer wiegende Sünde.«

»Der allmächtige Herr ist mein Zeuge – ich wünsche niemandem Böses, am wenigsten dem Franziskaner. Schließlich ist er ein Priester Gottes.«

»Genau«, stimmte Roget zu. Der Jüngere überragte ihn an Körpergröße, doch in jeder anderen Hinsicht bestand kein Zweifel, wer die Bürde der Macht trug. Faucon schwitzte, fuhr sich wiederholt über die Stirn, obwohl es in dem dämmrigen, hohen Raum für einen Augustabend vergleichsweise kühl war. Der Provinzial war ruhig, die Sommerhitze schien ihm nichts anzuhaben. Je länger er sprach, desto eisiger wurden seine Worte. »Und du hast dem Wort eines Wilden Glauben geschenkt, um diese Verleumdung zu äußern, Philippe. Findest du nicht ...«

»Bei allem Respekt, Monsieur le Provincial, Geechkah ist ein weiser alter Mann. Und friedlich. Er hat keinen Grund, Ärger zu stiften, außer ...«

»Außer der Teufel ringt mit dir um seine Seele, Philippe. Hast du irgendwelche Fortschritte erzielt, was die Bekehrung deines Freundes Geechkah betrifft?«

»Noch nicht, Monsieur le Provincial, aber ...«

»Aber er spricht mit dir über die kleinen Blätter und Zweige, die dich so faszinieren, was? Und über die Taten von abtrünnigen Huronen-Tapferen. Kommt es dir nicht merkwürdig vor, dass ein Hurone, der ein Heide ist und bleibt, dich ins Vertrauen ziehen sollte, Philippe?«

»Ich glaube, er hofft, unnötiges Blutvergießen zu verhindern, Monsieur le Provincial.«

Roget setzte sich, lehnte sich zurück und verschränkte die Hände über seiner langen schwarzen Soutane. »Blutvergießen. Ja, davon gibt es reichlich, wenn Lantak im Spiel ist. Vor einigen Jahren sah ich, was von zwei seiner Opfer übrig blieb. Einer, ein alter Mann, war auf den Boden gepfählt, in seine Haut wurden hundert oder mehr oberflächliche Schnitte geritzt. Dann setzten sie Ratten auf ihn an. Der Geruch des Blutes aus den Wunden des alten Mannes machte sie rasend, sie fraßen ihn bei lebendigem Leib. Mir wurde gesagt, das habe mehrere Stunden gedauert. Du siehst blass aus, mein lieber Philippe. Vielleicht solltest du dich setzen. Das andere Opfer war eine junge Frau. Was immer Lantak und seine Tapferen ihr antaten, solange sie noch am Leben war, kann nicht schlimmer gewesen sein als ihr Tod. Sie spießten sie auf einen Pfahl auf, durch den Anus, wenn ich mich recht entsinne, und trugen sie als Standarte mit sich all die Tage, die sie brauchte, um zu sterben. Von derlei Geschichten gibt es zahllose, jede grausamer als die vorherige. Père Antoine ist zwar noch nicht lange in Québec, aber zweifellos hat er von Lantak gehört. Glaubst du wirklich, er würde mit einem solchen heidnischen Teufel gemeinsame Sache machen?«

Faucon fuhr sich wieder über die Stirn und kämpfte gegen die Übelkeit an. »Ich weiß es nicht, Monsieur le Provincial. Aber ich habe sie gesehen. Mit Skalplocken und Kriegsbemalung, also …«

»Also werden sie jemanden angreifen. Das bezweifle ich nicht, mein Sohn. So ist Lantak nun einmal. Aber einem Priester der heiligen Kirche vorzuwerfen, er wäre mit solchen Leuten im Bunde … Vielleicht möchtest du jetzt in die Kapelle gehen und unseren gesegneten Herrn um rechtes Denken gegenüber deinen Vorgesetzten und deinen Brüdern bitten. Es ist nicht nötig, dass du heute zur Abendmahlzeit ins Refektorium kommst, und auch nicht, dass du heute Nacht zu Bett gehst.«

Louis Roget wartete, bis der junge Mann ihn verlassen hatte, dann ging er zu einem der kunstvoll geschnitzten Eichenpaneele an der Südwand des Raumes und drückte auf ein bestimmtes Blatt. Die Tafel schwang auf und gab den Blick auf die Unterstadt frei. Es dämmerte bereits, bald würde vollends die Dunkelheit hereinbrechen, aber noch konnte der Jesuit das Dach des Klosters erkennen, in dem Mère Marie Rose und ihre Armen Klarissen ihr Leben in abgeschiedener Buße verbrachten, und auch das Dach der nahe gelegenen Kate, die er dem Abgesandten des Generalministers des Ordens der Minderen Brüder als Heim zugewiesen hatte. »So, mon Père, der verrückte Hund, den du so sorgsam zum Freund herangezogen hast, führt jetzt auf dein Geheiß hin einen Überfall durch. Und du schickst ihn auf einen weiten Weg nach Süden«, flüsterte

Roget zu sich selbst. »Höchstwahrscheinlich über die Grenze in die englischen Kolonien. Etwas anderes wäre nicht hunderte von *livres* wert.«

Wenn nur die Heilige Jungfrau ihn über Ziel und Zweck dieses Angriffs erhellen würde. Dann könnte er sein Wissen zum Wohle der Gesellschaft Jesu einsetzen. Und das war gleichbedeutend mit dem Wohle der heiligen Mutter Kirche. Vielleicht würde er sich dem unnützen Monsieur Faucon anschließen und eine Nacht mit Beten und Buße verbringen. Nachdem er die Gebete des Komplets gesprochen und an der Abendmahlzeit teilgenommen hatte, fasste der Jesuit, der Neufrankreich regierte, einen Entschluss.

Mittwoch, 5. August 1754
Albany, Provinz New York

Quent ritt allein nach Albany. Er hatte einen ausgezeichneten Grund für diesen Ausflug – er brauchte ein Langgewehr als Ersatz für dasjenige, das er Cormac gegeben hatte. Das wiederum lieferte ihm einen wunderbaren Vorwand, dem Lydius-Haus einen Besuch abzustatten. John Lydius war seit vielen Jahren der beste Waffen- und Munitionslieferant in der ganzen Provinz. Waffen an jeden zu verkaufen, der sie bezahlen konnte, war nach wie vor einer der Eckpfeiler seines Reichtums.

Das Haus an der North Pearl Street wirkte so massiv und beeindruckend wie immer. Es hob sich von den bescheideneren Gebäuden hinter der Stadtmauer ab. John war zu Hause, ebenso wie Genevieve und eine Reihe der Lydius-Kinder und -Enkel. Von Miami-Indianern war nichts zu sehen.

Die Familie begrüßte Quent aufs Herzlichste. John meinte, er könne mit größter Wahrscheinlichkeit ein Langgewehr besorgen, immerhin sei es ja für Uko Nyakwai bestimmt, einen legendären Schützen und zugleich Sohn eines seiner ältesten Freunde. »Wie geht's deinem Vater, Quent?«

»Nicht gut. Meine Mutter glaubt, dass er nicht mehr lange bei uns sein wird, und ich fürchte, sie hat Recht.«

Lydius hatte vor langer Zeit in einer Schlacht ein Auge verloren. Über der leeren Augenhöhle trug er eine schwarze Binde, und er hatte eine ganz besondere Art, den Kopf zu neigen, wenn er einen aus seinem begrenzten Blickfeld betrachtete. »Das tut mir Leid zu hören. Ich habe gehört, dass John Shadowbrook übernommen hat.«

»Das stimmt.«

»Ich dachte immer ...« Lydius zuckte mit den Schultern. »Na, reine Zeitverschwendung, sich mit dummen Gedanken abzugeben, oder?«

»Allerdings. Was das Gewehr betrifft ...«

»Ja, natürlich. Gib mir einen Tag Zeit, etwas zu finden, das deinen Bedürfnissen entspricht. Sagen wir, morgen Nachmittag? Um diese Zeit?«

»Das passt mir gut.« Quent wandte sich zum Gehen, doch Genevieve hielt ihn auf, bevor er die Tür erreichte.

»Ich hörte John sagen, dass du morgen wiederkommst. In dem Fall musst du die Nacht ja in Albany verbringen. Bleib bei uns, Quent. Bei uns ist immer ein Bett frei für dich, das weißt du doch.«

»Ich habe an den alten Groesbeck gedacht. Ich möchte keine Umstände bereiten.«

»Du machst doch keine Umstände. Und vermutlich riechen die Laken hier ein ganzes Stück besser als bei Peter Groesbeck.«

»Das glaube ich auch«, stimmte Quent lächelnd zu. »Danke. Ich nehme eure Gastfreundschaft gern an.«

Das stimmte auch. Aber obwohl er nachts das ganze Grundstück absuchte – was er auch getan hätte, wenn er bei Groesbeck ein Zimmer genommen hätte –, fand er keine Spur von einer Schwitzhütte und auch sonst keinerlei Hinweise auf Cormacs seltsame Erlebnisse. Nach dem Frühstück, als er Genevieve in der Küche antraf, unternahm er einen weiteren Versuch. Sie gab gerade einer Sklavin Anweisungen, und er wartete geduldig, bis er unter vier Augen mit ihr sprechen konnte. Dann sagte er: »Ich habe gehört, ihr hattet vor kurzem einen bedeutenden Gast. Häuptling Memetosia von den Miami.«

»Ja. Er blieb nach der Konferenz noch eine Weile hier. Von der hast du sicher gehört. Das war im Juni. All diese wichtigen Leute, die redeten und sich stritten und ihren ziemlich aussichtslosen Plan einer Union ausheckten.«

»Cormac hat es erwähnt.« Er suchte in ihrer Miene nach einer Reaktion auf Cormacs Namen, entdeckte aber keine. »Nach der Konferenz war Memetosia doch krank, oder? Lag praktisch auf dem Sterbebett.«

»So schien's, als er herkam. Aber er ist ein zäher alter Knochen. Er hat sich berappelt und ... Aber nein, Jess! Nicht so. Ich hab dir doch gesagt, Master Lydius mag die Pastete mit ganz wenig Salz, nicht einer ganzen Hand voll.« Dann wandte sie sich an ihren Gast: »Entschuldige mich bitte, Quent. Ich habe sie erst vor kurzem gekauft, als unsere alte Köchin starb, und sie hat keine Ahnung, wie uns das Essen schmeckt. Wenn es dir nichts ausmacht ...«

Ihm blieb nichts anderes übrig, als zu gehen. Allerdings war seine Stippvisite in der Küche nicht gänzlich umsonst. Neben der hinteren Tür stapelten sich auf einer Bank Körbe verschiedenster Formen und Größe, und in einem sah er einige geröstete weiße Maiskörner, wie es sie nur bei den Miami gab.

Am Nachmittag zeigte John Lydius ihm, wie versprochen, ein Langgewehr. Der Schaft bestand aus stark gemasertem Ahorn in der Farbe von dunklem Honig, und als Quent die Waffe neben sich auf den Boden stellte, reichte sie ihm fast bis zum Scheitel. Er steckte einen Finger in den Lauf. Der Drall fühlte sich genau richtig an, war ausgeprägt und regelmäßig. Er schwang das Gewehr herum – die Balance war wundervoll – und visierte über Kimme und Korn. Ein Kerzenleuchter auf dem Kaminsims rückte in aller Schärfe näher. »Nicht schlecht.« Er bemühte sich, gelassen zu klingen und seine Begeisterung über die Waffe zu verbergen. »Wo kommt es her?«

»Von hier, aus den Kolonien.«

Das hatte er sich gedacht. Wegen des Ahornholzes. In England wurde der Schaft meist aus Eiche gemacht; und in England wurde auch die Anleitung für die Herstellung gezogener Läufe aufbewahrt, zusammen mit anderen Staatsgeheimnissen im Londoner Tower. »Pennsylvania«, riet er. Generell hieß es, dass die besten Waffenschmiede der Kolonien in Pennsylvania lebten.

»New Hampshire«, stellte Lydius richtig. »Von einem zurückgezogen lebenden Genie, der vielleicht einmal im Jahr ein solches Gewehr produziert.«

»Wie viel willst du dafür?«

John musterte ihn mit seinem einen Auge, ohne zu blinzeln. »Vierzig Goldguineas, und das ist billig.«

Es war ein Vermögen. Mit ein wenig mehr konnte ein Mann sich ein Zuhause aufbauen. »Ich muss es ausprobieren.«

»Natürlich.« Lydius saß am Schreibtisch in dem Raum, in dem er seine Geschäfte abwickelte. Er drehte sich um und holte aus einer Truhe ein Pulverhorn und eine Schachtel Munition. »Nimm das mit.«

»Danke. Ich gehe aus der Stadt raus, damit nichts passieren kann. Bin in einer oder zwei Stunden mit meiner Antwort wieder da.«

»Gut«, sagte Lydius lächelnd. »Du wirst mehr als zufrieden sein, davon bin ich überzeugt.«

Quent war ebenfalls davon überzeugt. Zur Hölle, er war schon jetzt mehr als zufrieden. Er schlang sich das Gewehr über die Schulter und marschierte zum Ende der North Pearl Street, dann weiter zur breiten Straße, die die Anhöhe hinaufführte, an deren einem Ende die alte niederländische Kirche, am anderen die neuere englische stand. Jenseits davon lag das Fort, darüber ragte der Gipfel auf. Auf der anderen Seite war nichts als Wald.

Er verbrachte keine Stunde damit, das Gewehr auszuprobieren. Als er sich auf den Rückweg machte, war der Lauf warm von den vielen Schüssen, die er abgefeuert hatte, und das Pulverhorn war nahezu leer. Lydius hatte Recht, es war eine erstklassige Waffe. Quent kehrte nicht über das Fort zurück, sondern blieb bis zur Höhe der Market Street außerhalb der Stadtmauer, dann trat er durch ein kleines Tor und näherte sich dem Lydius-Grundstück von hinten. Er bemerkte den flachen Felsen und den halb abgestorbenen Baum mit dem einen grünen Ast, an dem Corm Memetosias Medizinbeutel befestigt hatte, und im Tageslicht konnte er nun zwei verbrannte Erdflecken ausmachen, wo die Feuer gewesen waren, genau wie Corm es beschrieben hatte. Von einer Schwitzhütte war jedoch nach wie vor nichts zu sehen, ganz zu schweigen von einem Midewiwin-Priester.

Donnerstag, 6. August 1754
Shadowbrook

Nicole war rastlos. Vielleicht wegen der Hitze. Und weil Quent seit vier Tagen fort war. Sie wünschte, sie hätte ihn begleiten können, aber das war undenkbar. Als Gast der Hales konnte sie nicht einfach zu einem Ausflug nach Albany aufbrechen in Begleitung eines Mannes, mit dem sie nicht verwandt war. Aber wenn sie schließlich nach Norden gingen, würde sie sich nicht mehr von derartigen Regeln des Anstands einengen lassen. Einige Verpflichtungen waren wichtiger als die Notwendigkeit, sich stets als Dame zu benehmen, wie Maman es formuliert hätte.

War Maman immer eine Dame gewesen? Wenn sie mit Papa allein war und tat, was immer verheiratete Damen mit ihren Gatten taten – war sie dann so zurückhaltend und elegant wie sonst, oder warf sie sich auf ihn, wie die Squaws es getan hatten, als die Trommeln der Wilden die Nacht mit ihrem Rhythmus erfüllten? Der Tag, als sie ein kleines Mädchen gewesen war, als sie sah, wie ihre Eltern sich küssten, waren sie da …

»Ah, Nicole, da sind Sie ja. Bei Matilda Davidson unten beim Sägewerk ist es so weit. In den letzten zwei Monaten ist sie sehr rund geworden. Zwillinge, wenn Sie mich fragen. Außerdem ist es ihre erste Geburt. Ich fürchte, es wird nicht leicht werden, und ich hoffte, Sie könnten vielleicht mitkommen und mir zur Hand gehen.«

»Aber natürlich, Madame Hale.« In dieser Welt wie auch in der, die sie zurückgelassen hatte, waren solche Dinge Aufgabe der Ehefrau des Gutsherrn. Nicole wusste, dass sie aus irgendeinem Grund als Tochter des Hauses behandelt wurde. »Ich würde mich freuen, Ihnen behilflich zu sein.«

»Danke, meine Liebe. Ich packe einiges aus Küchen-Hannahs Vorräten zusammen. Kennen Sie das kleine Zimmer, wo wir die Wäsche aufbewahren? Gut, das dachte ich mir. Vielleicht wären Sie so freundlich, diesen Korb mit sauberen Tüchern von dort zu füllen. Wir werden viele brauchen.«

Sie entdeckte die indianischen Stücke in einer kleinen Truhe im Wäscheraum. Den Korb hatte sie bereits mit Tüchern gefüllt, sie sah aus reiner Neugier hinein. Nicole wusste, dass es nicht richtig war, schämte sich aber nicht. Die Truhe aus dunkelgrün, fast schwarz gestrichenem Holz stand am Fenster unter einem Tisch, auf dem Nadeln, Garne und andere Nähutensilien aufbewahrt wurden, und war der einzige Gegenstand im Raum, der nicht direkt zugänglich war. Sie zog Nicole magisch an. Sie kniete sich auf den Boden, zog das Möbel hervor und öffnete den Deckel mit dem aufregenden Gefühl, nun endlich Antwort auf einige der Fragen zu finden, die sie seit ihrer Ankunft in Shadowbrook bewegten.

Und in gewisser Weise stimmte das auch. Die Kleider waren sorgfältig zusammengefaltet; eifrig schüttelte sie sie aus. Eine Tunika, Beinkleider, einige Kopfbänder. Alles aus den schneeweißen Häuten, die laut Quent von Bären stammten. Wunderschön gegerbt und erstaunlich weich. Allerdings keine Mokassins; die besaß jetzt sie.

»Mademoiselle Nicole, sind Sie noch hier? Sind Sie fertig?«

Sie legte die Kleider in die Truhe zurück, griff nach dem Korb und lief in den Flur hinaus. »Ja, ich bin fertig, Madame.«

Sie fuhren mit einer einspännigen Kutsche. Der Stallbursche, ein Schwarzer namens George Junior, half ihnen auf die hohe vordere Bank hinauf und verstaute die Sachen hinter ihnen. Doch als sie abfahrbereit waren, sprang er nicht zu ihnen hinauf, wie Nicole es erwartet hatte. Vielmehr reichte er die Zügel seiner Herrin, und Lorene Hale trieb das Pferd mit geschickter Hand an. »Wir brauchen keinen der Neger von der Arbeit wegzuholen«, sagte sie.

»Nicht jetzt. Bald beginnt die Ernte, es gibt viel zu tun. Und ich kann den Wagen so gut fahren wie jeder Mann. Schockiert Sie das, meine Liebe?«

Ah, eine Prüfung. »Gar nicht, Madame. Maman sagte immer, eine wahre Dame tue immer, was gerade nötig ist – aber mit so viel Anmut und Eleganz wie nur möglich. Sie fahren die Kutsche sehr anmutig, Madame Hale. Ich hoffe, Sie empfinden es nicht als vorlaut, wenn ich das sage.«

»Keineswegs. Ich fühle mich geschmeichelt, und es klingt, als wäre Ihre Maman eine sehr kluge Frau gewesen. Ich bin sicher, dass sie auch sehr schön war.«

»*Oui*, Madame. Sehr, sehr schön.« Zumindest den ersten Teil der Prüfung hatte sie bestanden. Das gab ihr Mut. Mittlerweile waren sie außer Sichtweite von Shadowbrook, fuhren die breite Straße entlang, die, wie Quent ihr erzählt hatte, von seinem Großvater angelegt worden war, noch bevor er das große Haus gebaut hatte. »Bitte, Madame Hale, sowohl Monsieur Quent als auch Monsieur Cormac waren so überaus freundlich zu mir, haben mich so gut beschützt …«

»Ja? Wenn Sie eine Frage haben, stellen Sie sie doch einfach.« Lorene hielt die Zügel nur locker, das Pferd schien den Weg von selbst zu finden. Sie wandte sich zu der jungen Frau, ihre Augen lächelten ermutigend.

»Monsieur Cormacs Mutter, ich glaube, sie hieß Pohantis – wann ist sie gestorben?«

Die Augen von Quents Mutter waren ebenso blassblau wie seine. Doch nie hatte Nicole Quents derart kalt blicken sehen. Nicht, wenn er sie ansah. Madame Hale betrachtete sie nur einen Moment aus diesen eisigen Augen, dann wandte sie den Kopf ab. »Wer hat Ihnen von Pohantis erzählt?«

»Monsieur Quent. Aber er sagte nur, dass sie tot ist. Und dass sie hier auf dem Friedhof von Shadowbrook begraben ist. Ich verstehe nicht, warum …«

»Sie ist schon vor etlichen Jahren verstorben. Fast zwanzig, wenn ich mich nicht irre. Komm, du alter Klepper!« Lorene packte die Zügel fester und tat sehr geschäftig, das Pferd anzutreiben.

»Wir wollen doch nicht beim Sägewerk ankommen, wenn alles schon vorbei ist.«

Matilda Kip Davidson, die Frau von Hank, dem Sohn des Sägers Ely Davidson, brachte kurz vor Morgengrauen des folgenden Tages einen Sohn zur Welt. Es war eine sehr blutige und sehr schmerzhafte Geburt, die sie mit großer Tapferkeit durchstand. »Ein Junge, Madame Davidson«, sagte Nicole und sah der jungen Mutter in die sorgenvollen Augen. »Ein sehr großer, kräftiger Junge, deswegen mussten Sie sich auch so plagen, ihn zur Welt zu bringen.«

»Ist er gesund?«

»Er ist vollkommen. Wunderbar. Wie seine *maman.*« Nicole tupfte ihr das Gesicht ab, während Lorene das Neugeborene wickelte.

»Und Sie«, murmelte Lorene und lächelte Nicole liebevoll zu. »Sie sind auch wunderbar.«

Eh bien, sie hatte eine weitere Prüfung bestanden. Aber wozu? Sie würde nach Québec gehen, um sich in das Kloster einer der strengsten und bußfertigsten Orden der Kirche zurückzuziehen. Sie hatte Gott gegenüber ein Gelübde abgelegt, es gab kein Zurück. Trotzdem, nach dem Fauxpas wegen Pohantis, als sie entdeckt hatte, wie eiskalt diese blauen Augen blicken konnten, war sie froh, dass Madame Hale ihr wieder ein Lächeln schenkte.

Sie verließen das Sägewerk, nachdem Nicole förmlich den drei dort arbeitenden Sklaven vorgestellt worden war – sie schleppten Baumstämme zu einer der zahlreichen wasserbetriebenen Sägen, die Nicole in Angst und Schrecken versetzten. Die drei waren Brüder, kaum aus dem Jungenalter herausgewachsen, und hießen Sampson, Westerly und Josiah. Sie sahen sich so ähnlich, dass Nicole sie nie würde auseinander halten können. Aber das war auch nicht nötig. Sie würde nur noch wenige Wochen in Shadowbrook sein, vielleicht nicht einmal so lange. Nur, bis der arme Monsieur Hale auf dem Weg der Genesung oder, wahrscheinlicher, gestorben war.

Als Nicole auf dem Einspänner saß und an den baldigen Tod von Quents Vater dachte, bekreuzigte sie sich rasch. Sie bemerkte, dass Madame Hale bewusst den Blick abwandte. Dass Nicole katholisch war – *Dieu merci* –, ignorierte die andere Frau geflissentlich. Seit sie die erste Einladung zu Madames Andacht am Sonntagmorgen abgelehnt hatte, wurde sie nie mehr aufgefordert, daran teilzunehmen. Das war natürlich völlig gleichgültig, denn sie würde nie einen Ketzergottesdienst besuchen. Das musste Madame Hale wissen, doch ob sie das bekümmerte, konnte Nicole nicht sagen. Auch das war Teil des merkwürdigen Tanzes, den sie aufführten. Ein Schritt vorwärts, ein Schritt zurück, und immer gab Madame Hale den Ton an. Das wusste Nicole. Wie die Anführer des Virginia-Reels, den sie in Alexandria gesehen hatte. Alle wirbelten, knicksten und drehten sich und endeten genau an der Stelle, an der der Tanz begonnen hatte.

Es war helllichter Vormittag, die kupferfarbene Sonne brannte vom wolkenlos blauen Himmel herab. »Sie sind müde, Madame. Vielleicht könnte ich den Wagen fahren?«

»Haben Sie das schon einmal gemacht?«

»Nein, aber … *Mon Dieu*, was ist das?«

Lorene straffte die Zügel, redete sanft auf das Pferd ein und murmelte zufrieden, als es stehen blieb und geduldig auf den nächsten Befehl wartete. Das Geräusch, das Nicole erschreckt hatte, war ein leiser Gesang in der windstillen Luft, eine Melodie, die anstieg und abfiel und wieder anstieg. »Sally Robin«, sagte Lorene. »Das dachte ich mir schon.«

Die Nacht war in der Tat anstrengend gewesen, und Lorene war erschöpft bis auf die Knochen, innerlich erschöpfter, als dieses Mädchen je wissen konnte – das Mädchen, an das sie so viele Hoffnungen für die Zukunft knüpfte, ihre große Chance, die Vergangenheit gutzumachen. Sie durfte sich durch ihre Müdigkeit nicht bei ihrem großen Plan behindern lassen. All die Jahre, die vielen Fehler, die viele Schande … Wenn sie Shadowbrook in guten Händen zurücklassen konnte, in Quentins Händen; wenn etwas von dem, das ihnen hier anvertraut worden war, weiter gedeihen und beschützt werden konnte, vielleicht war dann doch nicht alles umsonst gewesen. »Sie müssen Sally Robin kennen lernen, Mademoiselle. Sie ist eines der Wunder von Shadowbrook.«

Sie ließen den Wagen mitten auf der Straße stehen, banden dem Pferd nicht einmal die Zügel fest – »Das läuft nicht davon«, sagte Lorene. »Und aus der anderen Richtung wird auch niemand kommen.« –, stiegen ab und gingen in den angrenzenden Wald.

Jetzt waren sie ganz von diesem Lied umfangen. Es erfüllte die Luft, die Bäume erschauerten, das Laub erzitterte davor. Der Boden unter ihren Füßen sog die Melodie auf und gab sie zurück. Nicole wollte sagen, dass sie nie zuvor derartige Musik gehört hatte, aber der Anblick vor ihr ließ sie trotz ihres Staunens verstummen.

Auf der Lichtung stand eine Reihe kuppelförmiger Bienenkörbe. Nicole wusste sofort, worum es sich handelte. In ihrer Kindheit hatten sie und Maman den Sommer bei Grandmaman in deren Landhaus außerhalb von Paris verbracht. Auch dort hatte es Bienenstöcke gegeben, und einen Imker, der sich um sie kümmerte und den Honig einsammelte. Doch wenn Grandmamans Imker bei den Bienen arbeitete, trug er derbe Handschuhe und einen Hut mit breiter Krempe, von dem ein langer Schleier herabfiel, und beim Einsammeln des Honigs zerstörte er den Stock. Die schwarze Frau, die den Honig aus den Bienenkörben beim Sägewerk holte, tat es mit bloßen Händen; sie griff in den Stock und entfernte die wachsartigen Waben voll goldenen Honigs. Sie trug nicht die mindeste Schutzkleidung, und sie schien auch gar nicht in Eile zu sein. Bevor sie eine Wabe in den Korb legte, prüfte sie genau, ob sie wirklich voll war. Wenn nicht, gab sie sie in den Stock zurück. Tausende von Bienen umschwirrten sie gemächlich, ihr Flug hatte nichts Ärgerliches an sich, und sie summten leise, eine Art Kontrapunkt zum erstaunlichen Summen, das die Schwarze von sich gab.

Kurze Zeit später nahm Sally Robin den Korb auf und kam auf die beiden Frauen zu, noch immer von einer Bienenwolke umschwirrt. Instinktiv wich Nicole zurück. Die Frau bemerkte das und lachte inmitten des Singens auf. »Keine Bange, Fräuleinchen. Keine Bange. Das sind meine Freunde, die tun Ihnen nichts, solang ich hier bin.« Wieder sang sie, wenige Noten nur, doch es war eine andere Melodie als zuvor. Der Schwarm flog zu den Bienenstöcken zurück.

»*Incroyable*. So etwas habe ich noch nie gesehen.«

»Und wohl auch sonst niemand«, sagte Lorene leise. »Sally Robin ist ein Wunder.«

Die Imkerin war größer als alle anderen Schwarzen, die Nicole bislang auf Shadowbrook gesehen hatte. Eine schlanke Frau mit milchkaffeefarbener Haut und einem auffällig langen Hals, dazu hohe Wangenknochen, die ihre Gesichtszüge prägten. Ihr Haar war sehr kurz geschnitten, wie eine Kappe aus schwarzer Wolle, die kaum ihren Schädel bedeckte. Ihr Alter war unmöglich zu schätzen. »Mr. Hale hat sie am Morgen unserer Hochzeit auf dem Sklavenmarkt in New York City gekauft«, fuhr Lorene fort. »Sally Robin und ich sind gemeinsam hierher gekommen, stimmt's, Sally?«

»Und ob das stimmt, Mistress. Das ist lange, lange her.«

»Fast vierunddreißig Jahre. Als mein Mann sie kaufte, hatte er keine Ahnung von ihren Fähigkeiten. Wir wussten nicht, was für ein Juwel wir da ersteigerten, nur, dass sie eine erfahrene Sklavin von den Inseln war. Aber Mr. Hale sah ihr in die Augen und meinte, sie könnte nützlich sein.«

»Das mit dem Juwel, da bin ich mir nicht so sicher nicht, Mistress. Ich tu bloß, was ich kann. Solang …«

Ihre Stimme erstarb. Nicole wurde sich der veränderten Stimmung bewusst, eine Spannung zwischen der Schwarzen und ihrer Herrin, die keine der beiden ansprechen wollte. Es war fast, als wäre Madame Hale verlegen und die Sklavin ärgerlich.

»Wie geht es Solomon dem Fassmacher, Sally Robin?«, fragte Lorene schließlich. Nicole kam es vor, dass – was immer zwischen den beiden Frauen vorgefallen war – die Herrin nachgegeben hatte.

»Langsam wird er wieder. Ich pflege ihn.«

Nicole wurde klar, dass sie Sally Robin an dem Tag auf dem Frolic Ground nicht gesehen hatte. Eine derart große, außergewöhnlich aussehende Frau wäre ihr sicherlich aufgefallen. Doch sie erinnerte sich gut an den Namen des Mannes, der ausgepeitscht worden war. Solomon der Fassmacher. Sie hatte ihn seitdem nicht mehr gesehen, obwohl sie schon fast einen Monat hier war.

»Die Haut von Solomon wird besser«, fuhr Sally Robin fort. »Es ist seine Seele, die nicht heilt. Er hat Master John nicht angelogen. Er …«

»Ich schicke Master Quent zu ihm.« Lorene fiel der Schwarzen sofort ins Wort. So dumm John auch sein mochte, es ging nicht an, dass sie, Lorene Hale, für eine Sklavin gegen ihren Sohn Partei ergriff. »Sobald er von Albany zurückkommt, bitte ich Master Quent, ihn zu besuchen.«

»Das tät Solomon gut gefallen, Mistress.« Offenbar hatte Sally Robin sich eines Besseren besonnen. Nicole hatte den Eindruck, als hätte sich ihr Gesicht verschlossen. »Und ich pfleg auch Mistress Matilda, jetzt, wo das Kleine da ist. Machen Sie sich keine Sorgen.«

»Das tue ich nicht, Sally Robin. Nicht die geringsten.«

Später, als sie im Wagen auf das große Haus zufuhren, brach Lorene das müde Schweigen, das sie die ganze restliche Fahrt über gewahrt hatte. »Wie gesagt, Sally Robin kam von den Inseln. Eine erfahrene Sklavin.«

»Wenn man sie kauft – kennt man da ihre Geschichte?« Wie den Stammbaum eines Pferdes oder einer Kuh, wollte sie sagen, verkniff sich die Bemerkung aber.

»Die meisten Leute versuchen, über das übliche Gerede des Auktionators hinaus etwas mehr zu erfahren. Für uns war es einfach. Meinem Vater gehörte ein Teil des Sklavenmarkts an der Wall Street in New York City sowie eine Flotte von Guinea-Schiffen, die nach Afrika segelte und die Neger mitbrachte. Will Devrey wusste immer etwas über die Ware, die auf den Block kam. Auf jeden Fall, Sally Robin ist nicht nur Imkerin, sondern auch eine gute Heilerin. Sie stellt alle Salben und Tinkturen her, die wir hier brauchen. Aber bei einer Geburt hilft sie nie. Sie geht der Frau aus dem Weg, bis das Kind da ist. Clemency die Waschfrau sagte mir, das sei, weil Sally Robin unfruchtbar ist. Sie ist mit Solomon zusammen praktisch seit dem Tag, als sie hier in Shadowbrook ankam, aber sie ist nie schwanger geworden. Clemency hat mir davon abgeraten, darauf zu bestehen, dass Sally Robin bei Geburten hilft, und ich bin ihrem Rat gefolgt. Clemency ist eine sehr kluge alte Frau. Die anderen Sklaven geben viel auf das, was sie sagt. Und Sie wären gut beraten, immer …«

Guter Gott, was dachte sie sich bloß? Sie durfte nicht so sprechen, als wäre Nicole bereits ihre Schwiegertochter. Das war töricht von ihr und voreilig. Ephraim hatte noch nicht zugestimmt. Außerdem hatten Quent und die junge Frau ihres Wissens noch keine Pläne gemacht. Aber das Mädchen überlegte es sich. Träumte vielleicht davon. Aber ja. So rosig, wie ihre Wangen jetzt waren … Deine Gedanken gehen ziemlich in dieselbe Richtung wie meine, kleine Mademoiselle Nicole. Aber ja.

Das Langgewehr mit dem Ahornschaft fühlte sich gut an, so über die Schulter geschlungen. Quent hatte nicht gewusst, wie schutzlos er sich ohne Waffe fühlte, bis er sie ersetzt hatte. Trotzdem war er froh, dass er die andere Corm gegeben hatte. Verrückt, ohne ein Gewehr loszumarschieren auf der Suche nach Gott weiß welchem Feind. Verrückter noch war die Art und Weise, wie Corms eigene Waffe verschwunden war. Aber Genevieves Verhalten nach zu urteilen, hatte sie nichts zu verbergen. Sie hatte ihn sogar gedrängt, seinen Besuch zu verlängern. »Bleib doch noch eine Nacht, Quent. Die Kinder können sich an deinen Geschichten nicht satt hören.« Mit Verweis auf die Verfassung seines Vaters hatte er dankend abgelehnt und das Lydius-Haus kurz nach der Mittagsstunde verlassen. Es war noch nicht ganz Essenszeit, aber er hatte nicht vor, mit leerem Bauch nach Shadowbrook aufzubrechen.

Die Schänke zum Pferdekopf war zu drei Vierteln voll. Es roch nach Männern und Tieren, nach abgestandenem Bier und hochprozentigem Schnaps, doch über allem lag der Duft eines köstlichen Eintopfs. Reh, mutmaßte Quent. Das Schild über den Bierfässern beim Eingang bestätigte seine Vermutung. »NUR HEUTE«, stand dort geschrieben, »JENZYS REH-JAMBALAYA.«

»Wer ist Jenzy, und was ist ein Jambalaya?«, fragte Quent.

Der alte Groesbeck war gerade dabei, ein Fass anzuzapfen. Er hielt, den Holzhammer in der Hand, nur lange genug inne, um zu sehen, wer ihn ansprach. »Ach, Sie sind's. Hätt ich mir denken können. Es gibt nicht viele Leute, die Jenzy nicht kennen. Sie hat meinen Jungen geheiratet, vor zwei Jahren. Unten in New Orleans hat er sie gefunden. Ein Jambalaya ist das, was wir 'nen Eintopf nennen. Nur ist er anders, wenn sie ihn macht, eben so, wie ihre Leute da unten im Franzosenland. Deswegen heißt er Jambalaya.«

»Also dasselbe, aber anders?«

»Ja, so ungefähr. Aber ich hab auch 'ne Eichhörnchen-Pastete, wenn Ihnen das lieber ist. Die macht Jenzy genau wie meine Alte. Oder Austern, ganz frische. Sechs Holzpennys für ein Dutzend. Fünf, wenn Sie mit Kupfergeld zahlen.«

Jemand rief lauthals, er sei am Verdursten und Groesbeck solle aufhören zu quatschen und endlich das Fass anzapfen. »Zwei Dutzend der größten Austern«, bestellte Quent. »Und ein Glas von Ihrem besten Bier, um sie runterzuspülen. Ich warte dort drüben.« Er setzte sich auf die Bank, die entlang der Westwand der Schänke verlief. Von dort konnte er gut das Treiben um sich verfolgen.

Als er das letzte Mal hier gewesen war – als er Nicole hergeführt hatte, weil sie Hunger und Durst hatte und eine Weile im Schatten sitzen wollte –, war es später am Tag gewesen. Die Kneipe war zu voll gewesen, als dass er im Gedränge einzelne Gesichter hätte ausmachen können. Jetzt sah er zwei Huren, die auf der anderen Seite des Raums am Tisch saßen. Die Trapper, die ihnen Gesellschaft leisteten, wirkten viel zu betrunken, um die Dienste, für die sie bezahlten, noch wirklich in Anspruch zu nehmen. Es waren auch einige Handwerker und Arbeiter da sowie vier oder fünf Matrosen in ihren auffällig kurzen Jacken, den gestreiften Hemden und geölten Kniehosen.

»Zwei Dutzend Austern«, sagte die Kellnerin, als sie den Teller vor ihn hinstellte. »Ich hab sie selbst geöffnet, wo sie doch für Uko Nyakwai sind. Wenn du mich nett bittest, mach ich vielleicht noch was anderes auf für dich.«

Lachend warf Quent ihr einen Holzshilling zu, den sie geschickt auffing, bevor er auf den mit Sägespänen bedeckten Boden fiel. »Der ist für den alten Groesbeck. Und dann gibt's einen nur für dich, wenn du mir erzählst, ob du in den letzten zwei Wochen oder so Fremde hier gesehen hast.«

»In Albany sind immer Fremde. Wo doch jeden Tag Schiffe ankommen und wegfahren. Jetzt sogar noch mehr, wo die Ernte bald anfängt.«

»Ja, ich weiß von den Matrosen und den Händlern. Ich denke eher an Indianer.«

»Der alte Groesbeck mag keine Indianer hier haben. Die trinken zu schnell und zu viel, und dann machen sie Ärger. In Albany gibt's kaum 'ne Schänke oder Taverne, wo Wilde reindürfen. Die sollen in die Stadt kommen, ihre Geschäfte machen und einen Krug mitnehmen.«

»Also gut, was ist mit denen, die durch die Stadt laufen? Jemand, den du noch nie gesehen hast? Vielleicht ein Hurone.«

»Nichts hab ich …«

»Hör mit dem Tratschen auf, Mädel!« Groesbecks bellende Stimme war über dem Stimmengewirr deutlich zu vernehmen. »Willst du dich heute noch mal an die Arbeit machen, oder soll ich dich windelweich prügeln?«

Das Mädchen warf dem Wirt einen raschen Blick zu. Und dachte an den Shilling, den der Rote Bär ihr versprochen hatte. »Immer mit der Ruhe, Alter! Ich komm gleich.« Und zu Quent: »Der einzige Fremde, den ich hier gesehen hab, ist der Schotte, der über der Mühle wohnt. Die Witwe Krieger hat ihm vor fast 'nem Jahr 'n Zimmer vermietet, aber der redet immer noch so, als hätt er 'nen Knoten in der Zunge. Ich kann ihn fast nicht verstehen. Aber 'n paar, die reden ewig mit ihm. Lassen sogar ein paar Kupferpennys draußen sausen, nur um mit ihm zu quatschen.«

»Eine der Huren, meinst du. Ein Schotte kommt hierher und spricht regelmäßig mit einer der Huren. Meinst du das?«

»Haargenau. Also, was ist mit dem Shilling?«

»Welche der Huren?«

»Annie.« Das Mädchen drehte sich um und reckte den Hals, um über die Köpfe der Männer hinwegzusehen. »Jetzt grade seh ich sie nicht. Und den Schotten auch nicht. Aber wenn du in 'nem Weilchen wieder herkommst, wette ich, dass er …«

»Die Peitsche kriegst du zu spüren, Mädel! Und nicht zu knapp!«

Quent warf ihr eine weitere Münze zu. »Hier. Sag Groesbeck, ich hätte dich nicht gehen lassen. Und dass, wenn er die Peitsche gegen dich hebt, ich es ihm auf gleiche Weise heimzahlen werde.«

Das Mädchen fing die Münze auf und lachte so schallend, dass ihre üppigen Brüste bebten. Drei ihrer Oberzähne waren schwarz verfault, im Unterkiefer fehlten die meisten bereits. »Denk dir nichts dabei. Der alte Trottel redet davon, mich zu prügeln, seit er meine Dienstverpflichtung gekauft hat. Aber er hat's nie getan und wird's auch nie tun. Der alte Groesbeck kann doch kein Blut sehen. Kann nicht mal 'n Schwein abschlachten, ohne zu flennen. Komm später wieder, Uko Nyakwai. Dann zeig ich sie dir beide. Den Schotten und Annie, die Hure, die immer mit ihm redet. Und wenn wir schon dabei sind, zeig ich dir auch sonst noch alles.«

»Darauf freue ich mich schon.« Gott bewahre ihn davor, je so dringend nach einer Frau zu verlangen.

Quent aß seine Austern, dann verließ er die Schänke, um sich die Sache in Ruhe zu überlegen. Er könnte drüben bei der Mühle nach dem Schotten suchen, oder er könnte sich die Zeit vertreiben und später hierher zurückkommen und hoffen, ihn dann zu treffen. Aber in Corms Geschichte war von keinem Schotten die Rede gewesen, und es gab keinen Grund, dass er – wer immer er sein mochte – irgendetwas mit der Schwitzhütte und dem Midewiwin-Priester und dem toten Huronen zu tun hatte. Außerdem hatte er es eilig, nach Shadowbrook zurückzukommen. Wegen seines Vaters, wie er Genevieve gesagt hatte. Aber auch, oder vielleicht vor allem, wegen Nicole.

Samstag, 15. August 1754
Lake Champlain – Hudson River Corridor

In den Tagen, als die Kahniankehaka, die Hüter der östlichen Tür, wirklich über diese Länder herrschten, hätte ein Kriegstrupp von Huronen sich wachsamer und heimlicher bewegt, als Lantak und seine acht Tapferen es taten. Bevor der weiße Gestank das Land erstickte und die Hoden der roten Männer wie die von Knaben im kalten Wind schrumpften, wäre Lantak ein mächtiger Kriegshäuptling gewesen und kein Ausgestoßener, der aus dem Langhaus getrieben worden war von Häuptlingen mit dem Herzen einer Squaw, die vor ihren Feinden davonliefen wie keckernde Eichhörnchen, wenn sie einen Falken am Himmel erspähten.

In der Vergangenheit hätte er an der Spitze von Tausenden von Kriegern gestanden, die andere *Haudenosaunee* angriffen, die Tapferen der Fünf Nationen, die gelobt hatten, die *Kayanashakowa* zu beherzigen, das große Gesetz des Bundes, der sich in Gegnerschaft zur älteren Föderation der Huronen gebildet hatte. In ihrem Krieg würden rote Männer gegen rote Männer kämpfen, wahre Krieger gegen einen würdigen Feind. Stattdessen ritt er durch ein Land, in dem die Wälder und Flüsse nahezu menschenleer waren. Er sah keine Holzboote, wie die Weißen sie bauten, aber auch keine Rindenkanus. Lantak und seine Tapferen waren allein auf dem Gewässer, das sie Oswegatchie nannten und die Franzosen Lake Champlain. Ihre beiden Kanus reisten in Richtung der aufgehenden Sonne, in einer Welt der Stille, die nur vom leisen Plätschern ihrer gleichmäßig eintauchenden Paddel unterbrochen wurde.

Der Große Geist hatte die *Haudenosaunee* auf dieses Land gebracht, aber sie hatten den anderen erlaubt, herzukommen und sie zu versklaven und zu Squaws zu machen. Ihr Land war von Ungeziefer verpestet, aber sie unternahmen nichts dagegen. Sie waren verschrumpelt wie Hundekot in der Sonne, ihr Lebenssaft war verdorrt. Wenn Lantak daran dachte, stieg das Brennen in ihm auf, und das Feuer, das nicht vergehen wollte, loderte in ihm, und ihn verlangte danach, es freizusetzen.

Hinter ihnen sank die Sonne auf ihrem Weg zum Mittelpunkt der Erde, wo sie rastete. Schon war der zu drei Teilen runde Mond am Himmel über den Bäumen linker Hand zu sehen. Lantak roch die einbrechende Dunkelheit. Und den Gestank der weißen Männer. Die Franzosen waren in der Nähe. Fort St. Frédéric, das die Englischen Crown Point nannten, lag drei Tagesreisen vor ihnen. Gut denkbar, dass die französischen Spähtrupps bis hierher vordrangen. Wenn die Sonne wiederkehrte, so beschloss er, musste er das Wasser verlassen und mit seinen Tapferen durch den Wald marschieren, den langen Weg zu seinem Ziel nehmen, um dem Fort auszuweichen. Ein weiser Kriegssachem wählte seine Schlacht und ließ sich nicht von ihr wählen.

Er hob die Hand und deutete auf eine Bucht mit einem flachen Sandufer. Lautlos drehten die Kanus bei und legten an. »Morgen reisen wir zu Fuß. Wenn wir Pferde finden, nehmen wir die. Wenn nicht, ist es auch egal. Wenn die Sonne so oft zurückgekommen ist« – Lantak spreizte alle zehn Finger seiner Hände –, »sind wir auf dem Land unseres Feindes, und dort gibt es Pferde. Die nehmen wir, und viele Skalps, und ein paar weiße Gefangene zum Liebkosen.« Dann würde das Feuer in ihm herunterbrennen. Die Schreie würden es beruhigen, das Lodern würde ihn eine Weile in Ruhe lassen.

Dienstag, 25. August 1754
Shadowbrook

»Schau, Ephraim.« Lorene wendete den Stuhl, den Solomon der Fassmacher gefertigt hatte, als sein Herr krank geworden war. Hinten hatte der Stuhl anstatt der üblichen Beine zwei große, aus Fassdauben hergestellte Räder. Wenn man ihn ein wenig nach hinten kippte, ließ er sich ohne große Mühe bewegen. Lorene verstand es, den Stuhl zu bedienen, und platzierte ihn nun so, dass ihr Mann zum Fenster hinaussehen konnte. »Quent und das Mädchen. Mademoiselle Crane. Siehst du, wie er sie in den Wagen hebt? Ich hab's dir doch gesagt. Er ist hingerissen von ihr.«

»Er hilft ihr aufzusteigen, weil der Wagen für sie selbst zu hoch ist. Was soll das denn heißen?«

Guter Gott, Männer waren einfach begriffsstutzig. Und blind. »Es ist die Art, wie er's tut, Ephraim. Und schau, wie er wartet, bevor er anfährt. Bestimmt fragt er sie, ob sie auch bequem sitzt.«

»Also soll ich von Quents guten Manieren beeindruckt sein. Ich denke nicht …«

»Das ist es. Du denkst nicht. Du bist ein halsstarriger Dummkopf, Ephraim. Und du gefährdest das Gut.«

Meist ging es ihm zu schlecht, um zu lachen. Ihm fehlte die Luft, und die ständigen Bauchschmerzen wurden durch Lachen noch schlimmer. Doch jetzt gestattete er sich ein leises Auflachen. »Wie leicht du dich doch necken lässt, Lorene. Und nach all den Jahren wirst du immer noch rot.« Es war erstaunlich gewesen, ohne Zweifel. Wie er nach ihr verlangt hatte, als er sie das erste Mal sah. Gerade sechzehn war sie gewesen. Noch jünger als dieser kleine französische Bastard, der seinen Haushalt plötzlich auf den Kopf stellte. Das hatte Lorene auch getan, damals. Hatte Sonnenschein nach Shadowbrook gebracht – und Hoffnung. Er hatte die Entscheidung, die er treffen musste, getroffen und sich nie anmerken lassen, wie sehr sie ihn schmerzte, denn es war eine düstere, bittere Vorstellung gewesen, dass John Shadowbrook übernehmen würde. »Schau«, wiederholte er mit einem weiteren leisen Lachen. »Sogar jetzt bist du rot.«

Lorene blickte auf die zarte Rötung ihrer Brüste, die vom Mieder hochgeschoben wurden, und fühlte die Hitze auf Hals und Wangen. »Wir reden jetzt nicht über mich, Ephraim. Ich versuche, dir zu sagen, dass …«

»Dass Quent der Richtige ist, um das Gut zu übernehmen. Ich weiß.«

»Ja, und dass diese Mademoiselle Crane die ideale Ehefrau für ihn ist. Sie ist gut für Shadowbrook, Ephraim. Sogar Sally Robin war von ihr angetan.«

»Ach, Sally Robin?« Die Sklaven sagten, Sally sei hellsichtig. Er hatte nie recht gewusst, was er davon halten sollte, aber in letzter

Zeit bedeutete eine Massage mit einer ihrer Salben die größte Linderung, die es für ihn noch gab. Jetzt, in diesem Augenblick, wäre er sehr dankbar dafür. Seine Gelenke schmerzten heftig. Er war zu müde, um noch weiterzureden. »Ich muss ins Bett, Lorene. Schick Flinke Ruth zu mir. Sie hilft mir mit meinen Beinen mehr als jeder Mann. Hat die Hände dafür.«

»Ja, Ephraim. Gleich. Wenn du dir nur überlegst, wie viel besser Quent …«

»Lorene.« Er sprach sanft zu ihr, mit ruhiger, leiser Stimme. Die Zeit für Neckereien war vorüber, wohl für immer. »Ich hab dir gesagt, dass ich sehr wohl weiß, was du meinst.«

»Aber ich dachte, du wolltest …«

Er deutete mit dem Kopf auf die kleine Holztruhe mit der abgeschrägten Platte, die ihm ermöglichte, im Bett liegend zu schreiben. Der Deckel ließ sich anheben, und darunter verwahrte er die wenigen Papiere, die er dieser Tage noch für wichtig erachtete. Viele waren es nicht. Das Leben, hatte er gelernt, beschränkte sich am Ende auf das Allernotwendigste. »Da drin. Ich hab's aufgeschrieben. Meine Anweisungen für die Zeit, wenn ich nicht mehr bin. Quent soll Shadowbrook bekommen.«

»Ach, Ephraim! Dem Himmel sei Dank! Ich kann dir gar nicht sagen …«

Abwehrend hob er die Hand. »Sag Quent nichts davon. Noch nicht.« Einen Moment hielt er inne, weil eine Woge des Schmerzes ihm die Luft nahm. »Lorene, ich muss wirklich …«

»Geh zu Bett. Ja, mein Lieber.« Lorene erhob sich halb. »Ich kann dir helfen, wenn du es mir erlaubst, Ephraim.« Er wog nur noch so wenig. Sie könnte ihn mühelos selbst zu Bett bringen.

Ephraims Miene versteinerte. Er schüttelte den Kopf. Nie würde er ihr gestatten, ihn zu pflegen wie ein Kind. Nicht Lorene. Nicht nach den vielen Malen, die sie weich und nachgiebig unter ihm gelegen hatte und er der Herr und Gebieter über ihren Körper gewesen war, ebenso wie über alles andere. »Schick Flinke Ruth zu mir.« Er hatte nie erwartet, dass Sklavinnen für ihn die Beine breit machten. Reine Dummheit war das, seiner Ansicht nach. Gab ihnen zu viel Macht über ihren Herrn, wenn sie sein vor Leidenschaft verzerrtes Gesicht gesehen hatten. Ganz zu schweigen von den Kindern, die dabei entstehen konnten … Reine Dummheit. Aber John konnte er das nicht sagen; überhaupt nichts konnte er seinem Ältesten sagen. Er hatte sich sogar überlegt, Cormac einzusetzen, damals, als er glaubte, Quent habe sich völlig von ihm entfernt. Aber das wäre hundert Mal schlechter gewesen. »Lorene, ich bin sterbensmüde.«

»Ja, natürlich.« Sie erhob sich, nahm ihren Stickrahmen und die kleinen bunten Garnrollen auf, die auf ihrem Schoß gelegen hatten. »Ich schicke Ruth zu dir, und Jeremiah.« Jeremiah war der Stallmeister. Er hatte viel Erfahrung darin, Salben auf wunde Gliedmaßen aufzutragen.

»Sag noch nichts zu Quent«, wiederholte Ephraim. Er wollte noch hinzufügen, dass alles, was zwischen seinem Jüngeren und der kleinen, aber doch sehr unabhängigen Frau, die in ihrer aller Leben gestolpert war, passieren sollte, sich von selbst entwickeln musste. Ohne Druck von außen, wie Erbansprüche ihn bedeuten konnten. Er hatte nicht die Kraft, sich zu erklären. »Noch nicht«, wiederholte er nur.

»Wie du willst, Ephraim. Ich gebe dir mein Wort darauf.« Beim Hinausgehen warf Lorene einen letzten Blick zum Fenster hinaus. Der Wagen war fort. Quent und Nicole waren auf dem Weg zum Sägewerk, um Solomon den Fassmacher zu besuchen, wie sie es versprochen hatte. Sie hatte angeregt, dass Nicole ihn begleitete – sie hatte ihr ein paar Dinge für Matildas Neugeborenes mitgegeben –, aber es war unverkennbar, dass Quent das Mädchen auch ohne die Anregung seiner Mutter aufgefordert hätte, ihn zu begleiten. Lorene dachte an die lange Fahrt zum Sägewerk und zurück. Nur die beiden. Sie lächelte.

Zu Pferd hätte Quent die Entfernung in einer Stunde überwinden können; mit dem Wagen dauerte es zwei. Seine Ausrede war gewesen, dass er den Davidsons einige Fässer Bier mitbringen wollte, die vierteljährliche Lieferung, die ihnen laut Pachtvertrag zustand.

Dann können Sie auch mitkommen, hatte er zu Nicole sagen wollen. *Wenn ich schon mit dem Wagen fahre.*

Sie konnte reiten, das wusste er. Sie hatten sich einmal darüber unterhalten. Aber Lorene war nie geritten, und deshalb gab es, wie Jeremiah ihm sagte, im Stall von Shadowbrook keine Damensättel. »Pohantis und Mistress Shoshanaya waren die einzigen Frauen, die hier je auf einem Pferd gesessen haben, Master Quent.«

Aber Pohantis und Shoshanaya waren im Herrensitz und ohne Sattel geritten, wie alle Squaws. Bei seinem nächsten Besuch in Albany, nahm Quent sich vor, würde er für Nicole einen Damensattel bestellen. Er hätte auch schon bei seinem letzten Besuch daran denken können, aber er war zu sehr mit Corms Geschichte beschäftigt gewesen und damit, so viel wie möglich herauszufinden.

»Woran denken Sie?«, fragte Nicole.

»Nichts Besonderes.«

»Wir sind nämlich schon eine ganze Weile unterwegs, ohne dass Sie ein Wort gesagt haben.«

Er sah sich um und stellte fest, dass sie fast schon beim Zuckerhaus waren. »Entschuldigung. Ich war wohl in Gedanken versunken.« Er hatte nicht die Absicht, Nicole gegenüber von Cormac zu sprechen. Nicht einmal nach dem, was sie ihm erzählt hatte, konnte er es ertragen, an die beiden zusammen zu denken. »Wir könnten im Zuckerhaus eine Rast einlegen. Es liegt auf dem Weg. Dann könnten wir den Davidsons auch noch ein paar Krüge Rum bringen. Und vielleicht einen für Solomon.«

»Dürfen die Sklaven denn Rum trinken?«

»Meinetwegen können sie tun, wozu sie Lust haben, solange die Arbeit gemacht wird.«

»Ihr Bruder scheint da anderer Ansicht zu sein.«

»Mein Bruder ist dumm, und grausam obendrein.« Sacht zog er am Zügel, und das Pferd bog gehorsam in die Auffahrt zum Zuckerhaus ein.

»Ich habe drei Pasteten dabei.« Nicole sah in den Korb, den Küchen-Hannah für sie gepackt hatte. »Wir könnten Mistress Frankel eine geben, wenn Sie das gutheißen.«

»Frauensache«, sagte er. »Tun Sie, was Sie für richtig halten.«

»Also gut, eine für Sarah Frankel«, sagte sie und hob die oberste Pastete heraus. »Von Ihrer Maman.«

Genau das hätte seine Mutter auch getan. Und wie sie ließ Nicole sich von ihren Gefühlen leiten.

Im Zuckerhaus wurde nicht gearbeitet. »Der ganze Zucker vom letzten Jahr ist weg«, sagte Moses Frankel.

»Bald kommt Nachschub«, meinte Quent. Er deutete auf die Mühle unten am Berg. Auch dort ruhte die Arbeit. »Alles so weit fertig?«

»Fertiger kann's nicht sein.«

Frankel war nicht nur für das Destillieren zuständig; er war auch der Müller. Wenn die Weizenernte eingefahren war, würde er die Dämme öffnen, damit das Gerinne sich füllte, das die Mühle in Gang setzte; das Wasser würde durch die Schleusen rauschen, das große Rad würde sich drehen, die riesigen Mühlsteine würden sich in Bewegung setzen, und der Weizen würde zu Mehl werden und die Bäuche der armen Schwarzen, die Sklaven des Zuckerrohrs, füllen – oder, besser gesagt, sie schlicht vor dem Verhungern bewahren. Trotzdem, die Plantagen in der Karibik brauchten jeden Scheffel Weizen, den Shadowbrook erzeugte, abgesehen von dem, was das Gut selbst benötigte. Nach den letzten Zahlen, die Quent gehört hatte, gab es allein auf den Leeward-Inseln über sechzigtausend afrikanische Sklaven, die auf Jamaika und Barbados nicht mitgezählt.

Die Handelsschiffe, die diese Route befuhren – sie gehörten jeweils einem Konsortium von Eigentümern, die auf den Kapitän vertrauen mussten, ihnen durch das beste Geschäft den größten Gewinn zu bringen –, waren schon unterwegs nach Albany. Bei Quents Besuch in der Stadt war von kaum etwas anderem die Rede gewesen als der bevorstehenden Ankunft der Handelsschiffe. Die zweimastigen Briggs, beladen mit Zucker, würden hereinsegeln und im tiefen Wasser der Flussmitte vor Anker gehen. Kleinere Fahrzeuge, ein paar elegante Schaluppen mit großen Segeln und zahlreiche kleine Boote mit einem einzigen Segel, gesteuert von einem geschäftstüchtigen Seemann, würden ihre Liegeplätze verlassen und eilig aufs Wasser hinausfahren, um das dunkle Rohrprodukt an Bord zu nehmen, die bedeutendste Feldfrucht, die die Welt kannte. Vieles davon würde in den Zuckerhäusern verschwinden, in denen Rum für die Grog-Stuben und Schänken von Albany hergestellt wurde. Ein Teil würde flussabwärts zu den Siedlungen beim Livingstone-Herrschaftsgut gebracht werden sowie zum großen Hardenburgh-Gut und zum Landsitz der Neun Partner. Und ein Teil würde flussaufwärts nach Shadowbrook verschifft werden, und die Boote, die den Zucker brachten, nahmen die Erzeugnisse des Hale-Guts zu den Briggs zurück. Im ganzen Tal wurde kein besseres Mehl erzeugt als dort. Die großen Schiffe würden in Albany ankern – die quadratischen Segel eingerollt, der Großteil der Mannschaft auf Landurlaub, bei dem sie das Stadtsäckel füllten –, bis die Hale-Ernte beendet war und die Rümpfe bis zum Bersten beladen waren.

In Shadowbrook würde in zwei Wochen der erste Weizen eingefahren werden. Mit dem Heuen hatten sie bereits begonnen, und in der Nähe der Stadt hatte Quent Bauern gesehen, die Mais und Gemüse in Hülle und Fülle ernteten. »Sieht ganz gut aus, dieses Jahr.«

»So Gott will«, ergänzte Frankel fromm und spuckte dann zur Bekräftigung nach Norden, dem Teufel ins Gesicht, wie die alte Redensart es erforderte.

Die Frauen traten aus dem Haus und kamen auf die Männer zu, die am Wagen standen. Sie klangen dabei wie ein Schwarm kleiner Vögel. Ellie Bleecker küsste Nicole zum Abschied, Sarah drückte ihr herzlich die Hand, und selbst Köstliche May strahlte sie an.

»Die Frankels können Sie gut leiden«, sagte Quent, als sie sich auf den Weg zum Sägewerk machten.

»Ich mag sie auch. Schade, dass ich die Kleinen nicht wiedergesehen habe. Lilac und Willie.«

»Wo waren sie?«

»Ein Stück südlich von hier. Köstliche May sagte, sie würden beim Heuen helfen. Offenbar kommen sie immer erst sehr spät nach Hause.«

Er hörte den Kummer, den ihr das bereitete. »Es ist nicht immer so. Auf dem Gut gibt's für die Kinder auch viel Spaß.«

»Sie meinen, hier ist ein Paradies für Kinder?«

Er warf ihr einen Seitenblick zu, doch sie sah ihn nicht an; offensichtlich bargen ihre Worte keine besondere Bedeutung. »Meistens.« Wenn die Ernte wirklich begann, würden Lilac und Sugar-Willie zweiundzwanzig Stunden am Tag arbeiten. Wochenlang. Um gerecht zu sein, Ellies Kinder würden ebenso schwer arbeiten, aber im Winter, wenn es weniger zu tun gab, würden sie ins große Haus gehen, um Lesen und Schreiben zu lernen. Aber jeder, der den Zwillingen von Flinke Ruth diese Fähigkeiten beizubringen versuchte, würde dafür büßen müssen. Vor allem, wenn John dabei ein Wort mitzureden hatte. Quent war ziemlich sicher, dass sein Bruder der Vater von Ruths Kleinen war, was aber nicht das Geringste an dessen Gefühlen den jüngsten Sklaven gegenüber änderte.

»Was spricht eigentlich dagegen, den Sklaven nicht wenigstens einen geringen Lohn zuzubilligen?« Ohne sich dessen wirklich bewusst zu sein, hatte sie ihm diese Frage wohl schon öfter stellen wollen.

»Meines Wissens nur das Geld.« Quents Ton verriet nicht, dass er sich in letzter Zeit mit derselben Frage beschäftigt hatte. Konnten die Sklaven nicht eine Entlohnung bekommen, ohne den Profit von Shadowbrook zu schmälern? Damit die Sklaven streng genommen keine Sklaven mehr waren. *Wer arbeitet, hat ein Recht auf seinen Lohn.* Das hatte der Quäker gesagt, den er vor all den Jahren in Do Good kennen gelernt hatte, der Quäker aus Rhode Island.

»Wir sind fast da, nicht wahr?« Nicole unterbrach seine Überlegungen. »Ich erinnere mich an den kleinen Weg zwischen den Vogelbeerbäumen. Letzte Woche war ich mit Madame Hale unterwegs.«

»Vogelbeerbäume«, wiederholte Quent. »Hier nennen wir sie Ebereschen.« Die beiden kleinen Bäume waren schwer mit leuchtend orangeroten Früchten beladen. Shoshanaya hatte immer gesagt, die Bäume würden sprechen: Wenn die Beeren so üppig an den

Zweigen hingen wie jetzt, würde es einen strengen Winter mit viel Schnee geben. »Ist meine Mutter mit Ihnen den Pfad entlanggegangen?«

»Nein. Wir sind nur daran vorbeigefahren.« Nicole merkte, dass sein Gesicht angespannt wirkte, was ihm eine Strenge verlieh, die sie zuvor nie an ihm bemerkt hatte.

Quent zügelte das Pferd und brachte den Wagen zum Stehen. »Ich zeige Ihnen etwas, aber wir müssen zu Fuß gehen. Für den Wagen ist der Pfad zu schmal.«

»Gut.« Nicole griff in ihre Tasche und holte die weißen Mokassins hervor. »Ich habe sie dabei. Haben wir genug Zeit, dass ich sie mir anziehe?«

»Gute Idee«, sagte er und wandte sich ab, während sie ihre Stiefel aufschnürte. Als er sich wieder umdrehte, steckten Pohantis' Mokassins an ihren Füßen, und sie streckte die Arme aus, damit er sie vom Wagen hob.

Als er sie zu Boden schwang, spürte Nicole seine Hände um ihre Taille und bat die Heilige Jungfrau um Vergebung. Sie hätte ebenso gut springen können.

»Hier lang«, sagte Quent.

Und wieder einmal folgte sie ihm in den Wald.

11

Nicole schätzte, dass sie etwa eineinhalb Meilen gegangen waren, zumeist bergauf, ehe er stehen blieb. Die Sonne war verschwunden, der Himmel von dunklen Wolken verhangen, doch die Luft regte sich nicht. Sie war froh, eine kleine Atempause einlegen zu können. Neugierig sah sie sich um, um zu erfahren, was er ihr zeigen wollte. Hohe Eichen und Ulmen, die mächtigen, schwarzen Stämme hier und da unterbrochen vom Weiß einer Birke oder dem Dunkelgrün einer Kiefer. Dort, wo Bäume gefällt waren, sei es durch die heftigen Regenstürme, die Nicole erst in der Neuen Welt kennen gelernt hatte, oder von Menschen, die sie für das Sägewerk abholzten, wuchsen im Licht Schösslinge empor. Gewöhnt an die kleinen Waldgebiete Frankreichs und die ordentlichen Felder und breiten Hecken Englands, versetzte das unberührte Land Kanadas sie über die Maßen in Erstaunen. »Es ist wunderschön. Und so friedlich.« Sie blickte zum Gewehr, das über Quents Schulter hing. »Warum haben Sie das Gewehr mitgenommen?«

Er drehte sich zu ihr. »Ich weiß nicht«, sagte er nach einigen Momenten mit dem verhaltenen Lächeln, das sie an ihm so sehr mochte. »Aus Gewohnheit.«

Ein Gewehr aus Gewohnheit. Sie brauchte nur die Augen zu schließen, schon sah sie all das Blut im Ohio Country – und noch früher. Nein, das durfte sie nicht. Sie hatte sich selbst gelobt, nicht mehr daran zu denken. Nicole zwang sich, die Augen zu öffnen. Sie zitterte, nur ein wenig und nur einen Moment, doch er bemerkte es.

»Was ist?«

Sie schüttelte den Kopf. »Nichts.«

Er wollte sie in die Arme nehmen, wollte ihr versprechen, dass sie nichts zu fürchten habe, dass er sie immer beschützen werde. Er konnte es nicht. Schon einmal hatte eine Frau seine Welt gefürchtet, weil es eine andere war als die ihre, und er hatte ihr dieses Versprechen gegeben. Es war gelogen, wie sich herausstellte. »Sagen Sie meinen Namen.« Die Worte fielen ihm schwer. »Sagen Sie ihn.«

»Was … Ich …«

»Sie haben versprochen, mich bei meinem Namen zu nennen.«

»Quent.« Sie versuchte gar nicht, einen ganzen Satz zu bilden.

Er atmete laut aus, die Dämonen wurden vom Klang ihrer Stimme gebannt. »Danke.« Er streckte die Hand aus. »Kommen Sie, es ist nicht mehr weit.«

Nicole hielt seine Hand und ließ sich von ihm tiefer in den Wald führen. Wenig später hörte sie ein unverkennbares Geräusch. »Sie bringen mich zu einem Wasserfall.«

»Der Wasserfall ist ein Teil davon.«

Eine Weile schwiegen sie, während das Rauschen des Wassers immer lauter wurde. Sie stiegen einen steilen Abhang hinauf, und unvermittelt standen sie auf einer kleinen, mondsichelförmigen Lichtung. Die Bäume um sie herum waren vorwiegend Birken, doch am Rand eines rauschenden Bachs wuchsen einige Weiden. Dort, wo der Schatten am tiefsten war, wucherte dunkelgrünes Moos. Ein Pfad aus flachen Steinen schlängelte sich durch die Bäume und verschwand. Nicole konnte den Wasserfall noch immer nicht sehen. »Es ist zauberhaft«, flüsterte sie. »Ein verzaubertes Reich.«

»Ich habe diese Lichtung geschlagen. Hier kam ich mit Shoshanaya her, nachdem wir geheiratet hatten.« Er zog sie zu den Steinen.

»Haben Sie auch den Pfad angelegt?«

»Nein, das hat Shoshanaya gemacht. Sie …« Er brach ab und hob warnend die freie Hand. Einige Augenblicke warteten sie, dann zuckte er die Achseln und ging weiter.

»Was dachten Sie, gehört zu haben?«

»Die Flügel von Shoshanayas Adler. Der schönste Vogel, den Sie sich vorstellen können, mit einem Schnabel, der einem Mann die

Kehle aufreißen könnte. Sie hat ihn als kleines Mädchen in den Gebieten der Ottawa gezähmt, ihm beigebracht, ihr aus der Hand zu fressen. Als ich sie herbrachte, ist er ihr gefolgt. Alle paar Tage ist er gekommen, hat sich auf ihren ausgestreckten Arm gesetzt, und sie hat ihn mit geröstetem Mais gefüttert, dann hat er den Kopf an ihrer Wange gerieben und ist wieder weggeflogen.«

»Und jetzt?«

»Ich weiß nicht. Nachdem sie ... Nachdem wir sie begraben hatten, ist der Vogel nie mehr gekommen. Ein ganzes Jahr habe ich gewartet, dass das dumme Tier wieder kommt, aber er war weg.«

Es war wirklich ein verzaubertes Reich, und Shoshanaya die Prinzessin, die darüber herrschte.

Sie erreichten das Ende der Trittsteine. Jetzt erfüllte das Rauschen des Wasserfalls das ganze idyllische Fleckchen Erde. »Hier«, sagte Quent und zog sie um eine große Eiche. »Schauen Sie.«

Der Wasserfall war weder sehr breit noch sehr hoch, ergoss sich über eine Felswand von etwa Nicoles zweifacher Körpergröße. Quent deutete auf eine kleine Plattform, die über das Wasser hinausragte. »Die habe auch ich gemacht. Indianer haben meist mehr als nur einen Namen. Shoshanayas Frauenname war Lachender Bachlauf. Als sie mir das sagte, wusste ich, dass ich ihr diese Stelle zeigen wollte. Hinten auf der Lichtung hat eine Hütte gestanden. Aber an vielen Tagen haben wir einfach nur hier gesessen. Und manchmal auch nachts.«

»Was ist mit der Hütte passiert?«

»Ich habe sie abgerissen.«

Nicole spürte etwas Kaltes, Hartes in sich. Ein Knoten von ... was? Wut? Wie konnte sie wütend sein auf eine Frau, die geschändet und ermordet worden war? Weil Quent sie geliebt hatte. Sie verehrt hatte, wie Papa ihre Maman verehrt hatte. Shoshanayas Geist war an diesem Ort. Nicole spürte, dass Quents tote Frau sie beobachtete. »Sie fehlt Ihnen immer noch«, sagte sie.

»Früher schon. Kommen Sie, setzen Sie sich ans Wasser. Um diese Jahreszeit ist es nicht mehr eisig, aber es verschafft doch Abkühlung bei diesem heißen Wetter.«

»Warum sagen Sie ›früher‹? Als gehöre das, was Sie empfunden haben, der Vergangenheit an.«

»So ist es auch. Deswegen habe ich Sie hergebracht. Ich wollte, dass Sie das wissen. Shoshanaya ist fort, ich kann sie nicht zurückbringen. Mittlerweile weiß ich das.«

»Seit wann?«

»Seit ich Sie kennen gelernt habe.« Er hatte nicht erwartet, jemals wieder so offen zu einer Frau zu sein. Er wandte sich ab, hatte Angst, was sie in seinem Gesicht lesen könnte.

Warum glaubte sie ihm nicht? Weil sie immer noch spürte, wie die Ottawa-Squaw, die Prinzessin mit der honigfarbenen Haut, die ihn geliebt hatte, bei ihm gelegen und ihm einen Sohn hatte schenken sollen, auf sie herabsah. Shoshanaya lachte. Als wüsste sie, dass der Tod ihr die größte Macht verliehen hatte. Sie würde nie alt werden, in der Erinnerung würde sie immer vollkommen bleiben.

Die Plattform war noch solide. Sie setzten sich.

»Die Strömung ist hier sehr stark«, sagte Nicole. »Wohin fließt der Bach?«

»Letztlich in den Hudson's River, aber zuvor fließt das Wasser ins Tal, wo der Wagen steht. Dann vereint es sich mit ein paar anderen Bächen, und beim Sägewerk ist es stark genug, um die Sägen anzutreiben.«

Sie fuhr mit der Hand über die glatten Planken, auf denen sie saßen. »Und die kommen von dort? Vom Sägewerk?«

»Ja.«

Da der Pfad nicht breit genug war für einen Wagen, musste er die Planken durch den Wald getragen haben, um seiner Prinzessin diesen Thron zu bauen.

»Ihnen ist heiß.« Quent strich ihr eine Locke aus dem Gesicht. Ihre Augen glänzten vor ungeweinten Tränen. »Wenn Sie die Mokassins ausziehen, können Sie die Füße in den Bach halten«, sagte er leise.

»*Oui.*« Das Wort kam ungebeten, eine geflüsterte Zustimmung. Aber sie blieb reglos sitzen. Es blieb ihm überlassen, ihr die weißen Mokassins auszuziehen.

Quents Finger verweilten auf ihrem Knöchel. Er konnte nicht anders, er musste mit der Hand ein wenig ihre Wade hinauffahren.

Eine so sanfte Berührung. Vielleicht träumte sie sie nur. Vielleicht war alles nur ein Traum. Sie legte sich auf den Rücken und schloss die Augen, und als sie seinen Mund auf ihrem spürte, öffnete sie ihm die Lippen.

Im Frühjahr hatte es kräftig geregnet, und im Juli und den ganzen August hindurch hatte ständig die Sonne geschienen. Das ideale Wetter zum Wachsen, das Gras war üppig, die Rispen dicht mit Samen bestanden, sodass die Halme unter ihrem Gewicht beinahe abknickten. Das Heu würde ausgezeichnet sein, nährhaltig genug, um die Pferde und Rinder gesund durch den bevorstehenden langen, schneereichen Winter zu bringen. Jedes Paar Hände, das nicht mit anderer wichtiger Arbeit beschäftigt war, wurde zum Heuen abgestellt. Alle Sklaven vom Sägewerk, mehrere von der Getreidemühle und dem Zuckerhaus. Die Zwillinge, Lilac und Zucker-Willie, waren zu klein, um eine Sense zu schwingen, doch sie sammelten das geschnittene Gras ein und halfen, Heuhaufen daraus zu machen, die hier und da über die Felder verstreut standen.

Der erste brennende Pfeil landete in einem Heuhaufen direkt neben dem elfjährigen Westerly, dem jüngsten der drei Sklaven-Brüder, die im Sägewerk arbeiteten. Er kam so unvermittelt, dass der Junge zuerst gar nicht bemerkte, was er wirklich zu bedeuten hatte, sondern nur versuchte, die Flammen mit den Händen zu ersticken und das brennende Heu vom großen Haufen zu trennen. »Sampson! Sampson! Bist du da? Ich brauch dich …« Ein Pfeil bohrte sich in seine Kehle und erstickte jedes weitere Wort. In der Zwischenzeit waren sechs brennende Holzscheite ins Feld geschleudert worden. Die Flammen leckten am trockenen Gras empor, loderten über die Erde, Rauchwolken stiegen zum bedeckten Himmel auf.

Sally Robin rechte gerade Heu zu einem Haufen zusammen, den Zucker-Willie forttragen sollte, als sie sah, wie der Junge von einem groß gewachsenen Wilden mit rot-schwarz bemaltem Gesicht hochgerissen wurde. Ein Messer durchtrennte ihm die Kehle und skalpierte ihn in der Dauer eines einzigen Atemzugs. Dann packte der Wilde ein Beil, das ihm an der Hüfte hing, und Zucker-Willies kahler Schädel flog davon, sein Rumpf fiel in die Flammen, die überall aufloderten. Sally Robin sammelte sich, bereitete sich auf den Tod vor. Ein Lied stieg in ihr auf, und sie ließ es frei. Der große Indianer stand über ihr, sie sah sein Messer, das rot war von Willies Blut, sah das Blut, das dem Mörder über die lederne Kniehose tropfte. Überall auf dem Feld waren Schreie und Kriegsgeheul und das Brausen des Feuers zu hören. Sally Robins Lied stieg dennoch in ihr empor, und sie ließ ihm freien Lauf.

Lantak starrte auf die Frau, die angesichts des sicheren Todes sang, und erkannte, dass sie eine Hexe war und eine große Gefahr für ihn darstellte. Er wandte sich ab, gerade noch rechtzeitig, um der Mistgabel zu entgehen, die ein kräftiger Mann nach ihm stieß. Lantaks Beil wirbelte durch die Luft, der Mann stürzte. Die Hexe unterbrach ihr Singen, um »Solomon!« zu schreien.

Mit der Zunge fuhr er ihre Zähne nach, er schmeckte sie, und sie war süß, so süß, wie er geahnt hatte. Ihre Frisur löste sich, und Quent fuhr mit den Fingern durch die Haarsträhnen, wie er es sich seit Wochen schon wünschte. Nicole stöhnte leise, bäumte sich ihm entgegen, und ihre kleinen, vollkommenen Brüste drückten gegen seine Brust. Er wollte alles von ihr ertasten, er küsste ihre Augen, die Nase und die Wangen und schmeckte Salz. Seine Tränen oder ihre? Er wusste es nicht, und es war auch nicht wichtig.

Ihre Röcke waren über ihre bloßen Beine bis zur Hüfte hinaufgerutscht. Zart streichelte er ihr über die Innenseite eines Oberschenkels, und Nicole stieß einen kleinen Schrei aus, der ihn entzückte, lag in ihm doch Verlangen und Unschuld zugleich. Er würde sie alles lehren, ihr alles zeigen, und sie würde für immer die seine sein. »Ich will dich«, flüsterte er. »Jetzt.« Sie entwand sich ihm nicht.

Die Plattform, die er gebaut hatte, um mit Shoshanaya über dem lachenden Wasser zu sitzen, bestand aus Ulmenholz. Er hatte die

Planken mit eigenen Händen glatt gehobelt. Sie waren hart und unnachgiebig unter ihnen, und er drückte Nicole an sich, um sie auf die weichere, moosbewachsene Erde zu tragen. »Nein«, flüsterte sie. »Hier.«

Er war hart vor Verlangen, doch er ließ sich Zeit. Sie hatte die Schnüre ihres Mieders geöffnet, und er senkte den Kopf zu ihren Brüsten und verlor sich im unglaublich süßen Duft ihrer Haut.

»Hier«, hatte sie gesagt. Weil es Shoshanayas Platz war, weil Nicole die Gegenwart der Frau spüren konnte, die er vor ihr geliebt hatte. Aber sie wusste, sie würde den Sieg davontragen. Ich lebe, und du bist tot. Ich kann das Feuer in ihm stillen, du aber nicht.

»Hier«, flüsterte sie wieder. Sie suchte nach seiner Hand und führte sie zu ihrer Brust.

Quent spürte, wie ihre Brustwarze unter seinen Fingern vor Verlangen anschwoll. Wieder nahm er ihren Mund, drängender, seine Zunge fordernd, saugte ihren Atem in sich ein, ihre Lebenskraft. Dann legte er sich auf sie, drückte sie auf die Bretter. Sie gehörte ihm, war die Seine … Dann erklang das Geräusch laufender Schritte, die durch den Wald stürmten.

Quent rollte von ihr herab. Er hatte sein Gewehr in der Lichtung gelassen, seine einzige Waffe war sein Dolch. Den hatte er gepackt, bevor seine Füße die Erde berührten.

»Master Quent! Der Herr sei gelobt, Master Quent!«

»Sampson?« Was in Gottes Namen suchte der Sklave vom Sägewerk hier, wo er doch mit den anderen beim Heuen sein sollte? So lange Quent zurückdenken konnte, begann das Heuen in Shadowbrook im westlichen Teil des Guts, auf den Feldern jenseits der obersten Schleuse, die das Mühlgerinne füllte.

»Die brennen alles ab, Master. Und einer von ihnen hat Westerly umgebracht. Und der kleine Zucker-Willie, der ist auch tot. Den Kopf haben sie ihm abgehackt. Und weiß der Teufel wie viel anderen. Ich hab nicht gewartet, bis …«

»Wer? Französische Soldaten?« Fort Frédéric war das nächste feindliche Lager. Aber es war unvorstellbar, dass …

»Keine Soldaten nicht.« Der Junge weinte. »Ich hab gesehen, was mit Zucker-Willie passiert ist, und hab gedacht, ich muss jemand holen.«

»Wer? Verdammt, Sampson, red schon! Wer hat uns überfallen?«

»Die Wilden, Master Quent. Mit bemaltem Gesicht, und das Haar steht ihnen vom Kopf ab, so.« Er fuhr sich mit der Hand von der Stirn bis zum Nacken, um eine Skalplocke zu verdeutlichen. »Und die Indianer schreien und verbrennen alles und bringen alle um und …«

Quent hörte ein Geräusch, ein Keuchen, und fuhr herum. Nicole stand hinter ihm. Sie hatte sich gar nicht die Mühe gemacht, ihr Kleid zu richten. Sie starrte nur auf Sampson, und der Ausdruck auf ihrem Gesicht sprach nicht von Verlegenheit, nicht einmal von Angst, Schock oder Entsetzen. Er sah abgrundtiefe Qual. Quent packte sie am Arm und führte sie Richtung Bach. »Bleib, wo du bist!«, rief er Sampson zu. »Warte, bis ich wiederkomme!«

Quent zog Nicole über die Lichtung, Steinchen und Zweige schnitten ihr in die nackten Füße. Doch sie nahm nichts mehr wahr, außer den Gedanken, die ihr dröhnend durch den Kopf wirbelten. Meine Schuld. Meine Schuld. Meine Schuld. Überall Tod. Meine Schuld.

Quent nahm sie in die Arme – sie war schlaff wie eine Gliederpuppe. Dann watete er mit ihr in die Mitte des Bachs, wo das Wasser am tiefsten war. »Halt die Luft an.« Sie starrte ihn an, als hätte sie nichts gehört, als habe sie keine Ahnung, wer er war und was sie hier taten. »Nicole! Tu, was ich dir sage! Atme tief ein und halt die Luft an.«

Er sah, wie ihre Brust sich hob, dann tauchte er mit ihr im Arm unter und schwamm auf den Wasserfall zu. Der Eingang zur Höhle lag hinter dem Vorhang aus Wasser, völlig verborgen von einem Felsgrat. Solomon der Fassmacher hatte ihm die Höhle gezeigt, damals, als Quent etwa sechs war. Er konnte sich nicht erinnern, wann er schwimmen gelernt hatte. Die Höhle … Er wusste noch genau, wie es war, als er sie das erste Mal gesehen hatte. Solomon hatte ihn beobachtet und gelacht, sich gefreut über das Staunen des kleinen Jungen.

Durch die Wasserkaskaden drang fahles, wässriges Licht. Frische Luft strömte durch eine Öffnung im hinteren Teil der Höhle, die tief in einen anderen Teil des Waldes führte. Die Wände waren glatt wie Glas, außer an den Stellen, wo Menschen vor langer, langer Zeit Zeichnungen in den Fels geritzt hatten, in Zeiten jenseits der Erinnerung – ein paar Symbole, schwach im Felsen zu erkennen, die nun bedeutungslos schienen, aber einst dem Künstler alles bedeutet haben mussten. »Ich denk mir, Master Quent, die Leute, die früher hier gelebt haben, die haben die Zeichen gemacht als Gruß, um uns was von sich zu erzählen. Vielleicht 'n kleiner Junge wie du und 'n großer Mann wie ich. Die Sache ist, ich versteh nicht recht, was sie sagen. Wenn du groß bist, dann weißt du's vielleicht. Aber bis dahin muss die Höhle unser Geheimnis bleiben, was meinst du?«

Natürlich bestand die Möglichkeit, dass jemand die Höhle durch Zufall entdeckte, doch das Risiko war gering. Quent hatte keine andere Wahl. »Nicole, hör mir zu! Ich muss jetzt gehen, aber du bleibst hier. Hier kann dir nichts passieren.«

Sie gab nicht zu erkennen, ob sie ihn verstand, und er legte ihr die Hände auf die Schultern und schüttelte sie. »Nicole! Dieses Mal musst du tun, was ich dir sage. Dein Leben hängt davon ab. Versprich mir, dass du hier bleibst.«

»Versprochen.«

Das Flüstern war so leise, dass er die Antwort mehr von ihren Lippen ablas, als dass er sie hörte. Und sie starrte noch immer an ihm vorbei, gefangen in einem Grauen, das er sich kaum vorzustellen vermochte. »Ich liebe dich«, sagte er. »Ich habe dich zu dieser Lichtung gebracht, um dir das zu sagen. Ich muss dich jetzt allein lassen, aber ich komme wieder. Verstehst du mich, Nicole? Dir wird nichts passieren, und ich komme wieder. Das schwöre ich.«

Sie fuhr ihm mit einer Hand über die Wange. »Pass auf. Du darfst nicht …«

Er nahm ihre schmale Hand in seine. »Mir passiert nichts. Ich komme wieder, Nicole. Ich werde immer zu dir zurückkommen. Warte auf mich.« Er beugte sich vor und küsste sie sanft. Dann war er fort.

Es war unsinnig, zur großen Straße zurückzulaufen. Auf der Abkürzung, die Sampson durch den Wald zur Lichtung genommen hatte, würden sie am schnellsten zum Sägewerk gelangen.

Quent lief den Pfad entlang und versuchte zu begreifen, was passiert war. Seit mindestens fünfzig Jahren hatte es keine Indianerüberfälle mehr auf Shadowbrook gegeben. Eine Skalplocke bedeutete, dass es sich vermutlich um Irokesen handelte, und das bedeutete hier Mohawk, Kahniankehaka. Aber diese waren seit Jahren mit den Engländern verbündet. Trotzdem blieb Sampson hartnäckig bei seiner Geschichte, ständig wiederholte er sie, als spüre er Quents Zweifel. »Ich hab sie gesehen, Master Quent. Ich hab die Wilden gesehen. Die waren ...«

»Hör auf damit, Sampson, ich glaub dir ja. Spar dir die Luft zum Laufen. Wir sind gleich beim Sägewerk.«

Quent roch das Feuer, bevor er es sah. Es war windstill, und der Rauch von den brennenden Gebäuden stieg kerzengerade in die Luft.

Als Erstes sah er die Leiche Matilda Davidsons, ein Pfeil ragte ihr aus der Brust, ihr zehn Tage altes Kind hielt sie in den Armen. Beide waren skalpiert. Sampson griff nach dem Säugling, der einmal aufschrie und dann starb. Quent nahm dem Jungen den winzigen Leichnam ab und legte ihn wieder seiner Mutter an die Brust. »Dafür haben wir jetzt keine Zeit. Hier lang.«

Hanks Leiche hatte er ebenfalls entdeckt; Matildas Mann war ganz in der Nähe seiner Frau ermordet worden. Von Ely war nichts zu sehen, und es war völlig aussichtslos, dass Quent und Sampson allein das Feuer löschten, das die Mühle verschlang.

Ein Ahorn war der höchste Baum außerhalb der Rauchschwaden. Rasch stieg Quent in die Krone. Je höher er kam, desto intensiver wurde die Hitze, die vom lodernden Sägewerk abstrahlte.

Funken stoben, genährt vom feuchten, frischen Holz, das in Kürze hätte bearbeitet werden sollen.

Quent beschattete die Augen, blinzelte wegen der Rußpartikel, die durch die Luft flogen, und blickte zum Horizont. Der Rauch hob sich deutlich vor dem dunklen Himmel ab und zeugte vom Ausmaß der Verwüstung. Brandstiftung, und das Ziel sind die Weizenfelder, schoss es Quent durch den Kopf. Aber auch die Wälder werden in Flammen aufgehen, wenn Böen aufkommen … Gott sei Dank ist es windstill. Geradezu unnatürlich still, aber wenn der Teufel mein einziger Verbündeter ist, dann nehme ich auch den.

»Master Quent! Schauen Sie, Master Quent!«

Sampson hatte Ely Davidson gefunden. Der Junge musste den alten Mann stützen, hatte ihm einen Arm um die Taille gelegt. Aber der Säger war am Leben, stand auf seinen eigenen zwei Beinen, und sein Schädel war ganz.

Quent kletterte noch rascher vom Baum, als er hinaufgestiegen war. Ely sah benommen aus, war aber unverletzt bis auf eine hässliche Wunde an der Stirn. Über seine Schulter hing ein Langgewehr. Der Lauf war sauber, der Ladestock dort, wo er hingehörte. Offenbar hatte der alte Mann die Waffe nicht abgefeuert. »Was ist passiert?«

»Ich weiß nicht genau.« Elys Stimme zitterte. Er starrte auf die Leichen seines Sohns, seiner Schwiegertochter und seines kleinen Enkels. »Ich war oben bei den Dämmen, um nachzuschauen. Dann hab ich von hier unten Tumult gehört, bin zurück und …«

»Was für Tumult?«

»Zuerst wusste ich's nicht so genau. Dann hab ich Rauch gesehen und mir gedacht, dass es irgendwo brennt. Da hab ich einen solchen Schreck gekriegt, dass ich nicht mehr aufgepasst hab, wo ich hinlaufe. Ziemlich blöd, so alt wie ich bin. Bin so schnell gerannt, dass ein Zweig mich am Kopf erwischt hat. Da bin ich hingefallen, war wohl bewusstlos. Als ich dann hier ankam, sind sie gerade weg. Und …« Er deutete auf die drei Leichen. »Zu spät, um noch was zu tun. Keinen einzigen Schuss hab ich abgefeuert.«

»Das ist auch gut so. Hätten Sie's getan, wären Sie jetzt auch tot.« Quent legte dem älteren Mann eine Hand auf die Schulter.

»Sie setzen die Weizenfelder in Brand. Hatten die, die sie gesehen haben, Pferde?«

Ely schüttelte den Kopf. Ein Funkenschauer stob herab, die Flammen loderten auf. »Hab keine Pferde gesehen.«

Dennoch würde der Kriegstrupp nicht lange zu Fuß bleiben. Zwischen dem Sägewerk und dem Zuckerhaus lag die Koppel. Guter Gott, mindestens ein Dutzend Tiere, deren sie habhaft werden konnten. Quent winkte die beiden zu sich. »Kommt, wir können ihnen den Weg abschneiden, wenn wir die Abkürzung um den Big Two nehmen.« Der Säger rührte sich nicht. »Ely.« Quents Stimme wurde sanfter. »Ich brauche Sie.« Der alte Mann starrte weiter auf die Leichen seiner Familie. »Wir haben jetzt keine Zeit, sie zu begraben, Ely.« Wenn die Tapferen erst einmal Pferde hatten, konnten sie in weniger als einer halben Stunde beim großen Haus sein.

Davidson zögerte noch einen Augenblick, dann nahm er das Gewehr von der Schulter und begann, Pulver in den Lauf zu stopfen. »Sampson, komm mit!«, rief er.

»Ich komm schon, Master Ely. Ich hol mir nur kurz was.« Sampson hatte etwas entdeckt, das den Wilden entgangen war: Hank Davidson war auf seine Muskete gefallen, unter seiner Schulter ragte das Ende des Laufs hervor. Der Junge zerrte die Waffe hervor und lief dann den beiden Männern in den Wald nach.

Quent rannte voraus. »Die, die Sie gesehen haben, Ely, waren das Kahniankehaka? Mohawk?«, fragte er über die Schulter hinweg.

»Nein. Falsche Kriegsbemalung. Die war nicht blau, sondern rot und schwarz.«

Das klang nach Huronen. Kaltes Grauen überfiel ihn. »Rot und schwarz? Sind Sie sicher?«

»Ganz sicher.«

Die Abkürzung, die um die Big Two herumführte, gabelte sich bald. Quent musste sich entscheiden. Wenn es sich bei dem Überfall um einen gezielten Angriff handelte, dann musste der Kriegstrupp mit dem Grundriss des Guts vertraut sein. Wenn jemand sie damit beauftragt hatte, die Weizenfelder abzufackeln, und sie zu Fuß hergeschickt hatte, dann hatte jemand ihnen auch gesagt, wo sie Pferde finden konnten, um noch mehr Unheil zu stiften. Wo sollten sie zuerst hin? Zum Zuckerhaus – wenn die Frankels und die anderen noch am Leben waren, konnten zwei weitere Gewehre dafür sorgen, dass sie das auch blieben – oder doch zur Koppel?

»Moses und Tim Frankel haben bestimmt schon mitbekommen, was los ist.« Ely war eigentlich nicht mehr in dem Alter, in dem ihm das Laufen leicht fiel, aber seine Stimme war fest. Seine Entschlossenheit verlieh ihm Kraft. »Aber die im Zuckerhaus haben nur Musketen. Die werden sich freuen, wenn …«

»Hier lang«, sagte Quent und bog nach links ab.

»Aber das Zuckerhaus ist …«

»Hier lang. Die Tapferen gehen als Erstes zur Koppel. Die brauchen Pferde, und sie wissen, wo sie sie finden.« Gott stehe ihnen bei, wenn er sich täuschte.

»Die Wilden brauchen keine Pferde, um Skalps zu holen. Wir müssen …«

»Reden Sie nicht, Ely. Sparen Sie sich Ihre Kraft fürs Schießen.« Er spürte die Missbilligung im Blick des Alten, der sich in seinen Rücken bohrte – und auch die Angst des jungen Sampson.

John entdeckte die grauen Rauchschwaden am Horizont, als es auf zwei Uhr zuging, eine gute Stunde vor der Essenszeit. Er hatte geplant, nach dem Essen loszureiten und den Fortgang des Heuens zu überwachen. Doch nun vergaß er seinen Hunger, lief zu den Ställen und rief nach einem Pferd. »Es brennt! Schnell mit dem Sattel, verflucht, sonst zieh ich dir die Haut ab!«

George Junior zog noch einmal prüfend am Sattelgurt, während John bereits aufsaß. »Hol einen Wagen«, befahl John. »Füll ihn mit Eimern. Ruf auch Jeremiah und Sechs-Finger-Sam, und dann kommt mir nach.« Überall auf dem Gut waren Brunnen gegraben. Die einzige Hoffnung, ein Feuer zu bekämpfen, bestand darin, dass sich einer der Brunnen oder, besser noch, ein Bach oder Fluss in der Nähe befanden. In dem Fall brauchten sie alle Hände, um eine Löschkette zu bilden. »Bring Flinke Ruth mit. Und Maisbesen-Hannah.« Küchen-Hannah war zu alt, um eine Hilfe zu sein.

»John! John! Hast du gesehen?« Lorene eilte mit gerafften Röcken aus dem Haus und lief auf die Stallungen zu. »Es sieht nach einem Feuer aus.«

»Ich weiß.« Sein Pferd spürte seine Unruhe und scharrte im gepflasterten Hof nervös mit den Hufen. »Ich hab den anderen gesagt, sie sollen im Wagen nachkommen.«

»Ich komme auch. Ich kann …«

»Nein, du bleibst hier. Alle sollen mitkommen außer Küchen-Hannah. Vater darf nicht allein bleiben.«

Sie widersprach, aber nur halbherzig. Ausnahmsweise hatte John Recht. Lorene sah ihm nach, als er davonritt, und überwachte das Beladen des Wagens, der ihm wenige Minuten später folgte. Dann blieb sie im Hof vor den Stallungen zurück, die Hände zu Fäusten geballt. Sie war allein mit Ephraim und Küchen-Hannah, konnte nichts Sinnvolles tun, und die graue Rauchwolke am Horizont wurde mit jeder Minute größer und schwärzer. Guter Gott. Lieber, gütiger Gott. Ein Blitzschlag zerfetzte die Stille. Lieber Gott, mach, dass es regnet. Lass es nicht nur ein Sturm ohne Regen sein.

»Lorene!«

Sie sah auf. Ephraim stand am Fenster seines Zimmers und deutete auf den Horizont. »Feuer, Lorene!«

»Ich weiß. John ist schon unterwegs, er hat die Sklaven mitgenommen. Sie kümmern sich darum, Ephraim. Ich komme zu dir hinauf. Mach dir keine Sorgen.«

Quent, Ely und Sampson kamen aus dem Wald auf eine kleine Hochebene mit einer natürlichen Lichtung. Die Koppel war in Sichtweite.

Quent deutete auf eine große Eiche mit einem mächtigen Stamm. »Ely, Sie verbergen sich hier. Halten Sie die Augen auf. Schießen Sie erst, wenn ich's tue. Sampson, komm mit.«

Er ging rund zwanzig Schritt mit dem Jungen weiter und deutete auf die Muskete. »Weißt du, wie man damit schießt?«

Sampson grinste. »Aber klar, Master Quent.«

Es verstieß gegen das Gesetz der Provinz New York, einem Sklaven eine Waffe in die Hand zu geben. Auf dem Gut galten zwar mehr oder minder ihre eigenen Gesetze, aber wenn John den Schwarzen mit einer Muskete antraf, würde er ihn windelweich prügeln. »Hast du Schrot? Pulver?« Der Junge zeigte ihm die Munition, die er dem toten Hank Davidson abgenommen hatte. »Gut. Bleib hier, hinter diesem Baum. Wenn zu zwei Schüsse gehört hast, meinen und Master Elys, feuerst du auch, und dann lädst du so schnell wie möglich nach. Sobald du fertig bist, feuerst du wieder.«

»Ich kann auf den Baum rauf, Master Quent. Dann kann ich ...«

»Nein. Tu genau das, was ich dir sage. Verstanden?«

»Kapiert.«

Es war wichtig, dass alle Schüsse ebenerdig abgefeuert wurden. Das war die einzige Möglichkeit, den Eindruck zu erwecken, als hätten sie die Angreifer umzingelt. Quent beschattete die Augen und sah den Pfad entlang zur Koppel. Dort war niemand. Er kniete auf den Boden und legte ein Ohr auf die Erde. Nichts. Wenn er sich irrte, waren die Tapferen schon beim Zuckerhaus angelangt und mordeten und brandschatzten dort. Jetzt aber war es zu spät, er hatte seine Entscheidung getroffen.

Quent ging zu einigen Ulmen, die sich direkt gegenüber dem Baum befanden, hinter dem Ely stand. Der Himmel war noch dunkler als zuvor, und noch immer regte sich kein Lüftchen, doch der Rauch trieb zu ihnen herüber. Quent vermutete, dass er von den Strömungen hoch oben herübergeweht wurde, die manchmal die Wolken am Himmel bewegten, während sich am Boden kein Blatt regte. Auch die Pferde rochen es. Sie scharrten mit den Hufen und wieherten erschreckt. Und da war noch ein anderes Geräusch, kaum hörbar, doch mit jedem Augenblick deutlicher: Mokassins im Laufschritt. Quent hob das Gewehr an die Schulter und nahm die Stelle ins Visier, wo der breite Pfad in die Lichtung mündete.

Die Braunkutte hatte den Lageplan mit einem Stecken auf den Boden gezeichnet und Lantak die Dinge gezeigt, die er wissen musste. Bis jetzt war alles genau so, wie der Priester es gesagt hatte. Als Lantak die Pferde hörte, brummte er zufrieden. Er hob die Hand zum Zeichen für die anderen, stehen zu bleiben. Dann gestikulierte er und deutete schließlich in zwei Richtungen. Drei Tapfere lösten sich von der Gruppe und verschwanden zwischen den Bäumen zu Lantaks Rechten. Drei weitere gingen nach links. Lantak wartete. Bislang war er auf keinen ernsthaften Widerstand gestoßen, aber ein kluger Kriegssachem ging nie davon aus, dass sein Feind dumm war. Und Überraschung war eine Waffe, mit der man nur einmal zuschlagen konnte.

Das Verstummen der Schritte signalisierte Quent, dass die Tapferen sich aufteilten. Wenn es so viele waren, dass sie die Lichtung ganz umstellen konnten, würden sie Sampson und Ely entdecken, und sie wären verloren. Aber er war sich ziemlich sicher, dass das nicht der Fall war. Indianer kämpften in kleinen Trupps. Außerdem wäre eine Gruppe von Huronen, die groß genug war, die Koppel zu umzingeln, auf dem Weg hierher unweigerlich entdeckt worden. Vermutlich waren es weniger als ein Dutzend, und zumindest einige von ihnen würden die Lichtung über den breiten Pfad betreten. An der Stelle, die er im Visier hatte.

Einige Blätter bewegten sich.

Heiliger Herr des Himmels. Huronen-Kriegsbemalung und eine Skalplocke, genau wie Sampson gesagt hatte. Aber auch lederne Kniehosen. Nicht viele Huronen trugen … Guter Gott. Er spähte in die unnatürliche Dunkelheit des Nachmittags und musste einfach glauben, was er sah, so unwahrscheinlich es ihm auch erschien. Es war Lantak, der gefürchtetste Abtrünnige in ganz Neufrankreich. Ein Mann, der von Hass so zerfressen war, dass selbst sein eigenes Langhaus nichts mehr mit ihm zu tun haben wollte. Wenn Lantak Nicole entdecken sollte … Quents Herz schlug donnernd gegen seine Rippen. Laut genug, dass die verfluchten Mörder es eigentlich hören mussten, zum Glück aber machten die Pferde genügend Lärm. Sie witterten den unbekannten Geruch der Indianer und gerieten zunehmend in Panik, scharrten die Erde auf, trampelten und schnaubten.

Lantak und die beiden Tapferen, die ihn begleiteten, steuerten auf die Koppel zu. Quents Finger lag fest auf dem Abzug, doch er feuerte nicht. Er wusste, dass noch andere da waren, und sie sollten ohne Deckung sein, wenn der Kampf begann.

Die Tapferen mussten rund sechs Klafter offenes Gelände überqueren, um zu den Pferden zu gelangen. Quent behielt weiter Lantak im Visier, während er gleichzeitig wahrnahm, dass sechs weitere Huronen lautlos auf der Lichtung erschienen. Er wartete noch einige Herzschläge, keine weiteren Indianer folgten. Also waren es neun insgesamt. Lantak und zwei weitere hatten Langgewehre, die restlichen Musketen. Wenn der Mann ihm gegenüber Corm wäre und nicht der alte Ely Davidson, könnten sie die Bande in wenigen Minuten überwältigen.

»Bleibt ihr wohl stehen, ihr wildes Gesindel!« Großer Jacob stürmte aus dem Wald, seine Stimme hallte durch die Lichtung. »Meine Pferde kriegt ihr nicht. Die sind …«

Quent feuerte im selben Augenblick, als Lantak nach links herumwirbelte und nach seinem Tomahawk griff. Es war der Kopf des Tapferen hinter ihm, der als blutige Knochenmasse durch die Luft flog. Ely Davidson erwischte einen anderen Indianer. Ein dritter bekam Sampsons Musketenkugel in die Schulter und fiel taumelnd zu Boden. Als Quent schließlich nachgeladen hatte, fand er kein Ziel mehr. Die Angreifer hatten sich alle zu Boden geworfen und robbten auf den Wald zu.

Großer Jacob lag auf der Erde, Lantaks Tomahawk im Schädel. Der Gestank des Pulvers hing in der stillen Luft, dazu der herbe Geruch der Männer. Das einzige Geräusch war das Wiehern der Pferde. Dann krachte ein Langgewehr. Quent vermutete, dass der Schuss von Ely stammte, doch er ging ins Leere. Quent sah, dass der Tapfere, der der Koppel am nächsten war, auf das Tor zukroch. Wenn er die Pferde freiließ, würde jeder Indianer bis auf vielleicht den Verletzten innerhalb eines Herzschlags zu Pferd sitzen. Quent auch, Sampson und Ely aber kaum. Er würde ganz allein sechs, vielleicht sieben mordgierigen Huronen nachjagen müssen. Er versuchte, den robbenden Indianer ins Visier zu bekommen.

Ein weiterer Musketenschuss hallte durch die Luft, vermutlich derjenige Sampsons. Doch es folgte keine Erwiderung. Die Indianer waren klug, sie würden keine Munition auf ein Ziel verwenden, das sie nicht sehen konnten. Inzwischen hatte der Tapfere, der weiter auf die Koppel zurobbte, sein Ziel fast erreicht. Er richtete sich ein wenig auf, streckte den Arm zum Tor aus. Das genügte. Quents Schuss riss ihm den Kopf ab. Ein rotbrauner Wallach roch das Blut und wieherte panisch.

Ein Blitz zuckte über den schwarzen Himmel, und für die Dauer eines Atemzugs war die Koppel in ein seltsames blaues Licht getaucht. Das Wiehern stieg ohrenbetäubend an. Ein Indianer richtete sich auf die Knie auf, und ein weiterer Blitz sauste durch die drückende Luft. Es war ein flammender Pfeil, der mitten in der Koppel landete. Ein Pferd brüllte auf in Todesqual. Die anderen warfen sich gegen den Zaun der Koppel, das Holz gab unter ihrem Ansturm nach. Dann waren die Pferde frei.

Quent rannte vorwärts und packte die Mähne des ersten Pferdes, das er zu greifen bekam – die graue Stute, wie sich herausstellte. Sie versuchte sich loszureißen, doch er hievte sich auf ihren Rücken und schwang sich sofort zur Seite, sodass ihre Flanke ihm Schutz bot. Unmöglich, jetzt zu laden und zu zielen. Die einzige Waffe, die er einsetzen konnte, war der Dolch. Und wenn er den einmal geworfen hatte, war er für immer fort.

Wie er vermutet hatte, war es jedem der Huronen gelungen, ein Pferd einzufangen und aufzusitzen. Sechs an der Zahl waren es, die über die Lichtung auf den Hauptpfad zudonnerten. Lantak wandte sich um, sein Messer sauste durch die Luft direkt auf die Stirn von Quents Stute zu. Quent duckte sich tief, obwohl er wusste, dass er wegen seiner Größe immer noch eine gute Zielscheibe abgab, und riss den Kopf des Pferdes nach unten. Das Messer flog über sie beide hinweg.

Er sah, wie Lantak sich tief über sein Pferd beugte, beinahe eins wurde mit dem Tier, und im nächsten Moment davonpreschte. Die Koppel hinter ihnen würde bald lichterloh brennen, die Flammen züngelten über das kurze, abgefressene Gras, nährten sich am Holzzaun und loderten weiter. Ein weiterer Blitzschlag zerriss den Himmel. Quent sah Sampson über die Lichtung auf sich zukommen. »Lauf zum großen Haus!«, rief er. »Sag Master John Bescheid!«

Diese wenigen Momente verschafften den Indianern den entscheidenden Vorteil. Sie waren jetzt weit vor ihm, donnerten den Pfad entlang. Quent galoppierte ihnen nach. Der hinterste Tapfere hatte sich umgedreht, ritt, ohne auf den Weg zu achten, im Vertrauen darauf, dass sein Pferd den anderen folgen würde. Er legte einen Pfeil auf seinen Bogen und schoss. Quent ließ sich zur Seite fallen. In rascher Folge kamen zwei weitere Pfeile. Quent wich ihnen beiden aus, hörte sie an sich vorbeizischen. Bevor der Tapfere einen weiteren Pfeil abschießen konnte, riss ein tief hängender Ast ihn vom Pferd. Das Tier bäumte sich auf, erschreckt über den plötzlichen Verlust seines Reiters. Der Tapfere rollte sich zur Seite, um nicht zertrampelt zu werden, als sein Pferd – der rotbraune Wallach – den anderen nachstürmte. Dann richtete er sich auf die Knie auf. Quents Dolch schlitzte ihm die Kehle auf, mit einem letzten Zucken fiel er zu Boden. Quent glitt auf die Flanke der Stute, hielt sich nur durch den Druck seiner Knie und einer Hand in der Mähne fest, und zog im Vorbeireiten seinen Dolch aus dem Toten. Dann nahm er weiter die Verfolgungsjagd auf.

Jetzt war er allein gegen Lantak und seine Tapferen, die ihm alle weit voraus waren. Fünf waren es noch. Fünf gottverfluchte mörderische Dreckskerle zu viel. Zur Hölle sollten sie verdammt werden. Quent grub die Fersen in die Flanken der Stute, hieb mit der flachen Hand auf ihren Hals ein. »Lauf, du verfluchter Klepper! Lauf, verdammt noch mal! Schneller!«

Der Pfad war breit genug für einen kleinen Wagen, sodass Großer Jacob die Pferde außerhalb der kleinen Koppel hatte einfahren können. Nun war Jacob tot; ermordet vom berüchtigtsten Huronen in ganz Kanada. Wie in Gottes Namen kam Lantak dazu, Shadowbrook zu überfallen? Er hatte Sampson gesagt, er solle John suchen. Aber vielleicht wusste John längst Bescheid …

Unerbittlich von Quent angetrieben, holte die Stute schließlich den reiterlosen Wallach ein. Quent packte die Mähne des Pferdes, und einige Herzschläge lang lenkte er beide Tiere nur mit den bloßen Händen, dann hatte er sich auf den Rücken des Wallachs geschwungen, schmiegte sich an seinen Kopf und trieb ihn vorwärts. »Lauf, du verfluchter Gaul, lauf!«

Die fünf Tapferen hatten den Abstand vergrößert. Sie näherten sich der Stelle, wo der Pfad in die große Straße mündete. Quent konnte sie sehen, er war nah genug, um einen Schuss abzufeuern, doch beim Nachladen würde er wieder kostbare Zeit verlieren, und der Tapfere direkt vor ihm trug keine lederne Kniehose. Wenn er nicht Lantak selbst erwischen konnte – und zwar beim ersten Schuss –, war es besser zu warten. Jetzt hing alles davon ab, welche Richtung die Angreifer einschlugen, wenn sie die große Straße erreichten. Nach rechts bedeutete, dass sie auf das große Haus abzielten. Links bedeutete, dass sie sich zurückzogen.

Der Kriegstrupp hatte die Kreuzung erreicht und schwenkte nach links. Sie ritten also dorthin zurück, woher sie gekommen waren, verließen das Gut aus Gründen, die ebenso geheimnisvoll waren wie die, die sie hergebracht hatten. Der Himmel allein wusste, was im großen Haus vor sich ging. Guter Gott, vielleicht war es mehr als nur ein einziger Kriegstrupp. Vielleicht wurde der Überfall von zwei Seiten ausgeführt, vielleicht stand Shadowbrook bereits in Flammen. Er sollte zum Haus, zu seiner Mutter und seinem sterbenskranken Vater, zu seinem Bruder, der möglicherweise noch heimtückischer war, als er sich je hätte träumen lassen.

Angst stieg in ihm auf, die er nicht unterdrücken konnte. Lantak war ein Schlächter, ein blutrünstiger Wahnsinniger. Er sagte sich, dass Lantak unmöglich ahnen konnte, dass Nicole in der Höhle hinter dem Wasserfall verborgen war. Es war einfach unmöglich, und außerdem gab es keinen Grund, warum das den Huronen interessieren sollte. Aber nichts, was an diesem Tag passiert war, ergab irgendeinen Sinn. Schon einmal hatte er die Frau, die er liebte, in der verdammten Lichtung allein gelassen, und sie war gestorben, bevor er sie retten konnte. Bei Gott, nicht dieses Mal. Bitte nicht dieses Mal.

Quent drückte den großen Kopf des Wallachs nach links und galoppierte vom großen Haus fort, den Tapferen nach. Gleichzeitig rollte ein Donnergrollen heran, das aus den Tiefen der Erde zu kommen schien. Guter Gott, wenn es nur endlich regnen würde. Er sah zum Himmel, betete, einen oder zwei Tropfen zu spüren, doch die einzige Feuchtigkeit war der Schweiß, der ihm über das Gesicht lief. Lantak und seine Abtrünnigen preschten vor ihm her. Quent trieb sein Pferd voran, doch der Abstand zwischen ihm und den Indianern vergrößerte sich zusehends. Er war doppelt so groß und schwer wie jeder der Indianer. Der Wallach war ein williges, gutmütiges Pferd, er hatte nur einfach mehr Gewicht zu tragen. Quent nahm das Langgewehr von der Schulter und legte an, auch wenn er wusste, dass er noch langsamer wurde, wenn er sich aufrichtete. Wenn er die mörderische Bande sowieso aus den Augen verlor, konnte er wenigstens einen Schuss abgeben. Möglichst einen tödlichen.

John ritt an den brennenden Feldern entlang. Flammen, so weit das Auge reichte, eine Feuersbrunst zwischen dem Horizont und seinem Standort, knapp eine Meile südwestlich des Zuckerhauses. Guter, heiliger Gott. Sie waren ruiniert. Er war ruiniert.

Er dachte an die Kaufleute in New York City, seine Bürgen, und eine kalte Hand packte nach ihm und presste seine Eingeweide zusammen. Natürlich, noch war nichts unterschrieben. Er konnte nichts unterschreiben, solange sein Vater noch lebte. Aber eine Vereinbarung bestand. Er hatte sein Wort darauf gegeben – der Gewinn aus der diesjährigen Ernte als Anzahlung für Felder in St. Kitts. Nicht irgendwelche Felder, verdammt. Zuckerrohrfelder.

Wie viele Jahre hatte er mit seinem Vater über dieses Thema gestritten? Man brauchte nicht in der gottverfluchten Karibik zu leben, um mit Zucker reich zu werden. Die Inseln waren die lebende Hölle, wo die Knute herrschte und die Sonne herabbrannte, ein Ort, an dem kein weißer Mann leben konnte, von einer weißen Frau ganz zu schweigen. Niemand als ein Afrikaner konnte in der sengenden Hitze der von Insekten geplagten Inseln Zuckerrohr anbauen und ernten, und selbst die Schwarzen taten es nur unter der Peitsche. Die Eigentümer der Plantagen selbst lebten in den Kolonien oder in London und setzten Agenten ein, die sich um ihre Geschäfte kümmerten. Und was den Handel zwischen den Zuckerinseln und den Lieferanten der Güter im Norden betraf – der Erzeugnisse, die alle Menschen in der Karibik ernährten –, der wurde von den Schiffskapitänen kontrolliert, die die Waren hin und her beförderten. Wenn nun einem Mann beides gehörte, Zuckerfelder und die Ländereien, die die Ernährung sicherstellten, dann war ihm Reichtum gewiss. Doch die meisten seiner Mitmenschen waren entweder zu dumm, die Gelegenheit zu sehen, oder besaßen zu wenig Land, um sie ergreifen zu können. Sogar, Gott sei ihm gnädig, Ephraim Hale. »Morris tut's auch«, hatte er seinem Vater wiederholt gesagt. »Warum nicht wir?«

Ephraim hatte ihm stets dieselbe Antwort gegeben. »Zuckerrohr ist ein schmutziges Geschäft. Ich will nichts damit zu tun haben.« Und dabei wollte er nicht sehen, dass er ohne die Zuckerplantagen, die ihm seine Ernte abnahmen, auch nur ein armer Bauer mit Dreck unter den Fingernägeln wäre, der ein karges Auskommen fristete.

Ein solcher Bauer würde John Hale nicht sein. Und bei Gott, er würde nicht den Hut ziehen vor den Großen in New York City, vor den Morriss', den Livingstones, den Van Cortlandts und ihresgleichen mit ihren Abschlüssen von Yale und Princeton, ihren vornehmen Häusern und ihren in Satin gekleideten Frauen. Geld war der große Gleichmacher. Mit genügend Geld war ein Mann bedeutend, unabhängig von seinem Namen und seiner Ausbildung. Mit Land, das Zuckerrohr hervorbrachte, und dazu Land, das Weizen erzeugte, würde er … Nein, das würde er nicht. Vorbei. John beschattete die Augen mit der Hand und blickte in die Flammen, die all seine Träume zunichte machten.

»Master John!« Sechs-Finger-Sam war den ganzen Weg von der Mühle hergelaufen. Er war schweißgebadet, seine nicht mehr ganz jungen Beine zitterten vor Erschöpfung. »Master Moses hat mich geschickt.« Der Sklave war außer Atem, und gerade hatte er auf einmal mehr Worte gesprochen als seit vielen, vielen Jahren. Aber es war ein Tag der Gefahr. Ein böser, schlimmer Tag. »Master Moses hat gesagt, ich soll Ihnen sagen, dass wir die Mühle und das Zuckerhaus und alles andere so nass machen, bis sie kein Wasser mehr halten können. Er sagte, vielleicht sollten wir …«

John wandte sich um, und seine Hand landete mit solcher Wucht auf Sams Wange, dass er die Erschütterung im ganzen Arm spürte. »Ich will gar nicht wissen, was Moses Frankel meint, was wir tun sollen, du gottverfluchter Idiot. Ich hab dir gesagt, du sollst da bleiben und dich drum kümmern, dass den Gebäuden nichts passiert.« Seine Hand schmerzte, doch es ging ihm besser. John begann, den Gürtel zu öffnen. »Dich werde ich Mores lehren, mir nicht zu ge…«

Ein Blitz krachte über ihnen, gefolgt von einem gewaltigen Donnerschlag. Der Himmel öffnete seine Schleusen, und strömender Regen – die Rettung – ergoss sich aus den Wolken.

Wenn die Braunkutte Lantak sagte, er würde die zweite Rate in Höhe von zweihundert *livres* nicht bekommen, weil der Regen den Brand gelöscht hatte, würde er ihn töten. Besser noch, er würde ihn auf jeden Fall töten. Am besten wäre es natürlich gewesen, wenn er Uko Nyakwai erwischt hätte. Als ihm schließlich klar wurde, wer ihm die Falle bei der Koppel gestellt hatte, war es zu spät, um noch etwas mit dem Langgewehr oder dem Tomahawk auszurichten. Jetzt – Lantak warf einen raschen Blick über die Schulter – konnte er das Pferd mit dem Roten Bären nicht mehr sehen. Der Regen war so dicht, dass er nur gerade noch seine Hände ausmachen konnte. Außerdem wurden die Pferde müde. Wenn mehr Weiße auf ausgeruhten Pferden ihnen nachsetzten, stand es nicht gut.

Diese Gedanken beschäftigten Lantak so sehr, dass er gar nicht auf seine Umgebung achtete, bis einer seiner Tapferen neben ihm herritt. »Da, schau, neben dem Straßenrand«, sagte er. »Zwei Schwarze, eine Squaw und ein Mann. Ich hol ihre Skalps.«

Der Tapfere ritt zu den beiden Gestalten, die im angrenzenden Wald kauerten. Lantak sah ihm gelangweilt zu. Doch nach einem Augenblick erkannte er die Frau wieder und erinnerte sich an ihren Gesang. »Halt!«, rief er. »Rühr die Squaw nicht an. Sie hat einen Geist.« Er blickte zum Himmel. Vielleicht hatte sie den Regen herabgesungen. »Bring den Mann um, wenn … Nein, bring ihn nicht um. Nimm ihn mit.« Es war dieser Mann oder keiner. Trotz der Squaw, die den Geist besaß – Lantak konnte nicht anders, sein Verlangen war zu groß. »Er ist kräftig. Er wird viele Liebkosungen überleben.« Der Tapfere wandte sich nicht um, hob aber die Hand zum Zeichen, dass er verstanden hatte.

Quent hatte schon vor einiger Zeit sein Tempo gedrosselt, lange bevor Lantak und seine Abtrünnigen die beiden Ebereschen erreichten, die die Abbiegung zur Lichtung markierten. Bis er schließlich auf den Pfad einschwenkte, der zur Lichtung und zum Wasserfall führte, waren die Indianer zu weit voraus, um ihn zu sehen.

Er stürmte dahin, trieb den Wallach auf dem schmalen Weg zur Eile, doch ein Stück vor der Lichtung glitt er ihm vom Rücken. Dann drehte er das Pferd in die andere Richtung. »Lauf, Junge. Lauf nach Hause. Hast es dir verdient.« Vermutlich würde der Wallach den Weg zur Koppel zurückfinden. Oder er würde auf dem Weg dorthin gefunden werden von jemandem, den John beauftragt hatte, die Pferde zusammenzutreiben. John … Großer Gott, es war unvorstellbar. Wenn Quent an all die Zerstörung dachte, die an diesem Tag über sie hereingebrochen war, wurde ihm übel. Sich auszumalen, dass John zu dieser Verwüstung angestiftet hatte, erschien ihm jetzt ebenso wenig Sinn zu ergeben wie zuvor.

Zumindest war Nicole nichts zugestoßen. Nichts deutete darauf hin, dass ein Fremder den Pfad betreten hatte. Und als er die Lichtung erreichte, sah es dort genauso aus wie vor wenigen Stunden, als er sie verlassen hatte. Bevor er aus dem Schutz der Bäume trat, ließ er den Blick über jeden Baum und jeden Moosflecken schweifen, doch es war nichts zu sehen außer dem unaufhörlich herniederprasselnden Regen. Gott sei gedankt für den Regen. Gott sei gedankt, dass niemand auf der Lichtung war. Hier war niemandem Gewalt angetan worden – zumindest nicht an diesem Tag.

Quent wusste nicht genau, was ihn dazu veranlasst hatte, Nicole herzubringen. Es war ihm wichtig erschienen, aber jetzt konnte er nicht mehr sagen, warum. Der Ort war verflucht. In dieser Lichtung hatte er eine Liebe verloren und beinahe auch eine andere. Ein Geist lebte hier. Shoshanaya hatte ihn eine *nawa* genannt, einen weiblichen Herrschergeist. Sie sagte, sie sei wohlwollend und wünsche ihnen nichts Böses. Sie hatte sich getäuscht. Ich habe genug von dir, *nawa*. Du bist eine hinterhältige Hexe. Dieser Ort ist trügerisch, er sieht aus wie das Paradies auf Erden, aber das ist eine Lüge.

Während er zum Bachufer ging, sah er sich weiterhin aufmerksam um, konnte aber nichts Beunruhigendes entdecken. Mittlerweile war er vom Regen so durchnässt, dass er das Wasser des Baches gar nicht spürte, als er in die Mitte watete. Nur den Widerstand der schnellen Strömung nahm er wahr. Ein letztes Mal schaute er prüfend auf die Lichtung und in den umliegenden Wald. Alles war, wie es sein sollte. Er holte tief Luft und tauchte unter. Mit einigen kräftigen Zügen war er jenseits des Wasserfalls und stand am Eingang zur Höhle.

Mit beiden Händen stemmte er sich auf den Felsabsatz hinauf. »Nicole, keine Angst. Ich bin's.« Er rief nicht laut. In Höhlen trugen Stimmen weit. Das hatte er schon als Kind gelernt. »Nicole, ich bin's, Quent. Wo bist du?«

Er blinzelte das Wasser aus den Augen, schob sich das rote Haar aus der Stirn. »Nicole ...« Jetzt konnte er klar sehen. Da war niemand in der Höhle. Das war unmöglich ... Sie hatte doch versprochen ... Aber sie war nicht da. »Nicole!« Dieses Mal schrie er, seine Stimme hallte aus den Tiefen des unterirdischen Gangs wider. Er zögerte, wusste nicht, ob er ans Ufer zurückkehren oder tiefer in die Höhle gehen sollte. Ohne Licht allerdings war es sinnlos, Nicole in der undurchdringlichen Schwärze vor sich zu suchen, aber woanders konnte sie nicht sein. Sie konnte nicht schwimmen. Sie konnte paddeln, aber nicht genug, um durch den Wasserfall zum Ufer zu gelangen. Niemals. Also musste sie tiefer in die Höhle hineingegangen sein. Aber warum? Gottverdammt, wer wusste schon, warum Frauen überhaupt etwas taten?

Quent kämpfte gegen seine böse Vorahnung an, seine Angst, die *nawa* habe erneut obsiegt und ihm sein Kostbarstes geraubt.

Wut brandete in ihm auf, dann wurde ihm bewusst, wie dumm das war. Worauf bist du zornig, du Narr? Einen Geist. Man kann Geister nicht überlisten, das weißt du doch. Halte dich an das, was in deiner Macht steht. Nicole hatte Angst. Du warst nicht da. Sie kann nicht gut genug schwimmen, um durch den Wasserfall hindurch an Land zu kommen, also ist sie tiefer in die Höhle gegangen. Doch nur wenige Fuß in die Richtung war es pechschwarz.

Quent sah sich um, betrachtete die Wände der Höhle. Vor Jahren hatten er und Shoshanaya hier Zunder zurückgelassen, und eine Laterne. Beides hatten sie hinter einem Stein versteckt, aber hinter welchem?

Quent überlegte kurz. Das meiste aus jener Zeit war ihm entfallen. Er hatte sich dazu gezwungen, es zu vergessen, sonst hätte die Trauer ihn umgebracht. Ach ja. Der da war es, der Stein in der Form eines Tipis. Er saß ziemlich locker, und wenn man ihn etwas anhebelte … Mithilfe seines Dolchs ließ sich der Stein herausnehmen. Dahinter war eine kleine Mulde, und darin lagen die Laterne, der Feuerstein und die Zunderbüchse, die er und Shoshanaya vor einem ganzen Leben dort deponiert hatten.

Er schlug einen Funken und brachte den Docht mit einiger Mühe zum Brennen. Viel Öl war nicht übrig. Genug vielleicht für eine Viertelstunde. Manchmal hatten sie sich in dieser Höhle geliebt und waren geblieben, bis draußen die Dunkelheit hereinbrach. Dafür war die Laterne gedacht, damit er ihr Lächeln sehen konnte, wenn sie die Arme nach ihm ausstreckte.

»Nicole.« Wieder rief er ihren Namen. Wieder wartete er, doch es kam keine Antwort. Quent schritt in die Dunkelheit hinein. Wenige Momente später herrschte außerhalb des Lichtkegels der Laterne absolute Finsternis.

Nach etwa einem Viertel der gesamten Länge der Höhle fand er Nicole. Mit herabhängenden Armen kniete sie auf dem Felsboden, die Augen hielt sie geschlossen. Sie reagierte nicht, als sie plötzlich in Licht getaucht wurde. »Nicole! Gott sei Dank. Ich war … Warum hast du nicht geantwortet? Nicole …«

Sie schien ihn nicht zu hören. Quent stellte die Laterne auf den Boden. Als er sie berührte, zuckte sie zusammen. Endlich öffnete sie die Augen. Er zog sie hoch, in seine Arme, und sie wehrte sich nicht, schmiegte sich aber auch nicht an ihn, wie sie es zuvor getan hatte. »Ich habe mir solche Sorgen gemacht«, sagte er. »Hast du mich nicht rufen hören? Ich habe dir doch gesagt, du sollst bleiben, wo du bist. Warum bist du weiter in die Höhle gegangen?«

»Ich bin dem Licht gefolgt.«

»Da ist kein Licht. Erst nach gut vier Meilen. Dann kommst du bei Swallows Children heraus. Das ist eine Schlucht. Sehr gefährlich, wenn du dich nicht aus... Nicole, ich hab mir solche ... Ich dachte, ich hätte dich verloren.«

Er vergaß seinen Ärger und murmelte die letzten Worte, während er sie noch fester an sich drückte. Sie antwortete nicht, blieb reglos in seiner Umarmung. Der Schock, sagte er sich. Es war so viel passiert. Vielleicht hatte sie aber auch vergessen, dass sich dort auf der Lichtung, bevor Sampson durch den Wald gestürmt kam, alles zwischen ihnen verändert hatte. »Jetzt ist alles gut«, beschwichtigte er sie. »Es regnet, es gießt sogar in Strömen. Die Feuer sind gelöscht, die Indianer sind weggeritten. Wir müssen zum großen Haus zurück. Dort werden sie mich brauchen.«

»Ich bin dem Licht gefolgt«, wiederholte sie. Quent tat, als habe er sie nicht gehört.

»Etwa die Hälfte der Weizenernte ist vernichtet.« Ephraim wich den Blicken der rund vierzig Menschen aus, die ihn ansahen. »Außerdem das gesamte Heu. Das Sägewerk liegt in Schutt und Asche. Die meisten Sägen sind unbrauchbar, nur eine, die High Josiah, lässt sich vielleicht noch richten.« Alle Sägen, die sein Vater aus England mitgebracht hatte, trugen Namen. High Josiah war die Pendelsäge, die an Lederriemen von den obersten Dachsparren der Werkstatt herabhing. Nirgends in den Kolonien gab es Sägeblätter, die den zerstörten qualitativ gleichwertig waren. Er würde Ersatz aus England bestellen und ein neues Sägewerk bauen müssen, um sie unterzubringen. Ein gutes Jahr würde es dauern, bis sie wieder auf dem Stand waren, auf dem sie vor diesem entsetzlichen Tag gewesen waren. Und die ganzen armen Teufel, ob weiß oder schwarz, die sich im großen Saal im großen Haus versammelt hatten, als wäre der Raum die Kirche, in die Lorene ihn jeden Sonntagvormittag zu verwandeln versuchte, ein Ort der Erlösung, sie alle starrten ihn an, als erwarteten sie von ihm eine Verkündigung, die das Grauen ungeschehen machte.

Die gottverfluchten Wilden. Im ewigen Höllenfeuer sollten sie schmoren. Jeder einzelne von ihnen. Sogar die eine, ohne die er geglaubt hatte, nicht leben zu können. Sie vor allem. Er dachte an ihren zierlichen Körper, dessen Fleisch sich schon lange aufgelöst hatte, oben in der Erde bei Squirrel Oaks. Lorene hatte darauf bestanden, dass die Potawatomi-Hure bei den Toten des Guts beerdigt wurde. Um Cormacs willen, wie sie sagte. Zu dem Zeitpunkt war es Lorene, die wirklich um sie trauerte. Nicht er, damals nicht und auch jetzt nicht. Er hasste sie.

Nur wegen Pohantis war sein jüngster Sohn, der beste, den er gezeugt hatte, nicht genau der Mann geworden, zu dem er bestimmt war. Wäre sie nicht gewesen und das Feuer, das sie in ihnen beiden – in ihm und Lorene – entfachte, wäre Quent als Kind nie jeden Sommer zu den Indianern geschickt worden, wäre er nicht mehr rot als weiß geworden. Ephraim versuchte, den Gedanken zu verdrängen. Der Haushalt, Männer und Frauen, Sklaven und Pächter, sein Fleisch und Blut, sie alle warteten darauf, dass er etwas sagte, damit sie diese Tragödie verstehen konnten.

Dies sollte der Augenblick sein, in dem ich ihnen mitteile, dass Quent der Gutsherr wird, dass er Shadowbrook leitet, wenn ich nicht mehr bin. Dass sie nicht mehr unter Johns dummer, grausamer Faust zu leiden haben werden. Sie achten Quent, sie alle. Zum Teufel, die meisten lieben ihn. Er könnte es heute Abend sagen. Jetzt. Ihnen einen Glauben an die Zukunft geben. Aber Gott steh ihm bei, er wagte es nicht. Was immer Lorene auch sagte, er war sich nicht sicher, ob Quent sich wirklich verändert hatte.

Die verfluchte Vergangenheit. Die verfluchten Potawatomi, die Quent mehr zu einem der ihren als der seinen gemacht hatten.

Schau ihn dir an, wie er da drüben steht, im Schatten. Redet mit einer der Sklavinnen, hört ihr zu, als wäre sie eine Ebenbürtige. Also gut, es ist Sally Robin, und sie ist jeder Frau ebenbürtig. Ach was, besser als die meisten. Aber ich würde nie zulassen, dass sie weiß, dass ich das denke. Quent lässt es sich anmerken. Das hat etwas mit Respekt zu tun. Als wären die Farbigen, die Roten und Schwarzen, den Weißen gleich. Dumm von mir, den Indianern die Schuld zu geben. Das war ich selbst. Wegen Pohantis, und wegen Lorene, und wie wir damals eben waren. Verdammte Vergangenheit, was zählt, ist das Hier und Jetzt. Quent trägt wieder seine lederne Kniehose, ein Gewehr über die Schulter geschlungen, einen Tomahawk am Gürtel. Nun, vielleicht hat er sich einfach für weiteren Ärger gerüstet ... Aber so ist es nicht, das weiß ich. Natürlich führt er etwas im Schilde, verdammt noch mal, und was immer es ist, es wird nicht gut sein für Shadowbrook. Zumindest bedeutet es, dass das Gut für ihn nicht an erster Stelle steht.

Ephraim ließ den Blick zur anderen Seite des Raums schweifen. John warf heimlich Blicke zu seinem Bruder hinüber, wenn er glaubte, niemand würde es merken. Fragte sich wohl auch, was die Kniehose zu bedeuten hatte. Aber in Johns Augen war noch etwas: schierer Hass. Ephraim fühlte die ganze Last auf seine Schultern drücken. So viel Verlust, so viel Kummer. So viele falsche Entscheidungen. Und Gott steh ihm bei, wenn er noch viel länger hier stehen blieb, würde das seinen Tod bedeuten. Seine Arme brannten wie die Hölle, und die beiden Stöcke kamen ihm vor wie flammende Schwerter. Auch das war seine eigene Schuld. Er hatte darauf beharrt zu stehen, auf seinen eigenen zwei Beinen, wenn er zu seinem versammelten Haushalt sprach. Wahrscheinlich zum letzten Mal; viel Zeit blieb ihm nicht mehr, das wusste er. Diese Sache würde sein Ende wohl noch beschleunigen. Auch nicht schlecht, er war müde, er wollte gehen. Die Stöcke würden ihn nicht mehr lange stützen, er sollte also voranmachen.

»Ephraim.« Lorene tauchte an seiner Seite auf. Ihre Stimme war ein Flüstern, das nur für seine Ohren bestimmt war. »Soll ich dir nicht einen Stuhl bringen lassen?«

»Nein. Mir fehlt nichts. Kümmer du dich um deine Sachen.«

Lorene und die Sklaven vom großen Haus waren die ganze Zeit beschäftigt gewesen, so als würde die Arbeit sie vor ihren Gefühlen schützen. Küchen-Hannah hatte schon vor Stunden die Herdstelle nachgefeuert, sobald sie hörte, dass es brannte. Jetzt gab es Maisfladen und Brötchen und Sauerteigbrot noch heiß aus dem Ofen, der neben der Feuerstelle in die Wand eingelassen war. Vom Rost waren stapelweise Maiskuchen gekommen. Lorene beaufsichtigte, wie das Essen zusammen mit Krügen voll Bier verteilt wurde. »Maiskuchen auch für die Sklaven«, hatte sie Flinker Ruth einige Minuten zuvor gesagt. »Und Bier, wenn sie wollen, sonst Buttermilch, wenn ihnen das lieber ist.« Die Schwarzen waren ebenso rußverschmiert und erschöpft wie die anderen.

Alle waren gekommen, stellte Lorene fest, alle, die auf dem Gut lebten, außer den Quäkern oben in Do Good. Die Entfernung war zu groß, vermutlich wussten sie noch nicht einmal, was passiert war. Die Weißen saßen vorn, die Sklaven drängten sich in den hinteren Teil des Raums, wie immer sonntags, wenn sie die Andacht abhielt. Aber nahezu alle hatten den Blick auf Ephraim gerichtet, sahen kein einziges Mal zu ihr. Als wüsste er eine Antwort auf die Frage nach dem Sinn all dieses Gemetzels und der Zerstörung. Nur einer achtete nicht auf Ephraim: Ely Davidson starrte mit leerem Blick vor sich hin. Lorene ging zu ihm, legte ihm eine Hand auf die Schulter. »Wie hält der Verband, Ely?«

Er nickte wortlos. Lorene legte einen Finger auf seine Stirnwunde. Sie war kühl. Lorene hatte sie mit einer von Sally Robins Salben behandelt, um einer Vereiterung vorzubeugen. Sally selbst stand in einer Ecke und sprach dringlich auf Quent ein. Lorene überlegte, ob sie nicht zu ihnen gehen sollte, doch Ephraims Stimme ließ sie innehalten.

»Acht Pferde fehlen«, fuhr er fort mit der Aufzählung der Verluste. »Zwei hatten schwere Brandwunden und mussten den Gnadenschuss bekommen. Die übrigen, fürchte ich, sind fort. Sieben Sklaven sind tot. Das ist ein Viertel des Bestands. Zwei waren noch kleine Kinder. In Lilac und Zucker-Willie steckte noch ein ganzes

Leben Arbeitskraft.« Lorene hörte ein unterdrücktes Schluchzen. Ephraim schien vergessen zu haben, dass Flinke Ruth die Mutter der Zwillinge war. »Und dann gibt es den persönlichen Verlust«, fuhr er fort und schloss damit Ruth und die anderen Sklaven von derartigen Gefühlen aus. »Die gesamte Familie des Sägers … Dir gilt unser tiefstes Beileid, Ely.«

Ephraim hielt inne, während Moses Frankel und seine Familie dem alten Mann zunickten. Die sind verlegen, weil sie Glück gehabt haben, dachte Ephraim. Das Zuckerhaus und die Getreidemühle hatten keinen Schaden genommen, alle Frankels waren noch am Leben. Sicher, sie hatten einige ihrer besten Arbeitskräfte verloren, vor allem der Verlust von Großer Jacob wog schwer. Keiner in Shadowbrook, weder schwarz noch weiß, wusste mehr über Gäule als Jacob. Die weißhaarige Sklavin dort drüben, die John gerade Bier nachschenkte, war Köstliche May, wenn er sich recht entsann. Sagte immer, sie sei mit Jacob verheiratet, auch wenn Ephraim nie so recht wusste, was das bei Niggern eigentlich bedeutete. Trotzdem … »Wie ist das passiert?«, fragte er. »Wie konnte dieses Grauen über uns kommen?« Alle warteten, dass er selbst darauf eine Antwort gab. Narren alle zusammen. Wenn er eine Antwort wüsste, würde er etwas dagegen unternehmen und nicht nur hier stehen und die Verluste aufzählen. Aber er konnte sich nicht länger auf den Beinen halten, nicht einmal sein eiserner Wille verlieh ihm die Kraft dazu. »Du«, er deutete auf George Junior. »Hol mir einen Stuhl.«

John erhob sich und bot seinen an. Während George Junior den Stuhl holte, ihn nach vorn trug und Ephraim half, sich zu setzen, ergriff John das Wort. »Du fragst, wie das alles passiert ist, Vater. Aber wir wissen die Antwort. Es waren Indianer. Wilde. Wenn wir ins Mohawk-Dorf gehen, werden wir …«

»Es waren keine Mohawk, die uns angegriffen haben«, fuhr Quents Stimme dazwischen.

»Das kannst du doch gar nicht genau …«

»Doch, das kann ich. Ich habe sie gesehen, Ely ebenfalls. Im Gegensatz zu dir. Es waren Huronen, eine Bande Abtrünniger, die von den Langhäusern ihrer Geburt ausgeschlossen wurden. Der

Tapfere, der sie anführt, ist ein berüchtigter Mörder. Er heißt Lantak.«

Ephraim erschrak. Guter Gott. Huronen, so weit im Süden. Das zweite Mal, dass sie auf Shadowbrook wüteten. Beim ersten Mal waren sie gekommen, um der Legende namens Uko Nyakwai etwas Unersetzliches zu nehmen. Und das hatten sie getan. Was hatte die abtrünnigen Huronen dieses Mal dazu veranlasst, Shadowbrook zu überfallen? »Du hast diesen Lantak erkannt?«, fragte Ephraim. Er beugte sich vor und musterte seinen jüngeren Sohn.

»Ja.«

»Du bist ihnen also nah genug gekommen, um die Wilden einzeln zu erkennen«, sagte John. »Aber vermutlich ist dieser Lantak nicht tot, sonst hättest du es erwähnt.«

»Er ist entkommen.« Ein überraschtes Raunen ging durch die Versammelten. Es hieß doch, das niemand entkam, wenn Uko Nyakwai ihn einmal im Visier hatte. Quent achtete nicht auf das enttäuschte Murmeln. »Nach dem, was Sally Robin mir gerade gesagt hat, ist es noch schlimmer gekommen. Lantak hat Solomon den Fassmacher mitgenommen.«

»Solomon, der ist tot.« Das kam von Sampson, der ganz hinten stand. »Gleich, als alles anfing, als wir beim Heuen waren, Master. Bevor ich davongelaufen bin und Sie gefunden hab. Solomon ist mit 'ner Mistgabel auf den Wilden losgegangen, und der Wilde hat ein Beil nach ihm geschmissen, einen Tomahawk, so heißen die Dinger doch, und Solomon ist auf den Boden gefallen. Das hab ich gesehen.«

»Solomon ist nicht tot. Oder zumindest war er's nicht.« Sally Robin schloss beim Sprechen die Augen, als sehe sie alles wieder vor sich. »Der Tomahawk, der hat Solomon bloß an der Schulter erwischt. Er hat stark geblutet, aber ich war bei ihm, und wir sind von dem Feld weg, wo's gebrannt hat. Sind zur großen Straße. Schnell konnten wir nicht gehen. Dafür hat Solomon keine Kraft nicht gehabt. Aber wir sind 'n ganzes Stück weit gekommen.«

»Wo wolltet ihr hin?« Diese Frage stellte John. »Und wieso haben die Wilden dich nicht auch mitgenommen?«

»Da weiß ich auf beide Fragen keine Antwort nicht, Master John. Nur, dass wir von dem Feuer weg sind, und von den Wilden, aber die haben uns trotzdem eingeholt. Aber diesmal saßen sie auf Pferden, und einer von denen ist zu uns hergekommen und hat Solomon auf sein Pferd gezerrt und ist davongeritten.«

»Und hat dich zurückgelassen.«

»Ja. Ich hab mein Keine-Angst-Lied gesungen, und die Wilden haben's gehört und mich in Ruhe gelassen. Nur ist mein Lied nicht stark genug gewesen, um Solomon auch zu retten.« Zwei große Tränen rollten Sally Robin über die Wangen. Quent fragte sich, ob ihr wohl bewusst war, dass sie weinte. Sie begann zu summen, sehr leise.

»Ich werde Lantak verfolgen«, sagte Quent.

Ephraim seufzte. Also war jetzt der Zeitpunkt gekommen, um herauszufinden, ob alles noch so war wie früher, ob Quent mehr Indianer als Weißer war oder ob ihr Jüngster sich tatsächlich verändert hatte, wie Lorene behauptete. »Nein, das wirst du nicht«, sagte er leise. »Wir brauchen dich hier, Quentin. Shadowbrook braucht dich hier.«

»Ich muss gehen, Vater. Wenn Lantak …«

Ephraim hatte seine beiden Stöcke gegen den Kamin gelehnt. Jetzt griff er nach ihnen und erhob sich mühsam. »Ich schere mich einen Teufel um diesen Lantak. Mir geht es um Shadowbrook. Du fühlst dich vielleicht besser, Quentin, wenn du diesem abtrünnigen Huronen die Strafe zukommen lässt, die er verdient. Vielleicht hilft es deinem Ehrgefühl und steigert dein Ansehen bei den Wilden und tröstet dich darüber hinweg, dass du ihn überhaupt hast entkommen lassen. Aber dadurch kommt kein einziger Sack Weizen mehr auf ein Schiff. Unser Überleben hängt jetzt davon ab, wie klug wir in den nächsten Wochen handeln. Wie hart wir arbeiten. Welche Verhaltensregeln du in der langen Zeit bei den Indianern auch gelernt haben magst, die nützen hier unter zivilisierten Menschen nichts. Wir müssen unser täglich Brot verdienen, wir haben ein Gut zu verteidigen. Shadowbrook kommt vor allem anderen.«

»Das hat mit Rache nichts zu tun.« In dem Moment wollte er mehr als alles andere auf der Welt, dass sein Vater ihn verstand.

»Womit dann?«

Es war, als wären Ephraim und Quent völlig allein, wurde Lorene bewusst. Endlich sprachen sie aus, was sie all die Jahre ungesagt gelassen hatten. Sie sah sich nach Nicole um, konnte sie aber nirgends entdecken. Das war kein gutes Zeichen. Wenn sie Recht hatte mit dem, was sie glaubte, dann war Nicole diejenige, die Quent an Shadowbrook band. Aber dazu musste sie anwesend sein.

Sally Robin summte noch immer, so leise, dass Quent dachte, er höre es vielleicht als Einziger. Er wusste, wenn er erklärte, warum er Solomon und Lantak folgen musste, würde sie noch mehr leiden. Aber wenn er es nicht tat, würde sein Vater ihn nie verstehen. »Lantak wird Solomon nicht bloß umbringen, er wird auch kein Lösegeld für ihn fordern. Er wird ...« Sein Vater, sein Bruder und seine Mutter sahen ihn an, aber keiner von ihnen war bereit, verständnisvoll zu nicken, ihm zu ermöglichen, manches ungesagt zu lassen. »Lantak wird Solomon zu Tode foltern. Ganz, ganz langsam und über lange Zeit. Dafür ist er berüchtigt.« Sally Robin sang etwas lauter, etwas schneller. Quent konnte es nicht über sich bringen, zu ihr zu sehen.

Ephraim brauchte eine Weile, um die Worte zu verdauen. »Das ist grauenvoll«, sagte er schließlich. »Das tut mir Leid. Aber es ändert nichts.«

»Das ändert alles. Ich kann nicht zulassen, dass Solomon ...«

»Er ist Besitz, Quentin. Wir haben heute viel wertvollen Besitz verloren. Wie gesagt, es tut mir alles sehr Leid.«

»Er ist ein Mensch, verdammt! Ein menschliches Lebewesen!«

»Ich habe ihn gekauft. Glaubst du nicht, dass ich ...«

»Du hast seine Arbeitskraft gekauft. Guter Gott, Vater, du kannst doch nicht ...«

»Quentin.« Ephraim starrte seinen Sohn an. Die größte Hoffnung Shadowbrooks für die Zukunft, vielleicht die einzige Hoffnung. »Bis jetzt habe ich noch nicht erwähnt, dass schon einmal Huronen hergekommen sind und Schreckliches getan haben, und dass das alles mit dir und den deinen zu tun hatte, und niemand hat nach einer Erklärung gefragt. Auch jetzt frage ich nach keiner, ich stelle nur eine unwiderlegbare Tatsache fest. Du wirst hier auf dem Gut gebraucht. In Shadowbrook. Wirst du bleiben?«

Es war die endgültige Frage, die einzige, die zählte. Quent sah sich nach Nicole um, doch er konnte sie nicht entdecken. Sie zu verlassen, ohne sie noch einmal zu sehen, ohne ihr eine Erklärung zu geben, versetzte seinem Herzen einen Stich. Egal, sie war hier in Sicherheit. Was immer Lorene von ihm dachte, so wütend sie über sein Fortgehen sein mochte, sie würde sich um Nicole kümmern.

Seine Mutter starrte ihn mit solcher Dringlichkeit an, als versuche sie, seine Seele zu ergründen. John ebenfalls. Die beiden hatten unterschiedliche Ziele, unterschiedliche Hoffnungen, aber beiden war ebenso bewusst wie ihm, was auf dem Spiel stand. Er wollte erneut mit seinem Vater sprechen, ihm sagen, dass er blieb, falls … Sein Geburtsrecht, das Hale-Gut und alles, was er praktisch seit seinem ersten Atemzug am meisten geliebt hatte, waren in Gefahr. Nicole würde vielleicht auf ihn warten; alles andere nicht. Es zählte nicht, er musste gehen. Quent wandte sich ab und schritt zur Tür.

ZWEITES BUCH

1754 bis 1756

Die Welt,
die aus dem Bauch des Fisches kam

12

Das Erzählen des Mondes der großen Hitze
Das Dorf Singender Schnee

»*Haya, haya* … Zu der Zeit waren wir Potawatomi und die Ojibwe und die Ottawa ein Volk, eine Feuer-Nation.« Ixtu, der Geschichtenerzähler, rezitierte die Worte im selben Tonfall wie die vielen anderen Geschichtenerzähler, die vor ihm gewesen waren.

»*Haya, haya, jayek*«, intonierten die Zuhörer als Antwort. So, so, wir alle zusammen.

Es war Abend, und die harte, ausgetrocknete Erde strahlte die unerbittliche Hitze ab, die sie den Tag über aufgenommen hatte. Schweiß rann den Einwohnern des Dorfes Singender Schnee übers Gesicht. Ihre Körper glänzten nass, die der alten Männer und Tapferen ebenso wie die der Squaws und Kinder. »*Haya, haya, jayek.*« So, so, wir alle zusammen. Im Kreis des Erzählens.

»Zu der Zeit«, berichtete Ixtu, »als die Sonne jeden Morgen wiederkehrte, waren wir die ersten *Anishinabeg*, die sie sah. Dann wurde die Sonne es leid, uns anzusehen, und kam immer seltener, und die Welt wurde kalt, unsere Tapferen konnten kein Wild mehr finden, unsere Squaws keinen Fisch und keine Beeren, und es gab nur Gras zu essen. Da sagten wir und unsere Brüder, die Ojibwe und die Ottawa: ›Wenn die Sonne das nächste Mal kommt, folgen wir ihr.‹ Und so geschah es. Die Feuer-Nation folgte der Sonne.«

»*Haya, haya, jayek.*«

Der Rhythmus der Erwiderung war Cormac ins Blut übergegangen wie der Rhythmus des Erzählens. Einige Tage zuvor hatte er seine Kniehose gegen einen Lendenschurz aus Rehhaut getauscht, geschmückt mit Symbolen des Stachelschweins, die ihn als Potawatomi-Krieger zu erkennen gaben. Sein Körper war dunkel bronzefarben von der Sonne. Um Handgelenke und Knöchel trug er Perlenketten, drei Adlerfedern steckten ihm im Haar, das offen herabfiel und nicht zusammengebunden war wie in der Welt der Weißen. »*Haya, haya, jayek.*« Sein Blut pulsierte im Takt des Gesangs und des Erzählens und passte sich dem Rhythmus der anderen an. »*Haya, haya, jayek.*« So, so, wir alle zusammen.

Ixtu hatte mit seiner Geschichte bei Sonnenuntergang begonnen. Zuvor hatte er aus dem heiligen Feuer, das vom Ersten Feuer stammte, ein glühendes Holzstück genommen und mit bloßen Händen zu dem Ort getragen, den er für das Erzählen ausgewählt hatte. Dann entzündete er das Feuer des neuen Mondes am alten, und die Menschen von Singender Schnee versammelten sich darum und lauschten der Geschichte der Welt.

Wie immer begann der Geschichtenerzähler mit Shkotensi, dem Großen Geist, der Feuer im Bauch von Abigigos erzeugte, dem ersten Fisch, und dass Abigigos schwamm, bis er das Ende des Meeres erreichte und auf die Erde fiel. Dort öffnete er das Maul, und das Feuer kam heraus, gefolgt vom Volk des Feuers. Jetzt stand der neue Mond hoch über ihnen, und Ixtu hatte die Stelle erreicht, an der die Feuer-Nation ihr angestammtes Heimatland am großen Salzwasser verließ und ihre Wanderung nach Westen begann oder, wie in den Worten der Geschichte, in die Richtung der untergehenden Sonne.

Ixtu verstummte, um sich zu sammeln. An dieser Stelle machte er immer eine Pause.

»*Haya, haya, jayek*«, sangen die Zuhörer. So, so, wir alle zusammen.

Eine Art Summen fiel in das bekräftigende Murmeln ein, und die im Kreis Sitzenden begannen sich zu wiegen, alle im selben Rhythmus.

Cormac überließ sich ganz der Musik und der Bewegung und der Geschichte, die zu jedem Neumond erzählt wurde. Er hatte sie viele Male gehört, auf genau diese Art, mit genau diesen Worten, aber das tat nichts zur Sache. Es war immer das erste Mal. Sein Kopf war leer, keine Gedanken beschäftigten ihn, die nicht auch die anderen beschäftigten, die rechts und links neben ihm summten und sich wiegten, und keine Fragen, auf die Ixtu nicht eine Antwort kannte.

Eine Frau schlug eine kleine Erzähl-Trommel. Als Ixtu die Trommel hörte, hob er wieder zu sprechen an. Er berichtete, wie die Potawatomi sich von den Ottawa und den Ojibwe trennten, wie aus der Feuer-Nation drei Brüdernationen wurden. Er berichtete, wie die Potawatomi, die sich das Volk vom Ort des Feuers nannten, lernten, Samen in die Erde zu stecken und Pflanzen wachsen zu lassen, damit sie nicht verhungern müssten, auch wenn es kein Fleisch und keinen Fisch und keine Beeren gab. Er berichtete, wie die *Cmokmanuk* kamen, die weißen Männer, und wie sich die Potawatomi anfangs versteckten und sie nicht ansehen wollten. Aber schließlich taten sie es doch. Und als die *Cmokmanuk* nach Biberfellen verlangten und deswegen Handel mit ihnen treiben wollten, beschafften die Potawatomi, wie die anderen Stämme, mit ihrer großen Jagdfertigkeit Biberfelle und lernten allmählich die *Cmokmanuk*-Dinge zu schätzen, die sie im Tausch dafür bekamen. Aber die *Cmokmanuk* bekamen nie genug. Sie verlangten mehr und immer noch mehr Felle. Und auch die *Anishinabeg* wollten mehr und immer noch mehr Handel, bis fast kein Biber mehr zu erlegen war und das Wahre Volk sich untereinander bekriegte wegen des Wenigen, was noch blieb.

»*Haya, haya, jayek.*« So, so, wir alle zusammen.

Als Nächstes schilderte Ixtu, wie all jene, die nicht von ihren traditionellen Feinden getötet worden waren, den *Cmokmanuk*-Krankheiten erlagen. Da spielten drei Trommeln, alle schlugen im Rhythmus des gemeinsamen Herzens der Gruppe.

Seit Ixtu die Geschichte zu erzählen begann, hatte er mit verschränkten Beinen auf dem Boden gesessen; nur seine Stimme bewegte sich, sein Körper verharrte reglos. Jetzt erhob er sich unsicher. Nach dem langen Sitzen in einer Haltung zitterten seine alten Beine schmerzhaft, doch sie hielten ihn aufrecht. »Zu der Zeit führte Insigison, der weise Häuptling, eine Gruppe von Potawatomi von Kämpfen und Krankheit fort. Sie reisten in die Richtung der aufgehenden Sonne, bis sie das Land erreichten, das sie vor langer Zeit verlassen hatten. Und so brachte Insigison das Feuer und das Volk vom Ort des Feuers an diesen Ort.«

»*Haya, haya, jayek. Haya, haya, jayek.*«

Die Trommeln wurden schneller. Cormacs Herzschlag passte sich dem Takt an, und er spürte, dass der Puls der anderen im selben Rhythmus schlug. »Zu der Zeit, als Insigison und die Tapferen und Squaws, die ihm gefolgt waren, hier ankamen, war es die Zeit des Mondes der langen Nacht. Der Boden war mit Schnee bedeckt, und Insigison konnte nicht erkennen, ob dies ein Ort war, an dem die Samen wachsen würden, um sie zu ernähren, damit sie nicht Hungers starben, ob die Jagd gut sein würde, ob in den Bächen Fische schwammen und an den Büschen Beeren wuchsen. Niemand konnte vor lauter Schnee etwas sehen, und Insigison war nicht sicher, ob er den richtigen Ort erreicht hatte. Zu der Zeit war der Vater meines Vaters Vaters Vater, Axtu, der Geschichtenerzähler. Und er sagte: ›Dies ist der Ort, an dem wir sein sollen. Es gibt keinen Zweifel.‹ Insigison zweifelte die Weisheit des alten Axtu an. ›Woher weißt du das?‹, fragte er. ›Ich weiß es‹, sagte Axtu. ›Denn ich höre den Schnee singen.‹ Und obwohl sie viele, viele Sonnenreisen von allen anderen Angehörigen der Feuer-Nation entfernt waren, ließen Insigison und sein Volk das Feuer, das sie mitgebracht hatten, an diesem Ort brennen. Und das war unser fünftes Feuer, der fünfte Heimatort der Reise, die begann, als die drei Völker eines waren. Und zu Ehren Axtus nannten sie den Ort Singender Schnee.«

Die Stunden verstrichen, und Ixtu setzte seine Geschichte fort, erzählte die glücklichen Geschichten von vielen erfolgreichen Jagden, die von diesem Dorf aus gemacht wurden, von vielen einträglichen Ernten und von Zeiten des Weinens, als zahllose Tapfere auf der Jagd oder bei Überfällen, die ihre Feinde verübten, oder bei Überfällen, die sie selbst verübten, starben, und als Dürre herrschte und die Pflanzen nicht wuchsen und die Menschen, bis auf die kräftigsten, alle verhungerten und die kleinsten Kinder natürlich als Erste starben. Bis er schließlich, als er zu erschöpft schien, um noch ein einziges Wort mehr zu sagen und es fast Morgen war, die Geschichte des Mondes vor diesem Mond der großen Hitze erzählte, Donnermond, wie er hieß. »Zu der Zeit brachte die Squaw Sohantes drei Kinder zur Welt, alle zur selben Zeit und alles Söhne.«

»*Haya, haya, jayek.*« So, so, wir alle zusammen. »*Haya, haya, jayek.*«

Sohantes saß dem Erzähler im Kreis gegenüber und sang mit den anderen. Ihre drei Kinder waren ihr auf den Rücken gebunden in einer Trage, die eigens für sie gefertigt worden war, denn nie zuvor war dergleichen im Dorf vorgekommen.

Wir alle zusammen, dachte sie, doch dies ist mein Teil der Geschichte. Für immer.

»Und Sohantes war die Frau des Häuptlings Kekomoson«, intonierte Ixtu. »Und er hatte keine andere Frau als sie und hatte ihr versprochen, solange sie lebte, nicht ihre Schwester als zweite Frau zu nehmen. Dann, zu Beginn des letzten Donnermondes, als die Frauen ihm berichteten, was sich in der Geburtshütte zugetragen hatte, ging Kekomoson hinaus und sah einen feisten Rehbock allein auf der Anhöhe des Berges stehen, und Kekomoson tötete ihn mit einem Pfeil, der so vollkommen abgeschossen war, dass der Pfeil direkt zwischen die Augen des Bocks flog. Dann gab Kekomoson ein großes Fest, um zu feiern, was nie zuvor jemand erlebt hat, die Geburt von drei Söhnen auf einem Mal.«

»*Haya, haya, jayek. Haya, haya, jayek.*«

Kekomoson saß neben dem Geschichtenerzähler, am Ehrenplatz, weil er der Häuptling war. Seiner Miene war nicht anzusehen, wie geschmeichelt er sich fühlte, im Erzählen, das von nun an für immer wiederholt würde, einen Platz bekommen zu haben.

»*Haya, haya, jayek.*«

Ixtu kam zum Ende des Erzählens. Er warf einen kurzen Blick zum Himmel. Noch grau, doch heller als zuvor. Bald würde er wissen, ob er die wichtigste Pflicht des Erzählers erfüllt hatte. Wenn Ixtu versagt hatte, würde er in die Wildnis gehen, würde nichts trinken und nichts essen, und wenn er nicht mehr laufen konnte, würde er sich hinsetzen und auf das Sterben warten. Großer Geist, gewähre mir, dass ich am Feuer mit meinen Brüdern sterben darf, nicht allein an Durst und Hunger an einem fernen Ort. »Und das ist die Geschichte des Wahren Volkes von Singender Schnee. Bis zur Zeit des Mondes der großen Hitze.«

»*Haya, haya, jayek.*« So, so, wir alle zusammen.

Das Summen brach ab, die Trommeln verstummten. Rosa Streifen zogen sich über den Himmel, die Sichel des neuen Mondes erschien über den Bergen. Die Menschen warteten. Jeder Kreis des Erzählens des neuen Mondes wurde an einem anderen Ort abgehalten, und das heilige Feuer wurde genau dort entzündet, wo der Geschichtenerzähler es anordnete. Erst am Ende der Nacht wussten die Menschen, ob der Ort gut gewählt war, ob der neue Mond ihnen Sicherheit und Wohlstand brachte, oder ob der Geschichtenerzähler versagt hatte und sie verdammt waren. Schließlich lugte die orangerote Sonne über den Horizont. Die Menschen hielten den Atem an und warteten.

Die ersten flachen Strahlen der Sonne fielen auf die Erde. Sie berührten das heilige Feuer des Shkotensi, des Fünften Feuers der Potawatomi von Singender Schnee. Freude breitete sich im Kreis des Erzählens aus. *Ayi! Ayi!* Es ist gut, dachte Ixtu. Falls ich vor dem nächsten Erzählen sterbe, dann wird es hier sein. Ich werde auf weichen Fellen liegen, Wasser zu trinken und, falls ich das will, Mais zu essen haben, vielleicht sogar Fleisch. *Ahaw*, ja, der Große Geist ist gut.

»*Haya, haya, jayek.*« Die Sonne war aufgegangen und berührte das heilige Feuer. Alles war gut. »*Haya, haya, jayek.*« So, so, wir alle zusammen.

Nur eines war noch zu tun: Bei jedem Erzählen des neuen Mondes ergänzte Ixtu die Geschichte um einige Worte. Es würden heilige Worte werden, die nie verändert, stets auf dieselbe Weise wiederholt wurden. Die Menschen warteten, summten leise, und nach einer Weile begann Ixtu erneut zu sprechen. »Zu der Zeit des Mondes der großen Hitze« – er wandte seinen krummen, alten Leib Cormac zu – »waren die Menschen glücklich, weil der Brückenmensch, der nach dem mächtigen Krieger vom Volk seines Vaters benannt war und keinen anderen Namen trug zum Zeichen, dass er sich von allen anderen unterschied, dieser Brückenmensch also kehrte nach Singender Schnee zurück, nachdem er lange Zeit fort gewesen war. Und der Brückenmensch war beim Erzählen dabei, und er hörte mit Respekt zu, und sein Herz schlug mit dem der anderen. Da wussten die Menschen, dass er wirklich ihr Sohn und Bruder ist.«

»*Haya, haya, jayek.*« So, so, wir alle zusammen.

Es war vollbracht.

»Also ist im vergangenen Mond nichts Wichtiges passiert, und du hast einen Platz im Erzählen bekommen«, sagte Bishkek, Cormacs Mannheitsvater, später zu ihm. »Lass deinen Kopf darüber nicht so anschwellen, dass dir keine Kriegshaube mehr passt. Du bist zu lange fort gewesen, und es beschämt mich, dass du dein Heimatdorf und deinen alten Vater vergessen hast.«

»Ich habe dich nie vergessen, Vater. Und Singender Schnee ist immer in meinem Herzen. Aber in der weißen Welt ist vieles passiert. Ich konnte nicht so bald fort, wie ich wollte.«

»Und was ist mit meinem anderen weißgesichtigen Sohn, deinem Bruder? Warum kommt er nicht zu mir? Vergisst auch er mich?«

»Sicher nicht, Vater. Aber sein Geburtsvater liegt im Sterben, und er muss bei ihm bleiben, bis der Geist den Körper des alten Mannes verlässt.«

Bishkek nickte. »So muss es sein. Aber wenn das geschehen ist, muss er sofort herkommen und seinem Mannheitsvater Achtung erweisen. Auch das muss so sein. Weiß mein anderer weißer Sohn das?«

»Ich glaube doch, Vater. Er wird kommen. Wenn es vorüber ist.« Cormac hielt kurz inne. »Wenn er kann.«

»Und warum sollte er nicht können?« Bishkek wusste, dass Cormac das mit Bedacht gesagt hatte. Er stellte die Fragen, von denen er hoffte, sie würden dem jungen Mann helfen zu sagen, was er sagen wollte. »Ist mein anderer weißer Sohn plötzlich dumm im Kopf geworden, dass er nicht mehr seine Pflicht erfüllen kann? Können seine Beine ihn nicht mehr tragen? Hat er den Weg durch die Wälder vergessen, über die Flüsse und Bäche, die uns trennen?«

»Nichts dergleichen ist passiert, Vater. Aber es wird von Krieg gesprochen.«

»Nicht bei uns«, sagte Bishkek traurig. »Die *Anishinabeg* sind nicht mehr stark genug, um Krieg gegeneinander zu führen; jedenfalls keinen richtigen Krieg. Sie kämpfen, wie sie furzen, ohne Vorwarnung und ohne Plan. Nur, um etwas Gestank zu verbreiten. Kleine Scharmützel, dann laufen alle davon wegen des üblen Geruchs des Todes. Schlimmer noch, sie lassen sich für die Weißen als Mörder anheuern. Wer führt denn Krieg? Die Englischen? Krieg gegen Onontio?« Bishkek spuckte aus, um den Geschmack loszuwerden.

»Ja. Das glaube ich zumindest. Die Engländer und die Franzosen werden sehr bald kämpfen. Wohl bis auf den Tod. Wenn aber ein solcher Krieg beginnt, kann Kwashko« – er verwendete Quents Mannheitsnamen ›Der über Feuer springt‹ – »vielleicht nicht nach Kanada kommen, weil er englisch ist, aber …«

Bishkek schnaubte. »Das ist Unsinn. Kwashko ist Uko Nyakwai, oder nicht? Wie sollte es einem Roten Bären unmöglich sein, herzukommen? Ein entsetzlicher Name«, fügte er leise hinzu. »Wie kann mein Sohn gestatten, so genannt zu werden?«

Die Potawatomi hassten Bären. Einmal, so berichteten die Geschichtenerzähler, hatte ein Bär den Sohn eines Potawatomi-Häuptlings getötet und ihn weder aufgefressen noch ihn liegen gelassen, damit er in Ehren bestattet werden könnte. Stattdessen hatte der Bär den Leichnam des jungen Tapferen zerrissen und die Teile hier und da verstreut. Eine derartige Kränkung verlangte nach Rache, und bis zu diesem Tage töteten die Potawatomi alle Bären, deren sie habhaft werden konnten. Langsam, unter vielem Verhöhnen und großen Schmerzen. Dass Kwashko – der ein wahrer Potawatomi und wahrhaft Bishkeks Sohn war – Bär genannt werden sollte, und das obendrein in der Sprache der Schlangen, konnte der alte Mann nie verwinden.

Cormac kannte Bishkeks Meinung dazu, doch dies war ein Streit, der ein anderes Mal stattfinden musste. »Vater, *giyabwe.*« Ich hatte einen Traum.

Ayi! Endlich kamen sie der Sache näher. »Und ist es dieser Traum, der dich nach Hause geführt hat?« Bishkek hob einen kleinen Zweig auf und zog damit Linien und Spiralen in den Staub, der den Boden bedeckte. Es hatte den Sommer über kaum geregnet.

»*Ahaw.*« Ja. Cormac fühlte sich beschämt, ein anderes Motiv zuzugeben als den Wunsch, sein Dorf und seinen Mannheitsvater wiederzusehen, aber lügen wollte er nicht.

»Dann war es ein guter Traum«, sagte Bishkek milde, ohne ihn zu tadeln.

»*Co.*« Cormac schüttelte den Kopf. »Das glaube ich nicht.«

»*Ktakagikto.*« Erzähl mir davon.

»*Sheyoshke. Penshiyuk. Mskwe,* überall *mskwe*«, sagte Cormac. Ein Vogel, der schnell flog, ein Falke. Und kleine Vögel. Und Blut. Überall Blut. »Und zum Schluss«, fügte er hinzu, »*wapshkayakmko.*« Ein weißer Bär.

Bishkek hielt mit dem Malen inne und sah Cormac ins Gesicht. »*Neni.* Deine Mutter.«

Cormac schüttelte den Kopf. »*Co! Cozhena neneyum!*« Ich träume nie von ihr.

Wieder spuckte Bishkek aus. »Das ist *Cmokmanuk*-Gerede, die Worte weißer Männer, die es nicht besser wissen. Ein Traum kommt zu dir. Du lädst ihn nicht ein. Es liegt nicht an dir zu bestimmen, was kommt. Deine Mutter war die der weißen Bärenfelle. Immer. Erzähl mir mehr von dem Traum.«

Cormac erklärte, dass der Falke die kleinen Vögel angriff und viele von ihnen tötete, sodass das Blut in Strömen floss. »Dann kam der weiße Bär, und der Falke flog davon. Irgendwie hat der Bär die Vögel beschützt.«

Bishkek räusperte sich. »*Ahaw*«, sagte er. »Dann war er vielleicht doch nicht deine Mutter.« Ihr Leben lang hatte Pohantis niemanden beschützt als sich selbst. Sie war eine Hure, die sich jedem hingab, der sie haben wollte, aber nicht, weil sie ihn bewunderte oder mochte, sondern nur, um zu bekommen, was sie haben wollte. Die weißen Bärenfelle, die sie so sehr liebte, Perlen und derlei. Schon als Kind war sie so gewesen. Wie die Frauen der Schlangen. Ein solches Verhalten wurde bei den Potawatomi nicht geduldet. Wieder aufgenommen hatte man sie in Singender Schnee, nachdem sie mit dem weißen Waffenhändler weggelaufen war, nur deshalb, weil sie einen Brückenmenschen mit sich brachte, einen Sohn, der halb weiß und halb Potawatomi war. Die Älteren überlegten schon eine geraume Weile, dass ein solcher Mensch ihnen nützlich sein könnte. *Ahaw.* Das war eine gute Entscheidung, dachte Bishkek. Besser noch war die Entscheidung, Pohantis dem anderen weißen Mann zu geben, der sie haben wollte, und auf die Art weiße Bildung in den Kopf meines halbweißen Mannheitssohns zu bekommen. Jetzt ist dieser Cormac wirklich ein roter Mann in weißer Haut. Sicher gehört die Zukunft solchen Männern. Aufmerksam hörte er zu, als sein Sohn ihm das Ende des Traums erzählte. Ein weißer Wolf, *wabnum,* trabte aus dem Wald auf den Bären zu.

»Der Teil ist einfach. Du bist *wabnum.*«

»Ja, ich weiß. Aber ich wachte auf, bevor der Wolf angriff.« Cormac senkte den Blick und stellte nicht die letzte Frage – wer hatte gewonnen, der Wolf oder der Bär? Er spürte, dass Bishkek ihn musterte, und fragte sich, ob der alte Mann wirklich eine größere Ahnung hatte als er selbst, was der Traum bedeuten mochte. Es war ihm so wichtig erschienen, nach Singender Schnee zu kommen und seine Geschichte zu erzählen. *Ahaw,* aber jetzt war er hier – und was hatte er damit gewonnen? Sein Mannheitsvater lieferte keine Erklärung, starrte ihn nur an. Offenbar auf die Stelle, an der Cormac Memetosias Geschenk verborgen hatte, unter dem Lendenschurz an den Oberschenkel gebunden.

Es lag nicht an Cormac, das Schweigen zu brechen, und Bishkek sagte lange Zeit nichts. Das Leben im Dorf ging seinen geruhsamen Gang, alle bewegten sich ermattet in der zunehmenden Hitze. Wegen des Erzählens des neuen Mondes hatte in der vergangenen Nacht niemand geschlafen. Jetzt war es zu heiß und windstill, um die Wickiups zu betreten, die mit Rinde bedeckten kuppelförmigen Häuser aus gebogenen Zweigen. Der Großteil der Tapferen und Squaws schlummerte leise schnarchend im Schatten. Bis auf eine, die in der Nähe von Bishkek und Cormac einen Säugling stillte, und eine andere, die eine Gruppe schlafender Kinder bewachte und währenddessen Mais in einer riesigen Schüssel zerkleinerte. Diese war aus einem kugelförmigen Auswuchs an einem Ahorn gefertigt worden, und als Stößel diente ihr ein runder Stein. Es war eine friedliche Szene, doch keinem der beiden Männer fiel es schwer, sie sich von Blut überströmt vorzustellen. Dafür kannten beide die Geschichte der *Anishinabeg* zu gut.

»Ist das alles?«, fragte Bishkek schließlich. »Es gibt nichts, was du mir noch von diesem Traum erzählen könntest?«

»Das ist der ganze Traum. Aber es gibt da noch etwas. Etwas, das passierte, als ich nicht richtig wach war, aber auch nicht schlief.«

»*Ktakagikto.*« Erzähl mir davon.

Cormac berichtete alles, was der Miami-Häuptling Memetosia ihm gesagt hatte, vom blinden Midè-Priester Takito und der Schwitzhütte und von allem, was geschah, nachdem er sie betreten hatte. Schweigend lauschte Bishkek seiner Erzählung. Als Cormac geendet hatte, nahm er wieder den Zweig auf und zog Linien und Spiralen in den Staub. »Da ist etwas, was du mir nicht sagst. Und da ist etwas unter deinem Lendenschurz verborgen. Was ich da sehe, ist nicht die Beule deiner Mannheit.«

»Bishkek ist weise wie immer.«

»Und mein Brückenmensch-Sohn lügt nicht. Was ist also das Ungesagte, das zwischen uns steht?«

»Ein Geschenk, Vater. Von Memetosia.« Er legte die Hand auf den Oberschenkel. »Es ist mir ein großes Rätsel. Ich weiß nicht, was das Geschenk bedeutet und was ich damit tun soll. Ein Medizinbeutel voll mit schwarzen Wampumen, die Suckáuhock genannt werden.«

Bishkeks Augen weiteten sich. »Ein solches Geschenk muss sehr alt sein.«

»*Ahaw*, das ist es.« Cormac sah sich um. Niemand schien auf sie zu achten. Er griff unter den Lendenschurz, doch Bishkek hob abwehrend die Hand.

»*Co*. Ich will es nicht sehen. Es ist besser, Geheimnisse nicht anzusehen. Memetosia hat die Suckáuhock dir gegeben, nicht mir. Ich brauche meine Augen damit nicht zu belasten. Dieser Midè-Priester – bist du dir sicher, dass er Takito hieß?«

»So hat meine Freundin, die Piankashaw-Mestizin, ihn genannt.«

»Und es war im Haus dieser so genannten Freundin, dass dein Gewehr gestohlen wurde, das du als Zeichen der Achtung dort abgelegt hattest, und dass ein Hurone aus heiterem Himmel erschien und dich töten wollte?«

»Das war nicht Genevieves Schuld«, beharrte Cormac. »Ich glaube nicht, dass sie etwas damit zu tun hatte.«

Bishkek nickte, schlang die Arme um die Knie und wiegte sich eine Weile vor und zurück. »Lass mich darüber nachdenken, über den Traum und alles andere«, sagte er schließlich. »Geh schlafen.«

Cormac fand einen Platz unter einer Fichte, die sich in die vorherrschende Windrichtung gebeugt hatte. Der Schatten, den sie warf, war tief, er legte sich nieder und fühlte sich geborgen, umgeben vom starken, vertrauten Geruch des Harzes, das die Potawatomi bei der Herstellung ihrer Kanus verwendeten. Sobald er die Augen schloss, schlief er ein. Als er sie wieder öffnete, starrte eine Squaw ihn an. Ihr Gesicht war über und über mit Tätowierungen bedeckt, sie hielt ein Messer in der Hand, dessen Spitze direkt auf sein Herz gerichtet war.

»Rühr dich nicht«, hörte er Bishkek sagen. »Blinzel nicht einmal mit den Augen.«

Cormac wusste, dass sein Mannheitsvater ihn nie, um nichts auf der Welt, hintergehen würde, also tat er genau, wie er ihm befahl. Die Frau zeichnete mit dem Messer langsam Kreise in die Luft, dabei blieb die Spitze stets auf Cormacs Herz gerichtet. Nach einer Weile veränderte sie ihre Position, und er konnte den Medizinbeutel aus Otterfell sehen, der ihr um den Hals hing. Eine Midè-Priesterin tat etwas mit ihm, füllte ihn mit Midewiwin-Zauber. Angeblich hatte dieser Zauber eine heilende Wirkung, doch seit Cormac Takito begegnet war, empfand er nichts als Unbehagen. Er wünschte sich, diese Priesterin würde aufhören mit dem, was sie tat, und das wollte er gerade sagen, als die Squaw zu singen begann. *Wa hi, hi hi … Haya, haya, ahseni …* Das war der Gesang, an den er sich aus der Schwitzhütte erinnerte. *Haya, haya, ahseni …*

Nach einiger Zeit erhob sich die Priesterin und murmelte Bishkek etwas zu, der daraufhin sagte: »Steh auf, mein Sohn. Dieser Teil der Zeremonie ist vorüber.«

Mühsam stand Cormac auf. Er war noch müde, und sein Kopf fühlte sich an, als sei er mit Wolle gefüllt. Die meisten Dorfbewohner schliefen noch, also konnte nicht allzu viel Zeit vergangen sein. Wo hatte Bishkek so schnell einen Midè-Priester gefunden? Bei der Zeremonie der vergangenen Nacht war keiner anwesend gewesen.

»Die Priesterin heißt Shabnokis. Sie lebt allein hier in der Nähe und kommt, wenn wir sie brauchen.« Wie üblich nahm Bishkek die Fragen vorweg, die Cormac bewegten. Immer dieselbe Art von Fragen. *Cmokmanuk*-Fragen. Warum? Wie? Was kam als Erstes? Was danach? Warum so und nicht anders? Es war der weiße Teil seines Sohns, der ihn diese Dinge fragen ließ. Shabnokis ist hier, dachte Bishkek. Weshalb ist es wichtig, wie sie hergekommen ist? Es hat überhaupt keine Bedeutung. Für mich nicht und auch für die anderen *Anishinabeg* nicht, aber für diesen Brückenmenschen ist es wichtig. Er kann nicht anders. Er ist, wie er ist. »Ich bin zu ihr gegangen und habe sie gebeten herzukommen«, erklärte Bishkek. »Wegen dem, was du mir erzählt hast.«

Cormac schwieg. Mit einem Midè-Priester hatten die Schwierigkeiten begonnen. Vielleicht konnte ein anderer Midè-Priester den Grund dafür erklären.

»Dieser Takito, von dem habe ich gehört«, sagte Shabnokis. »Aber ich kenne ihn nicht. Er ist sehr alt, und wir stammen von unterschiedlichen Wigwams.«

»Warum würde er nach jemandem schicken, der meinen Brückenmenschen-Sohn tötet, der ihm nichts angetan hat?«, fragte Bishkek.

»Das kann ich nicht sagen.«

Cormak bemerkte, dass der Priesterin an der rechten Hand drei Finger fehlten. Vielleicht wurde von den Priesterinnen der Midewiwin weniger verlangt. »Ich habe gehört, dass es in euren Wigwams viele Unterschiede gibt.«

»Keine Unterschiede, was unseren Zauber angeht oder unsere Heilmittel. Aber andere Dinge sind unterschiedlich, ja.«

»Warum hast du das Messer auf mich gerichtet?«

Bishkek machte ein missbilligendes Geräusch. *Ayi!* Dieser Sohn wird die Priesterin mit seinen *Cmokmanuk*-Fragen beleidigen. Und was haben wir dann erreicht? »Du sagst zu oft warum«, tadelte er. »Die Priesterin ist weise – höre auf sie.«

Cormac verstand, warum sein Mannheitsvater ungehalten reagierte. Bishkek stellte Fragen, auf die er keine Antwort wusste, während er, Cormac, die Handlungen und Entscheidungen der Priesterin hinterfragte. Ersteres wurde gebilligt, zweiteres nicht. Trotzdem, für ihn war es wichtig, eine Antwort zu bekommen. Und Bishkek war klar, dass der Sinn einer Brücke darin bestand, in beide Richtungen reisen zu können. Ob die Priesterin das so sah, war nebensächlich. »Dein Messer«, wiederholte er, ohne auf Bishkeks Tadel einzugehen, »warum hast du es über mich gehalten? Was hat es getan?«

Die Squaw ging in die Hocke, spuckte auf den Boden und zeichnete mit dem Finger und dem Speichel Symbole, deren Bedeutung nur sie verstand. »Wenn dieser Takito einen schlechten Zauber in dich gefüllt hat, hätte ich ihn herausgezogen. Mit dem Messer. Oder, wenn ich nicht stark genug gewesen wäre, wäre das Messer in dein Herz gezogen worden.«

»Durch den schlechten Zauber?«

Die Frau nickte. »*Ahaw.*«

»Das klingt wie ein schlechter Tausch.«

»Du bist noch am Leben«, sagte sie mit einem Lächeln.

»Aber bin ich noch am Leben, weil dein Zauber mächtiger war als Takitos oder weil ...«

»In dir war kein schlechter Zauber. Oder zumindest nur sehr wenig. Es war nicht schwierig, das Messer von dir abzuwenden.«

»In dem Fall wollte dieser Takito meinem Sohn nichts Böses«, meinte Bishkek. »Was ist mit dem Huronen, der ihn töten wollte?«

»Du hast mir nicht gesagt, weshalb dein Sohn glaubt, dass es dazu gekommen ist.«

»Es ist passiert«, sagte Bishkek. »Es liegt an den Priestern, uns den Grund dafür zu nennen.«

»Ich glaube«, antwortete Shabnokis, »wenn die Blätter eines Baumes während des Mondes der großen Hitze rot werden, dann bedeutet das nicht unbedingt, dass der Baum ein Sumach ist.« Sie deutete mit dem Kopf auf einige kurze, gedrungene Sumach-Bäume, die in der Nähe wuchsen. Cormac konnte gut die pelzige schwarze Rinde sehen und die bereits grellrot leuchtenden Blätter. Sie waren stets die Ersten, die sich färbten. Schön und gut, aber welche Beziehung bestand zwischen einem Sumach und dem, was in der Schwitzhütte vorgefallen war?

»Rote Blätter finden sich an vielen Orten«, sagte Shabnokis. Dann erhob sie sich und ging davon.

Mittwoch, 26. August 1754
Shadowbrook

Quent wusste seit einiger Zeit, dass jemand ihm folgte – im Grunde, seit er Shadowbrook frühmorgens verlassen hatte. Lantak oder einer von dessen abtrünnigen Schlächtern konnte es nicht sein, die waren ihm weit voraus. Außerdem, wäre es einer von ihnen, hätte der ihn längst angegriffen. Jetzt hatte er genug von der Wachsamkeit und dem Warten. Es war Zeit, die Person, wer immer es war, ins Freie zu locken.

Er kniete sich an den Bach, dem er im raschen Trab gefolgt war, und wusch sich das Gesicht. Dann tauchte er seine mit Leder bezogene Blechflasche ins Wasser, um sie aufzufüllen, und überlegte sich, aus welcher Richtung sein Verfolger ihn beobachtete. Doch, von dort drüben zu seiner Linken. Wer immer es war, war ihm jetzt sehr nah gekommen. Er kauerte sich hinter einen niedrigen Wacholderbusch. Der Bach, dachte Quent sich, würde die Person hervorlocken. Sein Verfolger hatte nicht an den Bach treten können, ohne sich zu zeigen. Jetzt hatte er Durst, großen Durst sogar, der ihn unvorsichtig werden ließ.

Quent nahm sich alle Zeit der Welt, die gefüllte Flasche sorgfältig zu verkorken. Er schlang sich den Trageriemen nicht über die Schulter, sondern ließ die Flasche unter einem Baum stehen – einer alten Ulme mit mächtigem Stamm, die auf der anderen Seite der Lichtung gegenüber dem Wacholder wuchs. Dort reckte er sich ausgiebig und gähnte herzhaft. Dann löste er die Schnur, die seine Hose am Bund zusammenhielt, als wolle er sich erleichtern, und bewegte sich in die entgegengesetzte Richtung, fort vom Bach und seinem Verfolger.

Der Wald war der hier typische Mischwald. Die Nadeln der immergrünen Bäume bildeten einen dicken Teppich auf der Erde, lautlos schritt er mit den Mokassins darüber. Er ging im Kreis und näherte sich dem Bach von rechts. Und sah genau, was er zu sehen erwartet hatte. Am Wasser kniete … Guter Gott. Er sah ein Gespenst.

Einen Moment nahm er alles nur verschwommen wahr. Er rieb sich die Augen, um wieder klar sehen zu können. Pohantis war tot. Er hatte an ihrem Grab gestanden, als sie ihren Leichnam dort zur letzten Ruhe betteten. Er hatte geholfen, die Grube mit Erde aufzufüllen. Er hatte Cormac gesagt, dass er froh war über ihren Tod, weil sie eine Hure war. Und die ganze Zeit hatte er innerlich geschluchzt, nicht wegen seines Vaters, sondern wegen seiner Mutter und wie sie, wenn sie glaubte, niemand würde es bemerken, Pohantis' Hand nahm, und dann führte Pohantis diese Hand an ihre eigene Brust. Da hatten Corm und er gekämpft, und Quent hatte seinen Dolch gepackt und seinem Bruder das Gesicht zerschnitten und ihn für den Rest seines Lebens gezeichnet, und … Pohantis war tot. Sie kniete nicht hier am Bach, beugte sich nicht vor und schöpfte Wasser, als würde sie sterben, wenn sie nicht genug zu trinken bekäme.

Quent hob das Gewehr an die Schulter und entsicherte. »Steh ganz langsam auf und dreh dich um«, sagte er, dann wiederholte er dasselbe im Irokesisch der Mohawk. Denn verflucht, die Squaw konnte nicht Pohantis sein, und er befand sich hier auf Mohawk-Land. »*Desatga hade nyah.*«

Nicoles Hände hielten auf halbem Weg zum Mund inne. Sie ließ das Wasser in den Bach zurückrinnen. Dann stand sie auf und wandte sich um. »Bitte, erschieß mich nicht.«

Quent senkte das Gewehr und blieb reglos stehen. »Herr des Himmels … Wie bist du hierher gekommen?«

»Ich bin dir gefolgt. Sobald du wieder die lederne Kniehose anhattest, wusste ich, dass du den Wilden folgen willst, die das Gut überfallen haben. Aber du hast mir ein Versprechen gegeben, und das musst du halten. Du musst, Quent.« Sie entschuldigte sich nicht, sie stellte lediglich eine Tatsache fest. »Du musst mich nach Norden bringen. Ohne dich schaffe ich es nicht, und es ist wichtig, dass ich sofort nach Québec komme.«

»Was meinst du damit, dass du mir gefolgt bist? Willst du mir sagen, du bist derjenige, der mir nachspioniert, seit ich das Haus verlassen habe?« Sie nickte. Er hatte keine andere Wahl, er musste ihr glauben.

Guter Gott, er war die ganze Strecke in einem raschen Trab gelaufen. Er hätte sich nie vorstellen können, dass sie mit einer solchen Geschwindigkeit mithalten konnte. »Was ist mit den Kleidern?«, fragte er. »Wo hast du die her?«

»Ich habe die Kleider vor einiger Zeit in dem Zimmer entdeckt, in dem deine Maman die Wäsche aufbewahrt. Ich glaube, du hast gewusst, dass sie da sind, weil du mir die Mokassins gegeben hast.«

»Ja, natürlich wusste ich das. Aber …«

»Ich musste sie nehmen«, unterbrach sie ihn. »Ich habe Madame Hale eine Nachricht hinterlassen, zur Entschuldigung. Aber ich konnte nicht mit dir aufbrechen in einem der schönen Kleider, die sie mir gegeben hat. Ich dachte, du würdest reiten. Ich wollte …« Sie blickte auf Pohantis' Beinkleider hinab.

»In einem Wald wie diesem kann man nicht reiten.« Er deutete auf den dichten Wald, der sie umgab. »Die Indianer nehmen eine andere Strecke, aber ich weiß, wohin sie reiten. Zu Fuß bin ich schneller dort.«

»Trotzdem, um dich zu begleiten, sind diese Kleider besser.«

»Du kannst nicht mitkommen, ganz egal, welche Kleider du trägst. Hast du überhaupt eine Ahnung, was ich … Nein, natürlich nicht. Aber das ist auch egal. Du musst zum Haus zurück, Nicole. Wir sind noch auf dem Gut. Hier ist es nicht gefährlich.«

»Ich kenne den Rückweg nicht. Ich habe doch schon gesagt, ich bin dir gefolgt. Dabei habe ich nicht auf den Weg geachtet. Und wie kann es nicht gefährlich sein, wenn eine Gruppe mordender Wilder uns überfallen hat?«

»Du kannst nicht mitkommen. Das wäre der reine Wahnsinn.«

»Ich habe mit dir mitgehalten.« Es gelang ihr nicht ganz, ihren Stolz zu verbergen. Sie hatte mit Uko Nyakwai Schritt gehalten, dem Roten Bären. Sie hatte sich an den Rand der völligen Erschöpfung getrieben, als sie glaubte, keinen einzigen Schritt mehr machen zu können, und dann hatte sie zehn weitere gemacht. Und kein einziges Mal hatte sie vergessen, was Quent und Monsieur Shea ihr in den sechs Wochen in der Wildnis beigebracht hatten. Wie man keinen Laut von sich gab, wie man dicht hinter jemandem blieb, um etwas zu sehen, ohne gesehen zu werden. »Ich habe mitgehalten.«

»Ja, das stimmt.« Er musste gestehen, er war beeindruckt von ihr. So falsch und so sinnlos es war, es war beachtlich, und sie war tatsächlich die, für die er sie vom ersten Augenblick an gehalten hatte, als er sie in dem Talkessel sah und sie ihren Unterrock zerriss, um das Blut eines verwundeten Soldaten zu stillen. Eine richtige Frau. Eine ganz wunderbare Frau.

»Und du hast mich nicht bemerkt.«

In dem Glauben konnte er sie nicht belassen. Nicht wegen seines eigenen Stolzes, sondern weil man schwach war, wenn man seine eigene Stärke überschätzte. »Ich wusste, dass jemand da war. Aber nicht, dass du es bist.« Aber sie hatte es auch verdient zu hören, wie gut sie sich gehalten hatte. »Ich dachte, es wäre ein Mann.«

Sie musste sich setzen, dringend. Das Wasser hatte ihr gut getan, aber jetzt, da sie unter Beweis gestellt hatte, dass sie mithalten konnte, brauchte sie dringend eine Rast. Doch erst, wenn sie sicher sein konnte, ihn überzeugt zu haben. »Dann ist es abgemacht. Du bringst mich nach Québec. Das ist doch die Richtung, in die du gehst, oder? Nach Norden.« Eine weitere Fähigkeit, die sie von ihm und Monsieur Shea gelernt hatte – wie man die Himmelsrichtung an den Bäumen erkennt. Die dickste Rinde und das meiste Moos wuchsen an der nördlichen Seite eines Baumstamms.

»Ja, das stimmt. Aber … Du lieber Himmel, Nicole, schau dich doch an.« Ihr Gesicht war ebenso weiß wie ihre Kleidung, und ihre Beine in Pohantis' Beinkleidern zitterten vor Erschöpfung. »Du bist halb tot vor Durst und Müdigkeit, und wir sind noch meilenweit entfernt von dort, wo wir hinmüssen.«

»Ich bin durchs ganze Ohio Country marschiert, oder nicht? Mit dir und Monsieur Shea. Und du hast mich nie klagen hören, oder …«

»Das ist genau der Punkt. Das war mit mir und Corm. Wir konnten uns abwechseln, dir zu helfen. Zudem waren wir nicht in Eile. Aber jetzt geht es um …«

»Du musst mich nach Norden bringen, Quent.« Sie wollte nicht auf seine Erklärungen hören. »Ich muss nach Norden, und wenn du mich nicht hinbringst, gehe ich eben allein.« Vermutlich würde sie in diesen Wäldern sterben, aber bestimmt würde *le bon Dieu* dieses Opfer annehmen.

Quent beobachtete ihr schönes Gesicht, auf dem sich die widerstreitenden Gefühle spiegelten. Er trat einen Schritt auf sie zu, streckte die Arme nach ihr aus. Nicole wich zurück. »Nicht«, flüsterte sie. »Es tut mir Leid. Wirklich. Aber das darfst du nicht.«

Sie klang genauso wie in der Höhle hinter dem Wasserfall, als es pechschwarz war und sie sagte, sie sei dem Licht gefolgt. Hilflos ließ er die Arme sinken. »Nicole, du musst mir vertrauen. Wenn zwischen uns wirklich etwas beginnen soll, etwas Dauerhaftes, dann musst du mir glauben, dass ich weiß, was am besten ist. Ich kann jetzt nicht darüber reden. Was immer das Problem ist, was immer es ist, wovor du so große Angst hast, ich kann nicht darüber sprechen, bis ich getan habe, was ich tun muss. Du musst zum Haus zurückkehren und dort auf mich warten.«

»Das geht nicht«, wiederholte sie. »Ich kenne den Weg nicht. Ich schwöre beim allmächtigen Gott, dass das die Wahrheit ist.« Um ihren Schwur zu unterstreichen, bekreuzigte sie sich.

Er hasste die frömmelnde Geste, hasste es, dass sie die weißen Kleider einer Hure trug – obwohl sie das nicht wissen konnte. »Du kannst nicht mitkommen. Ich habe dir schon gesagt, das ist unmöglich.«

»Ich will nicht dahin, wohin du gehen willst. Ich möchte, dass du mich nach Norden bringst, wie du es mir versprochen hast. Nach Québec. Monsieur Shea hat es mir versprochen. Er hat die Verantwortung auf dich übertragen, und du sagtest, das sei ein heiliger Schwur und wäre dasselbe, als täte er es selbst. Jetzt bitte ich dich, Wort zu halten.«

Er war hin und her gerissen zwischen dem Wunsch, ihr eine Ohrfeige zu versetzen, weil sie sich wie ein starrköpfiges Kind verhielt, und dem Wunsch, sie mit Küssen zu überhäufen. Schlimmer noch, er vergeudete kostbare Minuten, während Solomon … Blitzartig kam ihm ein Gedanke. Es gab eine Lösung. Nicht perfekt, aber besser als alles andere. »Also gut.« Er wusste, es würde weitere Vorhaltungen geben, vermutlich Tränen. Damit würde er sich auseinander setzen, wenn es so weit war. »Zuerst ruhen wir uns etwas aus, bevor wir uns wieder auf den Weg machen.«

Sie seufzte. Nachdem sie ihren Willen durchgesetzt hatte, beugte sie sich den Bedürfnissen ihres Körpers. Das Zittern breitete sich von den Beinen auf ihren ganzen Körper aus. Sie sank auf die Knie. »Quent, wäre es möglich … Könnten wir etwas essen, bevor wir rasten?«

Guter Gott, sie musste am Verhungern sein. »Hier, kau darauf herum.« Aus dem Rucksack holte er ein Stück getrocknetes Rindfleisch und gab es ihr. »Das beste Trockenfleisch, das Küchen-Hannah zu machen versteht. Es hängt immer in großen Mengen über ihrem Feuer. Hast du es schon mal probiert?«

Sie schüttelte wortlos den Kopf, um nicht beim Kauen innehalten zu müssen. Er konnte sich ein Lächeln nicht verkneifen. Während sie aß, fegte er Kiefernnadeln zu einem Haufen, der als Bett dienen würde.

Das Rindfleisch war rasch verzehrt. Er hatte mehr, und vermutlich hatte sie noch Hunger, aber er bot ihr kein weiteres Stück an. Es war besser, wenn es ihr nicht zu gut ging. Sie durfte nicht vergessen, wie schwierig allein dieser, der einfachste, Teil der Reise gewesen war. Später, wenn sie wütend auf ihn war – und er wusste, dass es so kommen würde –, musste sie sich daran erinnern können, wie es sich anfühlte, wenn der Hunger am Magen nagte und man vor Durst schier verdorrte und bis auf die Knochen müde war. Aber ohne Rast konnte sie nicht weitergehen. Er durfte sie nicht überfordern, obwohl sie ihrer Miene nach zu urteilen zu allem entschlossen war.

Quent spürte, dass Zärtlichkeit ihn durchflutete wie ein breiter Strom, ihn lockte, sie in die Arme zu nehmen, kehrt zu machen und mit ihr zum Haus zurückzulaufen, mit Ephraim Frieden zu schließen und für sich zu beanspruchen, was seins und ihres sein könnte. Resolut schob er den Gedanken beiseite. Um ihrer beider willen. Es gab für sie keine Zukunft, die auf der Qual von Solomon dem Fassmacher beruhte, oder darauf, dass er, Quent, sich seiner Pflicht entzog. »Schlaf jetzt.« Er deutete mit dem Kopf auf das Bett aus Kiefernnadeln. »In einer Stunde wecke ich dich, dann gehen wir weiter.«

»Du wachst immer auf zu der Zeit, die du dir vornimmst«, sagte sie leise. Sie erinnerte sich an das, was er ihr damals im Ohio Country gesagt hatte.

»Ja, das stimmt.« Er wollte in einiger Entfernung von ihr rasten, gelehnt an die knorrige alte Ulme. Es sich nicht allzu bequem zu machen war eine Art, nicht zu lange zu schlafen. Doch als er zusah, wie sie sich auf den Kiefernnadeln bettete, sich seufzend ausstreckte, hatte er wieder Hunger nach ihr, empfand dasselbe überwältigende Bedürfnis, das er am Tag zuvor in Shoshanayas Lichtung empfunden hatte. Guter Gott, war das wirklich erst vor einem Tag gewesen, vor nicht einmal vierundzwanzig Stunden? Wenn sie sich jetzt liebten, wenn sie das beendeten, was gestern nicht beendet worden war – vielleicht würde sie dann wissen, wie sehr sie die seine war. Vielleicht könnte sie dann das, was später an diesem Tag passieren würde, etwas leichter ertragen. Er wusste, dass er sich selbst etwas vormachte, dass er Ausflüchte erfand, um zu tun, was er tun wollte, doch er konnte nicht anders.

Quent kniete sich neben sie, legte die Hand an ihre Wange. »Nicole ...«

Sie schob ihn nicht fort, sah ihn nur an. »Nein. Es tut mir Leid, aber nein.«

»Nicole, gestern am Wasserfall ...«

Sie zog seine Hand von ihrem Gesicht. »Nein«, wiederholte sie. »Wir sind nicht mehr am Wasserfall. Es tut mir Leid.«

Verdammt sollte sie sein! Wenn sie ihn nicht so sehr wollte, wie er sie, dann sollte es eben so sein. Er würde nicht ... Ach, er war ungerecht. Sie war nicht für seine Art von Leben erzogen, sie war eine Weiße, keine Indianerin. Es gab Konventionen, von denen er nicht erwarten konnte, dass sie sie überwand. Zumindest nicht zweimal so kurz hintereinander. Später, wenn sie verheiratet waren, würde es anders sein.

Er ging zu dem Baum, für den er sich entschieden hatte, und setzte sich darunter, lehnte sich gegen den harten, unnachgiebigen Stamm. Und weil er wusste, wie sehr sein Körper danach verlangte, schloss er die Augen und erlaubte sich die eine Stunde Schlaf, die er für vertretbar hielt.

»Wo sind wir hier?« Das waren die ersten Worte, die sie an ihn richtete, seit sie aufgewacht und weitergegangen waren.

»Das ist Do Good. Ich hab dir davon erzählt, weißt du noch? Der Handelsposten von Shadowbrook. Die Leute, die hier leben, sind Quäker.«

Er hatte nicht geplant, nach Do Good zu gehen, aber es war kein großer Umweg. Und außerdem war ihm eingefallen, dass Lantak und seine Bande möglicherweise auch hier ihr Unwesen getrieben haben könnten. Aber Do Good sah aus wie immer. Sauber, ordentlich. Das schwarz-weiße Schild, das geweißelte Versammlungshaus, die grau verwitterten Scheunen und Häuser, alles war wie immer.

Quent stieß die zweigeteilte Flügeltür zum Blockhaus des Handelspostens auf und trat ein. Esther Snowberry stand hinter der Theke. »Guten Tag, Esther. Ich hatte gehofft, dich hier anzutreffen.« Er hatte Esther seit fünf Jahren nicht gesehen. In der Zwischenzeit war ihr Haar schlohweiß geworden, Falten durchzogen ihr Gesicht.

Esther wandte sich mit einem strahlenden Lächeln zu ihm. »Einen schönen guten Tag, Quentin Hale. Natürlich bin ich hier. Sei herzlich willkommen. Wir hatten gehört, dass du wieder in Shadowbrook bist, und ich habe gehofft, dass du uns einen Besuch abstatten würdest. Setz dich und ruh dich aus. Du musst …« Da erblickte sie die Frau, die hinter ihm eingetreten war. Vor langer Zeit hatte es auf dem Gut eine Squaw gegeben, die immer weiße Kleidung trug, aber sie hatte gedacht … Nein, diese Frau war jung, und sie war weiß, keine Indianerin. »Vielleicht kannst du mich deinem Gast vorstellen, Quentin.«

»Das ist Mademoiselle Nicole Crane«, sagte Quentin. »Ich muss dich um Erlaubnis bitten, sie bei dir zu lassen, Esther. Bis jemand von Do Good Zeit hat, sie zum großen Haus zurückzubringen.«

Nicole fuhr auf. »Nein! Du hast es mir versprochen, Quent! Du hast es versprochen!« Dieser Verrat, nachdem er ihr sein Wort gegeben hatte, war zu viel, zu grausam. Es gelang ihr nicht, die Tränen der Wut und der Enttäuschung zu unterdrücken. Die weißhaarige Frau betrachtete sie. Zweifellos glaubte sie, das Problem bestehe darin, dass Quentin Hale sie nicht wollte. Als hätte sie sich ihm angeboten und er … *Mon Dieu,* vergib mir. Vergib mir meinen Stolz. *Sainte Vierge,* hilf mir. »Bitte verzeihen Sie, Madame. Ich möchte nicht unhöflich sein, aber …«

»Ich brauche keinen Titel, Kind. Ich heiße Esther Snowberry. Und du darfst dich nicht so erregen.« Das Mädchen war außer sich. Dunkle Ringe lagen ihr unter den Augen, ihre Wangen waren vor Erschöpfung eingesunken. »Es ist uns keine Last, dich bei uns zu haben. Mein Schwiegersohn fährt dich morgen gern nach Shadowbrook zurück. Er nimmt den Wagen und bringt ein neues Fass Rum für unser Lager mit. So ist die Fahrt für uns ebenso nützlich wie für dich.«

Nicole wollte etwas sagen, doch Quent schnitt ihr das Wort ab, als wäre sie ein ungezogenes Kind. »Ich habe keine Zeit für lange Erklärungen, Esther. Das Gut ist von Indianern überfallen worden, von abtrünnigen Huronen.« Ohne auf ihren unterdrückten Aufschrei einzugehen, fuhr er fort: »Sie haben großen Schaden angerichtet. Es ist gut möglich, dass kein Rum für euch da ist. Aber Mademoiselle Crane muss auf jeden Fall unbeschadet in die Obhut meiner Mutter zurückgebracht werden, und ich kann sie nicht hinbringen.«

»Du hast es mir versprochen«, flüsterte Nicole. »Du hast einen heiligen Schwur geleistet.«

»Später«, sagte er und sah sie an. »Das habe ich dir doch gesagt. Später bringe ich dich nach Norden.«

»Geschäfte kann man nur regeln, wenn man etwas gegessen und sich ausgeruht hat«, sagte Esther Snowberry. »Wer hungrig und durstig ist, kann keine kluge Entscheidung treffen. Hier ist Platz.« Sie deutete auf die beiden Bänke rechts und links des großen Kamins. »Ich lasse euch Essen bringen.«

Quentin ging zur Tür; er tat, als habe sie ihre Worte lediglich an Nicole gerichtet. »Quentin Hale.« Esthers Stimme ließ ihn innehalten. »Du kommst viel schneller voran, wo immer du hingehst, wenn du etwas im Magen hast. Und es ist schneller, hier zu essen, als etwas im Wald zu jagen und zu töten und zu kochen.«

Esthers Ton duldete keinen Widerspruch. Er ging zur Bank und ließ sich nieder. Wegen der Augusthitze schwelte das Feuer nur, konnte aber bei Bedarf jederzeit wieder lodernd entfacht werden. Nicole saß ihm gegenüber. Sie sagte kein Wort. Er erwartete, dass sie weiter auf ihn einreden würde, ihm sagen, dass er ein Schuft sei, dass er sie angelogen habe – er hatte sie nicht angelogen, sondern ihr nur nicht die ganze Wahrheit gesagt –, aber sie sah ihn nur an, als wäre er ein Haufen Hundedreck. Und verdammt, er konnte nicht leugnen, dass er sich auch so fühlte.

»Hepsibah Jane«, rief Esther. Ein Kind trat aus dem Schatten, in den es sich zurückgezogen hatte, als die hitzige Auseinandersetzung begonnen hatte. »Das ist die Tochter meiner Judith«, erklärte Esther. Hepsibah Jane mochte etwa fünf sein. Sie hielt einen hölzernen Stickrahmen und eine Nadel in der Hand, doch den weit aufgerissenen Augen nach zu urteilen, aus denen sie die Besucher betrachtete, hatte sie wohl schon mehrere Minuten keinen Stich mehr getan. »Hol deine Mutter, mein Kind. Schnell! Sag ihr, dass Quentin Hale vom großen Haus gekommen ist. Mit einem Gast. Sie brauchen etwas zu essen.«

Als die Kleine fort war, sprach niemand ein Wort. Quent und Nicole saßen da und vermieden es, sich anzusehen. Esther beschäftigte sich mit den Waren, die sich hinter der langen Holztheke stapelten. Als sie sich wieder den beiden zuwandte, hielt sie einen Berg Kleider in den Händen. »Vielleicht möchtest du diese Dinge tragen, Nicole Crane. Wenn du für einen Teil der Reise, die dir bevorsteht, nicht die Kleider einer Squaw tragen möchtest. Hier hinten gibt es einen kleinen Raum, wo du probieren könntest, ob diese Sachen ihren Zweck für dich erfüllen.«

Ja, das war vernünftig. Was immer Quent sagen mochte, sie würde nicht aufgeben. Sie würde nach Québec gehen, nicht nach Shadowbrook. Und für das, was sie am Ende ihrer Reise erwartete, waren die weißen Bärenhäute einer Indianersquaw höchst unpassend. Dankbar nickte Nicole und stand auf.

Esther führte sie zu dem kleinen Lagerraum hinter der Theke. Quent erhob sich. »Judith kommt gleich, Quentin«, sagte Esther, ohne sich umzudrehen. »Du brauchst nicht fortzueilen, weil du meinst, du könntest zu lange aufgehalten werden.« Er setzte sich wieder auf die Bank.

Fünf Minuten später eilte Judith herein, in der Hand einen überquellenden Korb. »Sei herzlich willkommen, Quentin Hale. Es freut mich, dich wiederzusehen.«

»Und ich freue mich, dich wiederzusehen, Judith.« Sie erwartete wieder ein Kind und strahlte von innen heraus. »Ich hatte gedacht, ich würde eure Sklavin sehen, Prudence heißt sie, wenn ich mich nicht irre. Aber ich freue mich, dich begrüßen zu können.«

»Prudence ist hier, aber sie ist keine Sklavin mehr«, erklärte Judith, während sie den Korb auspackte. »Sie hat ihr eigenes Haus und macht jetzt Kalikobeutel. Diese.« Sie deutete mit dem Kopf auf einen Stapel blau-gelber, mit einer Zugschnur zusammengehaltener Beutel, der auf der Theke lag. »Den Indianern gefallen sie gut als Handelsware.«

»Keine Sklavin mehr«, sagte Quent leise. »Allzu sehr überrascht mich das nicht.«

»Das war eine Entscheidung der gesamten Gemeinschaft. Mittlerweile denken viele Freunde so. Wir sprachen vor drei Jahren auf der jährlichen Versammlung darüber, und wir kamen überein, dass es in Do Good keine Sklaven mehr geben würde. Dein Vater hatte nichts dagegen und konnte sich auch nicht beschweren, da der Handel läuft wie immer, ob nun mit oder ohne sie.« Beim Sprechen hob sie zwei große Scheiben Fleischpastete aus dem Korb sowie einen Berg mit Butter bestrichener Maiskuchen. »Hepsibah sagte, du hättest einen Gast dabei. Deswegen habe ich genug für zwei gebracht und etwas Proviant für deine Reise, damit …«

»Es ist jemand bei mir. Eine junge Frau, ein Gast meiner Mutter. Sie ist bei deiner Mutter, um zu sehen, ob sie etwas Passendes zum Anziehen findet.«

Judith wirkte verwundert, doch Esther Snowberry tauchte auf, bevor ihre Tochter auf taktvolle Weise eine Frage formulieren konnte.

Die ältere Frau bedeutete ihm, in den hinteren Teil des Handelspostens zu kommen. »Quentin, ich bitte dich um Nachsicht, aber hättest du einen Moment Zeit?«

Mit einer gemurmelten Entschuldigung, an Judith gerichtet, ging er zu Esther hinüber.

»Ich entschuldige mich dafür, Dinge anzusprechen, von denen ich nichts weiß«, begann sie. »Aber wie du weißt, ist es bei uns Sitte und rechtens, Dinge offen zu sagen.«

»Ich weiß, Esther. Sag, was du zu sagen hast. Ich höre.«

»Die junge Frau ist in arger Bedrängnis, Quentin. Es verlangt ihr sehr danach, verstanden zu werden. Ich fürchte, das kannst nur du. Du musst dein Gewissen prüfen und dich fragen, ob es Dinge gibt, bei denen du sie nicht gerecht und respektvoll behandelt hast.«

Guter Gott – Esther glaubte, er sei Nicole unehrenhaft zu nahe gekommen und lasse sie jetzt im Stich. Er hatte nicht die Zeit, ihr die ganze Angelegenheit zu erklären. Je mehr Zeit verstrich, desto mehr drängte es ihn, seinen Weg fortzusetzen. Er betete, Solomon möge noch so lange leben, bis er Lantak und die anderen eingeholt hatte. »Esther, ich gebe dir mein Wort darauf, ich habe nicht … Ich meine, da war nichts … Ach, du meine Güte! Ich weiß nicht, wie ich das erklären soll …«

»Mir bist du keine Erklärung schuldig, Quentin Hale. Wer außer sich ist, ist die junge Frau.« Sie deutete auf den Raum hinter sich.

»Ich habe jetzt keine Zeit. Es gibt Ärger, Esther. Ich habe dir ja gesagt …«

»Nur du kannst entscheiden, wo deine Pflicht liegt, Quentin. Du bist mir keine Erklärung schuldig«, wiederholte sie.

Was war seine Pflicht, wie Esther es nannte? Verdammt! Was hatte Pflicht damit zu tun? Er liebte sie. Er wollte sie heiraten. Aber im Augenblick brauchte Solomon ihn hundert Mal mehr als sie. Nicole war unschuldig, eine Jungfrau. Das wusste er jetzt, und … guter Gott! Wie konnte er nur so blind sein! Sie war in der Tat völlig unschuldig. Sie dachte, dass das, was dort passiert war, alles war, was passieren würde, dass er sie mit seinen Küssen und seinen Zärtlichkeiten …

Über die Schulter warf er einen Blick auf Judith, die das Essen auftischte und tat, als würde nichts Ungewöhnliches vor sich gehen. Ihr Bauch wölbte sich stark vor. Das Kind konnte wohl jeden Tag kommen. Aber sie bewegte sich mit beständiger strahlender Freude, weil sie einen Ehemann hatte und in der Gemeinschaft geachtet wurde. Was, wenn Nicole sich sorgte, sie sei aufgrund seiner Liebkosungen schwanger geworden? Was, wenn sie glaubte, er würde sich davonmachen und sie in ihrer schrecklichen Schande sich selbst überlassen? Der Gedanke war unerträglich.

»Lass mich einen Moment allein mit ihr, Esther. Dafür wäre ich dankbar.«

Esther Snowberry trat beiseite und deutete zur Vorratskammer, in der das Mädchen die Kleider anprobierte.

Nicole stand am Fenster. Auf dem Stuhl neben ihr lag ein Stapel bunter Handelswaren, rot, gelb und grün gefärbte handgewebte Kittel, wie sie den Indianerinnen gefielen, doch sie trug ein schlichtes graues Quäkerkleid. Sie stand mit dem Rücken zu ihm, und unter der strengen Haube, die keine einzige Schleife oder Rüsche zierte, hing ihr das zum Zopf geflochtene Haar zwischen den Schulterblättern herab. »Schau mich an«, sagte er. »Ich muss mit dir reden, und ich habe nicht viel Zeit.«

Sie wandte ihm ihr wunderschönes Gesicht zu, und da fragte er sich, ob er sich nicht vielleicht täuschte, ob er nicht die falsche Schlussfolgerung gezogen hatte. Vor ihm stand keine verängstigte junge Frau, die glaubte, sie sei unehrenhaft berührt worden; vor ihm stand eine Königin. »Du hast mir dein Wort gegeben«, sagte sie, »und jetzt brichst du es.«

»Verdammt! Das stimmt nicht! Verstehst du das denn nicht? Ich komme wieder, und dann wird wieder alles zwischen uns so sein wie gestern beim Wasserfall. Ich liebe dich, Nicole. Ich will dich heiraten.«

»Ich kann nicht hei …«

»Psst. Sag nichts. Hör mir einfach zu.« Er trat zu ihr und legte ihr die Hände auf die Schultern. Dieses Mal wich sie nicht zurück. »Gestern ist zwischen uns nichts passiert, was nicht hätte passieren dürfen, Nicole. Darauf gebe ich dir mein Wort. Es besteht keine Gefahr, dass du …«

»Dein Wort ist nichts wert. Das hast du bereits hinlänglich bewiesen.« Noch im selben Moment bereute sie ihre Worte. Sie sah erst Wut in seinen Augen glimmen, dann kalten Zorn. »Quent, so habe ich das nicht gemeint. Ich habe mich nicht richtig ausgedrückt. Bitte, lass es mich noch mal versuchen.«

Sein Ärger verrauchte so schnell, wie er gekommen war. »Ach, mein Herz, ich brauche keine Erklärung.« Er legte ihr die Hand auf die Wange, und sie schob sie nicht fort. »Wir werden heiraten«, sagte er sanft. »Sobald ich mit den Abtrünnigen abgerechnet habe und Solomon wieder auf dem Gut ist. Dann zeige ich dir, was zwischen Mann und Frau wirklich passiert. Was wir gestern gemacht haben, auf der Lichtung, war nur der Anfang, mein Herz. Nichts könnte dich …«

»Ich kann dich nicht heiraten, Quent.« Sie nahm seine Hand von ihrer Wange. »Ich habe geschworen, Nonne zu werden.«

»Eine Nonne! Herr des … das war keine Nonne, die da gestern am Wasserfall bei mir war. Was für eine wahnsinnige …«

»Gestern hätte ich beinahe den Eid vergessen, den ich dem allmächtigen Herrn kniend vor dem heiligen Sakrament geschworen habe, und noch einmal am Sterbebett meiner Maman. Gestern ist eine weitere schreckliche Tat geschehen, für die ich den Rest meines Lebens Buße tun muss.«

»Buße … Nicole, ich gebe zu, ich verstehe nichts von deiner Religion, aber sicherlich lehren nicht einmal papistische Priester, dass das natürliche Verhalten von Mann und Frau miteinander etwas ist, wofür man Buße tun muss.«

Nicole äugte zur Tür. Sie war geschlossen, aber nur der Himmel wusste, was die Leute draußen dachten, was hier vor sich ging. »Pst«, sagte sie. »Wir erregen Aufsehen. Ich spreche nicht von dem, was wir getan haben …«

»Beinahe getan haben«, verbesserte er sie heiser flüsternd. »Ich sagte dir doch, nichts ist passiert, was Ehemann und Ehefrau vorbehalten ist.«

»Ich weiß.« Das stimmte zwar nicht ganz, aber sie sah keinen Grund, seinen Worten in solchen Dingen zu misstrauen. »Ich versuche, dir etwas zu sagen, was viel schlimmer ist als das, was du denkst. Die kleinen Zwillinge, Lilac und Zucker-Willie …« Sie trat einen Schritt von ihm zurück. »Sie sind meinetwegen gestorben.«

»Das ist Unsinn. Sie und die anderen sind tot, weil ein grausamer abtrünniger Hurone namens Lantak das Gut überfallen hat. Das hat nichts mit dir zu tun.«

»Wie viele andere?« Und als er nicht antwortete: »Das musst du mir sagen! Wie viele noch?«

Ephraim hatte Neger und Weiße getrennt gezählt. Quent betrachtete die Sache anders. »Elf, ohne Solomon den Fassmacher. Den haben sie gefangen genommen, aber ich bin mir sicher, dass er noch am Leben ist.« Zumindest eine Weile noch. Und wenn er ihn nicht rasch einholte, würde Solomon darum flehen, sterben zu dürfen.

»Elf Tote«, flüsterte sie und bekreuzigte sich. »*Tiens pitié, mon Dieu.* Und was noch? Es gab noch mehr Zerstörung. Ich weiß es, ich habe es gesehen.«

»Acht Pferde sind gestohlen worden oder waren so schwer verletzt, dass sie erschossen werden mussten. Fast die Hälfte der Weizenernte ist abgebrannt. Das Sägewerk liegt in Schutt und Asche. Aber was meinst du damit, dass du es gesehen hast? Du warst doch die ganze Zeit in der Höhle hinter dem Wasserfall.«

»Ich habe es gesehen«, wiederholte sie. »*Le bon Dieu* zeigte mir, was ich mit meinem Eigensinn, mit meiner Weigerung, meinen Eid zu erfüllen, mit meiner Sünde des Ungehorsams angerichtet habe.« Sie zögerte. »Und durch das, was ich beinahe mit dir getan habe … tun wollte.« Sie starrte zu Boden. Ihre Stimme war so leise, dass er sie kaum verstehen konnte.

»Wir lieben uns. Welcher Gott würde uns das verargen?« Doch noch während er das sagte, wusste er, dass seine Worte vergebens waren. Sie reichte ihm kaum bis zur Schulter, aber sie war eine Festung der Entschlossenheit. Guter Gott, was für eine Frau. Und er würde sie verlieren. An ein Kloster, einen Pfuhl pfäffischen Aberglaubens. Es war geradezu monströs.

»Ich habe nicht das Recht, dich zu lieben.« Nicole hob den Kopf. Sie war noch immer sehr blass, aber sie weinte nicht mehr. »Lang bevor ich dich traf, hatte ich mich schon Jesus Christus versprochen. Zur Wiedergutmachung.«

»Wiedergutmachung wofür? Was kannst du schon getan haben, das …«

»Ich selbst, ich habe nichts getan. Das lastet nicht auf meinem Gewissen. Aber ich habe mit angesehen, was andere taten. Was mein eigener Vater tat. Du hast vom Aufstand der Jakobiten gehört, '45 in Schottland? Culloden Moor?«

Die Geschichten von Culloden Moor hatten selbst Amerika erreicht. Es war ein einziges Schlachten gewesen, ein Blutbad, ein Gemetzel. Was konnte das mit Nicole zu tun haben? Mit irgendeiner Frau? »Es gibt keinen Zusammenhang zwischen …«

Verärgert über seine Ungläubigkeit schüttelte sie den Kopf. »Doch. Ich war dabei, ich habe es gesehen. Schau mich nicht so an. Ich meine nicht, dass ich eine schreckliche Vision hatte. Ich habe es wirklich mit eigenen Augen gesehen, genauso, wie ich jetzt dich sehe. Maman und ich lebten in einem kleinen Haus in der Nähe der Kaserne von Ruthven in den schottischen Highlands. Die meisten anderen Frauen und Kinder waren schon nach Hause geschickt worden, nach England. Aber Maman sagte, wir könnten nicht gehen, weil viele Leute die Ergebenheit meines Papas anzweifelten, weil seine Frau Französin war und Katholikin. Also sind wir geblieben. Am Tag nach der Schlacht haben sie uns den Schauplatz des großen englischen Siegs gezeigt. Überall Tote und Sterbende. Und die Soldaten des Königs, sogar Papa, sind umhergegangen und haben allen, die gestöhnt oder um Gnade gefleht haben, den Kopf abgehackt. Später haben sie das Land durchkämmt nach allen, die sich versteckt haben könnten. Wen sie gefunden haben, ganz egal, wie schwer er verwundet war oder wie sehr er um Gnade flehte, den haben sie abgeschlachtet, und das Haus, in dem er sich versteckt hatte, wurde abgebrannt. Ich habe alles gesehen, und da habe ich einen Eid geschworen. Ich wollte zur Wiedergutmachung Nonne werden, um die Seele meines geliebten Papa zu retten. *Le bon*

Dieu ist gnädig. Nachdem er die Armee verlassen hatte, hat Papa dem protestantischen Ketzertum abgeschworen und wurde in die wahre Kirche aufgenommen. Ich wusste nicht, welches Kloster mir bestimmt war, bis ich durch Zufall von den Armen Klarissen in Québec hörte, das kleinste, bescheidenste Kloster des Ordens. Und da Papa geschäftlich in Virginia zu tun hatte, hat er mich mitgenommen.« Ihr gelang ein Lächeln. Als habe sie damit alles erklärt.

Quent streckte die Hände aus, aber sie wich zurück. Nichts, was er tat, nichts, was er sagte, würde sie umstimmen. Das wusste er. Aber dennoch, er musste es versuchen. »Nicole ...«

»Für Worte ist keine Zeit mehr, Quent. Ich muss nach Québec.«

Er hatte verloren. Das sagte ihm ein bloßer Blick auf sie. »Also gut. Wenn du darauf bestehst, dass du das tun willst, bringe ich dich zu deinem Kloster.«

Merci, mon Dieu. Seit gestern, seit der schrecklichen Vision, die sie in der Höhle hinter dem Wasserfall gehabt hatte, war ein grausamer Schmerz in ihrem Herzen gewesen, Leid und Qual und Reue. Jetzt ließ der Schmerz nach. »Ich werde dich immer in meine Gebete einschließen. Du wirst nie ...«

»Ich bringe dich hin, sobald ich mit Solomon nach Hause gekommen bin. Aber jetzt musst du zurück nach Shadowbrook.«

»Nein! Quent, du darfst nicht ...«

Er wandte sich ab und ging in den Verkaufsraum des Handelspostens zurück.

Judith hatte Essen für ihn eingepackt. Sie reichte ihm ein Bündel, das er in seinem Rucksack verstaute. Esther schwieg, doch ihr Blick wanderte zwischen Quent und der jungen Frau hin und her, die jetzt in der offenen Tür stand und ihn anstarrte, als wäre ihre Welt eingestürzt.

»Bringt sie zum großen Haus«, sagte Quent, als er zur Flügeltür schritt. »Und sagt bitte meiner Mutter, dass ich bald zurück sein werde. Dann bringe ich Mademoiselle Crane dorthin, wo immer sie hingehen möchte.«

Bevor er die Tür erreichte, schwang sie auf. Der Eintretende trug ein gerüschtes Hemd und darüber einen blauen Rock, der mit dem goldenen Litzenbesatz eines Offiziers versehen war. Auf seinem Kopf saß ein Dreispitz. Sein Haar war schlohweiß und lang und im Nacken mit einem Ripsband zusammengebunden. Sein Gesicht trug die rituellen Tätowierungen und Narben eines Kahniankehaka-Häuptlings. »Mir wurde gesagt, dass ich dich hier finden würde, Uko Nyakwai. *Skennenteron.*« Friede sei mit diesem Haus.

»*Skennenise.*« Friede sei mit dir. Er hatte Thoyanoguin, den Mohawk-Häuptling, den die Weißen König Hendrick nannten, schon viele Jahre nicht mehr gesehen. Er hatte sich kaum verändert, sein Gesicht war so gefurcht und wettergegerbt wie damals, als Quent ein Kind gewesen war. Doch heute blickten seine Augen, die sonst nichts als Ruhe ausstrahlten, bekümmert. »Warum sucht der große Häuptling der Kahniankehaka nach Uko Nyakwai?«

»*Teiononhkeri,* Roter Bär.« Es sind schlimme Dinge geschehen.

»Welche Dinge?«

»Beim Bright Fish Water liegen fünf tote Pferde. Sie wurden nicht zum Essen oder aus Gnade getötet, sondern aus Zorn.«

Das Bright Fish Water lag an der nördlichsten Grenze des Guts, nur die Hälfte des Gewässers gehörte tatsächlich zu Shadowbrook. Man brauchte einen ganzen Tag, um von einem Ende des Bright Fish Water zum anderen zu paddeln, und wenn man das andere Ufer erreichte, war man in Kanada, dem Land, das die Franzosen als Neufrankreich für sich beanspruchten, am Ufer des Lac du St. Sacrement, wie sie ihn nannten. »Weiß Thoyanoguin, ob diese Pferde meinem Vater gehörten?«

»Lantak hat sie bei einem Überfall gestohlen.«

Quent war nicht überrascht. Vermutlich hatte Thoyanoguin gewusst, dass Lantak und seine Abtrünnigen unterwegs waren, lange bevor die Mordbande tatsächlich hier auftauchte. Aber solange die Huronen es auf Weiße abgesehen hatten und nicht auf Mohawk, ließ der alte Häuptling den Dingen ihren Lauf. Er hätte Ephraim Hale nur gewarnt, wenn er daraus einen unmittelbaren Nutzen gezogen hätte, und den hatte er offensichtlich nicht gesehen. Warum aber kam er dann jetzt mit dieser Nachricht zu Quent? Doch er stellte diese Frage nicht frei heraus. Niemand legte mehr

Wert auf Verhandlungsgeschick und Finesse als ein Mitglied der Irokesen-Föderation, und niemand war darin besser bewandert als Thoyanoguin. »Haben die abtrünnigen Huronen die Pferde geschlachtet, weil sie ein Kanu hatten? Woher würden sie eines bekommen, da sie doch so weit von ihren Ländern entfernt sind?«

Der Häuptling zuckte die Achseln. »Kanus können gefunden werden oder auch gestohlen.«

Du lügst, du schlauer alter Fuchs. Du scherst dich keinen Pfifferling darum, was Lantak auf Shadowbrook getan hat. Verdammt, wahrscheinlich hast du ihnen das Kanu verkauft, damit sie entkommen können. Und ein Grund, warum du herkommst und mir das erzählst, ist, weil sie die Hale-Pferde nicht laufen ließen, wie du es erwartet hattest, damit du sie einfangen kannst; sie haben die armen Gäule umgebracht, nur damit sie dir nicht in die Hände fallen. »Die Abtrünnigen haben vom Land meines Vaters einen Gefangenen mitgenommen, weiser Häuptling. Hast du ihn gesehen?«

»Ich sagte doch, ich habe nichts gesehen. Wenn ich dagewesen wäre, hätte ich eine Erklärung für ihre Untaten gefordert und sie zu deinem geachteten Vater geführt, damit Recht über sie gesprochen wird. Aber zwei meiner Tapferen haben Lantak gesehen und mir von dem Gefangenen berichtet. Ein schwarzer Mann. Einer von denen, die ihr Sklaven nennt.« Thoyanoguins Missfallen war seinem Tonfall deutlich anzuhören. »Das Blut des schwarzen Mannes war auf der Erde, dort, wo das Kanu ins Wasser glitt. Meine Tapferen sagen mir, dass es genauso rot war wie deines oder meines.«

»Das weiß ich, weiser Häuptling. Ob rot, weiß oder schwarz, das Blut hat immer dieselbe Farbe.« Quent barst schier vor Ungeduld, doch er riss sich zusammen. »Der Gefangene heißt Solomon. Er ist ein guter Mann. Ist er dem Tod nahe … *tehokonhentonsken*?«

»Er ist noch nicht tot. Liegt noch nicht einmal im Sterben.« Thoyanoguins Blick ruhte auf Nicole, die im Schatten bei der Vorratskammer stand. Der Mohawk sah sie unverwandt an, auch während er mit Quent sprach. »Aber dieser Solomon sieht jetzt einfach.« Er hob die Faust zum Gesicht und deutete an, wie ein Auge mit einem Messer ausgestochen wird.

Quent hatte gehofft, Lantak würde warten, bis er auf eigenem Grund und Boden war, bevor er … Guter Gott. »Die Huronen, Thoyanoguin, *to nihati*?« Wie viele hast du gesehen?

»Ich sage dir doch, diese alten Augen haben nichts gesehen. Meine Tapferen erzählen mir, dass fünf Huronen-Kothaufen ihren Gestank verbreiten. Uko Nyakwai … da ist etwas …«

Endlich kam er auf das Wesentliche zu sprechen. »Ich höre voll und ganz, weiser Häuptling.«

»Letzte Nacht, bevor die Pferde getötet wurden und bevor meine Tapferen den Huronen-Dreck sahen, hatte ich einen Traum. Ich sah einen roten Bären.«

Quent ballte die Fäuste, zwang sich aber weiterhin, seine Ungeduld zu verbergen. Dieses absolute Vertrauen, das alle Indianer in Träume setzten – er konnte sich nicht dazu überwinden, ihnen ebenso großen Glauben zu schenken wie sie. Noch nie. *Wenn mein weißer Sohn nicht den Geistern vertraut, die im Schlaf zu ihm kommen, dann werden sie bald aufgeben, überhaupt zu ihm zu kommen.* Das hatte Bishkek, sein Mannheitsvater, vor langem zu ihm gesagt. Und als Bishkek ihn anleitete, sein Todeslied zu entwickeln, hatte Quent tatsächlich einen Traum, der ihm half. Er musste ihn richtig gedeutet haben, denn sein Lied war gut und kraftvoll. Das hatte sich an dem Tag im Lager der Shawnee gezeigt, als Pontiac ihn hätte töten können und wollen, es aber dann unterließ. »War ich der rote Bär in Thoyanoguins Traum?«

»*Hanio!* Wer sollte es sonst sein? Aber bis jetzt wusste ich nicht, wer der *raon* ist, der winzige Vogel, der so schnell mit den Flügeln schlägt, dass man nicht sieht, wie sie sich bewegen, und der still zu stehen scheint, während er sich bewegt. Jetzt weiß ich es.«

Der Mohawk starrte weiter unaufhörlich auf Nicole. Sie war der Kolibri aus Thoyanoguins Traum, wurde Quent auf einmal bewusst. »Was ist mit dem *raon* passiert?«

»Ein Falke wollte ihn fangen, aber der kleine Vogel ist entkommen. Trotzdem ist der Falke ihm nachgeflogen, und als das Vögelchen müde wurde vom vielen schnellen Flügelschlagen, ist es auf dem Rücken eines roten Bären gelandet und hat ihn gebeten, es in Sicherheit zu bringen. Aber obwohl der Vogel so winzig war und der Bär sehr groß, sagte der Bär, er könnte das zusätzliche Gewicht nicht tragen, und hat sich auf die Hinterbeine gestellt und das Vögelchen abgeschüttelt. Und da ist der Falke herabgestürzt und hat den *raon* getötet. Und das Blut des Vögelchens hat das Dorf von Thoyanoguin überschwemmt und viele andere Dörfer auch. Und alle Kahniankehaka sind darin ertrunken.«

»Er hat dir etwas von mir erzählt, oder?«, flüsterte Nicole. »Er hat mich beim Sprechen die ganze Zeit angesehen. Was hat er gesagt?«

Du sagst mir, mein weißer Sohn, dass die Christen, die weißen Männer, an Skhotensi glauben, den Großen Geist, dass sie wissen, dass wir alle hier sind, um unseren Teil am Erzählen dessen, was der Große Geist erzählt, zu erfüllen. Aber wie sollen wir wissen, was Shkotensi sagt, wenn wir nicht zuhören, wenn er spricht? Er hatte damals keine Antwort auf Bishkeks Frage gefunden und fand auch jetzt keine auf Thoyanoguins. Ein Strom von Blut. Den hatte auch Cormac gesehen. Und viele kleine Vögel, die von einem Bären beschützt wurden. Hier, jetzt, war es nur ein einziger kleiner Vogel.

Quent fand seine Stimme wieder und wandte sich an Nicole. »Du hast gesagt, du glaubtest, ich würde von Shadowbrook davonreiten, und du hättest Pohantis' Kleidung angezogen, damit du reiten könntest. Aber es gibt keinen ...«

Nicole schnitt ihm das Wort ab. »Keinen Sattel, mit dem eine Dame reiten kann. Ich weiß, das hat George Junior mir schon vor Wochen gesagt. Aber das macht nichts. Als wir in Ruthven lebten, bei den Kasernen, haben die Soldaten es mir zum Zeitvertreib beigebracht. Ich kann im Herrensitz reiten, auch ohne Sattel.«

Aber nicht in einem Quäker-Kleid. »Zieh dir wieder die Beinkleider an. Schnell.« Und an Esther gewandt: »Ich brauche zwei Pferde.« Zwischen Do Good und Bright Fish Water gab es einen breiten Pfad, und so sehr es ihm gefallen würde, Nicole hinter sich auf dem Pferd sitzen zu spüren – zwei Pferde mit jeweils einem Reiter würden sehr viel schneller vorankommen. »Ich habe kein Geld dabei, aber ich bezahle, wenn ich zurück bin.«

»Du bist herzlich willkommen, alles von hier zu nehmen, was du benötigst, Quentin Hale.«

Er wandte sich wieder an Thoyanoguin. »Wenn ich nach Bright Fish Water komme, werde ich ein Kanu brauchen.«

»Es wartet schon auf dich. *Ahkwesahsne.*« An dem Ort, wo das Kragenhuhn balzt. »*Tyientaneken kahehsatake.*« Zwei Baumstämme längs nebeneinander auf der ausgetrockneten Sandbank. »Folge der Richtung, in die sie weisen. Das Kanu ist gut versteckt, aber da du weißt, dass es dort liegt, wirst du es finden. Und daneben zwei Paddel«, ergänzte Thoyanoguin und nickte Nicole zufrieden zu.

13

Donnerstag, 17. September 1754
Kloster der Armen Klarissen, Québec

Barfuß über einen rauen Steinboden zu laufen war im September keine besondere Bußübung, selbst in Neufrankreich nicht. Damals als Kind, als kleines Mädchen im großen Château an den Ufern der Loire, war Mère Marie Rose im Winter häufig mitten in der Nacht aufgestanden und als Mutprobe barfuß durch die eiskalten Korridore und Säle gelaufen, wobei sie um die Teppiche sorgsam einen Bogen machte. Einmal, im Februar, ging sie sogar nach draußen, um dasselbe am zugefrorenen Flussufer zu wagen. Petí, ihre geliebte *bonne d'enfant*, erwischte sie damals, und dann gab es eine Woche lang keinen *goûter*. Mère Marie Rose musste ein wenig lächeln bei der Erinnerung an Petí, die immer nach Puder und Nelken roch, und an die nachmittäglichen Imbisse in ihrer Kindheit, warme Milch mit Honig und Brötchen mit Butter oder süßer Marmelade.

Zweiundzwanzig Jahre war es nun her, dass sie dergleichen gegessen hatte, seitdem sie fünfzehn war und die Klostertüre der Armen Klarissen von Montargis sich hinter ihr geschlossen hatte. *Wenn schon, dann geh wenigstens zu den Ursulinen,* hatte ihre Mutter sie angefleht. *Oder zu den Benediktinerinnen. Wenn du unbedingt auf dieser Tollheit bestehst, dann wähle ein Kloster, in dem das Leben nicht ganz so hart ist.* Doch bestimmt hätte die Mutter ihr beigepflichtet, dass der Steinboden des kleinen Klosters in der Unterstadt von Québec in einer Septembernacht kein Ungemach bedeutete. Außerdem konnte man in dieser Kate ohnehin nicht weit laufen.

Sommers wie winters, jahraus, jahrein weckte die Äbtissin der Klarissen-Colettinnen von Québec ihre Töchter kurz nach Mitternacht, nachdem sie drei Stunden geschlafen hatten, und geleitete sie zum Gebet. Sie erreichten die Eingangstür zur Kapelle. Die Äbtissin hielt inne, steckte den rechten Zeigefinger ins Weihwasserbecken und bekreuzigte sich. Auch im Winter, wenn das Weihwasser gefroren war und nicht ein einziger Tropfen an ihrem Finger hängen blieb, machte sie das Zeichen, und die vier ihr folgenden Nonnen taten es ihr gleich.

Eine nach der anderen traten die Nonnen ins Innere der Kapelle, blieben stehen, um sich tief vor dem Tabernakel zu verneigen, ehe sie dann in den gegenüberliegenden Reihen des Chorgestühls ihren Platz einnahmen. Da sie nur zu fünft waren, saßen zwei Nonnen auf der einen Seite, auf der anderen drei. Diese Asymmetrie irritierte Mère Marie Rose.

Le bon Dieu hatte ihr eine Postulantin versprochen, und das mit Worten, die unmissverständlich waren. *Ich schicke dir eine weitere Tochter, die sich in den Flammen meiner Liebe verzehrt.* Sie hatte sogar die anderen Nonnen und Père Antoine in die frohe Botschaft eingeweiht. Wo blieb sie nur, diese sechste Opfergabe voll der Gebete und der Buße?

»O Herr, öffne mir die Lippen, und mein Mund soll dich preisen.« Sœur Marie Joseph, die Kantorin, hatte eine zauberhafte Stimme. Sie intonierte die große Antiphon der Matutin, die erste Stunde des neu angebrochenen Tages, und die versammelten Nonnen antworteten mit dem Eröffnungspsalm »*Confitebor tibi quia terribiliter magnificatus es …*« Ich danke dir, dass du mich so wunderbar gestaltet hast.

Bebend erklang ihr Gesang in der von Kerzen erleuchteten Dunkelheit. Marie Joseph war die Einzige, die wirklich singen konnte, und Mère Marie Rose und ihre Nonnen übten nicht stundenlang wie stolze Benediktinerinnen, für die die Vollkommenheit jeder Note eine heilige Pflicht darstellte. Doch alle wussten, dass ihr Gesang aus dem Herzen kam und geradewegs zum Himmel emporstieg. »*Nonne qui oderunt te Domine oderam?*« Soll ich die nicht hassen, Herr, die dich hassen?

Mitten im dritten Psalm der Matutin verschwammen die Worte auf der Seite im Psalter von Mère Marie Rose hinter einem roten

Nebelschleier. Die Äbtissin schloss die Augen und sang aus dem Gedächtnis weiter. Sie gab sich diesem Nebel hin, bot sich dar, um den Zorn Gottes zu besänftigen. Flammen. Ein Strom von Blut. Was hatte das zu bedeuten? Sag es mir, lieber Gott. Sag mir, was ich wissen muss. Keine Antwort, nur die Gesänge der Mette waren zu hören. »Kostet und sehet, wie gütig der Herr ist; erhöhet seinen Namen durch mich.«

Die Visionen hatten begonnen, als sie noch ein kleines Mädchen war. Sie brauchte nur die Augen zu schließen, und schon sah sie sich windende, leidende Seelen, umringt von geifernden Dämonen. Zurückgedrängt wurden die Dämonen durch einen Kreis von Frauen mit schwarzen Schleiern, die ihnen in sanften Falten auf die Schultern fielen; sie trugen grobe graue Gewänder, die von geknoteten weißen Kordeln zusammengehalten wurden, und waren barfuß. Doch die Frauen konnten sich nicht die Hände reichen, um den Kreis zu schließen und die armen Seelen von ihrer Todesqual zu erlösen. Sie streckten die Hände so weit wie nur irgend möglich aus, doch eine Person fehlte. Das kleine Mädchen, aus dem einst Mère Marie Rose werden sollte, hatte immer gewusst, dass die grau gewandeten Nonnen auf sie warteten.

Inzwischen sah sie andere Dinge. Rothäute, Wilde, Heiden, Menschen, die Jesus Christus und seine Kirche nicht kannten und deshalb nicht in den Himmel gelangen konnten, die auf alle Ewigkeit dazu verdammt waren, in der Leere und im Nichts zu verharren. Ihre Trauer und ihre Verlorenheit erschütterten sie. Das Unwissen dieser Menschen erschien ihr wie ein großer Felsblock, der den Eingang zu einer Höhle versperrte und kein Licht eindringen ließ. O mein Gott … nur eine noch. Nur eine einzige. Um den großen Stein des Unglaubens wegzurollen, bedurfte es nur noch einer weiteren Frau. Am besten jung, schön, rein und bereit, sich völlig hinzugeben.

Eine halbe Stunde später waren die Gebete der Matutin beendet. Die Nonnen knieten in ihrem Chorgestühl nieder und warteten auf das Zeichen der Äbtissin, sich zu erheben. Es kam nicht. Sœur Marie Céleste, die Stellvertreterin der Äbtissin, bemerkte mit einem flüchtigen Blick auf Mère Marie Rose, dass ihre Augen noch immer fest geschlossen waren, so wie fast während des gesamten Gebets. Céleste wartete noch einige Momente. Eigentlich musste die Äbtissin sie aus der Kapelle zurück in ihre Zellen geleiten, wo sie sich, dem strengen Reglement der Armen Klarissen entsprechend, als zweiten Teil der Nachtruhe drei weitere Stunden Schlaf gönnen durften. Die Äbtissin regte sich nicht. *Eh bien,* so etwas kam bei *la bonne Mère* gelegentlich vor. Schließlich war sie eine Auserwählte. Céleste trat aus ihrem Chorstuhl, und Marie Angélique, Marie Françoise und Marie Joseph folgten ihr. Die vier Nonnen schritten hintereinander aus der Kapelle und ließen die Äbtissin, wie so oft, in regloser Verzückung zurück.

Die Tür zum Kloster bestand aus kräftigen Eichenplanken, die durch getriebene Eisenbänder zusammengehalten wurden. Sie war verschlossen und verriegelt, und so oft Quent mit der Faust auch dagegenhämmerte, er bekam keine Antwort. »Hier«, sagte Nicole, »wir müssen's hier probieren. Dies ist die Drehlade.«

Ohne zu antworten – seit Tagen hatten sie kaum miteinander gesprochen – musterte er die Vorrichtung, auf die sie deutete: eine Art kleines Fass, das neben dem Tor in die Mauer eingelassen war, mit einer schweren Messingglocke an der Seite. Nicole ergriff den ledernen Glockenzug und zog heftig daran. Ein paar Augenblicke später hörten sie eine unsichtbare Stimme. »*Laudate Jesum Christum.*« Gelobt sei Jesus Christus.

»*Per omnia saecula saeculorum*«, sagte Nicole. Von Ewigkeit zu Ewigkeit.

»*Qu'est-ce que vous voudriez, Madame?*« Angélique schlug das Herz bis zum Halse. Der Akzent der Besucherin war nicht der landesübliche. Und sie war jung. Mère Marie Rose sagte seit Monaten, dass eine Postulantin erscheinen würde. Vielleicht heute …

»Ich möchte eine der euren werden«, sagte Nicole. »Eine Arme Klarisse.«

Erregt schlug Angélique die Hände zusammen, drückte sie sich aber sofort an den Mund, um einen leisen Aufschrei zu unterdrücken. Ja, gelobt sei Jesus Christus! Aber wie einfältig sie doch war!

Einfach hier zu stehen und nichts zu sagen … Die junge Frau musste glauben, alle Nonnen in diesem Kloster seien verrückt. Sie würde weggehen und sich ein anderes Kloster suchen. »*Un moment, ma petite. Ne quittez pas.*« Ihre Worte überschlugen sich förmlich vor lauter Aufregung. »Einen Augenblick. Gehen Sie nicht fort. *Un moment!*«

Hastig eilte die kleine Nonne zur Kapelle hinüber. Die Morgendämmerung zog gerade herauf. Durch die hohen Fenster des kleinen Chors drangen die ersten rosafarbenen Lichtstrahlen. Einer fiel direkt auf die Äbtissin. Sie kniete noch genauso da wie am Ende der Matutin und der ersten Laudes des neuen Tages. Ihre Augen waren noch immer geschlossen, offensichtlich hatte sie sich in den vergangenen vier Stunden nicht bewegt. Das überraschte Angélique nicht. Wenn *ma Mère* sich in diesem Zustand befand, verlor sie jedes Zeitgefühl und wusste nicht mehr, wie lange die »Wunde der Liebe«, wie sie es nannte, dauerte. Aber in diesem Fall … Das würde sie sofort erfahren wollen.

Eine kurze, tiefe Verbeugung vor dem Tabernakel, und schon ging Angélique eiligen Schritts zum Chorstuhl von Mère Marie Rose hinüber. Ihre bloßen Füße machten auf dem unebenen Steinboden kein Geräusch. »Ma Mère«, flüsterte sie. »Ich bitte Sie demütigst, diese Störung zu vergeben, ma Mère, aber …«

»Sie ist also endlich gekommen«, sagte Mère Marie Rose und schlug die Augen auf. »Gott sei gedankt.«

Quent verweilte noch immer im Schatten hinten in der Kapelle.

»*Magnificat anima mea Dominum.*« Meine Seele preiset den Herrn. Der Singsang stieg hinter den dicht an dicht stehenden, mit einem schweren Vorhang bedeckten Eisengittern empor, die den Abschluss des Altars bildeten. »Denn der Allmächtige hat Großes an mir getan, und sein Name ist heilig.«

Die körperlose Stimme hinter der Drehlade hatte Nicole ein zerschlissenes Gebetbuch gereicht. All ihre Antworten stünden darin, sagte die Nonne. Nicole hielt das Gebetbuch jetzt in Händen, doch soweit Quent erkennen konnte, schaute sie gar nicht hinein.

»*Quia respexit humilitatem ancillae suae*«, sangen die Stimmen hinter den Eisengittern. Auf die Niedrigkeit seiner Magd hat er geschaut.

»*Ecce enim ex hoc beatam me dicent omnes generationes*«, antwortete Nicole klar und deutlich, ohne das geringste Zögern. Siehe, von nun an preisen mich selig alle Geschlechter.

Du lieber, allmächtiger Gott, was für eine Religion war das, die Frauen hinter Eisengitter sperrte und das Tugend nannte? Er konnte den Gedanken nicht ertragen, sie an diesem Ort zurückzulassen. Er war düster und stickig. Nicole brauchte Sonnenschein und Lachen. Sie war für Shadowbrook bestimmt. Ihr Los konnte nicht sein, auf ewig Jungfrau zu bleiben und eingeschlossen zu sein. Gab es in ihrer Welt nur Frauen? Vielleicht nicht. In der winzigen Kapelle kniete ein großer, hagerer Mann in einer braunen Kutte. Quents Anwesenheit war ihm anscheinend entgangen, er starrte unverwandt auf Nicole.

Sie trug das graue Quäkerkleid, das Esther Snowberry ihr gegeben hatte. Ihr Haar war vollständig unter der schmucklosen weißen Haube verborgen. Dennoch war sie so schön, dass es ihm den Atem raubte. Vielleicht schöner denn je. Sie kniete vor dem kleinen Altar und blickte konzentriert auf ein goldenes Kistchen. Dahinter und ringsum verliefen vom Boden bis zur Decke diese gottverfluchten Eisengitter, doch Nicole strahlte vor Glück.

Quent ballte die Fäuste. Er war drauf und dran, nach vorn zu marschieren, sie zu packen und von diesem Aberglauben und dem katholischen Teufelswerk wegzuholen. Aber es wäre sinnlos. Sie tat, was sie tun wollte. Verdammt noch mal, Nicole. Der Teufel soll dich holen. Ich werde dich nicht anflehen, es dir anders zu überlegen.

Trotzdem brachte er es nicht fertig, sich loszureißen, solange er sie noch sehen konnte, wie sie da kniete mit gesenktem Kopf, ins Gebet vertieft, sodass die zarte Haut ihres Nackens sich seinem Blick darbot. Ein kleiner Vogel, ein Falke, ein Bär, ein Strom von Blut. Zwei nahezu gleichartige Träume, die ihm von zwei völlig unterschiedlichen Männern erzählt worden waren. Was hatte das alles zu bedeuten? Sosehr er die Papisterei auch verabscheute,

Quent konnte nicht anders, als auf den Altar zu starren und um eine Antwort zu beten.

Père Antoine spürte die Gegenwart des Mannes hinter sich, drehte sich aber nicht zu ihm um. Auch ohne einen zweiten Blick wusste er, dass der Mann Uko Nyakwai war, der legendäre Rote Bär. Quentin Hale war also nach Québec gekommen, ins Revier des französischen Feindes. Die Tatsache als solche war vielleicht nicht einmal so ungewöhnlich. Die Trapper und Kundschafter, all die *coureurs de bois*, bewegten sich völlig ungehindert in dieser Gegend. Rechtmäßige Grenzen bedeuteten ihnen ebenso wenig wie den Rothäuten. Dass es aber ausgerechnet ein Angehöriger der Familie Hale sein sollte, der den Franziskanern den lange erwarteten Schatz brachte, die neue Postulantin, das war in der Tat außergewöhnlich. Père Antoine bekreuzigte sich. Die Wege Gottes waren wirklich wundersam … Lantak hatte ausrichten lassen, dass der Überfall erfolgreich verlaufen war. Nun forderte er die zweihundert *livres*, die ihm noch zustanden.

Das Magnificat war zu Ende. Die Stimme von Mère Marie Rose erschallte durch das Gitter. »Was führt dich hierher, mein Kind?«

»Ich möchte Christus folgen und ein heiliges Leben führen«, antwortete Nicole.

»Bist du bereit, dein Herz der Dame Armut zu schenken und dich nach dem Vorbild von Franziskus und Klara im Kloster mit Gott einzuschließen?«

O ja, nach nichts anderem verzehrte sie sich. Nimm mich an, *mon Dieu*. Sie brauchte nicht in das Büchlein mit den vorgeschriebenen Formulierungen zu schauen, das man ihr gegeben hatte. Ihre Antwort kam aus ihrem tiefsten Inneren. »Ich bin wahrlich bereit, ma Mère. Von ganzem Herzen und ganzer Seele.«

Mère Marie Rose lächelte. Begeisterung lag der Jugend im Blut. Und dieses Mädchen besaß innere Kraft, das konnte sie schon am Klang der Stimme hören. Der schwarze Wollvorhang auf ihrer Seite des Gitters versperrte ihnen die Sicht in den Innenraum der Kapelle, und die Tür gestattete keinen Blick auf einen Besucher, aber Angélique war außer sich vor Entzücken gewesen, als sie die

Ankunft des Mädchens meldete. »Ihre Stimme, *ma Mère*, sie ist so schön. Ich bin sicher, dass sie entzückend aussieht. Eine schöne Braut Christi.«

»Uns geht es um die Schönheit der Seele, *ma sœur*, und um nichts anderes.« Als Äbtissin hatte sie die heilige Pflicht, das, was bei ihren Töchtern an weltlicher Gesinnung noch vorhanden war, auszumerzen, doch seit dem Tag, an dem sie selbst ins Kloster eingetreten war, angetan mit dem wunderschönen Kleid, das ihre geliebte *maman* eigenhändig für diesen Anlass gemacht hatte – »Jeder Stich ist mit einer Träne genäht, *ma chère petite*, einer meiner Tränen …« –, seit jenem Tag also wusste Mère Marie Rose, wie eifrig die Nonnen jede neue Postulantin mit den Blicken verzehrten. Die Ankunft einer jungen Frau, die sich ihnen anschließen wollte, gewährte ihnen für die kurzen Augenblicke, ehe sie endgültig in die Gemeinschaft eintauchte, einen flüchtigen Blick auf die Welt, die sie hinter sich gelassen hatten. Die neueste Mode, die Frisuren, die die Frauen draußen trugen … Oh ja, ein leichter Anflug davon, ein winziger Rest, lebte sogar im Herzen der heiligen Äbtissin des Klosters der Armen Klarissen von Québec fort. Zur Buße würde sie sich heute die Abendmahlzeit versagen.

Sie erhob sich von den Knien und verneigte sich tief vor dem Tabernakel. Beim Aufrichten schlug sie sich den Schleier vors Gesicht, wie es Vorschrift war, wenn eine Nonne, die das Gelübde abgelegt hatte, von jemandem gesehen werden konnte, der nicht ihrer Gemeinschaft angehörte. Auch die Töchter Marie Roses verhüllten sich das Gesicht. Dann schritten die fünf Nonnen – verborgen vor der Welt, die sie zurückgelassen hatten – hintereinander zu der winzigen Tür, die in einer Seite des Gitters eingelassen war.

Der Schlüsselbund, der Marie Rose an der Taille hing, war eines der Insignien ihres Amtes, und ihre Hand zitterte ein wenig, als sie ihn von der Schnur löste, die ihr graues Gewand zusammenhielt, und denjenigen Schlüssel wählte, der zur Tür zwischen Kapelle und Kloster passte. Dank der gut geölten Scharniere öffnete diese sich lautlos. *Le Seigneur soit loué!* Gelobt sei der Herr. Das Mädchen war wirklich entzückend. Ein würdiges Lobopfer. Marie Rose ließ den Blick über das neue Mitglied hinweg schweifen und durch die armselige kleine Kapelle huschen. Père Antoine war gekommen. Und ganz hinten stand ein weiterer Mann. Nur wenige Sekunden gönnte sie sich, um die Welt jenseits der Klostermauern zu betrachten, allerdings, wie sie feststellte, mit mehr Aufmerksamkeit als nötig. Heute Nacht, beschloss Mère Rose, würde sie sich mit größerer Inbrunst züchtigen als üblich. Und die ganze Woche auf die Abendmahlzeit verzichten. Die Postulantin stand da und wartete. »Wir heißen dich willkommen, mein Kind. Tritt ein in die Freude, die der Welt unverständlich bleibt.«

Nicole atmete tief durch. Ihr war klar, dass die schwarz verschleierten Nonnen sie genau musterten, dass sie zweifellos unendlich neugierig waren; vor allem aber war sie sich der Augen bewusst, die sie von hinten beobachteten. O ja. In diesen ungewöhnlichen blauen Augen wäre sie um ein Haar ertrunken. Vergib mir, lieber Gott; wenn ihn zu lieben eine Sünde ist, will ich mein ganzes Leben dafür Buße tun – aber vergessen werde ich ihn nie.

Die Nonne streckte ihr beide Hände entgegen. »*Entre, ma petite. Je t'invite.*«

Nicole wusste, wenn sie noch einige Sekunden länger zögerte, wenn sie gar den Kopf wendete, würde er sie holen. Mit zwei oder drei langen Schritten würde er den Abstand zwischen sich und ihr überwinden und sie zur seinen machen, und dann wären sie eins für das Leben, das Gott ihnen gewährte.

»*Qu'est-ce que tu désires, ma petite?*« In der zum zweiten Mal gestellten Frage der Nonne – was führt dich hierher? – war jetzt ein Hauch von Zweifel zu hören.

Ein halber Augenblick mehr, die Zeitspanne eines Atemzugs. Quent hinter ihr und vor ihr der Ruf, den nur wenige hörten und dem noch weniger folgten. Nicoles Herz machte vor unerwarteter Freude einen Satz. Sie war erwählt worden. »Ich möchte *le bon Dieu* mein Leben als Arme Klarisse weihen.« Ihre Stimme klang fest und klar. Sie legte ihre Hände in die der Äbtissin und betrat das Kloster.

Quent erhaschte einen flüchtigen Blick auf die Frauen, deren Gesichter von schwarzen Schleiern verhüllt waren. Diese Wesen zogen nach ein paar Augenblicken und einigen ihm unverständlichen gemurmelten Worten Nicole in ihre Mitte, und die Tür schloss sich. Kurz vernahm er gedämpftes Kichern. Es klang wie – mein Gott, er konnte es kaum glauben – wie eine Gruppe alberner junger Mädchen.

Er hatte die Fäuste fest geballt und biss die Zähne aufeinander, um nicht vor Empörung aufzuschreien. Diese Eisengitter sind das einzig Solide in diesem Kloster, sagte er sich. Der Rest ist kaum mehr als ein Haufen aufeinander geschichteter Steine. Ich könnte das Ganze mit bloßen Händen niederreißen. Aber es spielt keine Rolle, genauso gut könnte es eine Festung sein. Es wird mir nie gelingen, sie von hier fortzuholen.

Quents riesiger Körper sackte in sich zusammen angesichts der Endgültigkeit dieser Tatsache, niedergedrückt von der Last seiner Erkenntnis. Er bemerkte nicht, dass jetzt, da Nicole außer Sichtweite war, der Priester sich umgedreht hatte und ihn anstarrte.

Père Antoine konnte das Wunder noch immer nicht fassen. Uko Nyakwai hatte ihnen eine Segnung des Allmächtigen gebracht. Heilige Muttergottes, du hast mir ein Zeichen gesandt. Ich Unwürdiger bin wahrlich dein demütiger, liebender Sohn und Sohn des seligen Franziskus, und du hast mir ein Zeichen gesandt, dass ich, als ich Lantak zum Angriff auf Shadowbrook anstiftete, das Richtige tat. Damit werden viele Seelen gerettet und der Ruhm des Ordens gemehrt.

Und sieh ihn dir an, diesen protestantischen Ketzer, der, wenn man den Geschichten glauben kann, zum Teil ein Heide ist. Schau, wie er den Tabernakel anstarrt, als würde er inbrünstig beten. Vielleicht kann auch er gerettet werden. *Oui*, aber das liegt in deinen gütigen Händen, heilige Muttergottes.

Ihm war, als könnte er tatsächlich die Stimme Mariens vernehmen, die ihn warnte. *Sei auf der Hut, mein Sohn, sei bedacht auf meine Ehre und die Ehre der Kirche und deines Ordens.* Antoine bekreuzigte sich ein weiteres Mal und schlüpfte aus der Kapelle;

zurück blieb der Rote Bär, der auf die Stelle starrte, an der er die junge Frau zum letzten Mal gesehen hatte.

Nur ein einziger Wachposten lag bäuchlings auf dem Kamm des dicht mit Kiefern bestandenen Hügels. Quent schlich sich von hinten an den Tapferen heran und schlitzte ihm mit einem einzigen Schnitt seines Dolchs die Kehle auf. Außer dem Gurgeln des ausströmenden Blutes war nichts zu hören.

Das ist für Lilac und Zucker-Willie, du verfluchter Mörder. Ich hoffe, der Teufel erwartet dich schon in der Hölle. Er wischte die Klinge am Lendenschurz des Huronen ab und steckte den Dolch in die Scheide an seinem Rücken, nahm die Muskete des Indianers und robbte lautlos weiter an das Lager heran.

Die Sonne stand genau im Zenit, die Hitze war unbarmherzig. Die Abtrünnigen hatten kein Feuer gemacht. Zwei von ihnen lagerten unter einem Baum und tranken abwechselnd aus einem Rumkrug. Ein weiterer stand ein paar Fuß von ihnen entfernt über Solomon den Fassmacher gebeugt.

Der Schwarze war bis auf die Kniehose entkleidet, und selbst aus der Entfernung von gut zehn Schritt konnte Quent, hinter einigen Kiefern verborgen, erkennen, dass sein Rücken und die Schultern mit alten Striemen und frischen Wunden, möglicherweise Brandwunden, übersät waren. Von den blutigen Füßen hing ihm aufgerissene Haut in Fetzen herab. Er lag auf dem Bauch, sein mächtiger Körper war unnatürlich gekrümmt. Die Abtrünnigen hatten ihm einen Lederriemen um Hals und Knöchel gebunden und so eng gezurrt, dass Kopf und Füße in die Luft ragten. Der Indianer, der über Solomon gebeugt dastand, goss Wasser auf die Riemen. Beim Trocknen würde sich das Leder zusammenziehen und die Knoten straffen, sodass der Körper des Schwarzen immer grausamer gekrümmt wurde, bis ihm schließlich nach langen Qualen die Muskeln rissen und die Knochen brachen. Quent hatte diese Art der Folter schon ein paar Mal angewendet gesehen. Meist mussten die Riemen drei oder vier Tage lang immer wieder durchnässt werden, ehe die so Gemarterten schließlich starben. Doch Solomon war, soweit er es von seinem Standort aus beurteilen konnte, erst seit wenigen Stunden gefesselt. Mit etwas Glück hatte er noch keinen dauerhaften Schaden davongetragen.

Quent hatte das Langgewehr schon an die Schulter gehoben. Auch die Muskete war geladen und lag schussbereit neben ihm. Zwei der drei Abtrünnigen könnte er innerhalb von drei Atemzügen erledigen. Der Verbleibende wäre viel zu sehr damit beschäftigt festzustellen, woher das Gewehrfeuer kam und wie er die eigene Haut retten konnte, um sich noch weiter um den Gefangenen zu kümmern. Seine Verwirrung würde wahrscheinlich rund zwanzig Sekunden dauern – genau die Zeit, die Quent zum Nachladen brauchte –, und dann wäre auch er tot. Blieb noch Lantak. Er war bei weitem der Gefährlichste in der Gruppe, und Quent wagte nicht, etwas zu unternehmen, solange er nicht wusste, wo sich der Anführer der Abtrünnigen befand.

Sein Blick schweifte über den Lagerplatz und landete immer wieder bei dem dichten Baumbestand auf der gegenüberliegenden Seite.

Was hatte Lantak und seine wahnsinnige Horde dazu veranlasst, Hunderte von Meilen zurückzulegen – einen Großteil davon durch feindliches Gebiet –, um zu morden und das Land von Menschen zu brandschatzen, die sie nicht kannten und mit denen sie keinen Streit haben konnten? Er hatte Lantak ein oder zwei Mal gesehen, aber sie waren sich nie in die Quere gekommen. Der Hurone konnte keinerlei Groll gegen Uko Nyakwai hegen. Soweit Quent zudem wusste, war John bei seinen Fahrten nach Norden nie über Do Good hinausgekommen. Er hatte nichts mit Québec zu tun und noch weniger mit den Huronen. Dasselbe galt für Ephraim und Lorene. Ihre Welt und die Lantaks waren so weit voneinander entfernt wie Amerika und die japanischen Inseln.

Nichts davon ergab einen Sinn, aber irgendwie musste er klug daraus werden. Wie konnte er sonst sicher sein, dass das Gut und alle, die dort lebten, in Zukunft gegen solche Angriffe gefeit wären? Verdammt! Er brauchte mehr Zeit zum Nachdenken. Er musste mit Corm reden.

Solomon stöhnte. Bislang war es ihm offenbar gelungen, die Schmerzen zu unterdrücken, aber die Lederriemen strafften sich beim Trocknen in der Sonne, sein Kopf und die Füße wurden fester zusammengezogen. Seine Qualen wurden immer größer. Quent konnte sein Gesicht jetzt deutlich sehen. Solomon war tatsächlich das linke Auge ausgestochen worden. Die leere Augenhöhle war mit getrocknetem Blut verkrustet, die Wangen des alten Mannes waren eingefallen, und sein Mund war vor Schmerzen verzerrt. Wieder stöhnte er. Die Tapferen, die im Schatten unter den Bäumen Rum tranken, lachten.

Derjenige, der das Leder befeuchtet hatte, gesellte sich zu seinen Gefährten. Der Krug wanderte zu ihm, und er nahm einen kräftigen Schluck Rum. Quent glaubte eine Bewegung in den Bäumen jenseits des Bachs zu bemerken. Zur Hölle mit ihnen! Lantak, wo bist du? Komm raus, du verfluchter Hundesohn, und kämpfe wie ein Mann.

Er spürte ein Prickeln im Nacken. Jemand beobachtete ihn von hinten. Blitzschnell rollte Quent sich auf den Rücken, hielt das Langgewehr schussbereit und nahm noch beim Umdrehen den Beobachter ins Visier. Ein pechschwarzes Eichhörnchen starrte ihn, auf den Hinterpfoten sitzend, an und wedelte mit dem buschigen kleinen Schweif, in den Pfoten eine Eichel. Ein oder zwei Sekunden musterten sich die beiden gegenseitig, dann machte das Eichhörnchen kehrt und sprang davon. Quent drehte sich in seine ursprüngliche Lage zurück und hatte das Lager gerade wieder im Blick, als einer der Indianer aufstand und zu Salomon hinübertorkelte.

»Wo gehst du hin?« Die Worte klangen undeutlich und lallend, als wäre der Rumkrug schon seit geraumer Zeit gekreist.

»Ich muss pissen.« Der Abtrünnige wankte über das Gelände und schob seinen Lendenschurz beiseite. »Wenn wir den hier noch etwas mehr bewässern, wird er lauter singen.«

»Lantak hat gesagt, er will dabei sein, wenn's zu Ende geht. Er schneidet dir das Herz raus, wenn du das Schwarzgesicht zu schnell zu seinen Ahnen schickst.«

»Lantak ist nicht da. Außerdem brauch ich ihn nicht um Erlaubnis zu bitten, wenn ich pissen will.« Er stand über Solomon, den Penis in der Hand. Ein Urinstrahl bespritzte den Rücken des Gefangenen und die Riemen, die ihn fesselten. Die beiden anderen lachten herzhaft. Der Abtrünnige, der sich erleichterte, wechselte die Haltung und richtete den Strahl auf das Gesicht des Fassmachers. »Na, hast du vielleicht Durst? Hier kriegst du was zu trinken.«

Die anderen lachten noch lauter. Quentin spannte seinen Finger um den Abzug. Er visierte den fünf Fuß langen Lauf des Gewehrs entlang. Der Hurone hatte nicht einmal Zeit, seinen Penis loszulassen, als sein Kopf wie eine überreife Wassermelone zerplatzte und Blut und Hirnmasse durch die Luft flogen.

»*Ayi!*« Einer der Tapferen schrie auf und griff nach seinem Tomahawk in dem Augenblick, als die Kugel aus der Muskete des getöteten Wachpostens seine Brust zerfetzte.

Quent ließ die Waffe sinken und sprang auf. Noch während er den Hügel hinunterrannte, lud er das Langgewehr nach. Beim ersten Schritt riss er den Korken mit den Zähnen vom Pulverhorn, zwei weitere Schritte kostete es ihn, das Schwarzpulver in den Lauf zu kippen, drei mehr, um einen Ladepropf hineinzustopfen und die Pfanne zu zünden. Dem dritten Huronen war es zwar gelungen, seine Muskete zu laden, aber er schwang sie im weiten Bogen hin und her, wusste offenbar noch immer nicht, woher die Gefahr kam. Dann sah er Quent den Hügel herunterstürmen.

Das Langgewehr war geladen und schussbereit. Noch im Lauf legte Quent es an die Schulter. Da er sich bewegte, bot er ein nur schwer zu fixierendes Ziel, während er selbst den Abtrünnigen im Bruchteil einer Sekunde im Visier hatte. Der Musketenlauf schwenkte in Quents Richtung. Dieser spannte den Abzug. Beide Waffen erdröhnten im selben Augenblick. Diesmal stemmte Quent sich nicht gegen den gewaltigen Rückstoß des Gewehrs, sondern ließ sich von ihm zu Boden werfen. Er hörte, wie die Kugel der Muskete über seinen Kopf hinweg durch die Luft pfiff und in einiger Entfernung hinter ihm einschlug. Gleichzeitig sah er den geköpften Körper des abtrünnigen Huronen zusammenbrechen.

Solomons Gesicht glitzerte noch feucht vom Urin des Huronen, als er es Quent zuwandte. Mit dem einen Auge, das ihm geblieben war, starrte er den jüngeren Mann unverwandt an. »Ich hab doch gewusst, ich muss nur lang genug durchhalten, damit Sie kommen und mich hier rausholen.«

»Genau, Alter. Ich hab mir gedacht, dass du das wusstest.« Der Dolch durchtrennte die Lederriemen und befreite den Fassmacher aus seiner schmerzhaft unnatürlichen Haltung. »Immer schön langsam.« Mit einem raschen Griff steckte Quent den Dolch in die Scheide am Rücken. Er musste beide Hände frei haben, um Solomons Schultern mit einem Arm zu stützen und mit dem anderen seine Beine zu halten. »Lass dir Zeit.« Mit unendlicher Geduld wartete er, bis Solomons misshandelter Körper sich allmählich wieder streckte.

Der Fassmacher ächzte. Quent ließ sich Zeit, bis die rasenden Schmerzen ein wenig verebbten, dann stellte er die Frage, die ihm in diesem Moment am dringlichsten erschien. »Solomon, weißt du, wo Lantak ist?«

»Ich bin hier«, antwortete eine Stimme von jenseits der Lichtung. Lantak trat aus den Bäumen hervor. »Ich bin gekommen, um dich zu treffen, Uko Nyakwai. Steh auf und lass mich den Gast in meinem Lager sehen.«

Der Abtrünnige stand etwa zwanzig Schritt von ihm entfernt auf der anderen Seite des Geländes, auf dem die Leichen zwei seiner Gefährten lagen. Das Langgewehr hatte er im Anschlag. Quent wusste, dass es geladen und schussbereit war.

»Die Braunkutte hat also die Wahrheit gesprochen.« Lantak sagte das, ohne sich umzudrehen, aber offenbar richtete er die Worte an jemanden, der hinter ihm stand. »Ich dachte, du träumst. Ich hätte nie geglaubt, dass ein Weißer sich solche Mühe machen würde wegen eines Schwarzgesichts. Ich habe mich geirrt.« Er bewegte sich nicht, ließ den Roten Bären nicht einen Moment aus den Augen. »Ich hab dir gesagt, du sollst aufstehen, Uko Nyakwai. Jetzt mach schon. Das Gewehr lässt du auf dem Boden liegen. Wenn du danach greifst, töte ich dich.«

Quent hatte Solomon noch immer mit beiden Armen untergefasst. Jetzt ließ er den Schwarzen los. »Rühr dich nicht«, murmelte er, fast ohne die Lippen zu bewegen. »Wenn ich schreie, roll dich von mir weg.« Die Zeit, in der Quent sich langsam aufrichtete, erschien ihm wie eine Ewigkeit. Das Gewehr konnte er nicht benutzen, aber sein Tomahawk hing ihm an der Hüfte. Verflucht! Warum hatte er den Dolch so schnell in die Scheide stecken müssen? Er konnte es nicht wagen, danach zu greifen. Oder nach dem noch tödlicheren Tomahawk. Außerdem gab es in dieser Situation noch eine weitere unbekannte Gefahr. Wer stand hinter Lantak, und wie war er bewaffnet?

»Komm zu mir, Uko Nyakwai. Ja, so. Ich will dein Gesicht sehen, wenn ich dich töte.«

»Du bist nicht gerade dafür bekannt, schnell zu töten, Lantak, oder? Die Geschichtenerzähler sagen, dass Lantak wie eine Spinne ist, die eine Fliege in ihrem Netz fängt und ihr vor dem Tod viele Liebkosungen bereitet. Aber vielleicht machst du das ja nur bei alten Männern, Kindern und Squaws? Vielleicht fehlt dir der Mut, einen Tapferen zu prüfen, der ebenso stark ist wie du?«

Lantak lachte kurz auf. »Glaubst du, du kannst mich reizen, Roter Bär? Dass ich vielleicht die Beherrschung verliere und sich mein Verstand trübt? Es heißt, du seist ein wahrhafter Potawatomi-Tapferer. Das mag schon sein, aber du bist auch ein Narr. Du behandelst Lantak wie ein Kind. Das würde keiner vom Wahren Volk wagen. Dieser Ort ist übersät mit Toten. Die nächste Leiche, die die Geier zum Fraß bekommen, wird die deine sein, nicht die von Lantak. Solange du am Leben bleibst, bist du eine Gefahr, jeden Augenblick. Wenn du ein Todeslied hast, Uko Nyakwai, dann sing es jetzt.«

Während Lantak sprach, hatte sich der Lauf des Langgewehrs nicht bewegt. Quent wusste, dass der Abtrünnige ihn genau im Visier hatte. Lantak würde ihn nicht verfehlen. Quent richtete all seine Aufmerksamkeit auf seinen inneren Geist, beschwor die Kraft herauf, die er brauchte, um dem Tod zu begegnen. Gleichzeitig sah er alles mit bemerkenswerter Klarheit vor sich. Selbst die kleine Geste, als Lantaks Finger sich um den Abzug krümmte.

Quents Todeslied stieg in ihm auf. Er war ein grenzenloses Weiß, das zuerst ins Innere der Erde hinabtauchte. Dann stieg das Weiß auf, streckte sich dem Licht entgegen wie eine Blume der Wärme der Sonne. Und dieses Weiß war er, war sein Geist. Er würde die Erde bedecken und alles schützen, was er liebte. Er würde sein weißes Lied bis in alle Ewigkeit singen, und alles, was Shkotensi, der Große Geist, in ihn gelegt hatte, alles, was ihn zu dem machte, der er war, würde auf alle Ewigkeit weiterleben. Er war dieses Weiß, das weich war wie frisch gefallener Schnee und listig wie *wabnum*, der weiße Wolf, der auf dem Eis jagt. Lantak feuerte. Quent setzte sein Todeslied und seinen Geist frei, auf dass sie zum hellen Licht aufstiegen, das ihn erwartete, ihn zu sich rief.

Die Kugel schlug in den Bäumen ein. Lantak strauchelte und fiel. Hinter ihm stand, am ganzen Körper bebend, Père Antoine und starrte auf die Hand, mit der er dem Abtrünnigen einen Stoß versetzt hatte, als gehöre sie ihm nicht. Er, Antoine de Rubin Montaigne vom Orden der Minderen Brüder, hatte Uko Nyakwai, dem Ketzer und Feind der wahren Kirche, das Leben gerettet. Der Priester stöhnte leise auf.

Lantak ließ sein Gewehr fallen, rollte über den Boden und sprang wieder auf, den Tomahawk in der Hand. Wutschnaubend stürzte er auf den Priester zu, die Waffe drohend über dem Kopf schwingend.

»Lantak!« Quent schwebte noch immer zwischen zwei Welten, schaute von irgendwo in der Höhe auf sich selbst herab, auf Lantak und den Priester auf der anderen Seite der Lichtung. »Lantak! Ich bin dein Feind! Uko Nyakwai ist hier drüben! Warum verschwendest du deine Zeit auf einen Mann im Kleid einer Squaw?« Quent hielt seinen eigenen Tomahawk in der Hand. Mit einer Bewegung, die ihm unendlich langsam und unendlich bedachtsam erschien, hob er den Arm. »Hier drüben bin ich, du Wahnsinniger!«

Nur einen Herzschlag lang zögerte Lantak, hin und her gerissen zwischen seiner Wut auf den Priester und dem Wissen, dass jeder Moment, den Uko Nyakwai länger lebte, Gefahr für ihn bedeutete. Dann wandte er sich mit einem Ruck um und stürzte über das offene Gelände auf den Roten Bären zu.

Quent schleuderte seinen Tomahawk. Mit scharfen Drehungen sauste die Waffe durch die Luft, wurde schneller und tödlicher, während sie auf den Abtrünnigen zuflog. Doch Quent war vom Freisetzen seines Todesliedes so erschöpft, dass er sein Ziel ein wenig verfehlte. Die messerscharfe Steinklinge grub sich in die linke Schulter des Abtrünnigen, durchtrennte Haut und Muskeln und blieb tief im Knochen stecken.

Der Schmerz war überwältigend. Ein schwarzer Abgrund tat sich vor Lantak auf, in den er tauchen konnte, um der Qual zu entgehen. Doch verhieß dieser Abgrund keine Zuflucht, nur Tod. Das wusste Lantak. Der Verlockung des Vergessens widerstehend, ließ er seinen Tomahawk fallen und riss sich Uko Nyakwais Waffe aus der Schulter. Mit einem Schmerzensschrei rannte er weiter auf seinen Widersacher zu.

Quent hielt den Dolch in der Hand. Seine Wut brach sich Bahn, mit hasserfülltem Gebrüll rannte er ebenfalls den Hügel hinab.

Quent spürte den Boden unter seinen Füßen nicht. Um gut kämpfen, um täuschen und geschickt manövrieren zu können, bis er seinem Gegner nahe genug war, um ihm das Herz aus dem Leib zu schneiden, musste er in der Lage sein, die Bewegungen des anderen mit den Mokassins zu lesen. Der Boden würde ihm sagen, in welche Richtung Lantak sich bewegen würde, ehe er es tat, aber es war, als schwebte Quent über dem Boden, losgelöst von der Quelle der Kraft und des Wissens. Er hatte seinen Geist freigesetzt, um in die nächste Welt einzutreten, und obwohl er ihn zurückgerufen hatte, war er noch nicht völlig in diese Welt zurückgekehrt.

Lantak spürte die Schwäche des Roten Bären. Einen Augenblick glaubte er, doch noch als Sieger aus diesem Kampf hervorgehen zu können. Der Abtrünnige schleuderte den rechten Arm mit dem Dolch nach vorn, ohne auf den brennenden Schmerz in seinem linken zu achten.

Quent sah das Messer kommen und wich aus, aber nicht schnell genug, um zu verhindern, dass es sich ihm in die Seite bohrte. Er ächzte einmal auf, dann dankte er dem brennenden Schmerz, der ihm half, sich zu konzentrieren, seine Seele in seinen Körper zurückzurufen. Seine Füße spürten wieder den Boden, und als Lantak sich nach links drehte, folgte Quent ihm und setzte zu einem Stoß in die Brust des anderen an.

Im letzten Augenblick fuhr Lantak zurück. Die Dolchklinge von der Länge einer Handspanne verfehlte sein Herz und bohrte sich stattdessen in den bereits verletzten Arm. Erneut schrie er auf, dann drehte er sich um und rannte davon. Hier, an diesem Tag, war er dem gewaltigen Roten Bären nicht mehr gewachsen. Aber wenn er weiterlebte, würde es neue Tage geben. Und die Rache, wenn sie dann kam, würde durch diesen Aufschub umso süßer sein. Lantak achtete nicht auf den Schmerz, bückte sich nur rasch nach seinem Langgewehr, ehe er im angrenzenden Wald verschwand.

Quent konnte ihm nicht folgen, sein Tomahawk lag dort, wo Lantak ihn hatte fallen lassen, sein Dolch steckte im Arm des Abtrünnigen. Und bis er sein Gewehr geholt hatte ... Er blickte sich nach Solomon um. Der Fassmacher saß auf dem Boden und wiegte Quents Langgewehr in den Armen. »Ich hab's, Master Quent.«

»Sehr gut, Solomon. Ausgezeichnet. Halt's gut fest.« Er schüttelte den Kopf und versuchte, in die Wirklichkeit zurückzukehren; dabei war ihm bewusst, dass er und Solomon noch immer nicht allein waren.

Der Priester hatte sich nicht von der Stelle gerührt, seit Quent ihn zum ersten Mal bemerkt hatte; er war schreckensbleich und zitterte immer noch wie Espenlaub. Quent trat einen Schritt auf ihn zu. »Offenbar habe ich Ihnen das Leben zu verdanken, Sir.« Die Leere in ihm verflüchtigte sich allmählich, aber er hatte den Eindruck, als kämen seine Worte aus unendlicher Ferne. »Wie heißen Sie, wenn ich fragen darf?«

»Ich bin Père Antoine und ... ich konnte einfach nicht zulassen, dass er Sie kaltblütig vor meinen Augen ermordet. Ich konnte es einfach nicht.«

»Das freut mich zu hören, Père Antoine. Wären Sie nicht gewesen, wäre ich jetzt tot.« Die Schwäche des Priesters verlieh Quent neue Kraft. Seine Stimme wurde fester. »Das Wasser in dem Bach da drüben ist klar und kalt. Das würde Ihnen jetzt gut tun.«

Er berührte den anderen leicht am Arm, war überrascht, wie rau das braune Tuch sich anfühlte, und führte ihn sacht zum Bach.

»Ich wollte nicht mit ansehen, wie ein Mensch vor meinen Augen getötet wird«, wiederholte Père Antoine. »Ich konnte es nicht.« Allmächtiger Gott, wie wirst du mich dafür richten? Er ist eine Gefahr für die heilige Kirche. Ich spüre es in der Tiefe meiner Seele. Aber zu sehen, wie er einfach so erschossen wird … Direkt vor meinen Augen, ohne jede Möglichkeit, seine Sünden zu bereuen, sodass er geradewegs ins Höllenfeuer gehen muss … Ich konnte es nicht. Heiland, vergib mir, wenn ich gefehlt habe.

Von Quentin Hale gestützt, stolperte Père Antoine auf den Bach zu. Als sie das Ufer erreichten, beugte sich der Priester über das eiskalte Wasser und spritzte es sich ins Gesicht. »Danke, mein Sohn. Ich werde für Ihre Seele beten.«

»Ich bin derjenige, der zu danken hat, Père Antoine. Ich kann von Glück sagen, dass Sie zufällig da waren. Darf ich fragen, wie es dazu kam?« Quent ließ das Gesicht des Priesters nicht aus den Augen. »Ich habe Sie doch in der Nonnenkirche gesehen, oder? Dort, wohin ich Mademoiselle Crane brachte.« Er drehte den Kopf, um noch einmal die toten Indianer auf der Lichtung zu betrachten. »Bei diesen Abtrünnigen dürften Sie wohl kaum auf eine Bekehrung gehofft haben. Ebenso wenig wie bei Lantak.«

Das Wasser des Bachs tat seine Wirkung. Père Antoine war wieder Herr seiner selbst. Er erhob sich, und sein Blick begegnete dem des rothaarigen Riesen auf gleicher Höhe. Meist war der Priester imstande, die Menschen allein mit der Kraft seines Blickes einzuschüchtern. Bei diesem hier allerdings gelang ihm das nicht. Bist du ein Heide oder ein Ketzer, Rotschopf? Und weißt du eigentlich, wie knapp du gerade dem Tod entronnen bist? Kümmert dich das überhaupt? »Gottes Wege sind nicht die unseren, mein Sohn. Wer sind wir, sagen zu können, wem die liebende Güte Jesu Christi oder die unendliche Güte seiner wahren Kirche nutzen soll? Nun muss ich aber zurück in die Stadt und zu meinen Pflichten.«

Mit einem Schritt zur Seite gab Quent den Weg zu dem Pfad frei, der durch die Wälder zur befestigten Stadt Québec zurückführte. »Ich werde diesen Tag nicht vergessen, Pater. Und auch nicht die Tatsache, dass ich in Ihrer Schuld stehe.« Der Priester ging bereits davon und hob lediglich eine Hand zum Zeichen, dass er gehört hatte.

Solomon saß noch immer auf dem Boden. Quent ging zu ihm. »Wollen Sie jetzt Lantak nachjagen?«, fragte der Fassmacher.

»Nein.« Quent nahm Solomon das Langgewehr ab und schlang es sich über die Schulter. »Er hat zu viel Vorsprung. Außerdem kennt er sich in diesen Wäldern besser aus als ich.« Corm kennt sie genauso gut wie er. Selbst wenn ich mit dir nur langsam vorankomme, alter Fassmacher, brauche ich doch höchstens eine Woche, um Singender Schnee zu erreichen. Da gibt es Leute, die sich um deine Wunden kümmern. Und wenn Corm weg ist, dann weiß Bishkek vielleicht, wohin, überlegte Quent. Die Versuchung war groß, aber andererseits wusste er nicht, wie lange Solomon noch durchhalten würde. Möglicherweise würde er eine Woche in der Wildnis nicht überleben. Möglicherweise würde er sterben, ehe er den einzigen Ort auf der Welt wiedersah, der für ihn zählte. »Ich gäbe alles drum, meinen Dolch wiederzukriegen«, räumte Quent ein, »aber wenn ich dich nicht so bald wie möglich zu Sally Robin zurückbringe, dann wird sie mich verhexen.«

Solomon gluckste. »Das stimmt, Junge, und zwar wie! Da können Sie Gift drauf nehmen.« Es war das erste Mal seit vielen Jahren, dass er Quent Junge nannte und nicht Master. Beiden kam es richtig und gut vor.

Der Mond des fallenden Laubs, die dreiundzwanzigste Sonne
Das Dorf Singender Schnee

Es war fast Ende September. Allmählich setzte die Kälte ein, die Sonne stieg nie höher als knapp über die Baumwipfel am fernen Horizont. An diesen Tagen musste es nach Cormacs Gefühl etwa drei Uhr sein, wenn die Dunkelheit hereinbrach. Eine Vorstellung der *Cmokmanuk*. Wäre er nicht nach Shadowbrook gekommen, würde er keinen Hundefurz darauf geben, zu welcher Stunde etwas passierte oder nicht passierte. Oder vielleicht doch. Vielleicht hätte das Weiß seiner Haut die Oberhand über das Rot seines Inneren gewonnen, gleichgültig, ob er aus Singender Schnee fortgegangen wäre oder nicht. *Ahaw*, ja, wenn er in seinem Kopf mehr Platz für den *Anishinabeg* geschaffen hätte und weniger für die *Cmokmanuk*, vielleicht würde er dann die Bedeutung des Falken und der kleinen Vögel verstehen, des weißen Bären und des weißen Wolfs. Fröstelnd zog er die Decke enger um die Schultern und beugte sich zum Feuer vor.

»Bis er acht war«, sagte Bishkek, »kannte mein Brückenmensch-Sohn nur die Art, wie die Dinge hier sind, an diesem Ort des Fünften Feuers. Dann lernte er die Art der *Cmokmanuk* kennen, und die kalten Monde nagten an seinen Knochen und ließen das Wasser in seinen Augen gefrieren, und die Finsternis war wie ein Fluch für ihn, und er verließ uns, wenn die Sonne verschwand.«

Cormac konnte seinem Mannheitsvater nicht in die Augen sehen, noch weniger vermochte er etwas darauf zu erwidern. Woher wusste der alte Mann immer, was er gerade dachte?

Bishkek veränderte seine Position ein wenig, um die Pfeife entgegenzunehmen, die von links an ihn weitergereicht wurde. Er nahm einen langen, tiefen Zug und stieß den Rauch langsam wieder aus, bevor er seinen Gedanken zu Ende führte. »Es ist Zeit für meinen Brückenmensch-Sohn zu gehen.«

»Ich weiß nicht mehr, als ich bei meiner Ankunft wusste«, murmelte Cormac; seine Worte waren nur für Bishkek bestimmt. »Ich habe keine Antworten, Vater.«

»*Ahaw*, doch. Du weißt, dass die Antwort nicht hier ist.«

»Wo dann?«

Bishkek zuckte mit den Schultern und gab die Pfeife an Cormac weiter. Dieser sog tief daran und behielt den Rauch im Mund, um die Wärme und den Geschmack des Tabaks auszukosten. Ein Junge, noch keine sechs, schlich zu ihm und schmiegte sich vertrauensvoll an ihn; er wusste, dass er willkommen war. »Mach's doch mal,

Onkel. Zeig mir den Trick. Mach's doch mal!« Cormac legte dem Jungen – er war der Sohn einer von Bishkeks Töchtern – den Arm um die Taille und zog ihn näher an sich; dabei stieß er den Rauch in großen, wohlgeformten Ringen aus, die im Abendlicht und in der Glut des Feuers gerade noch auszumachen waren. Mit seinen pummeligen kleinen Händen versuchte der Junge vergeblich, die flüchtigen Bilder zu erhaschen, und zerstörte damit das, was er zu bekommen suchte.

»Hast du Memetosias Geschenk noch?«, fragte Bishkek.

»*Ahaw.*« Der Rauch hatte sich verzogen, Corm hatte die Pfeife weitergereicht. Der kleine Junge löste sich aus Cormacs Umarmung und ging zu einem anderen Mann in der Runde. »Ja, ich hab's noch.« Der Medizinbeutel mit den Suckáuhock war gut vergraben, tief in der Erde neben der Stelle in Bishkeks Wickiup, wo Cormac allnächtlich seine Schlafdecken ausbreitete.

Bishkek wollte gerade etwas sagen, als Häuptling Kekomoson sich vorbeugte. Vier Tapfere saßen auf dem Boden zwischen dem Häuptling und Bishkek und seinem Brückenmensch-Sohn. Kekomoson musste die Stimme erheben, um auch wirklich von allen gehört zu werden. »*Giyabwe.*« Ich hatte einen Traum. »Letzte Nacht träumte mir von *wabnum*, dem Totem dieses Tapferen, der anders ist als alle anderen.« Mit erhobenem Kinn deutete Kekomoson auf Cormac. »Der *wabnum* in meinem Traum war der größte, weißeste Wolf, den ich je gesehen habe. Er rannte fort von hier, der Sonne entgegen.«

»Kam in deinem Traum auch ein Falke vor?«, wollte Cormac begierig wissen. »Und ein weißer Bär?«

Kekomoson schüttelte den Kopf. »Nichts dergleichen. Nur die Sonne und der weiße Wolf.«

Bishkek nickte zufrieden. »Ich habe meinem Brückenmensch-Sohn gesagt, dass es Zeit für ihn ist zu gehen. Noch vor dem Ende des Mondes des fallenden Laubs. Zurück, von wo er …«

»In meinem Traum«, unterbrach ihn Kekomoson, »war es so, wie ich euch sagte. Der *wabnum* lief in die Richtung der aufgehenden Sonne.«

»Nach Osten«, sagte Cormac. »Nicht nach Süden. Nicht nach Shadowbrook.«

Kekomoson zuckte mit den Schultern. Ein Brückenmensch war gut für das Wahre Volk. Und dieser war Teil des Dorfes geblieben, ein echter Sohn des Fünften Feuers. Aber ein Brückenmensch war von geringem Wert, wenn er nur auf einer Seite der Brücke blieb. »In meinem Traum lief der *wabnum* in die Richtung der aufgehenden Sonne«, wiederholte er zur Bekräftigung.

»Also ist es entschieden«, sagte Bishkek. »Noch vor dem Ende des Mondes des fallenden Laubs wirst du in die Richtung der aufgehenden Sonne aufbrechen.«

»Der Weg führt nur zum Ozean«, murmelte Cormac verdrossen. »Vielleicht soll ich mich ertränken.«

»Vergiss nicht, Memetosias Geschenk mitzunehmen«, sagte Bishkek, als hätte er ihn nicht gehört. »Ich möchte nicht für dieses Ding verantwortlich sein, das keinen Grund hat, hier zu sein.«

Mittwoch, 21. Oktober 1754
Das Collège des Jésuites, Québec

Die Täfelung an den Wänden im Studierzimmer des Provinzials stammte aus Frankreich. Das Eichenholz kam aus den Wäldern der Ardennen, die Schnitzarbeit war das Werk der herausragenden *ébénistes* in Reims, der Kathedralenstadt in der Champagne. Louis Roget, Monsieur le Provincial, war aus Reims gebürtig. Seine Familie leitete sich vom heiligen Bischof Saint Remi ab, der im 5. Jahrhundert Chlodwig, den ersten Frankenkönig, getauft hatte. Zudem konnte sich die Familie Monsieur le Provincials nicht nur mit einigen Reimser Grafen schmücken, sondern auch mit einer ganzen Reihe von Intrigen aufwarten, wie sie in der Champagne häufig üblich waren. Philippe Faucon wiederum hatte seine Erziehung am Hof von Versailles genossen, wo sein Onkel Vorsteher des königlichen Marstalls war und sowohl er als auch Philippes Vater die königlichen

Jagdfalken abrichteten. Seit langem wusste er, dass Männer – und bisweilen auch Frauen – Klauen hatten, die es an Schärfe mit jedem Raubvogel aufnehmen konnten. Es überraschte ihn nicht zu entdecken, dass die Eichenholzarbeiten ein Geheimnis bargen.

Einmal, als er gerade das Holz mit feinstem Bienenwachs polierte – und zwar auf den Knien, als Buße dafür, dass er zu spät von einem Landausflug zurückgekehrt war, den er mit Zeichnen verbracht hatte –, hatte sich das Paneel mit der Darstellung des zweiten der sieben Schmerzen Mariens plötzlich zur Seite geschoben. Wo er gerade noch die Flucht nach Ägypten gesehen hatte, bot sich ihm jetzt die Aussicht auf die Kate des Franziskanerpriesters Père Antoine in der Unterstadt von Québec und zwei Türen weiter die baufällige Hütte, die seinen abgeschiedenen Armen Klarissen als Kloster diente. Die Angelegenheit als solche hatte nichts mit Sünde zu tun, doch Philippe ließ es nicht dabei bewenden, sondern untersuchte und bestaunte den komplizierten Mechanismus ausgiebig. Eben das hatte er seinem Mitbruder gebeichtet, der ihn regelmäßig von seinen Sünden reinsprach.

Xavier Walton war ein Engländer, der, einer langen Tradition folgend, sein abtrünniges Land verlassen und sich in Frankreich der Gesellschaft Jesu angeschlossen hatte. Xavier brannte darauf, in seine Heimat zurückzukehren und als Märtyrer zu sterben. Deswegen bedauerte er es zutiefst, dass die Tage öffentlich vollstreckter Hinrichtungen von Märtyrern am Galgen von Tilbury endgültig vorbei waren, auch wenn es nach wie vor als Gesetzesverstoß angesehen wurde, in Großbritannien den katholischen Glauben zu praktizieren, und Jesuiten in London nicht willkommen waren. Als Sühne dafür, dass er zu spät geboren war, um gehängt und gevierteilt zu werden, befolgte Xavier sämtliche Einzelheiten des jesuitischen Büßerlebens mit besonderer Strenge. Doch so eifrig er die jesuitischen Ordensregeln auch beachtete, im Bericht Philippes über das bewegliche Paneel und dessen Interesse an dem Mechanismus hatte er keinen schwer wiegenden Fehler zu sehen vermocht. »Eine Sünde ist es nur, wenn wir die Weisheit unserer Oberen in Frage stellen, Philippe.«

»Aber das tue ich nicht. Ich wollte nur wissen, wie ausgeklügelt der Mechanismus ist. Wenn er geschlossen ist, sieht man nichts davon. Gar nichts.«

»Sehr gut.«

Philippe bemerkte einen Anflug von Heiterkeit in Xaviers Stimme. *Eh bien.* Ihm war Ernsthaftigkeit zur zweiten Natur geworden. Andere fanden das oft amüsant.

»Vergiss die ganze Sache einfach, Philippe. *Ego te absolve …*« Und mit der Furcht einflößenden Macht, die ihm durch die Ordination zuteil geworden war, im Namen Jesu Christi, des Gottessohnes, zu vergeben, hatte Xavier Walton das Zeichen des Kreuzes über seinem Glaubensbruder geschlagen und ihn damit von allen Sünden losgesprochen, die er in der Angelegenheit auf sich geladen haben mochte. Und Philippe hatte die Sache tatsächlich vergessen. Mehr oder weniger. Jedenfalls achtete er sorgsam darauf, die Flucht der heiligen Familie nach Ägypten nicht erneut zu stören, wenn es ihm wieder einmal oblag, die Holztäfelung in den Privatgemächern von Monsieur le Provincial zu polieren.

An diesem Tag war es das dritte Mal seit dem großen Frühjahrsfest zu Pfingsten, dass Monsieur Faucon diese Pflicht zugeteilt wurde. »Du wirst die ganze Arbeit auf Knien ausführen, Philippe. Und ein paar *Paternoster* dürften deinem Seelenheil auch nicht schaden. Gehorsam ist die erste Tugend für ein Mitglied der Gesellschaft Jesu.«

Aber er hatte doch gehorcht. Hatte die Skizzen verbrannt. Sechs Monate Arbeit, sieben Serien mit Feder- und Tuschzeichnungen, die den Wachstumszyklus verschiedener einheimischer Pflanzen Kanadas festhielten, von den ersten Trieben im Vorfrühling bis zur reichen Ernte im Herbst – das alles war jetzt Asche. Genau, wie sein Oberer es ihm befohlen hatte. Sein Vergehen war gewesen, dass er leisen Widerspruch angemeldet hatte. »Ich habe gehört, dass der König sie zu sehen wünscht, Monsieur le Provincial.«

»Dann muss der König das Knie vor dem Willen des Allmächtigen beugen.« Dem Willen des Allmächtigen, ausgelegt vom Provinzial der Jesuiten Neufrankreichs, der Stimme Gottes für all seine Söhne und – davon war der Jesuitenprovinzial überzeugt – auch für Madame de Pompadour und Louis XV. »Du bist zu stolz auf die Bildchen, die du da machst, Philippe, zu verliebt in sie. Kräftiges Polieren mit Bienenwachs dürfte eine heilsame Wirkung auf dich haben.«

Bitte, gebenedeite Muttergottes, betete Philippe, schenke mir mehr Demut. Und bitte, wenn es der Wille deines göttlichen Sohnes ist, gib, dass Monsieur le Provincial mir das Zeichnen nicht völlig verbietet. Er rieb heftiger an den Flügeln, die das Gesicht eines in Anbetung vor dem Thron Gottes knienden Engels bedeckten. »*Pater noster, qui es in caelis* …« Der Engel öffnete die Flügel.

Sacré Dieu! Philippe musste sich erst in Erinnerung rufen, dass er es hier nicht mit einem Wunder zu tun hatte – es war einzig und allein das Geschick der Holzschnitzer aus der Champagne. Hinter den Flügeln des Engels lag eine große, mit Samt ausgefütterte Schatulle. Sie enthielt, für jedermann sichtbar, einen Brief in fester, deutlicher Handschrift. *Pompadour hat die Entscheidung getroffen. Dieskau und seine Truppen treffen zu Beginn des Frühjahrs ein, sobald der Sankt-Lorenz-Strom taut. Er wird siebenundachtzig Kompanien Berufssoldaten mitbringen, so viel wie acht britische Regimenter, also sechs mehr, als sie mit Braddock schicken. Bis dahin gehen die halbherzigen Friedensgespräche der Diplomaten weiter, und* …«

Philippe ließ das Poliertuch fallen und bekreuzigte sich rasch, dann drückte er mit seinem ganzen Gewicht gegen die Engelsflügel. Sie schlossen sich wieder. »… *sanctificatur nomen tuum. Adveniat regnum tuum. Fiat voluntas tua* …« Die Worte des Vaterunsers sprudelten aus ihm hervor, als hinge sein Leben davon ab. Dein Wille geschehe, aber lass es nicht dein Wille sein, dass ich beichten muss, dieses Dokument gesehen zu haben, *mon Dieu!*

Ich habe es nicht darauf angelegt, das Paneel zu öffnen, ich habe nur die Anweisung befolgt, kräftig zu reiben. Ich habe keine Sünde begangen, Herr. Es gibt nichts, was ich mir vorwerfen könnte.

»*Je vous salue, Marie, pleine de grâce …*« Eher sollte er ein *Ave* beten als das *Paternoster*. Die gütige Muttergottes würde wissen, wie es in seinem Herzen aussah.

Als Louis Roget zurückkehrte, befand sich Philippe auf der anderen Seite des Zimmers.

»Na, Philippe, *tout est bien?*«

»*Oui, Monsieur le Provincial. Tout est bien.*«

Der Jesuitenprovinzial beugte sich zu dem Engel vor, der sein Gesicht in Andacht verhüllte, und studierte die exquisite Schnitzerei. Das einzelne schwarze Haar, das von ihm selbst stammte, war nicht mehr da. Er hatte es fest in eine Furche der gefalteten Flügel geklemmt, sodass bloßes Polieren es kaum beseitigen konnte. Das würde nur geschehen, wenn sich die verborgene Sprungfeder löste und die Flügel sich öffneten. Und genau das war offensichtlich passiert. Jetzt, Philippe, mein ach so gewissenhafter *artiste* mit dem tapferen Namen und den endlosen Skrupeln, weißt du fast genauso viel wie ich über die Pläne, die zurzeit in Versailles geschmiedet werden. Was ich mich frage, ist, ob du nun zu deinem Beichtvater laufen und ihm dein Herz ausschütten wirst. *Alors,* das musst du. Deine Skrupel werden dir gar keine andere Wahl lassen. Und was wird der Engländer dir sagen? Aber vor allem: Was wird er mit dieser Information anfangen?

Der Provinzial stützte das Kinn auf die gefalteten Hände und dachte nach. Xavier Walton wird alles, was er erfährt, zum Wohle seiner Heimat einsetzen – was in seinen Augen das Wohl Englands ist. Das heißt, er muss, sollte es wieder zum Krieg kommen, gemeinsame Sache mit dem katholischen Frankreich machen, nicht mit dem ketzerischen Großbritannien. *Eh bien,* so weit, so gut. Und dann? Im Augenblick bin ich mir nicht sicher, wie ich die Tatsache nutzen werde, dass Philippe Faucon verbotenes Wissen über die Pläne der französischen Marine besitzt. Und dass ich es weiß, er dies aber nicht weiß. Und das alles nur, weil ich mich um das geistige Wohl der mir vom Allmächtigen anvertrauten Schäflein sorge. Wirklich exzellent.

In einer Ecke des Zimmers stand ein aufgebautes Schachspiel. Die aus Elfenbein und Basalt geschnitzten Figuren stellten Christen und Mauren aus dem Spanien des fünfzehnten Jahrhunderts dar. Louis Roget spielte immer Schwarz und Weiß gleichzeitig, wobei er sich zunächst in die eine Seite hineinversetzte, dann in die andere. Jeden Zug wählte er so, als ginge es ihm ausschließlich um den Sieg der jeweiligen Armee, die er gerade repräsentierte. Seine kompliziert ausgetüftelten Spiele zogen sich manchmal tagelang hin. Dieses hier war seit über einer Woche in Gang. Jetzt war Schwarz am Zug, die Mauren hatten nur noch zwei Bauern, einen Läufer, die Türme sowie den König und die Dame. Der König stand im Schach. Er rochierte. Damit entzog er den König der unmittelbaren Gefahr, opferte allerdings die Dame. Die Reaktion von Weiß kam rasch und fiel entschieden aus. Der Springer griff an. Die Maurenkönigin war gefangen. Der Jesuitenprovinzial fegte sie vom Brett, dann nahm er den weißen christlichen Springer mit dem Turm des schwarzen Maurenkönigs. Das Gleichgewicht des Spiels hatte sich völlig verlagert. Er musste weiter nachdenken.

Eine Berührung genügte, um das Paneel zu öffnen, das ihm den Ausblick auf die Behausung des Franziskaners in der Unterstadt darbot. Armer Père Antoine. Er war allein in Québec, hatte keinen brüderlichen Priester aus seinem eigenen Orden, der ihn von seinen Sünden reinsprechen konnte. Es gab nur wenige Diözesanpriester, und die waren zum größten Teil in weit entlegene Gegenden außerhalb der Stadt entsandt worden. Außerdem waren ihre Bußübungen vielleicht nicht energisch genug für einen Asketen wie den Gesandten des Generalministers der Minderen Brüder. Unter normalen Umständen legte Antoine seine Beichte bei einem Jesuiten ab. Vor allem dann, wenn ein großes Vergehen sein Gewissen quälte. Wie das, was sich vor einigen Tagen ereignet hatte.

»Herr, vergib mir, denn ich habe gesündigt.« Ein kleines, mit einem Vorhang versehenes Gitter trennte den Büßer vom Beichtvater, dennoch hatte dieser die Stimme des Franziskaners gleich bei den ersten Worten erkannt. Üblicherweise wurde der Beichtstuhl von Xavier Walton besetzt, doch der Engländer war an diesem Tag krank, und so hatte der Provinzial seinen Platz eingenommen. So erregt, wie die Stimme des Beichtenden klang, wäre er wohl auf jeden Fall gekommen, selbst wenn er gewusst hätte, dass es Louis Roget war, dem er seine Seele offenbarte. »Seit über einem Monat trage ich das Wissen mit mir herum, dass ich … dass ich möglicherweise die heilige Kirche hintergangen habe.«

»Wirklich? Wie ist es dazu gekommen?«

Der Franziskaner antwortete nicht sofort. Zweifellos hatte auch er die Stimme des Jesuitenprovinzials erkannt. Das Beichtgeheimnis war wohl die gewichtigste Last, die ein Priester zu tragen hatte. Der Jesuit würde kaum die Todsünde begehen, das Beichtgeheimnis preiszugeben. »Ich habe einem Mann, der ein Ketzer ist – schlimmer, ein Feind der Wahrheit und des Evangeliums –, das Leben gerettet.«

»In den Augen des Allmächtigen ist jedes Leben wertvoll. Auch das Leben eines Ketzers. Es ist nicht an dir, darüber zu richten. Wie kann die Rettung selbst eines solchen Lebens als Sünde zählen?«

»Weil dieser Mann den Auftrag der Kirche hintertreibt.« Roget gestattete sich einen flüchtigen Blick auf den Beichtenden. Der Franziskaner saß mit gesenktem Kopf und hängenden Schultern da, sicherlich, weil seine Sünde so schwer auf ihm lastete. Dass er seinem Beichtvater misstraute, würde ihn nicht daran hindern, eine ehrliche Beichte abzulegen. »Der Mann, dem ich das Leben gerettet habe, unternimmt alles, was in seiner Macht steht, um uns zu bekämpfen. Er ist ein protestantischer Ketzer, und wenn es nach ihm geht, wird es der Kirche versagt sein, den Indianern im Ohio Country die frohe Botschaft zu predigen.«

»Ich verstehe. Und inwieweit bist du dafür verantwortlich, diesen Mann in seinem bösen Treiben geholfen zu haben?«

»Ein anderer Mann, ein heidnischer Wilder, wollte ihn erschießen. Mir schien, dass ich nicht zum Zeugen eines kaltblütigen Mordes werden konnte, ich durfte nicht mit ansehen, wie der Ketzer stirbt, da seine Seele noch mit den Sünden seiner Ketzerei befleckt ist und ihm jede Möglichkeit verwehrt bleibt, zu bereuen und sich vor dem ewigen Höllenfeuer zu retten. Ich gab dem Mörder einen leichten Stoß, sodass er sein Ziel verfehlte.«

Der Jesuit ließ sich Zeit, ehe er zu sprechen begann. Er spendete ein Sakrament, handelte *in locem Jesu Christe.* Das Beichtgeheimnis darf ich nicht preisgeben, aber ich darf nach dem Wissen trachten, das ich brauche, um deine heiligste Sache zu befördern. »Wer waren diese Männer? Was hattest du bei ihnen zu suchen?«

Es war Oktober, der Winter lag in der Luft. In der Kirche konnte man seinen eigenen Atem sehen. Doch mit einem weiteren raschen Blick bemerkte er die Schweißperlen auf der Stirn Père Antoines. »Der Mann, dem ich das Leben gerettet habe, ist unter dem Namen Uko Nyakwai bekannt, der Rote Bär.«

»Quentin Hale? Der amerikanische *coureur de bois*?«

»Ja.«

»Und der Mann, der fast zum Mörder geworden wäre?«

»Lantak, der Abtrünnige.«

Eine Pause, dann, ohne jeden Anflug von Sarkasmus: »Ich bin sicher, du warst dort, weil du sie beide – den Heiden wie den Ketzer – zum wahren Glauben bekehren wolltest.«

»So wahr Gott mein Zeuge ist, das ist mein oberstes Ziel bei allem, was ich tue.«

»Wenn das der Fall ist, hast du nichts zu bereuen. Höchstens vielleicht, dass du der Führung des Heiligen Geistes nicht genügend vertraust. Zur Buße wirst du jeweils fünfzig *Paters* und *Aves* aufsagen. Und im Namen unseres heiligsten Herrn Jesus Christus erteile ich dir die Absolution. *Ego te absolve in nomine Patris et Filii et Spiritus Sancti …*«

Hier in seinem Arbeitszimmer fühlte Roget neuen Mut, als er über die Beichte Père Antoines nachdachte. Er streckte die Hand aus. Schwarzer Läufer schlägt weißen Bauern. Weiße Dame schlägt schwarzen Läufer. *Alors, échec et mat* in zwei Zügen. Das Schicksal war besiegelt. Die Christen hatten gewonnen. Zum Zeichen der Niederlage kippte er den Maurenkönig um. Dann ging er zu seinem Schreibpult und läutete die Glocke, um einen der Laienbrüder zu rufen.

»Sie wollen mich sprechen, Monsieur le Provincial?«

»Ja. Bitte sag Monsieur Walton, ich wünsche ihn zu sehen.«

Wenige Minuten später stand der Engländer vor ihm. »Sie haben nach mir verlangt?«

»In der Tat. Du bist Chirurg, Xavier, nicht wahr?«

»Jawohl, Monsieur le Provincial. Ich habe bei der English Company in London studiert, bevor ich nach Frankreich ging und mich der Gesellschaft anschloss.«

»Ich verstehe. Und hast du je richtig praktiziert? Ich meine, ehe du Priester wurdest?«

»Nur kurz, Monsieur le Provincial. Ein Jahr, vielleicht etwas weniger.«

»Ein Jahr. Und beherrschst du dein Metier?«

»Als Chirurg?«

»Natürlich.«

Walton war nicht recht klar, worüber sie eigentlich sprachen. Alles, was der Provinzial von ihm wissen wollte, war diesem bereits bekannt. »Ich bin nicht der beste Chirurg, den die Welt kennt, Monsieur le Provincial. Aber auch nicht der schlechteste. Sagen wir vielleicht: tüchtig.«

Eine typisch englische Antwort. »Du wolltest doch nie nach Québec kommen, oder?«

Der plötzliche Themenwechsel verblüffte Xavier, aber er fasste sich rasch. »Ich wollte immer nur das, was meine Oberen mir auftrugen. Sie haben mich hierher geschickt.«

»Aber das war nicht dein eigentlicher Wunsch, nicht wahr? Du wolltest nach England zurückgeschickt werden, um heimlich, im Dunkel der Nacht, die Messe zu lesen, dich zu verstecken und schließlich den Soldaten des ketzerischen Königs in die Hände zu fallen und den Märtyrertod in Tyburn Hills zu erleiden. Ist es nicht so, Xavier?«

»In den letzten Jahren hat es in England nur wenige Märtyrer gegeben, Monsieur le Provincial. Die Engländer denken, dass ihre protestantische Ketzerei mittlerweile tief verwurzelt ist und sie praktisch keine Furcht vor dem wahren Glauben mehr haben. Heutzutage achten sie kaum auf katholische Priester, es sei denn, die Verbote gegen den Glauben werden offen übertreten.«

»Hmm … Ja, das habe ich auch gehört. Aber trotzdem geht es dir um ein Martyrium, nicht wahr?«

»Sollte Gott mich für würdig erachten, dann … Es gibt viele Möglichkeiten, hier in Kanada den Märtyrertod zu sterben. Die Heiden, solange sie noch nicht bekehrt sind, haben Methoden, die in jeder Hinsicht genauso wirksam sind wie die der Soldaten des englischen Königs. Das weiß Monsieur le Provincial besser als ich.«

»Wohl wahr, Xavier. Ich weiß die meisten Dinge besser als du. Und was dich betrifft, spreche ich mit der Stimme des Allmächtigen, nicht wahr?«

»Absolut. Sollte ich irgendetwas getan haben, was Sie zu der Annahme veranlassen könnte, ich dächte anders, dann …«

»Nein, nein. Du bist ein ergebener Jesuit, Xavier. Deshalb schicke ich dich nach Süden. In die amerikanische Kolonie Virginia.«

Die Augen des Engländers weiteten sich. Er öffnete den Mund, blieb aber eine Weile sprachlos. Was schließlich folgte, war nur ein ungläubiges Stammeln. »Virginia … aber … ich wusste nicht … ich wäre nie auf die Idee gekommen … ich habe nie gehört …«

»Was, Xavier Walton? Was wusstest du nicht, was hast du nie gehört? Komm zur Sache, Mann!«

»Dass wir in Virginia ein Haus haben, Monsieur le Provincial. Das ist eine völlige Über…«

»Wir haben auch kein Haus in Virginia. Das ist eine englische Kolonie, umgeben von anderen englischen Kolonien. Und wie wir – du und ich – gerade feststellten, ist der katholische Glaube überall dort, wo England herrscht, verboten. Nein, nein, mein Sohn. Ich schicke dich nicht als Priester nach Virginia, sondern als Heiler. Als Mediziner. Als Chirurg. Ich bin der festen Überzeugung, Xavier, dass du in Virginia sehr viel Gutes tun wirst.«

Samstag, 23. Oktober 1754

Port Mouton, Akadien

Die Franzosen nannten dieses Land L'Acadie, Akadien. Für die Engländer war es Nova Scotia, und in der Sprache der Mi'kmaq, der *Anishinabeg*, deren Land es gewesen war, bevor die Europäer kamen, hieß es Chignecto. Doch wie immer sein Name lautete, es war der östlichste Punkt, den Cormac erreichen konnte. Er war am Rand der Welt angelangt.

Der dunkle, abweisende Ozean donnerte auf den flachen Strand und schleuderte weiße Gischt auf, die mit der hereinkommenden Flut immer höher aufspritzte. Cormac schmeckte das Salz auf der Zunge, die Kälte zwickte ihn an Nase und Fingerspitzen. Hinter ihm lag ein sorgsam abgezirkeltes Feld, dessen Begrenzung von einem hohen Graswulst markiert wurde; in regelmäßigen Abständen war er von hölzernen Bauten unterbrochen, bei denen es sich anscheinend um irgendwelche Scheunen handelte. Felder dieser Art hatte Cormac noch nie gesehen.

Nicht weit von ihm entfernt standen zwei weiß-braune Kühe, die sich viel zu sehr dem letzten Gras des Spätherbstes widmeten, um auf ihn zu achten. Hinter ihnen ragte, gerade noch erkennbar im Grau des schwindenden Nachmittags, das steile Spitzdach eines *Cmokmanuk*-Hauses auf. Kein Rauch stieg aus dem Kamin, aber er hatte trotzdem nicht das Gefühl, dass es verlassen war. Die Geister Tausender von Kriegern durchstreiften dieses Gebiet. Vor undenklichen Zeiten waren es die *Anishinabeg*, dann die Europäer. Nirgends war die Gier nach Land, die Franzosen und Engländer zu Feinden machte, deutlicher und bösartiger als hier, am äußersten Rand dieser ihrer Neuen Welt.

Der Wind wurde stärker. Bishkek hatte ihm einen Umhang aus Wapitihaut gegeben, mit großem Geschick gegerbt, sodass das glatte schwarze Fell geschmeidig und glänzend blieb. Fröstelnd zog Corm den Umhang enger um sich. Er glaubte einen besonderen Geruch im Wind wahrzunehmen. Den Gestank von Pulver und brennendem Pech. Den Geruch von Krieg.

Ringsum lagen zahlreiche Forts. Die Zitadelle von Louisbourg im Norden war die größte. Vor vierzig Jahren von den Franzosen erbaut, war sie 1745 den Kolonisten Neuenglands in die Hände gefallen, um drei Jahre später durch einen Vertrag wieder den Franzosen zuerkannt zu werden. Louisbourg bewachte die Mündung des Sankt-Lorenz-Stroms und damit den Zugang zu ganz Kanada. Um diesen großen Verlust wettzumachen, hatten die Engländer gleich östlich des Missaquash River Fort Lawrence errichtet, direkt im Blickfeld von Beauséjour und Gaspareau, den beiden französischen Forts, die den Isthmus von Chignecto zwischen Akadien und dem Festland sicherten. Etwa hundertzwanzig Meilen die Küste hinauf stand die Zitadelle von Halifax, eine befestigte Stadt, in der Tausende protestantischer, Englisch sprechender Siedler lebten. In Halifax wimmelte es von Truppen.

Ayi! Ein Blutstrom konnte sich aus jeder Richtung hierher ergießen.

Was aber hatte das mit ihm zu tun? Oder mit Memetosia und seinen Suckáuhock? Das war ein Kampf unter *Cmokmanuk*. Ja, und du bis zur Hälfte *Cmokman. Ahaw*. Trotzdem, du bist auch *wabnum*, der weiße Wolf. Und in deinem Innern gibt es einen roten Mann, der weiß, dass man dem in einem Traum aufgezeigten Pfad folgen muss. Denn sonst bringt auch der Tod keine Erlösung.

Cormac wusste, dass er ein Obdach finden musste. An diesem Abend würde er nicht sehr viel weiter reisen können. Diese Jagd war offenbar zu Ende: Keinen Falken hatte er gesehen, keinen weißen Bären. Er hatte nichts geträumt, was irgendwie von Belang gewesen wäre. Der ganze Fußmarsch durch die Wildnis war reine Verschwendung gewesen. Trotzdem, die düstere Ahnung des ursprünglichen Traums ließ ihn nicht los. Sie saß ihm im Magen, seitdem er ihn zum ersten Mal geträumt hatte. Jeden Morgen beim Aufwachen hatte er dasselbe Gefühl der Dringlichkeit, und dasselbe Grauen zerrte ihm an den Eingeweiden. *Merde!* Zum Teufel mit allen Träumen!

Ein *wabnum*, der in Richtung der aufgehenden Sonne läuft, hatte Kekomoson gesagt. »Dieser *wabnum* kann nicht weiter laufen«, sagte Cormac laut. »Es geht nicht weiter! Hörst du mich?« Er brüllte die Worte in die unbarmherzige See. Memetosias Medizinbeutel hing ihm schwer um den Hals. Er kämpfte gegen die Versuchung an, ihn abzureißen und in die Wellen zu schleudern.

»*Est-ce que vous voulez que la mer vous répond, Monsieur?*«

Cormac drehte sich um, und seine Augen begegneten denen einer Frau, die fast genauso groß war wie er selbst. Die ihren waren grau und schwarz gefleckt wie die glatten Kieselsteine, die man am Strand fand. Sie musterte ihn aufmerksam und hielt ihr blaues gestricktes Umhängetuch mit beiden Händen fest, damit es ihr nicht davonflog. Sie schien sich im Wind zu wiegen, wie eine Weide, dachte Corm, deren Wurzeln fest im Boden verwachsen sind, während ihr geschmeidiger, biegsamer Stamm sich in jedem Sturm biegt. »*J'ai pensé que j'étais tout seul, Madame.*« Ich glaubte, ich wäre allein. »*Je m'excuse*. Ich dachte nicht, dass ich Ihre Kühe stören würde. Oder gar ihre Herrin.«

Sie lächelte. Ihre Zähne waren weiß und ebenmäßig, und ihre emporgezogenen Mundwinkel bildeten zwei Grübchen. »Mademoiselle«, stellte sie richtig. »Und außerdem haben Sie weder mich noch meine Kühe gestört. Aber es ist spät und wird kalt. Bald ist es dunkel. Nicht sehr angenehm, nicht einmal für den furchtlosen Cormac Shea. Kommen Sie doch mit, Monsieur. Sie haben es ja gerade selbst gesagt, und zwar ziemlich laut, wenn ich Sie daran erinnern darf: Sie können nicht weiter laufen.«

»Sie wissen, wer ich bin?«

»Natürlich. Wer kennt Cormac Shea nicht?«

Die Narbe, an der er sofort zu erkennen war. »Ich wäre dankbar, wenn Sie mir für eine Nacht Obdach geben könnten, Mademoiselle. Vielleicht kann ich mich im Gegenzug irgendwie nützlich machen.«

»Ich bin Marni Benoit, und als Erstes können Sie mir helfen, diese Kühe nach Hause zu treiben.«

Der Stall war direkt ans Haus angebaut. Er verbreitete den süßen Duft von Heu und die Wärme vom Atem der Tiere. In einer Ecke tummelte sich eine Schar dunkelbrauner Hennen, und aus einem frei stehenden Schuppen in der Nähe hörte er ein Schwein grunzen. »Sie sind gut versorgt, Mademoiselle.«

»Hier in L'Acadie sind wir alle Selbstversorger. Aber ich habe Ihnen doch gesagt, ich heiße Marni.«

Sie hockte sich auf einen dreibeinigen Schemel und begann noch beim Sprechen zu melken, wobei sie sich mit dem Kopf seitlich gegen die kleinere der beiden Kühe stützte und rhythmisch am Euter zog, während sie den Eimer mit den Knien festhielt. »Das ist mir lieber als Mademoiselle.«

»Gut, dann also Marni.« Durch die sitzende Haltung waren ihr die Röcke nach oben gerutscht und gaben den Blick auf ihre schlanken, wohlgeformten Fesseln über den schweren Holzpantinen frei. Corm fragte sich, welche Farbe ihr Haar wohl haben mochte. Es war fast vollständig unter einer weißen Haube verborgen, aber dem Ansatz über der Stirn nach zu urteilen musste es ziemlich hell sein. »Trauen Sie mir zu, dass ich's mit Mumu probiere?« Auf dem Heimweg hatte sie ihm erzählt, dass die kleinere Kuh Tutu hieß, die größere Mumu.

»*Oui, si vous voulez.*«

An einem Wandhaken hing ein zweiter Melkschemel. Er sah nicht aus, als würde er regelmäßig benutzt, ging es Corm durch den Kopf, als er ihn herunterholte. Bisher hatte er kein Anzeichen dafür entdeckt, dass noch jemand anders als Marni Benoit auf diesem einsamen Gehöft lebte.

»Mumu ist nicht an fremde Hände gewöhnt, Monsieur Shea. Sie müssen sanft mit ihr umgehen und gleichzeitig auf der Hut sein.«

»Ich werde mich bemühen, beides zu sein. Aber wenn Sie Marni sind, dann bin ich Cormac. Corm, wenn Sie mögen.«

Sie hatte Tutu fertig gemolken und richtete sich auf, wobei sie den Eimer rasch vor dem ausschlagenden Kuhschwanz in Sicherheit brachte. »Corm gefällt mir. Ja, so werde ich Sie nennen. Und Sie sind ein sehr guter Melker. Für einen *coureur de bois* und noch dazu einen Mestizen.«

Als er fertig war, stand er auf und reichte ihr den Eimer voll warmer Milch. »Mir war gar nicht klar, dass die Leute in L'Acadie so viel über mich wissen.«

»Nicht die Leute, aber ich. Kommen Sie.« Marni ging ihm voran ins Haus.

Mittlerweile war es völlig dunkel geworden. Das einzige Licht im Haus kam von der schwachen Glut des glimmenden Feuers. »Die Scheite sind da drüben«, sagte sie mit einer Kopfbewegung auf einen Holzstoß. »Wenn Sie das Feuer schüren, kann ich eine Laterne anzünden. Und dann mache ich uns etwas zu essen.«

Als er sich umdrehte, um einen Scheit von dem Holzstoß zu holen, sah er, wie sie das Tuch von den Schultern nahm und an einen Haken hängte. Dabei hob sie die Arme, sodass er unter dem Kleid und der Schürze aus selbst gesponnenem Flachs die Rundung ihrer Brüste erkennen konnte. Außerdem war durch die Bewegung ihre Haube verrutscht und gab ihr Haar ein wenig frei. Es war so hellblond, dass es fast weiß wirkte.

»Was meinten Sie mit Ihrer Bemerkung, die anderen wüssten nicht über mich Bescheid, Sie aber schon?«

»Nichts weiter, als dass sich hier kaum einer darum kümmert, was außerhalb von L'Acadie passiert. Natürlich haben sie Geschichten gehört. Erzählungen von dem furchtlosen Mestizen, der, wenn es nach ihm ginge, uns alle aus unseren Häusern verjagen würde, damit die Indianer alles für sich haben.«

»Die Indianer waren zuerst hier. Die Europäer zerstören ihre Lebensweise.«

»Und deswegen wollen Sie die unsere zerstören.« Sie zuckte mit den Schultern. »Für mich klingt das so wie fast alles, was Männer tun. Nichts weiter als ein Vorwand, um zu kämpfen.«

Mittlerweile prasselte das Feuer. Zum ersten Mal seit Tagen war ihm richtig warm. Und sie in der Küche hantieren zu sehen war das reinste Vergnügen. Irgendwie weckte sie etwas in ihm, das lange Zeit in ihm geschlummert hatte. Diese Marni Benoit brachte ihn wieder in Kontakt mit seinem weißen Teil. Im Augenblick war sie sein Shadowbrook. »Aber die anderen, die hier leben – Ihre Familie, Ihre Freunde –, wissen die nichts von meinen Ideen?«

»Nein, überhaupt nichts. Und was meine Familie betrifft, die ist tot. Und Freunde habe ich nicht.«

»Sie leben also allein hier?«

»Ja.« Sie schwenkte den Arm, an dem ein großer schwarzer Kessel hing, über die lodernden Flammen und schöpfte mit einer Kelle etwas von der Milch, die sie gerade gemolken hatten, hinein. »Dieser Tage ist mir das Alleinsein lieber.«

»Wie kommt es, dass Sie so viel mehr wissen als die anderen Leute hier?«

»Weil ich im Unterschied zu den meisten anderen nicht mein ganzes Leben in L'Acadie verbracht habe. Für eine Frau, die von hier stammt, habe ich eine große Sünde begangen, Cormac Shea. Ich bin nach Québec gegangen. Mit einem Mann.«

Das Essen war fertig. Eine dicke Scheibe Hartkäse und ein Laib Brot, dazu schäumendes Fichtenbier, verdünnt mit der Milch, die sie über dem Feuer erwärmt hatte. Das erste *Cmokmanuk*-Essen seit Monaten. Vor allem das Brot schmeckte ihm. Es war nach französischer Art gebacken, außen knusprig, innen weich und teigig. »Québec war die erste Stadt, die ich zu Gesicht bekam. Ich war einmal mit meiner Mutter da. Ich war noch sehr klein, vielleicht drei oder vier. Ich weiß nicht mehr viel davon, aber an das Brot erinnere ich mich noch genau. Es war sehr gut, aber Ihres ist besser.«

»Danke. Jean, mein Verlobter, war Bäcker. Er hat mir beigebracht, wie man's macht.«

»Sie wollen also bald heiraten?«

»Wollte. Ich wollte heiraten. Jean ist tot.«

»Das tut mir Leid. Wie ist das passiert?«

Mit einem Schulterzucken schenkte sie ihm vom Fichtenbier und der warmen Milch nach. »Er ist überfahren worden. An einem nebligen Morgen. Er war gerade mit einem Sack *bâtards* auf dem Weg zum vornehmen Haus eines vornehmen *québécois*. Die Kutsche fuhr sehr schnell, die Gasse war zu eng, er konnte sich nicht mehr in Sicherheit bringen …« Wieder zuckte sie mit den Schultern. »Eine ganz normale Geschichte.«

»Aber nicht, wenn es Ihre Geschichte ist.«

Die Mahlzeit war zu Ende. Marni stand auf und machte sich daran, den Tisch abzuräumen. »Sie können dort drüben schlafen.«

Sie deutete mit dem Kopf in die Ecke neben dem Kamin, wo eine Matte aufgerollt war und mehrere Decken ordentlich gestapelt aufeinander lagen.

»Ich möchte Sie nicht belästigen. Der Stall reicht mir, wenn …«

»Sie belästigen mich nicht. Mein Bett ist oben.«

»Aber Sie müssen mir die Möglichkeit geben, mich erkenntlich zu zeigen«, sagte er mit Nachdruck.

»Holz, das gehackt werden muss, gibt es immer«, sagte sie und ging zur Leiter. »Ich wäre froh, wenn Sie da was wegschaffen könnten.«

Er konnte eine große Menge Holz hacken, wenn er eine Weile bliebe. Er dachte darüber nach, während er neben dem glimmenden Feuer lag und draußen den Wind heulen und die See auf den Strand brechen hörte. Kein weißer Wolf, kein Falke und kein weißer Bär. Aber er war nach Osten geschickt worden und in diese Richtung marschiert, so weit es ging. Jetzt konnte er genauso gut abwarten, bis ihm die nächste Etappe seiner Reise offenbart würde.

14

Mittwoch, 4. November 1754
Shadowbrook

Quent stand an dem eilig dahinfließenden Bach, hinter ihm die fünf mächtigen Eichen, die Squirrel Oaks genannt wurden. Jenseits davon war das Grab, wo Jeremiah und George Junior Erde auf Ephraims Sarg schaufelten.

Alle anderen waren fort. Der anglikanische Geistliche und viele der Trauergäste waren eigens den weiten Weg von Albany hergekommen – unter anderen John und Genevieve Lydius mit ihrer gesamten Nachkommenschaft. Auch alle Sklaven waren da gewesen und alle Pächter, selbst die aus dem weit entlegenen Do Good. Auch die Kahniankehaka. Häuptling Thoyanoguin war in seiner mit Goldlitzen besetzten Jacke erschienen, dem gerüschten Hemd und dem Dreispitz, begleitet von einem Dutzend Tapferer. Die Größe der Abordnung bedeutete eine besondere Ehrbezeugung für Ephraim. Ebenso wie alle anderen waren auch die Indianer bis zum Ende des Gottesdienstes geblieben. Der Einzige, der fehlte, war Corm.

Vor den großen Schneefällen zog es Corm oft nach Süden. Quent hatte gehofft, er würde im Spätherbst, vor Einbruch des Winters, noch einmal auftauchen, aber bislang war er noch nicht in Shadowbrook erschienen. Bis vor drei Tagen war Ephraims Zustand so gewesen wie den ganzen Sommer hindurch, nicht besser, aber auch nicht schlechter. Doch als Flinke Ruth ihm an jenem Tag sein morgendliches Bier bringen wollte, fand sie ihn tot im Bett liegen. Zu spät, um Corm noch eine Nachricht zukommen zu lassen, selbst wenn er noch in Singender Schnee sein sollte.

Nachdem sie sich alle an Ephraims Grab versammelt und der Predigt des Geistlichen gelauscht hatten, lud John die Trauergäste ein, sich vor ihrer Heimkehr auf dem Frolic Ground einzufinden.

Dort würde es Maiskuchen geben zur Stärkung für den Rückweg und einen Becher Punsch, um auf Ephraim anzustoßen. Während er dies sagte, würdigte er seinen jüngeren Bruder keines Blicks, und Quent wusste, dass John ihn nicht in seine Einladung mit einbezog. Das war ihm gleichgültig, seiner Mutter aber nicht. Jedes Mal, wenn er während des Begräbnisses aufschaute, starrte sie ihn an, und er sah Niedergeschlagenheit und Verzweiflung in ihr Gesicht geschrieben. Es war das erste Mal, dass er sie so erlebte. Dann, nachdem der Geistliche alles gesagt hatte, was es zu sagen gab, und Lorene einen Klumpen Erde reichte, den sie in Ephraims Grab warf, sah sie aus, als wollte auch sie sterben. Quent trat einen Schritt auf sie zu, doch Lorene hatte sich bereits abgewandt. Auch das passierte zum ersten Mal. Nie zuvor hatte sie ihn auf diese Weise ausgeschlossen. Da hatte er gewusst, dass er sich nicht zu den anderen auf dem Frolic Ground gesellen würde.

Das Schaufeln hatte aufgehört. »Jetzt hat er seine Ruhe.« Jeremiahs Stimme trieb leise von jenseits der Eichen herüber, gut vernehmbar in der kalten Luft. George Junior murmelte zustimmend.

Quent hörte ihre Schritte, als sie den kleinen Friedhof verließen. Zurück blieben die Gräber seiner Großeltern und einer Reihe von Tanten und Onkeln und Cousins, an die er sich kaum erinnern konnte oder die er gar nicht kennen gelernt hatte, und die kleinen, schon lange abgeflachten Hügel der sechs Kinder, die Lorene zur Welt gebracht hatte, ohne dass ihre Muttermilch sie mehr als ein paar kümmerliche Monate am Leben gehalten hätte. Auch Pohantis lag dort, etwas abseits von den anderen, weil Ephraim darauf bestanden hatte, und Shoshanaya mit Quents Sohn. Das Kind war ungeboren, aber für ihn hatte immer festgestanden, dass es ein Sohn sein würde. Shoshanaya hatte es gesagt, und er hatte ihr geglaubt. Nun waren sie nicht mehr als bloße Gebeine in der Erde. Wie bald auch Ephraim. Jetzt würden die Würmer mit ihrem Werk an seinem Vater beginnen.

Er trug eine Jacke, eine Kniehose und ein weißes Hemd, seine Hauskleidung, aber es gab keinen Ort mehr, den er sein Zuhause hätte nennen können. Shadowbrook gehörte jetzt John.

Quent zog die vornehmen Kleider aus und sprang nackt in den rauschenden Bach. Das eiskalte Wasser kam von hoch oben aus den Bergen, aus dem unterirdischen Strom, der unterhalb von Swallows Children floss. Bewusst schwamm er stromaufwärts; der Kampf gegen die bittere Kälte und die schnelle Strömung spendete ihm einen sonderbaren Trost. Die Luft war eisig, und jeder schneidende Atemzug schmeckte nach Schnee. Erschöpft drehte er sich schließlich auf den Rücken und ließ sich vom ungestümen Wasser zu seinem Ausgangspunkt zurücktragen; sein Herz raste jetzt nicht mehr so heftig, sein Geist hatte sich beruhigt. Er kletterte ans Ufer und zog sich die Kniehose und die Schuhe mit den silbernen Schnallen an, alles andere ließ er liegen. Dann machte er sich auf den Weg zum großen Haus.

Eine knappe Stunde später sah Lorene vom Fenster des Zimmers ihres toten Gatten, in dem sie ein letztes Mal nach dem Dokument gesucht hatte, von dem sie wusste, dass es nicht mehr da war – das Testament, das Ephraim aufgesetzt, aber später vernichtet hatte –, wie ihr jüngster Sohn das Gut verließ. Er trug eine lederne Kniehose, über die Schulter hatte er sein Langgewehr geschlungen. Sie schaute ihm nach, wie er den Weg zum Hudson's River hinunterschritt, bis er außer Sichtweite verschwand; dann sank sie auf die Knie und weinte, zum ersten Mal an diesem Tag.

Quent warf keinen einzigen Blick zurück. Es war vorbei. Shadowbrook war nicht mehr sein Zuhause. Was nun? Er hatte seinen leiblichen Vater beerdigt, und dem Brauch der Potawatomi entsprechend, musste er sich nun sofort auf den Weg machen, um seinem Mannheitsvater Respekt zu erweisen. Ein Jahr sollte er in Singender Schnee verbringen, zwölf Mal das Erzählen des neuen Monds miterleben. Sich dort eine Frau nehmen, ein Kind zeugen. Einem Jungen zum Mannheitsvater werden. So ging der Kreislauf angesichts des Todes weiter. So hatte der Große Geist Shkotensi die Welt geordnet.

Große Abscheu stieg in ihm auf, ein Widerwille mit einem Beigeschmack von Bitterkeit und Wut. Alte Männer, die jungen Männern den Lebensweg vorschrieben. Er hatte es satt. Anstatt nach Norden wandte Quent sich nach Süden. Er würde ins Ohio Country gehen.

Freitag, 13. November 1754
Kloster der Armen Klarissen, Québec

Der Tisch des Refektoriums bestand aus einer einzelnen breiten Planke, die auf zwei Böcken ruhte. Die Stühle der Nonnen waren niedrige Hocker ohne Rückenlehne. Es gab insgesamt sechs, einen für jedes Mitglied der Gemeinschaft. Der von Nicole war unbesetzt. Sie kniete auf der anderen Seite des Tisches auf dem Steinfußboden. Mit ausgestreckten Armen hielt sie die leere Holzschale vor sich, die eigentlich mit ihrer Mittagsmahlzeit gefüllt sein sollte. »Ich bezichtige mich, während des stillen Gebets eingeschlafen zu sein«, hatte sie an diesem Morgen gestanden.

»Das ist eine schwere Sünde gegen die heilige Regel unserer Mütter Klara und Colette«, antwortete Mère Marie Rose. »Du wirst diese Woche jeden Tag um dein Essen bitten.«

Deshalb war sie hier. Schweigend flehte sie ihre Schwestern an – und ihre Schwestern waren sie ja, wie Nicole sich immer wieder sagte, seit sie vor genau achtundfünfzig Tagen die Welt hinter sich gelassen hatte und ins Kloster eingetreten war –, ein wenig von ihrem Essen mit ihr zu teilen. Lieber Gott, ihr brannten die Arme, weil sie sie schon so lange ausgestreckt hielt. Aber sie durfte die Schale erst senken, wenn sie gefüllt war. Täte sie es früher, gäbe sie damit zu verstehen, dass sie fasten wolle. Das wäre etwas Heiliges, wenn ich es könnte, *mon Dieu*, aber vergib mir, ich kann's nicht. Schon dreimal ist die schwarze Kutte, die sie mir am ersten Tag gegeben haben, in der Taille eingenäht worden.

Und ich bin eingeschlafen, als ich meine Gedanken auf dich richten sollte, weil unsere Zelle – mit Ausnahme ihrer Sünden gab es nichts, was eine Arme Klarisse als ihr Eigen bezeichnete, denn die Nonnen besaßen alles gemeinsam –, weil unsere Zelle so kalt ist, dass ich nachts vor Zittern nicht schlafen kann. Wenn ich nur eine

Decke hätte, *mon Dieu*, und sei sie auch noch so dünn, dann wäre ich nicht so … Oh! Diese Litanei von Klagen hatte sie so sehr beschäftigt, dass sie fast die Schale gesenkt hätte. O nein, *mon Dieu*, bitte. Ich muss etwas essen. Vergib mir meine Sünden und verleih meinen Armen Kraft. Um deiner heiligen Mutter willen. Nicole packte die Schale, so fest sie konnte, und streckte ihre Arme aufs Neue durch.

Keine der anderen Nonnen achtete auf die Qual der jungen Frau, die sie die Postulantin nannten, während sie ihre Fähigkeit, eine Novizin der Gemeinschaft zu werden, auf die Probe stellten. Solange sie noch nicht die Ordenstracht trug, war sie zwar bei ihnen, gehörte aber nicht völlig zu ihnen, und jede der Nonnen versuchte, eine gewisse Distanz zu ihr zu wahren. Um ihr Herz zu schützen, denn es war elend, eine Gefährtin zu verlieren, eine Schwester, die die Mühsal aufgab und sie verließ, ehe sie ihr Gelübde abgelegt hatte. Die Strafe, der *la petite* an diesem Tag unterworfen wurde, hatte jede von ihnen viele Male erlitten. Sie wussten, dass es freundlicher war, wenn sie nicht zu ihr schauten. Außerdem untersagte die heilige Regel jeden Augenkontakt während des Essens.

Die Armen Klarissen aßen nie Fleisch, und Fisch nur an hohen Feiertagen. Heute war ein ganz normaler Tag; das Martyrologium, aus dem vor der Mahlzeit gelesen worden war, gedachte der Heiligen Vitus und Agricola, die im alten Rom den Löwen zum Fraß vorgeworfen worden waren. Heute senkten sich die schwarz verschleierten Köpfe über Bohnen und Haferbrei, der dritte Teil des Klosterspeiseplans – der als Ersatz für den Fleischgang serviert wurde – bestand aus gekochten Rüben. Die Nonnen aßen schnell, denn im Refektorium war es so kalt, dass die Frauen ihren eigenen Atem sehen konnten. Das Essen erstarrte in der Schale, noch ehe alles verzehrt war. Wenn nur noch ein Löffel der Speise übrig blieb, beugte jede Nonne sich vor und kippte den Rest in die Schale der Büßerin. »*Que le bon Dieu vous récompense pour votre charité*«, sagte Nicole jedes Mal. Möge Gott Ihnen Ihre Barmherzigkeit vergelten.

Mère Marie Rose wartete, bis jede Nonne ihren Löffel niedergelegt hatte, dann erhob sie sich. Sofort folgten die übrigen ihrem Beispiel. Auch Nicole. Danke, *mon Dieu*, danke, dass ich nicht mehr auf diesen Steinen zu knien brauche. Und dass ich meine Arme sinken lassen kann. Sie hielt die Schale mit der linken Hand fest und bekreuzigte sich mit der rechten.

»*In nomine Patris et Filii et Spiritus Sancti*«, setzte die Äbtissin an. Das lange lateinische Tischgebet begann. Als es beendet war, nahm Mère Marie Rose den Löffel, den sie benutzt hatte, und gab ihn Nicole. Nicoles eigener Löffel lag sauber und unberührt an ihrem Platz. Dass sie ihr kaltes Essen mit dem Besteck einer anderen Frau verzehren musste, war eine weitere Erniedrigung. »Du darfst jetzt essen, Kind. Wenn du fertig bist, wirst du den Fußboden des Refektoriums putzen. Sœur Angélique hat dir eine Bürste und einen Eimer mitgebracht.«

Hintereinander verließen die Nonnen das Refektorium. Sobald sie fort waren, schlang Nicole jeden Bissen hinunter, den die Schale enthielt. Sie schmeckte nichts davon, war nur dankbar, dass das Loch in ihrem Magen sich nicht mehr ganz so leer anfühlte. Um ihr Essen zu bitten bedeutete auch, dass sie keine Scheibe grobes, braunes Brot bekam und auch nicht das Glas wässrigen, sauren Weins, den alle zur Mahlzeit bekamen, die sich keiner schweren Sünde gegen die heilige Regel schuldig gemacht hatten.

In einer Ecke des Raums stand ein Eimer mit Sand. Nicole trug Schale und Löffel hinüber, um sie sauber zu scheuern, anschließend stellte sie die Schale an ihren eigenen Platz am Esstisch des Refektoriums, den Löffel legte sie an den der Äbtissin. Sie öffnete die Manschetten der schwarzen Kutte und rollte sie sich über die Ellbogen. Wenn sie erst die Ordenstracht trug, würde sie die breiten grauen Ärmel hochschlagen und mit einer Nadel an der Schulter befestigen, wie sie es bei den Nonnen gesehen hatte. Aber wann würde das sein? Sie hatte keine Ahnung. Der Zeitpunkt der Einkleidung, wie er genannt wurde, lag ganz im Ermessen der Äbtissin. Wenn es so weit ist, *mon Dieu*, werde ich einen weißen Schleier tragen und deine dir ergebene Braut sein.

Ich will dich heiraten, hatte Quent an jenem Tag in Do Good zu ihr gesagt, als die Quäker im Nachbarzimmer waren und die Pein darüber, dass sie ihr heiliges Versprechen fast gebrochen hatte, ihr noch das Herz zerriss. *Ich komme wieder.* Wie deutlich hatte sie sich selbst vor Augen gesehen, als er diese Worte sprach! Blumenbekränzt und das Herz voller Jubel stand sie neben ihm auf dem Frolic Ground, lebte mit ihm als seine Frau in dem wunderschönen Haus, das ihm gehörte, das ihm bestimmt war, brachte seine Kinder zur Welt ... O gebenedeite Muttergottes, bestimmt hältst du es nicht für eine Sünde, dass ich Ja sagen wollte. Ja, ja, tausend Mal ja. Es kann doch keine Sünde sein, nur weil ich mir vorstellte, den Mann zu heiraten, den ich liebe, gebenedeite Mutter. Geliebt habe, verbesserte sie sich. Ich darf ihn jetzt nicht lieben. Ich habe mich Gott hingegeben.

Das Wasser in dem Ledereimer war von einer dünnen Eisschicht überzogen. Nicole widerstand der Versuchung, sie mit der Scheuerbürste zu zerbrechen, und tauchte zuerst ihre rissigen, roten Hände hinein. Dann machte sie die Bürste in dem eiskalten Wasser nass, kniete sich hin und begann die Steine zu scheuern. »*Je vous salue, Marie, pleine de grâce* ...« Kaum hörbar flüsterte sie das Gebet. Damit würde die Arbeit schneller vorangehen. Was machte es schon, dass ihr die Knöchel bluteten. »*Vous êtes bénie entre toutes les femmes, et Jésus, le fruit* ...«

»... *de vos entrailles est béni. Sainte Marie, mère de Dieu* ...«

Nicole hatte nicht bemerkt, dass noch ein weiteres Paar Hände den Fußboden schrubbte, bis sie die Stimme hörte, die in das Gebet an die Muttergottes mit einstimmte. Es war die kleine Sœur Angélique, die diese Arbeit normalerweise verrichtete. Von Nicole abgesehen, war Angélique die jüngste. An jenem Tag in der Kapelle hatte sie die neue Schwester als Letzte in der Reihe der Nonnen willkommen geheißen. Aber diejenige, die am Tag ihrer Ankunft auf der anderen Seite der Drehlade gestanden hatte, war bestimmt Angélique gewesen. Und jetzt war es Angélique, die in ihrer Barmherzigkeit ihre Mußestunde opferte – jene Zeit, in der die Nonnen an einer kleinen Feuerstelle im Gemeinschaftsraum beisammensaßen und schwatzten und lachten –, die gekommen war, um der sündigen jungen Postulantin beim Scheuern des Fußbodens im Refektorium zu helfen. »*... priez pour nous pauvres pécheurs, maintenant et à l'heure de notre mort, Amen.*«

Nicht nur für uns arme Sünder, heilige Muttergottes, ergänzte Nicole stumm. Ich bitte dich, auch für Quent zu beten. Bitte deinen gebenedeiten Sohn, dass Quent wohlbehalten und glücklich sein möge. Glücklich. Ein zweites Mal ging ihr dieses Wort durch den Kopf, während sie mit Marie Angélique weitere *Aves* anstimmte. Dann ein drittes Mal. Glücklich. Bat sie die heilige Muttergottes also darum, Quent eine neue Liebe zu schicken, eine andere Frau, die mit Blumen im Haar neben ihm auf dem Frolic Ground stand? Ja, wahrscheinlich. Der Gedanke trieb ihr Tränen in die Augen, aber ihr Geliebter brauchte eine Frau, und sie konnte es nicht sein, so sehr ihr Herz sich auch nach ihm sehnte. Sie hatte ein heiliges Gelübde abgelegt. Sie würde eine Braut Christi sein. »*... maintenant et à l'heure de notre mort, Amen.*«

Freitag, 13. November 1754

Der Sklavenmarkt am Ende der Wall Street, New York City

Bei Gott, dieses New York war wirklich eine verdammte Wucht. Nicht wie das gottverfluchte Albany oder Edinburgh. Eher schon wie Glasgow, entschied Hamish Stewart. Eine Stadt, in der gerissene Leute an jeder Straßenecke Geschäfte machten. Gott sollte eine jede Stadt verfluchen, aber bei dieser lohnte sich wenigstens die Spucke dafür.

Trotzdem, Städte machten ihn müde. Und munter würde er erst werden, wenn er Gutsherr auf Shadowbrook war. Verflucht sei der verdammte Regen, den der Teufel geschickt und der den ersehnten Tag wieder in weitere Ferne gerückt hatte. In Albany hieß es, Shadowbrook sei ruiniert. Aber für Hamishs Zwecke nicht ruiniert genug.

»Erstklassig«, rief der schwarze Auktionator. »Allesamt erstklassige Ware, meine Herren. Vor allem dieser prächtige junge Ashanti-Hengst.« Er deutete auf einen jungen Mann, der in der Mitte der Reihe stand, an seine Nachbarn gekettet und wie sie mit Fuß- und Handschellen gefesselt. Der schwarze Gehilfe des Auktionators stieß den Jungen mit der Spitze seiner Viehpeitsche in die Seite. Der Ashanti stolperte ein paar Schritte vor. »Erstklassiges Fleisch, besseres kriegen Sie nicht zu sehen«, wiederholte der Auktionator. »Schauen Sie sich bloß die Muskeln an. In den Armen steckt mengenweise Arbeitskraft. Und schauen Sie sich das an.« Dieses Mal trat der Auktionator selbst vom Podest und hob mit einem langen Stecken den Lendenschurz des jungen Mannes an, um dessen Genitalien zu entblößen. »Da steckt auch jede Menge Arbeitskraft drin, wenn Ihnen der Sinn danach ist.« Die versammelten potenziellen Käufer brachen in Gelächter aus. Der Ashanti starrte unbewegt vor sich hin.

Ein dreckiges Geschäft ist das, dachte Hamish. Dreckig. Vielleicht, wenn das Gut mal mir gehört, dann werd ich ... Nee, nie im Leben. Sklaven und Shadowbrook, das gehört einfach zusammen. Deswegen steht doch John Hale auch da vorn und wartet drauf, dass was auf den Block kommt, das ihm gefallen könnte.

Einer nach dem anderen fanden die Schwarzen Käufer. Der Sklavenmarkt von New York war der größte im Norden und wurde beliefert von Sklavenhändlern, die mit ihren eigenen Schiffen die Mittelpassage befuhren; er war in den ganzen Kolonien dafür bekannt, dass die Käufer dort mehr für ihr Geld bekamen als anderswo.

»Erstklassige Ware, meine Herren, allesamt erstklassig!« Der Auktionator tänzelte vor der Reihe gefesselter Schwarzer auf und ab und deutete mit seinem langen Stecken auf jeden einzelnen. »Schauen sie, meine Herren, schauen Sie nur! Ashanti! Ibo! Ibo! Fanti! Was bieten Sie?« Jetzt stand er wieder auf seinem Podest, hörte aber nicht auf mit seinem Geschwätz, obwohl auch er den Betreibern des Sklavenmarkts gehörte. »Hier auf der Wall Street sehen Sie, wofür Sie Ihr Geld hinblättern. Alles erstklassige Ware, meine Herren! Erstklassig! Was bieten Sie?«

Hamish fröstelte. Bei Gott, es war eine schändliche Sünde, Menschen zu kaufen und zu verkaufen, aber das Geld, das damit verdient wurde … was für gewaltige Summen! Das sah doch jedes Kind an den prachtvollen Häusern und den hochherrschaftlichen Damen und Herren, die's hier in New York City gab.

John Hale machte ein Gebot für eine junge Ibo und bekam für hundert Guineas den Zuschlag. Grade acht oder neun war das Mädel, dachte Hamish. Der Auktionator schob das Leinenkleidchen, das die Betreiber des Markts um des Anstands willen zur Verfügung stellten, mit dem Stecken hoch. Kein einziges Haar zwischen den Beinen und noch winzige Brüste, hart wie Ebenholznüsschen, die gerade erst zu knospen begannen, noch zu ungeformt, als dass die Warzen in der Kälte steif werden würden. John nickte zustimmend, das Hemdchen fiel wieder über die Scham, und das Mädchen gehörte ihm. Wenig später bot er weitaus mehr für zwei junge Männer, möge seine Seele verrotten, und trat vor, um die vierhundert Guineas für seine Ware hinzulegen.

Der Kassierer, der das Geld in Empfang nahm, saß jenseits des Versteigerungsblocks an einem behelfsmäßigen Tisch. Hamish drängte sich etwas näher. Hale überreichte einen hirschledernen Beutel, den der Kassierer in aller Seelenruhe aufschnürte und dann den Inhalt auf das gesplitterte Holz leerte.

Neben ihm stand eine Waage, doch die kam nur zum Einsatz, wenn Zweifel bestand am Wert der vielen unterschiedlichen Münzen, die hier in den Kolonien als Zahlungsmittel galten. Währungen aus aller Herren Länder wurden hier verwendet, weil die verfluchten Sassenachs den Amerikanern keine Münze zugestehen wollten und absichtlich den Umlauf ihrer Guineas und Sovereigns beschränkten. Deshalb mussten die Amerikaner alles, was sie kaufen wollten, vom Mutterland beziehen und von keinem anderen Land.

Mit geübten Händen ordnete der Kassierer die Münzen in getrennte Häufchen, bis alle französischen Dukaten, niederländischen *daalder* und portugiesischen Cruzados aufgestapelt waren, dazu sogar einige spanische Achterstücke. »Das sind genau vierhundert Guineas«, sagte er schließlich. »Gemacht, Mr. Hale.«

»Gemacht«, bestätigte John Hale. Er griff in die Tasche und holte einige weitere Shilling hervor. »Pass noch ein oder zwei Tage auf die drei auf. Ich hole sie ab, bevor ich wieder nach Albany fahre. Der Rest ist für dich und den Auktionator.«

'ne wandelnde Geldbörse war der ja, der Kerl. Ruiniert? Heiliger Strohsack, wie konnte Shadowbrook ruiniert sein, wenn der neue Gutsherr, möge Gott seine Seele verdammen, vierhundert Guineas in bar für drei Sklaven hinlegen konnte, keine drei Monate nachdem mehr als die Hälfte seiner Weizenernte in Flammen aufgegangen war?

John nahm Stewart nur halb bewusst wahr – zufällig hatte er den Schotten gesehen, als er am Morgen das Anwesen seiner Devrey-Verwandtschaft an der Wall Street verlassen hatte. Aber seine Aufmerksamkeit galt anderen Leuten – den drei Geschäftsmännern, die eher am Rand des Markts standen. James Alexander, Oliver De Lancey und der gottverfluchte Jude Hayman Levy waren seit Beginn der Versteigerung hier, obwohl keiner von ihnen mitgeboten hatte. Waren nur zum Schauen gekommen.

Macht in Finanzdingen mögt ihr ja haben, ihr Mistkerle, aber vergesst nicht, was ihr gerade gesehen habt. John Hale, Gutsherr von Shadowbrook, ist zum Auktionsblock getreten und hat Höchstpreise bezahlt für drei neue Nigger. Nicht zu vergessen, in bar statt mit eurem albernen Papiergeld. Also erzählt mir bloß nicht, dass Shadowbrook nicht mehr genügend Sicherheit bietet und ihr mir nicht das Geld für das Zuckerrohrland vorstrecken wollt, mit dem alles anders werden wird.

John wandte sich vom Tisch des Kassierers ab. Seine Hände waren feucht, und er steckte sie in die Taschen, damit niemand sah, wie sehr sie zitterten. Das Herz klopfte ihm wild gegen die Rippen. Er hatte gerade praktisch jeden Penny ausgegeben, den die wenige gerettete Sommerernte abgeworfen hatte. Aber es hatte sich gelohnt. Zuckerrohrland war jeden Einsatz wert.

Nach Ende der Auktion herrschte im Merchant's Coffee House Hochbetrieb. Auf den langen Tischen standen Schalen, Krüge und

Becher dicht an dicht, und auf den Hockern und Bänken drängten sich die Hintern von Herren jeder Größe und Gestalt. Der Duft von Tabak, von Bier und frisch geröstetem Kaffee vermischte sich mit dem Moschusgeruch der Geschäftsleute, die beschwingt waren vom Handel des Vormittags. Es herrschte ein ständiges Stimmengewirr, während die Gäste sich mit Blicken taxierten – der Schnitt einer Perücke oder eines blauen Samtrocks, der Satinglanz einer grünen Kniehose. Prunk, Protz und das Zurschaustellen von Reichtum waren an der Tagesordnung. Schließlich war man hier in New York, bei Gott, nicht im etepetete Boston oder bei den selbstgerechten Gutmenschen von Philadelphia. Seit die Niederländer die Stadt vor hundertdreißig Jahren gegründet und vierzig Jahre später den Engländern überlassen hatten, waren die Menschen hier immer zielstrebig gewesen, und ihr Ziel hieß, Geld zu machen. Der Geruch, der im mittäglichen Treiben des Kaffeehauses alle anderen überlagerte, war der üppige, verführerische Gestank von Geld.

Schwarze Jungen und Männer mit langen Lederschürzen eilten zwischen den Tischen hin und her, servierten Zinnschalen mit dem dunklen, dampfenden Kaffee, für den das Merchant's berühmt war, und reichten Schüsseln voll karibischem Zucker herum. Mit einer langen Holzzange nahm sich jeder Gast von den klebrigen, goldfarbenen Klumpen, um den Kaffee nach Belieben und Finanzkraft zu süßen. KAFFEE DREI PENCE DIE SCHALE, ZUCKER ZWEI PENCE DAS STÜCK hieß es auf einem Schild an der Wand. Ein Glas Punsch oder ein Becher gewöhnliches Bier war um einen Penny zu haben.

Hamish hob eine Hand, bis es ihm schließlich gelang, einen Kellner auf sich aufmerksam zu machen. »Ein Bier, Jungchen, und zwar hurtig.« Der Schwarze schien nicht besonders beeindruckt von dem einäugigen Fremden im handgewebten Wams. Hamish wartete voller Vorfreude auf sein Bier und sperrte sein eines Auge und beide Ohren auf, aber nicht mit dem erwünschten Ergebnis.

John Hale saß drei Tische weiter zu seiner Linken und war in ein Gespräch mit Bede Devrey, seinem Onkel mütterlicherseits, vertieft. Der war ein kleiner, stämmiger Mann mit einem Kopf, der viel zu groß war für seinen Rumpf. Seine Züge erinnerten entfernt an seine Schwester Lorene, doch von ihrer Anmut besaß er nichts. Aber was macht das schon, dachte Hamish, wenn er die Flotte der Devrey-Schiffe geerbt hat, von denen jedes einzelne ein Vermögen wert ist bei diesem Dreieckshandel zwischen den Kolonien, Afrika und England. Gut möglich, dass Bede Devrey das Geld vorgestreckt hat, das sein Neffe vorhin für die drei Sklaven hingelegt hat. Aber warum? Um die anderen Geschäftsleute zu beeindrucken, die jeden Handel mit Argusaugen verfolgen. Damit sie John Hale mehr borgen und er bis zur nächsten Ernte flüssig bleibt. Und damit Bede Devreys Schwester nicht am Ende ihrer Tage ohne Pisspott dasteht, den sie ihr Eigen nennt.

Er traute sich nicht, noch näher zu rücken, obwohl er im Augenblick kein Wort verstand von dem, was Onkel und Neffe besprachen. Was er am Vormittag gesehen hatte, stellte ihn nur vor noch größere Rätsel. Nicht genug ruiniert, dachte er. Das war verflucht noch eins die Wahrheit.

Es war Zeit, dass er aus dieser Kneipe rauskam. Aber erst, verdammte Hölle, wenn er seinen Durst gelöscht hatte. Dann würde er sich dünne machen bis zum Abend, wo er noch was vorhatte. Und dann würde er das erste Postschiff nach Albany nehmen, das einen Deckplatz für ihn hatte. Hamishs Blick schweifte rastlos durch den Raum, sein eines gutes Auge tat die Arbeit von zweien. Die Minuten vergingen, und noch immer keine Spur von dem Nigger, der ihm sein Bier bringen sollte. Und im Kaffeehaus wurd's nur immer noch voller, immer noch mehr Leute drängten rein und standen, wo eigentlich kein Platz zum Stehen mehr war.

Das Stimmengewirr der Unterhaltungen war durchdringend. Vor allem waren's schlüpfrige Bemerkungen über die berüchtigte Hurenmeisterin von New York, eine verschleierte Frau, die von allen Squaw DaSilva genannt wurde, obwohl es nicht so klang, als wär sie 'ne richtige Indianerin. Sonst drehten sich die Gespräche alle ums Geschäft.

Das Merchant's war die Stammkneipe von allen, die mit dem Schiffshandel und mit Versteigerungen zu tun hatten. Wer über den Kauf und Verkauf von Land reden wollte, der ging ins Exchange an der Broad Street. Das war eher sein Ding. Auf Land konnte man sich doch verlassen. Das verschwand nicht in den Tiefen des Meeres oder tauchte stückchenweise an fernen Stränden, von denen noch nie ein Mensch gehört hatte, wieder auf.

Da waren die Gäste im Merchant's allerdings anderer Meinung. Im Verlauf von nur wenigen Sekunden hörte Hamish mindestens vier Männer, die sich auf das Risiko einlassen wollten, den Bau eines neuen Schiffs zu finanzieren für den Handel mit den Inseln, und zwei konnten es gar nicht erwarten, einen Anteil am Sklavenschiff *Lauralee Haven* zu kaufen. »Die *Lauralee* leckt wie ein Sieb, Jack«, rief ein dritter Mann. »Die bringt dich an den Bettelstab. Aber dann hast du wenigstens 'nen Stecken, wenn du schon keinen in der Hose hast.« Und neben all dem Gerede über Ficken und Finanzen gab es noch ein Thema, das Hamish Stewart weitaus mehr interessierte.

»Der König hat bei der Parlamentseröffnung nichts gesagt. Kein einziges Wort.«

»Stimmt nicht. Er hat so gut wie 'ne Kriegserklärung ausgesprochen. Er hat gesagt, er würde den Handel schützen und die Quelle des Wohlstands der Nation. Und das sind wir, verflucht noch eins. Wir sind die Quelle des Wohlstands von England, und das weiß George genauso gut wie sein Vater. Er hat geschworen, uns zu verteidigen.«

»Wie er uns die ganze Zeit schon verteidigt«, warf ein weiterer Mann ein. »Nichts als heiße Luft. Geregelt wird doch nie was. Die Franzosen bleiben bei ihren krummen papistischen Methoden, ohne dass es ihnen was schadet. Ständig holen sie sich ein bisschen mehr, hier ein Scheibchen und da ein Scheibchen. Klar, manchmal müssen sie ein bisschen was zurückgeben, aber letzten Endes haben sie uns mehr am Wickel als vorher. Wo werden wir denn da verteidigt?«

Endlich wurde Hamish ein Bier gebracht. Er warf dem jungen Schwarzen, der es ihm servierte, einen Holzpenny zu und leerte den halben Becher mit einem Zug. »Noch eins, Jungchen!«, rief er dem Schwarzen nach, der sich bereits abgewandt hatte. »Und vielleicht kannst du's mir bringen, bevor ich im Grab liege.«

»... zwei Regimenter mit je fünfhundert Mann«, sagte ein Mann gerade mit leiser, eindringlicher Stimme. »Und den Oberbefehl hat der beste Mann, den's dafür überhaupt gibt, Generalmajor Edward Braddock. Die legen in ein paar Wochen von Cork ab, und sobald sie ankommen, soll jedes Regiment ...« Als der Schotte lauthals sein zweites Bier bestellte, brach er ab und wandte sich dem Fremden zu.

Hamish bemerkte den skeptischen Blick und hob seinen Becher. »Auf Ihr Wohl, der Herr.«

»Und das Ihre.« Der andere Mann trank Kaffee und machte eine höfliche Geste mit der Schale. »Ich glaube nicht, dass ich Sie hier schon einmal gesehen habe.«

»Das stimmt. Ich bin auch noch nie hier gewesen.«

»Und was führt Sie jetzt hierher?«

Hamish hatte rittlings auf der Bank gesessen. Jetzt schwang er das linke Bein herum, damit er nötigenfalls schnell aufstehen konnte. »Ich will Sie ja nicht beleidigen, verstehen Sie mich nicht falsch, aber was geht Sie das an?«

»Wir Kolonisten interessieren uns immer für Besucher vom Mutterland.«

»Ach ja? Sehr freundlich von Ihnen, wirklich. Aber wenn Sie mit Mutterland England meinen, dann haben Sie mich falsch eingeschätzt.«

»Ich wollte damit nicht sagen, dass Sie Engländer sind.«

»Da bin ich aber froh. Das bin ich nämlich nicht, bei Gott nicht.«

»Sie sind ein Schotte, das höre ich doch. Höchstwahrscheinlich ein Highlander.«

»Ein Mann von Ansehen, Sir. Ein Stewart von Appin, um genau zu sein.« Hamish erhob sich und streckte die Hand aus. »Hamish Stewart der Name.«

Der Mann, der über Truppenbewegungen gesprochen hatte, erhob sich ebenfalls, ignorierte aber Hamishs ausgestreckte Hand. Er war einen Kopf kürzer als der Schotte und brachte vermutlich zwanzig Pfund weniger auf die Waage, aber er war der Jüngere. Wenn es zu einer Schlägerei kam, hätte er Geschwindigkeit und Ausdauer auf seiner Seite. Hamish spürte, wie leid er es war. Er wollte sich nicht prügeln. Er wollte ein friedliches Leben führen als Gutsherr des einzigen Fleckchens auf Erden, das er je hatte haben wollen.

John Hale tauchte auf. »Was ist denn hier los? Den Mann kenne ich. Der lebt in Albany.« Hales schwarzer Rock und die schwarze Kniehose – unverkennbar der Stil von Albany, selbst wenn er nicht Trauer trüge – standen im auffälligen Kontrast zur vielfarbigen Aufmachung der New Yorker Gecken.

»Der hat ein privates Gespräch belauscht. Außerdem glaube ich, dass er ein Jakobit ist.«

Bede Devrey war seinem Neffen zum Schauplatz des Streits gefolgt. Offenbar kannte er den Mann, der von den Plänen in London gesprochen hatte. »Guter Gott, Peter, seit dem Aufstand sind fast zehn Jahre vergangen. Es kräht doch kein Hahn mehr nach den Jakobiten.«

Im Merchant's war es mucksmäuschenstill geworden, alle Augen waren auf die beiden Männer gerichtet, die sie offenbar mit einer Prügelei unterhalten wollten. »Geht nach draußen«, rief jemand. »Was wollt ihr hier drin Ärger machen?«

»Was wollt ihr überhaupt Ärger machen?«, warf Bede ein. »Das hier ist mein Neffe John Hale vom Hale-Gut oben bei Albany. Wenn er sich für diesen Fremden verbürgt, dann sollte uns das allen reichen. Sogar dir, Peter.«

»Der ist ein Jakobit«, wiederholte der Mann, der Peter hieß. »Das hat er selbst gesagt. Ein Stewart von Appin. Die haben bei Culloden gegen den König gekämpft.«

»Und wurden sattsam geschlagen«, sagte John. »Es hat doch keinen Sinn …«

»Bei Gott, das reicht!« Hamishs Eingeweide krampften sich zusammen. Die Vorstellung, dass ein anderer Mann – ganz zu schweigen ein Schuft wie John Hale – glaubte, einen Hamish Stewart verteidigen zu müssen, war eine allzu große Beleidigung. Er zwang sich, in normalem Tonfall zu sprechen. »Dank für Ihre freundliche Mühe, John Hale. Aber ich brauch Ihre wohlwollenden Worte nicht. Wenn dieser Kerl« – Hamish deutete mit dem Kopf auf den Mann namens Peter – »sich prügeln will, dann kann er das haben, wann und wo es ihm beliebt. Ich bin bloß hergekommen, um 'n Bier zu trinken. Das hab ich getan – also wenn's niemand weiter stört, dann geh ich jetzt.«

Er musste gehen. Er durfte aus diesem Peter kein Hackfleisch machen, durfte auch nicht dem verfluchten John Hale in die verfluchten Eier treten, so viel Spaß ihm das auch bereiten würde.

Peter stand zwischen Hamish und der Tür. Einen Augenblick war unklar, ob er dem Schotten den Weg freigeben würde. Dann trat er einen Schritt zur Seite. Hamish musste seine ganze Selbstbeherrschung aufbieten, um ruhig an dem anderen vorbeizugehen. Als er den Rückzug antrat, spürte er die Augen jedes Einzelnen auf sich ruhen.

Die kalte Luft draußen beruhigte ihn ein wenig. Die Wall Street war fast menschenleer.

»Stewart! Warten Sie mal eben!«

Bei Gott, das war doch die Stimme von John Hale. Verfluchte Verdammnis, das war ein beschissener Teufelstag. Verflucht sei diese Stadt. Auf dass der Allmächtige Frösche und Eidechsen auf dieses New York City herabregnen lassen möge.

»Was wollte er?«

Hamish streckte die Beine zum Kamin aus, in dem einige wenige Kohlestücke glimmten. Die Taverne war kaum mehr als ein Schuppen und lag an der Mott Street, ganz im Norden des bewohnten Stadtgebiets, jenseits des hölzernen Palisadenzauns, den die New Yorker '45 errichtet hatten, am Anfang des Kriegs, den sie den Krieg des ersten König George nannten. Ein schöner Weg war's nicht gewesen, aber zumindest nicht weit. Der Wind heulte fast schon wie'n Sturm, und hier, vor diesem erbärmlichen Feuer, klang's, als würde er gleich die Teerpappe aus den Fenstern reißen und das Strohdach abdecken. »Das ist doch zu erbärmlich, was der

Wirt uns hier als Feuer bietet an so 'nem *dreich* Abend wie heute. Hättest du keine Kneipe finden können, wo's ein bisschen munterer zugeht?«

»Sicher. Irgendwo beim Haus des Gouverneurs, im Hofviertel. Unter den Augen von Bede Devrey und John Hale. Sei kein Narr, Mann. Mit Narren mache ich ungern Geschäfte«, sagte John Lydius.

Bei Gott, das ging Hamish Stewart genauso. Es war bloß der ganze grässliche Tag, der ihn krätzig machte, sodass er sich über alles Mögliche beschwerte. Hamish rutschte auf der Kiste umher, die ihm als Sitz diente. Der Wirt stand unweit von ihm, zapfte geschäftig ein Bier für einen kahlköpfigen Zwerg in einem zerschlissenen Umhang, der neben der Tür wartete, mit den Füßen aufstampfte und sich in die Hände blies, um warm zu werden. Das Kinn der armen, missgestalteten Kreatur reichte kaum bis zum Tresen, und seine krummen Beine sahen aus, als würden sie gleich abbrechen, wenn er nicht zu stampfen aufhörte. »Wirt, wenn Sie ein paar Kohlen auf das Feuer nachlegen, würden Ihre Gäste nicht allesamt erfrieren. Erfrorene Leichen wär'n nicht gut für den Ruf Ihres Lokals.«

Der Mann zapfte den Becher voll, schob ihn die Theke entlang zum Zwerg und verschwand im hinteren Teil der Schänke. Wenig später tauchte er wieder auf, in den Armen zwei große Holzscheite. Ihm war mulmig, dass an einem Abend, an dem man keinen Hund vor die Tür jagen würde, gleichzeitig zwei einäugige Fremde reingeschneit waren. Da musste der Teufel die Hand im Spiel haben. Richtig zwingen musste er sich, das Holz nicht einfach in den Kamin zu werfen und davonzulaufen. Aber als Wirt musste man schauen, wo man blieb. »Wenn Sie wollen, kann ich einen von denen nachlegen. Suchen Sie sich einen aus. Kostet 'nen Penny extra.«

John Lydius fischte in seiner Hosentasche nach zwei Holzpennys und legte sie auf den Tisch. »Hier. Legen Sie beide drauf.«

Die Holzscheite waren modrigfeucht und voller Teer. Sie glommen nur und rauchten, aber allein ihr Anblick schien den Raum zu wärmen. »Warum ist Hale dir nachgelaufen?«, fragte Lydius.

»Er sagte, er wollte nur sichergehen, dass alles in Ordnung ist. Wo ich doch aus Albany bin, quasi ein Nachbar.«

»Und? Hast du ihm geglaubt?«

»Natürlich nicht. Wofür hältst du mich denn?«

Lydius lehnte sich an die Wand, verschränkte die Arme vor der Brust und musterte den Schotten aus dem Auge, das nicht von der schwarzen Binde verdeckt war. Stewart hatte anstelle seines Auges eine hässliche Narbe, die er gar nicht zu verbergen versuchte. Lydius schätzte, dass Hamishs Chancen, Shadowbrook zu bekommen, vierzig zu sechzig standen. Nicht die besten, aber auch nicht die schlechtesten. Und jetzt, da Ephraim gestorben und der Dummkopf John Hale der Gutsherr war, waren seine Chancen vielleicht sogar gestiegen. »Das bringt mich zu meiner ersten Frage zurück: Was meinst du, was John Hale von dir wollte?«

Dasselbe hatte Hamish sich den ganzen Nachmittag auch gefragt. »Bei Gott, ich weiß es nicht. Vielleicht wollte er mich nur mal richtig anschauen. Mich einschätzen. Weil's ihm 'n bisschen seltsam vorkam, mich in diesem verfluchten New York zu sehen.«

Lydius nickte. »Während er dich in Albany gar nicht beachtet. Da bist du der Schotte, der das Zimmer über der Mühle der Witwe Krieger mietet. Völlig bedeutungslos.«

»Tja, so kommt's mir auch vor.«

»Dann sag mir eins – warum in drei Teufels Namen wolltest du unbedingt herkommen?« Lydius knallte den leeren Humpen auf den wackeligen Tisch, der zwischen ihnen stand. »Warum wolltest du …«

»Halt den Schnabel, wenn du ihn noch benützen willst.« Hamish hatte sich nicht bewegt, aber in seinem Ton schwang unüberhörbar eine Drohung mit.

Lydius seufzte. Jetzt war's zu spät, um über diesen unklugen Besuch zu lamentieren. Und John Hale, der Hamish Stewart bislang nicht die geringste Beachtung geschenkt hatte, war sich bewusst geworden, dass der Highlander in seinen Angelegenheiten herumschnüffelte. Aber wusste der Schotte, dass John Hale eine Hypothek auf das Gut aufnehmen wollte, um Zuckerrohrland auf den Inseln zu kaufen, in der Hölle von St. Kitts? Gott steh ihnen allen bei.

Und wenn du Hales Pläne nicht kennst, wie setze ich den Vorteil ein, den mir das möglicherweise verschafft? Wie spiele ich dich und John Hale gegeneinander aus, damit am Ende ich selbst das Gut bekomme?

Großer Gott, was für eine verwegene Idee. Hab das Gefühl, als hätte ich drei Flaschen Süßwein getrunken, so hämmert mir der Kopf und rumort's mir im Bauch. Genevieve würde sagen: *Deine Augen sind größer als der Magen, John Lydius, und das wird noch dein Verderben sein*. Aber das Hale-Gut ... Guter, gütiger Gott. Ach, vielleicht ist die Hoffnung viel zu schön. Selbst jetzt, da Quent aus dem Spiel ist. Ist nach dem Begräbnis nicht mal zum Umtrunk auf dem Frolic Ground erschienen, um auf das Wohl seines Vaters anzustoßen.

Vielleicht war jetzt die Zeit gekommen, sich aus der Sache zu verabschieden und Hamish Stewart und John Hale ihrem Schicksal zu überlassen. Aber wenn das Hale-Gut mein wäre ... Hörst du, wie mein Herz bei dem Gedanken donnert, du jakobitischer Götzenanbeter? Nein, wahrscheinlich nicht. Du bist so geblendet von deiner Gier nach dem Gut, dass du gar nicht die meine siehst. Aber wenn ich mir dich zum Feind mache ... Wer alles steht hinter dir, du papistischer Hurensohn? Also gut, sagen wir, dass Genevieve dieses Mal Recht hat und ich mich damit wirklich übernehme; sagen wir, dass es mir unmöglich ist, das Gut zu bekommen – wie wär's, dich weiter zum Verbündeten und Geschäftspartner zu haben? Zumindest würde es eine sichere Route bedeuten, um Waffen nach Neufrankreich zu schaffen. Von Albany nach Québec, in Getreideladungen versteckt, und von dort zu den Ottawa und Mascoutin, den Ojibwe und Potawatomi im *pays d'en haut*. Guter Gott, selbst ein kleiner Sieg in diesem Geschäft, ein kleiner Gewinn, ist eine absolut einmalige Chance.

Lydius beobachtete, wie Hamish den letzten Rest Rum hinunterkippte, und wartete, bis dieser den Becher abgestellt hatte, bevor er sprach. »Du sagst, Hale hat drei Sklaven gekauft?«

»So isses. 'ne kleine Ibo, keine neun ist die, mit 'ner kahlen Fut und Brüsten wie kleine schwarze Walnüsse ...«

»Kann man sich ja denken, wofür er die haben will.«

»... und zwei junge Ashanti. Vierhundert Guineas hat er für die drei hingelegt. In Münzen, bitte recht schön.« Hamish beugte sich vor und spuckte ins Feuer. »Kotzen hätt ich mögen.«

»Ja. Vor allem, wenn man bedenkt, dass ihm fast die ganze diesjährige Ernte abgefackelt wurde. Seltsam, dass er so viel Geld hat.«

Bei Gott, es war mehr als seltsam. Und du tätst doch nur zu gern wissen, ob ich was darüber weiß, ob ich was damit zu tun habe, dass die Indianer gekommen sind, von denen mittlerweile ganz Albany weiß, dass es Huronen aus Québec waren. Aber bevor ich dir so weit vertraue, John Lydius, schmorst du in der Hölle. Du bist nicht besser als der Schoß, der dich geboren hat, ein Ketzer, auf den das ewige Höllenfeuer wartet, aber verdammt noch eins, jetzt bist du mir nützlich. »Der Regen hat ihnen das Schlimmste erspart. Und wer weiß, was Hale in besseren Zeiten zur Seite gelegt hat?«

»In der Tat, wer weiß.«

Zu dieser späten Stunde war die Wall Street verwaist. Unschlüssig stand John Hale wenige Schritte vor der Haustür des eleganten Anwesens, das seinem Onkel Bede gehörte, direkt vor dem breiten schmiedeeisernen Tor mit den Ananas obenauf. Sicher war einer der Dienstboten beauftragt worden, auf ihn zu warten. Er konnte sich ein Glas heißen Punsch bringen lassen, oder Rum mit Honig. Vielleicht würde das das Rumoren in seinen Eingeweiden und das Pochen seines Herzens beruhigen. Oder er konnte in eine Taverne gehen, wo das Kaminfeuer noch brannte und die Kerzen hell leuchteten und die Gäste die Punschschale herumreichten und sangen. Er hatte den Ruf des Nachtwächters noch nicht gehört. Gütiger Gott, es war ja nicht einmal zehn Uhr. Der Abend brauchte noch nicht vorbei zu sein, wenn er das nicht wollte. Das Schwierige war nur zu entscheiden, was er wollte.

Nein, bei Gott, das war's nicht. Er wollte James Alexander und Oliver De Lancey umbringen. Und natürlich den Juden. Heiliger

Herr im Himmel, nichts würde ihm größeres Vergnügen bereiten, als Hayman Levy mit bloßen Händen die Gedärme aus dem Leib zu reißen. Obwohl die Besprechung, die gerade zu Ende gegangen war, in Alexanders Büro stattgefunden hatte, im Erdgeschoss von Alexanders vornehmem Haus am Hanover Square, hatte meistens Levy das Wort geführt. »Die Zeiten sind anders geworden, John. Ihr Vater ist nicht mehr, und die Wilden ... Wir müssen vorsichtig sein, das verstehen Sie sicher.«

Er verstand nur allzu gut. Und die drei auch. Es war blanker Unsinn, reine Hinhaltetaktik. Wenn sein Vater noch lebte, wäre John nicht in der Lage, das Gut als Sicherheit einzusetzen und ein Darlehen aufzunehmen. Genau darauf hatten sie die letzten zwei Jahre doch gewartet – seitdem er ihnen erstmals den Plan dargelegt hatte. Gewartet, dass sein Vater das Zeitliche segnete. »Nichts hat sich geändert«, hatte er erwidert. Seine Kehle war wie ausgedörrt gewesen, und sein flehentlicher Tonfall hatte ihn selbst entsetzt. So viel hatte er investiert. »Land in St. Kitts ist noch zu haben, und damit kann ich für uns alle mehr Geld machen, als wir uns je hätten träumen lassen.«

»Sicher, John, sicher. Aber wir sind Geschäftsleute.« Levy machte eine Geste, die besagte, dass er für alle drei sprach, und die beiden anderen nickten zustimmend mit ihren feisten Köpfen. »Geschäftsleute, aber ehrenwert. Wir haben Ihnen unser Wort gegeben, und das halten wir auch. Solange Sie einsehen, dass wir etwas Substanzielleres brauchen.«

Als wäre das Hale-Gut nicht das Substanziellste, was es auf Gottes Welt geben konnte. Es war das Zehnfache der fünftausend Guineas wert, die er brauchte, um ein Stück Land auf den Inseln anzuzahlen, seinen Anteil am Zuckerrohr. Vermutlich mehr als das Zehnfache. »Bright Fish Water gehörte von Anfang an zum Gut dazu. Mein Großvater hat es von Queen Anne bekommen. Es war immer Teil von Shadowbrook.«

»Das ist auch gut so. Wie könnten Sie es sonst übereignen?«

Verfluchte Hölle, das Grinsen auf dem Gesicht des Juden, als er das sagte. John konnte kaum dem Drang widerstehen, dem schleimigen Wiesel die Visage einzuschlagen. Aber es war Oliver De Lancey, der die Diskussion mehr oder minder beendete. »Mein Bruder sagte mir, dass dieser Tage großes Interesse an Grundstücken auf St. Kitts besteht. Ich glaube nicht, dass Sie allzu viel Zeit haben, mit uns über die Konditionen zu verhandeln, Mr. Hale.«

Der Bruder von diesem verdammten Oliver De Lancey war James De Lancey, der Gouverneur der Provinz New York. Im Klartext sagte Oliver also, dass John Hale seinen Traum ausgeträumt hatte, wenn er nicht in die Bedingungen einwilligte, die Oliver, Alexander und Levy nannten. Kein anderer Geschäftsmann in New York City würde es wagen, seinen Plan zu finanzieren. Also hatte er die Zähne zusammengebissen und das gottverfluchte Dokument unterschrieben und das obere Zehntel des Guts übereignet. Bright Fish Water und alles, was nördlich von Do Good lag, gehörte nicht mehr zu Shadowbrook. Der Rest, jedes Feld und jede Pächterei, war als Sicherheit für die fünftausend Guineas hinterlegt, die er brauchte, um die Plantage in St. Kitts zu sichern. »Abgemacht, meine Herren.« Es war ihm gelungen, beim Unterschreiben nicht zu zittern. Dann hatte er auf das Bargeld gewartet.

Aber bei Gott, er hatte es nicht bekommen. Nicht wie erwartet in baren Münzen. »Ausgezeichnet«, hatte Levy gesagt. »Wir leiten die Verhandlungen auf den Inseln in die Wege, Mr. Hale. Sobald wir abgeschlossen haben, lassen wir es Sie wissen.« Und er hatte ihm ein Blatt Papier ausgehändigt, eine Kopie des Dokuments, das sie alle vier unterzeichnet hatten und das die Konditionen ihrer Vereinbarung enthielt.

Möge Gott seine verfluchte Seele braten und vierteilen. Nur mit Mühe konnte John sich beherrschen, die Papiere nicht zu packen und zu zerreißen. Wenige Sekunden, ein paar Herzschläge nur, wäre es möglich gewesen. Dann hatte James Alexander, der nicht nur Geschäftsmann war, sondern auch Notar, sie an sich genommen. Verfluchte Notare, vor allem die gerissenen Schotten. *Von Geschäften mit Schotten lass die Finger*, hatte sein Vater ihm einmal gesagt. *Die ziehen dich immer über den Tisch.*

Und was ist mit diesem anderen Schotten? Diesem jakobitischen Götzenanbeter? Warum wurde John das Gefühl nicht los, dass Hamish Stewart sich viel mehr für das Gut interessierte, als er sollte? Wann war Stewart überhaupt in Albany aufgekreuzt? Vor einem Jahr oder so. Und fünfundzwanzig Jahre waren es her, dass er nach Shadowbrook gekommen war, um Land zu kaufen und einen Teil seiner Klansleute aus den schottischen Highlands herzuholen. Ephraim hatte mit der Idee geliebäugelt, sich aber letzten Endes geweigert, auch nur einen Grashalm zu verkaufen für das Geld, das der Schotte bot. Drehte sein Vater sich jetzt im Grab um? Wusste er, dass John gerade Bright Fish Water und den Great Carrying Place überschrieben hatte, und die Birkenwälder, wo im Herbst immer die fettesten Fasane erlegt wurden, und die Berge ganz im Norden, wo im Frühjahr der Farn und der wilde Spargel immer zuletzt zu sprießen begannen?

Seine Mutter würde vor Gram sterben, wenn sie es erführe. Und Quent? Der würde ihn vermutlich umbringen.

»Zehn Uhr an einem dunklen, frostigen Abend.« Die Stimme des Nachtwächters hallte von einer Nebenstraße herüber, seine Glocke wurde lauter. In den nächsten Minuten würde John Rechenschaft ablegen müssen, weshalb er noch unterwegs war.

Verflucht, irgendwie musste er sich Luft machen. Damit die Knoten in seinem Magen verschwanden und das Grauen, das ihn in der Seele gepackt hatte. Vielleicht eine Hure. Von denen gab's in New York City reichlich. Aber um ehrlich zu sein, konnte er sich die zwei Shilling nicht leisten, die eine gute kosten würde – eine junge, hübsche, deren Gesicht nicht von den Pocken entstellt war und deren Scham nicht von der Franzosenkrankheit stank.

Wieder läutete die Glocke des Nachtwächters. Noch näher. John überlegte kurz, dann kehrte er dem Tor zum Devrey-Haus den Rücken und wandte sich zum Sklavenmarkt am Flussufer.

Der lang gestreckte Bau, in dem sich die vielen Sklavenkäfige befanden, zog sich im Halbkreis um die Werften, die als Burnett's Key bekannt waren. Mittlerweile waren die meisten Käfige leer, die darin untergebrachten Nigger waren bezahlt und von ihren neuen

Besitzern abgeholt worden. Neben diesem Bau stand ein Schuppen, in dem ein Schwarzer schlief. John stieß ihm den Fuß in die Rippen. »He du, wach auf. Ich hab was mit dir zu reden.«

Robby, der Gehilfe des Auktionators, öffnete die Augen und sprang auf. »Und worüber möchten Sie reden, Master? Die Auktion ist schon vorbei. Die nächste gibt's erst, wenn die *Susannah* einläuft, Master. Das dauert noch mindestens 'ne Woche, bis die hier ist.«

»Ich habe heute Morgen drei Sklaven gekauft.« John deutete mit einer ruckhaften Kopfbewegung zu den Käfigen. »Ich habe sie dagelassen, damit du auf sie aufpasst, bis ich nach Albany zurückfahre.«

Robby blinzelte den Schlaf aus den Augen und nickte heftig. »Natürlich, Master. Ich erinnere mich. Natürlich erinnere ich mich. Die warten auf Sie, wie Sie's vereinbart haben.«

»Gut. Hol mir einfach das Mädchen. Nur eine Weile.«

»Die Ibo, Master? Wo soll ich sie hinbringen?«

»Ja, die Ibo. Bring sie hier in den Schuppen.« Es war eine Baracke aus roh behauenen Planken, die wenig einladend wirkte; mehr als eine Bettstatt mit einer Matratze aus Maiskolben und einer einfachen Feuergrube mit einem Loch als Kamin gab es nicht, aber für seine Zwecke würde es reichen. So, wie ihm im Augenblick zumute war, würde ihm alles reichen.

»Ja, Master. Robby tut gleich, was Sie wollen.«

»Gut. Aber leg vorher noch etwas Holz aufs Feuer. Dann bring mir das Mädchen und warte draußen, bis ich dich rufe.«

Robby ging zum Kamin und warf eine Schaufel Kohlen auf die Glut. Die Kohle kam aus Newcastle und war als Ballast im Rumpf der Handelsschiffe hergekommen, die zwischen New York und England hin und her segelten. Mit einem leisen Poltern fiel sie in die Grube, eine Wolke schmutzig schwarzen Rauchs stieg auf, und als die letzte Feuchtigkeit aus den Kohlebrocken verdunstete, zischte es. »Warten Sie kurz, Master. Ich bring sie gleich her.«

Sie hieß Taba und sprach kein Englisch. »Kein Wort, wie?«, fragte John. »Wirklich nicht?« Taba starrte ihn an, ihre Augen blickten verständnislos. »Macht nichts. Viel reden wollte ich eh nicht mit dir. Zieh das Ding da aus.« Er begleitete seine Worte mit Gesten, als wollte er ihr das Hemd ausziehen. »Runter damit.«

Sie rührte sich nicht.

Robbys Viehpeitsche lag zusammengerollt in einer Ecke. John nahm sie. Sie lag gut in der Hand und hatte genau die richtige Länge. Er hielt sich für sehr geschickt im Umgang mit Viehpeitschen. Der Schuppen war nicht sehr hoch, aber die lederne Peitschenschnur mit der Bleispitze rollte sich schön auf und zischte befriedigend durch die Luft. John hatte die Kleine nicht berühren wollen, nur verdeutlichen, dass ihm ernst war, aber er verschätzte sich, die Schnur riss ihr den linken Unterarm auf. Blut rann aus der Wunde. Das Mädchen gab keinen Ton von sich. »Runter damit«, wiederholte John. »Sonst reiß ich dir das Hemd mit der Peitsche vom Leib.«

Taba zog das Kleidchen über den Kopf und ließ es auf den bloßen Boden fallen.

John versetzte ihr einen Schubs mit dem Griff der Viehpeitsche, sodass sie sich umdrehen musste und voll im Schein des Feuers stand. »Jetzt wollen wir doch mal sehen, was ich da gekauft habe. Mach die Beine breit.« Mit Gewalt schob er ihr die Peitsche zwischen die Oberschenkel; um nicht hinzufallen, musste sie sie spreizen. »Anscheinend hab ich dich gekriegt, bevor die Metzger dich erwischt haben.« Im Lauf der Jahre hatte er ein paar Schwarze gehabt, die in Afrika geboren waren. Meist war ihre Möse so verstümmelt, dass es ihn ekelte. »Sehr gut«, sagte er. »Das war mein Geld wert. So weit zumindest.«

Er spürte, wie er hart wurde und die Knoten in seinem Magen sich lösten. Er legte die Peitsche fort, zog den Rock aus und öffnete die Knöpfe an seiner Hose, dann trat er näher. Das Mädchen starrte nur aus toten Augen vor sich hin, ihr Gesicht war ausdruckslos. John lächelte. »Wir werden schon sehen, wie lang du das durchhältst, Mädel.« Er legte ihr beide Hände auf die Schultern und zwang sie auf die Knie. »Jetzt bringen wir dir erst mal ein paar einfache Sachen bei, ja? Was Leichtes.« Er gestikulierte ausladend, um den Sinn seiner Worte zu verdeutlichen. »Und ich warne dich, beiß mich ja nicht. Wenn du mich beißt, wird dir das ewig Leid tun.«

Robby saß auf dem kalten Erdboden und sah unverwandt über den East River hinaus, der die Werften umspülte und die Schiffe, die etwas weiter draußen vor Anker lagen. Dabei hörte er auf die Geräusche, die aus dem Schuppen drangen. Eine ganze Weile vernahm er nur das Stöhnen und Keuchen des weißen Masters und etwas, das er nicht ganz deuten konnte, bis ihm klar wurde, dass da jemand würgte. Er grinste beim Gedanken, woran die kleine Ibo da wohl halb erstickte. Erst eine ganze Zeit später hörte er Taba zum ersten Mal vor Schmerzen stöhnen. Es folgten ein paar kurze Schreie, dann ein ganz langer. Nicht so schlimm, sagte er sich. Weiber schreien beim ersten Mal immer. Nur, fragte er sich, warum schreit sie ständig weiter? Die weckt ja noch die Matrosen, die hier im Fluss ersoffen sind vor ewigen Zeiten. Ob beim ersten oder beim fünfzehnten Mal, so laut schreien braucht keine Frau nicht. Egal. Is' nicht Robbys Aufgabe, sich um 'ne kleine Ibo zu kümmern, die beim ersten Mal vielleicht 'n bisschen mehr kriegt, als sie verträgt. Robbys Aufgabe ist, zuzuschauen, dass die Sklaven Ruhe geben, solang sie in den Käfigen und auf dem Block sind. Solang Robby das tut, bleibt die Viehpeitsche in seiner Hand und landet nicht auf seinem Rücken. Aber schreien tut die, grauenhaft.

Er spürte keinen Widerstand, als er sie schließlich auf die Maiskolben-Matratze warf, ihr die Beine auseinander riss und sich in sie zwängte. Und er sah keinen Tropfen Blut, als er sich ein paar Sekunden später aus ihr zog. Wie schon die ganze Zeit, gab sie keinen Ton von sich. »Du kleines Biest«, zischte er. »Bist doch keine Jungfrau mehr gewesen.«

Bei Gott, die würde er das Schreien schon noch lehren. Und bluten würde sie auch. Er packte die Kohlenschaufel und rammte ihr den Griff in die Vagina. Drei Mal, vier Mal, und jedes Mal mit aller Kraft. Als er schwitzend und schwer atmend einen Schritt zurücktaumelte, sah er, dass ihr ein Blutstrom über die dünnen Oberschenkel rann. »Was sagst du dazu, he? Besser als 'n Schwanz, was? Willst du noch ein bisschen mehr?« Sie schwieg wie zuvor, ihre Miene wirkte, als sei sie völlig losgelöst von allem, gar nicht mit ihm hier in diesem Schuppen. »Dich bring ich schon noch zum Schreien, du Fotze.«

An der Wand hing eine Eisenzange. John packte sie und fischte eine rot glühende Kohle aus der Feuergrube. Zum ersten Mal verrieten Tabas Augen ihre Gefühle. Nicht bloß Angst, panisches Entsetzen. Sie stöhnte auf und versuchte, sich von der Bettstatt zu rollen, aber er warf sich auf sie und hielt sie mit dem Knie fest. Dann presste er ihr die glimmende Kohle auf die kleine linke Brust, bis der Gestank von verbranntem Fleisch ihm in die Nase stieg und ihre Schreie die Nacht erfüllten.

15

Montag, 26. April 1755
Québec, Unterstadt

Es goss in Strömen. Eisiger Schneeregen, und für Philippe Faucon schmeckte er nach Salz. Neufrankreich. Möge Gott ihm gewähren, vor seinem Tod das wahre Frankreich noch einmal zu sehen. In Versailles grünten im April die Gärten, die Frühlingsblumen blühten. In Versailles war die Aprilluft wie eine Liebkosung, der Regen warm und voll Verheißungen des Sommers.

Er hüllte sich fester in den schweren schwarzen Umhang, den Monsieur le Provincial ihm für diese Reise gegeben hatte, doch er war für einen kleineren Mann geschnitten und endete oberhalb seiner Knie. Die untere Hälfte seiner Soutane war durchnässt. Philippe wandte sich um und blickte nach oben, schützte die Augen mit der Hand vor dem strömenden Regen. Die Oberstadt war von Wolken verhüllt, er konnte die Türme des Collège des Jésuites ebenso wenig ausmachen wie die Kathedrale und das Seminar. Selbst der Palast des Bischofs, der weit unterhalb der Festung lag, war nicht zu erkennen. Es war, als wäre ganz Québec verschwunden, und geblieben wären einzig diese armseligen Hütten am Steilufer oberhalb des halb zugefrorenen Sankt-Lorenz-Stroms.

Dort, wo der Priester stand, an einer kleinen Werft am nördlichen Ende des Hafens, schlug der Fluss klatschend ans Ufer; ein Stück weiter stromabwärts lagen die größeren Schiffe vor Anker. Die Eisschollen begannen aufzubrechen, sodass eine Fahrrinne hinüber nach Pointe-Lévis am gegenüberliegenden Ufer passierbar war, doch das Wasser brodelte, die weißen Schaumkronen wurden aufgewühlt vom prasselnden Regen. Seit einer Stunde stand er hier in der Kälte und Nässe, und von dem kleinen Boot, das Monsieur le Provincial ihm angekündigt hatte, war noch immer nichts zu sehen. Heilige Mutter Gottes, die Kälte drang ihm durch Mark und Bein.

Die rehlederne Mappe, die seine Skizzenbücher, seine Stifte und Federn enthielt, lag dicht an seinem Herzen unter dem Umhang. Ein schwarzer Lederranzen mit seinen Kleidern und seinem Brevier sowie einem Kelch und einer Patene, um das heilige Abendmahl zu zelebrieren, stand zu seinen Füßen. Nach einem letzten Blick den Fluss hinauf und hinab griff Philippe nach dem Ranzen und wandte sich der Stadt zu. Es musste einen Ort geben, wo er vor dem Regen geschützt warten konnte. Der Bootsführer wusste, dass er einen Jesuiten abzuholen hatte. Bevor er sich den Zorn der mächtigen Schwarzkutten zuzog, würde er nach ihm suchen.

Eine einsame gepflasterte Straße, von Fischerkaten gesäumt, verlief parallel zum Fluss, doch keine Fischersfrau öffnete die Tür und bat den Priester einzutreten. Die *habitants* der Unterstadt waren gefangen zwischen dem launischen Sankt-Lorenz, dem sie ihren Lebensunterhalt abrangen, und den Forderungen der Priester oben am Berg, die ihre Seelen in der Gewalt hatten. Diese Menschen liebten die Diözesanpriester vielleicht nicht gerade, doch die Schwarzkutten waren in ihren Augen arrogante Tyrannen.

Am Ende der Straße ging eine Gasse ab. Philippe bog in sie ein und hielt die Augen auf nach einem Tavernenschild; vielleicht würde er irgendwo *une petite bière* bekommen. Eigentlich schmeckte ihm das hiesige Gebräu nicht, eine herbe Mischung aus Fichte, Melasse, Ingwer und jamaikanischem Pfeffer, doch an einem Tag wie diesem würde es ihn wärmen. In eine Tür war mit der Axt ein unbeholfenes Kreuz geschlagen worden. *Mère de Dieu!* Natürlich, das Kloster der Armen Klarissen. Philippe schob die Tür auf.

Die öffentliche Kapelle war lang und schmal, Licht fiel lediglich durch zwei kleine Fenster direkt unter der Decke herein, und sie war leer bis auf einige ramponierte hölzerne Betstühle, die da und dort herumstanden. Es war hier kaum wärmer als draußen, aber zumindest war er vor dem Regen geschützt. Zum Zeichen des Dankes bekreuzigte Philippe sich und beugte vor dem Tabernakel kurz das Knie. In der Luft hing der Duft von Weihrauch und brennenden Kerzen, er hörte Stimmengemurmel. »Mystische Rose, *ora pro nobis.* Mutter der göttlichen Vorsehung, *ora pro nobis.* Mutter der Gnade, *ora pro nobis.*« Philippe kniete auf einem Betstuhl nieder und rezitierte mit den unsichtbaren Nonnen die Antworten. »Mutter aller Gnaden, *ora pro nobis.* Mutter der göttlichen Hoffnung, *ora pro nobis.* Mutter des Seraphischen Ordens, *ora pro nobis.*«

Hinter dem Gitter war leises Rascheln zu hören, dann begannen die Nonnen zu singen. Es klang eher wie Vogelgezwitscher als ein melodiöser Klosterchor, aber auf seine Art ansprechend. Oder vielleicht war tröstlich ein besseres Wort. »*Quinque prudentes virgines aptate lampades vestras ...*« Die fünf weisen Jungfrauen nahmen ihre Lampen und gingen, ihren Bräutigam zu empfangen.

Oben am Berg hieß es, die Armen Klarissen hätten eine Postulantin bekommen. Mittlerweile waren es also sechs weise Jungfrauen. Oder vielleicht doch nicht so weise. Die Feuchtigkeit drang ihm in die Knochen. Es war schwer sich vorzustellen, sein Leben lang in dieser Kate eingesperrt zu bleiben, ohne sich je die Freuden eines lodernden Feuers zu gönnen, eines saftigen Rinderbratens oder auch nur eines Schlucks guten Burgunders. »*Veni sponsa Christi ...*« Komm, Braut Christi, nimm die Krone entgegen, die dir der Herr auf ewig zubereitet.

An diesem Tag wurde Nicole eingekleidet. Sie hatte sich vorgestellt, dass sie als Braut Blumen im Haar tragen würde. *Quent wird auf dem Frolic Ground auf mich warten, ich werde die Treppe des großen Hauses herabkommen, in einem Batistkleid mit Spitzen und vielen Seidenbändern, und mein Haar wird mit Blumen geschmückt sein.* Im April blühten in Québec nur wenige Blumen. Sœur Marie Françoise, die für den kleinen Garten innerhalb der Klostermauern verantwortlich war, hatte das kleine Geviert abgesucht und tatsächlich drei Schneeglöckchen und einige grünende Zweige gefunden. Die hatte sie für Nicoles Haar mit einem Faden zusammengebunden.

»Worum bittest du?«, fragte Père Antoine.

»Mon Père, ich bitte Sie um der Liebe Gottes willen, mich in den Zweiten Seraphischen Orden aufzunehmen, damit ich Buße tun kann, mein Leben bessern und Gott bis zu meinem Tode dienen kann.«

Nicole trug das schlichte graue Gewand der Armen Klarissen mit weiten Ärmeln und einer geknoteten weißen Kordel um die Taille. Als Postulantin hatte sie schwarze Filzpantoffeln bekommen, aber nun ging sie barfuß. Als Quent sie damals, am allerersten Tag, in den Bach geworfen hatte, damit sie aufhörte, hysterisch zu wimmern, hatte sie ihm gesagt, sie wolle barfuß sein. Stattdessen hatte er ihr später, in Shadowbrook, Mokassins aus weißem, weichem Leder geschenkt und sie ihr eigenhändig über die Füße gestreift. Seine Finger waren über ihre Waden hinaufgewandert, hatten ihre Knie berührt, und dann … *Madame Hale wird die Haustür öffnen, und ich werde auf die große Veranda treten, vorbei an der Kastanie mit der Bank rund um den Stamm. Quent wird auf dem Frolic Ground auf mich warten. Er wird lächeln und eine Hand ausstrecken. Und ich werde meine Hand in seine legen.*

Sœur Marie Joseph trat von ihrem Chorstuhl vor, verneigte sich tief vor dem Altar und dem Tabernakel, der die heilige Hostie enthielt, und stellte sich an das Chorpult. »*O quam pulchra est …*«, sang sie in ihrer klaren, schönen Stimme. Wie schön ist die Wahl, stets Jungfrau zu bleiben, ein Lobopfer.

Gott sei Dank, dass sie nicht mit ihren Schwestern mitsingen musste. Nicole war die Kehle wie zugeschnürt, der Mund trocken. Vor Glück, sagte sie sich. Ich bin glücklich, weil ich mich heute ganz *le bon Dieu* schenke. Von nun an war sie keine Postulantin mehr, deren Berufung auf die Probe gestellt wurde, sondern eine Novizin, eine Nonne in Ausbildung. *Auf dem Frolic Ground werden am Ende der Hochzeitsfeierlichkeiten alle in Jubel ausbrechen. Dann wird mein großer roter Bär, mein Mann – den die Indianer Uko Nyakwai nennen und ich meinen geliebten Schatz –, seine Braut küssen. Wie fordernd die Lippen meines Geliebten sind, wie sicher, wenn er nimmt, was ihm rechtmäßig zusteht.*

Mère Marie Rose trat aus ihrem Chorstuhl. Nicole senkte den Kopf. Die Äbtissin entfernte den Blumenkranz, und die kleine Sœur Marie Angélique brachte eine Schere, lang und sehr scharf, mit großen runden Griffen. Mère Marie Rose nahm sie in die Rechte, hob mit der Linken eine Strähne von Nicoles schwarzem Haar an und schnitt sie so nah wie möglich am Kopf ab. Marie Angélique öffnete einen kleinen Stoffbeutel, und die abgeschnittenen Haare fielen hinein. Vor zwei Tagen, als feststand, dass Nicole im Kloster bleiben würde, war das graue Quäkerkleid, das sie bei ihrer Ankunft getragen hatte, zu Putzlumpen zerrissen worden. Aus einem kleinen Rest hatte Nicole ein *suaire à cheveux* genäht, wie die Nonnen es nannten, ein Leichentuch für ihr Haar. Später, in der Ruhezeit, bei der ihr neuer Status gefeiert würde, würde Nicole das *suaire à cheveux* mitsamt seinem Inhalt in die Flammen werfen.

Die Äbtissin schnitt kraftvoll, von der Stirn bis zum Nacken und von einem Ohr zum anderen. Nichts entging der Schere. Nicole stellte sich vor, dass sie wie ein geschorenes Lamm aussah. Oder vielleicht wie der komische kleine haarlose Hund, den Grandmaman immer in einer Tasche mit sich herumgetragen hatte. Sœur Céleste trat vor und reichte der Äbtissin zwei gefaltete Quadrate aus weißem Leinen. Mère Marie Rose nahm das erste, raffte es zurecht und legte es der neuen Nonne an. Die Haube bedeckte Nicoles Kopf und Hals und den Großteil der Stirn; nur ihr Gesicht war noch sichtbar. Die Äbtissin verknotete sie fest im Nacken. »*Quia concupivit Rex speciem tuam*«, sang Sœur Joseph. Denn es verlangt der König nach deiner Schönheit.

Marie Roses Hände zitterten ein wenig, als sie den weißen Schleier an die Haube steckte. Ich bin eine törichte alte Frau, sagte sie sich. Nicht würdig, Äbtissin der Armen Klarissen zu sein. Aber du hast mich erwählt, *mon Dieu*, und du hast auch dieses Kind erwählt. Und du hast mir die Aufgabe übertragen, sie zu einer Heiligen zu machen, auf dass viele Seelen errettet werden. Ich gelobe dir, ich werde nicht versagen.

»*Veni, sponsa Christi*«, intonierten die Nonnen. Komm, Braut Christi, nimm die Krone entgegen, die dir der Herr auf ewig zubereitet. Die Äbtissin legte der neuen Novizin beide Hände auf die Schultern. »Von diesem Tage an heißt du Sœur Marie Stéphane«, sagte die Äbtissin. Nicole war nach dem ersten Märtyrer der Kirche benannt, dem Mann, der bald nach der Kreuzigung Christi gesteinigt worden war, weil er Jesus als den Messias verkündet hatte, den Verheißenen, den Sohn Gottes. Der heilige Stephanus hatte einen sehr hohen Platz im Himmel, weil er auf Erden so viel für den Ruhm des Glaubens gelitten hatte.

Mère Marie Rose half der neuen Nonne aufzustehen und geleitete sie zur Tür, die in die öffentliche Kapelle führte, schloss sie auf und öffnete sie weit. »*Vous pouvez aller, si vous voulez*«, sagte die Äbtissin. »*Vous êtes libre.*« Wenn Sie möchten, können Sie gehen. Sie sind frei.

Nicole wandte sich der Gemeinde zu. Üblicherweise wären ihre Familie und Freunde gekommen, um mitzuerleben, wie sie feierlich diese Bindung einging. Wenn sie in Frankreich wäre, wenn Maman noch lebte und der arme Papa … Hinten in der öffentlichen Kapelle saß ein Mann. Eine Schwarzkutte. Sie hatte ihn nie zuvor gesehen, er bedeutete ihr nichts, doch Nicole richtete ihre Worte an ihn, einfach weil er da war. »Ich, Nicole Marie Francine Winifred Anne Crane treffe diese Entscheidung aus freien Stücken, ohne Zwang und aus keinem anderen Grund als der Liebe zum Allmächtigen.« Sie hatte die vielen Namen, die ihr bei der Taufe und der Firmung gegeben worden waren, schon so lange nicht mehr verwendet, dass sie sie beinahe vergessen hatte. Das war gleichgültig. Sie brauchte sie nicht mehr zu kennen. »Von diesem Tage an bin ich Sœur Marie Stéphane.«

Obwohl ein Großteil ihres Gesichts von der Haube und dem Schleier bedeckt war, sah Philippe, dass das Mädchen sehr schön war. Und sie sah aus – wie? Nicht unbedingt strahlend. Aber entschlossen. *Alors*, es brauchte in der Tat einen sehr festen Charakter, sich freiwillig an diesem armseligen Ort einzuschließen.

Nicole wandte sich wieder zu Mère Marie Rose, die sich den schwarzen Schleier vors Gesicht gelegt hatte. Die Novizin kniete nieder, die Äbtissin streckte beide Hände aus. Nicole legte ihre obenauf. »Ich schwöre bei Gott dem Allmächtigen, dass Sie fortan meine Mutter sein werden und ich Ihr Kind. Ich werde Ihnen in allen Dingen gehorchen, ohne zu zögern und mit ganzem Herzen und ganzer Seele. Das schwöre ich im Namen des Vaters, des Sohnes und des Heiligen Geistes.«

Die Äbtissin schlug ein großes Kreuz in die Luft über Nicoles Kopf. »Komm herein, meine Tochter«, sagte sie leise. »Deine Schönheit ist von nun an dem König vorbehalten.«

Eine Stunde später hatte der Regen aufgehört. Als Philippe in das kleine Boot stieg, das nun endlich kam, war am grauen Himmel ein schmaler blauer Streifen zu sehen, sogar einige Sonnenstrahlen. Der Bootsführer segelte regelmäßig zwischen Québec und Pointe-Lévis hin und her. »Tut mir Leid, dass Sie warten mussten, Monsieur. Aber heute war kein guter Tag.«

Für die Seefahrt war Philippe nie tauglich gewesen. Die Passage von Frankreich nach Kanada war höllisch gewesen, neun Wochen schlimmster Buße. Diese Fahrt würde keine Stunde dauern, doch schon stieg Übelkeit in ihm auf. »Sie meinen das Wetter?«

»Nicht nur der Wind. Es heißt, dass die Englischen eine Flotte ausgeschickt haben, um unsere Schiffe abzufangen. Wir müssen aufpassen, nicht in ihre Nähe zu kommen.«

»Aber Großbritannien und Frankreich liegen doch nicht im Krieg.« Der Brief hinter dem Engel mit den geschlossenen Flügeln stellte Ende des Frühjahrs, wenn der Fluss wieder richtig schiffbar war, rund sechstausend Mann in Aussicht. Wenn englische Schiffe in diesem Gewässer kreuzten, dann, um diese Truppen abzufangen. Aber angeblich wusste niemand von den Soldaten, die nach Québec geschickt wurden.

Der Matrose machte die Leinen los, mit denen das Boot am Liegeplatz vertäut war. »Noch sind wir nicht im Krieg mit den Englischen, aber nach allem, was die Leute reden, könnten wir's schon sein.«

»Dann wird die Überfahrt also gefährlich?«

»Nach Pointe-Lévis? Nein, das glaube ich nicht. Am anderen Ende wartet offenbar ein Mi'kmaq auf Sie, der Sie nach Fort Beauséjour bringt. Was die Gefahr angeht …« Der alte Seemann zuckte die Achseln. »Wer kann in diesem Leben schon irgendetwas mit Sicherheit sagen? Aber vielleicht wird Ihre schwarze Kutte Sie beschützen. Der Allmächtige nimmt sich doch der Jesuiten an, oder?« Der Matrose bekreuzigte sich demonstrativ. »Sie sollten die Sachen, die Sie da mitgebracht haben, besser irgendwo festmachen. Wie's aussieht, könnt's bald wieder regnen. Vielleicht stürmt's sogar.«

Das kleine Boot schaukelte wild hin und her. Philippe umklammerte die Reling oberhalb des Schanzkleids so fest, dass seine Knöchel weiß waren. Das Deck zu überqueren war ihm unmöglich. Herr, ich weiß, dass Monsieur le Provincial in deinem Namen spricht. Da er mich nach Pointe-Lévis schickt und von dort nach L'Acadie, ist es wirklich dein Wille, dass ich dorthin gehe.

Die Akadianer leben nominell unter englischer Herrschaft, aber sie folgen dem wahren Glauben und sind auf ihre Art König Louis treu ergeben, hatte der Provinzial ihm gesagt. *Du wirst sie in dieser Hinwendung des Herzens bestärken, mein Sohn. Du wirst sie in ihrem Widerstand gegen die Ketzerei und ketzerische Bündnisse stützen.*

Philippe hielt sich an der Reling fest. Es ist stets mein Wunsch, den Anweisungen meines Oberen zu folgen, Herr, aber ich weiß nicht, wie ich ein solches Wunder bewirken soll. *Eh bien,* ich werde abwarten und sehen. Nur gewähre mir, dass ich mich auf dieser Reise nicht als unwürdig erweise. Er hatte sein Gebet kaum beendet, als er sich auch schon über die Reling beugte und sich übergab.

Montag, 10. Mai 1755

Fort Cumberland, an der Grenze zwischen Maryland und dem Ohio Country

»So sehen wir uns also wieder, Oberstleutnant Washington.«

»In der Tat, Mr. Hale.«

»Quent.«

»Ach ja, ich vergaß, dass Sie lieber mit Vornamen angesprochen werden. Entschuldigen Sie.«

Die zwei Männer waren mehr an ihrer Umgebung interessiert als aneinander. Was sie sahen, war eine Art Wunder. Eine weite Lichtung um eine riesige befestigte Einfriedung, eingezäunt von wer weiß wie vielen gefällten Eichen und Kastanien. Es gab Schutzwälle, Kasernen, Munitionslager, Mauern mit Schießscharten, deren Größe genau einer Musketenmündung entsprach, sowie zehn passend für kleine Geschütze. Aus Wills Creek, einer der ersten englischen Handelsposten im Ohio Country, war Fort Cumberland geworden, Verschiebeplatz für das Heer, das unter dem Befehl von Generalmajor Edward Braddock von den Coldstream Guards Seiner Majestät zusammengestellt wurde.

»Ein bisschen anders, als Sie es in Erinnerung haben.« Stolz schwang in Washingtons Stimme mit.

»Ein bisschen«, stimmte Quent zu. »Nicht das, was ich erwartet habe. Ich hatte gehört, dass Braddocks beiden Regimentern bei ihrer Ankunft jeweils zweihundert Mann fehlten.«

Dem Treiben nach zu urteilen, kam ihm das unwahrscheinlich vor. Ein Strom von Rotröcken wälzte sich durch eine Masse von Provinzmilizen, die die Uniform von Pennsylvania, Virginia oder Maryland trugen, dazu die unterschiedlichsten Transportmittel, die sie zum Schlachtfeld bringen würden. Eine Gruppe junger Männer in Alltagskleidung, wie sie sie bei der Arbeit auf dem Feld oder in der Stadt tragen würden, war auf dem Paradeplatz versammelt. Das waren die neuesten kolonialen Rekruten für das 44. und das 48. Infanterieregiment, die Braddock in die Neue Welt gebracht hatte. Ein Rotrock, mit schweißüberströmtem Gesicht unter der Bärenfellmütze, drillte sie in Marschordnung.

»Als die Regimenter im März ankamen, waren sie in der Tat unterbesetzt«, erklärte Washington. »Aber um sie aufzufüllen, durften sie amerikanische Kolonisten anwerben.«

»Das ist ihnen offenbar gelungen.« Das erstaunte Quent. Vor der Ankunft der Truppen war viel davon die Rede gewesen, dass die Kolonisten ihre Pflicht als Briten zu erfüllen hätten, doch junge Amerikaner ließen sich nur schwer dafür gewinnen, sich der strengen Disziplin der britischen Armee zu unterwerfen, wo hundertprozentiger Gehorsam verlangt wurde und jede Überschreitung einer Vorschrift mit Auspeitschung oder gar dem Tod bestraft wurde. »Sehr nützlich, dass die Jungs so patriotisch sind«, sagte Quent.

Der Oberstleutnant antwortete nicht sofort. Er verfolgte aufmerksam den Drill, der auf dem Paradeplatz stattfand. Du verzehrst dich immer noch nach Ruhm, stimmt's?, dachte Quent. Trotz des Gemetzels bei Great Meadows.

»Gleich nach seiner Ankunft hat sich der General mit Mr. Franklin aus Philadelphia getroffen«, sagte Washington schließlich. »Mr. Franklin hat sich der Sache angenommen, und seitdem melden sich Freiwillige zuhauf.«

Quent grinste. »Dann stimmt die Geschichte also?« Wie es hieß, hatte Franklin eine Unmenge Flugblätter drucken lassen, auf denen stand, dass für Freiwillige und bereitgestelltes Material viel Geld bezahlt würde. Sollten sie sich allerdings weigern, so hatte London Horden von Rotröcken ermächtigt, in Pennsylvania – und vermutlich auch in den anderen Kolonien – einzufallen und sich zu nehmen, was sie brauchten. Dutzende von Versammlungen wurden abgehalten, bei denen Franklins Warnung verlautbart wurde, Alarm wurde geschlagen. Danach war es nicht schwer gewesen, die notwendigen Freiwilligen und das benötigte Material zu bekommen.

»Mr. Franklin war nicht schlecht«, räumte Washington ein. »Obwohl ich sagen muss, dass er etwas übertrieben hat. Aber worauf es ankommt, ist, dass das 44. und das 48. jetzt beide vollzählig sind. Und die Kolonien haben ihren Beitrag an Milizen und Vorräten geleistet.« Er zog einen Notizblock aus der Tasche seines blauen Rocks und schlug ihn auf. »Mit Stand von heute Morgen haben wir zweiundzwanzig Hundertschaften Männer, hundertfünfzig Wagen und meines Wissens rund fünfhundert Packpferde. Die Franzosen sind maßlos unterlegen. Womöglich ziehen sie sich in diesem Augenblick aus dem Ohio Country zurück.«

»Irgendwie glaube ich nicht, dass es so einfach sein wird, Oberstleutnant.«

Washington lächelte. »Nein, wahrscheinlich nicht.«

»Ganz bestimmt nicht. Auf der Seite der Franzosen kämpfen viele Indianer. Wenn Braddock nicht genügend Tapfere findet, ist er trotzdem in der Unterzahl.« Quent deutete auf eine Gruppe von rund fünfzig Irokesen, die in der Nähe standen. Bei weitem nicht genug, aber immerhin ein Anfang.

»Und deswegen sind Sie hier?«

»Ich kann mir keinen anderen Grund vorstellen, warum ein General nach mir schicken sollte.« Quent hatte sich überlegt, dass Washington ihn möglicherweise empfohlen haben könnte, aber je länger er darüber nachdachte, desto unwahrscheinlicher erschien es ihm. Jeder wusste, dass der junge Oberstleutnant sechshundert kampfbereite junge Männer aus Virginia mitgebracht hatte, sich selbst Braddock aber als Freiwilliger zur Verfügung gestellt hatte. Was bedeutete, dass er im Gegensatz zu seinen Männern keinen Sold bekam. Trotzdem, als einer von zwei Adjutanten hatte er eine gute Position inne. Der junge Mann war ehrgeizig, wollte neben militärischem Ruhm auch an Status gewinnen. Also konnte ihm kaum daran gelegen sein, dass Braddock hörte, wie Jumonville und seine verwundeten Männer, nachdem sie kapituliert und um Schonung gebeten hatten, von den Irokesen abgeschlachtet wurden, während Washington tatenlos zusah. Braddock musste Quent einbestellt haben, weil der General von seinem Ansehen bei den Indianern gehört hatte.

Sowohl Washington als auch Quent verfolgten angelegentlich den Drill der Rekruten. Schließlich räusperte Washington sich. »Tanaghrisson, der, den sie den Halbkönig nannten – ich habe gehört, dass er vor ein paar Monaten gestorben ist.«

»In ihrem Lager in Aughwick. Da drüben steht sein Nachfolger.« Quent deutete auf einen der Irokesen. »Der Große mit den Streifen im Gesicht und den vielen Tätowierungen. Er heißt Scarouady. Er ist ein Oneida. Sie gehörten zur ursprünglichen Föderation, damals, als es nur fünf Stämme waren. Zu den fünfzig

Herrschern, die die Föderation anführen, gehören immer einige Oneida.«

»Scarouady«, wiederholte Washington. »Ich finde es sehr schwer, mir die Namen dieser Leute zu merken.«

»Einige darf man getrost vergessen«, sagte Quent. »Tanaghrisson zum Beispiel.«

Washington hoffte, seine geröteten Wangen würden auf die Frühlingssonne zurückgeführt werden. »Der Meinung bin ich auch. Die Toten sollen in Frieden ruhen. Übrigens, als ich hörte, dass Sie kommen, erwähnte ich dem General gegenüber, dass niemand besser über die Indianer Bescheid weiß als Sie. Ich habe ihm geraten, Ihnen genau zuzuhören.«

»Das war sehr freundlich von Ihnen. Wenn ich mich recht entsinne, habe ich mich damals nicht richtig von Ihnen verabschiedet.«

Washington lächelte. »Auch darüber brauchen wir nicht mehr zu reden. Sie hatten wohl eine neue Aufgabe gefunden, wie?«

Quent nickte. Er beobachtete den Offizier mit der Bärenfellmütze, der seinen Schützlingen Befehle zuschrie im Versuch, ihnen die berühmte Formation der parallelen Linien beizubringen, die es den britischen Soldaten ermöglichte, die Reihen eines heranrückenden Feindes unausgesetzt unter Musketenbeschuss zu nehmen. Die Jungs taten ihr Bestes, doch die Linien verliefen eher wellenförmig als gerade. Außerdem waren die Rekruten mit Stöcken an Stelle von Musketen bewaffnet. Sie sollten tun, als würden sie ihre Waffen abfeuern, dann knien und mehr oder minder gleichzeitig nachladen, während die Linie hinter ihnen tat, als würde sie über ihre Köpfe hinwegfeuern und sich genau in dem Moment hinknien, in dem die vordere Reihe aufstand und erneut feuerte. In beiden Reihen gab es zu viele Männer, die zu rasch niederknieten, und andere, die zu spät aufstanden. »So ganz kriegen sie das nicht hin, was?«, meinte Quent.

»Noch nicht. Aber das kommt noch.«

»Vielleicht. Und was dann? Werden die Franzosen ihr Fort verlassen und sie auf dem Schlachtfeld stellen?«

»Ich habe keinen Grund, sie für feige zu halten«, sagte Washington steif.

Weil sie das nicht sind, dachte Quent. Aber dumm sind sie auch nicht. »Also – wo ist der General, den London geschickt hat, um uns armen Kolonisten eine sichere Zukunft zu gewährleisten?«

»Sein Zelt steht da drüben. Ich bringe Sie hin und stelle Sie vor, einverstanden?«

»Der mit den verfluchten gelben Streifen im Gesicht, sagen Sie's ihm.« General Braddock sah nicht zu Quent auf, sondern schob die Papiere auf seinem Schreibtisch hin und her.

»Er heißt Scarouady.« Guter Gott, wie konnte ein Mann herkommen, um hier einen Krieg zu führen, sein Leben und das Leben Tausender anderer aufs Spiel setzen und so wenig über die Indianer wissen? »Er ist ein Herrscher der Irokesenföderation. Ein Halbkönig. Er ist ein wichtiger Mann. Sie brauchen ihn, General Braddock.«

Nun sah der Engländer doch auf und musterte Quent aus zusammengekniffenen Augen. Er presste die Lippen zu einem dünnen Strich zusammen. »Brauchen?« Etwas Puder rieselte von seiner Perücke auf die Schultern. Er wischte ihn fort. »Es gibt keinen Wilden, den ich wirklich brauche, Mr. Hale. Eine Tatsache, für die ich dem Allmächtigen sehr dankbar bin. Es ist unvorstellbar, dass die rechtmäßigen Ansprüche Seiner Majestät auf Heiden mit bemalten Gesichtern und Federn im Haar angewiesen sein sollten.«

Nur der Gedanke an die Jungs, die tun sollten, als wären die Stöcke Musketen, hielt Quent davon ab, auf der Stelle wegzugehen. »Was immer Sie von ihrem Äußeren halten mögen, General, im Kampf sind die Indianer nicht zu unterschätzen. Und auf der Seite der Franzosen kämpfen sehr viele.«

»Das empfiehlt sie mir nicht gerade, Mr. Hale. Ich habe die Franzosen kämpfen sehen. Und ich versichere Ihnen, weder sie noch ihre Indianer werden über die disziplinierten britischen Soldaten obsiegen.«

»Und ich versichere Ihnen, dass wir hier in Amerika sind. Hier ist alles etwas anders.«

»Das mag sein«, sagte Braddock leise. »Aber ich wiederhole: Sagen Sie diesem Scarouady, dass er seine Squaws und ihre Bälger wegschicken muss. Es geht nicht an, dass sie mit meinen Truppen marschieren. Die Krieger – die Tapferen – können bleiben. Als Reserve könnten sie ganz nützlich sein. Nach einer Schlacht gibt's immer ein bisschen Aufräumarbeit. Und jetzt …«

»Ein bisschen Aufräumarbeit.«

»Genau. Das sagte ich ja. Mr. Hale, mir wurde gesagt, dass Sie mit dem Langgewehr ein eindrucksvoller Schütze sind, ein Mann untadeliger Ehre und aus guter Familie, der darüber hinaus über die besonderen Fähigkeiten verfügt, die diese Wildnis Menschen abverlangt. Und dass Sie mehr über die Rothäute wissen als jeder andere in diesen Kolonien. Und Sie sind bei Gott groß genug und rot genug, um die meisten Männer in Angst und Schrecken zu versetzen, allen voran die Franzosen. Dem ungeachtet, ich habe hier Befehlsgewalt, und meiner Order ist unverzüglich Folge zu leisten. Wenn Sie bleiben möchten, müssen Sie diese Tatsache akzeptieren. Also, Sir – sind Sie mit uns oder gegen uns?«

»Wenn ich nicht mit Ihnen wäre, General Braddock, wäre ich schon längst fort.« Aber warum war er mit ihnen? Den Franzosen bei Fort Duquesne hatten sich nahezu tausend Tapfere angeschlossen. Abenaki, Huronen, Ojibwe, sogar Potawatomi und eine Reihe von Ottawa, die mit Pontiac gekommen waren. Alle seine Sinne sagten Quent, dass er in diesem verfluchten Krieg auf der verkehrten Seite stand. Aber er war Engländer und Amerikaner, kein Franzose und Kanadier. Und ein Großteil der zweiundzwanzig Hundertschaften war dem Tod geweiht, wenn er Braddock nicht dazu bringen konnte, Vernunft anzunehmen. »Ihre Männer haben auch Frauen dabei. Die Frauen vieler Offiziere, und die anderen, die Wäscherinnen und Marketenderinnen und dergleichen, sie alle kommen …«

»Mit mir brauchen Sie nicht um den heißen Brei zu reden, Mr. Hale. Es gibt die Ehefrauen der Offiziere, und was die anderen betrifft, da wissen wir beide, wovon wir sprechen. Was immer diese Frauen tun, ob sie Waren verkaufen oder den Männern die Wäsche waschen, letztlich sind sie Huren. Aber sie sind weiß, und die Männer brauchen sie.«

Außerdem hielt Braddock die Frauen, wie Quent wusste, unter so scharfer Bewachung, wie keine Squaw es akzeptieren würde. Bis auf die Offiziersgattinnen mussten alle Frauen bei der morgendlichen Parade anwesend sein, und jedes Mal wurden ihnen die Vorschriften laut vorgelesen – *Jede Frau, die stiehlt oder Vorräte verschwendet – Todesstrafe. Jede Frau, die den Indianern Schnaps gibt oder verkauft – 250 Hiebe. Jede Frau, die außerhalb des Lagers angetroffen wird – 50 Hiebe.*

»Man kann von Truppen nicht erwarten, monatelang ohne Frauen auszukommen«, fuhr Braddock fort. »Ich beschäftige eigens einen Arzt, der verhindert, dass sie Krankheiten bekommen. Sie laufen nicht am helllichten Tag mit nackten Brüsten durch die Gegend, schnüren sich nicht ihre Bälger auf den Rücken und erleichtern sich nicht in Sichtweite der Offiziere und der gewöhnlichen Soldaten. Die Squaws und ihre Kinder stören. Bis heute Abend müssen sie verschwunden sein. Und wenn Sie schon dabei sind, dann sagen Sie den Wilden auch, dass sie ihre nächtlichen Festivitäten leiser gestalten sollen. Das ganze Geheule und Gejohle bringt mich um den Schlaf.«

»Das ist ihr Kriegstanz, General. Wenn sie damit aufhören, fangen Ihre Schwierigkeiten an. Das bedeutet nämlich, dass sie nicht kämpfen werden.«

»Verdammt, Mann, habe ich mich nicht deutlich genug ausgedrückt? Mir ist es lieber, wenn sie dabei sind, aber weder mein Feldzug noch sein Erfolg hängt von den Wilden ab. Und jetzt übermitteln Sie diesem Scarouady meine Nachricht mit den Squaws, und sagen Sie ihm und den anderen Häuptlingen, dass ich sie bald empfangen werde.«

»Nun, Uko Nyakwai, mir wäre bei diesem Kriegsgürtel wohler, wenn er von dir gekommen wäre und nicht von diesem Croghan.«

»Ich fühle mich geehrt durch den Respekt, den Shingas, der mächtige Sachem der Lenape, mir erweist. Aber ich erinnere Shingas, dass

Croghan im Namen von William Johnson handelt, und Johnson ist zum Anführer der *Cmokmanuk* ernannt worden in allen Dingen, die mit den *Anishinabeg* zu tun haben.«

Quent und der Delaware-Häuptling hockten im Schatten einer Kastanie in der Nähe des Festungswalls. Shingas wandte den Kopf und spuckte aus. »Ich kenne diesen William Johnson nicht. Sprichst du für ihn?«

»Ich spreche für seinen Charakter.« Johnson stammte aus Irland, trieb Handel mit den Indianern und hatte viele Jahre im Mohawk-Tal in der Nähe von Shadowbrook gelebt. Quent hatte nie etwas Nachteiliges über ihn gehört. »Er hat sich eine Frau aus dem Stamm der Kahniankehaka genommen. Und sie haben ihn zu einem vollen Häuptling ernannt.«

Shingas spuckte erneut aus. »Es beeindruckt mich wenig, wer von den Schlangen adoptiert wird.«

»Dann wird es dich freuen zu hören, dass in diesem Kampf ein paar weniger mitkämpfen.« Beide Männer sahen, dass Scarouady und seine fünfzig Tapferen die Festung verließen. Ihre Familien folgten ihnen, blickten weder nach links noch rechts, ebenso ruhig und würdevoll wie die Männer. Erbost über Braddocks Einstellung, hatten die Irokesen beschlossen, alle gemeinsam zu gehen.

Shingas nickte. »Vielleicht. Aber wenn ich dieser englische Kriegssachem wäre, würde ich vielleicht anders denken. Sprich die Wahrheit, Uko Nyakwai – ist dieser Braddock dumm?«

»Das glaube ich nicht. Aber er kennt dieses Land und auch uns nicht, die wir hier leben. Trotzdem, ich habe gehört, dass er im Kampf tapfer und weise ist.«

»Und ich habe gehört, dass er den Franzosen nicht Kunde schickt von seinem Vorhaben. Und dass auch der König in England dem König in Frankreich nicht sagt, dass er hier Krieg gegen ihn führen will.«

Bei den *Anishinabeg* war es verpönt, Krieg zu führen, ohne ihn zuvor erklärt zu haben. Quent musste eine Rechtfertigung dafür finden. »Meines Wissens ist das wahr. Aber die Franzosen besetzen das Land, das die Engländer für sich beanspruchen. Nach den Sitten der *Cmokmanuk* haben sie das Recht, sie dazu zu zwingen, es zu verlassen.«

Shingas setzte sich auf. »Land, das die Engländer für sich beanspruchen … Das ist das Fleisch, das ich nicht kauen kann. Wie kann ein Mensch etwas besitzen, das er weder herstellen noch zerstören kann? Land gehört jedem Fuß, der es betritt, *neya*?«

»Das ist ihre Art. Selbst Shingas, der große Sachem, wird sie nicht ändern.«

»Aber lässt ihre Art den *Anishinabeg* überhaupt Platz, weiter hier zu leben? Sag mir, wie du denkst, Uko Nyakwai, denn das ist eine Frage, auf die ich keine Antwort finde.«

»Die Lenape und die Shawnee und die Mingo wollen alle, dass die Franzosen aus diesem Tal abziehen, oder?«

»Du weißt, dass es so ist.«

Das wusste Quent in der Tat. Das war auch der Grund, warum Croghans Kriegsgürtel vorbehaltlich angenommen worden waren und warum sechs Häuptlinge – fünf, nun, da Scarouady gegangen war – gekommen waren, um sich mit Braddock zu besprechen. »Die Engländer werden gewinnen, wenn die Tapferen von Shingas und den anderen Kriegshäuptlingen mit ihnen kämpfen.«

»Und wenn nicht?«

»Dann wird es hier immer mehr Franzosen geben. Und immer mehr von ihren Verbündeten, den Huronen und Abenaki.«

Shingas nahm einen Zweig in die Hand und zeichnete Figuren in den Staub. »Es sind nicht nur Abenaki und Huronen, die mit den Franzosen hier in diesem Tal kämpfen. In dem Lager sind auch Ottawa. Und Potawatomi. Ist Uko Nyakwai kein Sohn des Potawatomi-Feuers mehr?«

»Das werde ich immer sein, wie Shingas weiß. Und ich werde immer das Amulett tragen, das mir der Vater meiner verstorbenen Frau, der große Ottawa-Häuptling Recumsah, gegeben hat. Aber ich bin Engländer, kein Franzose. Dies ist meine Heimat. Manchmal ist es nicht ganz klar, auf welcher Seite ein Mann stehen muss.«

»Das ist wahr, Uko Nyakwai. Auch ich habe Verwandte, die ihre Feuer in der Nähe von Fort Duquesne entzünden. Ich habe sie sogar dort besucht.« Shingas klopfte auf den leinernen Rucksack, in englischer Art gearbeitet, der oberhalb seiner rechten Hüfte hing. Das ganze Gespräch über hatte er eine Hand darauf gelegt. Offenbar enthielt die Tasche etwas Wichtiges.

»Dann verstehst du mein Dilemma«, sagte Quent.

»Das tue ich. Jetzt lass uns sehen, ob dieser Kriegshäuptling der Engländer meines versteht.«

Braddock beäugte den Plan von Fort Duquesne, der vor ihm auf dem Schreibtisch lag. »Frag ihn, woher er das hat.« Er blickte zu Shingas auf und missachtete bewusst die vier anderen Häuptlinge, die sich in der Nähe des Zelteingangs aufhielten.

»Das habe ich bereits«, sagte Quent. »Und ich habe Ihnen seine Antwort mitgeteilt. Die Zeichnung wurde von einem Mann aus Virginia angefertigt, der als Geisel zurückblieb, als Oberstleutnant Washington und seine Männer aus Fort Necessity abzogen.«

»Aber wie hat dieser Wilde sie in die Hände bekommen?«

»Häuptling Shingas hat Verwandte, die in der Nähe des Forts lagern. Als er sie besuchte, hatte er die Gelegenheit, das Dokument an den französischen Linien vorbei herauszuschmuggeln. Wäre er mit den Plänen erwischt worden, hätten sie ihn als Spion gehängt, General. Er ist ein großes Risiko eingegangen, um Ihnen dieses Geschenk zu bringen.«

»So groß ist das Risiko nicht, wenn seine Verwandten mit den Franzosen verbündet sind. Vielleicht ist es nur eine List?«

»Das ist es nicht. Shingas will, dass die Franzosen aus diesem Tal verschwinden.«

Braddock öffnete den Mund, um etwas zu sagen, doch Shingas kam ihm zuvor. »Sag ihm, dass ich und die anderen wissen möchten, was in diesem Tal passiert, wenn die Briten die Franzosen und ihre verbündeten *Anishinabeg* von hier vertreiben.«

Quent hatte schon lange den Verdacht, dass Shingas ein wenig Englisch sprach, doch er ließ es sich nicht anmerken. »Die Häuptlinge haben nur eine Frage, General. Wenn sie Ihnen helfen, die Franzosen zu vertreiben, was passiert dann hier im Ohio Country?«

»Das, was zu erwarten ist, verdammt. Dies ist englischer Grund und Boden. Engländer werden herkommen und hier leben. Kein Wilder wird unser Land besitzen.«

In den Augen Shingas' und der anderen Häuptlinge flackerte nicht das mindeste Verständnis, aber sie wussten dennoch Bescheid. Nicht nur, dass Braddock ein anmaßender Schuft war, sondern auch, dass er sie verachtete. Quent spürte, dass sie das wussten. Er übersetzte die Worte genauso, wie Braddock sie geäußert hatte.

»Wenn wir nicht die Freiheit haben sollen, auf diesem Land zu leben, warum glaubt dieser Mann, der sich ein Kriegshäuptling nennt, dass wir darum kämpfen sollten, Uko Nyakwai?« Shingas' Tonfall offenbarte keinerlei Gefühl, doch Quent spürte den Zorn, der bei allen fünf Häuptlingen hinter der ruhigen Fassade loderte. Das musste selbst Braddock spüren. Quent übersetzte die Frage.

Braddock warf einen letzten Blick auf den Plan von Fort Duquesne, dann faltete er die Zeichnung zusammen und steckte sie in die Schublade seines Schreibtischs. Schließlich erhob er sich. »Sagen Sie diesen Wilden, dass ich ihre Hilfe nicht brauche. Ich werde die Franzosen aus diesem Tal vertreiben, weil es meine Pflicht ist. Deshalb wird es mir auch gelingen.«

Quent wandte sich um, um die Worte zu wiederholen. Die fünf Häuptlinge verließen bereits das Zelt.

Dienstag, 11. Mai 1755
Port Mouton, L'Acadie

Cormac visierte das Ziel an und ließ dann den Pfeil los. Das Rebhuhn fiel zu Boden; er hörte den leisen Aufprall, als es auf der Erde auftraf. Wenige Minuten später hatte er den Vogel ausgenommen und ausbluten lassen und an die Schnur gebunden, an der sich bereits eine Ente und zwei Wachteln befanden. Sollte reichen, selbst Marni. Immer wieder sagte sie, das Schönste daran, dass er auf dem

Hof war, sei, dass sie so viel frisches Fleisch zu essen bekäme. Wegen der vielen Arbeit habe sie selbst nie Zeit zu jagen. Womit sie ihm zu verstehen geben wollte, dass sie so viel Wild erbeuten konnte, wie sie wollte, wenn sie nur Zeit dafür hätte. Grinsend machte er sich auf den Rückweg.

Marni erwartete ihn hinter dem Haus, wo sie auf einem Waschbrett einen Kittel schrubbte. Aus dem Waschtrog stieg weißer Dampf auf. In der Nähe brannte auf offener Erde ein Feuer, darüber hing ein schwarzer Kessel. Sobald sie die Schnur mit den Wildvögeln sah, leuchteten ihre Augen auf. »Großartig.«

»Damit du wenigstens eine Zeit lang nicht Hunger leiden musst«, sagte er. Es war so kalt, dass Corm seinen Atem sah. Er strich ihr übers Haar. In letzter Zeit setzte sie, wenn sie zu zweit waren, keine Haube mehr auf, sondern ließ ihr langes Haar offen herabfallen. Es hatte die Farbe von frischem Weizen und hing ihr halb über den Rücken hinab. Wenn sie sich liebten und sie auf ihm lag, so, wie sie es am liebsten mochte, umfing das Haar sie beide wie ein Vorhang, der die Außenwelt ausschloss.

Marni entwand sich seiner Berührung und griff nach dem Geflügel. Mehrere Sekunden begutachtete sie seine Beute, dann summte sie vergnügt. »Du hast sie ja nicht erschossen. Du hast auf Art der Indianer gejagt.«

Corm nahm den Bogen von der Schulter und legte den Köcher beiseite. »Das ist dir lieber, stimmt's? Wenn ich Sachen auf Art der Indianer mache.«

»Bei manchen Sachen schon«, stimmte sie zu. Einmal, ein paar Wochen nach dem ersten Mal, hatte sie sich von ihm zeigen lassen, wie die Indianer es mit Squaws machten. Sie hatte sich auf alle viere niederlassen müssen, während er hinter ihr kniend in sie eindrang. Es hatte ihr überhaupt nicht gefallen, und sie machten es nie mehr. »Auf jeden Fall, wenn du Vögel erlegst«, sagte sie. »Mit Pfeil und Bogen gibt es keine Bleikugeln, an denen man sich die Zähne ausbeißen kann.«

»Die sollte es so oder so nicht geben. Nicht, wenn der Vogel richtig gesäubert wird.«

Wieder lächelte sie, ließ ihre rosafarbene Zunge neckend hin und her schnellen. »Mach sie doch selbst sauber, wenn's dir nicht gefällt, wie ich's mache.«

»Mir gefällt alles, was du machst. Meistens zumindest.« Wieder streckte er die Hand nach ihr aus, und wieder entzog sie sich ihm. »Du bist schön«, sagte er. »Das ist der Grund, weswegen ich dich anfassen will.«

»Aber jetzt habe ich zu tun.«

»Dann hör doch einfach auf damit.«

»Warum?«

»Weil ich will, dass du was anderes tust.«

»Später. Wenn ich mit der Wäsche fertig bin.«

Achselzuckend zog Corm sein Hemd aus. »Dann kannst du das auch gleich mitwaschen.«

Er war noch keine Woche bei ihr gewesen, als sie ihn im Waschhof überraschte – obwohl beide wussten, dass dieser Zufall reinste Berechnung war. Da hatte sie ihn das erste Mal ohne Hemd gesehen, und seine fehlende Brustbehaarung hatte sie verblüfft. »Dann stimmt es also, dass du ein halber Indianer bist«, hatte sie gesagt.

»Es stimmt. Außerdem dachte ich, du wüsstest sowieso alles über mich.«

»Ich hatte gehört … Aber so, wie du aussiehst … Ich dachte, vielleicht wär's gelogen.«

»Es ist nicht gelogen. Also, was meinst du? Ist mein Skalp die zehn Guineas wert, die in Halifax darauf ausgesetzt sind? Das ist doch die Summe, die Gouverneur Lawrence für jeden Indianerskalp bietet, oder?«

»Auf deinen Kopf ist sehr viel mehr ausgesetzt«, hatte sie ihn verbessert. »Der Abbé LeLoutre im Fort Beauséjour hat angeblich hundert *livres* auf den Skalp jedes englischen Siedlers ausgesetzt, und zweihundert auf den deinen. Und das Doppelte, wenn du noch lebend zu ihm gebracht wirst. Damit er dich bei lebendigem Leib skalpieren kann, sagt er, bevor er dich umbringt. Aber ich fahre nie nach Halifax. Mit den Engländern will ich so wenig wie möglich zu tun haben.«

»Aber du lebst auf der englischen Seite der Grenze«, hatte er gesagt.

Marni hatte nur die Achseln gezuckt. »Der Hof meiner Familie war hier, bevor die Grenze gezogen wurde. Uns hat niemand gefragt, wo sie verlaufen soll.«

Für die Bevölkerung hatte sich wenig verändert in den fünfzig Jahren, seit der Großteil von L'Acadie an England gefallen war. Sieben Monate war Corm schon hier, und obwohl Marni seines Wissens nie in die Kirche ging, hingen die meisten ihrer Nachbarn noch dem katholischen Glauben an, sprachen Französisch, nicht Englisch, und leisteten dem englischen König nur bedingt den Treueeid. Wenn jemand die Waffen gegen Seine Majestät erhob, sagten sie, würden sie neutral bleiben und sich weigern, in seinem Namen zu kämpfen. Was zählte, war, dass sie weiterhin allen Härten zum Trotz ihr Land bestellten und Wohlstand schufen. Die kleinen Scheunen, die Corm bei seiner Ankunft aufgefallen waren, dienten nicht, wie er geglaubt hatte, dem Zweck, Fische zu trocknen oder Äpfel zu lagern, sondern waren Teil eines ausgeklügelten Systems von Erdwällen, die das Meerwasser zurückhielten und den Regen aus den Feuchtgebieten ableiteten, sodass die Salzmarschen im Lauf der Jahre ausgewaschen und die Erde so fruchtbar wurde, dass darauf Feldfrüchte gedeihen konnten. Die Akadianer ernteten nicht nur ausreichend für den Eigenbedarf, sondern noch genügend, um es zu verkaufen. Und unter der Hand belieferten die meisten die französischen Festungen, bevor sie ihre Erzeugnisse den Engländern anboten.

Die Tatsache, dass sie beide, Marni und Corm, Verfemte waren, verband sie fast ebenso sehr wie das Feuer, das zwischen ihnen aufloderte, als er das erste Mal zufällig ihre Hand berührte. Jetzt griff sie nach dem Hemd, das er ihr zum Waschen geben wollte, aber Corm ließ es fallen, packte sie und zog sie an sich. Marni wehrte sich nur einen Moment, dann schmiegte sie sich an ihn.

Corm legte ihr die Hand auf die Brust. »Drinnen. Ich will nackt sein.« Dabei küsste sie ihn, steckte ihm zwischen jedem Wort die Zunge in den Mund.

Später schlief er. Nach einer Stunde weckte Marni ihn mit einem Becher warmer Milch, versetzt mit Fichtenbier. »Komm, wach auf. Du führst dich auf, als wärst du besessen. Schreist und streitest dich mit Gespenstern. Ein solcher Schlaf kann keine Erholung bringen.«

Sofort war er hellwach. »Was habe ich gesagt?«

»Keine Ahnung. Du hast Indianisch geredet.«

Corm nahm den Becher und trank ihn in einem Zug halb leer. »Das tut gut, danke. Wirst du mir jetzt einen der Vögel …«

Ein Ruf von draußen schnitt ihm das Wort ab. »Friede sei mit diesem Haus und allen, die darin leben.« Ein Fremder, ganz in der Nähe.

Marni, die neben Corms Schlafmatte in die Hocke gegangen war, sprang auf, ebenso wie Corm, der nach seinem Langgewehr griff. »Nein«, flüsterte sie, während sie sich vornüber beugte und ihr langes Haar zusammenwand, sich dann aufrichtete und es unter einer Haube verbarg. »Das ist ein Priester. Ich gehe schon.«

»Woher weißt du …«

»Das sagen sie immer. Friede sei mit diesem Haus. Ich gehe nach draußen. Bleib hier. Versteck dich, für den Fall, dass er reinkommen will.«

Marni war schon zur Tür hinaus und zog sie fest ins Schloss, bevor er Einspruch erheben konnte.

»Einen schönen guten Tag, Monsieur le Curé.«

»Und Ihnen, Mademoiselle. Ich komme, weil ich Sie in den drei Wochen, seit ich hier bin, nicht bei der heiligen Messe gesehen habe.«

Eine Schwarzkutte. Sie hatte gehört, dass einer als Ersatz für den alten Curé Vincent in der Kirche St. Gabrielle eingetroffen war. »Wenn Sie etwas länger hier wären, Monsieur le Curé, würden Sie wissen, dass ich nie in die Kirche gehe.«

»Sie werden Ihre unsterbliche Seele verlieren, Mademoiselle.«

»Vielleicht habe ich das bereits.«

Also, dachte Philippe Faucon, dann stimmt es wirklich, was die Leute sagen. Sie war nicht nur eine Sünderin, sondern unbelehrbar obendrein. Er hatte wenig Erfahrung im Umgang mit Gemeindemitgliedern, mit der alltäglichen Seelsorge, und wusste nicht, was er sagen sollte angesichts derart überzeugter Verbohrtheit. »Die Ewigkeit ist eine sehr lange Zeit, um im Feuer der Hölle zu leiden, Mademoiselle.«

Marni zuckte die Achseln. »Vielleicht verbringt man sie auch nur in der Erde, Monsieur le Curé. Wenn wir sterben, wartet auf uns vielleicht nur das Grab. Ich finde, dass wir die Freuden in dieser Welt nehmen müssen, wo sie sich bieten.«

»Ich habe gehört, dass Sie ganz allein hier leben.«

»Ja. Meine Mutter ist vor vielen Jahren gestorben, mein Vater wenig später. Und ich habe keine Geschwister.«

»Sie sind nicht verheiratet?«

Marni lächelte. »Sie werden zweifellos viele Leute hier finden, die Ihnen mit größtem Vergnügen von meiner Verlobung erzählen, Monsieur le Curé. Ich bin mir sogar sicher, dass Sie von ihr bereits gehört haben.«

»Ja, das stimmt auch. Es ist eine traurige Geschichte, aber ...«

»Aber tot ist tot. Wie wir schon sagten. Gibt es sonst noch etwas, was ich für Sie tun kann, Monsieur le Curé?«

Philippe deutete mit dem Kopf zum Haus. »Vielleicht, wenn wir hineingehen ...«

»Nein.«

Also lebte tatsächlich jemand bei ihr. Ein Mann. Aber war es wirklich Cormac Shea?

»Mademoiselle hat Sie gebeten zu gehen, Monsieur. Ich schlage Ihnen vor, dem Wunsch nachzukommen.«

Sobald Marni seine Stimme hörte, drehte sie sich um. »Das ist nicht nötig. Ich komme schon ...«

»Geh rein«, sagte Corm. »Ich werde mit Monsieur le Curé reden.«

»Er ist kein normaler Priester«, widersprach sie.

»Ich glaube, Mademoiselle will damit sagen, dass ich ein Jesuit bin.« *Mon Dieu,* es stimmte. Es war der Mestize Cormac Shea. Eindeutig.

»Trotzdem ein Priester«, gab Corm zurück.

»In der Tat. Und ich mache mir Sorgen um die Seele von Mademoiselle Benoit. Und um die Ihre, Monsieur Shea.«

»Sie kennen mich?«

»Jeder kennt doch den berühmtesten *coureur de bois* in Kanada.«

»Nicht ganz jeder, Monsieur … Haben Sie einen Namen?«

»Natürlich. Philippe Faucon.«

Ayi! Corms Herz schlug wild gegen seine Rippen. Faucon. Falke. *Der* Falke. Und ganz schwarz war dieser mit seiner Soutane und dem Umhang, der wie Flügel im Wind flatterte. »Geh rein.« Er wandte sich an Marni, überrascht, dass seine Stimme nicht zitterte, nicht die Aufregung verriet, die ihn innerlich zerriss, und seine Angst. »Geh rein«, wiederholte er. »Mach dem Priester etwas zu trinken. Er hat einen weiten Weg zurückgelegt, um uns vor den Flammen der Hölle zu warnen.«

»Aber …«

»Widersprich nicht. Geh einfach.«

Marnis steingraue Augen blickten ihn missbilligend an, aber Cormacs Blick war undurchdringlich geworden, ihr verschlossen.

Vor dem Jesuiten so mit ihr zu reden … Er hatte nicht das Recht, sie auf ihrem eigenen Hof herumzukommandieren. Doch, das hatte er schon. Als sie für ihn die Beine breit gemacht hatte, hatte sie ihm die Macht gegeben, die jeder Mann über eine Frau hat, der er beiliegt. Genauso gut könnte Cormac der Schwarzkutte lauthals verkünden, dass sie eine Hure war. Sie spürte, dass ihre Wangen dunkelrot wurden.

»Geh«, sagte Corm erneut. »Bitte«, fügte er sanfter hinzu, als er ihren Blick bemerkte. »Wir kommen gleich rein.« Sobald sie fort war, sagte er zum Priester: »Sie heißen wirklich Faucon?«

»Ja, natürlich. In Frankreich sind die Männer in meiner Familie seit vielen Generationen Falkner.« Er fügte nicht hinzu, dass sein Onkel Falkenmeister des königlichen Falkenhofs war. Stolz war eine Sünde, selbst für einen Jesuiten.

»Ich glaube, ich habe Sie erwartet, Monsieur Faucon«, sagte Corm bedächtig.

»Wie das?«

Wie viel sollte er diesem Jesuiten erzählen? Die Schwarzkutten waren als Intriganten bekannt, die bei allen Kriegs- und Friedenshändeln die Finger im Spiel hatten. Unter normalen Umständen mied er sie wie die Pest. Aber was war normal an einem Mann, der ganz in Schwarz gekleidet war, der den Namen Falke trug und in Port Mouton auftauchte, am Ende der Welt, nachdem Kekomoson geträumt hatte, Cormac müsse nach Osten gehen, und nachdem Cormac geträumt hatte, er müsse einem Falken zu einem Strom von Blut folgen, wo ein weißer Bär einen Schwarm kleiner Vögel bedrohte? »Halten Sie mich für verrückt, wenn ich Ihnen sage, dass wir meines Erachtens etwas miteinander zu tun haben?«

Philippe betrachtete den Mestizen. Trotz der Narbe sah er gut aus. Und diese Augen … *incroyable*. Er schien Dinge zu sehen, die anderen verborgen blieben. Rasch bekreuzigte sich der Jesuit. »Und um was soll es sich dabei handeln, Monsieur?«

»Ich weiß es nicht genau. Und bitte nennen Sie mich Cormac.«

»Wenn Sie es nicht genau wissen, dann …«

»Nicht so schnell. Ich sagte, ich wüsste es nicht genau, aber ich kann Ihnen sagen, was ich weiß.«

»Mehr kann man von keinem Menschen erwarten«, antwortete Philippe leise. Er war gekommen, um herauszufinden, ob es stimmte, was die Leute sagten, und wenn, dann wollte er mit eigenen Augen den Mann sehen, der eine Legende war. Aber jetzt war er mehr als nur neugierig. Er war wie gebannt.

»Vor einem knappen Jahr, im letzten Sommer, träumte ich von einem Falken, der einem Strom von Blut folgte«, begann Corm. »Er kam an einen Ort, wo viele kleine Vögel waren. Ein großer weißer Bär näherte sich den Vögeln, und der Falke griff den Bären an.«

Unter seinem Umhang und seiner Soutane begann Philippe zu schwitzen. Trotz der Kälte lief ihm Schweiß den Rücken hinab. Er war ein Priester, ein Jesuit, aber er hatte nie das mystische Erleben gesucht, nie versucht, das Unbekannte zu erforschen. Vor langer Zeit hatte er beschlossen, seine Pflicht zu erfüllen, Sünden zu vermeiden und nach seinem Tod auf den Himmel zu hoffen. Ein ruhiges Leben, seine Skizzenbücher – mehr hatte er nie verlangt. Am liebsten wollte er auf der Stelle kehrtmachen und die Flucht ergreifen. Er konnte es nicht. Cormac Shea hielt ihn mit der Macht seines Blicks fest.

Mon Dieu, ich bin kein Mann, der fürs Kämpfen geboren ist. So hast du mich nicht geschaffen. Nicht einmal stark genug, um meinen Willen gegen den eines Falken durchzusetzen. *Komm, Philippe, sie hat eine Haube auf, und der Handschuh schützt dich. Sie ist ein Jungvogel, ein sehr junger Wanderfalke, und ich fange gerade an, sie abzurichten. Die Weibchen sind viel besser als die Männchen, weißt du, sie töten auch viel besser. Und dieses ist ein ganz besonderes. Ich habe ihr den Namen »Dame aus Stahl« gegeben. Hier, nimm die Langfessel … Nimm ihr die Haube ab. Jetzt lass die Langfessel locker, lass sie fliegen. Der Wanderfalke flog davon, kreiste über Philippes Kopf, spürte seine Schwäche und stieß herab, pickte an seinem Nacken, seinen Schultern, während er sich panisch zusammenkauerte und mit der behandschuhten Hand weinend sein Gesicht schützte. Leise pfeifend rief sein Vater den Falken zu seiner Faust zurück, und Philippe wurde beschämt entlassen. Danach bereitete ihm der bloße Geruch des Falkenhofs Übelkeit.* »Und?«, fragte der Priester leise. »In Ihrem Traum – hat der Falke den Bären besiegt?«

»Das weiß ich nicht. Aus den Bäumen lief ein weißer Wolf hinzu und griff den Bären an. Dann bin ich aufgewacht.«

»Und dieser Traum ist bedeutsam?«

Cormac musterte den Priester eingehend. Es war offensichtlich, dass der Mann einen inneren Kampf ausfocht. Wovor hast du solche Angst, Jesuit? Was habe ich gesagt, das dir solche Angst macht? »Sind Sie schon lange in Kanada, Monsieur le Curé?«

»Seit fünf Jahren. Ich gehe oft … ich bin oft in die Langhäuser gegangen.«

»Vielleicht nicht oft genug. Die Indianer, selbst die Huronen, können den Weißen viel beibringen. Zum Beispiel, dass einige Träume sehr bedeutsam sind. Vor allem, wenn ein Mann den Namen des Falken trägt.«

Philippe deutete auf die Tür, hinter der Marni verschwunden war. Nichts war ihm in diesem Moment wichtiger, als dieses Gespräch über Falken zu beenden. »Ich muss noch mit Mademoiselle Benoit reden. Sie ist …«

»Sie sind der Falke aus diesem Traum. Der schwarze Falke, der dem Strom von Blut folgt.«

»Nein. Sie irren sich. Solche Dinge sind mir nicht bestimmt. Ich will nicht …«

»Ob Sie dafür bestimmt sind oder nicht, Sie sind der Falke. Jetzt muss ich herausfinden, wohin der Strom von Blut führt. Und wer der Bär ist.«

Philippe zog den Umhang noch fester um sich und versuchte, sein Zittern unter Kontrolle zu bringen. »Das kann ich Ihnen nicht sagen, Monsieur. Sie irren sich. Ich bin kein Falke, und ich kann nicht …« Er konnte den Satz nicht beenden. Die Worte blieben ihm im Halse stecken. Sechstausend Mann. Und eine Flotte englischer Schiffe, die sie abfangen sollten. Zweifellos genügend Feuerwaffen, um den Sankt-Lorenz-Strom in einen Strom von Blut zu verwandeln.

Monsieur le Provincial hatte Philippe nach L'Acadie geschickt, um den Glauben der *habitants* zu stärken. Hatte er diesen weiten Weg nur zurückgelegt, um junge Frauen zu beschwören, die ihre Seele in Gefahr brachten, indem sie die Röcke hoben? Um *curé* der Kirche Ste. Gabrielle zu werden, eine Aufgabe, für die er völlig ungeeignet war – eine abgelegene Gemeinde in einem verlassenen Winkel der Erde? *Mon Dieu*, was verlangst du von mir? Tu mir deinen Willen kund, ich erfülle ihn.

»Ein Strom von Blut«, sagte Philippe leise.

»Eine Flut«, sagte Cormac. »So viel Blut, dass es alles bedeckte, was in seinem Weg lag.«

Der Jesuit spürte, dass die Panik von ihm wich. Er ließ den Umhang los, steckte die Hand zwischen den Falten hervor und schlug ein Kreuz. »Alles hat einen Zweck, Monsieur.«

Das hatte Xavier Walton in Québec gesagt, bevor er nach Virginia aufbrach. *Vergiss nicht, Philippe, was immer Monsieur le Provincial macht, es hat seinen Zweck. Nichts ist Zufall.* Seitdem fragte Philippe sich, ob er den Brief, in dem die Truppen erwähnt wurden, hatte finden sollen. Es konnte doch kein Zufall sein, dass die geheimen Federn und Scharniere in der Täfelung aufsprangen, wenn er sie so heftig polierte, wie es ihm aufgetragen worden war. Und würde ein Mann wie Louis Roget vergessen, dass Philippe Faucon im Gegensatz zu den Brüdern lesen und schreiben konnte? Das war höchst unwahrscheinlich. »Und welche Rolle spielen Sie in all dem, Monsieur Shea?«

»Ich heiße Cormac. Und ich weiß nicht, welche Rolle ich spiele. Aber ich bin der weiße Wolf. Der ist mein Totem.«

Geechkah, der alte Hurone, hatte dem Priester die Sache mit den Totems erklärt. Philippe hielt sie für vergleichbar mit den Heiligennamen, die gute katholische Eltern ihren Kindern gaben; und die Amulette, die zu manchen Totems gehörten, waren wie die Medaillons, die Katholiken oft trugen. »Und in Ihrem Traum hat der weiße Wolf den Bären angegriffen?«

»Der Wolf wollte es, ja. Ich glaube, um die Vögel vor dem Blutstrom zu retten. Aber ich bin mir nicht sicher.«

Nichts ist Zufall. »Es ist möglich, dass ich Ihnen etwas zu sagen habe, Cormac Shea.« Dem Jesuiten war der Mund so trocken, dass er kaum sprechen konnte, doch sobald sie ins Haus gegangen waren, sprudelte die Geschichte aus ihm hervor. Die versprochenen Truppen aus Frankreich, die Präsenz der englischen Flotte, wie die Dinge in Québec standen. Zumindest, wie sie seines Wissens standen. »Ich bin mir nicht sicher, möglicherweise ist es eine gemeine Verleumdung … Aber Lantak, der Abtrünnige …«

»Ich weiß, wer Lantak ist. Was hat er damit zu tun?« Cormac dachte an den alten Memetosia, der andeutete, Lantak sei ein Mestize, und an Memetosias Geschenk.

»Der Franziskaner«, fuhr Philippe fort, »Père Antoine, so heißt er. Ich bin mir nicht sicher …«

»Das haben Sie schon gesagt. Sagen Sie mir, worüber Sie nicht sicher sind.«

»Ich glaube, Père Antoine steckt möglicherweise mit Lantak unter einer Decke. Und dass die beiden nichts Gutes im Schilde führen.« Es war nicht übermäßig warm im Haus, aber der Jesuit schwitzte aus allen Poren. »Einmal habe ich sie gesehen, Lantak und seine Abtrünnigen, die Haare zu Skalplocken geschnitten, die Gesichter mit Kriegsbemalung. Mir wurde gesagt, sie würden nach Süden reiten, um einen Überfall zu begehen – ich weiß nicht, wo oder auf wen –, weil der Franziskaner sie dafür bezahlt hat.«

»Lantak tötet aus Vergnügen. Umso besser, wenn er obendrein dafür bezahlt wird. Sie denken, dass dieser Franziskaner eine Art Spion ist?«

»Ich weiß es nicht.« Philippe beugte sich vor, fast erdrückt von der Schwere seiner Gedanken. »Es passt nicht zusammen. Ich weiß nicht, was ich denken soll.«

»Es passt überhaupt nicht zusammen«, stimmte Cormac zu. »Lassen wir das für den Moment. Erzählen Sie mir noch mal von den französischen Truppen.«

Eine Stunde später verließ Philippe Faucon den Hof, und Cormac machte sich ebenfalls zum Aufbruch bereit. »Wo willst du hin?«, fragte Marni. »Willst du nach dem abtrünnigen Huronen suchen?«

»Nicht als Erstes.«

»Was machst du da am Kamin?«

»Ich hole etwas, das ich dort versteckt habe.« Er löste einen lockeren Stein aus der Feuerstelle und nahm den Medizinbeutel mit den Suckáuhock heraus. »Was Lantak angeht … der Herr ist wichtiger als der Hund. Der Jesuit hat gesagt, Lantak würde von dem Franziskaner bezahlt. Von diesem Père Antoine. Ich geh zuerst nach Québec.«

»*Bien! C'est parfait!* Nimm mich mit. Ich falle dir auch nicht zur Last. Ich kenne mich in der Stadt aus. Ich finde was, wo ich unterkommen kann, ich kenne einen Bäcker, der mir Arbeit gibt, und …«

»Ich kann dich nicht mitnehmen. Mit dir komme ich nicht schnell genug voran. Außerdem, was ist mit Mumu und Tutu? Was ist mit dem Schwein und den Hühnern und …«

»Jetzt bist du so lange hier gewesen und hast doch nichts verstanden.«

Ihr sonst blasser Teint färbte sich rot, ihre Stimme bebte. Ihre offensichtliche Leidenschaft brachte sein Blut in Wallung. Nur mit Mühe konnte Corm sich beherrschen, sie zu packen und zu nehmen, hier, auf der Stelle, auf dem Boden vor dem Feuer. Schnell. Ein letztes Mal, bevor er ging.

»Ich hasse den Hof. Er ist mein Gefängnis.« Ihr Atem ging stoßweise, ihre Brust hob und senkte sich ruckhaft unter dem selbst gewebten Kittel. »Ich hätte nie zurückkommen dürfen. Es ist mir egal, ob die Deiche brechen und der Hof ins Meer gespült wird.«

Er war steinhart, und nicht nur vor Lust. Zwischen ihnen hatte sich vieles entwickelt, aber während er jetzt hier stand, neben ihr, im Wissen, dass er fortgehen musste, dass er keine andere Wahl hatte, begriff Cormac, dass er sie nicht nur besitzen wollte, um das Feuer zwischen seinen Beinen zu löschen. Er wollte, dass sie auf immer ihm gehörte. Er schlang sich den Medizinbeutel um den Hals und verbarg ihn unter seinem Hemd. Dann ging er zu Marni und legte ihr die Hände auf die Schultern. »Ich muss gehen. Aber ich komme zurück. Das verspreche ich dir.«

Seine Berührung verbrannte ihr die Haut. Durch den Stoff ihrer Kleider, durch all die Schichten, die ihr wahres Wesen verhüllten, fühlte sie Cormac Sheas Finger auf ihrer Haut.

Marni hatte sich ihm geöffnet auf eine Art, wie sie es bei keinem anderen getan hatte, nicht einmal beim sanften Bäcker Jean, der ihr Mann hätte werden sollen und der immer nach Mehl und Hefe roch. Sie streckte die Hand aus und fuhr ihm über die Narbe. Cormac zuckte nicht zurück. »*Je t'aime*«, flüsterte sie. »*Je t'aime,* Cormac Shea.«

»*Je t'aime,* Marni Benoit.« Er hatte diese Worte noch nie gesagt. Weder zu ihr noch zu einer anderen Frau. »*Je t'aime,* aber jetzt muss ich gehen.«

»Gut, das kann ich verstehen. Was ich nicht verstehe, ist, warum du mich nicht mitnehmen willst.«

»Weil ich schnell vorankommen muss, und das kann ich nur allein.«

»Aber warum? Wenn die Schwarzkutte Recht hat und wirklich sechstausend französische Soldaten unterwegs nach Québec sind und weiß Gott wie viele englische Schiffe darauf lauern, sie abzufangen – was kannst du dagegen ausrichten? Und wenn dieser Franziskaner Schlimmes ausheckt – was hat das mit dir zu tun? Warum sollte ein Krieg zwischen den Franzosen und den Engländern uns trennen?«

»Weil ich *wabnum* bin. Der weiße Wolf. Er ist mein Totem.«

»Und der weiße Wolf nähert sich dem Bären, der die kleinen Vögel bedroht.« Ihr Geliebter hatte dem Jesuiten von seinem Traum erzählt, als wäre der Traum ebenso wirklich wie der Tisch oder die Hocker oder der Krug mit Fichtenbier. So wirklich und so wichtig wie sie. »Bist du dir sicher?«

»Ich bin mir sehr sicher.«

»*Alors.*« Sie entzog sich seinem Griff. »Und ich kann dich nicht hier halten und dich auch nicht begleiten?«

»Nicht dieses Mal. Aber ich komme zurück, Marni Benoit. Ich komme zu dir zurück. Darauf kannst du dich verlassen.«

16

Mittwoch, 2. Juni 1755
Ohio Country

Zweiundzwanzig Hundertschaften, hundertfünfzig Wagen und fünfhundert Packpferde, beladen mit Belagerungskanonen – grausam schwere Acht-Zoll-Haubitzen und Zwölfpfündergeschosse –, schoben sich durch die dichten Wälder voran, über tückische Sümpfe und felsübersäte Berge, und rangen der Wildnis die Straße ab, die sie zu ihrem Ziel führen sollte.

Es war Wahnsinn.

»Sagen Sie's ihm«, sagte Quent. »Ihnen vertraut er. Sie wissen, es ist nicht zu schaffen, nicht, wenn die Männer hinterher noch kampftüchtig sein sollen.«

»Ich hab's versucht«, erwiderte Washington. »Er hört nicht auf mich. Die Sache wurde geplant, als Braddock noch in London war. Und der General ist der Ansicht, dass seine Meinung die beste ist.«

Washington starrte mit finsterer Miene vor sich hin. Also hast du seit dem letzten Mal was gelernt, dachte Quent. Das zusammen mit deinem tollkühnen Mut – aus dir könnte eines Tages ein großartiger Soldat werden. »Braddock wird scheitern. Wenn es eine Möglichkeit gibt, ihm das begreiflich zu machen, könnte …«

»Er benimmt sich wie jemand, der glaubt, mit dem Allmächtigen persönlich konferiert zu haben. Nichts und niemand kann seine Meinung ändern oder ihn davon überzeugen, dass es eine andere Möglichkeit gibt.« Washington zögerte. »Der General plant einen Angriff in vier Stoßrichtungen«, sagte er schließlich. »Wir hier sind nur eine davon.«

Sie gingen nebeneinander hinter einer Gruppe Kolonisten, deren Aufgabe es war, die mit Äxten gefällten Bäume aus dem Weg zu räumen. Die Männer fluchten, schwitzten und stöhnten ununterbrochen wegen der Anstrengung und der Hitze.

Quent zog Washington tiefer in den Wald, sodass der Lärm von Braddocks Armee, die ihr Herzblut darauf verwendete, eine Straße durch die Wildnis zu legen, gedämpft wurde. »Was genau versuchen Sie mir zu sagen?«

»In Alexandria hat Braddock sich mit den Gouverneuren zusammengesetzt, Dinwiddie von Virginia, Shirley von Massachusetts und De Lancey von New York. Aber natürlich müssen die mit ihren jeweiligen Verwaltungen verhandeln, und ...«

»Ja, schon gut. Erteilen sie mir keine Lektion in Politik. In vier Stoßrichtungen, sagten Sie. Wenn dies eine ist – wo sollen die anderen erfolgen?«

»Shirley von Massachusetts soll mit zwei Regimentern Fort Niagara einnehmen. William Johnson soll mit seinen Mohawk und einigen Kolonisten nach Lake Champlain, wo sie Fort St. Frédéric bei Crown Point erobern sollen.«

Quents Herz schlug ihm wie wild gegen die Rippen. Auf dem Wasserweg war das Fort St. Frédéric drei Tagesreisen von Shadowbrook entfernt, eine direkte Route vom Lake Champlain zum Bright Fish Water. »Er ist verrückt. Ganz in der Nähe von beiden Zielen sind Siedlungen, Höfe und Städte. Es ist ...« Er unterbrach sich. »Gütiger, heiliger Gott. Duquesne, Frédéric und Niagara. Das sind drei Angriffsziele. Was ist das vierte?«

In Washingtons Stimme schwang eine gewisse Bitterkeit mit. »Der vierte Angriff richtet sich gegen die beiden französischen Festungen am Chignecto-Isthmus oben in Nova Scotia. Beauséjour und Gaspareau. Und da ist noch etwas. Offenbar schicken die Franzosen Verstärkungen nach Québec, und London hat eine Flotte abgestellt, um sie abzufangen.«

»Die sind alle verrückt«, wiederholte Quent. »Sehen Sie doch nur, was hier passiert. Die Kolonne ist so verstreut ...«

»Meine Herren, ich hoffe, Sie sind beide wohlauf? Sie bleiben hier nicht stehen, weil Sie indisponiert sind? Wenn ich Ihnen behilflich sein kann ...«

Der englische Arzt tauchte neben ihnen auf, derjenige, der sich in Braddocks Auftrag um die Huren kümmerte und die Männer davor bewahrte, einer der Krankheiten zu erliegen, die der Geschlechtsverkehr mit sich brachte. »Uns geht es bestens, Dr. Walton«, antwortete Washington. »Danke der freundlichen Nachfrage, aber wir brauchen Ihre Hilfe nicht.«

»Verflucht heiß, finden Sie nicht?« Xavier Walton wischte sich das Gesicht mit einem roten Tuch ab, das Geschenk der ersten Frau, die er vor einigen Monaten behandelt hatte. Er hatte ihr die Scham mit einer Quecksilbertinktur bepinselt, sie am Oberschenkel zur Ader gelassen und nach Möglichkeit den Blick abgewendet – und unterdessen insgeheim *Paters* aufgesagt, um sich und den Herrn daran zu erinnern, dass er Keuschheit gelobt hatte. Das rote Tuch war das Bunteste, was er je besessen hatte. Dieser Tage trug er einen schwarzen Rock und eine schwarze Kniehose. Wäre er als katholischer Priester enttarnt worden, als Jesuit, würde Braddock ihn als Spion aufknüpfen lassen – was nur recht und billig wäre. Der Gedanke hatte etwas Verführerisches.

Ich bete darum, dass du mir die Gnade des Märtyrertods gewährst, Herr. Aber ich nehme ihn nur an, wenn du ihn mir sendest. In der Zwischenzeit tue ich alles, was in meiner Macht steht, um den Befehlen meines Oberen nachzukommen. »Heißer als je in England, das steht fest«, brummte Xavier.

»Heißer als in der Hölle«, stimmte Quent zu. »Und es wird noch heißer werden. Das ist das Einzige, worauf Sie sich verlassen können, Doktor. Hier im Ohio Country wird es immer noch heißer.«

Ein Angriff in vier Stoßrichtungen. Drei davon durch dicht besiedeltes Gebiet. Verdammt seist du in alle Ewigkeit, Braddock. Du bist nicht nur ein arrogantes Schwein, du hast auch völlig den Verstand verloren.

Eine Woche später hatte Braddocks Armee gerade hundertzwanzig Meilen zurückgelegt. Ein Tapferer mit Kriegsbewaffnung konnte diese Strecke in zwei Tagen bewältigen. »Wir sollen geteilt werden«, sagte Washington zu Quent, verschwieg aber, dass der Vorschlag von ihm stammte. »Ein Drittel der Männer soll beim schweren Gerät zurückbleiben, die anderen marschieren weiter, als fliegende Kolonne, wie der General es nennt.«

»Die Frauen sollten ebenfalls zurückbleiben.«

»Einige tun das auch«, meinte Washington. »Die Ehefrauen der Offiziere und ein paar der Älteren, die vielleicht nicht mithalten könnten. Aber die jüngsten und kräftigsten Wäscherinnen sollen zur Vorhut gehören.«

»Nein«, sagte Quent. »Die Gefahr für sie ist zu groß.«

»Die französischen Truppen würden keine Frauen angreifen.«

»Ich denke auch nicht an die Franzosen.«

»Die Indianer?«, fragte Washington.

Quent nickte. »Alle, die nicht aussehen, als würden sie den Gewaltmarsch zum Dorf der Tapferen überleben, werden auf der Stelle umgebracht; die anderen werden gefangen genommen.«

Washington bedachte ihn mit einem neugierigen Blick. »Ich dachte, Sie heißen die Lebensweise der Indianer gut?«

»Das tue ich auch. Aber ich bin keine weiße Frau, die sich diese Lebensweise nicht ausgesucht hat.«

Der Oberstleutnant nickte. »Also gut, ich werde das dem General mitteilen. Aber ich gehe nicht davon aus, dass er zustimmt. Er glaubt, dass eine Armee ohne Wäscherinnen nicht funktionieren kann.«

Noch konnte eine Armee, Braddocks Ansicht zufolge, durch die Wildnis vorrücken und dabei Rücksicht auf die natürlichen Gegebenheiten nehmen. Die fliegende Kolonne erhielt den Befehl, Marschordnung beizubehalten. Die Offiziere waren beritten, die Soldaten – die regulären in roten Röcken, die aus Virginia in blauen Uniformen – marschierten in Viererreihen. Hinter ihnen folgten die leichte Kavallerie und die von Pferden gezogene Artillerie. Dreißig Frauen und ihr Gepäck bildeten die Nachhut. Geregelt. Geordnet. Als marschierten sie durch das zivilisierte Agrarland Europas, nicht durch die Wildnis Amerikas.

»Er ist verrückt, dieser Kriegssachem.« Scarouady und sieben seiner Irokesen-Tapferen hatten sich dem Heer doch wieder angeschlossen. Sie gingen mit Quent, Croghan und einigen anderen Kundschaftern voraus. »Sie bitten förmlich darum, abgeschlachtet zu werden. Du weißt, dass das stimmt, Uko Nyakwai.«

Quent wusste es, aber General Braddock hatte er bislang nicht davon überzeugen können.

In Kanada, fast zwölfhundert Meilen weiter im Norden, erhob sich Beauséjour auf einem Berg gegenüber dem Missaquash-Sumpf. Es war eine schwer garnisonierte fünfseitige Befestigungsanlage mit zehn Fuß hohen Erdwällen und Stellungen für zwei Dutzend Geschütze, sogar für einen Mörser. Der Ort hätte uneinnehmbar sein sollen.

Nur, dass am Sonntag, dem 13. Juni, als die englischen Soldaten die Festung seit fast zwei Wochen belagerten, der Koch bemerkte, dass er die Hühner, die fünf Tage zuvor vom Hof eines *habitants* hereingeschmuggelt worden waren, zu lange hatte abhängen lassen. Nun roch das Geflügel, aber er hatte kein anderes Fleisch für den Tisch der führenden Offiziere. Er bereitete eine scharfe Sauce aus Essig, gemahlenen Mandeln und Unmengen zerstoßenem schwarzem Pfeffer und überdeckte den Geruch des verdorbenen Fleischs so geschickt, dass er mehrere Komplimente für das Gericht erhielt. Selbst Kommandant Duchambon de Vergor ließ sich herab zu sagen, wie sehr ihm das Essen gemundet habe.

Als am Montag in der Morgendämmerung eine englische Granate auf die Latrine fiel, die den Offizieren vorbehalten war, hockten sechs von ihnen über den für diesen Zweck gegrabenen Löchern. Sie waren auf der Stelle tot. Vergor, dessen Eingeweide wegen des verdorbenen Fleischs ebenfalls schmerzhaft krampften, überdachte seine Position. Ihm war die Kommandantur übertragen worden von dem Mann, der für die Vorratsbeschaffung für ganz Kanada verantwortlich war – Intendant Bigot. Vergor wusste bestens Bescheid, wie man Lebensmittel beiseite schaffte und weiterverkaufte, um sich und seine Vorgesetzten zu bereichern, aber in Kriegsdingen kannte er sich nicht aus. Ohne seine Offiziere war Vergor verloren. Er befahl, eine weiße Flagge zu hissen, und gab

Beauséjour und damit mehr oder minder das ganze von den Franzosen beherrschte L'Acadie auf. Einer von General Braddocks vier Vorstößen war erfolgreich gewesen.

Mittwoch, 23. Juni 1755
Québec, Oberstadt

Die zierliche Nonne hob den Rock, als sie den steilen Abhang hinaufstieg. Cormac bemerkte, dass sie Sandalen trug, aber keine Strümpfe. Warm genug war es jetzt ja, selbst in Québec. Der Fluss war eisfrei, Sommer lag in der Luft. Er folgte der Nonne, seit sie ihr Kloster in der Unterstadt verlassen hatte, aber noch hatte er nicht ihr Gesicht gesehen. Er blieb weit hinter ihr zurück; doch er beobachtete die Frau nicht ihretwegen, sondern weil er den Franziskanerpater Père Antoine beschattete, der wiederum offenbar der Nonne folgte.

Wenn der Franziskaner ein Spion war, wie der Jesuit meinte, dann kein sehr geschickter. Die zierliche Nonne hatte ihn zwar nicht bemerkt, aber jedem anderen würde er unweigerlich auffallen. Die meisten *Cmokmanuk* waren unbeholfen in solchen Dingen. Nicht Quent, aber der war auch nicht wie die meisten *Cmokmanuk*. Die anderen … Die Nonne hielt auf halber Höhe des Bergs inne.

Nicole blieb vor der schweren Eisenpforte stehen, die den Palast Seiner Exzellenz, des Bischofs von Neufrankreich, abschirmte. An einem Torpfosten hing eine Glocke mit einem Seil. Sie konnte es durch die Falten des weißen Schleiers, der ihr Gesicht bedeckte, kaum sehen. Hinter den Klostermauern schlug sie den Schleier immer zurück, aber jetzt, wo sie nach draußen geschickt worden war, musste sie ihr Gesicht verbergen. »Niemand darf dich unverschleiert sehen«, hatte Mère Marie Rose gesagt. »Nie. Hast du mich verstanden, Sœur Stéphane?«

»*Oui, ma Mère*. Ich habe Sie verstanden.«

»Ich würde das nicht tun, wenn nicht der Bischof selbst es verlangt hätte. Seine Exzellenz führt eine besondere Novene zu Unserer Lieben Frau des Sieges durch, für das Ohio Country. Und er hat beschlossen, dass die Altarbrote, die er bei seiner Privatmesse mit eigenen Händen segnet, nur von den Armen Klarissen gebacken werden dürfen.« Die Äbtissin konnte den Stolz in ihrer Stimme nicht unterdrücken. »Es ist eine große Ehre, Sœur Stéphane. Und du bist die Einzige, die gehen darf. Ich habe mit Père Antoine gesprochen, und er ist derselben Meinung. Die heilige Regel wird nicht gebrochen, weil du noch nicht das Gelübde abgelegt hast.«

Normalerweise gab es eine externe Schwester, eine Frau – die meist weder lesen noch schreiben konnte –, die zwar zum Orden gehörte, aber nicht in Abgeschiedenheit leben musste und deshalb Botengänge verrichten konnte. Die Externe, die Mère Marie Rose nach Neufrankreich begleitet hatte, war bald nach der Ankunft gestorben. Jetzt gab es nur Nicole, die das übernehmen konnte.

»Wenn Père Antoine seine Erlaubnis gibt, kann es keine Sünde sein«, hatte sie der Äbtissin erwidert.

»Absolut keine Sünde«, hatte Mère Marie Rose zugestimmt. »Die Altarbrote sollen dreimal die Woche angeliefert werden, und zwar Montag, Mittwoch und Freitag. Jeweils genau zur Mittagsstunde.«

»Aber ma Mère ...« Die Worte waren Nicole einfach so herausgeplatzt, nun war es zu spät. »Dann bekomme ich drei Mal keine Mahlzeit.« Schon jetzt musste sie das graue Gewand, das ihr vor zwei Monaten gut gepasst hatte, an der Taille sorgsam falten, bevor sie es mit der Kordel schnürte. Sonst fiel der überschüssige Stoff immer hervor und streifte über den Boden – ein Sünde wider die heiligen Vorschriften.

»Du denkst zu viel ans Essen, meine Tochter«, schalt die Äbtissin. »Zur Buße wirst du heute demütigst um dein Essen bitten.«

»*Oui, ma Mère.*«

»Und du solltest wissen, dass wir das Essen für dich aufheben an den Tagen, wenn du zum bischöflichen Palast gehst, Kind. Glaubst du denn nicht, dass wir immer nur dein Bestes im Sinn haben?«

Verzeih mir, *mon Dieu*, betete Nicole, während sie darauf wartete, dass jemand zum Tor kam. Ich habe gelobt, Mère Marie Rose wie meiner eigenen Mutter zu vertrauen. Aber bitte, *St. Vierge*, kannst du dafür sorgen, dass meine geliebteste Mutter nach dir und meiner wunderbaren Maman auch ein Stückchen Brot und ein kleines Glas Wein für mich aufspart? Sie hatte sich nie für unersättlich gehalten, aber im Kloster hatte sie ständig Hunger. Wenigstens war es jetzt im Juni warm genug, dass es sie nicht mehr so sehr störte, ohne Decke schlafen zu müssen.

Ein Lakai in der weiß-goldenen Livree des bischöflichen Haushalts kam zum Tor. »*Oui?*«

»Ich bringe die Altarbrote von den Armen Klarissen. Die Seine Exzellenz bei der Heiligen Messe opfert.«

»*Ah oui, bien sûr. Merci, ma Sœur.*«

Es war das erste Mal, dass jemand sie so nannte. Die Nonnen sprachen die Äbtissin als »ma Mère« an, untereinander verwendeten sie den Namen, den sie als Nonne bekommen hatten. Nicole fühlte ein klein wenig Stolz in sich aufsteigen. Nach allem, trotz der vielen Schwierigkeiten, habe ich Wort gehalten, *mon Dieu*. Ich bin eine Arme Klarisse geworden und werde den Rest meines Lebens Buße tun. Sie reichte die kleine Schachtel durch das Gitter des Tores, und der Lakai nahm sie entgegen. Zeit, nach Hause zu gehen, zurück zum Kloster, und ihre kalte Mahlzeit einzunehmen. Sie wandte sich vom Tor ab und hob dabei den Rock ihres Gewands unbewusst ein wenig an, damit sie nicht stolperte.

Vor Überraschung blieb Cormac der Mund offen stehen. Die Geste kannte er doch! Kein Wunder, dass die zierliche Gestalt ihm vertraut erschienen war. Es war eindeutig Nicole Crane, die da hinter dem alles verdeckenden weißen Schleier und dem groben grauen Gewand steckte. *Ayi!* Vielleicht war auch Quent in Québec. Allein konnte sie nicht hergekommen sein.

Nicole schritt rasch aus, hielt den Kopf gesenkt, um von niemandem gegrüßt zu werden. Die Passanten traten ihr respektvoll aus dem Weg. So vorsichtig Corm sich ihr auch näherte, er würde damit Aufsehen erregen. Noch tückischer war der Priester. Corm stand in einer Tür rund dreißig Schritt vom Tor des bischöflichen Palasts entfernt, allen Blicken entzogen. Père Antoine hielt sich hinter einem Baum direkt dem Tor gegenüber verborgen. Würde Nicole die Regeln weniger streng befolgen, den Kopf gesenkt zu halten und nur auf die in Taillenhöhe gefalteten Hände zu blicken, hätte sie ihn zweifelsohne bemerkt.

Sie machte sich auf den Rückweg den Berg hinab, ohne zu merken, dass zwei Männer ihr folgten. In der Unterstadt schließlich bog der Priester in eine Straße ab, Nicole in eine andere. Corm zögerte nur kurz, bevor er nicht Père Antoine folgte, sondern Nicole. Einige Sekunden glaubte er, großes Glück zu haben. Die schmale, gepflasterte Gasse, die sie entlangging, war menschenleer. Er überlegte, ihren Namen zu rufen, doch das erschien ihm zu gefährlich. Die Sache, die ihn nach Québec geführt hatte, ging niemanden etwas an. Corm schritt schneller aus, um sie einzuholen. Er war noch zehn Ellen von ihr entfernt, als sie unvermittelt eine Tür öffnete und verschwand.

Rasch lief Cormac zu dem Gebäude und stand vor einer Tür aus schweren Eichenplanken, die mit Messingnägeln beschlagen war und einen schwarzen Riegelgriff hatte. Er versuchte, sie zu öffnen, doch sie war verschlossen. Corm trat einen Schritt zurück. Die Gasse lag im Schatten der überhängenden Traufen der armseligen Nachbargebäude. Neben der Tür war eine seltsame Vorrichtung in der Form eines kleinen Fasses in die Mauer eingelassen. Er hatte keine Ahnung, wofür sie diente. Daneben war eine weitere Tür, weniger schwer, in die ein Kreuz geritzt war. Diese Tür war unverschlossen. Corm trat ein und fand sich in einer leeren, stillen Kirche wieder. Er sah sich um – zwei kleine Fenster aus einfachem Glas, einige Betstühle, ein karger Altar und dahinter ein Gitter, abgetrennt mit schweren Vorhängen. Er würde warten müssen und hoffen, dass Nicole das Kloster wieder verließ.

Corm trat ins Freie zurück und machte sich auf den Weg zum Ufer. Er hielt sich im Schatten, alle Sinne waren angespannt. Hinter sich hörte er Schritte und beschleunigte das Tempo. Bevor er den Tomahawk, der ihm an der Hüfte hing, in die Hand nehmen konnte, war er von einer Menschenmenge umringt. Hunderte strömten von den Hügeln der Oberstadt zum Fluss herab.

»*Les soldats sont arrivés! Vive la France! Vive la France Nouvelle!*«

Die Truppen waren gekommen. Der britische Versuch einer Blockade war gescheitert.

»Nebel«, hörte Corm jemanden sagen, als sich die Nachricht von den Schiffen verbreitete. »Der hat die Englischen erledigt. Nur eins von unseren Schiffen haben sie erbeutet.«

»Und das nur durch 'ne Lüge.«

Eine Geschichte machte die Runde, der zufolge der Offizier an Bord der französischen Fregatte *Alcide* dem sich nähernden englischen Schiff *Dunkirk* zurief: »Sind wir im Frieden oder im Krieg?«

»Und dieser Schurke von englischem Kapitän hat gerufen: ›*La paix, la paix!*‹ Nur deswegen ist er nah genug rangekommen, um die *Alcide* anzugreifen. Die sind allesamt Lügner, diese Engländer.«

»Aber er hat nicht gelogen. Er hat kein Recht gehabt anzugreifen. Wir sind im Frieden.«

»Meinst du?« Der das sagte, war ein Fischer. »Mir sieht das nicht nach Frieden aus.«

Wegen des Verlusts der *Alcide* zählten die ankommenden Truppen nicht ganz sechstausend Mann. Sie standen unter dem Oberbefehl von General Jean-Armand Baron de Dieskau, der bereits mit Auszeichnung in Europa gedient hatte und nun für alle militärischen Dinge in Neufrankreich verantwortlich war. Begleitet wurde er von einem neuen Generalgouverneur, der für die zivilen Angelegenheiten zuständig war, Pierre de Rigaud, Marquis de Vaudreuil. Vaudreuil war in Kanada geboren. Er würde wissen, wie die Dinge hier im Norden liefen.

Tja, *Monsieur le Roi,* dachte Cormac, offiziell mag es Frieden geben, aber du rasselst eindeutig mit dem Säbel. Bist also du der weiße Bär? Es war schwer, sich Louis XV. in der Rolle vorzustellen. Wie es hieß, stand er unter dem Pantoffel seiner Mätresse, der reizvollen Madame de Pompadour, und angeblich besorgte sie ihm andere Frauen, die seinen unersättlichen sexuellen Appetit stillten, während sie sich mit den Staatsgeschäften befasste. Angeblich war die Pompadour die eigentliche Herrscherin über Frankreich. *Ayi!* Woher sollte er wissen, dass der weiße Bär keine Frau war? Hatte Bishkek nicht zuerst gedacht, es könnte Pohantis sein?

Die Québecer strömten noch immer herbei, gesellten sich zu den Massen, die sich um die Docks scharten. Cormac sah eine Gruppe Jesuiten von ihrer Festung ganz oben am Berg herunterkommen, und nicht weit davon, doch getrennt von den Schwarzkutten, den Franziskaner Père Antoine. Nur von Nicole oder anderen Nonnen, die wie sie gekleidet waren, war keine Spur zu sehen.

In den meisten Klöstern der Armen Klarissen gab es einen Raum, das so genannte Besuchszimmer, in dem die Nonnen durch ein verhängtes Gitter von ihren Besuchern getrennt waren und sie sich nicht der Außenwelt zeigen mussten. Das Kloster der Armen Klarissen von Québec war zu klein und bescheiden, um über ein solches Besuchszimmer zu verfügen. Doch seit dem Ende des Tridentiner Konzils im Jahr 1563 war ein Beichtstuhl vorgeschrieben, damit den Klosterfrauen das Bußsakrament erteilt werden konnte. Hier war der Beichtstuhl in die Gitterwand hinter dem Altar integriert, ein kleiner, enger Kasten mit zwei Türen. Die auf der Seite der Nonnen konnte nur vom Kloster aus geöffnet werden, während die von der öffentlichen Kapelle aus begehbare so geschickt in die Wand integriert war, dass sie von niemandem bemerkt wurde, der nicht von ihrer Existenz wusste.

Auch innerhalb des Kastens waren Beichtende und Beichtvater getrennt durch eine Wand, in die eine winzige vergitterte Öffnung in Augenhöhe eingelassen war. Der Beichtstuhl war der einzige Ort im Kloster, in dem die Äbtissin sich auf geziemende Art mit Père Antoine unterhalten konnte. »Es ist gut gegangen?«, fragte sie.

»Sehr gut«, antwortete der Priester. Das Holzgitter zwischen ihnen war nicht verhängt, deswegen achtete er darauf, nur geradeaus zu blicken. Außerdem hatte die Äbtissin sich ihren schwarzen Schleier vor das Gesicht gezogen. »Die Leute haben sie nicht belästigt, sondern sind ihr ausgewichen«, berichtete er. »Und Sœur Stéphane hat sich mustergültig verhalten.«

Mère Marie Rose seufzte zufrieden. »Sie ist fast zu vollkommen. Manchmal denke ich, es ist ein allzu großes Geschenk, ein derart vollkommenes Opfergefäß erhalten zu haben. Ich bin unwürdig.«

»Auch ich bin unwürdig«, stimmte der Priester zu. »Aber vergessen Sie nicht, es ist nicht für uns. Es ist ein Opfer für die heilige Kirche, für den Orden und für die Errettung von Indianerseelen.«

»*Oui, mon Père*. Deswegen war ich auch so besorgt, als dieser Auftrag von Seiner Exzellenz kam, sie drei Mal die Woche nach draußen zu schicken … Wer weiß, welchen verderblichen Einflüssen sie …«

»Keinen«, erklärte Antoine mit Nachdruck. »Dieser Befehl des Bischofs ist das Werk Gottes. Sœur Stéphane hat mehrfach die Möglichkeit, sich den Versuchungen der Außenwelt zu stellen und sich zu weigern, ihnen zu erliegen.«

»Das wird großer Kraft bedürfen.« Jedes Mal, wenn Mère Marie Rose die Klostertür öffnen durfte, konnte selbst sie nicht immer der Neugier, diesem ungebührlichen Wissensdurst über das Leben jenseits der Klostermauern, widerstehen. *Mon Dieu,* du allein weißt, wie viel du uns abverlangst, die wir aus Liebe zu dir alles hinter uns lassen. »Wir müssen viel beten, um sie bei dieser Prüfung zu unterstützen.«

»In der Tat. Aber vielleicht sollten wir mehr als nur beten. Ich habe mir überlegt …«

In dem beengten Holzkasten war es sehr heiß und stickig. Und Marie Roses Hüften begannen vom Knien in dem engen Raum zu schmerzen. »*Oui, mon Père?*«

»Vielleicht ist es an der Zeit, die kleine Schwester in die Zucht einzuführen.«

Mère Marie Rose zögerte mit ihrer Antwort. Laut den Regeln der Armen Klarissen sollte eine Nonne erst dann mit der Zucht beginnen, wenn sie das erste Gelübde abgelegt hatte. Von einer Novizin eine derart strenge Buße zu verlangen war ungewöhnlich. Und in der Auslegung der heiligen Regel für ihre Töchter lag die letzte Entscheidung bei der Äbtissin. Niemand als der Papst selbst konnte sie in einigen Fragen überstimmen oder sie bei anderen hinterfragen. Es war eine große Ehre, aber auch eine Quelle steter Spannungen. Äbtissinnen waren die einzigen Frauen der Kirche, die sich Männern nicht in allen Dingen unterwerfen mussten.

Ein Hüsteln von der anderen Seite des Beichtstuhls brach das Schweigen. »Nur, wenn Sie es für ratsam halten«, ergänzte Antoine. »Ich beuge mich in allen Fragen, die Ihre Töchter betreffen, natürlich Ihrer Entscheidung.«

Es war aber nicht nur der Abgesandte der Franziskaner in Kanada, der bei dieser Frage zu berücksichtigen war. Marie Rose hätte dem Bischof problemlos genügend Altarbrote für alle Wochen der Novene auf einmal zustellen lassen können; die frische Lieferung drei Mal die Woche erfolgte lediglich auf das Beharren Seiner Exzellenz hin. Er prüfte Mère Marie Rose und erinnerte sie daran, dass ein Bischof in seiner Diözese ein König war, auch wenn er die Genehmigung für ein Kloster erteilt hatte, dessen Äbtissin lediglich dem Nachfolger Petri in Rom verantwortlich war. »Ich werde es mir überlegen«, sagte Mère Marie Rose. »Und ich werde beten.«

»Ich auch«, versprach Antoine. »Aber ihre Botengänge zum bischöflichen Palast brauchen uns nicht zu bekümmern.«

Corm behielt die Gasse den ganzen Dienstag im Auge, doch keine Spur von Nicole. Am Mittwoch kurz vor der Mittagszeit öffnete sich die Klostertür, und sie trat hinaus. Warum hatte er sie nicht sofort erkannt? Es erstaunte Corm, wie sehr Nicole sie selbst geblieben war, trotz der seltsamen Kleider und des verschleierten Gesichts. Er blieb ein gutes Stück hinter ihr zurück, bis sie von der

Gasse auf die Straße und von dort auf die breite Côte de la Montagne einbog, die den Berg hinaufführte. Da schritt er schneller aus, um sie einzuholen.

»Mademoiselle Crane ...«

Zuerst wurde ihr nicht bewusst, dass der leise Zuruf ihr galt. Sie fühlte sich bei diesem Namen nicht mehr angesprochen.

»Nicole, ich bin's ... Cormac Shea.« Ihre Schultern strafften sich, sie blieb kurz stehen und drehte sich halb zu ihm um. »Gehen Sie einfach weiter. Rund fünf Schritte vor Ihnen sind ein paar Tannen. Gehen Sie dorthin. Tun Sie, als müssten Sie sich erleichtern.«

Dies war die einsamste Wegstrecke; hier standen keine Häuser, die Straße war nicht einmal gepflastert. Vor ihr war niemand, also würde auch niemand sehen, wie sie zwischen den Bäumen verschwand. Aber war vielleicht jemand hinter ihr? Nein, sicher nicht. Wenn irgendjemand sie beobachten könnte, hätte Cormac Shea sie nicht angesprochen. Sie war lange genug mit ihm in der Wildnis unterwegs gewesen, um das zu wissen.

Die Tannen ragten vor ihr auf. Nicole raffte ihr Gewand eng um sich und trat von der Erdstraße auf die abgefallenen Nadeln, die den Boden unter den Bäumen polsterten. Im Wäldchen roch es nach Urin, und sie bemerkte ein paar verdächtige kleine Haufen.

»*Bonjour,* Mademoiselle. Ich freue mich zu sehen, dass Ihr Wunsch in Erfüllung gegangen ist.«

Er sah genauso aus, wie sie ihn in Erinnerung hatte. Dunkles, glattes Haar, nach hinten gekämmt und im Nacken zusammengebunden, das Gesicht von der Sonne gebräunt bis auf die weiße Narbe. »Sie sind es wirklich«, flüsterte sie.

»Haben Sie mich für einen Doppelgänger gehalten?«

Sie schüttelte leicht den Kopf. »Nein, nicht wirklich. Ich habe Ihre Stimme erkannt.«

»*Oui, après tout ...*«

»*Après tout*«, stimmte sie zu. »Aber Ihnen habe ich das nicht zu verdanken. Sie haben nicht Wort gehalten und mich im Stich gelassen.« Ach, warum hatte sie das nur gesagt? Jetzt musste sie die Sünde des Grolls beichten. Bis jetzt hatte sie keine Sünde begangen und brauchte niemandem von der Begegnung mit Monsieur Shea zu berichten. »Warum sind Sie hier? Ist es ein Geheimnis? Das müssen Sie mir sagen!«

»Warum sollte es ein Geheimnis sein, dass ich hier bin?«

Die Kunde von der Ankunft der Truppen, des neuen Gouverneurs und Dieskaus, des großen Generals, war bis ins Kloster der Armen Klarissen vorgedrungen. Die Nonnen hatten am Abend zu vor während der Ruhezeit darüber gesprochen. »Es heißt, es könnte Krieg geben. Wir beginnen mit einer immer währenden Novene zu Unserer Lieben Frau des Sieges. Wenn Sie …«

»Sie beten für den Erfolg der Franzosen?«

»Natürlich. Damit der heilige Glaube verkündet werde. Den Indianern muss das Evangelium gepredigt werden, Monsieur Shea …« Nicole brach ab. Am vergangenen Abend hatte sie in ihrer Zelle immer wieder an die Dinge denken müssen, die Quent ihr von den Indianern erzählt hatte. Père Antoine und Mère Marie Rose und alle Kirchenoberen sagten, wenn die Indianer ungetauft stürben, würden sie nie in den Himmel kommen. Sie wollte das nicht ganz glauben. Der Mohawk-Häuptling, der Quent dazu überredet hatte, sie nach Québec zu bringen – der war doch sicherlich ein guter Mensch, der es verdiente, in den Himmel zu kommen. Es konnte nicht seine Schuld sein, wenn er nicht wusste, dass Jesus Christus Gott war. Würde Gott gute Menschen für ihre Unwissenheit bestrafen?

»Hören Sie, Mademoiselle Crane, ich …«

»Sie müssen mich jetzt Sœur Stéphane nennen. Das ist mein Name als Nonne.«

»Also gut, Sœur Stéphane. Ich bin nicht hier, um mit Ihnen über das nächste Leben zu sprechen. Mir geht es um das jetzige. Es war doch Quent, der Sie nach Québec gebracht hat, oder?«

Sie nickte. »*Oui.*« Sie konnte seinen Namen nicht laut aussprechen. Sonst brannte er ihr den ganzen Tag auf der Zunge. So, wie er ständig in ihrem Herzen brannte. Das war ein weiterer Grund, ihr Leben lang Buße zu tun – damit ihr Geliebter, der ein ketzerischer Protestant war, in den Himmel kommen dürfe.

»Wo ist er jetzt? Ich muss ihn finden, es ist dringend.« Corm spürte Memetosias rehledernen Medizinbeutel um den Hals, verborgen unter seinem Jagdhemd.

»Ich glaube nicht, dass er noch in Québec ist«, sagte sie. »Jetzt ist es Juni. Monsieur Hale hat mich letzten September hergebracht.«

Cormac erschrak. Er hatte sich in dem Glauben gewiegt, dass jetzt alles zusammenkam, dass die Antworten, die er suchte, sich bald finden würden. Dass er Nicole hier entdeckte, bedeutete, dass Quent nicht weit sein konnte. Und dass die französischen Truppen zur selben Zeit eintrafen, war ebenfalls ein Zeichen. Ebenso wie Kekomosons Traum und das Erscheinen Philippe Faucons.

Ängstlich blickte Nicole zu dem Himmelsflecken hinauf, der zwischen den immergrünen Zweigen zu sehen war. Die Sonne stand fast direkt über ihnen. »Es ist gleich die Mittagsstunde. Ich werde im bischöflichen Palast erwartet.« Aus der Tasche ihrer Tracht holte sie eine kleine Schachtel. »Altarbrote. Für Seine Exzellenz. Ich muss gehen.«

Mittag. Marni würde um diese Zeit von den Feldern heimkommen. Sie würde ins Haus gehen und etwas Kaltes trinken, weil sie von der Arbeit durstig war. Und wenn er dort wäre, würden sie sich ausziehen und ein Tuch in Regenwasser tauchen und einander vor dem Feuer waschen. Dann würden sie sich auf seine Schlafmatte legen, und sie würde sich ihm hingeben, und …

Mit einem Blick auf ihn stellte Nicole fest, dass er mit seinen Gedanken in weiter Ferne war. Was sollte das bedeuten? Was sollte überhaupt alles bedeuten? Sie wusste es nicht. »Monsieur Shea, bitte, ich muss gehen.«

»Woher wissen Sie, dass Quent nicht mehr in Québec ist? Lebt sein Vater noch?«

»Vom älteren Monsieur Hale weiß ich nichts. Als ich wegging, lebte er noch. Aber …« Sie unterbrach sich. Monsieur Shea wusste nichts vom Überfall der Abtrünnigen auf Shadowbrook. »Ich muss jetzt wirklich gehen. Aber am Freitag muss ich wieder zum Palast. Zur selben Zeit. Ich treffe Sie hier, und dann erzähle ich Ihnen mehr.«

»Versprochen? Das müssen Sie mir versprechen, Mademoi… Sœur Stéphane.« Alle Antworten warteten auf ihn. Er brauchte nur die Fäden miteinander zu verknüpfen, und das Muster würde sichtbar werden. Dann konnte er zurück zu Marni.

»Versprochen«, sagte Nicole.

Er verließ das Wäldchen als Erster, pfiff einige Sekunden später leise zum Zeichen, dass sie gefahrlos auf die Straße treten konnte. Nicole schritt weiter bergauf, mit gesenktem Kopf und die Hände demütig in Taillenhöhe gefaltet, während der weiße Schleier leicht um ihre Schultern schwang.

17

Freitag, 9. Juli 1755
Ohio Country

Die Stille lastete schwer. Die fliegende Kolonne hatte den Monongahela überquert und befand sich nun auf relativ offenem Gelände. Quent wusste, dass sie sich in einem Jagdgebiet der Indianer befanden. Vermutlich der Lenape, möglicherweise der Shawnee. Auf jeden Fall wurde hier das Unterholz regelmäßig abgebrannt, damit das Wild leichter an Futter kam und sich somit in größerer Zahl einstellte. Braddock war an der Spitze der Kolonne gewesen, doch nun konnte Quent ihn dort nicht entdecken. Er blickte sich nach dem General um und sah, dass er gerade die Kolonne entlang zur Nachhut ritt und unterwegs Befehle ausgab. Die präzise Aufstellung der Regimenter wurde noch präziser, Offiziere gaben schreiend Order, die Trommeln schlugen einen schnelleren Rhythmus, und entsprechend beschleunigten die Soldaten ihren Schritt.

Fort Duquesne war rund achtzehn Meilen entfernt. In Gelände wie diesem würde die fliegende Kolonne die Strecke in drei, höchstens vier Stunden überwinden. Nach dem langen, höllischen Marsch waren die Männer froh, sich endlich dem Ziel zu nähern. Quent spürte, wie sich die Laune hob. Sie waren überzeugt, dass sie die Festung nach einer Belagerung einnehmen würden, denn Braddock hatte gesagt, dass es so sein würde. Ebenso wie Washington, der sich allerdings etwas weniger gewiss gegeben hatte. Quent hingegen war sich überhaupt nicht sicher. Sein Blick schweifte über den Himmel. Immer noch keine Vögel, nur eine einsame Krähe, die auf der Suche nach Aas dort oben kreiste. Er betrachtete die Bäume, versuchte, tief in den Wald zu spähen. Nichts. Er hörte auch keine Geräusche kleiner Tiere. So sehr er auch lauschte, er vernahm nur das rhythmische Schlagen der Trommeln, die die Marschgeschwindigkeit vorgaben. Beide Regimenter trugen ihre Flaggen, die in der windstillen Hitze des Nachmittags schlaff herabhingen. Aber es gab Augen, die den Zug beobachteten. Quent konnte sie spüren.

Er ging tiefer in den Wald, um die rechte Flanke auszukundschaften. Scarouady schloss sich ihm an. Der Irokese hatte überprüft, wie weit die Nachhut zurücklag. »Die Frauen überqueren gerade den Fluss«, sagte er Quent. Was bedeutete, dass das Ende der Kolonne rund eine Meile hinter der Spitze zurücklag. Das war normal. Wenn nur die unnatürliche Stille nicht gewesen wäre ... Auch Scarouady spürte sie, Quent hörte es seiner Stimme an. »Diese *Cmokmanuk*-Krieger«, brummte er gereizt. »Können sie nicht ohne Kriegstrommeln gehen?«

»Nicht, wenn sie zusammenbleiben wollen.«

»Und unser großer Kriegshäuptling sagt, dass sie zusammenbleiben müssen.« Der Irokesen-Halbkönig spuckte aus, um seine Verachtung für Braddocks Vorstellungen zum Ausdruck zu bringen.

Quent wollte etwas sagen, verstummte dann aber. Ein anderer Irokese – ein Cayuga, der kurz zuvor davongeschlichen war, um die linke Flanke auszukundschaften – kam tief gebückt im Laufschritt auf sie zu. Quent spürte, wie sich seine Nackenhaare aufstellten. »*Hanio! Aisahswatenien!*« Schaut! Wir werden angegriffen!

Der Halbkönig und Quent warfen sich gleichzeitig auf den Boden. Die anderen Irokesen taten es ihnen gleich. Quent hob den Kopf und sah sich suchend nach Braddock um. Der saß immer noch zu Pferd, ritt die Kolonne entlang nach vorn, um seinen Platz an der Spitze einzunehmen. Washington ritt neben ihm. Guter Gott. »Oberstleutnant Washington! General!«, rief Quent. »Wir sind um...«

Der erste Pfeil galt Braddock. Was ihm das Leben rettete, war, dass er sich in dem Augenblick zu der rufenden Stimme umdrehte. Sein Pferd hatte weniger Glück. Von einer Musketenkugel getroffen, brach es unter seinem Reiter zusammen. Washington beugte sich hinab und reichte dem General die Hand. Braddock ergriff sie und hievte sich hinter dem Oberstleutnant in den Sattel, dann preschten die beiden Männer zur Spitze des Zugs.

Ein Hagel von Pfeilen und Musketenfeuer folgte. Und Kriegsgeschrei, blutdurstig gellend, das selbst Uko Nyakwai, den Roten Bären, in Angst und Schrecken versetzte. Gott allein wusste, wie sich die Männer fühlten, die noch nie dergleichen gehört hatten und in den letzten Wochen mit Geschichten über die Grausamkeit und die brutalen Foltermethoden der Indianer unterhalten worden waren. Quent wusste, dass die einzige Möglichkeit, die Angst vor dem Kampf zu überwinden, darin bestand, selbst herausfordernd zu schreien. »*Ahi! Neyezonya!*« Er brüllte den Kriegsruf der Potawatomi und lud dabei sein Langgewehr.

Braddock und seine Offiziere schrien Befehle, die im Tumult untergingen. »Bleibt zusammen! Bleibt zusammen! Hornist, das Signal!«

Der Offizier, der Quent am nächsten stand, ein Mann aus East Anglia, mit dem er seit Anfang des Marschs abends oft ein Bier getrunken hatte, drängte seine Männer, parallele Reihen zu bilden, die es ihnen theoretisch ermöglichten, vernichtende Musketensalven ins feindliche Heer zu feuern. »Wenn wir sie nicht sehen, können wir nicht auf sie schießen, Sir«, wandte ein junger amerikanischer Rekrut ein. »Wir müssen …« Die Worte des Soldaten wurden abgeschnitten durch eine Musketenkugel, die ihm die Brust zerfetzte. Wenige Sekunden später wurde dem Offizier der Kopf abgerissen, keiner seiner Männer stand noch aufrecht.

Quent robbte auf Ellbogen durch das Gras, hielt aber immer wieder inne, sobald er zwischen den Bäumen eine Bewegung bemerkte, feuerte und lud sofort nach. Braddock hatte ein reiterloses Pferd gefunden. Er schien überall zugleich zu sein, hielt seine Männer unaufhörlich dazu an, die Formation zu bewahren. »Weicht nicht zurück, Jungs. Solang ihr nicht zurückweicht, können sie uns nicht besiegen. Hornist, das Signal!«

Ein Junge mit einem Horn rannte zu der Stelle unter der Flagge der 44. Infanterie und spielte die Fanfare, die die versprengten Soldaten dazu anhielt, sich um die Fahne ihres Regiments zu scharen. Quent verfolgte, wie alle, die dem Befehl nachkommen wollten, von Pfeilen und Kugeln zu Boden gestreckt wurden. Wenig später fiel auch der junge Hornist.

Quent kroch weiter voran, bis er schließlich in Rufweite Braddocks war. »General! Die Männer müssen sich verteilen und im hohen Gras oder hinter Bäumen Deckung suchen!«

»Unsinn. Aus dem Weg, verdammt, Hale! Bleibt zusammen, Jungs! Ihr wisst, was ihr zu tun habt, also los!«

Guter Gott! Quent fühlte, wie sich das hohe Gras um ihn bewegte; überall waren Männer, die dort Deckung suchten. Es waren die Soldaten aus Virginia; das sagten ihm ihre blauen Röcke ebenso wie die Tatsache, dass sie klug genug waren, Schutz zu suchen. Aber nicht Washington. Er blieb an Braddocks Seite, direkt in der Schusslinie. Quent sah, dass das Pferd unter dem jungen Oberstleutnant weggeschossen wurde. Washington schnappte die Zügel eines anderen, reiterlosen Pferds und sprang in den Sattel. »Weicht nicht zurück, Jungs!«, wiederholte er Braddocks Befehl. »Solang ihr nicht zurückweicht, können sie uns nicht besiegen!« Die Soldaten taten ihr Bestes, der Order nachzukommen. Als Folge davon drängten sie sich noch enger zusammen, stellten eine noch bessere Zielscheibe dar.

Die Männer mit den Bärenfellmützen waren das beliebteste Ziel der Angreifer. Die Franzosen mochten sich der europäischen Sitte verpflichtet fühlen, Offiziere nicht absichtlich zu töten, doch ihre indianischen Verbündeten hatten sich angewöhnt, sie systematisch abzuschießen. Ohne sie waren die Rotröcke hilflos. Sie waren darauf gedrillt, Befehle sofort und ohne zu überlegen auszuführen. Ohne diese Befehle hatte keiner eine Ahnung, was er tun sollte, und so bemühten sie sich nach Kräften, Braddock zu gehorchen und nicht zurückzuweichen.

In den Wäldern ringsum wurde von Mann zu Mann mit Tomahawks und Bajonetten gekämpft, Indianer gegen Virginia-Soldaten. Skalps wurden von den Lebenden und den Toten genommen, von Weißen und Roten gleichermaßen. Ein Indianer stürzte sich von hinten auf Quent, doch der wirbelte herum, fluchend, dass er seinen Dolch nicht mehr hatte, und zertrümmerte dem Tapferen mit dem Tomahawk den Schädel. Guter, heiliger Gott. Es war ein Potawatomi. Quent spürte Übelkeit in sich aufsteigen und dann verebben, als er einen Shawnee niederstreckte, der die begehrteste Beute dieses Tages, Uko Nyakwais roten Skalp, holen wollte. Dann sah Quent hinter dem toten Shawnee einige Lenape. Shingas und die anderen Häuptlinge aus dem Ohio Country hatten nicht nur Braddocks Kriegsgürtel abgelehnt, sie waren so empört über sein Verhalten, dass sie sich den Franzosen angeschlossen hatten.

Die Marschtrommeln waren verstummt, aber der Schlachtenlärm war ohrenbetäubend. Gebrüllte Order, Kriegsgeheul und über allem die gellenden Schreie der Verletzten und Sterbenden. Auf kurze Entfernungen war das Langgewehr nutzlos. Quent kämpfte sich zu einem hohen Baum vor und stieg hoch in den Wipfel. Durch den über dem Schlachtfeld hängenden Rauch konnte er nichts klar erkennen, doch er sah, dass das Durcheinander noch größer war als zuvor. Braddock war mitten im Getümmel, saß auf seinem vierten oder fünften Pferd und brüllte Befehle, die seine Männer in ihrer Panik ignorierten. Viele hatten ihre Waffen weggeworfen und flohen. Die meisten wurden von einem Pfeil oder einer Musketenkugel niedergestreckt, andere wurden von Tapferen fortgeschleppt. Quent wusste, dass sie tief im Wald gefesselt und später abgeholt würden. Gefangene waren das Wichtigste, was ein Krieger in sein Dorf zurückbringen konnte. Die Gefangenen würden sich unter der Folter beweisen können, danach würden einige adoptiert werden, um die Toten dieses Tages zu ersetzen. Die übrigen würden getötet und gegessen werden.

Die Nachhut der fliegenden Kolonne holte schließlich die Spitze ein, doch anstatt für Verstärkung zu sorgen, schienen die neuen Truppen den Tumult nur noch zu vergrößern. Auch die neu ankommenden Offiziere wurden kurz darauf abgeschossen. Die Frauen wurden nahezu alle gefangen genommen. Vier oder fünf Mal erschoss Quent einen Tapferen, der eine Frau in den Wald schleppen wollte, nur damit sie von einem anderen gefasst wurde, während er sein Gewehr nachlud.

Der Boden war mit Toten und Leichenteilen übersät. Direkt unter sich sah Quent einen Rumpf ohne Kopf und Beine, der rote Rock unbeschädigt; die lederfarbenen Besätze wiesen den Gefallenen als Mitglied der 48. Infanterie aus. Die zwei Arme, die in der Nähe lagen, gehörten nicht zum selben Mann, die Manschetten waren gelb, die Farbe der 44.

Quent konnte einen weiteren Schuss abfeuern und einen Tapferen töten, der sich auf einen Offizier stürzen wollte. Der Lauf seines Langgewehrs glühte fast, doch innerhalb von zwanzig Herzschlägen hatte er erneut nachgeladen. Als er die Waffe wieder an die Schulter hob und zielte, bekam er den Arzt ins Visier, Walton, der auf Knien durch das Schlachtfeld kroch. Herr im Himmel, der Mann hatte den Verstand verloren. Unter solchen Umständen konnte man Verwundeten nicht helfen. Quent sah ihm einen Moment zu, dann richtete er das Gewehr auf einen schreienden Tapferen – wohl ein Abenaki –, der mit seiner Muskete auf Braddock zielte. Quent drückte ab, doch eine Sekunde zu spät. Er sah den General stürzen. Der Abenaki machte einen Schritt auf sein Opfer zu, dann fiel er vornüber, von Quents Schuss tödlich in den Bauch getroffen.

»*Absolve peccatis, Domine.*« Spreche deinen Diener von allen Sünden frei, Herr. Um für einen Tag wie diesen gewappnet zu sein, hatte Xavier Walton stets heiliges Öl bei sich. Er verbarg das Fläschchen in seiner Rocktasche und befeuchtete immer wieder den Zeigefinger der Rechten, um einem Sterbenden oder Toten ein Kreuz auf die Stirn zu zeichnen und dabei lateinische Fürbitten für dessen Seele zu flüstern. Allesamt waren es ketzerische Protestanten, aber es war seine Pflicht, ihnen die Möglichkeit zu geben, ihrer Sünde abzuschwören. Wer wusste, welche bußfertigen Gedanken einem Menschen in den letzten Momenten des Lebens durch den Kopf gehen mochten? »*Absolve peccatis, Domine.*« Er war es diesen Sündern schuldig, für sie zu beten und zu hoffen, dass sie früher oder später Eingang in den Himmel fänden. Jede Minute würde ihn das Martyrium ereilen, nach dem er sich sehnte. Davon war Walton überzeugt. Er konnte dem Gemetzel nicht entkommen.

An diesem Tage wirst du mit mir im Paradies sein. Das hast du versprochen, Herr. »*Absolve peccatis, Domine.*« Der Jesuit kroch zum nächsten Rotrock. Sein Finger schwebte über der Stirn des Mannes. Es war der General. Sein Uniformrock war blutgetränkt, aber seine Brust hob und senkte sich.

»Nicht jetzt, Doktor … ich muss auf … ein Pferd …«

Walton schob Braddock die Arme unter den Rumpf und zog ihn über den Boden, durch verstreute Eingeweide, über Leichen und abgetrennte Gliedmaßen, in den Schutz einer großen Eiche, deren Äste fast auf die Erde herabhingen.

Der Jesuit keuchte schwer. Braddocks flache Atemzüge klangen, als würden mit der Luft auch Bläschen austreten. Walton legte ihm eine Hand auf die Brust. Er spürte den rasenden Herzschlag, aber nichts deutete darauf hin, dass Blut rhythmisch aus einer zerfetzten Arterie gepumpt wurde, die gelben Besätze von Braddocks rotem Rock waren unbefleckt. Mit blutverklebten Fingern öffnete Walton die Knöpfe und schlug den Rock auf. Heilige Mutter Gottes … Braddock war von einer Musketenkugel direkt in die Brust getroffen, doch sie war im Brustbein stecken geblieben und stoppte den Blutfluss wie ein Pfropfen. »Gott meint es sehr gut mit Ihnen, General Braddock«, flüsterte Walton. »Sie sollten ihm danken.«

Braddocks Blick gab zu verstehen, dass er den Arzt gehört hatte, doch als er sprechen wollte, brachte er kein Wort heraus. Der Jesuit legte dem Verwundeten einen Finger auf die Lippen. »Schonen Sie sich. Sie kämpfen um Ihr Leben, vielleicht auch um Ihre Erlösung. Hören Sie mir zu, und nicken Sie nur. Entsagen Sie Satan und seinen Werken?« In Braddocks Augen stand Panik geschrieben. »Ich will Ihre Seele retten«, flüsterte Walton eindringlich. »Sie sind tödlich verletzt, Mann. Entsagen Sie aller Ketzerei, schenken Sie Ihre Treue allein Jesus Christus und seiner heiligen katholischen und apostolischen Kirche?«

Braddock begriff. Walton, der englische Arzt, war ein Katholik und damit ein Spion. Der General war unbewaffnet, seine einzige Hoffnung bestand darin, den Mann mit bloßen Händen zu erwürgen. Er hob eine Hand, wollte nach Waltons Kehle greifen. Die Bewegung ließ eine Flamme in seiner Brust auflodern, der Schmerz war so groß, dass ihm ein Aufschrei entfuhr. Dann verlor er das Bewusstsein.

Walton hatte die in Öltuch gewickelten Dokumente bemerkt, sobald er den Rock des Generals aufschlug. Das Seelenheil des Mannes war sein erstes Anliegen gewesen, doch jetzt war es zu spät – oder vielleicht zu früh –, ihn vor dem Höllenfeuer zu bewahren. Seine zweite Pflicht bestand darin, den französischen Truppen auf jede nur denkbare Art zu helfen und dazu beizutragen, die heilige Kirche und die wahre Botschaft Jesu Christi in der Neuen Welt zu verbreiten. Und vielleicht den Tag rascher herbeizuführen, an dem der ketzerische und schismatische König von England vom Thron gezwungen und Xavier Waltons geliebtes Heimatland wieder von jenen regiert wurde, die dem wahren Glauben folgten. Er nahm die Dokumente an sich und steckte sie in seine eigene Tasche.

»Dr. Walton!« Washington preschte auf einem frischen Pferd zu der Stelle, wo der General lag. »Ist er tot?«

»Nein, aber er liegt im Sterben.«

»Wir müssen ihn fortschaffen.« Washington stellte zwei Männer ab, Edward Braddock vom Schlachtfeld zu tragen. Kurz öffnete der General die Augen und versuchte panisch, zu verstehen zu geben, dass Walton ein Verräter war, der sofort verhaftet oder getötet werden musste. »Versuchen Sie ruhig zu bleiben, Sir«, murmelte Washington. »Schonen Sie sich. Wir holen Sie hier raus.« Braddock wollte etwas sagen, doch zwischen seinen blutbefleckten Lippen kam nur unverständliches Gebrabbel hervor.

Der Oberbefehl, wurde Washington klar, lag jetzt bei ihm. Das Schlachtfeld war zu einem Blutbad geworden. »Hornisten! Zum Rückzug blasen!«

Der Rückzug war nicht schwierig. Den Indianern war nicht daran gelegen, Washington und seine Soldaten zu verfolgen. Vielmehr stürmten die Tapferen auf das Feld und begannen zu plündern und zu skalpieren, Tote und Verwundete gleichermaßen. Jedes

Herz, das noch schlug, wurde herausgeschnitten und gegessen. Das Triumphgeheul war überall zu hören.

Quent vernahm das Schreien tief im Wald, wo er den Gefangenen die Fesseln durchtrennte, zuerst den Frauen, dann den Männern. Er wusste, dass er nur Zeit hatte, bis der Lärm verstummte. »Lauf«, sagte er zu jedem befreiten Gefangenen. »Da ist Süden.« Einige würden wieder gefasst, andere getötet werden. Aber es war das Beste, was er an diesem Tag voll unendlichem Leid, Dummheit und Tod tun konnte.

Er sagte ihnen, sie sollten nach Süden gehen, weil das der kürzeste Weg aus dem Gebiet des französischen Feindes und seiner *Anishinabeg*-Verbündeten war. Quent selbst hatte etwas anderes vor. Sobald er dem letzten Gefangenen die Fesseln gelöst hatte, wandte er sich nach Norden.

Montag, 16. August 1755
Das Collège des Jésuites, Québec

»Ausgezeichnet, Xavier! Wirklich ausgezeichnet! Ich hätte nie gedacht, dass es derart wunderbare Früchte tragen würde, Sie ins feindliche Lager zu schicken.« Louis Roget sah nicht auf, er hatte den Blick auf die französische Übersetzung der Dokumente geheftet, die Walton im Monat zuvor General Braddock abgenommen hatte. Der Wert der Information war fantastisch. *Merci, mon Dieu.* Ich werde mich würdig erweisen.

Roget pochte mit dem Finger nachdrücklich auf einen Satz. »Und diese Stelle mit den vier Stoßrichtungen, wie klingt sie im Vergleich zum Original?« Der Jesuitenobere sprach zwar ein wenig Englisch, doch die geschriebene Sprache fand er ausgesprochen schwierig, und so war er sich nicht sicher, ob er jede Wendung auch richtig verstand. Er hatte sich die Dokumente sofort nach Xaviers Eintreffen angesehen und den Ausführungen des Priesters zugehört. Dann hatte er eine französische Übersetzung verlangt. Diese Aufgabe hatte Walton einen ganzen Tag und den Großteil der Nacht in Anspruch genommen. Seine Augen waren rot vor Müdigkeit. »Hast du es so gemacht, wie ich es dir geraten habe?«

»Genau so, Monsieur le Provincial. Ich habe die Worte, mit denen der geplante Angriff auf Fort St. Frédéric beschrieben wird, hervorgehoben.«

Baron de Dieskau bereitete sich in Montréal darauf vor, eine Truppe aus viertausend regulären französischen Soldaten und ihren indianischen Verbündeten nach Fort Niagara zu führen. Roget wusste das nur, weil seine Lebensaufgabe darin bestand, derartige Informationen zu sammeln, und nicht etwa, weil Vaudreuil und Dieskau mit ihm Rücksprache gehalten hätten. Sie waren beide davon überzeugt, sie könnten die Dinge in Neufrankreich regeln, ohne die Meinung des Provinzials der Gesellschaft Jesu zu berücksichtigen. »Komm, Xavier, ich höre doch an deinem Ton, dass du nicht ganz zufrieden bist. Du glaubst, diese Hervorhebung war nicht klug? Sag mir, was du denkst. Ich bestehe darauf, dass du offen zu mir sprichst.«

»Ich bin völlig Ihrer Meinung, dass diese Neuankömmlinge in aller Deutlichkeit auf die Gefahr hingewiesen werden müssen, Monsieur le Provincial.« Xavier hatte insbesondere darauf geachtet zu betonen, dass der Angriff auf Fort St. Frédéric von General William Johnson kommandiert werden sollte, unter dessen Oberbefehl Tausende von Mohawk-Wilden standen. Er zog das grellrote Halstuch aus der Tasche und wischte sich über die Stirn.

»Ein faszinierendes Schnupftuch, mein Sohn.«

Xavier schaute auf das Tuch in seiner Hand. »Verzeihen Sie, Monsieur le Provincial. Mir war nicht bewusst … Eine Frau … im englischen Lager … sie …«

»Hör auf herumzustottern, Xavier. Ich verstehe.« Walton war noch immer mit dem Rock und der Kniehose bekleidet, die er in Virginia getragen hatte. »Jetzt, wo du wieder zu Hause bist, wirst du deine Soutane anlegen. Und das rote Tuch wird eingezogen. Und nun zu dieser … Auslegung. Du sagtest gerade …«

Wie konnte er erklären, was die Indianer am Monongahela getan hatten? Dafür gab es keine Worte. Wann immer Xavier die Augen schloss, sah er vor sich, wie sie die Herzen der noch Lebenden herausschnitten und sich das pulsierende Organ in den Mund steckten. Jede Nacht hörte er die Schreie der bemalten Krieger, sah ihre Arme und Oberkörper triefen vom Blut ihrer Opfer. Fast ein Monat war vergangen, aber er konnte weder das Grauen noch seine Bestürzung vergessen. *An diesem Tage wirst du mit mir im Paradies sein.* Aber der Tag war vergangen, ohne dass sich das Versprechen erfüllt hatte.

»Was ist es, Xavier? Etwas bedrückt dich, das sehe ich doch. Sprich, Mann. Das ist ein Befehl.«

Er hatte ein Gelübde abgelegt, seinen Oberen in allen Dingen zu gehorchen, sofern es keine Sünde war. »Ich kann nicht verstehen, warum Gott mir den Märtyrertod versagt hat, Monsieur le Provincial. Er war so nahe. Wenn Sie gesehen hätten, was ich sah … Männer ebenso wie Frauen, abgeschlachtet, hingemetzelt, noch bei lebendigem Leibe in Stücke gehackt, die Herzen roh gegessen …«

»Ja, ich weiß. Und du klagst, weil dein Herz noch in deiner Brust schlägt und nicht im Bauch eines Tapferen.«

»Nur, weil mir dieses Verlangen gegeben wurde, ein Märtyrer zu sein. Das hatte ich schon als Junge. So etwas muss von Gott kommen.«

»Gott verlangt, dass du deine Pflicht als guter Jesuit erfüllst, Xavier. Die Wilden mögen es mit manchen Dingen wirklich zu weit getrieben haben, das ist häufig der Fall. Aber hast du vergessen, dass sie auf der Seite des Königs kämpfen? Auf der Seite Neufrankreichs?«

»*Non, Monsieur le Provincial, bien sûr! Vous avez raison, mais …*«

»*Mais rien!* Wie könntest du ein Märtyrer des heiligen Glaubens sein, wenn du auf dem Schlachtfeld auf der falschen Seite gestorben wärst?«

Alles Blut wich aus Waltons Gesicht, er wurde so weiß wie sein Hemd. »Ich habe mir nie überlegt …«

»Nein, natürlich nicht. Aber in solchen Dingen brauchst du dir auch nichts zu überlegen. Ich bin für dich die Stimme Gottes. Nicht ich selbst«, fügte Louis Roget rasch hinzu, »mein Amt.«

»Daran zweifle ich keinen Moment, Monsieur le Provincial.«

»Dann gehorche. Ich befehle dir, den Märtyrertod, der dir entging, nicht mehr zu beklagen. Sei dankbar, dass dir gestattet war, der Kirche und Seiner Majestät und unserem heiligen Orden einen so großen Dienst zu erweisen.« Roget klopfte auf die Übersetzung. »Das ist ausgezeichnet, Xavier, wirklich ausgezeichnet!«

Die Nachricht vom großen Sieg der Franzosen, die Fort Duquesne verteidigt hatten, ließ alle Kirchenglocken Québecs läuten, von den mächtigen Glocken des Doms und des Collège des Jésuites bis hin zu den Glocken des Ursulinen-Klosters im Hôtel Dieu und der einzelnen Glocke des winzigen Klosters der Armen Klarissen.

Jede Glocke hatte einen Namen, und wer das Geläut kannte, konnte sie durch ihren Klang unterscheiden. Die Glocke der Armen Klarissen hieß Maria, ihre Stimme war süß und rein. Nicole hatte erst vor kurzem gelernt, die Marienglocke zu läuten. Sœur Joseph hatte es ihr beigebracht. »Langsam, *ma petite Sœur*, im Rhythmus deines Herzens. Es ist wie Gesang, nicht wahr? Wenn du die Glocke läutest, spielst du die Musik der Engel. Die Glocke zu läuten ist ein Akt des Betens.«

An diesem Tag konnte sie nicht dem Rhythmus ihres Herzens folgen. Es hämmerte schmerzhaft in ihrer Brust. Und sie konnte ihre Tränen nicht unterdrücken. Sie hatte geweint, als Mère Marie Rose sie beim Kartoffelschälen aufgesucht und sie zum Glockenturm geschickt hatte. »Sœur Joseph kann nicht gehen. Wir brauchen sie im Chor für das *Te Deum*. Ich weiß, dass du vor Freude weinst, mein Kind, aber jetzt musst du dir die Augen trocknen und die Glocke läuten.«

Wie könnte sie es der Äbtissin oder einer ihrer Schwestern je erklären? Keine von ihnen hatte je ein Schlachtfeld gesehen. Sie wussten nicht, was sie wusste, was sie gesehen hatte. So viel Blut, *mon Dieu*, so viel Schmerz. Und die Schreie; die markerschütternden Schreie derer, die unter Qualen starben. Sie umfasste das Glockenseil mit beiden Händen und zog es langsam und sicher nach unten, so tief wie möglich, beugte die Knie, wie Sœur Joseph es ihr gezeigt hatte, dann richtete sie sich wieder auf und ließ die Spannung allmählich frei. »Du lässt die Glocke nicht einfach los, *ma petite*. Du führst den Aufschwung, wie du den Abschwung geführt hast, langsam, mit deinem Körper und mit deinem Herzen.«

Für ihr Herz gab es keinen Aufschwung. Ihr Herz war bei ihrem Geliebten. Ich weiß nicht, ob er dabei war, *mon Dieu*, an dem schaurigen Ort des Todes. Aber ich flehe dich an, beschütze ihn. Mein Leben für seines, lieber Gott im Himmel. Ich habe mein Leben mit ihm aufgegeben, um hier zu sein und dir meine geringe Buße anzubieten. Beschütze ihn. Die Marienglocke der Armen Klarissen von Québec erreichte den Scheitelpunkt und fiel in das allgemeine Siegesgeläut ein.

Die Nonnen im Chor hörten ihre Glocke, und Sœur Joseph stimmte die ersten Noten der großen Freudenhymne an: *Te Deum laudemus …*

Der Jubel der Glocken war verklungen, als der Provinzialobere der Schwarzkutten Vaudreuil gegenüber Platz nahm, dem neu ernannten Generalgouverneur von Neufrankreich. »Ich fühle mich geehrt, dass Sie mich aufsuchen, Monsieur le Provincial.« Vaudreuil hatte bereits die Achtzig überschritten, die meisten Jahre davon hatte er in Kanada gelebt, viele aber auch in Frankreich. Er wusste, wie die Dinge liefen, und wie sie zu laufen hatten. Der Generalgouverneur hatte dem Jesuiten pflichtschuldig einen Antrittsbesuch abgestattet. Nicht einmal die Höllenhunde würden ihn ein zweites Mal dorthin bringen. Einmal entsprach der Höflichkeit, ein zweites Mal hieße Unterwerfung.

Roget wusste ebenso gut wie sein Widersacher, dass man gelegentlich ein kleines Opfer bringen musste, um etwas weitaus Wertvolleres zu bekommen. »Wichtig ist nur, dass Sie diese Dokumente so bald wie möglich sehen. In solchen Momenten ist das Protokoll völlig nebensächlich.«

»Da bin ich ganz Ihrer Ansicht.« Vaudreuil wollte nicht allzu eifrig oder gar beeindruckt wirken, dennoch konnte er nicht umhin, immer wieder auf die französische Übersetzung zu blicken. »Und Sie sind sicher, dass diese Unterlagen echt sind? Eine geschickte Fälschung …«

»Deswegen bringe ich sie Ihnen eigenhändig, Monsieur le Gouverneur Général. Um Ihnen zu versichern, dass genau der Mann, den ich damit beauftragte, sie General Braddock abnahm.«

»Braddock ist tot. Seit über einem Monat.« Die Nachricht über den großen Sieg beim Monongahela war in jeden Winkel des Reichs geschickt worden. Vaudreuil hatte seinen Bericht am Morgen dieses Tages erhalten, weshalb auch überall in der Stadt gefeiert wurde. »Angeblich haben die Engländer ihn irgendwo am Straßenrand begraben.«

»Das habe ich auch gehört.« Roget bekreuzigte sich fromm. »Möge Gott sich seiner Seele erbarmen. Aber bevor er starb, hat ein Mitglied der Gesellschaft sich seiner angenommen, und …«

»Braddock war ein Katholik?«

»*Mais non, Monsieur le Gouverneur Général.* Meines Wissens gewährte Gott dem General nicht die Gnade der Konversion. Dennoch war ein Mitglied der Gesellschaft an seiner Seite, als er starb. Und dieser Mann nahm General Braddock mit seinen eigenen geweihten Händen die Papiere ab.«

Jésus! Alle sagten ja, dass diese Schwarzkutten herausragende Spione und Intriganten waren, aber einen aus ihrem Orden in ein englisches Lager zu schmuggeln!

»Auf dem Schlachtfeld, Monsieur le Gouverneur Général. Als der englische General an seinen Wunden verblutete.« Roget sprach langsam, Wort für Wort, doch ohne jeden Anflug von Stolz. »Selbstverständlich sage ich Ihnen das nur zu Ihrer Information. Damit Sie wissen, dass die Dokumente wirklich zuverlässig sind.«

»Und die Originale, Monsieur le Provincial? Es war in der Tat sehr freundlich von Ihnen, diese Übersetzung für mich anfertigen zu lassen, aber …«

»Der Jesuit, der sie gemacht hat, ist ein gebürtiger Engländer, Monsieur, der seit zwanzig Jahren Französisch spricht. Es besteht nicht der mindeste Zweifel an ihm, weder an seiner Treue zu unserem heiligen Glauben und damit zu unserem König noch an seinen Fähigkeiten im Englischen und Französischen. Könnte es in Québec einen besseren Übersetzer geben? Haben Sie hier in Ihrem Schloss jemanden, der die beiden Sprachen fließender beherrscht?«

Verflucht seist du, Schwarzkutte. Möge dir das Herz bei der erstbesten Gelegenheit herausgeschnitten werden. »*Bien sûr, Monsieur le Provincial. Bien sûr.* Trotzdem, die Originale … Ich sollte sie nach Frankreich schicken. Seine Majestät wird …«

»Natürlich. Da bin ich ganz Ihrer Ansicht. Sobald diese ganze Aufregung vorüber ist und wir sicher sein können, dass die Meere wieder gefahrlos zu befahren sind, müssen die Originale nach Versailles. Bis dahin sind sie in Sicherheit, das verspreche ich Ihnen, Monsieur le Gouverneur Général. Ich übernehme die volle Verantwortung dafür.«

»Die Verantwortung, Information nach Versailles zu schicken, liegt in meiner Hand, Monsieur le Provincial.«

Sofort senkte Roget ergeben den Kopf. »Wie Sie wünschen, Monsieur le Gouverneur Général. Ich lasse Ihnen die Originale sofort zustellen.«

»Sehr gut. Ich stehe in Ihrer Schuld, Monsieur le Provincial. Ganz Neufrankreich steht in Ihrer Schuld.«

»Ich erfülle lediglich meine Pflicht, Monsieur le Gouverneur Général.«

Ungeduldig läutete Vaudreuil nach jemandem, der den Jesuiten hinausbegleitete. Schnell, bevor sein Zorn übermächtig wurde und er dem Mann die Zunge herausschnitt.

Ein starker Wind empfing Louis Roget, als er auf die Place d'Armes trat, den großen Platz vor dem Palast. Noch vor einer Stunde war es windstill gewesen, ein ruhiger, sonniger Nachmittag, doch in der Zeit, die er bei dem alten kanadischen Haudegen verbracht hatte, den die Vorsehung aus unverständlichen Gründen zum Marquis erkoren hatte, war ein Chinook aufgekommen. Diesen Fallwind hatte er schon sehr bald nach seiner Ankunft in Québec, dieser Ausgeburt der Hölle, kennen gelernt. Er wehte fast mit Orkanstärke, brachte aber keine Abkühlung von der Sommerhitze, denn er war heiß und trocken, trug Staub und Steinchen mit sich, die er auf seinem Weg die Berge hinab und über die Prärien aufsammelte. Der Jesuit musste sein Birett festhalten und die verschwitzte Soutane hochraffen, um nicht zu stolpern, als er sich den Berg hinauf zum Collège mühte. Es war gleichgültig, am liebsten wäre er den ganzen Weg getanzt.

General Braddocks Dokumente würden bleiben, wo sie waren, versteckt hinter der prächtigen Wand, die die *ébénistes Champenois* geschaffen hatten. Vaudreuil würde ein paar Mal danach fragen, aber der Generalgouverneur würde nicht so weit gehen, Bewaffnete zu schicken, um sie gewaltsam einzufordern. Auf andere Weise allerdings würde er die Dokumente nicht bekommen. Dennoch würde Vaudreuil die Informationen nutzen, die Louis Roget ihm hatte zukommen lassen, denn er würde nicht wagen, sie zu ignorieren. Sie würden ihm von Nutzen sein, und Vaudreuil würde erkennen, was seine Vorgänger ebenfalls hatten erkennen müssen: Ohne die Mitwirkung der Gesellschaft Jesu war Neufrankreich nicht zu regieren. *Grâce à Dieu!* Louis Roget hatte es mit dem Feind aufgenommen und gewonnen.

Durch das Fenster im Château Saint-Louis sah Vaudreuil dem Priester nach, bis er außer Sichtweite verschwand. Der Jesuit war ein Abbild frommer Bescheidenheit. Du Schuft. Mögest du gepfählt werden und verdursten. Mögen Geier dir das Fleisch von den Knochen picken. Glaubst du, ich wüsste nicht, dass du mich verachtest, weil ich in deinen Augen kein Franzose bin, sondern Kanadier? Mögest du eines kanadischen Todes sterben, Monsieur le Provincial.

Der Generalgouverneur wandte sich vom Fenster ab und griff nach der Glocke, die auf dem Schreibtisch stand. Der schwarze Sklave, den er während seiner Zeit als Gouverneur im höllischen Louisiana erworben hatte, erschien noch im selben Moment. »*Oui, Monsieur le Gouverneur Général.*«

»Bring mir was zu trinken. Ein Glas Burgunder. Und sprich mit dem Apotheker. Er soll mir etwas geben, das meinen Magen beruhigt. Und sag ihnen, sie sollen den Koch in die Wolfsgrube zurückschicken, aus der er gekommen ist. Ich kann meine Pflichten nicht erfüllen, wenn meine Verdauung mit jeder Mahlzeit auf eine harte Probe gestellt wird.«

Das war nur die Schuld seiner Frau. Wenn sie nicht nach Montréal gefahren wäre, um Dinge zu kaufen, die sie in Québec angeblich nicht bekam, wäre er nicht einer Küche ausgeliefert, der es an Aufsicht fehlte und die ihr Bestes tat, seine Gesundheit zu ruinieren.

Der Sklave hastete davon. Vaudreuil wusste, dass nicht das Essen daran schuld war, wenn seine Eingeweide rebellierten, aber trotzdem ging es ihm besser. Doch den Koch zu feuern genügte nicht. Er griff nach einem Kiel. Eine solche Information konnte er keinem Sekretär anvertrauen. Allerdings konnte er niemandem in der Regierung von Québec vertrauen. Jeder Zweite schien unter der Knute der Schwarzkutten zu stehen, und die anderen verschworen sich mit Intendant Bigot, um die öffentlichen Kassen zu berauben und sich zu bereichern. *Eh bien.* Als er dieses Amt annahm, hatte er sich geschworen, keine Kraft auf Kämpfe zu verschwenden, die er nicht gewinnen konnte.

Gegen die *Grande Societé* und ihre unrechtmäßige Bereicherung ist nichts auszurichten. Bigots Tentakel sind zu lang. Zu viele sind auf seine Gefälligkeiten angewiesen. Und was den Provinzialoberen und seine Gesellschaft Jesu betrifft … Noch nicht. Louis Roget ist tausend Mal schlauer als Bigot. Ist er schlau genug, ein Dokument zu fälschen und es als Schlachtplan der Engländer auszugeben? Ja. Aber warum sollte er? Was immer du sonst sein magst, Monsieur le Provincial, ich glaube, du bist ein überzeugter Katholik. Du ringst mit mir um Macht, genau wie mit diesem verrückten Franziskaner, den ich, ehrlich gesagt, nicht verstehe, aber ich glaube nicht, dass du etwas tun würdest, was den ketzerischen Engländern nützt. Da diese Information also echt ist, muss sie tatsächlich von Braddock selbst stammen.

Vaudreuil fühlte sich beinahe überwältigt von der Hoffnungslosigkeit der Lage. Schlachten, die du gewinnen kannst, rief er sich ins Gedächtnis. Du bist ein alter Mann und hast dieses Amt, zweifellos dein letztes, nur aus einem einzigen Grund angenommen. Es liegt an dir, dafür zu sorgen, dass Kanada nicht durch die Versailler Borniertheit und Begriffsstutzigkeit an England fällt. Im Augenblick ist der Mann, der dazu am besten imstande ist, auf dem Sankt-Lorenz unterwegs, begleitet von viertausend regulären französischen Soldaten, Kanadiern und Indianern, um Fort Niagara zu verstärken. Wo wir, wenn man dem Jesuiten Glauben schenkt, noch nicht angegriffen werden sollen.

Alors. Ich habe mehr Grund, Louis Roget zu glauben, als ihm nicht zu glauben. Also musst du nach Süden, *mon ami, le maréchal du camp*. Nach Lake Champlain, oder vielleicht noch weiter, nach Lake St. Sacrement. Vaudreuil hielt einen Moment inne und suchte nach dem alten Namen für den See, den er als Junge gelernt hatte. Ach ja, Bright Fish Water. Ein weiter Weg, aber dort müssen wir diesen General Johnson und seine Mohawk stellen.

Vaudreuil zögerte noch kurz, ordnete seine Gedanken, dann tauchte er den Kiel in das edle Jade-Tintenfass, das sein Vorgänger zurückgelassen hatte, und begann: *Mein lieber Dieskau, ich habe von keinem Geringeren als dem Provinzialoberen der Schwarzkutten erfahren, dass …*

Dienstag, 31. August 1755

Die Schänke zum Pferdekopf, Albany

»Lake George«, sagte Annie. »So wollen 'se den jetzt nennen. Nicht mehr Bright Fish Water.«

»Das dürfen die nicht«, polterte Hamish. »Das ist immer schon Bright Fish Water gewesen. Die Englischen können doch nicht einfach daherkommen und den See nach ihrem verfluchten Ketzerkönig taufen, bloß weil's ihnen passt.«

»Red nich so laut, du Schotten-Trottel. 'n bisschen Respekt, wenn ich bitten darf. Die Standarte vom König steht gleich da hinten, vergiss das nicht. Und überall sonst auch.« Annie deutete mit dem Kopf zum Fort und den Bergen rings um die Stadt und rückte etwas näher zu ihrem Gesprächspartner.

Er konnte ihren sauren Schweiß riechen und den Sex. Sie war gerade vom Hof hereingekommen, wo sie ihrem Gewerbe nachging. »War der das, der dir den Namen gesagt hat?«, fragte Hamish. »Der Knirps, der 'n Soldat sein möchte und der grade geht?« Yorker hießen sie, diese jungen Männer in ihren blauen Röcken mit den leuchtend roten Besätzen. Grünschnäbel, die's nicht erwarten konnten, im ruhmreichen Krieg abgeschlachtet zu werden. Gott erbarm dich ihrer allesamt. Aber möge die heilige Muttergottes den Franzosen und dem heiligen Glauben den Sieg bescheren.

»Genau der. Ich hab zwar keine Ahnung, was für'n Soldat der mal wird, aber sonst isser 'n guter, kräftiger Kerl.« Annie lachte heiser und klopfte mit einer Münze auf den Tisch zum Zeichen, dass ihr die Punschschale gereicht würde. »Komm, du Papist, trink aus – ich spendier dir 'ne Kelle.«

Hamish bedachte sie mit einem finsteren Blick, leerte aber sein Glas Rum und ließ sich von ihr, als die Schale zu ihnen wanderte, einen Punsch einschenken. »Dünnes Gesöff«, schimpfte er nach dem ersten Schluck. »Das Herz wärmen tut der einem nicht.«

»Es ist Sommer, du Knallkopf. Da will man was Kühles, nix, was einen wärmt.«

Er hatte keine Lust, über das Wetter zu sprechen. »Bist du dir sicher, dass er Lake George gesagt hat?«

»Freilich bin ich mir sicher. Was ich so gehört hab, soll Johnson das selbst gesagt haben. Von diesem Tage an« – Annie ahmte gekonnt eine feierliche Rede nach – »ist dieser See als Lake George bekannt.«

Einige der blau berockten Yorker, die in der Nähe standen, hörten sie und drehten sich um. Einer hob sogar prostend den Becher. Hamish musste sich zusammenreißen, nicht aufzustehen und ihm die Zähne einzuschlagen. Er beugte sich zu Annie und flüsterte ihr rau ins Ohr: »Mir ist scheißegal, für wen dieser William Johnson sich hält mit seinen blau berockten Bübelchen, die sich für Soldaten ausgeben, und den Gott weiß wie vielen Mohawk-Wilden, die nach seiner Pfeife tanzen. Bright Fish Water heißt er, und Bright Fish Water bleibt er.«

Das Heer, das William Johnson aufstellte, um Fort Frédéric bei Crown Point einzunehmen, versammelte sich seit Wochen in Albany und Umgebung. Aber bislang hatte Johnson nur einen Voraustrupp nach Norden zum Great Carrying Place geschickt und dort Fort Edward gebaut. Edward, noch so'n verfluchter Englischer, der Duke of York, ein Ketzer, dachte Hamish. Und Gott steh ihm bei, er war sich nicht sicher, was er tun sollte – ob er einfach abwarten sollte, wie die Dinge sich entwickelten, wie John Lydius ihm riet, oder ob er nach Québec fahren und den durchtriebenen Père Antoine warnen sollte, was sich da zusammenbraute. Nur zum Besten der heiligen Kirche, natürlich. Obwohl es seiner Beziehung zum Franziskaner auch nicht schaden würde.

Er fühlte sich hin und her gerissen, und der Gedanke, dass sich in Shadowbrook etwas verändern könnte, bevor es ihm gehörte, machte alles noch schlimmer. Das alles stieß ihm bitter auf. »Und was sagt John Hale dazu? Das kannst du mir doch bestimmt sagen, weil du am besten weißt, was im Kopf von diesem Waschlappen vor sich geht. Was sagt der denn dazu?«

»Den hab ich seit zwei Wochen nicht gesehen. Aber eins kann ich dir sagen – es ist völlig egal, was John Hale dazu sagt. Er hat Bright Fish Water und das Stück, das sie den Great Carrying Place nennen, übertragen, und noch 'n ganzes Stück mehr.«

»In Gottes Namen, wovon quasselst du da, Frau? Wem übertragen? Wann?«

»Vor fast 'nem Jahr, in New York City. Zumindest hab ich's so gehört.« Annie lehnte sich zurück und beobachtete die Wirkung ihrer Worte. Guter Gott, Männer waren schon seltsam. Kaum hatten sie einen Steifen, hielten sie sich für Gott den Allmächtigen. Und merkten gar nicht, dass man sie dann umso besser an der Nase rumführen konnte. »'nem Juden hat er's übertragen«, ergänzte sie.

»Das glaub ich nicht.« Hamish leerte den Punsch und rief nach einem Becher Rum.

»Du kannst glauben, was du magst. Stimmen tut's trotzdem.«

»Nie und nimmer.«

Die Bedienung brachte Hamish einen großen Becher Rum. Er gab ihr zwei Kupfermünzen und einen achtlosen Klaps aufs Gesäß.

»Es stimmt wirklich«, wiederholte Annie. Ach, warum erzählte sie das bloß? Sobald sie die Geschichte gehört hatte, hatte sie gewusst, dass die Information wichtig war, dass sie etwas damit anfangen konnte, was ihr Leben 'n bisschen angenehmer machte. Sie sollte besser den Mund halten, bis sie wusste, was sie damit anstellen sollte. Stattdessen plapperte sie dem Schotten alles aus. Nur damit er wusste, dass sie mehr war als 'ne dumme Hure, die bloß zum Ficken und Schlagen taugte.

Seit fast zwei Jahren bezahlte der Schotte sie, damit sie ihm von dieser gemeinen Ratte John Hale erzählte. Letzten Monat hatte er sie rumgekriegt, ihm zu sagen, dass sie sich von Hale bepissen lassen musste, bevor er sie fickte. Sie hatte sich selbst Leid getan und wollte jemanden, der ihr zuhörte. Also hatte sie ihm das Ganze erzählt, und Hamish Stewart, dieser Idiot von einem Schotten, hatte gelacht. Na, schnell genug hatte er sich entschuldigt und gesagt, dass es ihm Leid täte, aber sie wusste, dass er das nicht wirklich meinte. Dass er es nur sagte, damit sie weitererzählte. Also gut, das würd sie ihm sagen, dass sein geliebtes Shadowbrook – hielt er sie wirklich für so dumm, dass sie nicht wusste, was er wollte, obwohl sie sich nicht vorstellen konnte, wie er das Gut je kriegen sollte – nicht mehr ganz so war wie früher. »Einer von den Marketendern, die überall sind, um den Yorkern Sachen zu verkaufen, der hat's mir gesagt. Der hat für den Bruder vom Gouverneur unten in New York City gearbeitet. Oliver irgendwas.«

»Oliver De Lancey.«

»Ja, genau. Auf jeden Fall, dieser Marketender, der war vorher 'n Diener bei diesem De Lancey …«

»Was ist mit John Hale?« Hamish holte eine goldene Guinea aus seiner Börse und schob sie zu ihr hinüber. »Komm, Annie-Mädel, ich lass dich doch nie hängen, wenn du's gut mit mir meinst. Was hat er über John Hale erzählt?«

Annie schluckte schwer. Am liebsten würde sie die glänzende Münze an sich reißen, bevor der Schotte es sich anders überlegte. Aber was sie wusste, war mehr wert. Das hatte sie im Gefühl. Und 'ne bessere Gelegenheit würde sie nie nicht kriegen. »'ne Guinea reicht nicht«, brummte sie. »Nicht für die Geschichte.«

»Wie isses damit?« Hamish legte eine zweite goldene Dame auf die erste. Zwei Guineas. Annie war der Mund trocken, ihre Handflächen schweißnass, aber sie ballte die Hände im Schoß zur Faust und schüttelte den Kopf. Hamish zögerte nur kurz, dann hatte er sich entschlossen. »Also gut«, sagte er leise. »Fünf goldene Damen. Aber nur, wenn ich finde, dass die Information so viel wert ist. Komm, Mädel, fünf Guineas. Das ist 'n Vermögen.«

Ein Vermögen für ihresgleichen, das meinte er. Nur – er hatte Recht. Wenn sie fünf goldene Damen bekam, brauchte sie zwei Monate lang nicht mehr in den Pferdekopf zu kommen. Vielleicht auch länger. »Fünf Guineas«, sagte sie. »Aber die legst du jetzt gleich auf den Tisch, Hamish Stewart.«

Hamish drehte sich zur Seite, öffnete seine Börse und holte drei weitere Münzen hervor, dann wandte er sich wieder um und zählte sie auf den Stapel. Annie wollte danach greifen, doch er schlug seine Pratze auf ihre Hand, sodass sie die Guineas nicht an sich nehmen konnte. »Nicht so schnell, Mädelchen.« Er beugte sich vor und fixierte sie mit seinem einen Auge. »Die Wahrheit. Sonst weiß ich nicht, was ich tun könnte.«

»Es ist die Wahrheit. Genauso hat's der Marketender mir gesagt.« Sie verrenkte den Hals in alle Richtungen, bevor sie weitersprach. Niemand achtete auf sie – schließlich waren sie Stammgäste beim alten Groesbeck –, aber trotzdem flüsterte Annie. »John Hale war bei Oliver De Lancey im Haus, mit 'nem anderen Mann, von dem ich den Namen nicht weiß, und 'nem Juden. Irgendwas Levy, glaub ich.«

Sie hatte Recht gehabt, die Geschichte war wirklich wichtig. Annie wusste es, sobald sie sah, dass Hamishs Wangen dunkelrote

Flecken bekamen und seine Augenbrauen sich über der Nase zusammenzogen. Tja, jetzt ist dir ganz schön mulmig, wie, du alter Prahlhans? Du denkst, Annie wär nur zum Vögeln da und zum Vergessen? Das werden wir ja sehen.

»Hayman Levy«, sagte Hamish.

»Genau. Das ist der Name, den der Marketender gesagt hat.« Sie wählte ihre Worte mit Bedacht, beobachtete ihre Wirkung, genoss die Macht, die sie ihr verliehen. »John Hale hat ein ganzes Stück von Shadowbrook diesem Hayman Levy übertragen. Als der Marketender noch 'n Diener war, hat er direkt vor der Tür von dem Zimmer gestanden, wo das passiert ist. Hat alles gehört. Hat sogar durchs Schlüsselloch geguckt und gesehen, wie John Hale das Papier unterschrieben hat.«

Das Blut pochte ihm in den Ohren. Hamish nahm die Hand von Annies und legte sie beide um den Becher mit Rum, um das Zittern zu verbergen. Vorsichtig begann Annie, das Geld an den Tischrand zu schieben. Am liebsten würde sie es an sich raffen, das wusste Hamish, aber sie traute sich nicht ganz. Verflucht sei Annie Crotchett ins ewige Fegefeuer, dass sie ihm fünf goldene Damen aus der Nase zog, aber was sie ihm da erzählte, war das Geld wert. »Er hat das Land übertragen im Gegenzug für was? Warum sollte John Hale so was tun?«

Bei Gott, nicht, um drei Sklaven zu kaufen. So dumm konnte der Kerl nicht sein, 'nen Teil von seinem Erbe zu verkaufen, um seinem Stolz zu schmeicheln und zu 'ner Auktion zu gehen, damit die Herren von New York City sahen, wie er drei Sklaven kaufte, die er nicht brauchte. Aber heiliger Heiland mitsamt allen Heiligen, die drei waren an dem Tag da und haben zugeschaut, wie Hale Bares hingelegt hat für Sklaven, keine vier Monate nachdem er fast abgefackelt worden war. Levy und De Lancey und der Anwalt James Alexander. Wenn Land übertragen wurde, dann braucht's 'nen Notar. Aber im Gegenzug für was? »Was hat Hale für das Land bekommen?«, fragte Hamish. Er tat, als wollte er den Stapel Guineas wieder an sich nehmen. Annie fegte die Münzen zusammen und steckte sie sich in den Ausschnitt.

»Das weiß ich nicht genau«, gab sie zu.

»Heiliger Heiland.« Hamish legte in seine Worte all die Verachtung, derer er fähig war, aber innerlich jubilierte er. Wenn sie nicht wusste, warum John Hale sich auf einen so verteufelt dummen Tauschhandel eingelassen hatte, dann hatte sie höchstwahrscheinlich gelogen. »Für einen solchen Unsinn bekommst du keine fünf Guineas, Annie Crotchett.«

»Es stimmt. Jedes Wort.« Ihre Brust hob und senkte sich so heftig, dass sie dachte, gleich würde ihr der Busen aus dem Kleid springen. Vielleicht reichte es ja. Vielleicht brauchte sie Hamish den Rest nicht zu erzählen. Zumindest noch nicht. Vielleicht, wenn die fünf goldenen Damen weg waren, könnte sie zu ihm gehen und mehr kriegen für die Geschichte, die sie ihm noch nicht erzählt hatte. Aber warum schaute er nicht mehr zu ihr? Hamish hatte sich halb abgewandt und starrte mit seinem einen Auge quer durch den Raum. »He! Was stierst du denn da rüber?«

»Halt die Klappe, Mädel. Und zwar 'ne Weile.«

Annie erhob sich ein Stück, damit sie sehen konnte, was er ansah. »Heiliger Strohsack«, flüsterte sie und ließ sich wieder auf die Bank fallen. »Also ist er heimgekommen, oder wie? Alle haben gesagt, er wär diesmal für immer ins Ohio Country gegangen.«

Hamish verzog das Gesicht. Dass Quentin Hale hier war, machte die ganze Sache vielleicht ein bisschen schwieriger, aber diese Geschichte hier war jetzt wichtiger. »Der taucht immer auf, wenn man ihn am wenigsten braucht. Aber von dem lassen wir uns unser Geschäft nicht verderben, Annie. Du wolltest mir grade sagen, was John Hale dafür gekriegt hat, dass er Hayman Levy und seinen Kumpanen ein Stück von Shadowbrook überlassen hat.«

»Das wollt ich nicht. Ich hab dir gesagt, davon weiß ich nichts.«

»Dann will ich meine Guineas zurück. Gib sie her, oder ich schüttel sie aus dir raus.«

»Ich hab mir das Geld verdient, Hamish Stewart. Ich hab nicht ...«

»Du hast mir eine Geschichte erzählt, die nicht zusammenpasst. Und das heißt, dass das Ganze erstunken und erlogen ist, und ich will mein Geld zurück. Gibst du's mir freiwillig, oder muss ich's mir holen?« Hamish packte sie am Arm, stand auf und riss sie von der Bank hoch.

»Setz dich!« Dass sie schrie, merkte Annie erst, als ein paar Köpfe sich zu ihr umdrehten. »Setz dich nieder, Hamish Stewart.« Dieses Mal flüsterte sie. »Ich habe nicht gesagt, dass ich schon fertig bin, oder? Ich hab noch was, was ich dir erzählen kann.« Sie traute sich einfach nicht, ihm den Rest vorzuenthalten.

»Jetzt red, Annie Crotchett, sonst fehlen dir gleich noch 'n paar Zähne mehr.«

Unwillkürlich steckte Annie die Zunge in die große Zahnlücke. Die hatte sie aber keinem Mann zu verdanken, sondern 'nem Bader, von dem sie sich die Zähne hatte reißen lassen, so schlimm hatten die weh getan. Aber noch mehr wollt sie eigentlich nicht verlieren. Sie holte tief Luft. »John Hale hat ein Papier unterschrieben, das den Männern in New York Anspruch auf das ganze Hale-Gut gibt.«

Hamish brachte kein Wort heraus. Und als er schließlich die Sprache wiedergefunden hatte, war seine Stimme nicht mehr als ein heiseres Quietschen. »Das hat der nicht getan. So was würd der nie tun.«

»Hat er aber. Er hat's unterschrieben. Der Marketender hat's gesehen. Und die haben ständig von Zuckerrohrland geredet, irgendwo auf den Inseln da unten. Zuckerrohrland im Tausch für das Gut, so hat's sich angehört. Aber der Marketender war sich nicht ganz sicher.«

Hamish sagte kein Wort. Der explodiert gleich, dachte Annie. Wie ein Kessel, wo der Deckel zu fest draufsitzt und das Feuer zu heiß ist. Aber als der Schotte etwas sagte, war seine Stimme so leise, dass sie ihn nur mit Mühe verstehen konnte. »Verschwinde«, flüsterte er. »Hau ab.«

»Wer bist du denn, mir zu sagen, was ich tun soll, Hamish Stewart?« Ihr tat der Arm noch weh, wo er sie vorhin gepackt hatte. Sie rieb sich über die Stelle. Später würde sie einen blauen Fleck bekommen, das stand fest. »Ich komm und geh, wie's mir passt, und vergiss du ja …«

»Ich will dich nicht mehr sehen, du Hexe. Verschwinde. Auf der Stelle.«

»Du hast überhaupt keinen Grund, so mit mir zu reden«, klagte sie, aber dennoch stand sie auf. »Überhaupt keinen Grund, Hamish Stewart. Und ich …«

Hamish erhob sich ein Stück. Annie machte auf dem Absatz kehrt und lief davon.

Er setzte sich wieder. Als wären seine Beine nicht stark genug, ihn zu tragen. Zuckerrohrland im Tausch für Shadowbrook. Das ergab Sinn, wenn man John Hale hieß und nur auf Profit aus war. Ein korrupter, feiger Waschlappen von einem Mann, wie John Hale es war, der würde so was tun. Aber wenn er jetzt nach Shadowbrook ging und John Hale umbrachte, so wie er's verdiente, ihn bei lebendigem Leibe häutete, als wär er 'n Karnickel, was würde ihm das bringen? Höchstwahrscheinlich einen Strick um den Hals. Und dann war da noch Quentin Hale, gleich da an der Tür von dieser erbärmlichen Schänke, in der man keinen Schluck anständigen Whiskey bekommen konnte, egal, wie dringend man ihn brauchte. Trödelte hier herum, wo sein verfluchter Bruder ihr Erbe verschleuderte. Wusste Quentin Hale das? Nie im Leben. Sonst würde er nicht hier sitzen und tun, als wär alles rechtens auf dieser Welt.

Mit sechs Schritten hatte Hamish den Eingang der Schänke erreicht. Quentin Hale saß mit dem Rücken zur Wand, der alte Groesbeck ihm gegenüber, rittlings auf einem Hocker, und beugte sich vor, um ihn besser zu verstehen. Der Schotte legte dem Wirt eine Hand auf die Schulter. »Kümmer dich um deine anderen Gäste. Ich hab mit dem hier zu reden.«

Quent blickte auf. Das Nachmittagslicht verblasste zunehmend, und im Pferdekopf war es verraucht von den Kerzen. Er sah einen kleinen, stämmigen Mann hinter Peter Groesbeck stehen. Wenig mehr. »Nimm deine Hände von ihm weg, sonst tu ich's für dich«, sagte Quent.

»Ja, Junge, das glaub ich dir sofort«, sagte Hamish ruhig. Er nahm die Hand von Groesbecks Schulter. »Aber deinen gerechten

Zorn kannst du woanders besser gebrauchen. Das kann ich dir sagen.«

Groesbeck erhob sich. »Dann überlasse ich die Herrschaften mal ihren Geschäften.«

»Tu das.« Hamish machte keine Anstalten, sich auf den frei gewordenen Hocker zu setzen. »Komm mit nach draußen, Junge. Was ich dir zu sagen hab, braucht niemand anders zu hören.«

Quent blinzelte. »Ich kenne Sie doch, oder?«

»Ja. Aber da warst du noch ein klitzekleiner Bengel. Es würd mich wundern, wenn du dich an mich erinnerst.«

»Doch, das tue ich. Hamish irgendwas.«

»Ja, Hamish Stewart. Und du bist Quentin Hale. Und jetzt komm nach draußen. Du würdest es mir nicht danken, wenn ich dir die Geschichte hier drinnen erzähle.«

Es dämmerte. Ein Mann schob einen Karren die gepflasterte Straße entlang. Eine kleine Schar Yorker in ihren blau-roten Röcken ging eilig zum nächstliegenden Tor in der Umfriedung. Die Brise trug die Kühle des Flusses und die erste leise Ahnung von Herbst herüber. »Sie haben mir einen Dolch geschenkt«, sagte Quent. »Der war mir immer lieb und teuer.«

»Ja, ich erinnere mich. Hast du ihn noch?«

»Nicht mehr. Aber als ich ihn das letzte Mal in der Hand hatte, hat er mir das Leben gerettet.« Bald, sobald dieser Wahnsinn, den Braddock angestiftet hatte, vorbei war, würde er Lantak nachsetzen und sich den Dolch zurückholen. »Ich stehe in Ihrer Schuld.«

»Nee, Junge, das tust du nicht. Nicht für den mickrigen Dolch. Aber vielleicht für was andres.«

»Und darüber wollen Sie mit mir reden?«

»Etwas, was du wissen solltest.« Trotz der kühlen Brise schwitzte Hamish. Er fuhr sich mit dem Ärmel übers Gesicht. Brüllende Hitze im Sommer und im Winter so kalt, dass einem die Eier abfroren. Bei Gott, er musste verrückt sein, hier bleiben zu wollen. Aber Shadowbrook war nun einmal hier. »Dein Bruder«, begann er.

»Was ist mit ihm?«

»Er hat dein Geburtsrecht aufgegeben.«

»Wenn ich ein Geburtsrecht habe, dann dieses.« Quent fasste an das Langgewehr, das ihm über die Schulter hing. »Sonst nichts.«

»Das mag sein, dass das Gesetz sagt, der Ältere kriegt alles, aber es ist der Allmächtige, der einen Mann an einen Platz stellt und nicht an 'nen andren. So ist das mit dem Geburtsrecht.«

»Sie reden von Shadowbrook.«

»Genau. Du warst 'n kleiner Rotzlöffel, aber fast jeden Tag hast du bei deinem Vater vorn im Sattel gesessen, als wir übers Gut geritten sind. Von Do Good oben im Norden bis zur Mühle ganz unten im Süden. Du hast jeden Grashalm gekannt, der da wuchs, und jeden Vogel im Baum.«

Das Land ist das Land von deinem Pa, aber gehören tut's keinem. Das Land, das gehört dem Allmächtigen. Du kannst viel von ihm lernen, davon hast du gar keine Ahnung. Noch nicht. Solomon der Fassmacher war ein weiser Mann. Quent hoffte, dass John ihn seine Tage in Frieden mit Sally Robin beenden ließ. »Mein Vater ist tot. Shadowbrook gehört meinem Bruder John.«

»Nein«, sagte Hamish. »Das tut's nicht, Junge. Das musst du mir glauben.«

»Sie reden Unsinn.«

»Ich wünsche beim allmächtigen Gott, dass das so wär. John Hale hat Shadowbrook an drei New Yorker Geschäftsmänner verpfändet. Er will das Gut gegen Zuckerrohrland auf den Inseln tauschen.«

»Sie lügen. Er würde nie ...«

»Hast du nicht diesen neuen Namen gehört, den sie Bright Fish Water gegeben haben? Und gibt's keine neue Festung da am Great Carrying Place?«

»Die Festung ist da gebaut worden, wo schon immer John Lydius' Handelsposten gewesen ist. Lydius hat das Land vom Gut gepachtet. Zugegeben, Johnson nimmt sich Freiheiten heraus, aber es ist im ureigenen Interesse meines Bruders, ihm die einzuräumen. Vorübergehend. Die Franzosen bedrohen ...«

»Das einzige ureigene Interesse, das John Hale kennt, ist seine Geldbörse. Er hat Bright Fish Water und den Great Carrying Place und Gott weiß was noch versetzt und versprochen, den Rest gegen Zuckerrohrland zu tauschen. Er hat mit Hayman Levy und Oliver De Lancey und wahrscheinlich auch mit James Alexander 'nen Vertrag gemacht. Obwohl Alexander vielleicht nur dabei war, weil er 'n Notar ist. Ich würd nicht lügen, Junge. Nicht, wenn's um Shadowbrook geht. Wenn du an deinen Bruder denkst, dann weißt du, dass es stimmt.«

Quent borgte sich ein Pferd von Hooghkerks Stallungen an der Market Street und ritt die ganze Nacht durch. Noch vor Morgengrauen war er in Shadowbrook. Das Haus hob sich als rußiger Fleck vor dem dunklen Horizont ab. »John!«, brüllte er bereits, als er noch auf die Stallungen zugaloppierte. »John!«

Die Schreie und die donnernden Hufschläge weckten Jeremiah, er taumelte in den Hof. »Master Quent, was tun denn Sie … Gütiger, heiliger Gott, Master Quent. Sie haben das Pferd ja fast zu Tode geritten. Das hab ich ja nie nicht erlebt, dass Sie ein Pferd so …«

»Versorg du's.« Quent glitt aus dem Sattel und warf dem Schwarzen die Zügel zu, dann lief er zum Haus. »John! Ich will mit dir reden!«

Jeremiah führte das Pferd zum Stall, murmelte beruhigende Worte und kehrte dem, was im großen Haus passierte, bewusst den Rücken. Es würde nichts Gutes sein, da war er sich sicher.

Vor Johns Zimmer war ein Balkon, ebenso wie vor dem, das einmal Quents Zimmer gewesen war. Sein Bruder trat halb nackt heraus; er war wohl nur in eine Kniehose geschlüpft, als er seinen Namen rufen hörte. »Komm runter, oder ich komm zu dir rauf. Du bist mir ein paar Antworten schuldig.«

»Warum zum Teufel sollte ich …«

»Hier unten oder da oben. Deine Wahl. Du hast Zeit, bis ich bis drei gezählt habe, sonst schieß ich dir den linken Fuß ab.« Quent nahm das Gewehr von der Schulter, zielte und spannte den Hahn. »Eins, zwei …«

»Hör auf mit dem Unsinn. Ich komm runter.«

Das kleine Ibo-Mädchen, das Taba hieß, kauerte neben dem Bett. Ihre schwarzen Augen waren tellergroß im Dämmerlicht. Sie sah den Mann, der unter dem Balkon stand. Nicht deutlich, aber deutlich genug. Sie sah das Gewehr. Bring ihn um, dachte sie. Bitte, bring ihn um. Sie hielt die Luft an, doch der Schuss kam nicht.

Ein dünner Streifen Rosa zeichnete sich am Horizont ab. Quent konnte Johns Gesicht gerade erkennen, die Wangen dunkel von Bartstoppeln, die Augen rot gerändert vom vielen Rum am Vorabend. »Hast du's getan?«

»Was getan? Was zum Teufel meinst …«

»Hast du Shadowbrook im Tausch gegen Zuckerrohrland irgendwo auf den Inseln überschrieben?«

Denk nach, sagte John sich. Er ist bewaffnet und du nicht. Außerdem wirst du ihn in einem Zweikampf nie besiegen, unabhängig von der Waffe. Was weiß er? »Überschrieben?« Er sprach langsam, betonte jede Silbe, wollte Zeit gewinnen, um sich einen Plan zurechtzulegen. »Shadowbrook im Tausch für Zuckerrohrland? Meinst du das?«

»Genau das meine ich.«

»Nein, natürlich nicht. Das würde ich nie tun. Warum sollte ich?« Du Dummkopf. Was würde bei einem solchen Geschäft für mich herausspringen? Du hast doch keine Ahnung, was eine Hypothek ist. Aber ich muss wissen, wer dir diese Halbwahrheit erzählt hat.

»Im Pferdekopf sagen sie, dass du das Gut für Zuckerrohrland hergegeben hast.«

»Im Pferdekopf wird viel erzählt. Vor allem Lügen.«

»Ist das auch eine Lüge?«

»Das habe ich doch gerade gesagt. Aber warum dich das etwas angehen sollte, ist mir völlig schleierhaft.«

Quent war nicht mehr ganz so beklommen zumute, sein Atem ging etwas weniger keuchend. Er blickte hoch und sah in praktisch allen Fenstern Gesichter. Maisbesen-Hannah und Flinke Ruth und Sechs-Finger-Sam oben im Schlafraum unter den Dachsparren.

Küchen-Hannah in der Küchentür. Und seine Mutter. Sie stand auf dem Balkon, den sie immer den langen Balkon genannt hatten, vor dem großen Raum, den sie, soweit Quent sich erinnern konnte, nie mit seinem Vater geteilt hatte.

Lorene bemerkte, dass er zu ihr hochsah. »Quent«, sagte sie, »leg das Gewehr weg. Bitte. Mir zuliebe.«

Ihm war nicht bewusst gewesen, dass er es noch immer genau auf Johns Brust gerichtet hatte. Er senkte den Lauf. »Und was ist mit Johnson?«, fragte er.

»William Johnson? Was soll mit ihm sein?« Johns Herzschlag wurde ruhiger, seine Stimme wurde fester. »Er hat nichts mit Shadowbrook zu tun.«

»Sie sagen, er hätte Bright Fish Water in Lake George umbenannt. Sie sagen, der See gehört nicht mehr zum Gut. Dass du ihn ein paar Männern aus New York überschrieben hast.«

John antwortete nicht sofort. Deswegen witterte Quent die Lüge. »Das ist lachhaft«, sagte sein Bruder schließlich. »Ich habe dir doch schon gesagt …«

Quent ließ das Gewehr fallen, stürzte sich auf seinen Bruder, legte ihm beide Hände um den Hals und drückte zu. »Du Dreckskerl! Du verlogener Verräter, du beschissener Dreckskerl! Wie kannst du nur? Warum?«

John packte Quent an den Handgelenken, versuchte verzweifelt, den Griff seines Bruders um seinen Hals zu lösen. Die Luft brannte ihm in der Lunge, er sah nur noch verschwommen. Taumelnd ging er in die Knie. Das stählerne Band um seinen Hals lockerte sich nicht. Quent kniete über ihm. »Du Schwein! Was noch außer Bright Fish Water? Was noch?« Ein winziger Teil seines Verstands, der nicht von Zorn geblendet war, sagte ihm, dass sein Bruder nicht antworten konnte, weil er erstickte. Und dass Quent das genaue Ausmaß des Verrats wissen wollte – wissen musste. Er nahm die Hände von Johns Kehle und holte mit der Faust aus, merkte erst, dass er tatsächlich zugeschlagen hatte, als er Blut aus Johns Mund fließen sah. »Was noch?«, donnerte er. »Was noch?«

»Carrying Place …« Die Worte kamen undeutlich und langsam. Johns Zunge schwoll zusehends an.

»Was noch?« Quents Haut prickelte, sein Herz raste. Schon begann das Trauern in ihm, eine große Wunde, ein tiefer Schnitt, so groß wie die Wunde, die John dem Gut geschlagen hatte. »Was noch?«

»Oberhalb von Do Good«, flüsterte John. »Land nördlich von Do Good.«

Quent wollte seine Wut und seinen Schmerz hinausschreien, aber es gelang ihm nicht. Beides war in ihm verschlossen, der Schmerz wurde vom Zorn gedämpft. »Wer?« Er sprach ruhig. »Wem hast du das Land gegeben?«

»New Yorkern. Geschäftsleuten. Ging nicht anders. Nach dem Feuer … Schulden. Musste einen Teil hergeben, um den Rest zu behalten.« Er konnte die Worte nicht so schnell oder so deutlich sagen, wie er es wollte, wie er es tun musste – das wusste er –, wenn er am Leben bleiben wollte. Quents Zorn loderte nicht mehr, sondern war eiskalter Wut gewichen. John wusste, dass das weitaus gefährlicher war. »Feuer«, sagte er wieder, mühte sich, verständlich zu reden. »Das Feuer hat uns fast ruiniert. Brauchte Geld, um weiterzumachen … die nächste Ernte …«

In seinem tiefsten Inneren wusste Quent, dass John nicht die Wahrheit sagte. Am liebsten hätte er ihn zu Brei zermalmt, sein Gehirn auf den Boden spritzen sehen und ihm jeden einzelnen Knochen gebrochen. Aber es konnte die Wahrheit sein.

»Quent.« Die Stimme seiner Mutter. Vom langen Balkon über ihm. Nur sein Name. »Quent.«

Taumelnd erhob er sich und ging auf die Stallungen zu. Jeremiah würde ihm ein anderes Pferd geben. Er würde nach Norden reiten. In die Tat umsetzen, was er sich vorgenommen hatte. Später würde er nach New York gehen, würde herausfinden, wer es war, dem jetzt der nördliche Teil von Shadowbrook gehörte. Und tun, was nötig war, um es zurückzuholen. »Jeremiah!«, rief er. »Jeremiah!« Der Schwarze erschien, führte eine gesattelte Stute am Zügel. Es war die graue Stute, auf die er am Tag des Feuers gesprungen war.

»Gehen Sie, Master Quent«, sagte der alte Mann. »Ihrer Mama zuliebe. Wenn ein Bruder den anderen hier umbringt, ist das Land vergiftet. Das Mal Kains ist das. Tun Sie's nicht, Master Quent, Ihrer Mama zuliebe.«

Quent schwang sich in den Sattel und ritt davon, ohne einen Blick zurückzuwerfen.

Oben, in Johns Schlafzimmer, sah Taba ihn noch lebend vom Boden hochtaumeln und brach in Tränen aus.

18

Dienstag, 7. September 1755

Fort Edward, das Südende des Great Carrying Place

»Französische Soldaten?«, fragte Johnson.

Der Mohawk-Kundschafter schüttelte den Kopf. »Ein paar. Vor allem Kanadier und *Anishinabeg.*«

Johnson brummte erstaunt. »Dieser Dieskau klingt nicht wie ein durchschnittlicher General aus Europa.«

»Aber die Abenaki, die bei ihm sind, sind die durchschnittliche Art *Anishinabeg*«, sagte Thoyanoguin.

Der alte Mann hatte sich das Haar zur Skalplocke geschnitten, die über seinem verwitterten Gesicht fehl am Platz wirkte. Johnson erfüllte bei diesem Anlick ein ungutes Gefühl, was den Feldzug betraf. Der Mann, den die Engländer König Hendrik nannten, war nach allgemeinem Dafürhalten über siebzig, aber was immer Johnson oder seine Frau, die ebenfalls eine Kahniankehaka war und zum Klan des Alten gehörte, sagten, nichts konnte die Meinung des Häuptlings ändern. Er war Kriegssachem der Kahniankehaka, der Hüter der östlichen Tür, und wenn es an deren Schwelle einen Krieg gab, dann würde Thoyanoguin seine Tapferen in die Schlacht führen. Und sollte es die letzte sein, nun, so sei es.

Den Dreispitz und den blauen Offiziersrock, den er üblicherweise trug, hatte er abgelegt und durch die Schlachtkleidung der Irokesen ersetzt: Beinlinge, Lendenschurz und eine doppelte Reihe von sechs blauen Punkten auf der Stirn. Seine Brust war, abgesehen vom Gurt seiner Muskete, bloß. Es war die Kleidung eines jungen Mannes am weichen, schwammigen Körper eines alten. Fettwülste fielen über das obere Ende des Tomahawks, den er an der Hüfte trug. »Eine Decke, alter Vater.« Johnson reichte sie ihm. »Es wird kalt.« Das sagte er natürlich aus Respekt, aber er wollte sich auch den Anblick dieser Travestie ersparen. Sie erschütterte ihn zutiefst.

Dankbar legte sich Thoyanoguin die Decke um die Schultern. »Die Winde kommen in diesem Jahr sehr früh. Ihr werdet Fort Frédéric viele Monate lang nicht einnehmen.«

»Ja, das glaube ich auch«, stimmte Johnson zu. »Vielleicht im nächsten Frühjahr.«

»Und der Angriff auf Niagara? Wird der auch verschoben?«

»Das habe ich gehört.« Die Pläne, die in London gemacht wurden, prallten auf die Wirklichkeit des Lebens in den Kolonien. Nicht nur die dichten Wälder und die fehlenden Straßen, auch die Rivalitäten der einzelnen Gouverneure und ihrer Verwaltungen standen im Weg. »De Lancey weigert sich, die Geschütze aus dem Fort in Albany freizugeben. Und John Lydius sollte eigentlich Männer für den Niagara-Feldzug rekrutieren, aber allzu viele haben sich nicht anwerben lassen.« Höchstwahrscheinlich hatte Lydius die Prämie, die für die neuen Milizen gedacht war, in die eigene Tasche gesteckt.

Thoyanoguin nickte. Selbst unter den Mitgliedern der Irokesen-Föderation konnte man sich nicht immer darauf verlassen, dass alle zusammenhielten. Er hatte von einem Strom von Blut geträumt, der die Dörfer der Kahniankehaka überflutete. Unendlich viel Blut, das die Erde bedeckte. Und ein Falke und ein winziger *raon* und ein großer Bär, von dem Thoyanoguin gedacht hatte, er sei Uko Nyakwai. Vielleicht doch nicht. Seine Kundschafter hatten berichtet, der Rote Bär sei gesehen worden, wie er nach Norden ging, Richtung Singender Schnee. Die Potawatomi waren mit Onontio verbündet. Vielleicht war Uko Nyakwai letztlich doch mehr Potawatomi als *Cmokman*. Und vielleicht gar nicht der Bär aus seinem Traum.

Johnson hockte auf den Fersen und zeichnete etwas in den Staub. Das war seine Art, seine Gedanken zu ordnen. Thoyanoguin hatte das schon öfter erlebt. Er setzte sich zu dem Jüngeren. Seine alten Knochen knackten und schmerzten, aber noch trugen sie ihn. Er beugte sich vor und betrachtete Johnsons Zeichnung. Auf dem Boden waren zwei schraffierte Kreise zu erkennen.

»Sagen wir, fünfhundert Mann in jeder Gruppe«, sagte Johnson leise; seine Worte waren nur für den Häuptling bestimmt. »Zwei Abteilungen. Die können die Franzosen aufspalten. Eine Zangenbewegung.«

Thoyanoguin fuhr sich mit der Hand über die Skalplocke. Nach den vielen Jahren gab der Große Geist ihm eine letzte Chance. Aber ein sinnloser Tod war Verschwendung. Er erhob sich und deutete auf den Kundschafter, der die Nachricht vom Anrücken der Franzosen gebracht hatte. »Wie viele?«, fragte er.

Der Kundschafter hatte bereits gesagt, wie viele es seiner Schätzung nach waren, aber er wiederholte die Auskunft. »Tausend. Und ein halbes Tausend mehr. Fast die Hälfte sind Abenaki und Caughnawaga-Kahniankehaka. Nur ein paar französische Soldaten. Die anderen sind Männer aus Kanada.«

Also rückten fünfzehnhundert Gegner auf sie vor. Und die Großzahl waren Tapfere und *Cmokmanuk* aus dieser Welt, nicht aus der Alten. Männer, die zu kämpfen verstanden. Es würde nicht so sein, wie es offenbar vor zwei Monden am Monongahela gewesen war. Diese Truppen würden nicht einfach dastehen und sich abschlachten lassen. Wieder sah Thoyanoguin auf die Zeichnung im Staub.

»Zwei Gruppen mit je fünfhundert Mann«, wiederholte Johnson. »Eine Zangenbewegung.«

Thoyanoguin schüttelte den Kopf. »Zum Sterben sind es zu viele«, sagte er leise. »Aber zu wenige zum Kämpfen.«

William Johnson überlegte einen Augenblick. Dann erhob er sich und verwischte seine Zeichnung mit dem Stiefel.

Am nächsten Morgen ritt Thoyanoguin auf einem kastanienbraunen Wallach an der Spitze eines Kriegstrupps von knapp tausend Yorkern und rund zweihundert Tapferen – vorwiegend Kahniankehaka, aber auch Mohegan und einige Mahican. Thoyanoguin verabscheute die Mahican und konnte mit den Mohegan wenig anfangen, dennoch hatte er die Ehre in Anspruch genommen, sie alle in die Schlacht zu führen. So wenig das Johnsons Billigung fand, er konnte es dem Alten nicht verwehren. Jetzt schnupperte der alte Häuptling die Luft und versuchte, feindliches Blut zu wittern. Die Kundschafter hatten gemeldet, zweihundert Franzosen warteten weiter vorn, auf der breiten Straße, die Johnsons Männer in diesem langen Sommer der Vorbereitung angelegt hatten. Aber hatte dieser Dieskau dasselbe vor wie damals Braddock? Würden sie einfach alle darauf warten, abgeschlachtet zu werden?

Zu beiden Seiten der Straße erstreckte sich dichter Wald. Wenn es hier sein sollte, dachte Thoyanoguin, würde er …

»*Oh nihotaroten?*« Welcher Stamm? Eine Stimme aus dem Wald, im Irokesisch der Kahniankehaka. Die Caughnawaga hatten genau dort Position bezogen, wo er es vermutete. Sie lauerten ringsum, wollten aber nicht ihre Brüder töten.

»Wir gehören zur Föderation«, rief Thoyanoguin laut. »Wir sind Mitglieder des großen Bundes des Friedens, Anführer aller *Anishinabeg*. Die meisten von uns sind Hüter der …«

Ein Schuss zerriss die Luft. *Ayi!* Er kam von hinten, nicht aus dem Wald. Einer seiner eigenen hitzköpfigen Tapferen, der zu dumm war zu warten. Vermutlich ein Mahican. Und jetzt war es zu spät. Unzählige Schüsse folgten. Die Tapferen hinter ihm waren wie Rebhühner im kurzen Gras, gute Zielscheiben. Mit jeder Salve von Musketenfeuer und Pfeilen gingen mehr von ihnen zu Boden.

Thoyanoguin spürte den brennenden Schmerz einer Musketenkugel in der Schulter. Er glitt vom Pferd und taumelte auf die Bäume zu. Zuerst stützten ihn zwei junge Tapfere, aber als er nicht mit ihnen mithalten konnte, eilten sie davon. Thoyanoguin lief durch den Wald, bis er eine Siedlung sah. Frauen. Schweiß rann ihm in die Augen und nahm ihm die Sicht. Er hatte so viel Blut verloren, dass die Gedanken wie klappernde Gebeine in seinem Kopf ratterten. Die Frauen, die den Yorkern folgen, dachte er. Die, die tagsüber die Wäsche machen und sich nachts anbieten, wenn …

Der erste Tomahawk grub sich in sein Fleisch, bevor Thoyanoguin bewusst wurde, dass er sich verlaufen und ein feindliches Lager erreicht hatte, Frauen und Söhne, die zu jung waren zum Kämpfen. Der Strom von Blut war hier angekommen und würde durch sein eigenes noch weiter anschwellen. Er war noch am Leben, als die Jungen seine Skalplocke nahmen, aber tot, bevor sie ihm das Herz herausschnitten.

Mond des fallenden Laubs, die sechzehnte Sonne
Das Dorf Singender Schnee

»Jetzt ist also dein Geburtsvater in die nächsten Jagdgründe eingegangen, mein weißer Sohn?« Bishkek sah Quent nicht in die Augen, als er diese Frage stellte.

»Ja, er ist gestorben.« Bishkek hatte immer schon die Gedanken seiner beiden Mannheitssöhne lesen können. Es überraschte Quent nicht, dass Bishkek von den vielen Monden wusste, die seit Ephraims Tod vergangen waren, und dass sie beide wussten, wie überfällig Quents Besuch war. »Er ist im Mond der kommenden Dunkelheit von uns gegangen.«

»Kommende Dunkelheit«, wiederholte Bishkek leise. Er und Quent hockten in einiger Entfernung vom morgendlichen Treiben des Dorfs. Mit dem Zweig, den Bishkek in der Hand hielt, zog er eine Reihe von Linien in die Erde, eine für jede Zeremonie des neuen Monds. »Keine Sonne, Große Kälte, Verheißenes Licht, Großer Wind, Berstendes Eis, Kein Fett, Viel Fett, Donner, Große Hitze, Fallendes Laub …« Bishkek hielt inne und blickte auf. »Zehn Mal Erzählen des neuen Monds, seit dein Vater gestorben ist. Mein weißgesichtiger Sohn hat sehr lange gewartet, um seinem Mannheitsvater seine Achtung zu erweisen.«

»Ich weiß, dass ich früher hätte kommen sollen«, sagte Quent. »Ich konnte nicht.«

»Und du hast auch nicht vor, bis zum Erzählen des Letzte-Frucht-Monds zu bleiben.« Bishkek Miene war düster, er wich Quents Blick aus.

Letzte Frucht entsprach Oktober. Das Erzählen des Letzte-Frucht-Monds würde in gut zwei Wochen stattfinden. Wenn er so lange in Singender Schnee blieb, wäre seine Mission gescheitert. »Nein, Vater, das habe ich nicht vor.«

»Und hast du eine Frau, mein weißgesichtiger Sohn? Und einen Geburtssohn?«

Quent schüttelte den Kopf.

»Und du hast nicht vor, hier im Dorf eine zu suchen und ihr einen Brückenmenschen in den Bauch zu pflanzen oder dem Sohn einer anderen Squaw zum Mannheitsvater zu werden, sodass der Junge mehr von der Art der *Cmokmanuk* lernt und gleichzeitig lernt, was es heißt, ein *Anishinabeg* zu sein.« In Bishkeks Stimme schwang weder Billigung noch Missbilligung mit, doch er lächelte nicht. Mit seinen Worten beschrieb er Quents Pflichten dem Dorf gegenüber, von denen dieser bislang keine einzige erfüllt hatte.

»Alles, was du sagst, ist wahr, Vater.«

»Und das ist der Grund, warum du so lange nicht nach Singender Schnee gekommen bist. Dann sage mir doch«, fuhr Bishkek fort. »Wenn du nicht unsere Lebensweise ehren willst, die du geschworen hast, zur deinen zu machen, warum bist du dann gekommen? Warum habe ich dich in meinem Herzen getragen, seit du ein kleiner Junge warst, und warum hat dieses Dorf so viele Hoffnungen in die beiden Brückenmenschen gesetzt, die eins mit uns sind? *Haya, haya, jayek*«, sagte er leise. So, so, wir alle zusammen. »Ist es nicht so, mein weißgesichtiger Sohn?«

»So ist es, Vater. *Haya, haya, jayek*. Ich bin immer eins mit dem Volk von Singender Schnee. In meinem Herzen immer. Im Geist bin ich, was du mich genannt hast: Kwashko, ›Der über Feuer springt‹.« Die Erinnerung an den Potawatomi-Tapferen, den er in den Wäldern am Monongahela getötet hatte, bereitete Quent einen bitteren Geschmack im Mund.

»Aber jetzt bist du Kwashki«, sagte Bishkek. »Der zurückspringt.«

Quent schüttelte den Kopf. »Nein, nie. Ich bin eins mit dir und mit allen an diesem Ort des Fünften Feuers. Ich bin Potawatomi.«

Bishkek betrachtete den Mann, den er seit dessen Kindheit begleitete. Uko Nyakwai. Der Rote Bär. Ein schrecklicher Name.

Aber er passte zu ihm. Und ein Brückenmensch durfte nicht nur in eine Richtung gehen müssen. Einem Brückenmenschen musste es freistehen, vorwärts und zurück zu gehen. »Sag mir, warum du gekommen bist«, meinte er leise. »Wenn ich tun kann, was immer es ist, weshalb du gekommen bist, dann tue ich es.«

»Sag mir nur, wo ich meinen Bruder finden kann.«

Mit dem Zweig zeichnete Bishkek einige weitere Linien auf die Erde. Quent wusste, dass das Muster eine Bedeutung hatte, aber nicht, welche. »*Wabnum*«, sagte Bishkek und deutete auf die Linien. »Cormac ist der weiße Wolf. Mein anderer Mannheitssohn ist auf einer heiligen Wanderung. Er folgt dem Traum, der ihm geschickt wurde. Es steht uns nicht zu, diese Wanderung zu stören.«

»Ich bin Teil dieser Wanderung, Vater. Es gibt Dinge, die ich meinem Bruder sagen muss. Vom Falken und dem weißen Bären und dem weißen Wolf.«

Bishkek sah auf; er war überrascht, dass Quent so vieles über Cormacs Traum wusste. »Wenn du Teil dieser Wanderung bist, warum warst du dann nicht bei ihm, als er zu uns kam?«

»Cormac wurde der Traum geschickt, als mein Geburtsvater zwischen diesem und dem nächsten Leben stand, Vater. Ich konnte ihn nicht verlassen. Aber der Große Geist schickte Cormac den Traum, als wir beide unter demselben Dach waren.«

»In Shadowbrook«, sagte Bishkek. Der Name klang seltsam aus seinem Mund.

»In Shadowbrook«, bestätigte Quent. »Und ich muss meinem Bruder einige wichtige Dinge über die kleinen Vögel und den Strom von Blut erzählen.«

Bishkek schwieg eine Weile, ehe er schließlich nickte. »Kekomoson hatte einen Traum, der Cormac bis ans Ende der Welt schickte. Dann ist mein anderer Mannheitssohn einen Teil des Wegs zurückgekommen. Jetzt habe ich von einem Tapferen gehört, dass er ihn in Québec gesehen hat.«

Samstag, 18. September 1755

Das Kloster der Armen Klarissen, Québec, Unterstadt

Mère Marie Rose war zu einer Entscheidung gekommen. Sie würde das Lobopfer in die Zucht einführen, wie Père Antoine vorgeschlagen hatte, aber, entsprechend der heiligen Regel der heiligen Klara, nichts von ihrer Autorität aufgeben und auch nichts von ihrer Verantwortung gegenüber ihrer jüngsten Tochter.

Die Nonnen hatten sich im Kapitelsaal versammelt, in dem die wesentlichen Stationen im Leben einer jeden Nonne begangen wurden. Hier trafen sie sich jede Woche, um sich ihrer Verstöße gegen die Regel zu bezichtigen – keine Arme Klarisse bezichtigte je eine andere – und die Ermahnungen und Strafen der Äbtissin zu hören. Hier erfuhr sie, dass sie als Novizin angenommen worden war und eingekleidet werden würde. Wenn sie das Gelübde ablegen durfte, wurde ihr das im Kapitelsaal mitgeteilt. Wenn sie das Gelübde fünfundzwanzig Jahre gehalten hatte, versammelten sich ihre Schwestern dort mit ihr, und sie erhielt eine silberne Krone. Wenn sie lange genug lebte, um das Gelübde fünfzig Jahre zu halten, bekam sie eine Krone aus Gold. Sœur Marie Stéphane hatte einen Meilenstein erreicht, als sie eingekleidet wurde. Jetzt näherte sie sich dem nächsten.

Nicole kniete in der Mitte des Raums, die Stirn auf den Steinfußboden gepresst, die Hände über dem Kopf gefaltet – eine den Armen Klarissen eigene Haltung, an die sie sich im Lauf des letzten Jahres gewöhnt hatte. »Zur größeren Ehre und zum Ruhme Gottes«, sagte die Äbtissin, »der gebenedeiten, unbefleckten Muttergottes, des heiligen Joseph, unseres heiligen Vaters, des heiligen Franziskus, unserer heiligen Mutter Klara und aller Heiligen sowie zur Errettung und größeren Heiligung deiner Seele wird deine heilige Profess am neunundzwanzigsten Septembertage stattfinden, am Festtag des Erzengels Michael.«

Nicole hob die Stirn vom Boden und setzte sich auf die Fersen, ehe sie sich erhob. Die kleine Sœur Angélique trat zu ihr. »Ich wünsche dir Freude, liebe Schwester«, flüsterte sie, als sie Nicole rituell einen Kuss auf jede Wange gab und sie dann in die Arme schloss, »und die Gnade der Standhaftigkeit.« Als Nächstes kam Sœur Joseph, dann Sœur Françoise und nach ihr die Vikarin Sœur Céleste. Jede murmelte dasselbe: »Ich wünsche dir Freude, liebe Schwester, und die Gnade der Standhaftigkeit.« Freude – das war das Gefühl, das sie empfinden sollte. *Aus eigenem, freiem Willen.* Immer und immer wieder hatte sie sich das gesagt und war ihr das gesagt worden. Sie traf diese Entscheidung aus eigenem, freiem Willen. Elf Tage. Dann lege ich das Gelübde ab, dann ist es endgültig. Adieu, mein geliebter Roter Bär. Adieu.

Marie Rose näherte sich ihrer jüngsten Tochter und legte die Arme um sie. »Ich wünsche dir Freude, liebes Kind, und die Gnade der Standhaftigkeit. So lange es nötig ist«, fügte sie hinzu.

»Wann wird es nicht mehr nötig sein, ma Mère?« Sie hatte diese Frage nicht stellen wollen, aber sie war so überrascht von den Worten Marie Roses.

»Wenn du gestorben sein wirst, liebes Kind. Das ist die glückselige Erlösung, die uns allen geschenkt wird.« In den Augen der Äbtissin funkelte ein Licht, das nur erschien, wenn sie vom Tod sprach.

Dienstag, 28. September 1755
Die Wälder von Pointe-Lévis gegenüber von Québec

Der kehlige, aus drei Tönen bestehende Ruf des Seetauchers hallte über ihnen. Corm und Quent blickten auf, dann sahen sie sich an und lachten. »Der dumme Vogel könnte uns in Schwierigkeiten bringen«, sagte Quent. Seit ihrer Kindheit war der Ruf des Seetauchers ihr Erkennungszeichen, um sich in einer Menschenmenge oder im Wald zu finden. Im Süden, wohin sich nur wenige Seetaucher verirrten, war der Ruf ein großartiges Signal.

»Wenn du länger hier bleibst, könnte es ein Problem werden«, stimmte Corm zu.

»Vielleicht die Chickadee-Meise?«, schlug Quent vor. »So weit im Norden gibt's davon nicht viele. Kannst du die Chickadee-Meise gut nachmachen?«

»So gut wie du allemal. Aber es gibt viele Vögel, die ähnlich wie eine Chickadee-Meise klingen. Außerdem …«

»Außerdem was? Komm, Corm. Du willst mir doch was sagen. Spuck's schon aus.«

»Du solltest nicht so lange hierbleiben, dass wir ein Erkennungssignal brauchen.« Frost lag in der Luft, der frühe kanadische Winter kündigte sich an. Sie hatten in den Wäldern fernab der *habitants* ein Feuer gemacht. Corm streckte die Hände zur Glut hin aus. »Es wäre besser, wenn du verschwindest, bevor der Schnee kommt.«

»Ein bisschen Schnee stört mich nicht.«

»Nein, aber im Schnee bist du leichter zu verfolgen.«

»Du meinst von Lantak.«

Seit zwei Tagen redeten sie nun schon, seit der Ruf des Seetauchers Quents Ankunft in der Unterstadt von Québec verkündet hatte. Er hatte das Signal von einem abgelegenen Winkel der Werft aus alle fünfzehn Minuten gepfiffen, und nach dem vierten Mal hatte Corm ihn gefunden. Nahezu das Erste, was er Quent erzählt hatte, war, dass Lantaks Schulter, an der Quent ihn im Jahr zuvor verwundet hatte, völlig wiederhergestellt war. Angeblich hatte sie sehr lange gebraucht, um zu heilen, weil sie zu schwären begann und sich schwarz färbte, bis Lantak schließlich eine alte Kräuterfrau fand, die ihm helfen konnte. Seitdem hatte er neue Anhänger um sich geschart. Es gab immer Tapfere, die sich nicht den Regeln des Langhauses beugen wollten. Lantak plünderte mit seinen Abtrünnigen das Land rund um Québec und schwor, er würde Uko Nyakwais Skalp mit dessen eigenem Dolch nehmen und ihm dann damit das Herz herausschneiden und essen, noch ehe es zu schlagen aufhörte.

»Denkst du vielleicht, ich werde alt und gebrechlich? Du gibst also Lantak mehr Chancen als mir?«

»Wenn er erfährt, dass du in Québec bist, wird er dir mit seinen Tapferen hier nachstellen. Neun oder zehn sollen es sein.«

»Das klingt nach einem gerechten Kampf«, meinte Quent.

Cormac grinste. Das hatten sie schon als Jungen gesagt. Immer, wenn die Chancen sehr schlecht standen. *Das klingt nach einem gerechten Kampf.* Doch das Grinsen währte nur kurz. »Es geht nicht nur um Lantak.«

»Sondern?«

»Ich denke, wenn dein Plan klappen soll, musst du ihn bald umsetzen. Je länger du hier bleibst, desto mehr verzögert er sich.«

»Du bist dir nicht sicher, ob der Plan wirklich gut ist, oder?«

Cormac verzog das Gesicht. »Der Plan ist gut. Besser als alles, was mir eingefallen ist, nur …«

»*Haya, haya, jayek.* So, so, wir alle zusammen«, sagte Quent leise. »Was geht dir durch den Kopf?«

»Ich finde, es sieht dir nicht gerade ähnlich, an einen Traum zu glauben. Der Teil von dir ist immer *Cmokman* geblieben. Für dich haben Träume keine Bedeutung.«

»Manche schon.« Es war verboten, über das eigene Todeslied zu sprechen, was es besagte und wie es entstanden war, also erklärte er nur: »Der Traum vom alten Thoyanoguin war dem deinen ganz ähnlich.« Er hatte Cormac alles erzählt, was in Do Good passiert war, dass er nach dem Überfall auf Shadowbrook gar nicht vorgehabt hatte, Nicole nach Québec zu bringen, ehe er Solomon gefunden und nach Hause gebracht hatte, bis der Kahniankehaka-Häuptling erschien und sagte, dass Nicole der Kolibri aus seinem Traum sei und der Bär sie tragen müsse, wie sie es von ihm verlangte, weil sonst Schreckliches passieren würde.

»Thoyanoguin hat von einem Blutstrom geträumt«, wiederholte Corm Quents Worte.

»Ja, genau wie du.«

»Aber wer weiß, ob Thoyanoguin und mein Traum derselbe …«

»Ein Strom von Blut«, wiederholte Quent.

Corm zuckte die Achseln. Über einen Traum konnte man nicht streiten. Eben deshalb war er so geheimnisvoll und mächtig. »Und du glaubst, dass diese Schlacht zwischen Engländern und Franzosen zu einem Strom von Blut führen wird?«

»Ja, das glaube ich.«

»Aber die Engländer und die Franzosen kämpfen doch immer schon. Das ist nichts Neues.«

»Nein. Hör mir ganz genau zu, Corm. Bis jetzt haben vor allem Amerikaner und Kanadier gekämpft. Dieses Mal schicken beide Seiten reguläre Truppen. Das ist etwas ganz anderes. Was im Ohio Country passiert ist … Das war mehr als genug Blut für einen Strom.«

Corm schüttelte den Kopf. »Die Schlacht am Monongahela haben die *Anishinabeg* gewonnen. Ich sehe das als etwas Gutes.«

»Da täuschst du dich aber. Dieses Mal war es alles andere als gut. Die Engländer werden eine solche Niederlage nie und nimmer hinnehmen. Sie werden Vergeltung üben. Das letzte Mal haben sie zwei unterbesetzte Regimenter geschickt. Beim nächsten Mal werden es vier sein. Vielleicht sogar sechs oder acht. Und die Franzosen werden gleichziehen müssen. Wir *Cmokmanuk* werden einen richtigen Krieg hier führen, Corm, einen europäischen Krieg. Und die *Anishinabeg* werden zwischen den beiden Gegnern aufgerieben werden.«

Corm schwieg. »Willst du mir sagen, was dich an meinem Plan wirklich stört?«, fragte Quent.

»Der Plan ist gut. Du gehst nach New York, sprichst mit De Lancey und machst ihm einen Vorschlag, den er, klug wie er ist, bestimmt versteht, und ich gehe zu Pontiac und rede mit ihm … Das ist beides sehr gut.« Corm zögerte. Die Dämmerung war hereingebrochen, es wurde allmählich dunkel. Ein Starenschwarm fiel in eine Baumkrone ein, schwatzte und lärmte und schwirrte wieder davon. »Aber ich soll Pontiak dazu bringen, alle *Anishinabeg* davon zu überzeugen, dass sie gemeinsam auf der Seite der Engländer kämpfen …«

»Mit den Engländern kämpfen oder neutral bleiben«, stellte Quent richtig.

»Was auch immer, das wird verdammt schwierig werden. Pontiac ist ein Kriegssachem, ein Kämpfer. Glaubst du wirklich, dass die Suckáuhock ihn überzeugen werden, sich auf diesen Plan einzulassen?«

»Sie müssen«, sagte Quent. »Außerdem ist Pontiac ein Ottawa. Du bist ein Potawatomi. Zu Anfang ein Volk.« Er zitierte den Beginn des Erzählens des neuen Monds. »Pontiac wird nichts anderes übrig bleiben, als auf deine Worte zu hören und deinen Traum zu würdigen.«

»Würdigen ist nicht dasselbe wie zu tun, worum man gebeten wird. Jemandem zuhören ist nicht dasselbe wie auf jemanden hören.«

Quent zuckte die Achseln. Es stimmte. »Sagen wir, dass du Recht hast und ich Unrecht. Sagen wir, die Suckáuhock überzeugen Pontiac nicht davon, sich unserer Meinung anzuschließen. Welchen Zweck sollen sie dann haben? Wozu hat Memetosia sie dir sonst gegeben?«

»Ich weiß es nicht. Vielleicht ein Traum, den er hatte.«

»Das glaube ich auch. Dann ist also alles Teil ein und desselben Plans. Memetosias Traum, dein Traum, Thoyanoguins Traum.« Quent wartete, aber Corm äußerte sich nicht. »Alles passt zusammen.«

»Wenn dein Plan zum Traum gehört, dann hast du Recht.«

In Corms Stimme schwang noch immer Zweifel mit, aber Quent wusste nichts weiter zu sagen. Es war Corms Traum, Corms Entscheidung.

»Und im Lydius-Haus hast du nichts gesehen?« Seit Stunden sprang Corm in der Geschichte hin und her, griff mal diesen, dann jenen der vielen Fäden auf, die sie an diesen Ort geführt hatten. »Keine Erklärung für den Huronen, der mich angegriffen hat?«

»Nichts. Ich sagte dir schon, Genevieve und John waren wie immer. Auch, als sie zu Vaters Beerdigung kamen.«

Corm machte ein unglückliches Gesicht. »Es tut mir wirklich schrecklich Leid, dass ich nicht da war. Miss Lorene …«

»Sie versteht das. Corm, was wirst du tun? Unterstützt du mich bei dieser Sache oder nicht?«

»Ich unterstütze dich immer. Und Bright Fish Water und den Great Carrying Place fürs Gut zurückzubekommen – ich weiß doch, wie wichtig das für dich ist, aber …«

»Du bist dir nicht sicher, ob das zu deinem Traum gehört.«

»Ich bin mir mit überhaupt nichts sicher.«

»Ich mir schon«, sagte Quent. »Der Falke ist der Jesuitenpater, den du in L'Acadie kennen gelernt hast. Ich bin der Bär. Und du bist der weiße Wolf. Ich bin mir absolut sicher mit allem.«

»Ich dachte, der Bär würde die kleinen Vögel beschützen; vielleicht ist er der Feind.«

»Du hast den Bären nur gesehen, aber nicht, was er getan hat.«

Das stimmte. »Aber wieso war der Bär in meinem Traum dann nicht rot?«

»Woher in drei Teufels Namen soll ich das wissen?«

Corm stocherte in der Glut, Funken stoben auf. Sie waren am vorherigen Tag nach Pointe-Lévis gekommen, in einem gestohlenen Boot, weil sie nicht wagten, eins anzuheuern, aus Sorge, der Bootsmann könnte über seine zwei sehr eigenwillig aussehenden Passagiere reden; dann waren sie eine knappe Meile zum Wald am Südufer gerudert, wo sie so lange reden konnten, wie es nötig war, ohne entdeckt oder gestört zu werden. Jetzt war die Zeit zu reden vorüber. Corm stand auf. »Es soll sein.«

»Es soll sein.« Quent erhob sich ebenfalls, und feierlich gaben sie sich die Hand, drückten Handfläche gegen Handfläche, um die Abmachung zu besiegeln.

»Dann gehen wir morgen früh nach Süden«, sagte Corm.

»Übermorgen«, sagte Quent. »Morgen ist Mittwoch. Du hast gesagt, dass sie am Montag, Mittwoch und Freitag herauskommt. Ich muss sie sehen, Corm. Nur einmal noch, bevor ich gehe.«

»Ich habe gesagt, sie ist drei Mal die Woche gekommen. Aber letzte Woche habe ich sie kein einziges Mal gesehen. Am Montag bist du gekommen, da habe ich nicht nach ihr geschaut.«

»Aber morgen könnte sie wieder kommen. Was macht ein Tag hin oder her schon aus?«

»Bei einer solchen Sache zählt jeder Tag.«

»Der Winter kommt«, sagte Quent. »Für dieses Jahr ist es vorbei mit Krieg.«

Während der Schlacht am Monongahela war Pontiac im Ohio Country gewesen, und eben dort hoffte Cormac ihn auch jetzt zu finden. Aber es stimmte, der Winter war nicht die Zeit, um einen Krieg zu führen.

Corm hockte sich ans Feuer. Während die beiden Männer gesprochen hatten, war es heruntergebrannt, und der Abend wurde mit der hereinbrechenden Dunkelheit zunehmend kühler. »Hör mal, da ist noch etwas … Was da in L'Acadie passiert …«

Quent stieß glühendes Holz ins Feuer zurück, sodass es noch einmal aufflammte. »Wieso bereitet dir das Sorgen?«

»Jemand in L'Acadie hat mir geholfen. Hat mich bei sich aufgenommen. Dieser Erlass wird die Leute dort sehr treffen.«

Ein einziger von Braddocks vier Vorstößen war erfolgreich gewesen. Im Juni waren Beauséjour und L'Acadie eingenommen worden. Seit mehreren Wochen kursierten Gerüchte, dass die Engländer Bekanntmachungen aufgehängt hatten, auf denen es hieß, dass das Land, die Häuser und das Vieh der Akadianer Unterpfand des Königs seien und dass die *habitants* aus der Provinz vertrieben würden und nur ihr Geld und die Habseligkeiten, die sie bei sich tragen konnten, mitnehmen dürften. Auch Quent waren diese Geschichten zu Ohren gekommen. »Ich kann mir nicht vorstellen, dass sie diese Vorschrift wirklich durchsetzen können«, sagte er. »Die Engländer drohen den Akadianern seit Jahren, sie zu deportieren. Sie können so viele Bekanntmachungen aufhängen, wie sie wollen, und verlangen, dass die Leute gehen, aber sie wirklich von ihrem Grund und Boden zu vertreiben wird nicht so leicht sein.«

»Das heißt nicht, dass sie's nicht versuchen werden. Marni ist ganz allein.«

Quent hörte auf, die Glut ins Feuer zu stoßen. »Marni. Das heißt, es ist eine Frau, derentwegen du dir Sorgen machst.«

»Gibt's einen Grund, der dagegen spricht?«

»Keinen einzigen.« Am schwersten war Quent in den letzten beiden Tagen gefallen, Cormac von seinen Gefühlen für Nicole zu erzählen, aber Corm hatte nur genickt, als hätte er alles die ganze Zeit schon gewusst. »Nicht den mindesten Grund«, sagte Quent. »Mir war's bloß nicht klar.«

»Weswegen ich mir Sorgen mache … Ihr Gehöft ist ganz am äußersten Rand der Halbinsel, zwischen Halifax und Port Mouton.« Corm schwieg kurz. »Bist du je da gewesen?«

»Nein, ich kenne L'Acadie überhaupt nicht.«

»Dann kannst du nicht verstehen, was ich meine.«

»Ich weiß, wovon du sprichst. Und worüber du dir Sorgen machst. Hat irgendjemand etwas von diesen Schiffen gesehen? Oder weiß jemand, wohin die Leute gebracht werden sollen?«

Corm schüttelte den Kopf. »Ich glaube nicht.«

»Wahrscheinlich ist es nur leeres Gerede. Und selbst wenn nicht – zu dieser Jahreszeit wird es nicht leicht sein, da jetzt der Frost einsetzt.« Er bemerkte den Ausdruck auf Cormacs Gesicht und wusste, dass er ihn nicht überzeugt hatte. »Es gibt keinen Grund, warum du nicht einen Umweg machen und noch mal nach L'Acadie gehen solltest, um nach ihr zu sehen.«

»Meinst du?«

»Ja. Ich sagte dir doch, wir haben Zeit bis zum Frühjahr. Ein paar Tage hin oder her spielen keine große Rolle.«

»Das stimmt.« Seine Erleichterung war Corm deutlich anzuhören, doch das kümmerte ihn nicht. »Dann gehe ich also nach L'Acadie, bevor ich Pontiac suche.« Ihm war bewusst, dass er damit auch eingewilligt hatte, am kommenden Tag mit Quent nach Québec zu gehen und ihm zu helfen, Nicole zu sehen.

Das Feuer brannte ruhig, die Glut funkelte rot. Quent legte einen Holzscheit nach. Funken stoben auf und erstarben. Als die trockene Rinde Feuer fing, krachte es laut. Schön, ein paar Stunden so mit Corm zu verbringen, dachte Quent, sich um nichts sorgen zu müssen als die üblichen Gefahren des Waldes. Nach dem morgigen Tag wird alles anders sein. Was, wenn ein Wunder geschieht? Was, wenn sie Ja sagt, wenn sie mitkommt? Wenn sie einwilligte, würde er nicht ohne sie fortgehen. Wenn er deswegen langsamer vorankam, dann sei's drum. Frühling und Sommer, das waren die Jahreszeiten, um Krieg zu führen. Beide waren vorüber.

Quent schwärzte sich das Haar mit Asche, und Corm fand einen Umhang für ihn, wie die Bauern ihn trugen. Er habe ihn nicht regelrecht gestohlen, sagte er, er hätte zur Bezahlung ein paar *sous* hingelegt. »Nyakwai bist du vielleicht noch«, meinte er, »aber nicht mehr Uko.«

An Quents Größe ließ sich nichts ändern. Er war immer ein Bär von einem Mann gewesen, aber er rieb sich Ruß über die roten Bartstoppeln. Und der Umhang war zwar für einen kleineren Mann gemacht, bedeckte ihn aber dennoch vom Hals bis zu den Knien. Die Verkleidung erfüllte ihren Zweck. Sie ruderten von Pointe-Lévis zum Festland zurück, vertäuten das gestohlene Boot wieder dort, wo sie es gefunden hatten, und tauchten in die Stadt ein, ohne dass jemand sonderlich auf ihre Ankunft geachtet hätte.

»Das ist die Stelle«, sagte Corm, als sie bei den Bäumen standen, die das einsame Wegstück auf der Côte de la Montagne unterhalb des bischöflichen Palasts flankierten. »Hier habe ich Nicole sechs Mal getroffen. Hier kommt sie immer entlang.«

Sie behielten die Erdstraße bis weit nach der Mittagsstunde im Auge, aber an diesem Mittwoch erschien Nicole nicht.

»Ich muss sie sehen«, sagte Quent. »Vorher kann ich nicht gehen. Ich habe Zeit.« Er klang selbstgewiss, aber er spürte den harten, kalten Klumpen in der Magengrube. Sicher, der Krieg wird erst im nächsten Frühjahr wieder beginnen, aber was ist mit John? Was, wenn er den Handel abschließt, bevor ich es verhindern kann? Egal. Ich kann nicht gehen, ohne sie zu sehen. Sie ist keine halbe Meile von mir entfernt, in der kleinen Kate, die ich mit bloßen Händen einreißen könnte.

Seine Gedanken standen ihm ins Gesicht geschrieben. »Sie hat sich weggesperrt, weil sie es will«, sagte Corm zu ihm. »Sie würde nicht dort bleiben, wenn sie es nicht wollte.« Er hatte nicht erzählt, wie dünn sie geworden war, dass sie ihr Gesicht hinter einem weißen Schleier verbarg oder dass er ihr zwei Mal angeboten hatte, sie fortzubringen. *Niemand zwingt mich, im Kloster zu bleiben, Monsieur Shea. Es ist meine eigene Entscheidung, eine Arme Klarisse zu sein. Gott hat es so bestimmt.* Corm ging zum Rand des

Wäldchens und schaute zur Unterstadt, dann kehrte er zurück. »Nichts von ihr zu sehen. Ich glaube, heute kommt sie nicht.«

»Ich muss sie aber sehen.«

Corm zuckte die Achseln. »Wenn du willst, können wir's am Montag noch mal probieren.«

»Ich, nicht wir. Du brichst morgen auf, gehst nach L'Acadie. Jetzt, da ich weiß, wo du Nicole getroffen hast und welchen Weg sie nimmt, komme ich allein zurecht.«

»Dein Französisch ist miserabel. Das wird dich verraten.«

»Ich komme schon zurecht«, wiederholte Quent.

Cormac glaubte ihm, weil er ihm glauben wollte.

Sie machten sich auf den Weg in die Unterstadt und zum Hafen, wo sie ein Boot anzuheuern hofften, das sie wieder nach Pointe-Lévis brachte. Zu gefährlich sollte das nicht sein angesichts Quents Verkleidung und der Tatsache, das die Leute an Cormacs Erscheinung gewöhnt waren. Sie hatten den Hafen fast erreicht, als eine Glocke zu läuten begann. Corm erkannte den Klang sofort. Das Läuten kam nicht von einer der Kirchen in der Oberstadt, es kam vom Kloster der Armen Klarissen.

Entsprechend der heiligen Vorschrift, lag es an der Äbtissin zu entscheiden, wann eine Novizin das heilige Gelübde ablegen durfte. Das Noviziat war eine Probezeit, und die Äbtissin bestimmte, wann diese Zeit vorüber war und ob die Novizin sie bestanden hatte. Doch nur die Novizin allein konnte entscheiden, ob sie tatsächlich das feierlichste Gelübde ablegen wollte, das eine Frau abzulegen imstande ist.

Die Symbole des klösterlichen Lebens und der Freiheit der Welt lagen auf dem Tisch, der im Mittelschiff des Chors stand. »Diese beiden Möglichkeiten stehen dir offen. Diese« – Mère Marie Rose deutete auf ein gefaltetes schwarzes Tuch und die geknotete Schnur der Zucht – »oder diese«, sie zeigte auf den Schlüssel der Klostertür. »Die Wahl liegt bei dir, mein Kind.«

Nicole und Mère Marie Rose standen neben dem Tisch. Nicole hatte die vergangenen zehn Tage in Klausur verbracht, war ihrer üblichen Pflichten enthoben worden, hatte mit niemandem gesprochen und die Zeit im Gebet verbracht, während sie über ihre Entscheidung nachdachte. Jetzt war ihre Stimme klar und fest. »Im Glauben an den allmächtigen Gott und mit Gebeten, dass die Muttergottes und unsere heilige Mutter Klara und unser heiliger Vater Franziskus und alle Heiligen meine Entscheidung bestärken mögen, will ich das Gelübde als Arme Klarisse ablegen.«

Die Äbtissin streckte die Hände aus. Nicole kniete vor ihr nieder und legte ihre Hände in die ihren. »Sœur Marie Stéphane«, fragte Marie Rose, »gelobst du, gemäß unserer heiligen Regel und meinem Gebot wie dem des Herrn selbst zu leben?«

»Das schwöre und gelobe ich Gott und Ihnen, ma Mère.«

»Und wirst du in die Fußstapfen Franziskus' und Klaras treten und die Dame Armut lieben und nichts besitzen und nichts verlangen und nur das nützen, was wir in dieser Gemeinschaft gemeinsam besitzen, und nur in Übereinstimmung mit der heiligen Regel und mit mir?«

»Das schwöre und gelobe ich Gott und Ihnen, ma Mère.«

»Und gelobst du, aus Liebe zum allmächtigen Gott stets Jungfrau zu bleiben und nur die Braut unseres Herrn und Erlösers Jesus Christus zu sein?«

Nicole dachte an Shoshanayas Lichtung, an Quents Lippen auf ihren, an seine Zunge in ihrem Mund und seine Hand auf ihrem Schenkel. Einen Moment verweilte sie bei diesem Gedanken, schreckte nicht vor ihm zurück. Ihre Hände lagen noch in denen der Äbtissin, die ihr unverwandt in die Augen sah. Nicole wandte den Blick nicht ab.

Unglaubliche Augen hat das Kind. Sie enthüllen ihre Seele, aber nicht ihre Geheimnisse. Mère Marie Rose war davon überzeugt, dass Sœur Marie Stéphane Geheimnisse hatte. Was kostet es dich, dieses Gelübde abzulegen, *ma petite*? Was kostet es jede von uns? Glaubst du, es gäbe hier auch nur eine Nonne, die es nicht manchmal nach einem Mann verlangte, der bei ihr liegt, auf dass sie einen dicken Bauch bekommt und ihre Brüste sich mit Milch füllen? Glaubst du wirklich, wir wüssten nicht alle, was wir aufgegeben haben? Und was wir gewonnen haben. »Du musst dich entscheiden, mein Kind.«

»Ich schwöre und gelobe Gott und Ihnen, ma Mère, dass ich immer Jungfrau bleiben werde.« Nicole sprach mit leiser Stimme, die Kehle war wie zugeschnürt, so sehr bewegte sie dieser Moment.

»Und wirst du mit Maria und unserer heiligen Mutter Klara in der Abgeschiedenheit des Klosters leben und bis zu deinem Tode hier bleiben? Werden diese Mauern für dich die Arme Christi sein, deines himmlischen Bräutigams, dem allein du dein Geheimnis enthüllst?«

»Ich schwöre und gelobe Gott und Ihnen, ma Mère, dass ich in der Abgeschiedenheit des Klosters leben werde.«

Marie Rose spürte die Spannung von sich abfallen. Es war vollbracht. Das Lobopfer hatte sich dargebracht und war angenommen worden. Jetzt konnte sie als Äbtissin ein Geschenk von weitaus größerem Wert zurückgeben. »Und ich …« Ihre Stimme bebte. Nicht ich, mein Kind. Der allmächtige Gott. Ich bin an diesem Tag nur seine Stimme. »Und ich verspreche dir, wenn du das Gelübde hältst, das ewige Leben.« Seit fünfhundert Jahren duften die Äbtissinnen der Armen Klarissen ihren Töchtern diese unglaubliche Zusage geben. Das ewige Leben. Das vollkommene Glück bis in alle Ewigkeit. Es war eine außerordentliche Zusicherung, die ein Mensch einem anderen machte, und das größte der zahlreichen Privilegien, die die heilige Klara für ihre Nonnen errungen hatte.

Die Äbtissin ließ die Hände des Mädchens los und schlug über ihrem Kopf ein großes Kreuz. »Im Namen Franziskus' und Klaras und unseres heiligen Ordens, *au nom du Père et du Fils et du Saint-Esprit* nehme ich, Marie Rose, Äbtissin der Armen Klarissen-Colettinnen von Québec, dein Gelübde des Gehorsams, der Armut, der Keuschheit und der ewigen Abgeschiedenheit entgegen.«

Auf dem Tisch lagen ein Dokument und daneben ein Federkiel. Marie Rose setzte ihren Namen darunter. Nicole erhob sich, nahm den Kiel, den die Äbtissin ihr reichte, und fügte ihre eigenen hinzu: Nicole Marie Francine Winifred Anne Crane, als Nonne bekannt unter dem Namen Sœur Marie Stéphane. *Adieu, mein geliebter Roter Bär. Adieu.*

»*Te Deum laudamus*«, sangen die Nonnen, »*te Dominum confitemur* …« Dich, o Herr, preisen wir!

Mère Marie Rose nahm Nicole den weißen Schleier ab und legte ihn beiseite. Dann griff sie nach dem schwarzen Schleier der ordinierten Nonne und steckte ihn an der weißen Haube fest.

»*Sanctus, sanctus, sanctus Dominus Deus Sabaoth* …« Heilig, heilig, heilig, Herr, Gott der Hostie.

Die Zucht würde Sœur Stéphane erst am Abend überreicht werden, wenige Minuten vor Mitternacht, wenn die Nonnen hier im Chor hintereinander knieten, in das dünne graue Nachtgewand gekleidet, und sich züchtigten zur Buße für die Sünden der Welt und als Fürbitte für das Wohl der heiligen Kirche.

»*Tu Rex gloriae, Christe* …«, sangen Nicoles Schwestern. Du, Christus, bist der König der Herrlichkeit.

Nicole warf einen kurzen Blick auf die dicke Schnur mit den sieben Knoten. Marie Rose setzte ihr die Krone mit weißen Blüten auf den Kopf. Jetzt lag nur noch ein Teil der Zeremonie vor ihr: Sœur Stéphane musste der Welt verkünden, dass sie dieses Gelübde tatsächlich abgelegt hatte, diese Pflichten wirklich auf sich nahm. Sie griff nach dem Dokument, das sie gerade unterzeichnet hatte. Die Äbtissin ging ihr zur Klostertür voraus und schloss sie auf.

Ihre Einwilligung, aus freien Stücken und ganzem Herzen vor Gott und der Welt gegeben. Deshalb trat sie heute mit zurückgeschlagenem Schleier vor die Gemeinde, damit alle sehen konnten, dass tatsächlich sie dieses Gelübde abgelegt hatte. Aber wir sind in Québec, nicht in Frankreich. Ich kenne hier keine Seele, *mon Dieu,* außer dir und meinen Schwestern und den Dienern des Bischofs und vielleicht Monsieur Shea, wenn er noch … O mein Gott, das ist nicht möglich.

Quent stand ganz hinten in der Kirche. Um seine breiten Schultern lag der schwarze Umhang der *habitants,* er hatte sich Gesicht und Haare geschwärzt, aber Nicole zweifelte keinen Moment, wer es war. Nur, ob er es wirklich war oder ob der Teufel ihr eine Vision schickte, um ihre Entschlossenheit zu prüfen. Monsieur Shea war ebenfalls da, ein paar Schritte entfernt. Aber niemand konnte sie so ansehen wie Quent, es gab keinen Blick, in dem sie sich so verlieren wollte.

Umrahmt vom schwarzen Schleier, sah ihr weißes Gesicht ätherisch aus. Für Quent wirkten ihre Augen in dem bleichen Gesicht wie dunkle Glut. Sie litt an diesem Ort, doch nichts konnte ihr ihre Schönheit rauben. Oder sie dazu bringen, ihren Entschluss rückgängig zu machen. Er hatte jedes Wort gehört, das sie hinter dem verhängten Gitter gesprochen hatte, genau wie vor einem Jahr, als er sie hergebracht hatte, als er beobachtet hatte, wie sie durch die Tür verschwand, anstatt sich zu ihm zu wenden. Quent wusste, dass er machtlos war gegen das, was sie hier fand und woran sie glaubte, was immer das sein mochte.

Ein tiefer Friede überkam Nicole. Was hier passierte, war nicht des Teufels, sondern kam von Gott. Du, *mon Dieu,* hast ihn heute hergeschickt. Um mich ein letztes Mal zu prüfen. Sie hob das Dokument hoch, das sie unterschrieben hatte, und zeigte es den Versammelten. »Ich, Nicole Marie Francine Winifred Anne Crane«, sagte sie mit fester Stimme, »als Nonne bekannt unter dem Namen Sœur Marie Stéphane, habe diese Gelübde aus eigenem, freiem Willen abgelegt.« Nicole drehte sich in alle Richtungen, zeigte das Dokument allen, die es sehen wollten. Schließlich wandte sie sich wieder zum Kloster und trat hinein.

Adieu, mein geliebter Roter Bär. Wenn ich heute Abend zum ersten Mal zur Zucht greife, dann um deinetwillen.

19

Montag, 4. Oktober 1755
Port Mouton, L'Acadie

Marni trug zwei Umhänge, ihren eigenen und den ihrer Mutter. Die doppelte Lage dicht gewebter Wolle schützte sie ein wenig vor dem bitteren Nordwind, der vom Atlantik hereinwehte. Dennoch fror und schwitzte sie gleichzeitig. Die Schultern brannten ihr von der Anstrengung, den ganzen Tag die *pioche* zu schwingen, wie schon seit einer Woche, doch am übrigen Körper fror sie bis auf die Knochen.

Nur ein letztes Stück noch, dann war sie fertig. Sie schwang die schwere Picke über den Kopf und ließ sie herabsausen. Wieder und immer wieder. Bis sie glaubte, sterben zu müssen, wenn sie noch ein einziges Mal ausholen müsse – und hieb dann dennoch zwei weitere Mal zu. Unter der Wucht der Schläge bröckelte das letzte kurze Stück des Erdwalls. *Finis.* Sie hatte die Erde gesalzen.

Einhundertfünfzig Jahre zuvor hatten ihre Vorfahren hier die ersten Deiche angelegt. Seitdem hatte jede Generation der Familie sie gewartet und ausgebaut. Die Erdwälle, die die See eindämmten, waren *les anges gardiens,* das, was ein Leben in L'Acadie überhaupt möglich machte. Jetzt waren dank Marni diejenigen, die die *habitants* Benoit auf diesem Gehöft angelegt hatten, zerstört.

Der Tidenhub an diesem Küstenstrich war nicht so hoch wie in der großen Bucht auf der anderen Seite, aber trotzdem, ohne die Deiche würde das Meer vier oder fünf Mal pro Jahr hereinbrechen, vermutlich sogar öfter. Und da nichts die See zurückhielt, würde sie die Felder überfluten, die Marnis Vorfahren bebaut hatten. In nicht allzu langer Zeit würde die Erde wieder ein unfruchtbarer

Salzsumpf sein. *Alors, vous avez votre forfaiture, Majesté.* Sie gab dem englischen König, was er verlangte: ihr Land. Auf dass es ihm so bitter schmecken möge wie ihr.

Es hieß, einige Männer seien erschossen worden, weil sie die Deiche abgerissen hatten, bevor die Rotröcke kamen, um die *habitants* zu den Ablegeplätzen zu treiben. In einigen Fällen hätten die Frauen versucht, das Zerstörungswerk zu vollenden, und seien ebenfalls getötet worden. Marni kümmerte sich nicht darum. Es war unwahrscheinlich, dass die Verwüstung auf einem so abgelegenen Gehöft wie dem ihren bald entdeckt würde. Außerdem, wofür lohnte es sich noch weiterzuleben? Warum sollte sie überhaupt in L'Acadie bleiben wollen? Cormac hatte gesagt, er würde zurückkommen, aber das hatte er nicht getan. Vor sechs Monaten hatte er sie verlassen, vor vier Monaten war Beauséjour gefallen. Corm musste gehört haben, wie es um L'Acadie stand. Er würde vom Erlass der Deportation wissen. Wenn er hätte kommen wollen, wäre er schon längst hier.

Marni ließ die *pioche* fallen und kehrte ins Haus zurück.

Sie betrat es durch die Scheune. Dort war es jetzt kalt, weil Mumu und Tutu sie nicht mehr wärmten. Die Kühe waren tot. Marni hatte sie eigenhändig erschossen mit der Muskete, die ihrem Vater und davor dessen Vater gehört hatte. Auch das Schwein. Und den Hühnern hatte sie den Hals umgedreht. Der Hahn war entkommen, aber lange würde er kaum überleben. Nicht an dem Ort, zu dem L'Acadie geworden war.

Die Dunkelheit brach herein. Der Sonnenuntergang war von der dichten Wolkendecke verborgen gewesen, doch der Abendhimmel glühte rot. Es brannten viele Feuer an diesem trostlosen Ort. Einige waren von den Rotröcken gelegt worden, die die *habitants* von Ort zu Ort jagten, sie in ihren Verstecken aufspürten und zu den Stellen trieben, wo sie auf die Schiffe warten sollten. Andere Brände hatten die *habitants* selbst entfacht.

An der Scheunenwand lehnte ein Metallrechen. Marni nahm ihn mit ins Haus. Ihre Umhänge brauchte sie gar nicht erst auszuziehen. Lange würde sie nicht bleiben. Mit dem Schürhaken fachte sie das Feuer im Kamin an, dann verteilte sie die Glut mit dem Rechen über die Holzplanken des Fußbodens.

Bis zur Tür arbeitete sie sich vor, dann ließ sie den Rechen fallen und griff nach der Tasche, die sie am Morgen gepackt hatte mit den wenigen Habseligkeiten, die sie mitnehmen durfte. Die vierzig *livres*, die sie damals in Québec gespart hatte, hatte sie zur Sicherheit nicht in die Tasche getan, sondern in einen Beutel, den sie sich unter der Kleidung um die Taille gebunden hatte. *Alors, c'est tout fini.*

Als Letztes holte sie das Gefäß mit dem Schmalz vom vergangenen Herbst, als sie das vorletzte Schwein geschlachtet hatte. Damals war Corm bei ihr gewesen. Er hatte ihr geholfen, Würste zu machen, Schinken und Fleisch zu pökeln und so viel Schmalz auszulassen, dass es ihr ein ganzes Jahr zum Kochen reichen würde. Seitdem er fort war, hatte sie nur selten gekocht, es war noch sehr viel Schmalz übrig. Marni hob den Tiegel hoch über den Kopf und schleuderte ihn mit aller Kraft auf den Boden. Er zerbarst, dick mit Schmalz bedeckte Tonscherben flogen durch den Raum. Einige landeten auf brennendem Holz und zischten befriedigend auf. Von anderen würden Fettschlieren zur Glut fließen. Marni wartete, bis sie die Flammen hochzüngeln sah, dann griff sie wieder nach der Tasche und machte sich auf den Weg nach Halifax.

Eine Viertelstunde später hielt sie inne und warf einen Blick zurück. Ihr Gehöft glühte rot in der Nacht. Alles – das Haus, die Scheune, die getöteten Tiere – würde verbrennen. Sie hatte gehört, dass einige Frauen ihre Kinder eigenhändig getötet hatten, um sie nicht in die englischen Ketzerkolonien mitnehmen zu müssen. Marni legte eine Hand auf ihren Bauch. Leer. Sie hatte darum gebetet, guter Hoffnung zu sein. Nachdem Corm gegangen war, hatte sie, die Ungläubige, die Muttergottes angefleht, ihr ein Kind zu schenken. Damit Corm, wenn er wie versprochen zurückkehrte, wegen etwas anderem als nur der Liebe bei ihr bliebe. Aber sie war nicht guter Hoffnung, und Corm war nicht zurückgekommen. Das zeigte wieder einmal, wie wenig Gebete taugten.

Angeblich hatten viele *habitants* sich im Wald versteckt und geschworen, ihre Heimat nie zu verlassen. Sie konnte es nicht erwarten zu gehen, nichts hielt sie hier. Sie hatte ihr Herz und ihren Körper zwei Männern geschenkt. Beide hatten versprochen, sie zu lieben und zu ehren, und beide hatten sich als Lügner herausgestellt. Jean war tot, Corm jagte einem Traum nach. Nun denn, so sei es. Am Morgen würde sie in Halifax sein. Am Tag zuvor hatte sie zwei große Schiffe an ihrem Hof vorbeisegeln sehen. Deshalb hatte sie diesen Tag gewählt, um fortzugehen. Morgen, so hoffte sie, würde sie mit L'Acadie und falschen Versprechungen abgeschlossen haben.

Die herbstliche Kälte drang ihm durch Mark und Bein, der Wind trug den Geruch von Asche mit sich. Corm stand dort, wo früher Marnis Kühe gestanden hatten, und betrachtete die verkohlten Holzpfosten, die die Wand zwischen Scheune und Haus gebildet hatten. Er war von einem verbrannten Skelett umgeben, nur die Steine des Kamins standen noch. Er konnte sich an jedes einzelne der vielen Male erinnern, die Marni sich ihm vor dem Feuer hingegeben hatte.

»Marni!«, rief er in die Stille. Eine Eule flog über seinen Kopf hinweg, schrie empört über die Störung.

Der Vogel hatte Recht. Solchen Lärm zu machen war gefährlich. In L'Acadie wimmelte es von Rotröcken. Corm war es nicht schwer gefallen, unterwegs einen Bogen um sie zu machen, aber jetzt, da er wusste, dass Marni nicht auf ihrem Hof war, musste er, um sie zu finden, die Dörfer und Städte aufsuchen, in denen die *habitants* vor der Deportation versammelt wurden. Ein Massenexodus sei nicht leicht zu organisieren, hatte Quent gesagt. Wie sich herausstellte, war es verdammt einfach, wenn man bereit war, alles Nötige in die Tat umzusetzen.

Corm hätte sich kaum vorstellen können, dass britische Soldaten derart gewalttätig gegen die Zivilbevölkerung vorgehen würden, aber auf dem Weg vom Isthmus von Chignecto zum Benoit-Hof hatte er die Verwüstung mit eigenen Augen gesehen. Die wenigen Häuser, die noch standen, waren geplündert und zerstört worden, verbrannt wie Marnis oder aufgelassen und einfach Wind und Wetter ausgesetzt. Die Scheunen allerdings waren eine andere Sache. Die Rotröcke hatten mit der Vertreibung erst begonnen, als ein Großteil der Weizenernte eingebracht war, dann hatten sie Wachposten vor den Scheunen aufgestellt und die Menschen, die sie zu Fronarbeitern gemacht hatten, wie Vieh zusammengetrieben.

Corm wandte sich nach Norden über die Felder, die ihm so vertraut waren. Das Mondlicht leuchtete ihm den Weg. Nach einer Weile fiel ihm auf, dass etwas nicht stimmte, und schließlich wurde ihm bewusst, was es war: Die Deiche waren fort. Die abgerundeten Erdwälle standen nicht mehr Wache zwischen den Feldern und dem Meer. Ja, die Deiche waren zerstört, die Erde, aus der sie bestanden, über den Boden verteilt worden, die Holzgerüste zersplittert.

Einige Schritte von ihm entfernt stand eine Picke. Es musste Marni gewesen sein, die sie dort hatte liegen lassen. Unvorstellbar, dass die Engländer diese Höfe hätten vernichten wollen. Dafür kannte er sie zu gut, wusste zu genau, welchen Wert Land für sie hatte, für alle *Cmokmanuk*. Sie wollten L'Acadie mit englischen Siedlern bevölkern, da war ihnen nichts wichtiger als Land, auf dem Feldfrüchte gediehen. *Ayi!* Wenn Quents Plan aufgehen sollte, würde er sehr bald umgesetzt werden müssen, sonst wäre es zu spät.

Was hatte sie gesagt an dem Tag, als er gegangen war? *Ich hasse den Hof. Er ist mein Gefängnis. Es ist mir egal, ob die Deiche brechen und der Hof ins Meer gespült wird.*

Er spürte, dass die Geister des gesamten Benoit-Klans herabschauten und diesen Verrat verdammten. Vielleicht hatte auch Marni sie gespürt. Vielleicht hatte genau das sie an dieses Land gebunden, das so lange ihrer Familie gehört hatte. »Marni!«, schrie er wieder, drehte sich um und ging rückwärts, die verkohlten Überreste des Hauses im Blick, in dem sie zusammengelebt hatten und wo eine Weile nichts anderes von Bedeutung gewesen war. »Marni!«

Ohne auf die Gefahr zu achten, schrie Corm ihren Namen, bis er heiser war. Nichts und niemand antwortete ihm. Dann, als er nicht einmal mehr die Konturen des verbrannten geteerten Dachs und der niedrigeren Scheune erkennen konnte, wandte er sich wieder um. Und ohne einen Blick zurückzuwerfen, verfiel er in einen Laufschritt.

Das Dorf war nicht groß, ein halbes Dutzend Häuser, ein kleiner Handelsposten und Kramladen und dazu die Kirche, derentwegen es das Dorf wohl vor allem gab. »L'Eglise de Ste. Gabrielle« stand auf dem Schild. Es war an die Kirchenmauer genagelt gewesen, doch jemand hatte es abgerissen und im Gras liegen lassen. Corm ging daran vorbei die wenigen Stufen zur Kirche hinauf. Sie war nicht verschlossen. Er trat ein.

Das Allerheiligste war leer, nichts war angerührt worden. Die Sitzbänke, die Bleiglasfenster – zweifellos aus Frankreich importiert –, der vor der rückwärtigen Mauer stehende Altar, alles war unverändert. Nur war der Altar nicht mit einem Tuch bedeckt, die Lampe im Allerheiligsten war gelöscht, die Türen des leeren Tabernakels standen offen. Corm hatte gehofft, dass die Kirche einer der Orte wäre, wo die Deportierten zusammengetrieben wurden, hatte erwartet, dass sich hier *habitants* drängten, unter denen er nach Marni suchen konnte. Doch da war niemand.

»*Bonne nuit, Monsieur Shea.*«

Er wandte sich um. »*C'est vous!*«

»*Bien sûr, je suis le curé*. Wer sollte sonst hier sein?«

»Ich weiß nicht, ich dachte …« Im Mondlicht, das durch die Bleiglasfenster sickerte, konnte Corm die Züge des Jesuiten gerade ausmachen. Faucon war unrasiert, seine Soutane schlammbespritzt. Er stand im hinteren Teil des Gotteshauses und hielt etwas in der Hand. Corm konnte nicht erkennen, was es war. »Ich hatte erwartet, Ihre Gemeinde hier zu finden. Ich dachte, vielleicht ist Mademoiselle Benoit …«

»Sie wissen doch, dass sie nicht in die Kirche geht.«

»Ja, aber ich dachte, die *habitants* würden hierher gebracht werden.«

»Nein.« Faucon schüttelte den Kopf. »Nicht hierher. Alle Bewohner aus diesem Teil von L'Acadie werden nach Halifax gebracht, in die Zitadelle.«

»Und was ist mit Ihnen? Wohin gehen Sie?«

»Mir wurde gesagt, es stünde mir frei, nach Québec zurückzukehren, und dass hier nie mehr eine Messe gelesen werden wird. Wenn das so ist, werde ich diesen Ort wohl auch verlassen.«

»Aber ... Ihre Gemeinde braucht Sie doch. Jetzt mehr denn je zuvor.«

Philippe schüttelte den Kopf. »Niemand braucht mich, Monsieur Shea. Ich habe Ihnen doch gesagt, ich darf keine Messe lesen und keine Sakramente erteilen. Und Priester dürfen ihre Gemeinde nicht ins Exil begleiten. Abgesehen davon komme ich nicht einmal aus L'Acadie. Also bin ich überflüssig. Außer vielleicht ...« Er trat in eine Bankreihe und legte etwas nieder – eine Mappe aus Rehleder, bemerkte Corm jetzt – und öffnete es. »Ich habe es festgehalten, Monsieur. Um es den Leuten in Québec zu zeigen.«

Er hatte in aller Heimlichkeit gearbeitet. Philippe wusste, dass die Rotröcke ihm seine Stifte und den Skizzenblock wegnehmen würden, wenn sie ihn beim Zeichnen sähen, also hatte er gewartet, bis er allein im Refektorium war, und alles aus dem Gedächtnis gezeichnet. Dieser Mestize war der Erste, der seine Bilder sah. Im kalten, weißen Mondlicht waren sie noch erschreckender als im Sonnenschein. Die Qual auf den Gesichtern der *habitants* ... Philippe merkte erst jetzt, wie gut er sie eingefangen hatte. Aber genau so hatte er es in Halifax erlebt.

Die Frauen standen auf einer Seite, manche mit Kindern, die sich an ihre Röcke klammerten. Die Männer drängten sich auf der anderen Seite. Zwischen den beiden Gruppen standen Rotröcke mit aufgepflanzten Bajonetten an den Musketen. »Sie hatten gesagt, dass sie die Familien nicht auseinander reißen würden«, erzählte Philippe leise. »Aber sie haben gelogen. Als die Schiffe gestern ablegten, waren viele Familien getrennt. Sehen Sie« – er deutete mit einem zitternden Finger auf die Zeichnung einer Frau, die vor einem Soldaten mit einem kleinen Jungen im Arm kniete. »Das ist

Madame Trumante, das Kind ist ihr Sohn Rafael. Sie gehörten zu meiner Gemeinde hier. Sie ist Witwe, das Kind ist vier Jahre alt. Sie flehte die Soldaten an, ihn bei sich behalten zu dürfen, aber die beiden wurden auf getrennte Schiffe verfrachtet. Niemand weiß, ob sie an denselben Ort gebracht werden.«

»Gestern, sagen Sie? Die Schiffe sind gestern gefahren?«

»Zwei sind gestern gefahren. Aber es sollen noch mehr kommen.«

»Dann sind noch nicht alle Bewohner fort.« Corm packte den Priester am Arm. »Das stimmt doch, oder? Einige Akadianer sind noch hier.«

»Ach, sehr viele sogar, Monsieur Shea. Einige sind noch in der Zitadelle. Andere haben sich in ihrem Kartoffelkeller versteckt, manche sogar in den Wäldern. Die Rotröcke suchen zwar überall nach ihnen, aber sie finden nicht alle.«

»Und Marni, Mademoiselle Benoit, wissen Sie, ob sie sich auch ver…«

»Mademoiselle Benoit? Nein, Monsieur. Sie hat sich nicht versteckt. Sie ist gestern gefahren. Ich dachte, das wüssten Sie.«

»Sind Sie sich sicher? Wie können Sie das so genau wissen? Vielleicht ist sie ihnen entkommen.« Er hatte ihr gesagt, sie solle auf ihn warten, dass er zu ihr zurückkommen würde. Marni musste doch wissen, dass er Wort halten würde. »Marni lässt sich nicht einfach auf ein Schiff zwingen.«

»Sie brauchte nicht gezwungen zu werden, Monsieur Shea.« Philippe fand die Zeichnung von Marni, die er als Erstes angefertigt hatte, nachdem er aus Halifax vertrieben worden war. Sie stand allein da, so wie Philippe sie zuletzt gesehen hatte, in ihren Umhang gehüllt, oben auf der Zitadelle, den Rücken den anderen elenden *habitants* zugewandt, die darum flehten, nicht deportiert zu werden. Marni blickte lächelnd auf das Meer hinaus. »Ich glaube, Mademoiselle Benoit war froh wegzukommen. Sie mochte L'Acadie nicht, Monsieur Shea. Ich habe geglaubt, Sie wüssten das.«

Corm verbrachte eine ganze Woche damit, die Halbinsel nach Marni abzusuchen, aber der Jesuit hatte Recht gehabt. Er würde sie nicht finden, weil sie nicht gewartet hatte, dass er sie fand. Marni war fort. Corm wandte sich nach Süden, zum Ohio Country.

Freitag, 15. Oktober 1755
New York City

Der amtierende Gouverneur von New York – der einzige Gouverneur, da der Engländer, der zwei Jahre zuvor auf den Posten berufen worden war, sich nie die Mühe gemacht hatte, in die Provinz zu kommen – schenkte seinem Besucher ein Glas Süßwein nach. »Ihr Bericht überrascht mich nicht besonders. Ich habe mehr oder minder dasselbe gehört.«

Quent hatte gerade in allen Einzelheiten die vielen Dummheiten geschildert, die zum Blutbad am Monongahela geführt hatten. Das Erzählen hatte ihn durstig gemacht. Er hob das Glas auf seinen Gastgeber und nahm einen kleinen Schluck. »Ich glaube nicht, dass er von den Kanarischen Inseln kommt«, sagte er. »Madeira?«

James De Lancey nickte. »Sie sind ein höchst bemerkenswerter Mann, Sir. Sie sitzen in meinem Büro in einer ledernen Kniehose und Mokassins, und ich weiß aus sicherer Quelle, dass Sie sich nicht nur wie ein Wilder verkleiden und heulen können, sondern das auch regelmäßig tun. Andererseits können Sie feststellen, ob ein Süßwein aus dem einen oder dem anderen Teil des spanischen Reichs kommt. Was für ein Mann sind Sie wirklich, Quentin Hale?«

»Nicht ein Mann. In mir vereinen sich viele Männer«, sagte Quent. »Ich glaube, das bedeutet es, ein Amerikaner zu sein.«

De Lancey lächelte. »Das ist wohl wahr. Wobei London Schwierigkeiten hat, das zu begreifen – dass wir wahre Engländer sind und doch Amerikaner.«

»Wie es scheint, hat London mit vielem Mühe zu begreifen, was die Kolonien betrifft. Allem voran, wie die Franzosen zu schlagen sind.«

»So scheint es.« De Lancey wandte den Kopf. Draußen, vor dem Fenster seines Wohnsitzes am Broad Way, goss es in Strömen. Bald würde der Regen in Schnee übergehen. »Für dieses Jahr zumindest ist es vorbei. Genauso wie die großartigen Pläne, die Braddock hatte. Der arme Kerl.«

»Ich war mir nie sicher, ob die Pläne von ihm selbst stammten oder von seinen Dienstherren in London. Auf jeden Fall, wer immer sie ausgebrütet hat, hatte keine Ahnung, wie bei uns die Wälder aussehen. Oder wie die Indianer, die gegen uns kämpfen, immer ...« Quent brach ab. Im Gegensatz zu London wusste De Lancey genau, womit hier zu rechnen war. Das brauchte er dem Gouverneur nicht weiter zu erläutern. Aber Quent hatte das Gefühl, Edward Braddock nicht gerecht geworden zu sein. »Der General mag nichts von Kriegführung in Amerika verstanden haben, aber er war mindestens ebenso mutig wie die Kolonisten. Und wie die Tapferen. Ich habe mit eigenen Augen gesehen, dass an dem Tag mindestens vier Pferde unter ihm weggeschossen wurden. Er ist einfach aufs nächste aufgesessen.«

»Und der junge Oberstleutnant aus Virginia?«, fragte De Lancey. »Wie heißt er gleich?«

»George Washington. Der hat ebenfalls großen Mut bewiesen. Zu viel Mut, um ehrlich zu sein. Jung und ungestüm. Aber er hat das Zeug zum Befehlshaber. Eines Tages wird er ein sehr guter Soldat sein.«

»Und wird er dieselben Fehler machen?«, wollte De Lancey wissen. »Die Fehler, die Sie uns allen vorwerfen?«

»Meines Wissens stammte der Plan von General Braddock.«

»Das stimmt auch. Aber er hat uns Gouverneure zu sich bestellt. Erzählte uns von seinem Plan, bat uns um unsere Meinung.« De Lancey zuckte mit den Schultern. »Zu guter Letzt haben wir zugestimmt.«

»Der General war daran gewöhnt, seinen Willen durchzusetzen.«

»Aber wir ...« – De Lancey unterbrach sich, um ihnen beiden ein zweites Mal nachzuschenken – »waren gerne bereit, ihn gewähren zu lassen. Das ist offenbar unsere größte Tugend, Mr. Hale. Tun, was London uns sagt.«

»Dann muss London informiert werden, dass es bessere Mittel und Wege gibt.«

»Und was genau schlagen Sie vor, Mr. Hale?«

»Quent, bitte.« Das sagte er nun schon zum zweiten Mal. Er hielt es für unwahrscheinlich, dass James De Lancey auf seine Bitte eingehen würde. Er gehörte nicht zu den Männern, die sich auf Vornamen einließen, selbst wenn sie dazu ausdrücklich aufgefordert wurden. »Ich schlage vor, dass wir unsere amerikanischen Waldläufer zu Rangern machen, zu kämpfenden Kundschaftern, wenn Sie wollen. Die werden zusammen mit den Rotröcken eingesetzt und bringen ihre Kenntnisse ein, wie man die Franzosen am besten angreift.« Das klang bei Gott nicht besonders eindrucksvoll. Nicht hier in diesem eleganten Raum. Nicht so, wie es geklungen hatte, als er Corm auf der Ile d'Orléans von der Idee erzählt hatte.

»Dafür würden wir sehr viele Waldläufer brauchen, Mr. Hale. Ich glaube nicht ...«

»Ich sage auch nicht, dass die Waldläufer es allein schaffen können. Aber London will doch mehr Truppen schicken, oder? Im Frühjahr?« Quent beugte sich vor und versuchte, die Antwort in De Lanceys Gesicht zu lesen. Wenn er sich bezüglich der Pläne des Parlaments täuschte, war alles andere hinfällig. Dass er Corm überredet hatte zu versuchen, Pontiac für die Sache zu gewinnen, und dass er selbst nach New York City gekommen war, das wäre dann alles vergebliche Mühe gewesen. Bis jetzt hatte er den wesentlichen Punkt seines Vorschlags noch nicht angesprochen, aber wenn er sich irrte in dem, was London vorhatte, würde sich das erübrigen. »Nach den Ereignissen am Monongahela werden sie doch bestimmt ...«

»Ich bin in die Pläne Londons nicht eingeweiht, Mr. Hale. Ich bezweifle, dass irgendein Gouverneur sie kennt.«

Du lügst, du mit deiner weißen Perücke. Schau doch, wie du dasitzt in deinem blauen Damastrock und deiner weißen Satinhose, mit einem Rubin an der einen und einem Smaragd an der anderen

Hand. Du könntest in jedem beliebigen Salon in London sitzen, und ich wette, das wäre dir jetzt auch lieber. Du weißt doch genau, welche Pläne deine Dienstherren haben. »Aber bestimmt haben Sie eine Vorstellung, Gouverneur, eine Ahnung ...« So sicher er sich war, rannen ihm doch Schweißtropfen den Rücken hinab. Wenn London den Kolonien nicht so großen Wert beimaß, wie er glaubte, wenn er sich in der Hinsicht irrte ... »Vielleicht nicht in allen Einzelheiten, aber Sie haben doch sicher eine Idee.«

»Ideen habe ich eine ganze Menge«, räumte der Gouverneur ein. »Und wenn mich nicht alles täuscht, haben Sie auch ein paar. Mehr als nur diese ... wie haben Sie sie genannt?«

»Ranger. Amerikanische Waldläufer, die mit den Truppen marschieren und den Soldaten zeigen, wie man auf Art der Indianer kämpft.«

»Wir haben unsere Indianer, genau wie die Franzosen, oder nicht? Die Irokesen und ein paar andere. Sind die nicht ...«

»General Braddock sah wenig Sinn in indianischen Verbündeten, deswegen hatte er kaum welche. Jemand mit einer anderen Einstellung könnte mehr bekommen. Irokesen auf jeden Fall. Und Delaware und Shawnee. Aber mein Vorschlag läuft auf etwas anderes hinaus. Die Indianer – alle Indianer – haben eine andere Einstellung als wir. Ihnen geht es nicht darum, Land zu erobern; für sie geht es darum, Gefangene zu machen.«

»Und Skalps zu nehmen«, ergänzte De Lancey. Die Abscheu stand ihm ins Gesicht geschrieben.

»Ja«, stimmte Quent zu. Auch Weiße nehmen Skalps, wenn auch nicht wegen der Ehre, sondern als Beute. Er ersparte es sich, das zu erläutern. »Wissen Sie, wir tun Dinge auf eine andere Art. Das heißt nicht, dass wir es falsch machen und die Indianer richtig, oder umgekehrt. Aber bei einem Krieg wie diesem, wo wir gegen die Franzosen und nur um Land kämpfen, sind Indianer nur sehr bedingt eine Hilfe. Allerdings, unsere Art zu kämpfen bringt uns auch nicht so sehr viel weiter. In zwei parallelen Reihen antreten, über die Köpfe der anderen hinweg feuern und den Feind so heftig unter Beschuss nehmen, dass er keine Chance hat, nie laufen, nie die Reihen auflösen oder erst, wenn der Befehlshaber es anordnet – mit einer solchen Kriegführung kann man hier nichts ausrichten, gleichgültig, wie viele Truppen England schickt.«

»Die Art Kriegführung hat England über hundert Jahre lang gute Dienste geleistet. Warum sollte man jetzt etwas daran ändern?«

»Weil wir hier in Amerika sind.«

De Lancey wusste, dass sein Gegenüber Recht hatte. Er schwieg einen Moment. »Ranger«, wiederholte er schließlich. »Amerikanische Kolonisten, die zum Großteil Analphabeten sind, schlichte Männer mit schlichten Vorstellungen, die britischen Offizieren übergeordnet sind.« In der Praxis, wenn auch vielleicht nicht im Dienstgrad. Ganz sicher nicht im Dienstgrad, davon war der Gouverneur überzeugt. Eines der großen Ärgernisse der Kolonialsoldaten, die mit britischen Truppen kämpften, war, dass der dienstjüngste Rotrock automatisch einen höheren Rang innehatte als der dienstälteste Kolonist. De Lancey trank von seinem Wein und starrte seinen Besucher unverwandt über den Rand seines Glases hinweg an.

»Nennen wir sie Sondertruppen auf einem Sondereinsatz. London muss sich den Vorschlag zumindest anhören. Sie sehen doch, wie weit sie mit den herkömmlichen Methoden kommen. Kein einziger Sieg. Nur Tote ...«

De Lancey hob abwehrend die Hand und stellte sein Glas auf dem Tisch ab, dann zog er ein spitzenbesetztes Taschentuch aus dem Ärmel seines Rüschenhemds. »Machen Sie uns nicht schlechter, als wir sind.« Zwischen den Worten tupfte er sich die Lippen ab. »Wir haben die Franzosen mehr oder minder aus L'Acadie vertrieben.«

»Kein allzu großer Erfolg für so hohe Verluste.«

Der Gouverneur zuckte mit den Schultern. »Immerhin etwas. Und das ohne Ihre Ranger, wenn ich das sagen darf. Noch etwas Wein, Mr. Hale?«

»Nein danke. Sehen Sie, Beauséjour ist Ihnen durch einen Glücksstreich in die Hände gefallen.« De Lanceys Gesicht verriet, dass er die Geschichte nicht kannte, also erzählte Quent ihm von den Offizieren, die an Durchfall litten und alle auf der Latrine hockten, als die Granate einschlug. »Angeblich ein verdorbenes Huhn. Was denken Sie – wie viele verdorbene Hühnchen können wir den französischen Offizieren vorsetzen, Gouverneur?«

De Lancey lächelte. »Eine amüsante Geschichte, auch wenn sie nicht stimmen sollte. Aber selbst wenn – sagen wir, Beauséjour ist kein Beweis dafür, dass die traditionelle Kriegführung hier Erfolge bringt. Wie wollen Sie unsere Waldläufer aus den Kolonien überzeugen, gemeinsam mit den Rotröcken zu kämpfen? Ich kann mir nicht vorstellen, dass sie von der Idee sonderlich begeistert sein würden.«

»Vielleicht nicht. Es sei denn, man könnte ihnen garantieren, dass sie, wenn sie die Franzosen geschlagen haben, nicht mehr von Indianern überfallen würden, dass sie und ihre Familien und ihre Höfe nie mehr von roten Männern behelligt würden.«

De Lancey beugte sich vor und starrte sein Gegenüber an. »Wie, in Gottes Namen, könnte man das garantieren, Sir?«

Quent spürte, wie seine Aufregung wuchs. Endlich hatte er De Lanceys ganze Aufmerksamkeit. »Weil ich ein Abkommen mit den Indianern schließen kann, damit wir das Land friedlich mit ihnen teilen. Wenn wir erst einmal die Franzosen vertrieben haben, bekommen sie Kanada und wir die englischen Kolonien.«

Jetzt war es ausgesprochen – das, wofür Cormac Shea sich seit seiner Jugend einsetzte, was einige andere Visionäre von Zeit zu Zeit vorschlugen, was Quent immer schon für die einzige Möglichkeit gehalten hatte, damit seine beiden Welten nebeneinander existieren konnten. Und zum ersten Mal hatte er den Gedanken gegenüber einer Person geäußert, die nicht von Vornherein davon überzeugt war. Und wie er merkte, hatte sich kein Schlund aufgetan und sie beide verschlungen.

De Lancey lehnte sich zurück, nahm einen Schluck Wein und musterte seinen Gast. Quent beobachtete ihn schweigend. Aus einem Holzscheit im Kamin tropfte etwas Harz, Flammen loderten auf.

»Wenn irgendjemand anders mir den Vorschlag unterbreitet hätte …« De Lancey sprach mit leiser Stimme, sein prahlerischer, jovialer Ton war wie fortgeblasen. »Der Gedanke, dass ein Dutzend Indianerstämme sich auf einen Vorschlag einigen … Jeden anderen hätte ich für verrückt erklärt und vor die Tür gesetzt. Aber Uko Nyakwai … Ja, vielleicht.«

»Der Plan kann aufgehen«, sagte Quent. »Vielleicht der einzige, der überhaupt aufgehen kann.«

»Ich vermute, Sie betreiben die Sache zusammen mit Ihrem Freund, dem Mestizen mit dem irischen Namen.«

»Cormac Shea. Sie sind gut informiert, Gouverneur. Nur wenige wissen, dass wir Freunde sind. Viele halten uns für verfeindet.«

»Ich hätte gesagt, dass Sie mehr sind als nur Freunde. Eher wie Brüder, hätte ich gedacht.«

»Wie schon gesagt, Gouverneur, Sie sind gut informiert.«

De Lancey machte eine vage Geste. »Das Hale-Gut mag Ihnen wie ein eigenes kleines Reich vorkommen, Mr. Hale, aber es gehört zur Provinz New York. Und es ist meine Pflicht zu wissen, was in New York vor sich geht.«

Wie viel Klatsch er wohl gehört hat?, fragte Quent sich. Geschichten von den beiden Squaws, Pohantis und Shoshanaya. Und sicher wusste er, dass Lorene Hale eine Devrey war und hier in New York City einflussreiche Verwandte hatte. Vermutlich wusste er auch Bescheid über John und zu welcher Art Gutsherr er sich entwickelte.

In genau dem Augenblick sagte De Lancey: »Ich habe es verabsäumt, Ihnen mein Beileid zum Tod Ihres Vaters auszusprechen.«

»Ein Jahr ist es jetzt her«, sagte Quent. »Trotzdem danke. Gouverneur, die Sache, von der wir gerade sprachen … Wenn ich ein solches Versprechen von den Indianern bekomme – bestenfalls werden sie unsere Verbündeten, zumindest werden sie sich neutral verhalten, bis die Franzosen besiegt sind –, was dann?«

»Alle Indianer, sagten Sie.«

»Auf jeden Fall genug, dass der Plan aufgeht«, versprach Quent. Die *Anishinabeg*, die schon lange mit den Franzosen verbündet waren, darunter die Huronen, die Abenaki und die Potawatomi, würden am leichtesten zu überzeugen sein. Wenn sie wüssten, dass ihnen nach einem Sieg über Onontio ganz Kanada gehören würde, wie vor der Ankunft der Europäer, würden sie zweifellos einwilligen. Und im Ohio Country konnte er Shingas und Scarouady überzeugen. Die warteten doch nur darauf, überzeugt zu werden. Danach würden die meisten anderen Häuptlinge – die der Mingo, Delaware, Shawnee – auch zustimmen.

»Das ist ein kühner Plan, Mr. Hale.«

»Die Zeit verlangt Kühnheit, Gouverneur. Ohne sie werden wir in einem Strom von Blut ertrinken.«

»Ein Strom von Blut. Ja, das ist möglich. Nun gut, sagen wir, dass ich Ihren Plan prinzipiell gutheiße – was genau erwarten Sie von mir?«

»Erstens, dass Sie London davon überzeugen, die Ranger zu akzeptieren. Das Versprechen, dass die Rotröcke sich daran halten, was sie über die Kampfweise hier erfahren.«

»Das ist der einfache Teil, Mr. Hale. Ein paar gewonnene Schlachten werden sie ganz von selbst überzeugen. Ich vermute, meine zweite Aufgabe wird darin bestehen, das Versprechen zu bekommen, dass wir nach dem Sieg keine englischen Siedlungen errichten in dem Land, das jetzt die Franzosen besetzen. Das ist doch der Gedanke dahinter, oder nicht?«

Quent nickte.

»Beachtlich«, murmelte De Lancey. »Und weitaus schwieriger durchzusetzen.«

Die Gedanken des amtierenden Gouverneurs überschlugen sich; er versuchte, diesen ungewöhnlichen Vorschlag mit dem, was er bereits wusste, zu verbinden. Und er überlegte, wie er beides zu seinem größtmöglichen Vorteil einsetzen konnte.

De Lanceys vetrauenswürdigste Quelle hatte berichtet, dass ein neuer Befehlshaber für das hiesige Militär bereits ernannt worden war, dass er den Auftrag hatte, sich an Braddocks ursprünglichen Plan zu halten, und dass er mit zwei unterbesetzten Regimentern ankommen würde sowie mit dem Auftrag, in den Kolonien vier Regimenter von jeweils tausend Mann auszuheben. Anders gesagt, die Aufgabe dieses neuen Mannes – John Campbell, Earl of

Loudoun, ein Schotte – verlangte tausende amerikanische Freiwillige. Junge Männer, die an die Freiheit der amerikanischen Wildnis gewöhnt waren, in der sie niemandem Gehorsam leisten mussten, und an Höfe, so klein sie auch sein mochten, auf denen der Bauer ein freier Mann war, kein Pächter, junge Männer, die den Meinungsaustausch bei Stadtversammlungen kannten – und von solchen Männern wurde erwartet, dass sie sich zu Tausenden freiwillig dem britischen Heeresdienst unterordneten, wo Disziplin über allem stand und die Knute herrschte. Diese Vorstellung war verrückter als jeder Gedanke, den De Lancey von Quentin Hale gehört hatte. John Campbell, Earl of Loudoun, müsste Wunder vollbringen können, um den Plan in die Tat umzusetzen.

Außerdem hatte bislang weder England noch Frankreich den Krieg erklärt. Vielmehr hatte Frankreich demonstrativ seinen Gesandten aus London abgezogen und behauptet, sie seien am Monongahela ohne jede Provokation angegriffen worden, wobei es nicht zählte, dass sie die Schlacht gewonnen hatten. Mit dieser diplomatischen Finte gewannen sie Zeit, ihre Marine aufzurüsten und genügend Soldaten und Waffen zu verschiffen, um Kanada zu verteidigen und jede amerikanische Kolonie von New Hampshire bis North Carolina zu bedrohen. Und leider wurde William Pitt, der einzige Engländer, der diesem Wahnsinn mit etwas Vernunft begegnen konnte, vom König missachtet und von seinen Widersachern ausgeschaltet.

Das Schweigen währte eine ganze Weile, unterbrochen nur vom Knistern des Feuers und dem Prasseln des Regens gegen die Fenster. Quent hielt es für ratsam, nicht als Erster das Wort zu ergreifen. Lass dir so viel Zeit, wie du brauchst, Gouverneur. Das sind zwei relativ einfache Gedanken, die du dir überlegen musst. Wir berufen Waldläufer, die den Rotröcken beibringen, wie sie in Amerika zu kämpfen haben, und als Gegenleistung dafür, dass die Indianer nicht Partei für die Franzosen ergreifen, bieten wir ihnen nach dem Sieg ganz Kanada. Dann hat der Krieg für beide Seiten ein Ende. Ich bezweifle, dass du einen tollkühneren Plan zu hören bekommen wirst. Und ich bezweifle, dass du bislang einen besseren gehört hast. Jetzt müssen wir sehen, wie viel Mumm dir in den Knochen steckt.

»Mr. Hale, verzeihen Sie, wenn ich scheinbar das Thema wechsle, aber sagt Ihnen der Name William Pitt etwas?«

Quent schüttelte den Kopf. »Nein. Sollte er?«

»Nein, vielleicht nicht.« Du und Pitt ... Zwei Visionäre – wer weiß, was ihr gemeinsam bewirken könntet? Der Gedanke hat etwas Betörendes. Aber Pitt hält im Parlament nicht wirklich die Zügel in der Hand, und du bist ein besitzloser Zweitgeborener, der nur eine Qualität hat – dass die Indianer auf dich hören –, und die wird von den Mächtigen in London gering geschätzt. Trotzdem sollte ich deinen Plan nicht einfach von der Hand weisen.

De Lancey erhob sich und trat ans Fenster. Beinahe zwei Stunden unterhielten sie sich nun. Es ging auf elf Uhr zu, der Regen hatte ein wenig nachgelassen, und der Gouverneur konnte Teile des Forts und des Hafens erkennen, und auch die prachtvollen Häuser auf der gegenüberliegenden Straßenseite. In vielen leuchteten noch Kerzen hinter den Vorhängen. Hier am Broad Way, im Hofviertel der Stadt, ging man nicht früh zu Bett. »Beachtlich«, wiederholte er leise. »Uko Nyakwai liefert die Rothäute und die Waldläufer, wenn ...« De Lancey wirbelte herum und musterte seinen Gast. »Was noch, Mr. Hale?«

»Warum sollte noch etwas sein?«

»Weil mir gerade aufgefallen ist, dass die Geschichte noch nicht ganz stimmig ist. Was bekommen Sie im Gegenzug für Ihren Einsatz?«

»Ach, das.« Quent lehnte sich zurück und streckte die langen Beine zum Feuer aus.

»Ja, das«, sagte De Lancey.

»Nichts, was Sie auch nur einen Penny kostet, Gouverneur. Ich möchte nur zum *Status quo ante* zurückkehren. Ich möchte, dass wieder alles so wird, wie es früher war.«

De Lancey hatte sein Erstaunen über einen Waldläufer in lederner Kniehose, der wie ein gebildeter Mann sprach und Süßweine zu goutieren verstand, überwunden. Es überraschte ihn nicht mehr, dass dieser Mann auch lateinische Formulierungen verwendete. »Was alles?«

»Das Hale-Gut«, sagte Quent. »Mein Bruder hat Ihrem Bruder etwas übertragen …«

»Welchem Bruder?«, unterbrach De Lancey. »Oliver?«

»Ja, Oliver De Lancey.«

»Das hätte ich mir denken können. Also gut, bitte fahren Sie fort, Mr. Hale. Was hat er ihm übertragen?«

»Einige Ländereien, die uns gehören, uns immer gehört haben.«

»Sie sprechen von Lake George, nicht wahr?«

»Vom Bright Fish Water.« Quent konnte es nicht lassen, den See bei seinem richtigen Namen zu nennen. »Mir ist klar, dass er strategisch wertvoll ist, ebenso wie der Great Carrying Place und das umliegende Land.« Dass der alte Thoyanoguin oben beim Bright Fish Water sein Leben gelassen hatte, war zwar schlimm, aber nützlich. Die Kahniankehaka würden nicht so schnell vergessen, wie er umgekommen war – nicht in der Schlacht, sondern durch die Hand von Frauen und Kindern. Sie würden darauf brennen, seinen Tod zu rächen. Mit den richtigen Argumenten würden sie sich leicht überzeugen lassen, auf Seiten der Engländer zu kämpfen. Aber das tat jetzt nichts zur Sache. Um die Kahniankehaka würde er sich später kümmern. Jetzt ging es darum, James De Lancey zu überzeugen. »Nutzen Sie Bright Fish Water und den Great Carrying Place für die Dauer dieses Konflikts, Gouverneur. Ich verstehe die Notwendigkeit …«

»Ich habe gehört, dass wir beim Lake George einen wichtigen Gefangenen gemacht haben.«

Quent merkte sofort, dass er auf die Probe gestellt wurde. Wie viel wusste er tatsächlich? Wie gut waren seine Informationsquellen? »Baron Dieskau, ja, das habe ich auch gehört.«

»Dann stimmt es also?«, fragte De Lancey nach.

»Es stimmt.«

»Ein beachtlicher Erfolg, finden Sie nicht? Zeigt, dass wir doch nicht alles verkehrt machen.«

Es zeigt lediglich, dachte Quent, dass William Johnson zwar von den Kahniankehaka adoptiert wurde und mit einer Kahniankehaka verheiratet ist, er aber trotzdem immer noch mehr ein *Cmokman* als ein *Anishinabeg* ist. Erbost über die Art, wie Thoyanoguin ums Leben gekommen war, hatten seine Tapferen vor dem Fort gestanden, in dem Johnson Dieskau gefangen hielt, hatten gehöhnt und Flüche ausgestoßen und Rache gelobt. Das einzig Vernünftige wäre, den Baron auszuhändigen, aber Johnson weigerte sich. »General Johnson tut, was man von einem Gentleman erwartet«, sagte Quent. »Er beschützt seinen Gefangenen. Aber dafür wird möglicherweise ein Preis zu bezahlen sein, Gouverneur.«

»Welche Art von Preis?«

»Das kann ich nicht genau sagen. Aber die Kahniankehaka, die Mohawk, haben ein stark ausgeprägtes Ehrgefühl, und das ist verletzt worden.«

Einen Preis, der für Dieskaus Gefangennahme bezahlt werden musste, kannte De Lancey bereits. Erst gestern hatte er erfahren, dass der Mann, den die Franzosen als Ersatz für den Baron in die Kolonien schickten, ein noch erfahrenerer Soldat war. »Louis Joseph, Marquis de Montcalm«, sagte er. »Haben Sie schon von ihm gehört?«

Quent schüttelte den Kopf. »Nein, der Name sagt mir nichts. Gouverneur …«

De Lancey wusste, dass er es weit genug getrieben hatte. Jetzt musste er aufhören, nach mehr Information zu forschen oder etwas anderes bekommen zu wollen, zum Beispiel ein richtiges Versprechen. Nicht, ohne dass der Preis klar und deutlich genannt wurde. »Sie sagten, Mr. Hale …«

»Ich möchte nur Ihr Wort, dass Sie, wenn diese Sache vorüber ist und die Franzosen besiegt sind, das Gut in seinen ursprünglichen Grenzen wiederherstellen, wie es von der Krone verliehen wurde.«

De Lancey stand noch immer am Fenster. Er nickte, wobei er damit lediglich zum Ausdruck bringen wollte, dass er es verstand, nicht, dass er dem Anliegen stattgab. Das war beiden bewusst. »Was noch?«, fragte er.

Von dem Moment an, als er in De Lanceys Arbeitszimmer geführt worden war, hatte Quent gewusst, dass dies der schwierigste der vielen heiklen Punkte war, die er ansprechen musste. Es war Zeit, die letzte Karte aufzudecken. »John Hale und Oliver De Lancey haben die Vereinbarung getroffen, das Gut gegen Zuckerrohrfelder auf den Inseln zu tauschen.«

»Ich verstehe. Zuckerrohrfelder im Gegenzug für das Hale-Gut. Ein bestechendes Projekt.« Und eines, das Oliver viel zu viel Einfluss in der Provinz verschaffen würde. Ich frage mich, ob du, Quentin Hale, eine Ahnung hast, welchen Wert Ländereien wie das Hale-Gut haben könnten, wenn die Bedrohung durch die Franzosen im Norden nicht mehr wäre? Unabhängig davon, wie sehr du an dem Gut hängst. »Mr. Hale, vielleicht habe ich Sie nicht recht verstanden – können Sie mich aufklären? Es kann doch nur der Besitzer einer solchen Länderei einen derartigen Vertrag abschließen, oder? Ist Ihr Bruder John seit dem Tod Ihres Vaters nicht der rechtmäßige Besitzer von Shadowbrook?«

»Doch, das ist er.«

»Also?«

»Jemand kann etwas tun, das im Rahmen des Gesetzes und trotzdem nicht recht ist, Gouverneur.«

»Das ist wahr, Mr. Hale. Also gut, ich verstehe, was Sie meinen. Aber mir ist nicht klar, wie ich …«

»Wenn ich es recht verstehe, wollen Ihr Bruder und zwei seiner Freunde an dem Geschäft beteiligt werden zum Dank dafür, dass es überhaupt zustande kommt. Ich vermute, die Gegenleistung besteht darin, dass sie Mitbesitzer der Zuckerrohrplantage werden.«

In dem Glauben will Oliver sie bestimmt wiegen. Aber im Vergleich zum Besitz des Hale-Guts … Sei kein Narr. Doch, verbesserte De Lancey sich, sei ein Narr. Das kommt mir gut zupass. »Ja, das ist mehr als denkbar.« Der Gouverneur kehrte zu seinem Sessel zurück. »Und Sie möchten nicht, dass diese … Vereinbarung tatsächlich umgesetzt wird?«

»Genau das.«

»Kein Tausch von Land hier gegen Land auf den Inseln?«

»Nein. Das Hale-Gut muss in seiner Gänze erhalten bleiben.«

Gerade am vergangenen Tag hatte James De Lancey den Namen seines Bruders Oliver genannt, als es um den amerikanischen Vertreter des Londoner Unternehmens ging, das für die Verproviantierung der gesamten britischen Armee in New York zuständig war. Die Ernennung brachte ein Vermögen mit sich, Tausende von Pfund pro Jahr. Und sie lag im Ermessen des Gouverneurs. Damit hatte er Oliver in der Hand. »Ich verstehe, worauf Sie hinauswollen, Mr. Hale.« De Lancey griff nach der Karaffe mit Süßwein. »Ich glaube, darauf müssen wir trinken. Wir müssen anstoßen auf unseren …« Er hatte »Handel« sagen wollen, besann sich aber eines Besseren. Es war unklug, zu viel zu schnell preiszugeben. Er füllte beide Gläser, dann erhob er seines. Der Schein des Feuers und des Kerzenlichts tanzte auf seinem blauen Damastärmel und der gerüschten Spitzenmanschette seines Hemdes, ließ den Rubin an seiner Hand funkeln. »… auf unseren Plan, Mr. Hale.« De Lancey trank. »Auf unsere guten Absichten. Und vor allem, auf den König.«

Quent hob das Glas. Nie hatte seine lederne Kniehose mehr fehl am Platz gewirkt als in diesem Moment. »Auf den König«, sagte er. »Und auf unsere Pläne.«

Mittwoch, 3. November 1755
Ohio Country

Mehrere Pfeile lagen auf dem Boden zwischen Cormac, dem Potawatomi-Mestizen, und Pontiac, dem Ottawa-Kriegshäuptling. Corm trug einen Lendenschurz – zum ersten Mal, seit er Singender Schnee vor über einem Jahr verlassen hatte – und perlenbesetzte Reifen um Arme und Knöchel; und weil eine dünne Schicht gefrorenen Schnees auf dem Boden lag, hing ihm der Umhang aus

Elchfell, den Bishkek ihm zum Abschied geschenkt hatte, um die Schultern. Er hockte sich nieder, nahm einen Pfeil in die Hand und brach ihn entzwei. Dann blickte er zu Pontiac.

Der Ottawa fuhr sich mit der Hand über den Kopf. Sein Schädel war kahl geschoren bis auf eine Haarsträhne in der Mitte, in die viele Perlen geflochten und drei Federn gesteckt waren. »Als wir uns das letzte Mal sahen, war mein Haar so lang wie deines.« Cormac hingen die Haare auf die Schultern hinab, am Hinterkopf steckte eine einzelne Adlerfeder. »Jetzt trage ich die Skalplocke des Kriegs. Im Sommer kämpften die Potawatomi neben den Ottawa und den Abenaki in der großen Schlacht, die hier in der Nähe stattfand. Wo war Cormac Shea da?«

»Es war eine Ehre, den Geschichten von der Kühnheit Pontiacs und seiner Krieger zu lauschen. Ganz Kanada weiß, was euch bei der Schlacht am Monongahela gelungen ist.«

»Aber du warst nicht dabei.« Pontiac ließ nicht locker. »Und jetzt kommst du und zerbrichst meine Pfeile. Warum? Willst du mich zum Kampf herausfordern?«

Cormac schüttelte den Kopf. »*Co!* Ich fordere dich heraus, *nicht* zu kämpfen.« Er zerbrach einen weiteren Pfeil, dann band er die übrigen mit einem dünnen Lederriemen zu einem Bündel und erhob sich. »Hier, ich gebe dir deine Pfeile zurück. Und ich fordere dich heraus, sie zu zerbrechen.«

Pontiac nahm die Pfeile zwar entgegen, machte aber keine Anstalten, Corms Aufforderung nachzukommen. »Das kann ich nicht«, sagte er. »Wenn die Pfeile zusammengebunden sind, können sie nicht zerbrochen werden, *neya*?« Cormac nickte zustimmend. »Wenn ich mich richtig erinnere«, fuhr Pontiac fort, »war ich bei unserer letzten Begegnung derjenige, der von der Kraft sprach, die aus Einigkeit entsteht.«

»*Ahaw.* Es war in der Tat Pontiac, der damals weise Worte sprach. Deshalb bin ich jetzt hier. Es gibt wichtige Dinge, die ich Pontiac, dem weisen Kriegssachem, sagen möchte. Ich möchte ihm zeigen, dass ich die kluge Lektion, die er mich bei unserer letzten Begegnung lehrte, verstanden habe.« Cormac berührte den Medizinbeutel, der ihm um den Hals hing. Es war das erste Mal, dass er Memetosias Geschenk sichtbar trug.

Der weiße Medizinbeutel mit den roten Symbolen war Pontiac sofort aufgefallen, als Cormac in sein Lager gekommen war. Jetzt endlich konnte er davon sprechen, ohne unhöflich zu wirken und, wichtiger noch, ohne den Anschein zu erwecken, er könne die Macht seiner eigenen Medizin im Vergleich zu der des Mestizen anzweifeln. »Das sind die Zeichen des Kranichvolks, nicht wahr?«

»Ja, das stimmt. Dieser Medizinbeutel wurde mir von dem alten, großen Miami-Häuptling Memetosia gegeben. Ein Geschenk an alle *Anishinabeg.*« Ein halbes Dutzend Ottawa-Tapferer stand in der Nähe der beiden Männer. Einer spuckte aus, kaum hatte Cormac den Namen Memetosias ausgesprochen. Die anderen murmelten missfällig.

»Potawatomi und Ojibwe und Ottawa, wir sind Brüder«, sagte Pontiac. »Früher waren wir ein einziges Volk.«

»*Ahaw*«, stimmte Cormac zu. »*Haya, haya, jayek.*« So, so, wir alle zusammen. Die Worte waren Bestandteil aller Potawatomi-Zeremonien. Der Ottawa würde die Worte noch kennen, auch wenn die Stämme schon seit langer Zeit getrennt waren.

Pontiac nickte. Er kannte sie in der Tat. »Aber die Twightwee, das Kranichvolk, hat nichts mit uns zu tun. Ihr Fett ist in meinem Bauch.« Pontiac legte eine Hand auf seinen Magen und stieß laut auf.

Pontiac hatte zu dem Kriegstrupp gehört, der drei Jahre zuvor Pickawillany überfallen, alle dort anzutreffenden Miami ermordet und schließlich Memetosias Enkel Memeskia in einen Topf gesteckt, ihn gegart und gegessen hatte. Das wusste Corm. Und er hatte gewusst, dass diese Tatsache zur Sprache kommen würde. Er hatte seine Antwort darauf vorbereitet. »Früher hatten die *Anishinabeg* viele Gründe, sich als Feinde zu betrachten und sich zu bekämpfen. Aber wenn sie jetzt so weitermachen, werden sie alle sterben.«

Pontiac warf das Bündel Pfeile auf den Boden. »Das ist Zeitverschwendung. Cormac Shea kommt in mein Kriegslager, um mir Dinge zu sagen, die ich bereits weiß.«

»Aber ich bringe Dinge, die andere nicht wissen.« Wieder berührte Cormac den Medizinbeutel. »Der Boden ist mit Schnee bedeckt, die *Cmokmanuk* bleiben in ihren Festungen und kämpfen nicht. Für einen weisen Kriegssachem wie Pontiac ist es die Zeit, um nachzudenken und zuzuhören und Pläne zu machen.«

Pontiac schwieg ein Weile. Schließlich nickte er, wandte sich um und rief eine Squaw zu sich. »Richte einen Platz her, wo ich und mein kleiner Bruder Cormac, der Potawatomi von Singender Schnee, weiter über wichtige Dinge reden können. Später werden wir essen.«

Pontiac breitete eine Decke auf dem Boden aus. Sie hatte die Farbe von Blut, mit einem leuchtend blauen Rand, und er glättete sie eigenhändig, ließ sich diese Arbeit von keiner Squaw und keinem jungen Tapferen abnehmen. Irgendetwas sagte dem Ottawa-Häuptling, dass Cormacs Medizinbeutel vom Kranichvolk einen einzigartigen Schatz enthielt. Instinktiv zollte Pontiac dem Tribut.

Als alles bereitet war, ließ Cormac sich nieder, nahm den Medizinbeutel ab und legte ihn in die Mitte der blutroten Decke.

»Warte«, sagte Pontiac. »Zuerst rauchen wir.«

Noch mehr Ehre wurde Cormac zuteil. Er ließ sich seine Ungeduld nicht anmerken. Pontiac entzündete die Pfeife, machte einen tiefen Zug und reichte sie an Cormac weiter. Corm sog den Tabakrauch ein, öffnete den Mund und ließ ihn in die Luft des verblassenden Nachmittags treiben.

»Das Kalumet bedeutet Frieden«, sagte der Ottawa. »Es könnte eine ganze Weile dauern, bis wir es wieder rauchen.«

»Es sind die *Cmokmanuk,* die kämpfen. Warum sollten die *Anishinabeg* ihr Blut vergießen, um die Ziele des weißen Mannes zu unterstützen?«

»Du bist auch ein weißer Mann, Cormac, der Mestize.«

»Ich bin ein Brückenmensch. In mir ist ein Potawatomi-Tapferer.«

Pontiac nicke. »Seit die *Cmokmanuk* gekommen sind, gibt es viele wie dich.«

»Nicht so sehr viele.« Cormac reichte die Pfeife an Pontiac zurück und wartete, bis dieser geraucht hatte, bevor er weitersprach. »Jetzt, im Frieden des Kalumets, bitte ich den großen Häuptling der Älteren Brüder, mir mit beiden Ohren zuzuhören.« Pontiacs Blick wanderte zum Medizinbeutel, doch Cormac war noch nicht bereit zu zeigen, was er enthielt. »Die meisten anderen kämpfen wegen der Ehre und um Gefangene zu machen und Skalps zu nehmen und viele Schätze in ihr Dorf zurückzubringen. Aber ich glaube nicht, dass das auch Pontiacs Beweggründe sind.«

»Kämpfen ist unsere Art.« Der Ottawa klang nachsichtig. »Wir sind Krieger.«

Cormac schüttelte den Kopf. Er war an der Reihe zu rauchen, aber er nahm die Pfeife nicht sofort entgegen. »*Co*, nicht dieses Mal. Dies ist ein Krieg der *Cmokmanuk*.«

»Du sprichst die Wahrheit, kleiner Mestizenbruder. Aber sie sind überall, sie leben mit uns wie die Mücken, ständig stechen sie uns und saugen unser Blut aus.« Pontiac drehte den Pfeifenkopf um und kippte die glühende Asche in seine Handfläche, dann verrieb er sie auf dem Boden. Die Zeit zu rauchen war vorüber. Es war an der Zeit, darüber zu reden, weswegen Cormac Shea in sein Lager gekommen war und was der Medizinbeutel der Miami enthielt. »Ein weiser Kriegssachem wählt seine Feinde mindestens ebenso überlegt wie seine Freunde. Die Engländer sind wie große Hundehaufen, deren Gestank die ganze Umgebung verpestet. Die Franzosen sind keine Blumen, aber sie stinken weniger.«

»Weil sie nicht so viel Land nehmen?«

»Sie nehmen alles, was sie bekommen können, aber sie schätzen es nicht so hoch und behalten es nicht so lange. Die Franzosen sind wie Bäume mit flachen Wurzeln. Man kann sie versetzen. Die Engländer sind wie Eichen. Sind sie erst einmal eingepflanzt, reichen ihre Wurzeln bis in die Mitte der Erde hinab.«

Die Sonne sank herab, die beiden Männer spürten die Kälte des hereinbrechenden Abends. Sie sahen die Feuer, die im Lager brannten, fühlten aber nicht ihre Wärme. Kochdüfte trieben zu ihnen herüber und die Geräusche von Kindern, die sich mit einem Spiel vergnügten, bei dem sie zuerst einen Gesang intonierten und dann laut schrien. »Es wird spät, kleiner Bruder. Sag, was dich hergeführt hat.«

Cormac sammelte sich. »Als wir das letzte Mal zusammensaßen, sprachst du davon, dass die *Anishinabeg* die alten Traditionen ehren sollten.« Pontiac nickte. Cormac griff nach dem Medizinbeutel und löste die Schnur, die ihn oben zusammenhielt. »Hier habe ich ein Geschenk aus der Vergangenheit. Von der alten Tradition der *Anishinabeg*.« Er ließ die Suckáuhock in seine Handfläche gleiten und legte dann jede der dunkel lilafarbenen Súki-Perlen auf die Decke.

Auf dem scharlachroten Untergrund wirkten sie klein und unbedeutend, doch Pontiac erkannte sofort, dass sie sehr alt und kunstvoll gearbeitet waren. »*Ayi* ...« Sein beglücktes Seufzen stieg aus den Tiefen seines Bauchs auf. »Sie sind wunderschön. Memetosia, der Miami-Häuptling, hat sie dir gegeben?«

»*Ahaw.*«

»Warum?«

»Die Frage habe ich mir selbst viele Male gestellt. Ich kenne die Antwort nicht und kann mir nur vorstellen, dass er einem Auftrag folgte, der ihm in einem Traum gegeben wurde.«

Pontiac nickte. Es konnte keinen anderen Grund geben, warum ein sehr alter und sehr weiser Häuptling, selbst ein Miami-Häuptling, dem Mitglied eines Stammes, der mit seinem nichts zu tun hatte, einen solchen Schatz anvertrauen sollte. Noch dazu einem Mestizen. »*Ahaw*. So muss es sein.«

Pontiac beugte sich vor und streckte die Hand nach einer Perle aus. Cormac packte ihn am Handgelenk. Bei dieser Kränkung erstarrte der Ottawa und machte Anstalten aufzustehen. »Warte«, sagte Cormac. »Ich bitte meinen älteren Bruder, meine Dreistigkeit zu verzeihen und mir mit beiden Ohren zuzuhören. Auch mir wurde ein Traum geschickt. Zwei sogar. Einen hatte ich, als ich wach war. Der zweite kam im Schlaf.« Er ließ Pontiacs Handgelenk los und wartete. Möglicherweise würde er gleich auf Leben und Tod kämpfen müssen. Nicht, dass er in diesem Lager, wo alle Tapferen

Pontiac Treue gelobt hatten, eine Chance hätte. Aber ein paar würde er schon in den Tod mitnehmen. Corm bewegte die Hand nicht, doch sie schwebte direkt über dem Tomahawk an seiner Hüfte.

Einen Moment war es, als würde keiner der beiden atmen. Dann sprach Pontiac. »Erzähl mir den Schlaftraum.«

Es würde keinen Kampf geben. Nicht hier, nicht heute.

Ich spüre eine große Schwärze zwischen uns, Ottawa, obwohl wir keinen Streit miteinander haben. Und ich habe eine Aufgabe, deshalb muss ich diese Gedanken aus meinem Kopf verbannen. Die Zukunft wird kommen, unabhängig von dem, was ich denke oder fühle. Mein einziger Weg ist, dem Traum zu folgen. »Da war ein Falke«, begann er, »und ein Strom von Blut.« Er erzählte von den kleinen Vögeln und dem weißen Bären und dem weißen Wolf.

Pontiac hörte schweigend zu, bis Cormac geendet hatte. Dann fragte er: »Und der Wachtraum? Wovon handelte er?«

»Er ist mir gekommen, nachdem ich viele Tage gefastet und meditiert hatte. Er geht so: Wenn die Franzosen aus dem Nordland vertrieben werden könnten, dem Land, das sie Kanada nennen, könnten die *Anishinabeg* das als Heimat haben. Und die Engländer könnten hier im Süden bleiben. Wir würden beide unseren Gesetzen und unseren Bräuchen folgen, und durch die Trennung könnten wir beide überleben.«

Pontiac wandte den Kopf und betrachtete die Wälder, die sie umgaben. In der Abenddämmerung verblassten die feurigen Farben des Laubs ein wenig, was dem Ort aber nichts von seiner Schönheit nahm. »Das alles würdest du den Hundehaufen überlassen?«

»Ich würde ihnen geben, was notwendig ist, damit die *Anishinabeg* überleben können.«

Der Ottawa nickte. »Da stimme ich dir zu. Wir kämpfen zweifellos um unser Überleben. Nur die, die nicht weiter als bis zu ihrer Fingerspitze sehen, glauben, es ginge um etwas anderes.«

Es war an der Zeit, die schweren Entscheidungen zu treffen. Cormac nahm eine der Súki-Perlen und legte sie auf seine offene Handfläche, die er dem Ottawa entgegenstreckte. Im dämmrigen Licht ließen sich die Schnitzereien gerade noch ausmachen.

»*Papankamwa*, der Fuchs. Ich wünsche mir, dass Pontiac sie annimmt. Wenn er das tut, gehört sie ihm für immer.«

Der Ottawa nahm sie nicht. »Im Gegenzug wofür? In der alten Zeit wurden Suckáuhock so verwendet, wie wir Wampum verwenden. Bittet mein kleiner Bruder mich, einen Kriegsgürtel anzunehmen?«

»Es ist ein Nichtkriegsgürtel. Ich bitte Pontiac, seine Tapferen und sein Volk an einen Ort zu führen, wo sie das Ende des Kriegs zwischen den Franzosen und den Engländern abwarten können. Und dass er auch das nimmt.« Cormac nahm die Perle, in die das Symbol der Spinne graviert war, und legte sie ebenfalls auf die Handfläche seines ausgestreckten Arms. »Gib sie Alhanase, dem Kriegshäuptling der Huronen, der auch mit Onontio kämpft. Sag ihm, was ich dir gesagt habe, und bitte ihn, dass die Huronen sich wie die Ottawa aus diesem Krieg zurückziehen und es den *Cmokmanuk* überlassen, sich ohne unsere Hilfe umzubringen.«

»Damit wir zum Schluss alle in das Land von Eis und Schnee gehen und die *Cmokmanuk* unsere Heimat bekommen.« Pontiac breitete die Arme aus, um die Wälder des Ohio Country zu umfassen, wo seine Vorfahren gelebt hatten, seit der Große Geist sie auf diese Erde gesetzt hatte. »Zum Schluss bekommen die Hundehaufen das, was uns gehört.«

»Zum Schluss überleben wir.« Tief im Inneren spürte Cormac, dass Pontiac der Bedeutung der beiden Träume keinen Glauben schenkte. So aufgewühlt er war, und so lange er die Hand mit den Suckáuhock auch ausgestreckt hielt, sie zitterte nicht. Sie blieb so ruhig, als reiche Cormac die Perlen über ein heiliges Potawatomi-Feuer, um seine Mannhaftigkeit zu beweisen. »Der Fuchs und die Spinne sind für die Ottawa und die Huronen. Ich selbst bringe den Waschbären zu den Abenaki.«

»Und du glaubst, dass sie dich willkommen heißen und einwilligen werden zu tun, worum du sie bittest?«

»Ich glaube, sie werden erfreut sein bei dem Gedanken, dass es Land geben könnte, das sie nicht mehr mit Eindringlingen zu teilen brauchen, die ihnen Leid zufügen, ihnen Krankheiten und Kriege bringen.«

»Aber die *Cmokmanuk* werden noch immer hier sein. Wenn es nach deinem Traum geht, bleiben die Engländer hier.«

»Nicht in Kanada. Das ist ein riesiges Land. In Kanada gibt es genügend Platz, dass alle *Anishinabeg* dort jagen können.«

»Es ist ein eisiger Ort«, wiederholte Pontiac. »Fast nur Schnee.«

»Nicht das ganze Jahr, und nicht überall. Und die Jagd dort ist sehr gut.«

Pontiac gab ein kehliges Geräusch von sich, das eine widerwillige Zustimmung bedeutete. »Die Krankheiten und die Güter des weißen Mannes, ohne die das Wahre Volk nicht mehr glaubt leben zu können ... Messer aus Metall und nicht aus Feuerstein, Kleidung aus Tuch und nicht aus Häuten, Feuerwasser – das alles wird nicht weggehen.«

»Die *Anishinabeg*, die weiterhin mit den *Cmokmanuk* Handel treiben wollen, werden es auch tun. Wir müssen einen neuen Weg für die Zukunft finden, älterer Bruder. Wir können die Vergangenheit nicht ändern.«

»Und die anderen Perlen?« Pontiac blickte zu den vier Suckáuhock, die auf der Decke lagen.

»Sie sind für die Lenape und die Kahniankehaka.«

»Shingas und Scarouady«, sagte Pontiac. Er wusste sofort, an welche Häuptlinge Cormac dachte. »Wer wird mit ihnen reden? Du wohl nicht. Uko Nyakwai?«

»Er kennt sie besser als du oder ich.«

Pontiac wandte den Kopf und spuckte ins Gras. »Er ist nicht einmal zur Hälfte *Anishinabeg*.«

»Durch Adoption ist er ein wahrer Potawatomi-Tapferer. Das war schon immer unsere Art. Leugnet Pontiac das Recht eines Stammes, irgendeines Stammes, einen Mann nach Belieben zu adoptieren?«

Pontiac sah nicht zu Cormac, schüttelte aber den Kopf. Der Brückenmensch hatte Recht, das war nicht zu leugnen.

»Du weißt auch, dass Uko Nyakwai das Amulett trägt, das ihm dein Onkel, der große Häuptling Recumsah, gab. Welchen Streit du mit meinem Bruder, dem Roten Bären, auch haben magst, es ist nicht ...«

»Mein Streit mit ihm ist, dass er ein *Cmokman* ist. Und ein Engländer.«

Beides ließ sich nicht leugnen. Es war besser, Pontiacs Feindseligkeit gegenüber Quent auf sich beruhen zu lassen. Cormac hatte seinen Arm noch immer ausgestreckt. Er brannte, und Corm wusste nicht, wie lange er ihn noch so würde halten können, aber wenn er jetzt die Perlen niederlegte, hatte er verloren. »Die *Anishinabeg* können in Kanada überleben. Wenn alles bleibt, wie es jetzt ist, werden die Franzosen und die Engländer uns zwischen sich aufreiben.« Das waren Quents Worte, aber Cormac wusste keine besseren.

Pontiac ignorierte die dargebotenen Súki-Perlen noch immer. »Damit dein Plan aufgehen kann, müssen die Engländer diesen Krieg gewinnen. Selbst wenn beide Seiten ohne unsere Tapferen kämpfen, wie kannst du dir da sicher sein?«

»Die Engländer haben mehr Männer und mehr Waffen und mehr Nahrungsmittel und …«

»Und sie kämpfen um mehr«, warf Pontiac leise ein. »Sie kämpfen um das Recht auf Land, und der Landhunger der Engländer ist nie gestillt.«

»Sie werden einwilligen, dass wir Kanada bekommen«, beharrte Cormac. »Wenn es bedeutet, dass sie sich nicht mehr vor Angriffen der *Anishinabeg* fürchten müssen, willigen sie ein. Willigt Pontiac ein?« Die Suckáuhock lagen noch immer auffordernd auf seiner flachen Hand.

»Genügt es zu sagen«, fragte Pontiac leise, »dass ich versuchen werde zu sehen, wie dieser Plan umgesetzt werden kann?«

Cormac zögerte nicht. »Es genügt.«

Pontiac beugte sich vor und nahm die beiden Perlen. Cormacs Handfläche war leer, doch er ließ den Arm nicht sinken. »Mein älterer Bruder ist sich sicher?«

Pontiac schaute auf den Arm, der nach wie vor zu ihm ausgestreckt war. Er sprach langsam, wusste, dass die Prüfung nicht vorüber war, bis er die abschließenden Worte gesprochen hatte, fragte sich, wie lange der Mestize so verharren könnte. Halb wünschte er sich, Cormac würde scheitern, halb war er beeindruckt von seiner

Ausdauer. »Dein älterer Bruder ist sich sicher, dass er diesen Plan in allen Teilen prüfen und versuchen wird, ihn Wirklichkeit werden zu lassen. Der Norden für uns. Der Süden für sie.« Pontiac zögerte, so lange er es wagte. Doch wenn er die Prüfung über ihr natürliches Ende hinaus streckte, galt sie nichts mehr. »Ich werde es versuchen«, sagte er schließlich.

Cormac ließ den Arm sinken. Er brannte und zitterte von der Schulter bis in die Fingerspitzen, aber das war gleichgültig. Innerlich jubelte er, als hätte er bereits den endgültigen Sieg errungen. *Cmokmanuk* im Süden, *Anishinabeg* im Norden. Dank dem Großen Geist und seinem Totem, dem weißen Wolf, und Miss Lorenes sonntäglichem Jesus. Er hatte seine Ehre als Potawatomi bewahrt und möglicherweise einen mächtigen Verbündeten gewonnen.

Keiner der beiden Männer sprach ein Wort, während Cormac die restlichen Perlen – den Truthahn, den Elch, das Opossum und den Waschbären – in den Medizinbeutel zurücksteckte und ihn sich um den Hals schlang. Der Beutel fühlte sich anders an, leichter. Als Cormac aufstand, stolperte er beinahe. Pontiac besaß den Anstand, das Missgeschick zu übersehen.

Die verlockenden Düfte der Kochfeuer ließen Cormac das Wasser im Mund zusammenlaufen, und er freute sich auf das Essen. Dem Geruch nach zu urteilen, gab es Biber-Eintopf und den letzten frischen Mais des Jahres. Er wurde als Ehrengast behandelt, und die Ottawa galten als herausragende Köche. Angeblich würzten sie ihre Gerichte mit getrocknetem Sumach, aber wenn die Squaws anderer Stämme Sumach verwendeten, schmeckte es trotzdem anders. Die Ottawa-Köche hatten ein Geheimnis – *Ayi!*

Corm sah sich in Singender Schnee auf dem Boden liegen, damals im vergangenen Jahr, als die Midewiwin-Priesterin sich über ihn beugte. *Nur weil die Blätter eines Baumes während des Mondes der großen Hitze rot werden, bedeutet das nicht unbedingt, dass der Baum ein Sumach ist.* Das hatte sie gesagt, und damals hatte weder er noch Bishkek die Worte verstanden. Jetzt begriff er sie. Ein Ding mochte wie ein anderes aussehen und doch ganz anders schmecken, weil es in Wirklichkeit etwas anderes *war*. Der Tapfere, der ihn in der Schwitzhütte überfallen hatte, damals in Albany vor fast eineinhalb Jahren, nachdem er die Suckáuhock überreicht bekommen hatte, sah aus wie ein Hurone und roch wie ein Hurone, aber das bedeutete nicht, dass er tatsächlich ein Hurone war. Vielleicht hatte er sich wie eine Schlange verkleidet, weil er wollte, dass Cormac ihn für eine hielt. »*Ayi!* Das ist möglich.«

Ihm war nicht klar, dass er laut gesprochen hatte, bis Pontiac sich zu ihm umdrehte. »Was ist möglich?«

»Nichts. Ich dachte nur gerade, dass Dinge in Träumen manchmal nicht genau das sind, als was sie erscheinen.«

»Das ist wahr. Aber jetzt schiebe solche Gedanken beiseite, kleiner Bruder. Es ist Zeit, zu essen und zu reden, und später ist es Zeit, zu rauchen und zu singen und zu tanzen. Der Winter kommt. Dann wird es Zeit, sich für den Krieg zu rüsten. Oder«, Pontiac berührte den Beutel an seiner Hüfte, in den er die Suckáuhock getan hatte, »für den Nicht-Krieg.«

Winter 1755-1756
Lac du St. Sacrement

Eine Zeit, um zu planen und zuzuhören, an Krieg zu denken und für den Krieg zu rüsten.

Die französischen Truppen, die am nördlichen Ende des Bright Fish Water stationiert waren – des Sees, den sie Lac du St. Sacrement und die Engländer nun Lake George nannten –, begannen mit dem Bau einer Festung, die ebenso uneinnehmbar sein sollte wie Fort St. Frédéric am Lac du Champlain. Zuerst sollte die Anlage Carrion heißen nach Philippe de Carrion, der hier einmal einen Handelsposten geführt hatte. Doch Vaudreuil lehnte den Vorschlag ab. »Trotz allem, was heute als Handel bezeichnet wird, weigere ich mich, eine Festung nach einem Schmuggler zu benennen.« Schließlich einigte man sich auf Fort Carillon, Glockenspiel, nach dem klingenden Plätschern, mit dem sich die Flüsse aus dem See ergossen. Dieser Kompromiss musste gefunden werden, weil Vaudreuil auch den Namen Fort Ticonderoga ablehnte, nach dem Irokesennamen des Felsvorsprungs zwischen dem Lac du Champlain und dem Lac du St. Sacrement. Dieser neue *maréchal de camp*, Marquis de Montcalm, verachtete als Franzose alles, was kanadisch oder indianisch war. Es lohnte sich nicht, ihn so bald nach seiner Ankunft zu brüskieren.

Bright Fish Water war Anfang Januar zugefroren. Knapp fünfundzwanzig Meilen weiter im Süden hörten die Yorker in der klaren, dünnen Winterluft, umstanden von fast unbelaubtem Wald, in dem sich zumindest im Moment keine Feinde verbargen, das Geräusch der französischen Äxte, die durch die Luft sausten, und das Donnern, mit dem die gefällten Bäume zu Boden stürzten. Da griffen auch sie nach ihren Beilen und Sägen.

Als Erstes bauten die Yorker eine Flotte flacher, floßartiger Boote, die als *bateaux* bekannt waren. Sie waren leicht und schnell zu zimmern und doch schwer genug, um mindestens zwanzig Soldaten zu befördern sowie die schwere Artillerie, die früher oder später über das Ende dieses bislang noch unerklärten Kriegs entscheiden würde. General Johnson schickte Kundschafter aus, die mit der Nachricht zurückkehrten, dass die Franzosen außer einer mächtigen Festung ebenfalls *bateaux* bauten. So machten die Amerikaner sich daran, auch ein Fort zu errichten.

Es hatte vier Bastionen und lag an einem steilen Abhang. Auf einer Seite fiel der Fels jäh in den See ab. Zum Schutz der anderen drei Seiten hoben sie einen tiefen Graben aus und umgaben ihn mit einem Wall aus Baumstämmen, der dreißig Fuß tief und fünfzehn Fuß hoch war. Johnson erklärte, die Festung solle nach den beiden königlichen Prinzen benannt werden. Die meisten Yorker, die den Bau im Schweiße ihres Angesichts errichteten, waren durch und durch Amerikaner und schätzten die Königsfamilie weniger als anglo-irische Einwanderer wie dieser General. Aber Johnson war der Befehlshaber, er setzte sich durch. Die neue Festung erhielt den Namen William Henry.

DRITTES BUCH

1757

Die Neue Welt und die Alte

20

Sonntag, 22. Juli 1757
Québec, Oberstadt

Die Flure des Collège des Jésuites waren mit den edelsten Hölzern getäfelt, die Böden mit rotem, weißem und schwarzem Marmor bedeckt. Die Brüder achteten peinlich auf Sauberkeit, vor allem im breiten, säulengesäumten Südflur, der an den Privatgemächern von Monsieur le Provincial vorbeiführte. Dort wandelte Philippe Faucon, schweigend in seinem Brevier lesend. Der alte Bruder Luke schlurfte zwanzig Schritte vor ihm her, große Tücher unter die Füße gebunden, und ließ die Perlen durch seine Hände gleiten, während er den Boden polierte. Sein Flüstern war in der Stille deutlich zu verstehen. »*Je vous salue, Marie, pleine de grâce.*« Jesuitenbrüder waren Männer, die wegen ihrer mangelnden Bildung nicht die Stundengebete lesen konnten und stattdessen auf Französisch den Rosenkranz beteten, während jeder Priester der Gesellschaft Jesu die lateinischen Stundengebete neben seinen übrigen Pflichten selbst las.

Es war Sonntag, und Philippe hatte keine Pflichten. Er wäre gern aufs Land hinausgegangen, um zu zeichnen, aber er und Luke mussten im Seminar bleiben und dort nach dem Rechten sehen, während die übrigen Jesuiten an einem Empfang im Palast des Generalgouverneurs teilnahmen. Zehn Schritte vor der Tür, die zu Monsieur le Provincials Gemächern führte, begann Philippe mit dem dritten Psalm der Vesper für den heutigen Tag der heiligen Maria Magdalena. *Quis ascendet in montem Domini? Innocens manibus et mundus corde.* Wer wird hinaufsteigen zum Berg des Herrn? Der Rechtschaffene mit Händen und der mit lauterem Herzen.

Die Worte ließen ihn schaudern. Philippe hielt weder sein Herz für lauter noch seine Hände für rechtschaffen.

»*Sainte Marie, Mère de Dieu*«, brummelte der Alte. An Sonntagen durfte eigentlich keine körperliche Arbeit verrichtet werden, aber Bruder Luke war schon vor langem zu dem Schluss gekommen, dass es keine richtige Arbeit darstellte, beim Gehen den Fußboden zu polieren, und hatte sich selbst Dispens erteilt. »*Priez pour nous …*« Er schlurfte weiter, vorbei an der Tür zum Arbeitszimmer des Povinzials und um die Ecke in den Flur, der zur Retraite de Ste. Anne führte, der Privatkapelle des Collège.

Philippe verlangsamte seine Schritte noch mehr. Er wusste, wenn Luke den Eingang zur Kapelle erreichte, würde er stehen bleiben, die Tücher von den Füßen binden und das Gotteshaus betreten. Der alte Mann verbrachte viele Stunden im frommen Gebet. Möglicherweise war er ein wahrer Heiliger.

Einige Sekunden vergingen. Die Stimme, die den Rosenkranz flüsterte, wurde leiser und erstarb dann völlig. Philippe hörte das Quietschen des einen Scharniers, das sich allen Bemühungen, es zum Verstummen zu bringen, widersetzte. Auch eine Novene an die heilige Anna selbst hatte nichts genützt. Das Quietschen bedeutete, dass Luke die Tür zur Kapelle geöffnet hatte. Als sie erneut quietschte, wusste Philippe, dass sie geschlossen worden war.

Alors. Er war so gut wie allein im Collège. Er konnte sich nicht erinnern, wann dies zum letzten Mal vorgekommen war. Es musste ein Fingerzeig Gottes sein.

Er schloss sein Brevier und legte es auf den nächsten Tisch, dann eilte er zur Tür, hinter der das Arbeitszimmer des Provinzials lag. Ohne zu zögern, umfasste er den Türknauf. Er ließ sich mühelos drehen. Philippe hatte sich gesagt, dass es ebenfalls ein Fingerzeig Gottes wäre, wenn die Tür versperrt wäre. Er würde sich den Zutritt nicht erzwingen, sondern nur etwas tun, das seiner Ansicht nach eine schwere Sünde darstellte, und sich damit abfinden, später dafür Buße zu tun. Aber Louis Roget hatte die Tür zu seinen Privatgemächern nicht verschlossen. Beim leisesten Druck gab sie nach. Die prächtigen Schnitzereien der *ébénistes* von Reims breiteten sich vor seinen Augen aus.

Direkt vor ihm war die Tafel mit der Darstellung der Flucht nach Ägypten, diejenige, die auf den richtigen Druck hin aufschwang und den Blick auf die Unterstadt und das schäbige Kloster der Armen Klarissen freigab sowie auf die Kate, in der Père Antoine de Rubin Montaigne lebte. Rechts davon war die Tafel mit dem Engel, der sein Gesicht mit den Flügeln verdeckte und betend vor dem Gottesthron kniete. Auch Philippe bedeckte das Gesicht mit den Händen.

Herr, ich möchte deinen Willen erfüllen. Sein Herz klopfte wie wild, seine Hände waren eiskalt. Aber es konnte nicht der Wille Gottes sein, dass das nächtliche Grauen nicht von ihm weichen wollte, dass sein Kummer, das Gefühl von Versagen wie ein Geschwür in ihm wucherte und ihn auch nach unzähligen Gebeten und Bußübungen nicht verließ. *Es ist nicht deine Schuld, Philippe.* Das hatte Xavier Walton ihm jedes Mal gesagt, wenn er dieselbe Sünde des Verrats beichtete. *Du hast die* habitants *von L'Acadie nicht verlassen. Sie wurden von den ketzerischen englischen Soldaten vertrieben; möge Gott sich ihrer Seele erbarmen. Die Engländer haben dir verboten, deine Schäfchen zu begleiten. Was solltest du sonst tun?*

Das, was er dann getan hatte, war das Einzige, von dem er wusste, dass es richtig war und was Gott von ihm erwartete. Er hatte Zeugnis abgelegt, hatte das geringe Talent, das ihm gegeben war, verwendet, um das Leiden derer, die seiner Obhut anvertraut waren, aufzuzeichnen. Und sobald er ins Collège zurückgekommen war, hatte er seine Zeichnungen Monsieur le Provincial überreicht.

Am Nachmittag seiner Rückkehr hatte es geregnet. Philippe erinnerte sich, dass er bis auf die Haut durchnässt war, als er die Côte de la Montagne hinaufstieg. Niemand wusste von seiner Ankunft, deshalb war keine Kalesche für ihn geschickt worden, und seiner Ansicht nach gestattete sein Gelübde der Armut – so unterschiedlich es bei den Jesuiten auch ausgelegt wurde – ihm nicht, eine Kutsche zu heuern. Er wusste noch, dass sich Wasserlachen um seine Füße gebildet hatten, während er in eben diesem Zimmer stand, vor seinem Oberen, in der Hand die rehlederne Mappe mit seinen Zeichnungen.

»Willkommen zu Hause, Philippe. Vielleicht möchtest du trockene Kleidung anziehen, bevor wir uns unterhalten.«

»Nein, Monsieur le Provincial. Mit Verlaub, ich möchte Ihnen diese Dinge sofort geben.«

»Deine Zeichnungen.« Roget konnte ein Seufzen nicht ganz unterdrücken. »Ja, natürlich.«

Philippe öffnete die Mappe und breitete die Blätter auf dem glänzenden Mahagonitisch aus. »Das habe ich gesehen, Monsieur le Provincial. Genau das.«

Während Louis Roget die Zeichnungen betrachtete, war nur das Prasseln des Regens auf dem Bleidach zu hören. Nach einer langen Weile bekreuzigte er sich, und Philippe sah, wie seine Lippen sich bewegten; da wusste er, dass Monsieur le Povincial für die *habitants* betete und Gott bat, die Leiden der Akadianer mit den himmlischen Freuden zu entlohnen. Schließlich legte er die Zeichnungen zusammen, mit einer gewissen Zartheit, wie Philippe vermeinte. Nie zuvor hatte er erlebt, dass Louis Roget zart war. »Du hast recht gehandelt, mein Sohn. Nun übernehme ich die Verantwortung dafür.«

Fast zwei Jahre waren seitdem vergangen, und Philippe hatte nichts mehr gehört. Sein Zeugnis – das Einzige, was er für die ihm anvertrauten Seelen noch tun konnte – war unterdrückt worden. Zumindest glaubte er, dass das passiert war. Zwei Mal hatte er von Monsieur le Provincial zu erfahren versucht, was mit seinen Zeichnungen geschehen war, und beide Male war seine Frage mit einem eisigen Blick erwidert worden und der Ermahnung, es sei nicht an ihm, sich mit den Entscheidungen seiner Oberen zu befassen. Aber, *mon Dieu*, die Sache lässt mir keine Ruhe. Ich muss es wissen.

Philippe ging zum Paneel mit dem knienden Engel und drückte auf die Flügel. Die Wand teilte sich, und eine Schublade glitt heraus. Sie war mit Samt ausgelegt und tiefer, als er sie in Erinnerung hatte. Viele Papiere waren dort verwahrt, aber dieses Mal lag nichts offen vor ihm, was für sein Auge bestimmt war.

Das Quietschen des Scharniers an der Kapellentür war unverkennbar. Unmöglich! Bruder Luke verließ die Kapelle nie nach so kurzer Zeit. Ein zweites Quietschen. Die Tür wurde wieder geschlossen. »*Je vous salue, Marie …*« Luke hatte die Kapelle verlassen und kehrte zurück, kam in Philippes Richtung.

Er hatte die Tür zum Arbeitszimmer des Provinzials offen stehen lassen. Hastig ging er hinüber, widerstand dem Drang, sie zuzuknallen, und schloss sie lautlos. Dann presste er seine pochende Stirn gegen das kühle Holz.

Lukes Schritte wurden lauter. »*Priez pour nous, pauvre pêcheurs …*« Das Gebet brach ab.

Der Alte stand direkt vor Monsieur le Provincials Arbeitszimmer. Er hatte beim Rezitieren des Rosenkranzes innegehalten. Unmöglich. Luke brach nie mitten im Text ab. Dekade um Dekade sprudelte aus ihm hervor, ein unablässiger Sturzbach der Fürbitten. Philippe stemmte sich mit seinem ganzen Gewicht gegen die Tür. Wenn Luke dagegendrückte und sie nicht nachgab, würde er vielleicht davon ausgehen, dass sie abgeschlossen war. Doch der Knauf drehte sich nicht. Philippe legte die Hand auf seine Brust und zählte die Herzschläge. Sie kamen ihm so laut vor, dass er überzeugt war, Luke müsste sie hören. Bei neun setzte der Strom wieder ein. »*… maintenant et à l'heure de notre mort. Sainte Marie, Mère de Dieu …*« Bruder Luke nahm seinen Weg den Flur entlang wieder auf.

Philippe hatte gelobt, nichts anderes als seine Zeichnungen aus der Schublade zu holen. Er wollte nur wissen, ob sie noch dort lagen, ob sich sein Verdacht bestätigte und Monsieur le Provincial das Dokument vom Leiden der Akadianer versteckt hatte. Er könnte sich täuschen. Louis Roget war tausend Mal klüger als Philippe Faucon. Vielleicht hatte er die Zeichnungen nach Versailles geschickt oder sogar zum Papst nach Rom, vielleicht wartete Louis Roget wie Philippe darauf, dass die Engländer öffentlich der Gräueltaten bezichtigt würden, die sie begangen hatten.

Die Zeichnungen, die er in den dunklen Tagen des Leids und des Grauens im Schutz der kleinen Eglise de Ste. Gabrielle angefertigt hatte, waren mit einem schwarzen Seidenband zusammengebunden. Sie lagen ganz hinten im Geheimfach. Philippe wusste, dass sie dort waren, seit er sie, seinem Gelübde des Gehorsams entsprechend, seinem Oberen ausgehändigt hatte.

Er ging mit ihnen zum Mahagonitisch, löste die Schleife und blätterte die Zeichnungen rasch durch. Tränen liefen ihm über die Wangen, als er wieder die Qualen sah, die zu vergessen er versucht hatte. Da waren Madame Trumante und Rafael, ihr vierjähriger Sohn, die auf getrennten Schiffen deportiert wurden und sich wohl nie wiedersehen würden. Da waren die Frauen, die auf einer Seite des Platzes kauerten, und die Männer auf der anderen, zwischen ihnen die Rotröcke mit aufgepflanzten Bajonetten. Nicht nur wurden sie ins Exil geschickt, sie wurden getrennt, ganze Familien wurden auseinander gerissen, und aus keinem anderen Grund als dem, dass die Engländer ihnen Übles wollten. Und da war Mademoiselle Marni Benoit, oben auf der Brüstung, die lächelnd auf das Meer hinaussah, die Einzige unter den *habitants*, die ihre Heimat frohen Herzens zu verlassen schien. Sein Zeugnis war vollständig erhalten, aber niemand hatte es gesehen außer ihm selbst, seinem Oberen und natürlich Cormac Shea, an dem Abend, als der Mestize auf der Suche nach Marni erschienen war.

Eine Zeichnung in dem Stapel stammte allerdings nicht von ihm. Sie hatte sich im schwarzen Seidenband verfangen, und er hatte sie zufällig mit herausgenommen. Eine Art Landkarte mit gepunkteten Linien, die die Größe und die Lage von Untiefen und Felsen angaben und dazu kleine Nummern. Vielleicht eine Navigationskarte. Nein, beides, eine Landkarte und eine Navigationskarte, angefertigt von jemandem, der sich nicht an die Konventionen gebunden fühlte. Die Zeichnung war zwar alt und vergilbt, doch sorgfältig mit Tusche und Kiel ausgeführt.

Philippe hielt sie ins Licht und kniff die Augen zusammen, um die Signatur zu erkennen. *Mon Dieu!* Ignace Loualt. *Que magnifique!* Vor sich sah er eine Zeichnung, die eines der berühmtesten Mitglieder der Gesellschaft angefertigt hatte. Der Jesuit Loualt gehörte zum Gefolge von Champlain, der 1608 Québec gegründet hatte. Das bedeutete, dass die Zeichnung hundertfünfzig Jahre alt sein musste.

Zuerst war Philippe unsicher, welche Perspektive der Künstler gewählt hatte, doch nach einigen Sekunden wurde ihm bewusst, dass er den Sankt-Lorenz-Strom vor sich sah und die allerersten Anfänge der Unterstadt. *Alors*, der große Baum, die Eiche mit der großen, vom Blitz geschlagenen Wunde … Die steht noch. Loualt hat die Karte am Flussufer direkt unter dem Wasserfall gezeichnet. *Bien sûr.* Es ist die Passage zwischen der Ile d'Orléans und der Ile Madame, die Stelle, die sie La Traverse nennen. *Kein Handelsschiff von mehr als hundert Tonnen kann La Traverse passieren, und auch das nur unter der Leitung eines erfahrenen örtlichen Lotsen. Jeder weiß, dass Québec deshalb uneinnehmbar ist.* Das hatte er unzählige Male gehört. *Kein britisches Kriegsschiff kann den Fluss hinaufsegeln und uns bedrohen, sie können La Traverse nicht passieren.* Das galt in Québec als Glaubenssatz. Er bezweifelte ihn nicht. Aber warum sollte Monsieur le Provincial eine solche Karte verstecken?

Die Gesellschaft Jesu war ungemein stolz auf ihre Geschichte in Neufrankreich. Die Breviere der ersten Jesuiten, die nach Kanada gekommen waren, lagen in den öffentlichen Räumen des Collège aus. Ihre abgetragenen Birette, zwei mit Löchern, die angeblich von Pfeilen feindlicher Indianer stammten, wurden in einem Glaskasten neben dem Eingang ausgestellt. Es gab sogar die Reliquie eines Knochensplitters, der, so hieß es, von einem Jesuiten stammte, der von den Huronen gefoltert und getötet worden war. Aber diese Landkarte, dieses Dokument aus der Feder Loualts – warum sollte es versteckt werden?

Weil derjenige, der es sah, im Besitz eines Geheimnisses war. Eine andere Erklärung konnte es nicht geben.

Philippe war sich nicht mehr bewusst, wo und in welch großer moralischer Gefahr er sich befand. Seine Liebe zu Bildern hielt ihn in ihrem Bann. Er drehte die Karte hin und her, betrachtete sie aus jedem Winkel. Loualt der Künstler, sein Mitbruder, schien zu ihm zu sprechen. Sieh, ich lege mit meiner Gabe für die Kunst Zeugnis ab. So, wie du Zeugnis abgelegt hast über die Bäume und Pflanzen und Gräser dieser Region, und über die Indianer und die Leiden der *habitants* von L'Acadie. Auf meine Art habe ich in meiner Zeit dasselbe getan. Weil etwas nicht immer so ist, wie es zu sein scheint, Bruder, oder so, wie die Leute sagen, dass es ist. Aber das Auge des Künstlers lässt sich nicht täuschen. Es sieht die Wahrheit.

Mère de Dieu … Loualt hatte eine Karte der Passage durch La Traverse angefertigt.

Philippe zitterten die Hände. *Nur unter der Führung eines erfahrenen ortskundigen Lotsen,* sagten alle. *Sie kennen Geheimnisse, die vom Vater auf den Sohn übergehen. Es ist unmöglich, den Weg auf andere Art zu finden.* Das stimmte nicht. Ignace Loualt hatte alles Wissen, das dafür benötigt wurde, zusammengetragen. Die schraffierten Stellen markierten die Untiefen, und – Philippe war in derartigen Dingen kein Fachmann – möglicherweise auch verborgene Felsen. Die Ziffern waren Fadenangaben und zeigten die jeweilige Wassertiefe an. Aber waren sie zuverlässig? Sicher. Loualt musste sie selbst ausgelotet haben, sonst hätte er die Ergebnisse nicht dokumentiert.

Wir Jesuiten sind immer gründlich und genau. Tun alles zum größeren Ruhme Gottes. Dazu werden wir angehalten von dem Tag an, an dem wir der Gesellschaft beitreten. Keine Halbherzigkeit, keine Ungenauigkeit. Da die Karte also korrekt sein muss, kann man mit ihrer Hilfe La Traverse passieren … *Mon Dieu* …

Philippe bekreuzigte sich. Er schloss die Augen und betete, dass er, wenn er sie wieder öffnete, nicht das sehen würde, was er gesehen zu haben glaubte. Doch als er erneut hinschaute, hatten die Ziffern sich nicht verändert. Mon Dieu, ich bin kein Seemann, aber ich habe es immer wieder gehört, seit ich vor sieben Jahren nach Québec kam: *La Traverse ist zu wild und zu schmal für englische Kriegsschiffe, sie ist an keiner Stelle tief genug, nicht einmal für die kleinste Fregatte.* Doch hier sehe ich mit eigenen Augen, dass laut den Messungen Ignace Loualts, Priester der Gesellschaft Jesu und Begleiter Champlains, der Kanal durchaus tief genug ist, nur mäandert er hin und her und ist schwer zu finden.

Philippe musste sich setzen. Auf dem Stuhl, der ihm am nächsten stand, saß sonst immer Monsieur le Provincial. Philippe ließ sich nieder, seine Hände, die die Landkarte hielten, zitterten. Der Hafen von Québec war nicht uneinnehmbar, englische Kriegsschiffe konnten dort einlaufen. Die Rotröcke würden Männer von ihren Frauen trennen, Mütter von ihren Kindern, und sie an irgendeinen schrecklichen Ort verbannen, wo sie nicht das heilige Sakrament empfangen und ihre Seelen nicht gerettet werden konnten.

Er sah über den Raum hinweg zu seinen Zeichnungen, die er vom Leiden der Akadianer angefertigt hatte. Sie lagen noch auf Monsieur le Provincials wunderschönem Mahagonitisch. Tränen strömten ihm über die Wangen, seine Schultern zuckten, aber er achtete darauf, dass niemand sein Schluchzen hören konnte.

»Das haben Sie im Flur liegen lassen, Monsieur Philippe. Ich dachte, es könnte Ihnen fehlen.«

Philippe nahm das Brevier aus Bruder Lukes runzeligen Händen. »*Merci, mon Frère.*« Mit einem Nicken ging der Alte an seinen Platz im Refektorium. Philippe legte das Brevier auf den Tisch neben das gekochte Ei und die reichhaltige dunkle Rinderbrühe, die es an diesem Sonntagabend gab. Er hob die Suppenschale an die Lippen und trank, ohne den Blick zum Kopfende des Tisches zu heben, wo Monsieur le Provincial saß.

Der Obere wandte die Augen ebenfalls nicht in Faucons Richtung, obwohl ihm der Wortwechsel zwischen dem Priester und dem Bruder nicht entgangen war. Hast du das Brevier etwa in meinem Arbeitszimmer liegen lassen, Philippe? *Non,* das glaube ich nicht. Dann hätte Luke es nicht gefunden. Es ist nicht Bruder Luke, dessentwegen das Haar nicht mehr im Flügel des Engels steckt. Und nur du und er wart hier im Collège. *Au fond,* du hast dein Brevier irgendwo anders liegen lassen. Vielleicht in der Nähe meines Arbeitszimmers. Und der fromme alte Bruder, der niemandem Schlechtes unterstellt und nie nach unlauteren Motiven sucht, nahm einfach an, du hättest es dort vergessen.

Der Bruder, der die Abendmahlzeit auftrug, bot ihm eine zweite Portion Brühe an. Aus Gründen der Selbstdisziplin wollte Roget eigentlich ablehnen, und auch, weil die Versorgungslage von Tag zu Tag schlechter wurde. Die Fischereien wurden zum Wohle Frankreichs unterhalten, nicht zum Wohle Kanadas. Der Großteil des Fangs wurde in Salz eingelegt und ins Mutterland verschifft. Die Vegetationszeit hier war kurz, und die *habitants* stammten aus Familien, die wegen ihrer Tradition des Jagens und Fischens zur Auswanderung bestimmt worden waren. Es waren bei Gott keine Bauern. Dazu kam, dass Bigot sie so schlecht bezahlte für den wenigen Weizen, den sie anbauten, dass sie das Getreide lieber horteten und auf dem Schwarzmarkt verkauften. Infolgedessen war das Brot, das die Bäcker backten, von schrecklicher Qualität – das Mehl wurde mit gemahlenen Erbsen gestreckt – und wurde auf einige dünne Scheiben pro Kopf am Tag rationiert. Wollten die *habitants* Fleisch essen, waren sie darauf angewiesen, ihre Pferde zu schlachten.

Von solcher Not war im Refektorium der Jesuiten nichts zu merken. In der Küche backten sie Brot aus feinstem, bestem Weizen, den Intendant Bigot ihnen bringen ließ, dazu häufig auch ganze Rinderhälften. Alles natürlich um seines Seelenheils willen. Welchen Zweck hätte es, derartige Gaben abzulehnen? Bigot würde die Lebensmittel nicht an die Armen verteilen.

Der Bruder stand neben seinem Oberen, den Kopf gebeugt, in den Händen die Suppenterrine, und wartete, ob er Monsieur le Provincial eine zweite Portion servieren dürfe. Der Duft der Brühe war unwiderstehlich. Roget nickte, zwei Kellen wurden in seine Schale geschöpft.

Der Provinzial aß nicht immer mit seinen Söhnen hier im Refektorium. Wegen seiner Position sah er sich häufig gezwungen, mit Leuten zu speisen, die, wie er, in Québec eine Machtposition innehatten. Obwohl sie natürlich überhaupt nicht mit ihm zu vergleichen waren. Was hatte er gemein mit Männern wie dem kleinwüchsigen Scharlatan Bigot oder dem alten Kanadier, der sich für einen Aristokraten hielt, dieser Marquis de Vaudreuil? Der Provinzial seufzte. Es war seine Pflicht, sich mit solchen Leuten abzugeben. Zum größeren Ruhme Gottes. Genauso wie es seine Pflicht war, alles in seiner Macht Stehende zu tun, um für das Wohlergehen und die Ausbreitung der heiligen katholischen Kirche zu sorgen. Nicht nur hier in dieser feindseligen Wildnis Kanadas, sondern in ganz Neufrankreich, vor allem in den milderen Landstrichen im Süden. Nahezu seit dem Moment, als er dieses Land betrat, wusste er, dass die Zukunft im Ohio Country lag und in der Region, die als Louisiana bekannt war. Die Gegenden würden nicht nur das Herz, sondern das Rückgrat Neufrankreichs bilden, von dort konnten sich die heilige Kirche und die Gesellschaft Jesu nach Westen ausbreiten. Was immer passieren mochte, solche Schätze durften nicht den Engländern überlassen werden. Und ganz bestimmt nicht, um dieses unwirtliche Land zu retten. Aber jetzt, da ein Kanadier Generalgouverneur war … Geduld, ermahnte er sich. Die Zeit wird kommen.

Eh bien, mit diesem verwundeten Falken hast du dich lange genug in Geduld geübt. Und habe ich dich heute ertappt, *mon pauvre* Philippe, der du dich hier in der Gesellschaft verstecken wolltest, weil du die Grausamkeit des Marstalls nicht ertragen konntest, und dann feststellen musstest, dass ein Jesuit nicht einmal den Handschuh eines Falkners hat, um sich zu schützen? Sondern nur die Gnade Gottes und seinen eigenen Verstand.

Ließ ich meine Gemächer bewusst offen stehen, um dich zu der Sünde zu verleiten, die du nun begangen hast? Ich glaube, ich vergaß einfach, die Tür abzuschließen. Ich habe mich einer Gedankenlosigkeit schuldig gemacht, mehr nicht. Und wenn du dich lediglich vergewissert hättest, dass deine Zeichnungen noch in meinem Besitz sind, könnte ich dich vielleicht der Strafe deines eigenen quälenden Gewissens überantworten. Aber so … Und du hast nicht nur die belastenden Zeichnungen genommen, die Vaudreuil und die übrigen Kanadier dazu veranlassen werden, ihr Reich von Eis und Schnee noch heftiger zu verteidigen, sondern auch die Karte von Loualt. Deshalb muss ich handeln. Nach dem Abendgebet. Wenn ich dir noch ein wenig Zeit lasse, dich mit deiner Sünde selbst zu martern, wird es umso einfacher sein.

Die Glocke verkündete das Ende der Mahlzeit. Monsieur le Provincial erhob sich und sprach seinen Söhnen ein kurzes Dankesgebet vor, dann verließen alle schweigend das Refektorium, aber nicht in einer Prozession. Jesuiten waren keine Mönche, sie bewegten sich nicht in liturgischer Konformität durchs Haus. Jeder ging für einige Minuten, wohin es ihm beliebte, bis die Glocke ihn zum Abendgebet in die Kirche rief.

Philippe kehrte in sein kleines Zimmer zurück, um die rehlederne Mappe zu holen. Es war ein lauer Sommerabend, einen Umhang brauchte er nicht. Die Glocke läutete. Philippe schritt nicht zur Kirche, in der seine Brüder sich versammelten, sondern zu einer Seitentür, die auf eine Straße entlang der Westfassade des großen Collège des Jésuites führte.

Philippe stieß die Tür zur kleinen öffentlichen Kapelle der Armen Klarissen auf. Père Antoine kniete vor der hinteren Wand. Vor Erleichterung seufzte der Jesuit und bekreuzigte sich zum Zeichen des Dankes.

Beinahe wäre er in Panik geraten, als er niemanden in der Kate des Franziskaners angetroffen hatte. Er hatte keinen anderen Plan gefasst als den, irgendwie den einzigen Menschen in Québec um Hilfe zu bitten, der mit Sicherheit nicht mit Louis Roget unter einer Decke steckte. Aber wie weise war doch der gütige Herr. Hier, an diesem Ort, der von den Gebeten außergewöhnlicher Nonnen gebenedeit war, würde es besser und einfacher sein. Er war zu Père Antoine geführt worden an einen Ort, der dem Anlass entsprach. Ein weiteres Zeichen dafür, dass er das Richtige tat.

Die Nonnen sangen das Komplet, das letzte Stundengebet des Tages. Sei wachsam, ermahnten ihre Stimmen ihn, denn der Teufel streift umher wie ein brüllender Löwe nach allen, die er verschlingen kann. Philippe wusste nur zu gut, wie sehr das der Wahrheit entsprach. Aber der Teufel konnte ihm doch kaum an diesen heiligen Ort folgen, konnte nicht überleben inmitten dieser Frauen, die um der Liebe zum Allmächtigen willen alles aufgegeben hatten. Der Jesuit sank neben dem Priester auf die Knie.

Antoine drehte sich zu dem Mann um, der sich zum Nachtgebet zu ihm gesellte. *Alors!* Das ist bemerkenswert. Jesuiten gehen gemeinhin nicht des Abends durch die Unterstadt. Sie speisen mit den Wohlhabenden und Mächtigen in den vornehmen Häusern, die über uns aufragen. Und der hier sieht so bleich aus, als hätte er vor den Toren der Hölle gestanden. Ich vermute, priesterlicher Bruder, dass Louis Roget nichts von deiner Anwesenheit hier weiß. Und wenn er davon wüsste, wäre er kaum erfreut. *Eh bien.* Jetzt beten wir gemeinsam. Wenn du mit mir sprechen möchtest, wirst du es mich wissen lassen. Vielleicht wirst du mir sogar verraten, was in der Mappe ist, die du an dein Herz drückst.

Der Gesang dauerte noch eine Weile. »*Nunc dimittis …*« Nun, Herr, kannst du deinen Diener entlassen. Beide Priester hielten den Blick unverwandt auf den Altar gerichtet und schienen ganz ins Gebet vertieft. Schließlich endete die Messe mit einer Hymne an die Muttergottes. »*Salve Regina*«, stimmten die Nonnen an. »*Mater misericordiae …*« Heil dir, heilige Königin, Mutter der Gnade, unsere Lieblichkeit und unsere Hoffnung.

Philippe hörte die leisen Schritte der barfüßigen Nonnen auf dem Steinboden, als sie den Chor verließen. Auf dem Weg in ihre Zellen sangen sie: »*O clemens, o pia, o dulcis Virgo Maria.*« Er konnte die abschließenden liebevollen Worte des Flehens zur gnadenreichen Muttergottes nur hören, weil das Kloster so klein war.

Antoine wandte den Kopf, beide Männer knieten nach wie vor auf dem Steinboden. »Bruder, wollen Sie beichten?«

Philippe schüttelte den Kopf. »Die Zeit für eine Beichte ist lange vorüber, Père Antoine. Zumindest eine Beichte der Art, die Sie meinen.«

»Sie kennen meinen Namen, mon Frère, aber ich kenne den Ihren nicht.«

»Ich bin Philippe Faucon.«

»Ach ja, der Jesuit, der so wunderschön malen kann. Ich habe von Ihnen gehört.« Antoine deutete mit dem Kopf auf die Mappe. »Sind Sie gekommen, um mir Ihre Zeichnungen zu zeigen?«

»Ich bin gekommen, um Ihnen die Wahrheit über *les Anglais* zu zeigen. Und eine Möglichkeit, Québec zu retten.«

Antoines Eingeweide verkrampften sich, sein Herz begann zu rasen. Heilige Muttergottes, gib, dass ich keinen Fehler begehe. »Das sind schwer wiegende Belange, Bruder. Vielleicht sollten wir in mein …«

»Ich möchte hier bleiben, in der Gegenwart des heiligen Sakraments.« Die Blicke des Jesuiten und des Franziskaners begegneten sich. Keiner von ihnen sah fort. »Antoine de Rubin Montaigne«, sagte Philippe, »so wahr Sie ein Priester Gottes sind und er Ihr Richter, sind Sie ein Spion der Engländer?«

Das war die außergewöhnlichste Frage, die ihm je gestellt worden war. Antoine musste tief Luft holen, bevor er antwortete. »So wahr Gott mein Zeuge ist, das bin ich nicht. Wie kommen Sie auf die Idee?«

»Sie paktieren mit dem ruchlosen Abtrünnigen Lantak. Sie beauftragen ihn, Krieg gegen Ihre Feinde zu führen.«

»Und die Feinde der heiligen Kirche. Nur um des Evangeliums willen.« Antoine wurde die Brust eng, seine Hände waren schweißnass. Dieser Jesuit weiß etwas wirklich Bedeutendes. Louis Roget weiß es ebenfalls, aber dem traut er nicht. Und du, Herr, hast ihn zu mir geführt. Gib, dass ich keinen Fehler begehe. »Mon Frère, ich schwöre bei meiner unsterblichen Seele, dass ich ein ergebener Sohn der Kirche und Frankreichs bin.«

»So wahr Ihnen Gott helfe?«

»So wahr mir Gott helfe.«

Philippe war völlig ruhig. Er war das rächende Schwert des Erzengels Michael, die Stimme des Anklägers und des Richters zugleich. Nun fällte er das Urteil. Der Franziskaner sagte vielleicht nicht die ganze Wahrheit, aber er log nicht. Er war kein Spion, und die Belange des heiligen Glaubens standen in seinem Denken und in seinem Herzen an oberster Stelle. Philippe begann zu zittern. Er hatte so vieles riskiert. Jetzt, am Ende, musste er alles riskieren.

»Bitte, Frère Philippe, ich glaube, Sie sind krank. Lassen Sie uns zu mir gehen. Viel kann ich Ihnen nicht anbieten, aber ich habe etwas Bier. Es könnte …«

»Wir werden die Sache hier zu Ende bringen, Père Antoine. Dann verlassen wir die Kapelle einzeln. Und mit größter Vorsicht.« Philippe öffnete die Mappe und holte den Inhalt hervor, seine Zeichnungen und die von Loualt. Eilfertig nahm Antoine sie entgegen und begann sie durchzublättern. »Nein«, sagte Philippe barsch. »Jetzt dürfen Sie sie noch nicht ansehen. Stecken Sie sie unter Ihr Skapulier und gehen Sie damit nach Hause. Dort können Sie sich die Zeichnungen ansehen. Niemand darf wissen, dass sie in Ihrem Besitz sind.«

Antoine warf einen raschen Blick zur Tür, die zur Straße hinausführte. Sie war geschlossen, und die einzigen Fenster waren hoch oben in den Wänden eingelassen. »Wir sind ganz allein, *mon cher Frère*. Beruhigen Sie sich.«

»Später werde ich ruhig sein. Aber zuerst sagen Sie mir – wissen Sie, was über La Traverse gesagt wird, den unpassierbaren Flussabschnitt …«

»… den nur einheimische Lotsen befahren können. Natürlich.«

»*Bon*. Genau das hatte ich erwartet. Ich lege Ihnen ans Herz, die alte Landkarte genau zu studieren, Père Antoine.« Wieder wollte der Franziskaner sich daran machen, in den Zeichnungen zu blättern. »*Non!* Nicht hier, habe ich gesagt. Noch nicht. Was ich Ihnen gegeben habe, ist Wahrheit, reine Wahrheit. Die ist gefährlich. Hüten Sie sie wohl. Ich schwöre, wenn Sie sehen, worum es sich handelt, werden Sie mich verstehen.« Mit der nun leeren Mappe in Händen erhob Philippe sich. »Vergessen Sie nicht, warten Sie noch eine Weile, bevor Sie gehen. Dann achten Sie darauf, dass niemand Ihnen folgt, gehen Sie auf direktem Weg nach Hause und verschließen Sie die Tür, bevor Sie sich die Zeichnungen ansehen. Und dann, mein priesterlicher Bruder, tun Sie das Richtige. Um der Liebe Gottes und seiner Kirche willen.«

War dieser Jesuit verrückt? Nein, vermutlich nicht. Seit fast zwei Jahren hatte Antoine häufig das Gefühl, beobachtet und verfolgt zu werden. Er sah Faucon nach, der mit unsicheren Schritten zur Tür ging, ein schwarzes Gespenst, das in seiner Soutane verloren wirkte. Direkt vor der Tür wandte der Jesuit sich noch einmal um. »Bitte segnen Sie mich, mon Père.«

Der Franziskaner schlug ein großes Kreuz in die Luft. »Gehen Sie mit Gott, Philippe.« Dann war der Jesuit fort.

Verfolgt. Von jemandem oder etwas, der ihm Böses wollte. Wie lange hatte er den Verdacht schon und sich gesagt, er bilde es sich nur ein? *Mon Dieu,* du beschützt mich meiner eigenen Torheit zum Trotz. Und jetzt ... Die Panik drohte ihn zu überwältigen. Antoine presste die kostbaren Zeichnungen an seine Brust und sah sich in der ärmlichen und nahezu leeren Kapelle nach einem Versteck um.

Louis Roget wartete drei *pater* und drei *aves*. Niemand verließ die Klosterkapelle nach Philippe, doch dem Beweis allein wollte er nicht trauen.

Es war kurz vor neun Uhr, aber fast noch taghell. In Kanada folgte nicht einmal die Sonne den üblichen Gesetzen. Im Sommer stand sie viel zu lang am Himmel, und im Winter erschien sie so gut wie überhaupt nicht. *Eh bien,* einige Dinge waren nicht zu ändern. Er konnte nicht warten, bis die Schatten der Nacht ihn verbargen. Außerdem war ein armer Fischer, der in der Unterstadt die Kapelle der heiligen Klarissen aufsuchte, um vor dem Schlafengehen zu beten, in keiner Weise verdächtig.

Der Provinzial beglückwünschte sich zu der weisen Entscheidung, in die Kleidung eines *habitant* geschlüpft zu sein, sobald ihm klar wurde, dass Philippe nicht zum Abendgebet erschienen war. Er zog den breitkrempigen Hut tiefer in die Stirn und ging in der gebeugten Haltung eines Mannes, der sein Leben lang schwere körperliche Arbeit geleistet hatte, über die Gasse zur Kapellentür und öffnete sie.

Innen war es dunkler als auf der Straße. Roget nahm den Hut ab und beugte das Knie vor dem Altar, während seine Augen sich an das Dämmerlicht gewöhnten. Doch selbst dann sah er keine Menschenseele, nur vereinzelte Betstühle, den Altar, der bereits für die Morgenandacht vorbereitet war, und die flackernde Kerze des ewigen Lichts. Dahinter war nichts als das abweisende Metallgitter mit den schweren Vorhängen, die die Nonnen von der Außenwelt abschirmten.

Gab es hier denn keinen Beichtstuhl? Sicher mussten doch selbst Arme Klarissen die Beichte ablegen. Doch so lange er sich auch umsah, er entdeckte nichts, was diesem Zweck dienen könnte. Kein Mensch war hier. Philippe war allein in der Kapelle gewesen, und *grâce à Dieu* hatte er, als er die Kapelle verließ, noch die Ledermappe mit seinen Zeichnungen und Loualts Karte bei sich. Ich hätte beides schon längst vernichten sollen, *mon Dieu*, aber sie waren exquisit ausgeführt. Solches Talent. Ich hatte gehofft, dass diese Werke irgendwann in der Zukunft, wenn sie weniger Zündstoff bargen, dazu beitragen könnten, den Ruhm der Gesellschaft und damit auch deinen zu mehren. Vergib mir meine Schwäche.

In dem Beichtstuhl, der so geschickt in das Gitter eingelassen war, dass niemand, der nicht mit der Lebensweise der abgeschiedenen Armen Klarissen vertraut war, ihn als solchen erkennen würde, hielt Père Antoine die Luft an. Und er dankte der Muttergottes für die Eingebung, sich hier zu verbergen, bevor er die Kapelle verließ. Der Beichtstuhl stand nur einen Spaltbreit offen. Gott sei Dank hatte er das gewagt. Es war Louis Roget, ohne jeden Zweifel. Antoine drückte die Zeichnungen, die er noch immer nicht richtig gesehen hatte, an sein Herz.

Monsieur le Provincial eilte hinaus. Auf der Straße blieb er kurz stehen, um zu überlegen, welche Richtung er nun einschlagen sollte. An einem Ende mündete die Gasse der Franziskaner in die breite Côte de la Montagne, die über die Abhänge zur Oberstadt führte, am anderen Ende ging sie in eine schmale, gewundene Straße über, die steil zu den Klippen hoch über dem Fluss anstieg. Das war der Weg, den Philippe genommen hatte. Der Provinzial hatte gerade noch gesehen, wie ein Zipfel seiner Soutane um die Ecke geschwungen war. Nun, immer noch mit dem gemessenen Schritt eines Mannes, der von der Last eines arbeitsreichen Lebens niedergedrückt war, folgte Louis Roget ihm.

Philippe ging die steilen Klippen westlich der Mauern der Oberstadt entlang. Dort erstreckte sich eine Hochebene, auf der kleine Gehöfte lagen und *habitants* Gemüse anbauten. In Québec hieß es, diese Felder seien erstmals von einem weiteren Begleiter Champlains angelegt worden, Abraham Martin, weswegen sie Plains of Abraham hießen.

Hatte Abraham Martin diese Pfade so gut gekannt wie er? Und Loualt? Doch, vermutlich. Die einfachen Leute kannten sie ebenfalls. Philippe hatte manchmal beobachtet, wie sie diese Abkürzungen benutzten, wenn sie schwere Lasten trugen. Zum Beispiel diesen Pfad, der zu einer kleinen Bucht hinabführte, eine kaum sichtbare Rinne im Fels. Wenn man vorsichtig war und sich an den jungen Schösslingen festhielt, war es möglich, an dieser Stelle das Steilufer zu überwinden und die geschützte Bucht zu erreichen. In beide Richtungen war dies auf Meilen hin die einzige Möglichkeit, zum Meer hinabzugelangen.

Philippe sah auf den majestätischen Fluss hinab, der von Québec fort zu einem besseren Ort trieb. Er begann den Abstieg. Ich kann nur alles in deine Hände legen, *mon Dieu*, und deine gesegnete Mutter bitten, sich für die Rettung meiner Seele einzusetzen.

Er kannte doch den Namen der Bucht, warum fiel er ihm nicht ein? Ach ja, natürlich, l'Anse au Foulon. Die Bucht der Walker. Dort gruben die Frauen nach dem Ton, mit dem sie frisch gewebtes Tuch einrieben, damit es weicher wurde. Die schmale, sichelförmige Bucht war mit grobem Kies bedeckt. Als er darüber hinwegschritt, hinterließ er keine Fußabdrücke. Er watete in den Fluss. Kurz zuckte er zusammen, als das kalte Wasser seine Knöchel umspülte, doch er ging immer weiter in den breiten, tiefen Sankt-Lorenz-Strom, hielt die rehlederne Mappe über den Kopf, als wollte er sie schützen. Als ihm das Wasser bis zur Taille ging, begann er zu singen, seine Stimme war laut und klar und voller Hoffnung. »*O clemens, o pia, o dulcis Virgo Maria.*«

Von seinem Standort hoch auf den Klippen oberhalb von l'Anse au Foulon zählte Louis Roget immer weiter seine Perlen, während er die letzten Noten der Hymne an die Muttergottes hörte und schließlich sah, wie sich das Wasser über dem Kopf des Falken schloss. Ich konnte ihn nicht retten, Herr. Als mir klar wurde, was er tun wollte, war ich zu weit entfernt. Sicher wirst du ihm die schwere Sünde des Selbstmords verzeihen. Er war eine verletzte Seele, zu schwach, um zu überleben. Ich werde den anderen sagen, dass ich ihn nach L'Acadie geschickt habe, um den wenigen dort gebliebenen *habitants* beizustehen. Dass er dorthin gehen wollte, ja, dass er darauf bestand. Sie werden ihn für einen weiteren Helden der Jesuiten halten. Und ich danke dir, dass er diese elenden Zeichnungen mitgenommen hat. Monsieur le Provincial schlug das Zeichen des Kreuzes über der Stelle im Wasser, wo er den Jesuiten zum letzten Mal gesehen hatte, dann wandte er sich ab und machte sich auf den Rückweg zum Collège des Jésuites.

Dienstag, 24. Juli 1757
Kloster der Armen Klarissen, Québec

»Das ist unmöglich.«

»Es ist notwendig.«

Mère Marie Rose konnte nicht glauben, dass sie tatsächlich gebeten wurde, diesem Ansinnen stattzugeben. »Mon Père, verzeihen Sie mir, aber worum Sie mich bitten … Sœur Stéphane ist eine Nonne, die das Gelübde abgelegt hat. Sie hat Gott gelobt, in ewiger Abgeschiedenheit zu leben, und …«

»Und als die Sarazenen Assisi bedrohten, was hat unsere heilige Mutter Klara da gemacht?«, unterbrach Antoine sie. »Sie ist auf die Brüstung gestiegen, die Monstranz mit dem heiligen Sakrament in der Hand. Sie hat die Eindringlinge vertrieben und Assisi gerettet. So war es doch, Mutter Äbtissin, oder nicht?«

»Ja, aber …«

Antoine hörte, dass Marie Roses Widerstand allmählich schwand, und wandte all seine Überredungskunst auf. »Es gibt kein Aber. Es muss sein.« Die Luft im Beichtstuhl war zum Schneiden, er konnte kaum genügend atmen, um die Argumente zu wiederholen, die er in den letzten zehn Minuten vorgetragen hatte, und das schon mindestens zweimal täglich, seitdem ihm die Zeichnungen vor zwei Tagen anvertraut worden waren. »Die heilige Klara hat der ganzen Welt ihr Gesicht gezeigt, weil die Sicherheit ihrer Stadt und ihrer Kirche es von ihr verlangte. Und ist nicht sie das Beispiel, dem Sie und Ihre Töchter zu folgen gelobt haben?«

»Aber Sœur Stéphane ist noch so jung und wenig erfahren in unserem Leben. Sie ist noch keine drei Jahre bei uns. Warum nicht Sœur Angélique oder Sœur Joseph?«

»Sœur Stéphane ist die klügste Ihrer Töchter.« Antoine nahm der kleinen Nonne die Beichte ab, seitdem sie in Québec lebte, und wusste, dass sie nicht nur sehr klug, sondern auch lebenstüchtig war. Die Fähigkeit, rasch zu denken und zu handeln, könnte notwendig sein, wenn sein Plan aufgehen sollte. »Außerdem ist sie die Einzige, die perfekt Englisch spricht. Wenn sie zufällig abgefangen werden sollte, kann sie ...«

»*Mon Dieu!* Sie hatten doch gesagt, sie käme nicht in Gefahr.« Rasch bekreuzigte sich die Äbtissin. Und flehte zu Gott, sie möge die Schmerzen ertragen, so lange in diesem engen Holzkasten zu knien, wie es nötig war, um ihre Autorität und die Seelen ihrer Töchter zu verteidigen.

»Ich sagte, *wenn* es dazu kommen sollte, ma Mère. Sie muss nur nach Montréal.« Père Antoine wischte sich den Schweiß mit dem Saum seines Skapuliers vom Gesicht. »Mère Marie Rose, hören Sie mir genau zu. Ich bin im Besitz von Informationen, die beweisen, dass das schrecklichste Unglück über Québec hereinbrechen könnte. Wenn wir das nicht verhindern, bedeutet das das Ende von Neufrankreich. Und das Ende der Kirche hier. Ketzer werden das Land überrennen, und Millionen von Seelen werden umkommen.«

Sacré Cœur! Dass sie gebeten wurde, die Verantwortung für eine solche Entscheidung zu übernehmen ... Mère Marie Rose zitterte. Die Stimme des Priesters drang weiter in ihr Gewissen. »Wenn ich könnte, würde ich selbst gehen, glauben Sie mir.« Jetzt sprach er weniger im Befehlston, flehte mehr um ihre Zustimmung. »Ich werde beobachtet, Mère Marie Rose, verdächtigt. Ich kann nicht gehen. Ist ein Gelübde, das eine junge Frau abgelegt hat – ein Gelübde, wie ich hinzufügen möchte, von dem zu befreien ich jederzeit befugt bin –, wichtiger als das?«

»Wenn wir bis September warten könnten, bis Sœur Stéphane ihr Gelübde erneuert, wie wir es jedes Jahr tun, dann könnte ich sie gehen lassen. Bevor sie ihr Versprechen erneuert. Einige Tage wäre sie an kein Gelübde gebunden.«

»Im September könnten sich schon die Geier über unsere Knochen hermachen, ma Mère.«

Marie Rose sagte sich, dass sie vor Erschöpfung zitterte, nicht vor Angst, und dass die Tränen, die ihr über die Wangen rannen, auf ihre Übermüdung zurückzuführen waren und nicht erlahmenden Widerstand bedeuteten. »Mir ist die Seele dieses Mädchens anvertraut worden, mon Père. Die Verantwortung kann ich nicht leichtfertig missachten.«

Ihre Stimme verriet sie. Antoine wusste, dass er sein Ziel erreicht hatte. *Grâce à Dieu.* »Nicht leichtfertig, ma Mère, sondern nach vielen Gebeten und nach Rücksprache mit Ihrem Beichtvater. Der der Abgesandte des Generalministers in Rom ist. Zum Wohle Tausender und zum Ruhme Gottes.«

Viele Gebete waren es in der Tat gewesen. Sie hatte unablässig gebetet, seit Père Antoine ihr vor zwei Tagen sein Anliegen unterbreitet hatte. Und am heutigen Morgen, während der Laudes, war ihr dasselbe Bild in den Sinn gekommen: die heilige Mutter Klara auf den Stadtmauern von Assisi, die sich der Welt stellte und die moslemischen Eindringlinge zurückschlug, die fast ganz Europa überlaufen hatten, indem sie die Monstranz mit dem heiligen Sakrament hochhielt. »Also gut.« Ihre Worte waren nicht mehr als ein Flüstern, zur Buße schlug sie sich auf die Brust. Durch meine Schuld, durch meine Schuld, durch meine übergroße Schuld. »Also gut, es sei, wie Sie es wünschen.«

»Gott spricht durch Sie, Mère Marie Rose. Sie tun, was richtig ist.«

21

Kurz nach Mitternacht, Montag, 30. Juli 1757

Die Wälder am Nordende von Lake George

Schaba-schaba-schaba. Das Geräusch kleiner bloßer Füße auf der Erde. Taba-Füße. *Schaba-schaba-schaba.* Zähl nicht die Tage und Nächte, die vergangen sind, denk nicht an die Unterschiede dazwischen. Lauf einfach. Wenn du aufhörst zu laufen, steig auf einen Baum und schlafe. Iss ein bisschen von dem harten Brot und dem Dörrfleisch, das du aus Küchen-Hannahs Vorräten mitgenommen hast. Teil sie dir gut ein.

Schaba-schaba-schaba. Sei ganz leise. Keuch nicht beim Luftholen, saug keine Luft ein, damit Speichel kommt, egal, wie viel Durst du hast. Irgendwie fühlt sich der Wald jetzt gefährlich an. Du musst weg von dem, was jetzt im Wald ist und vorher nicht da war. Ganz leise. Nur *schaba-schaba-schaba.* Bloße Füße, die über die Erde fliegen. *Schaba-schaba-schaba.*

Weiche schwarze Erde. Schwarze-Nacht-Wälder. Kein-Mond-und-keine-Sterne-Wälder. Ein Pfad, ganz, ganz schmal, aber weich und federnd. Der war schon da, bevor Jeremiah und Solomon der Fassmacher und Sechs-Finger-Sam geboren wurden. Das waren die ältesten Menschen, die Taba kannte, aber sie war sicher, dass der Pfad noch älter war. *Schaba-schaba-schaba.*

Clemency die Waschfrau hatte Taba das meiste beigebracht, was sie über Shadowbrook wusste. Clemency sagte, Taba sei seit drei Jahren eine Hale-Sklavin. »Also hör auf, dich zu grämen und dir zu wünschen, du wärst zu Hause, Kind. So lange, wie das schon her ist, muss das jetzt ein Ende haben.« Aber es war egal, wie lange es her war. Taba erinnerte sich an ihr Dorf und den See und den Fisch, den sie damals am letzten Tag gefangen hatte. Und an die Sklavenjäger. Nur, meistens dachte sie gar nicht an sie. Da hatte Clemency Recht.

Es war dumm, sich zu grämen wegen etwas, was sich nicht ändern ließ. Wie Ashanti-Sklavenjäger und Master John und die Sachen, die die alle mit ihr machten.

»Wenn du überleben willst, musst du schlau sein, Fräuleinchen. Und schlau heißt, nicht mehr dran denken, wie's mal gewesen ist. Nur dran denken, wie's jetzt ist. Und wissen, was die Weißen wissen, und noch ein bisschen mehr, das sie nicht wissen. Das ist dann dein inneres Freisein. Hier, wo's drauf ankommt.« Als Clemency das sagte, fasste sie Taba ans Herz, aber sie fühlte keinen weichen, runden Busen, an dem mal ein Kind würde saugen können. *Schaba-schaba-schaba.* Keinen Busen mit einem rosa Kranz um die Brustwarze. Sie hatte einen Busen und einen harten, schrundigen Klumpen. Es dauerte lang, bis sie Clemency erzählte, woher der Klumpen kam. Eines Tages, als die Waschfrau ihr mal die Haare zu ganz vielen winzigen Zöpfchen flocht, mehr, als Taba zählen konnte, hatte sie's ihr doch anvertraut. Während Taba redete, sagte Clemency kein Wort, aber als sie dann abends mit den anderen an Küchen-Hannahs Feuer saß, da hatte Clemency reichlich was zu sagen. Und als sie fertig war, sagte Flinke Ruth, wenn Master John hart wurde zwischen den Beinen, dann war er nicht mehr richtig im Kopf. Da tat er Sachen, die kein normaler Mann, der seine Sinne beisammen hatte, tun würde. Ob'n Weißer oder'n Schwarzer.

Schaba-schaba-schaba. Taba hatte sie reden hören, weil sie hinter dem großen Kamin von Küchen-Hannah saß. Die anderen wussten nicht, dass Taba da war, nicht mal Küchen-Hannah, die Taba gesagt hatte, der Schlafplatz hinter dem Kamin wär für sie da, wann immer sie ihn brauchte.

Schaba-schaba-schaba. Jetzt konnte sie einen See riechen. Sie wusste, dass hier irgendwo ein See war. Taba hatte ihn zwar nie gesehen, aber die anderen reden hören von einem See, der früher Bright Fish Water hieß und jetzt irgendwie anders. *Schaba-schaba-schaba.*

»Das arme kleine Ding«, sagte Maisbesen-Hannah an dem Abend. »Nur schade, dass der Klumpenbusen ihn nicht davon abhält, sie ins Bett zu nehmen.«

»Es gibt nichts, was Master John von etwas abhält. Nicht, wenn er sich nicht davon abhalten lassen will. Master John ist kein natürlicher Mann. Und ändern tut der sich für nichts.« Das hatte Flinke Ruth ganz zum Schluss gesagt. Aber auch wenn Master John sich nicht änderte, Taba änderte sich schon.

Schaba-schaba-schaba. Sie kam an einen Ort, an dem eine große Mauer in ihr selbst war. Eine hohe Steinmauer, so hoch wie die Mauern von der Festung in Guinea, wo die Sklavenjäger sie einsperrten, bis die Weißen kamen mit ihren Schiffen. *Schaba-schaba-schaba.* Sie musste außen frei sein, musste auf die andere Seite der Mauer kommen. Das innere Freisein, von dem Clemency und die anderen redeten, das war nicht genug.

Pechschwarz war's hier im Wald. Schwärzer als in dem Schrank im großen Haus, wo sie sich versteckte, bis alle schliefen an dem Abend, als Master John in Albany war. Also brauchte sie auch nicht in sein Zimmer zu gehen. Alle Frauen, alle außer Küchen-Hannah, schliefen oben unter dem Dach in dem Raum, den sie das lange Zimmer nannten, und wenn Master John nicht zu Hause war, konnte Taba auch da oben schlafen und dem Atmen der anderen zuhören. Das gefiel ihr. Aber als an dem Abend die Kerzen gelöscht und die Feuer abgedeckt waren, ging sie nicht ins lange Zimmer. *Schaba-schaba-schaba.* In der Nacht blieb sie im Schrank, bis es dunkel war und sie sicher sein konnte, dass alle schliefen. Sie wusste, die anderen waren daran gewöhnt, dass sie nicht im langen Zimmer schlief, und würden sie nicht vermissen, auch wenn Master John nicht im Haus war. Wenn sie die Mauer überwinden wollte, wenn sie das äußere Freisein finden wollte, dann jetzt. *Schaba-schaba-schaba.*

In der Nacht, als sie über den Frolic Ground schlich und sich auf den Weg machte, um ihr äußeres Freisein zu finden, da wusste sie nur eins, und das war, dass sie nicht nach Albany gehen würde. *Schaba-schaba-schaba.* Keine Ahnung, wo dieser Pfad hinführte, aber ganz bestimmt nicht nach Albany, und er brachte sie fort von Shadowbrook. *Schaba-schaba-schaba.* Neun Mal war die Sonne auf- und wieder untergegangen. Vielleicht auch zehn Mal. Könnten sogar zwölf Mal sein. Sie zählte nicht richtig mit. Außerdem hatte es so viel geregnet, und die Sonne und der Mond waren ständig hinter Wolken versteckt, dass man gar nicht richtig sagen konnte, wann der Tag anfing und wann er wieder aufhörte. Aber eins wusste sie genau: Ihr kam niemand hinterher. Jetzt hatte sie das äußere Freisein. Keinen Master John. Freier brauchte sie nicht zu sein.

Irgendwann würde sie zu einem Dorf kommen. Sie konnte den See riechen, und zu Hause bedeutete ein See Fische, also … »Au!« Ein kleines, richtig lautes »Au!«. Rutschte aus ihr raus, als sie über einen Stein stolperte und hinfiel. Aber bevor sie sich aufrappeln und weiterlaufen konnte, wurde sie gepackt und hochgehoben und von einem starken Arm festgehalten. Wieder, nachdem sie so weit gelaufen war. Das Elend stieg in Taba auf, so groß und so schnell, dass sie glaubte, sie würde darin ertrinken, ertrinken in den ganzen Tränen, die sie sich nicht zu weinen traute.

»Du hast wohl den Verstand verloren, Mädel. Weißt du denn nicht, dass sich in diesem Wald Hunderte von Soldaten und Wilden rumtreiben?« Die Worte wurden ihr direkt ins Ohr geflüstert, aber Taba konnte sie nicht verstehen. Wer immer sie gefangen hatte, er sprach wie niemand, den sie von zu Hause oder hier kannte.

Das Mädchen wehrte sich mit mehr Kraft, als Hamish Stewart einem so kleinen Ding zugetraut hätte. Trotzdem hielt er sie fest umklammert – Kopf nach unten, den Körper unter einem Arm, so wie er einen Haferballen packte – und kroch in die Höhle zurück, die ihm Schutz und gleichzeitig den Blick auf die ganze Umgebung bot. Das Mädel zischte und wollte mit den Fäusten nach ihm schlagen. Hamish presste ihr die freie Hand auf den Mund und hielt sie mit der anderen fest, dann hob er sie hoch, damit er ihr ins Ohr flüstern konnte. »Sei still, sonst sind wir beide unsere Haare los und werden in den Suppentopf gesteckt.«

Das Mädchen wehrte sich noch ein wenig, aber dann beruhigte sie sich offenbar. Kohlrabenschwarz war die ja. Deswegen war sie so weit gekommen, ohne dass ein bemalter Wilder ihr mit dem Tomahawk nachhetzte. Und Gott sei Dank gab's die dichten Wolken, die den Mond und die Sterne verdeckten. Schon möglich, dass ich keinen Skalp mehr hätte, wenn das Wetter in den letzten Tagen nicht so *dreich* gewesen wäre. Bestimmt ist die Kleine 'ne Sklavin von Shadowbrook. Ausgerissen, könnt ich wetten. Aber die schlechteste Richtung hat sie sich ausgesucht.

Hamish war sehr oft in diesen Wäldern gewesen und kannte die Gegend so gut, dass er sich auch in der Dunkelheit mühelos zurechtfand. Er war vor einigen Monaten auf dieses Versteck gestoßen, und als er am früheren Abend einen Streiftrupp von Kanadiern und Wilden hinter der Festung bemerkte, hatte er sich dort verborgen. Kurz hatte er überlegt, mit einem der Kanadier zu reden und zu erklären, dass er katholisch war und ein Jakobit, dass er auf ihrer Seite stand. Aber ihm war bald klar geworden, dass er nicht durch Reden aus dieser Klemme rauskommen würde. Er würde einfach auf einen geeigneten Moment warten müssen, um abzuhauen.

Und mit der Kleinen würde er sich noch mal neu überlegen müssen, was er tun konnte. Das Wetter schlug um. Hamish fühlte, dass ihm plötzlich Wind ins Gesicht blies, der vom See hereinwehte und die Wolken vertrieb, als würde ein mächtiger Besen den Himmel sauber fegen.

Wenig später stieg ein runder Sommermond über die Baumwipfel und leuchtete auf das Land, den See und den Zugang zu Hamishs Versteck. Die Höhle wurde von mehreren vorspringenden Felsen gebildet und lag am Rand einer kleinen Ebene, auf der die Soldaten Bohnen, Mais und Kohl anbauten. Aber bei Gott, selbst wenn man direkt auf die blanke Felswand schaute, fiel einem die Höhle nicht auf. Dazu musste man sich schon in die kleine Scharte im Granit quetschen, so wie er es eines Tages gemacht hatte, weil es wie wild gehagelt hatte und selbst der mickrigste Unterstand besser war als keiner. Die Höhle lag direkt hinter der Scharte, rund sechs Schritt lang und drei Schritt breit. Nicht viel, aber unter diesen Umständen genug.

Hamish ging tiefer in die Höhle hinein und warf dann einen Blick auf das Mädchen, das er noch immer im Arm hielt. Sie trug ein Kattunkleid, und ihre schwarzen Haare waren zu Hunderten kleiner Zöpfchen geflochten. »Hör mal, Mädelchen«, fragte er, »wenn ich die Hand wegnehme, versprichst du, nicht zu schreien?« Er sprach die Worte im leisesten Flüsterton, aber einzeln und deutlich, damit sie ihn auch wirklich verstand. »Bei mir passiert dir nichts, Mädelchen. Aber da draußen ist es gefährlich.« Er deutete mit einer abrupten Kopfbewegung auf den Wald, die Festung und den See. »Ist dir das klar?«

Taba nickte. Sie verstand seine Worte zwar nicht, aber sein Ton war freundlich. Vielleicht war er das, was Flinke Ruth einen normalen Mann nannte. Doch, das war er. Das sagten ihr ihre Knochen.

Hamish legte sich einen Finger auf die Lippen. Er war etwas erleichtert, als sie nickte, trotzdem zögerte er noch einen Moment, ehe er sie aus seinem Griff entließ und auf dem Boden absetzte. Da blieb sie einfach stehen, rührte sich nicht vom Fleck und gab keinen Ton von sich. Gott sei Dank, Mädelchen. Was immer du sein magst, dumm bist du nicht. Denn so wahr Gott mein Zeuge ist, wenn du verrückt genug wärst wegzulaufen, würde ich dich laufen lassen. Wenn du sterben willst, Mädelchen, dann ohne mich.

Zwei Sekunden vergingen. Drei. Hamish hielt die Luft an. Schließlich atmete er aus, ging in die Hocke und bedeutete Taba, sich neben ihn zu setzen. Jetzt lag helles Mondlicht über dem Land. Er konnte die Festung rechter Hand erkennen und jenseits davon, auf der anderen Seite eines Moors, ein befestigtes Lager auf dem Berg, der Titcomb's Mount hieß. Die Sassenachs hatten es zur Bewachung der breiten Militärstraße errichtet, die sie durch den Wald angelegt hatten und die Fort William Henry mit Fort Edward dreißig Meilen weiter im Süden verband. Das Lager ragte oberhalb des Sees auf, und wenn die Franzosen angriffen, würden sie von dort … Heilige Maria im Himmel und alle gesegneten Heiligen, beschützt uns.

Hamish starrte auf die Spiegelung des Mondlichts im See und bekreuzigte sich, versuchte, die Übelkeit zu unterdrücken, die in ihm aufstieg. Bei Gott, tausend Mal lieber würde er noch einmal Culloden Moor erleben als das, was er da unter sich sah.

Erschrocken holte das Mädchen Luft. Hamish legte den Arm um sie, eher zum Trost, als um sie festzuhalten. Der Wind, der die Wolken weggefegt hatte, ließ weiße Schaumkronen auf dem See tanzen, doch die Wellen stellten keine Behinderung dar für die vielen Kanus, die auf die Festung zuhielten. Und in jedem Kanu saßen nackte Wilde mit Kriegsbemalung. Heilige Muttergottes, Indianer, so weit das Auge reichte. Er hatte gehört, dass sich in Fort Carillon auf der anderen Seite des Sees zweitausend Rothäute versammelt hatten. Und bei Gott dem Allmächtigen, die waren in dieser Nacht allesamt auf dem Bright Fish Water unterwegs.

Hinter den Kanus kamen die *bateaux* der französischen Garnison in Sicht, Ruderboote und Segelboote gleichermaßen, viele waren zur Sicherheit miteinander vertäut. Sie lagen tief im Wasser, sanken beinahe unter ihrer Last schwerer Belagerungsgeschütze und Hunderter uniformierter Franzosen. Hamish begann, die vielen Boote, Kanus und *bateaux* zu zählen, gab aber auf, als er zweihundertfünfzig erreichte. Seit im Mai '56 der Krieg erklärt worden war, hatten die Franzosen und ihre indianischen Verbündeten nahezu jede Schlacht gewonnen. Es sah nicht danach aus, als würde es den Sassenachs dieses Mal gelingen, das Blatt zu wenden. Eine wahre Armada steuerte da auf sie zu.

Die Flotte trieb noch einige Minuten weiter voran, bevor sie knapp außerhalb der Geschützweite innehielt. Es war ein Manöver von atemberaubender Geschicklichkeit, als wäre eine Welle rückwärts getrieben und erstarrt, bevor sie sich brach. Hamish sah zum Fort. Er konnte keine Bewegung erkennen, aber die Wachposten hatten mittlerweile sicher bemerkt, was da auf sie zukam, und die gesamte Garnison alarmiert. Verfluchte Ketzer waren sie, aber trotzdem, etwas Mitleid hatte er schon mit ihnen. Er wusste, dass rund zweieinhalbtausend Mann in Fort William Henry stationiert waren. Rotröcke – das 35. Infanterieregiment, dessen Offiziere ihre Familien bei sich hatten, insgesamt rund hundert Frauen und Kinder –, zudem Yorker und Milizionäre aus Neuengland und New Jersey. Dazu kamen noch etwa vierzig Ranger, Waldläufer, die als Kundschafter dienten und den Rotröcken den einen oder anderen

Hinweis gaben, wie sie in der Wildnis zu kämpfen hatten. Gott steh ihnen allen bei, die Armee auf dem See zählte mindestens das Dreifache.

Die Ranger wussten bestimmt, dass ein Entkommen durch den Wald unmöglich war, dass es in den Wäldern nur so wimmelte von Kanadiern und ihren indianischen Verbündeten. Die Marketender, die zwischen Albany und der Festung hin und her pendelten und mit Kämmen, Mais und Musketenkugeln ebenso handelten wie mit Nachrichten, behaupteten, die Ranger seien von Quentin Hale geschickt worden. Dasselbe hatte Hamish auch schon von Annie Crotchett gehört. Dieser Tage verkaufte sie ihre Gunst an ebenso viele Rotröcke wie Einheimische, so zahlreich waren sie in den Bergen um die Stadt stationiert. Gerade letzte Woche hatte Annie ihm erzählt, dass – man höre und staune – der Rote Bär nach London beordert worden war. Um den dummen Herrschaften dort drüben zu erklären, wie man gegen die Indianer Krieg führt. Als würden die Sassenachs irgendeine Unterweisung in Grausamkeit brauchen. Hamishs Blut geriet in Wallung und erinnerte ihn an seinen flammenden Hass auf alles Englische. Mit einem Blick von der Festung zum See fühlte er sich allerdings sofort wieder ernüchtert. Was er da sah, war das Vorspiel zu einem Gemetzel. Heiliger Heiland im Himmel, er hätte nicht geglaubt, dass so viele Wilde gleichzeitig an einem Ort sein konnten.

Vier durchdringende Töne eines Horns trieben die Berge auf einer Seite des Sees hinauf und die andere Seite wieder hinab. Das war so seltsam, dass Hamish der kalte Schweiß ausbrach. Ein französisches Horn in der amerikanischen Wildnis. Fast erwartete er, als Nächstes das Pfeifen von Dudelsäcken zu hören. Das Horn erschallte ein weiteres Mal. Zur Antwort begannen die Indianer in ihren Kanus zu trommeln, zu johlen und zu schreien. Die im Wald hinter der Festung antworteten mit eigenem Trommeln und Geheul.

Hamish legte dem Mädel eine Hand auf die Schulter. Sie zitterte am ganzen Leib, aber sie gab keinen Ton von sich, und es war klar, dass sie nicht davonlaufen wollte. Gott allein wusste, wie sie es durch den Wald geschafft hatte, in dem Horden von Weißen und Roten lauerten und die allesamt nichts als Morden im Sinn hatten, aber es war nur recht und billig, dass er sie abgefangen hatte und kein brüllender Wilder. Die Kleine gehörte bestimmt Shadowbrook. Und Shadowbrook gehörte ihm. So unglaublich das sein mochte. Das sagte er sich immer wieder selbst. Er mochte ja zwischen zwei Seiten in einem Krieg eingekeilt sein, aber bei Gott, er war endlich der Gutsherr geworden. Und dieses Mädelchen gehörte ihm, wie alles andere auf dem Hale-Gut. Jetzt brauchte er nur am Leben zu bleiben, um es in Besitz zu nehmen.

Donnerstag, 9. August 1757

Fort William Henry

Tage und Nächte, die erfüllt waren von donnerndem Geschützfeuer und zuckenden Musketensalven, vom Geheul der Indianer und dem Fluchen der Franzosen und Engländer. Und vom Tod.

Überall in der zivilisierten Welt galt eine ehrenhafte Kapitulation als undenkbar, solange die Mauern und Bastionen der Festung noch intakt waren, so übermächtig der Feind auch sein mochte. Als die Sonne am zehnten Tag der Belagerung aufging, lag der obere Teil der Bastionen von Fort William Henry, die sich gegenüber den französischen Geschützen befanden, in Schutt und Asche.

Zur Mittagsstunde öffnete sich das Tor der Festung, und eine weiße Flagge wurde gehisst. Es erschien ein Trommler, der einen feierlichen Wirbel schlug, gefolgt von einem berittenen Oberstleutnant im roten Rock. Eine Musketenkugel hatte dem Engländer den linken Fuß zerschossen. Trotzdem war er der beste Mann für die anstehende Aufgabe: Er sprach ausgezeichnet Französisch.

Montcalms Zelt bestand aus einer Markise auf drei Stangen mit Seitenwänden, die einem großen Mann bis zur Schulter gingen, die Feldmöbel waren erlesen. Außer dem General hatten sich ein halbes Dutzend seiner dienstältesten Offiziere versammelt, fünf

Indianer in voller Kriegsaufmachung – Kriegshauben und derlei –, die sie als Häuptlinge zu erkennen gaben, sowie eine Hand voll Dolmetscher. Aus Rücksichtnahme auf die Verletzung des Engländers setzte man sich. Die Indianer allerdings hockten am Rand der Gruppe am Boden, denn es gab nicht genügend von den rasch aufgeklappten lederbezogenen Stühlen.

Der Engländer, Young mit Namen, und Montcalm bestritten die Unterhaltung. Es war eine ruhige, höfliche Unterredung. Prahlerei war überflüssig, denn beide Männer wussten, dass die Schlacht geschlagen war und die Engländer verloren hatten. Im Fort William Henry gab es weniger als siebenhundert kampffähige Soldaten. Dreihundert waren seit Beginn der Kampfhandlungen gefallen, die anderen waren einer Pockenepidemie erlegen, die seit Mitte Juli im Lager grassierte. Alle englischen Geschütze und der Großteil der Mörser war durch übermäßigen Einsatz zerborsten oder durch Beschuss vernichtet, im Gegensatz zu den einunddreißig Geschützen und fünfzehn Mörsern und Haubitzen Montcalms, die noch alle funktionstüchtig waren und jederzeit wieder das Feuer eröffnen konnten. Bislang waren nur einige der französischen Kanonen zum Einsatz gekommen, und bereits deren Beschuss war vernichtend gewesen. Angesichts der gewaltigen Waffenübermacht war Kapitulation die einzige Möglichkeit. Eben das hatte den Ausschlag gegeben bei der Beratung der englischen Offiziere, die am Vormittag in der Festung stattgefunden hatte.

Der Marquis von Montcalm wollte keine Gefangenen machen. Die Ernte in Kanada war in dem Jahr schlecht ausgefallen, ebenso wie im Jahr davor. Wegen der Politik von Intendant Bigot und seiner *Grande Societé* war die ohnehin schlechte Versorgungslage katastrophal geworden. Montcalm hatte kaum genügend Vorräte, um seine eigenen Truppen zu ernähren und den Indianern ein wenig abzugeben. »Sie haben tapfer gekämpft, Monsieur. Ich biete Ihnen freien Abzug und sicheres Geleit nach Fort Edward an.« Young quittierte Montcalms Kompliment mit einem Nicken. »Im Gegenzug für achtzehn Monate Kampfruhe«, fuhr der Franzose fort.

Großzügige Bedingungen. Die Männer, die Fort William Henry verteidigt hatten, durften mit wehenden Fahnen abziehen, mitsamt ihren leichten Waffen und ihrem persönlichen Hab und Gut. Die Briten und Kolonisten ihrerseits mussten feierlich versprechen, in den kommenden eineinhalb Jahren keinen Krieg gegen die Franzosen zu führen. »Wir nehmen die Festung sofort ein«, ergänzte Montcalm. »Ihre Garnison wird zum befestigten Lager neben der Schlucht marschieren und dort die Nacht verbringen. Morgen im ersten Tageslicht wird eine Abordnung meiner Soldaten Sie nach Fort Edward begleiten.«

Das war ein Marsch von rund zwölf Meilen. »Bei uns gibt es viele Kranke«, sagte Young. »Für sie ist ein Umzug von der Festung zum Lager unmöglich, ganz zu schweigen von einem Marsch nach Fort Edward.«

»*Pas de problème, Monsieur le Colonel.* Sie können im Fort bleiben. Wir werden Ihre Kranken und Verwundeten versorgen und Sie Ihnen überstellen, sobald sie genesen sind. Jetzt gibt es noch die Frage der französischen und kanadischen Gefangenen, die Sie seit Kriegsbeginn gemacht haben. Sie müssen uns überstellt werden.«

»*D'accord, mon Général. Mais …*« Young sah kurz zu den Indianern.

Montcalm folgte seinem Blick und nickte. Er rief drei seiner Dolmetscher zu sich und sprach rasch mit ihnen, wiederholte die Bedingungen der Kapitulation, die die Dolmetscher, zwei Kanadier und ein Indianer, jedem der Häuptlinge in seiner eigenen Sprache erläuterten.

Alhanase, der Hurone, sprach Französisch und brauchte den Dolmetscher nicht, hörte aber dennoch aufmerksam zu für den Fall, dass er das Gehörte falsch verstanden haben sollte. Das hatte er nicht. Er erhob sich. Die anderen Häuptlinge folgten seinem Beispiel.

»Sie verstehen alles?«, fragte Montcalm angelegentlich. »Sie sind einverstanden?«

»Sie verstehen alles genau«, versicherte einer der Dolmetscher.

»Und sind einverstanden?«, wiederholte Montcalm.

Dieses Mal antwortete Alhanase, bevor der Dolmetscher etwas sagen konnte. »*Il a parlé, Onontio.*« Onontio hat gesprochen. »*Il a arrangé les choses à la* Cmokmanuk.« Er hat alles auf Art der *Cmokmanuk* geregelt. »*Nous comprenons.*« Wir verstehen.

Alhanase und die anderen Häuptlinge wussten, dass ihre jungen Tapferen diese Schmähung nicht einfach hinnehmen würden. Sie hatten mutig gekämpft und nichts dafür bekommen als karge Rationen und einige Geschenke, nachdem sie eingewilligt hatten, im Namen Onontios erneut zum Tomahawk zu greifen. Jetzt war der Feind geschlagen, doch den Kriegersöhnen Onontios wurden die Früchte ihres Siegs verwehrt. Sie würden keine Beute machen, keine Skalps, das Fett ihrer Gegner würde nicht ihre leeren Bäuche füllen, und das Schlimmste war, es gab keine Gefangenen, die sie in ihr Dorf mitnehmen konnten, um die vielen Toten zu ersetzen. Sie sollten gar nichts bekommen. So verhielt sich ein Vater – Onontio – nicht.

Wie vereinbart, verließ jede Person, die gehen oder zu Pferd sitzen konnte, die englische Festung binnen weniger Stunden nachdem die Kapitulationsbedingungen ausgehandelt worden waren. Sie zogen ab unter den Augen der rastlosen Tapferen, die sie verspotteten und reizten und drohende Gesten machten, die die Engländer zu ignorieren versuchten. Eine weite Schlucht trennte das Fort von dem Lager, in dem sie die Nacht verbringen sollten. Kaum hatten sie sie überquert, stürmten Tapfere in die Festung. In kluger Voraussicht hatten die Ranger allen Rum, den die Soldaten nicht mitnahmen, sorgsam vergraben, aber die Indianer fanden die Fässer trotzdem und tranken sie leer. Sie waren erbost über die geringe Beute, die sie im Fort vorfanden. Nur eine Sache, die zu haben sich lohnte, war zurückgelassen worden.

Die Tapferen gingen ins Lazarett und töteten und skalpierten die Verwundeten. Sie stießen auf wenig Widerstand; im Großen und Ganzen sahen die Kanadier, denen die Kranken anvertraut waren, dem Treiben tatenlos zu.

Kurz vor Sonnenuntergang drangen Tapfere in das Lager am Titcomb's Mount ein, zahlenmäßig weit mehr als die französischen

Soldaten, die es bewachten. »Leert die Fässer. Schnell«, empfahl jemand. Das Wort wurde ausgegeben, und die elf Rumfässer, die die Engländer mitgebracht hatten, wurden zerschlagen, der Inhalt versickerte im Erdreich. Doch die *Anishinabeg* – Potawatomi und Nipissing, Ottawa und Huronen – brauchten keinen Rum mehr. Ihr Blut kochte vor Wut, dass sie für ihren Einsatz so gering belohnt wurden. Eine Weile zogen sie durch das Lager, forderten Kleider und Schmuck und gebärdeten sich drohend, vor allem den Frauen gegenüber, mit deren langem Haar sie vielsagend spielten. Schließlich warfen die französischen Wachposten sie hinaus.

Alhanase, der Hurone, verfolgte alles, ohne sich zu beteiligen. Der Medizinbeutel, der ihm um den Hals hing, enthielt etwas sehr Kostbares, eine einzelne blauschwarze Súki-Perle, in die eine Spinne graviert war; sie war sehr alt und wunderschön. Eine Erinnerung an die alte Zeit, als die *Anishinabeg* allein lebten und nach ihren eigenen Bedingungen Krieg führten und Frieden schlossen. Es waren einige Ottawa hier, aber nur wenige, und sie wurden nicht von Pontiac angeführt. Vielleicht hatte der mächtige Ottawa-Häuptling doch Recht. Vielleicht konnte eine Trennung die alte Zeit zurückbringen. Wenn den Engländern ermöglicht würde zu gewinnen, könnten sie die Erde dieses Landes, das sie die Neue Welt nannten, zwischen sich und den Wahren Menschen aufteilen. Wie die anderen hatte Alhanase den Franzosen vertraut, hatte ihren Kriegsgürtel angenommen, aber Onontio war kein guter Vater, wenn er seine Söhne bat, für ihn zu kämpfen und zu sterben, ohne ihnen etwas dafür zu geben. Vielleicht sollte dies die letzte Schlacht gewesen sein.

Doch Alhanase wusste, dass sie noch nicht zu Ende war.

Im Morgengrauen brachte eine Abordnung von dreihundert französischen Soldaten die Engländer nach Fort Edward. Sie marschierten an der Spitze, hinter ihnen folgten die Rotröcke und die Kolonialmilizen. Die Besiegten trugen ihre Musketen, doch gemäß den Kapitulationsbedingungen weder Munition noch Bajonette. Die Frauen und Kinder gingen ganz am Ende des langen Zugs, mindestens drei Meilen hinter den bewaffneten Franzosen, die sie beschützen konnten.

Hamish und Taba beobachteten alles aus ihrer Höhle heraus. Ihre Mägen rebellierten vor Hunger. Ihre gemeinsamen Vorräte, das Dörrfleisch und das harte Brot, waren vor drei Tagen ausgegangen, Hamishs Wasserflasche war schon früher leer gewesen. Dem Schotten war es bei einem nächtlichen Guss gelungen, etwas Regenwasser aufzufangen, und bei einem waghalsigen Ausflug zum Garten der Festung hatte er zwei Kohlköpfe und vier Maiskolben ergattert. Das hatte sie vor dem Verhungern bewahrt. Außerdem war ihnen das Glück zu Hilfe gekommen. In der vergangenen Nacht hatte ein Indianer den Zugang zur Höhle gefunden. Hamish hatte es lediglich daran gemerkt, dass es plötzlich dunkler wurde, und glaubte, nur die Überraschung des Indianers über die Entdeckung habe ihm die Zeit verschafft, dem Roten seinen Dolch in die Kehle zu stoßen, bevor der einen Ton von sich geben konnte. Er hatte die Leiche ganz in die Höhle gezogen, damit sie nicht bemerkt würde. Seit er und Taba den ohnehin kleinen Raum mit einem Toten teilten, hatten sie noch weniger Platz als zuvor, aber bei Gott, es war besser als das, was sie bei einem Fluchtversuch erwartete. Sie würden abgeschlachtet werden wie die Sassenachs, die Hamish auf der Straße unter sich sterben sah.

Vielleicht war ihm vor lauter Hunger schwummerig im Kopf. Vielleicht kam es ihm deswegen wie ein Traum vor, als er verfolgte, wie die Indianer die unbewaffneten Engländer überfielen. Er sah zu, ohne eigentlich etwas zu empfinden, als wäre das alles ein Mummenschanz auf dem Jahrmarkt seiner Kindheit in den Highlands.

Die Frauen und Kinder nahmen die Indianer sich als Erstes vor. Die wurden nur von ein paar Kanadiern bewacht, die untätig dabeistanden, während die jungen Frauen und ihre Kleinen gefangen und in den Wald geschleppt wurden; die Alten wurden mit dem Tomahawk getötet und skalpiert. Säuglinge und Wickelkinder wurden zerhackt und beiseite geworfen, nur ältere wurden lebend gefangen genommen. Von seinem Standort aus konnte Hamish ihre aufgerissenen Münder sehen, aber es kam ihm vor, als würde er ihre Schreie nicht hören. Vielleicht, weil er sie nicht hören wollte.

Als Nächstes kam die Provinzmiliz an die Reihe. Viele mussten zuerst ihre Kleider und Musketen aushändigen, als würden sie um ihr Leben feilschen, oder meinten, feilschen zu müssen. Ein paar konnten nackt in den Wald flüchten, die anderen wurden mit dem Tomahawk getötet und skalpiert. Nach einer Weile breitete sich der Tumult so weit aus, dass die Rotröcke näher an der Spitze des Zugs bemerkten, was weiter hinten vor sich ging, und kehrtmachten, um einzugreifen, aber ohne Munition konnten sie wenig ausrichten. Endlich wurden die französischen Soldaten an der Spitze des Zugs auf die Geschehnisse hinter ihnen aufmerksam und versuchten, die Ordnung wiederherzustellen. Mittlerweile brüllten und johlten die Wilden und tanzten frenetisch – ein bloßer Befehl der Franzosen, sie sollten abziehen, führte zu nichts, aber niemand gab die Order aus, die Bajonette aufzupflanzen oder gar zu schießen. Das war unmöglich, wie Hamish bewusst wurde. Nicht, wenn sie die Indianer als Verbündete behalten wollten, und die waren ihr größter Vorteil in diesem Krieg, in dem sie den Engländern zahlenmäßig weit unterlegen waren.

Von den bewaldeten Bergen hallten Schreie des Triumphs und des Grauens wider, und als endlich Stille einkehrte, dann nur, weil es keine Sassenachs und Amerikaner mehr zu töten gab.

Einen Tag blieben Hamish und Taba noch in ihrem Versteck, ernährten sich von ein paar Karotten und Maiskolben, die der Schotte, auf dem Bauch robbend, vom Rand des Gartens holte. Mittlerweile überlagerte der Geruch von gekochtem und gebratenem Fleisch fast den Gestank des verwesenden Indianers, mit dem sie die Höhle teilten. Zum ersten Mal im Leben lief Hamish beim Geruch von garendem Fleisch nicht das Wasser im Munde zusammen. Vielleicht, weil es von den Sassenachs stammte, die die Indianer brieten und aßen. Einmal sah er, wie ein Tapferer einem französischen Soldaten ein Fleischstück anbot, das vor Fett troff. Der Franzose wandte sich angeekelt ab, und der Wilde und seine Kumpanen grölten vor Lachen.

Hamish sah, dass zwischen den Franzosen und ihren Indianerverbündeten heftige Diskussionen entbrannten. Sie feilschten um etwas, so viel war klar, aber worum, konnte er nicht ausmachen. Am nächsten Morgen zogen die Indianer langsam ab, ihr Blutdurst war gestillt. Beladen mit Beute drängten sie sich in ihre Kanus. Im letzten Moment holten sie ihre Gefangenen, mit Halsfesseln zusammengebunden, aus dem Wald.

Sobald die Kanus außer Sichtweite verschwunden waren, machten die Franzosen und Kanadier sich daran, die Festung zu zerstören, und warfen alle Leichen auf einen riesigen Haufen, den sie entzündeten. Dann zogen sie ab. Das Feuer brannte den ganzen Tag und einen Großteil der Nacht, und als es dunkel wurde, nahm Hamish im Lichtschein der Flammen das Mädchen bei der Hand und verließ mit ihm die Höhle. Jetzt gingen sie aufrecht, denn der Schotte war sicher, dass in der Umgebung keine Seele mehr am Leben war außer ihnen beiden und den Wölfen, die aus den Bergen herabkamen, um sich an den Überresten der Kadaver gütlich zu tun.

In den Wäldern gab es Wild und Fische in Hülle und Fülle. Hamish hatte einen Dolch, so brauchten sie nicht mehr zu hungern, obwohl es eine Weile dauerte, bis sie etwas essen konnten. Bei der Erinnerung an das Morden, das sie gesehen hatten, verging ihnen der Appetit, aber auch die Lust zu reden. Immerhin sagte Taba ihm ihren Namen, und der Schotte erklärte, er heiße Hamish – »Ich bin jetzt dein neuer Herr, Mädel. Aber du brauchst keine Angst zu haben, solang du tust, was ich dir sage« –, aber sonst sprach er kaum. Er hielt es für unwahrscheinlich, dass Taba wusste, wohin er sie führte, bis sie nach einem elftägigen Marsch oben auf dem Hügel Shadowbrook stehen sah, die weißen Mauern vom feurigen Sonnenuntergang rosa gefärbt.

Taba schrie auf und wollte davonlaufen, doch Hamish war darauf gefasst. Er hatte sie am Arm, bevor sie entkommen konnte, packte sie wie einen Sack Hafer, wie damals am ersten Abend, und trug sie zum Haus, so wild sie auch um sich trat. »Beruhig dich, Taba, Mädel. Ich hab dir doch gesagt, du brauchst keine Angst zu haben, und ich hab nicht gelogen. Halt nur schön still, solang ich die Sache regle.«

»Ah ja, Hamish Stewart, der Schotte, der mir mein Eigentum zurückbringt. Das freut mich zwar, überrascht mich aber auch. Ich habe die Flugblätter gerade erst in Auftrag gegeben, und …«

»Sie ist nicht dein Eigentum. Und ich hab keine Flugblätter nicht gesehen.«

»Die kannst du auch gar nicht gesehen haben. Ich habe gerade in Auftrag gegeben, dass sie gedruckt und in Albany ausgehängt werden«, sagte John Hale, ohne auf den ersten Teil von Hamishs Aussage einzugehen. »Zehn Guineas Belohnung für den, der meine entlaufene Ibo-Sklavin Taba zurückbringt. Die zehn Guineas stehen dir …«

»Behalt dein Geld, John Hale. Und das, was du bei dir hast, kannst du auch behalten. Das nehme ich dir nicht ab. Und dein persönliches Hab und Gut darfst du packen und auch mitnehmen. Du hast eine Stunde Zeit, das Gut zu verlassen.«

»In drei Gottes Namen, wovon sprichst du, Stewart?«

Sie waren in dem kleinen, quadratischen Raum, der vom vorderen Flur abging und in dem Mistress Lorene meist den Vormittag verbrachte, um den Haushalt zu organisieren. Ihr Schreibtisch stand an einer Wand, daneben ein Serviertisch mit Flügeln, die man aufklappen konnte, um ihn zu vergrößern. Beide Möbelstücke hatte Taba öfter poliert, als sie zählen konnte, bis sich ihr Gesicht in der goldbraunen Maserung spiegelte.

Unter diesem Schreibtisch kauerte sie jetzt; etwas Besseres war ihr nicht eingefallen. Die Herrin war nicht da, aber meistens war sie freundlich zu Taba, und deswegen verkroch Taba sich jetzt dort und versuchte sich vorzustellen, dass Freundlichkeit sie umhüllte.

»Deiner Mutter will ich keine Ungelegenheiten bereiten. Wenn sie will, kann sie sich mit dem Packen ein paar Tage Zeit lassen.«

»Ich glaube, du hast den Verstand verloren«, sagte John leise. »Aber das geht mich nichts an. Verschwinde, Stewart. Die Belohnung kannst du gern haben, die habe ich dir versprochen, aber ob mit oder ohne die zehn Guineas, verschwinde aus meinem Haus und von meinem Grund und Boden.«

»Ich habe nicht den Verstand verloren, so sehr du dir das vielleicht wünschst, du gottverfluchter Ketzer. Das ganze Hale-Gut gehört mir.« Hamish griff in die Innentasche seines Hemds; er trug die Übertragungsurkunde bei sich, seit er im Monat zuvor in New York City gewesen war. »Jede Parzelle des ursprünglichen Guts«, fuhr er fort, während er John die Dokumente reichte. »Einschließlich Bright Fish Water und dem Great Carrying Place.« Deswegen war er überhaupt dort oben gewesen – um zu sehen, in welchem Zustand sich die Festung befand und ob es sinnvoll war, darauf zu bestehen, dass die Sassenachs sofort abzogen. Darum brauchte er sich jetzt nicht mehr zu sorgen. Von dem Fort lag mittlerweile bestimmt kein Stein mehr auf dem anderen.

»Alle drei haben sie unterschrieben – Oliver De Lancey, der Jude Hayman Levy und Alexander, der Notar. Bezeugt vom Provinzgouverneur James De Lancey höchstpersönlich«, sagte Hamish, die Dokumente noch immer in der Hand. »Schau's dir an, John. Das wird mir 'ne Genugtuung sein, dich das lesen zu sehen.«

John wollte die Papiere nicht anrühren. Wenn er sie tatsächlich anfasste und las, könnte der Albtraum sich als wahr herausstellen, als mehr denn nur ein Fiebertraum, den der viele Rum ihm bescherte. Aber die Namen. Die drei Namen. Guter Gott im Himmel, wie konnte dieses einäugige Jakobitenschwein wissen, dass Oliver De Lancey, Hayman Levy und James Alexander tatsächlich ein Pfandrecht auf das Gut hatten? Er streckte die Hand aus und bemühte sich nach Kräften, das Zittern zu unterdrücken. Stewart klatschte ihm den Stapel Dokumente auf die Handfläche.

»Lass dir nur Zeit, du Dreckskerl. Es ist mir ein Vergnügen zu sehen, wie du an jedem Wort erstickst.«

John machte einige taumelnde Schritte zurück und setzte sich an den Schreibtisch. Taba presste sich dicht an die Wand.

John öffnete das Bündel und schlug das oberste Blatt auf. Offenbar war es die ursprüngliche Pfandrechtsurkunde, die er vor fast drei Jahren unterschrieben hatte. Geduld, hatte James Alexander ihm im vergangenen Frühjahr geraten. Die Kriegsvorbereitungen und der Krieg selbst, die waren an der Verzögerung schuld, deswegen war es ihnen noch nicht gelungen, geeignetes Land auf den Inseln zu finden. Die Lage würde sich früher oder später unweigerlich ändern. Gütiger Himmel, das war seine Unterschrift, die da stand, kein Zweifel. »Wie bist du an das gekommen?« Seine Stimme war hoch und schrill, das Krächzen eines alten Mannes.

Den Schreck in Johns Stimme zu hören tat Hamish in der Seele gut. Fast so gut, wie ihn erbleichen zu sehen, als ihm klar wurde, was er da in der Hand hielt. Der Schotte ließ sich jedes Wort auf der Zunge zergehen. »Mit Geld, wie sonst? Wie kriegt man sonst, was man will? Lies die nächste Seite, nur zu. Auf der wird das Pfandrecht mir überschrieben. In voller Höhe bezahlt, steht drauf. Ganz oben.«

John legte das erste Blatt beiseite und entfaltete das zweite. »Das ist eine bodenlose Unverfrorenheit. Das hat vor keinem Richter Bestand in keinem …«

»Das ist hieb- und stichfest, du Dreckschwein. Meinst du wirklich, ich würde ohne so was herkommen? Ist dir noch nicht aufgegangen, was ich in den letzten vier Jahen in dem gottverfluchten Albany gemacht habe? Oder wie ich an dem Plan arbeite und bastle seit dem Tag, an dem dein Vater mir das Gut gezeigt hat? Es gehört mir, du verdammter Ketzer. Jetzt ist es das Stewart-Gut.«

Hamish griff nach den Dokumenten, doch John war schneller. Er packte sie und knüllte sie zusammen, sprang auf und sah sich wild um, wie er sie vernichten konnte. Der Kamin bot sich an, aber es war August. Kein Feuer brannte dort.

Hamishs dröhnendes Lachen schallte durch den Raum. »Du hast wirklich so wenig Hirn, wie Annie Crotchett immer sagt. Wofür hältst du mich, Mann? Glaubst du wirklich, ich würde dir den einzigen Beweis für mein Eigentumsrecht geben? Gouverneur De Lancey hat von allem Kopien anfertigen lassen. Die sind bei ihm verwahrt. Ich hab gesagt, du hast 'ne Stunde Zeit, um zu gehen. 'ne halbe ist schon vorbei. Wenn du mehr mitnehmen willst als bloß die Sachen, die du am Leib trägst, solltest du dich mal ans Packen machen.«

John stürzte sich auf ihn, doch Hamish war gewappnet. Rasch wich er nach einer Seite aus und wirbelte dabei herum, sodass sie sich von Angesicht zu Angesicht gegenüberstanden. Der Schotte hielt einen Dolch in der Hand, John hatte keine andere Waffe als seine Wut.

»Komm schon, du verfluchter Ketzer«, stichelte Hamish. »Komm her, dann schicke ich dich geradewegs in die Hölle, wo du hingehörst. Ich kann's gar nicht erwarten.«

Einen solchen Dolch hatte John das letzte Mal in der Hand seines Bruders gesehen, und genau dieser Schotte, dieses Schwein, hatte ihm den geschenkt. »Quent!« Das Wort kam ihm über die Lippen wie ein Fluch. »Mein Bruder hat dich hergeschickt.«

»Dein Bruder hat nichts damit zu tun. Den nehme ich mir auch noch vor, aber später. Jetzt geht's erst mal um dich.« Hamish beugte sich vor, verlagerte sein ganzes Gewicht auf das Standbein und schwang den Arm von unten nach oben. Die sechs Zoll lange Dolchklinge fuhr Johns linken Unterarm hinauf und durchtrennte die Muskeln bis auf den Knochen.

Brüllend vor Schmerzen, taumelte John rückwärts und fiel gegen die steinerne Kaminbrüstung. Dort hing ein metallener Schürhaken. Er packte ihn mit der Rechten und stürzte, noch immer schreiend, vor, den Schürhaken hoch über den Kopf schwingend.

Hamish wartete bis zur letzten Sekunde, dann wich er nach links aus. John setzte ihm nach und riss ihm die Haut über der leeren Augenhöhle auf. Hamish stieß wieder mit dem Dolch zu, doch dieses Mal schlitzte die Klinge nur Johns Hemd auf. Wirbelnd wich er dem nächsten Angriff des Schürhakens aus, rutschte in einer Blutlache aus und fiel zu Boden.

John stand mit gespreizten Beinen über ihm und hob den Schürhaken hoch über den Kopf.

Als der Kampf begann, war Taba unter dem Schreibtisch hervorgekrochen. Sie wusste nicht, wann sie nach Mistress Lorenes silberner Schere griff, aber sie lag in ihrer Hand. Master John wollte Hamish umbringen. Hamish hatte gesagt, er sei jetzt ihr neuer Herr. Aber wenn er tot war, würde es wieder Master John sein. Und für Taba bestand kein Zweifel, wer von den beiden der bessere Herr war.

Die spitze Schere vor sich haltend, stürzte sie sich auf John. Der Schürhaken sauste auf Hamishs Schädel zu. Der Schotte riss die Beine auseinander, nahm dem Schlag die Wucht und veränderte auch dessen Richtung. John Hale stürzte, sein Kopf schlug mit einem hörbaren Krachen auf dem Boden auf. Brüllend setzte Hamish sich auf, um Hale zur Seite zu schleudern. Taba konnte nicht mehr abbremsen, konnte der veränderten Situation nicht mehr gewahr werden. Die Schere bohrte sich bis zu den Griffen in Hamishs Brust.

»George Junior, fahr sofort mit dem Wagen zum Sägewerk.« Lorenes Stimme schnitt wie ein eisiger Wind durch den glühenden Hass, der im Raum schwelte.

Sie stand in der offenen Tür, seit der gellende Schrei ihres Sohns zum Wäscheraum vorgedrungen war, wo sie gerade Decken faltete, und sie nach unten gelaufen war. Die Haussklaven drängten sich hinter ihr zusammen. Auch ohne sich umzudrehen, wusste Lorene, dass sie alle da waren, dass sie über ihre Schultern in das Chaos zu blicken versuchten. »George Junior«, wiederholte sie. »Nimm den Wagen und zwei schnelle Pferde. Fahr zum Sägewerk und hol Sally Robin. Sag ihr, dass Master John angegriffen worden ist und ihm der Arm fast abgeschnitten ist, dann weiß sie, was sie mitbringen muss. Clemency, nimm das Kind fort. Ich glaube nicht, dass sie verletzt ist.«

Lorene war sicher, dass Taba Hamish Stewart nicht bloß verletzt, sondern getötet hatte. Das Auge des Schotten starrte weit aufgerissen zur Decke, seine Brust bewegte sich nicht. Taba hatte ihn erstochen mit der Schere, die Lorenes Großmutter Sally gehört hatte. Ihre Mutter hatte sie ihr an ihrem Hochzeitstag geschenkt, so wie ihr Vater ihr an dem Tag Sally Robin geschenkt hatte. Zwei besondere Gegenstände, die sie als Braut nach Shadowbrook mitbrachte. Und jetzt? Vielleicht schloss sich jetzt der Kreis. Das war der Anfang ihres Lebens hier gewesen, und das war nun vielleicht das Ende, der Augenblick, in dem die Sklaven beschlossen, keine Sklaven mehr zu sein. Weder George Junior noch Clemency schienen ihrem Befehl gehorchen zu wollen. »George Junior, hast du mich gehört?«

»Ich hab Sie gehört, Mistress. Ich bin so schnell wie möglich wieder hier. Mit Sally Robin.« Seine Schritte hallten durch den Flur, als er zum hinteren Eingang lief und weiter zum Stall.

Danke, Gott. »Jeremiah, du und Sam, ihr schafft den Mann, der Master John angegriffen hat, von hier fort. Wir müssen ihn begraben, aber nicht oben bei Squirrel Oaks. Am besten hinter dem Schweinestall. Schnell.« Ihre Stimme war leise, eher schmeichelnd als befehlend. »Bevor die Leichenstarre einsetzt.«

Die Männer folgten der Aufforderung nicht. Dass George zum Sägewerk fuhr, war vielleicht das letzte Mal, dass ihrem Wort in diesem Haus Folge geleistet wurde.

Lorene klopfte das Herz zum Zerspringen, sie zitterte am ganzen Leib. Sie glaubte, die Beine würden unter ihr nachgeben, wenn sie zu gehen versuchte, aber sie wusste, sie musste es tun. Einen Schritt, einen zweiten. Sie ging vorwärts, auf ihren bewusstlosen Sohn zu und den Toten, der ihn angegriffen hatte, und gab weiter Anweisungen in einer leisen, festen Stimme, die nichts von innerem Aufruhr verriet. »Maisbesen-Hannah und Flinke Ruth, ihr helft mir mit Master John. Wir werden ihn nicht bewegen, bis Sally Robin kommt, aber wir können es ihm bequemer machen. Küchen-Hannah, wir werden heißes Wasser brauchen, um seine Wunde zu säubern. Clemency, worauf wartest du? Ich hab gesagt, bring das Kind fort.«

Taba hatte sich nicht vom Fleck gerührt. Lorene wusste genau, was das Mädchen im Sinn gehabt hatte. Sie kannte sogar den Grund. Das war vielleicht das Einzige von all dem, was an diesem Abend vorgefallen war, was sie überhaupt verstand. »Clemency, mach, was ich sage. Das Kind ist völlig außer sich.«

Ein dritter Schritt. Ein vierter. Lorene drehte sich nicht um, um zu sehen, ob die Sklaven taten, was sie ihnen auftrug. Sie war bei ihrem Sohn, kniete neben ihm nieder und hob seinen Kopf in ihren Schoß. So ein liebes Kind war er gewesen. Wer konnte glauben, dass sie so glücklich gewesen war, als er überlebte, wenn man den Mann kannte, zu dem er herangewachsen war? Ihr geliebtes Kind. Zumindest war er das einmal gewesen. Mit einer Hand drückte sie die Wunde an Johns Arm fest zusammen, mit der anderen raffte sie den Stoff ihres rosa-weißen Kattunrocks auf, um das Blut aufzusaugen.

Clemency kam herein und bückte sich, um Taba in die Arme zu nehmen, und Lorene gestattete sich ein unhörbares Aufatmen. Jetzt würde alles gut werden. Solange die Waschfrau auf ihrer Seite war, würden auch die anderen ihr folgen. Clemency war die Hüterin ihrer Seelen, das wusste Lorene.

Jeremiah und Sechs-Finger-Sam kamen herein und machten sich an der Leiche zu schaffen. Schweigend sah Lorene ihnen zu; ihr wirbelten unzählige Fragen durch den Kopf, auf die sie keine Antwort wusste. Fast ein Vierteljahrhundert, nachdem Hamish Stewart drei Wochen bei ihnen verbracht hatte, lag er jetzt tot in ihrem Haus, getötet von der Hand einer ihrer Sklavinnen. Guter Gott, warum? Warum war er überhaupt hergekommen? Welchen Streit konnte er mit John gehabt haben? »Flinke Ruth, die Papiere, die im Kamin liegen – bring sie mir.«

Die Frau tat, was ihr gesagt wurde, und Lorene sah auf und nahm Flinke Ruth lächelnd die Seiten aus der Hand, erleichtert über den bedingungslosen Gehorsam der Sklavin. Ihr Herz pochte nicht mehr so wild. Johns Wangen waren gerötet, er fieberte, doch auch sein Atem ging leichter, die Wunde blutete nicht mehr. Er würde überleben, und Sally Robin würde seinen Arm heilen. Keine Fragen mehr. Alles würde gut werden.

22

Dienstag, 19. August 1757
Montréal

»Nun, ma Sœur, ich habe gehört, dass Sie lange auf mich gewartet haben.«

»Nicht allzu lange, mon Général. Nur vier Tage.«

Nicole saß da, die Hände im Schoß gefaltet. Ihr Schleier war zurückgeworfen, wie im Kloster. Mutter Äbtissin hatte gesagt, sie solle ihr Gesicht nicht verbergen. »Diese wenigen Tage – eine Woche vielleicht, bis du zu uns zurückkehrst – bist du von allen Gelübden entbunden, Sœur Stéphane. Du wirst deine Tracht tragen, weil sie dir Schutz bietet, aber *en effet* bist du keine …« Sie hatte abgebrochen, als könnte sie es nicht ertragen, die Wahrheit ein zweites Mal auszusprechen. Marie Rose hatte bereits erklärt, dass Nicoles Gelübde der Abgeschiedenheit während ihrer Abwesenheit vom Kloster nur in ihrem Herzen existierte. »Père Antoine sagte, du musst …« Schließlich fand die Äbtissin die Kraft, die Frage zu stellen, die sie am meisten quälte. »*Ma petite,* nachdem du getan hast, was meiner Ansicht nach unzweifelhaft der Wille Gottes ist, wirst du dann zu uns zurückkehren?«

»*Bien sûr, ma Mère!*« Nicole war verwundert gewesen. »Das habe ich gelobt. Ich würde nie das Wort brechen, das ich dem Allmächtigen und Ihnen gegeben habe. Nie. *Jamais, jamais, jamais.*«

»*Jamais*«, wiederholte die Äbtissin. Dann, zum ersten Mal, berührte sie Nicole an der Wange.

Die junge Nonne sah gedankenverloren drein. Montcalm räusperte sich, um ihre Aufmerksamkeit auf sich zu lenken. »Die Grauen Nonnen sind gut zu Ihnen?«

»*Oui, mon Général.* Sie sind viel zu freundlich.« Die Schwestern von Notre Dame unterhielten im Hôpital Général de Montréal ein

Heim für Findelkinder und Arme. Es lag nur wenige Schritte von diesem herrschaftlichen Haus entfernt, wo sie die vergangenen vier Tage, seitdem der Marquis de Montcalm in die Stadt zurückgekehrt war, gesessen und gewartet hatte, bis er sie empfangen konnte. Es war veranlasst worden – wohl von Père Antoine, der auch alles andere arrangiert hatte –, dass sie während ihres Aufenthalts in Montréal Unterkunft bei den Grauen Nonnen finden würde. Das Zimmer, das sie ihr zuwiesen, war eigentlich Besuchern vorbehalten, die zu ihren Wohltätern zählten. Die besten Familien Neufrankreichs, war ihr versichert worden. Das entsprach zweifellos der Wahrheit. Das Gästezimmer der Grauen Nonnen hatte ein Federbett. Und zahlreiche Quilts, die in Griffweite auf einem Regal lagen. Es war Sommer, eigentlich brauchte sie keinen Quilt, aber sie hatte jede Nacht unter einem geschlafen, nur, um sich in Erinnerung zu rufen, wie sich das anfühlte. *Mon Dieu,* ich bin eine Sünderin. Wenn ich wieder in meinem Kloster bin, werde ich um Erlaubnis bitten, jeden Abend die Zucht nehmen zu dürfen.

»Es tut mir trotzdem Leid, dass man Sie hat warten lassen. Nun, Sœur Stéphane, was haben Sie mir gebracht, das so dringend ist, dass Sie es niemand anderem übergeben konnten?« Sein Adjutant hatte mehrmals versucht, von der Schwester den Gegenstand, was immer er war, im Namen des Marquis entgegenzunehmen, doch sie hatte sich geweigert.

Der Adjutant hatte ihre Antwort wortwörtlich wiedergegeben. »Monsieur, ich habe dem Allmächtigen geschworen, von meinen Händen in die des Monsieur le Général.«

Nun, da sie ihr Ziel erreicht hatte, war ihr ihre Beharrlichkeit etwas peinlich. »Verzeihen Sie, Monsieur le Général, aber …«

Montcalm winkte ab. »Ich verstehe, ma Sœur. Sie sind ein Soldat, der einen Befehl ausführt, nicht wahr? Und Ihr *général* ist zweifellos der höchste Befehlshaber, dem wir uns alle verantworten müssen.«

Er hatte durchaus Charme, dieser Mann des Krieges. Aber den hatten sie alle. Papa war auch charmant gewesen, vor und nach dem Grauen einer Schlacht. Nur während der Schlacht selbst war er, wie alle Soldaten, seiner animalischen Natur erlegen. Und wie die Menschen ihnen dafür Beifall zollten! Der Marquis de Montcalm war im Triumph in Montréal eingezogen. Die gesamte Bevölkerung war auf den Straßen, um ihn mit Jubelrufen zu empfangen, Frauen hatten ihm Blumen zugeworfen. Was das Blutvergießen und die Zerstörung anging … Krieg war immer dasselbe.

Nicole griff in die tiefe Tasche ihres grauen Gewands und zog eine schmale, mit schwarzem Öltuch umwickelte Rolle hervor, etwa zwei Handspannen lang und vielleicht drei Finger breit. Sie hatte sie mit einer Nadel festgesteckt, damit sie sie nicht verlieren konnte. Nicole hatte keine Ahnung, was die Rolle enthielt, nur dass sie sie mit ihrem Leben schützen musste. Um einer Million Seelen willen, Sœur Stéphane. Um des Ruhms des Allmächtigen und der heiligen Kirche und unseres Seraphischen Ordens willen. Was zählt das Leben einer jungen Frau im Vergleich zu einer solchen Verantwortung? Nichts.

»Ich überreiche Ihnen das im Namen von Père Antoine de Rubin Montaigne, dem Abgesandten des Generalministers des Ordens der Minderen Brüder in Neufrankreich. Père Antoine bat mich, Seiner Exzellenz mitzuteilen, dass der Inhalt dieser Sendung von höchster Bedeutung für die Verteidigung Neufrankreichs ist.« Wortwörtlich das, was ihr aufgetragen worden war. Nicole sprach ein stummes Dankesgebet. Der wichtigste Teil der Prüfung war überstanden. Um die vielen Wunden, die sie ihrem Gewissen zugefügt hatte, würde sie sich später kümmern, wenn sie wieder in ihrem Kloster war.

»Oh, die Verteidigung des ganzen Reichs? Um nichts weniger geht es? Das ist wahrlich eine große Bürde für eine junge Nonne.« Montcalm machte sich daran, die Schleifen an den beiden Enden der Rolle aufzubinden.

»Nicht so groß wie die Ihre, Monsieur le Général. Ich werde jeden Tag für Ihren Erfolg beten. Und dass dieser Krieg bald zu Ende sein möge.« Nicole erhob sich. »Wenn Sie mich entschuldigen, es ist Zeit, dass ich …«

»Setzen Sie sich, ma Sœur. Ich bestehe darauf. Ich muss Ihnen im Gegenzug für Ihre Geduld zumindest ein wenig Gastfreundschaft erweisen. Und dafür, dass Sie mir etwas gebracht haben, das für die Verteidigung ganz Neufrankreichs von Bedeutung ist.« Der Marquis läutete die Glocke, die auf seinem Schreibtisch stand.

Der Bedienstete erschien so schnell, dass er hinter der Tür gewartet haben musste, dachte Nicole. Ihr blieb nichts übrig, als sich wieder zu setzen.

»Bringen Sie etwas Wein«, ordnete Montcalm an. »Und von dem Gebäck, das wir gestern hatten. Und Zuckermandeln. *Vitement, s'il vous plaît.* Wir haben die Nonne warten lassen, ohne ihr die mindeste Erfrischung anzubieten. Sie wird glauben, wir seien hier allesamt ungehobelte …«

»Bitte, Monsieur le Général, ich versichere Ihnen, das ist nicht nötig. Ich muss zu den Grauen Nonnen zurück, sie warten auf mich.«

»Natürlich. Ich lasse Sie in meiner Privatkutsche hinfahren. Und Sie sollen den Schwestern auch einige Gaben mitbringen. Zwei weitere Flaschen Wein«, trug Montcalm dem Bediensteten auf. »Den Lafitte von 1749. Und Gebäck und Zuckermandeln nicht nur für uns, sondern auch für die Grauen Nonnen. *Vite, vite!* Worauf warten Sie noch?«

Die Gegenwart der kleinen Nonne beruhigte ihn. Absurd. Vermutlich war sie gerade so alt wie seine jüngste Tochter. Aber sie hatte etwas an sich, etwas … Montcalm suchte nach dem richtigen Wort. Anmut, dachte er. Sie besitzt eine natürliche Anmut. Und *mon Dieu,* in den vergangenen Tagen habe ich wahrlich wenig Anmut zu sehen bekommen.

Das Haus, in dem Montcalm sein Hauptquartier eingerichtet hatte, ging auf den Champ-de-Mars hinaus. Heute wurden dort keine Soldaten gedrillt, vielmehr wimmelte es auf dem Paradeplatz von Indianern, den Potawatomi und Nipissing, den Ottawa und Huronen, die bei Fort William Henry unter seinem Oberkommando gekämpft hatten. Und die noch lebenden Gefangenen. Einige der Wilden hatten den Handel ausgeschlagen, den er ihnen anbot, ehe sie den Schauplatz des Mordens verließen, in den sie sein ehrenvolles Schlachtfeld verwandelt hatten.

Der General erhob sich, trat ans Fenster und verfolgte das Treiben auf dem Platz unter sich. Nicole betrachtete ihn. Er war nicht so groß wie ihr Papa, und er hatte einen dicken Bauch. Nicht so eindrucksvoll, wie Papa in seiner Uniform ausgesehen hatte. Was würde der Marquis denken, wenn er wüsste, dass sie die Tochter eines englischen Offiziers war?

»Wissen Sie, was die Männer da draußen treiben, ma Sœur?«

»Mir wurde gesagt, dass die Regierung Neufrankreichs auf Ihren Wunsch hin den Indianern Lösegeld bezahlt für die englischen Gefangenen, damit sie nach Hause zurückkehren können.«

»*Oui.* Man hat Sie richtig informiert, ma Sœur.«

»Das ist ein wunderbarer Akt christlicher Nächstenliebe, mon Général. Der Himmel hält einen großen Lohn für Sie bereit.«

»Es ist eine kärgliche Geste«, flüsterte Montcalm. »Ein Versuch, mein Gewissen zu beruhigen nach allem, was ich tun muss in diesem barbarischen Land, in dem Wilde meine Verbündeten sind, ohne die ich meine Pflicht gegenüber meinem König nicht erfüllen kann.«

Nicole hielt es nicht für nötig, darauf eine Antwort zu geben. Der Marquis sah zum Fenster hinaus und schien seine Worte gar nicht an sie zu richten. Sein Französisch hatte die Melodik der Provence, war ihr aufgefallen. Grandmaman hatte einmal eine Köchin aus jener Region gehabt. Auch die hatte mit einem Singsang gesprochen, jedes Wort mit einem kleinen Ansteigen der Stimme beendet. Aber die Gerichte, die sie zubereitete … Ein *confit de canard* mit Nelken und Knoblauch, und dünne Brotscheiben mit Zwiebeln und winzigen gepökelten Fischen obenauf. Nicole seufzte leise. Mehr *culpae*, die sie beichten musste, wenn sie wieder in Québec war. Erinnerungen an solche Gerichte gehörten sich nicht für eine Arme Klarisse.

Montcalm wandte sich vom Treiben auf dem Champ-de-Mars ab. Vom Zuschauen wurde nichts besser, und auch nicht davon, dass er sich mit Selbstvorwürfen überhäufte. Er sollte sich um die kleine Nonne kümmern. »Also, wo ist der Bedienstete mit unserem *goûter*? Ah, kaum spreche ich von ihm, ist er schon da. Ausgezeichnet. Lassen Sie alles hier stehen. Ich serviere der Nonne selbst.«

Der Bedienstete setzte das Tablett auf einem vergoldeten Beistelltisch ab und verließ den Raum. Der General schenkte Wein in zwei kleine Kelche aus edelstem Kristall. »Der kommt aus meiner eigenen Kellerei, ma Sœur. Nicht von meinen eigenen Weinbergen, muss ich sagen. In Candiac – das ist mein Zuhause in der Provence – baue ich beste Oliven und Mandeln an, aber keine guten Trauben. Der Boden und das Klima bei uns sind dem Wein nicht so freundlich gesonnen wie im Bordeaux. Probieren Sie, ma Sœur. Er wird Ihnen schmecken.«

Sie konnte den Wein, den der Marquis de Montcalm ihr eigenhändig einschenkte, nicht ablehnen. Nur einen einzigen Schluck. Einen winzigen. Den Rest würde sie irgendwie entsorgen. Eine kleine Buße, weil … *Mon Dieu.* Wie lange schon hatte sie keinen solchen Wein mehr getrunken. »Er schmeckt köstlich, Monsieur le Général. Wirklich.«

»In der Tat. Und auch die Mandeln. Wir bauen sie in Candiac an und lassen sie dann in Montargis überzuckern. Kennen Sie sie?«

»Als ich klein war, hat meine Grandmaman …« Nein, von solchen Dingen durfte sie nicht sprechen. Die Vergangenheit gab es nicht mehr. Sie hatte ihre Wahl getroffen. »Mère Marie Rose, die Äbtissin meines Klosters, kommt aus der Nähe von Montargis. Dort ist sie den Armen Klarissen beigetreten, bevor sie nach Québec kam, um unser Stift zu gründen. Kennen Sie unser Kloster, Monsieur le Général? Es ist sehr klein und arm, aber …«

»Ich habe gehört, dass Ihr sehr heilige Frauen seid, Ihr Armen Klarissen.« Unversehens schlug Montcalms Stimmung um. Die nächsten Worte sprach er beinahe im Flüsterton. »Ich brauche Ihre Gebete, Sœur Stéphane.«

»Wir beten jeden Tag für unsere tapferen Soldaten, Monsieur le Général. Darauf können Sie sich verlassen.«

»Und für mich selbst. Können sie mein persönlicher Fürsprecher beim *bon Dieu* sein, ma Sœur?«

»*Absolument, mon Général.*«

»*Bon.*« Montcalm kehrte an seinen Schreibtisch zurück. Zuvor warf er einen letzten Blick zum Paradeplatz, auf dem der unrühmliche Abschluss der Schlacht von Fort William Henry vollzogen wurde. Zumindest, so weit er ein solches Ende herbeiführen konnte. Er konnte tote Frauen und Kinder nicht wieder zum Leben erwecken, auch nicht unbewaffnete Soldaten, die kaltblütig ermordet worden waren, nachdem er ihnen sicheres Geleit versprochen hatte. »Die Gebete einer Armen Klarisse. Im Wissen, dass Sie meine Fürsprecherin sind, kann ich ruhiger schlafen. Aber Sie haben ja Ihren Wein nicht ausgetrunken, ma Sœur. Kommen Sie, trinken wir auf den König. *Vive le roi. Vive la France.*«

Auf den König und auf Frankreich zu trinken konnte sie nicht ablehnen. Nicole leerte ihr Glas.

»Und jetzt lassen Sie mich sehen, was Sie mir da gebracht haben.« Jetzt klang Montcalm wieder wie ein Befehlshaber. Er öffnete die in Öltuch gewickelte Röhre, breitete das Blatt, das sie enthielt, auf seinem Schreibtisch aus und studierte es. Er griff nach einer Lupe. »Dann bringe ich Sie persönlich zum Kloster der Grauen Nonnen zurück. Und wir nehmen zwei Flaschen von diesem ausgezeichneten Bordeaux für sie mit und auch von …«

Von ihrem Stuhl aus konnte Nicole erkennen, dass sie dem General offenbar eine Zeichnung gebracht hatte, aber nicht, was auf ihr zu sehen war. Und sie konnte sich auch nicht vorstellen, warum eine Zeichnung der Schlüssel zur Errettung einer Million Seelen sein sollte. Sie wollte es auch nicht wissen. Das war weder ihre Aufgabe, noch lag es in ihrer Verantwortung. *Mon Dieu,* ich will nur in mein Kloster zurück. Wollte sie das wirklich? Während sie hier saß, mit dem Geschmack des köstlichen Weins im Mund, fühlte sie sich nicht derart versucht, niemals ins Kloster zurückzukehren, dass die Versuchung, selbst wenn sie ihr widerstand, nicht an sich schon eine Sünde war?

General Montcalm läutete erneut die Glocke. Der Bedienstete trat ein. Etwas hatte sich verändert. Nicole wusste es und auch, dass der Bedienstete es bemerkte, allein an der Art, wie er dastand und auf einen Befehl wartete. »Begleiten Sie die gute Nonne nach unten und setzen Sie sie in eine Kutsche. Meine Empfehlung an die Grauen Nonnen, dazu zwei Flasche Lafitte. *Adieu, ma Sœur. Merci.*«

Er sah sie nicht an, als er sich verabschiedete, und er hatte auch die Zuckermandeln aus Montargis für die Grauen Nonnen vergessen. Und dass er sie persönlich zum Kloster hatte bringen wollen. Nicole wusste, wie entzückt die Schwestern über einen solchen Besuch gewesen wären. *Tant pis.* »*Adieu, mon Général. Merci à vous.*«

Sie drehte sich um, um dem Bediensteten zur Tür hinaus zu folgen. Montcalms Stimme ließ sie innehalten. »Sœur Stéphane, einen Augenblick noch.« Nicole wandte sich zu ihm. »*S'il vous plaît, ma Sœur …*«, fuhr er mit leiser Stimme fort.

Um ihn zu verstehen, musste sie nahe an den Schreibtisch treten. »*Oui, mon Général?*«

Er sah nicht zu ihr, sondern starrte auf das Blatt, das sie ihm gebracht hatte. Es war eine Landkarte, eine Art Navigationskarte. So etwas erkannte sie einfach, immerhin war sie die Tochter eines Militärs. Am liebsten hätte Nicole die Augen zusammengekniffen. Ich will nicht wissen, was es ist, was die Stimmung dieses mächtigen Mannes so schlagartig verändert hat, *mon Dieu*. Oder warum diese Karte so wichtig ist, dass Père Antoine und Mutter Äbtissin mich vom Kloster fortgeschickt und mich meines Gelübdes entbunden haben. Verlange nicht von mir, solche Dinge zu wissen.

»Sie werden nicht vergessen, für mich zu beten, Sœur Stéphane?«

»Niemals. Ich gebe Ihnen mein Wort darauf.«

Montcalm nickte und entließ sie mit einer Handbewegung. Nicole folgte dem Bediensteten zur Tür hinaus. In der Kutsche beschäftigte sie sich damit, die Perlen zu zählen. Sie weigerte sich, darüber nachzudenken, dass Père Antoine aus Gründen, die nur er selbst kannte, General Montcalm als Gegenstand höchster Dringlichkeit eine Navigationskarte der Gewässer rund um die Unterstadt von Québec geschickt hatte.

Freitag, 31. August 1757

Die Zitadelle von Halifax in Nova Scotia

In L'Acadie hatte sich vieles verändert. Die meisten Akadianer waren fort, auf englischem Boden wimmelte es nicht mehr von französischen Spionen und Sympathisanten. Aber vieles war wie eh und je. Das verfluchte Wetter war so schrecklich, wie man es Lord Loudoun in London prophezeit hatte. »Das Wetter könnte Ihnen übel mitspielen, John, aber wir sind sicher, dass Sie es schaffen.«

John Campbell, Earl of Loudoun, der Mann, der als Nachfolger von General Braddock geschickt worden war und den Krieg befehligen sollte, war sich weniger sicher. Nebel den gesamten Monat, den er hier war. Und davor hatte seine große Invasionsflotte, über hundert Schiffe unter Segel mit sechstausend Mann an Bord, im Hafen von New York festgesessen und auf die Begleitschiffe gewartet. Schließlich war er ohne sie nach Halifax abgefahren, und die Eskorte hatte ihn auf halbem Weg eingeholt. Sie waren ohne Zwischenfall angekommen, aber das nützte auch nichts. Hier mussten sie nur wieder warten, jetzt auf die Erkundungsschiffe, die ihm berichten sollten, was ihn weiter nördlich in Louisbourg erwartete.

Guter Gott, hoffentlich nicht mehr, als er bewältigen konnte. In Louisbourg ging es um alles, die Stadt war der erste Dominostein, der fallen musste, wenn Kanada erobert werden sollte. Hundert Nächte in Folge hatte er die Lage durchdacht, öfter, wenn man die Zeit in London berücksichtigte, als er den Einsatz geplant hatte. Louisbourg lag auf einer Landzunge zwischen Cap Breton und dem offenen Atlantik, an einem Meer, in dem es wie im Hexenkessel brodelte, nichts als weißer Schaum und sprühende Gischt, die im ewigen, undurchdringlichen Nebel verschwand. Und als wären die natürlichen Umstände nicht schlimm genug, war da der Wall. Mehr als fünfzehn Meilen lange Wälle um eine Stadt, in der viertausend Menschen lebten und die drei Bataillone französischer Berufssoldaten beherbergte, eine der verdammten *Volontaires Etrangers* – der schlagkräftigen Fremdenlegion –, zwei Kompanien Artillerie und eine variable Anzahl von Waldläufern.

»Insgesamt rund dreitausend Mann«, sagte Admiral Holburne. »Und dazu natürlich die Offiziere.« Holburne und Loudoun saßen sich am Esstisch im Wohnsitz des Gouverneurs gegenüber, den Loudoun bei seiner Ankunft requiriert hatte.

»Natürlich.« Loudouns Magen rebellierte. Heiliger Himmel, er hatte doch nicht so lange gewartet, nur um zu erfahren, was er bereits wusste: Die Größe der Garnison hatte sich nicht verändert. Wieder protestierte sein Magen, lauter als zuvor. Bestimmt wegen des Rindfleischs, das er mittags gegessen hatte. Zäh wie Leder. Und natürlich die Verzögerung. Über einen Monat wegen schlechten Wetters zu verlieren, da würde sich jedem der Magen umdrehen. Aber so lange die Nachricht auch auf sich hatte warten lassen, sie war nicht schlecht. Keine nennenswerte Verstärkung in Louisbourg bedeutete, dass seine Truppen dem Gegner im Verhältnis zwei zu eins überlegen waren. »Und im Hafen?«, fragte er.

Admiral Holburne wich seinem Blick aus. Der Großteil einer zweiten Flasche Rheinwein war geleert. Jetzt war das Glas des Admirals leer. Loudoun schenkte ihm nach. »Kommen Sie schon. Sie können's mir ruhig sagen. Was erwartet uns im Hafen?«

»Achtzehn französische Linienschiffe, voll bewaffnet. Und fünf Fregatten.«

Loudoun setzte die Flasche ab und starrte seinen Gast an, öffnete den Mund und schloss ihn wieder. Ihm war gesagt worden, er müsse mit drei Schiffen rechnen, möglicherweise vier. Keine Fregatten. Achtzehn bewaffnete Linienschiffe. Verflucht in allen Himmeln.

Holburne fuhr sich mit einem leinenen Taschentuch über das Gesicht. Ihm lief der Schweiß in Strömen herab. Abstoßend und gleichzeitig faszinierend. »Wir haben versucht, sie abzufangen«, sagte er. »Haben es aber nicht geschafft. Die meisten sind in den letzten vierzehn Tagen angekommen. Das Wetter …«

Loudoun erhob sich und ging zum Fenster. Fast die gesamte französische Flotte war zur Verteidigung von Louisbourg gekommen, während er darauf wartete, dass die britische Marine den Daumen aus dem Arsch kriegte. Jetzt strahlte die Sonne herab, der

Himmel war so blau wie der Sonntagsstaat einer Hure. Kein einziges Wölkchen in Sicht. Er war lange vor der Verstärkung hier gewesen, aber was hatte ihm das genützt? Gar nichts. Das Wetter hatte ihm übel … Vielleicht doch nicht. Vielleicht war er einfach ein Jammerlappen. Er wirbelte herum. »Holburne, von einem Militär zum anderen – was denken Sie über die Lage?«

Holburne hatte Loudoun erst an diesem Tag persönlich kennen gelernt, aber gehört hatte er natürlich von ihm. Ein gebürtiger Schotte, aber ein Campbell, ein Klan, der sich oft auf die Seite der Krone schlug. Und wohin brachte sie das? Die, die nicht von den anderen Highlandern abgeschlachtet wurden, wurden in den Grafenstand erhoben und befehligten die Truppen Seiner Majestät in Amerika. »Die Entscheidung liegt ganz bei Ihnen, Mylord. Die Flotte unterstützt Sie bei jedem Plan.«

Loudoun kehrte zum Tisch zurück und stützte sich mit beiden Armen auf, wodurch er sein Gegenüber zwang, ihm direkt ins Gesicht zu blicken. »Reden Sie nicht drumherum, Admiral. Ich habe Sie gefragt, was Sie denken. Um der Liebe Gottes willen, Mann, wir sind hier unter uns. Werden Sie deutlich.«

Das Gesicht des Schotten war so weiß wie die gerüschte Krause unter seinem Kinn. Holburne wusste, dass er selbst rot war wie eine Rübe. Vom Wein wurde ihm immer so heiß wie 'ne Hurenmöse.

»Ich sehe, Sie wollen mir keine Antwort geben, Admiral.« Loudoun richtete sich auf und griff nach der Flasche. Sie enthielt gerade noch genug für ein Glas, und das schenkte er sich selbst ein. »Ich kann Sie nicht zwingen. Ich dachte nur, es wäre hilfreich, Ihre Meinung zu …«

»Ein Erfolg ist ausgeschlossen, Mylord. So spät im Jahr ist jeder Angriff auf Louisbourg aussichtslos.« Das hatte er nicht sagen wollen. Feigheit war ein Kapitalverbrechen, ebenso wie die Weigerung, sein Äußerstes zu tun, um den Gegner zu besiegen. Darauf stand das Exekutionskommando. Holburne schwitzte noch stärker.

Lange Sekunden schwieg Loudoun, bis er langsam und mit leiser Stimme sagte: »Also gut. Dann stelle ich eine andere Frage: Wie sieht es aus mit Québec?«

»Wie meinen Sie, Mylord?«

»Können wir Québec erobern? Louisbourg umgehen, wo sie die Schlacht erwarten, und direkt zum Kernpunkt vordringen. Ein vernichtender Schlag, der Neufrankreich in die Knie zwingt.« Der Gedanke ging ihm seit einigen Tagen durch den Kopf. Vermutlich sprach da der Wein aus ihm und seine Ungeduld nach dem ewigen Warten. »Wie sieht's aus, Holburne? Können wir Québec einnehmen?«

Der Admiral fuhr sich wieder übers Gesicht. Er spürte die Schweißtropfen, die ihm von der Nasenspitze und vom Kinn rannen. »Nicht, wenn wir nicht vorher Louisbourg einnehmen, Mylord. Und selbst dann …«

»Ja?«

»Meine ehrliche Meinung als Marineoffizier, Sir, ist, dass wir Québec nie mit Kriegsschiffen einnehmen werden. Wir können La Traverse nicht passieren, den Kanal vor …«

»Ich weiß, wo die verfluchte Passage liegt, Admiral.« Jetzt klang er ernsthaft gereizt. Machst du dir beim Gedanken an eine Schlacht immer in die Hosen, Holburne? »Aber wie sollen wir diesen Krieg je gewinnen, wenn wir Québec nicht einnehmen?«

»Indem wir sie da oben einschließen, Mylord. Wir müssen die Franzosen zwingen, sich in ihre befestigte Stadt zurückzuziehen und uns den Rest zu überlassen. Und um das zu tun, müssen wir Louisbourg einnehmen.«

Ein vernünftiger Vorschlag, zu dem Loudouns Verstand ihm ebenfalls riet. Québec war außer Reichweite, würde es immer bleiben. Louisbourg war für den Sieg unerlässlich. Aber nichts änderte etwas an der Tatsache, dass die gesamte Jahreszeit für Feldzüge ungenutzt verstrichen war. Er zog ein Leinentuch aus dem Ärmel. »Hier, Mann, nehmen Sie das. Ihres ist klatschnass. Und danke für Ihre aufrichtige Meinung. Ich weiß sie zu schätzen.«

»Mylord, ich meine damit nicht, dass ich nicht …«

»Dass Sie nicht Ihre Pflicht tun werden. Das weiß ich. Worum es hier geht, Admiral, ist meine Pflicht, nicht die Ihre. Dank Ihrer Kundschafter weiß ich nun, dass ich fast die gesamte reguläre

Armee, die Seine Majestät in Amerika unterhält, an der gefährlichsten Küste auf diesem Kontinent anlanden muss. Und das angesichts einer gegnerischen Marine, die derjenigen, die Sie mir zur Verfügung stellen können, weit überlegen ist, unter den schlimmsten Wetterbedingungen, mit denen der Allmächtige die Christenheit je heimgesucht hat, und das zu einer Jahreszeit, in der das Wetter erfahrungsgemäß noch schlechter wird, als es bei unserer Ankunft schon war. So gesehen ist die Sache ziemlich klar, oder nicht, Admiral?«

Holburne nickte.

Loudoun leerte sein Glas und ging zur Tür. Im Flur warteten zwei schwer bewaffnete Marinesoldaten. »Ihr da – sucht Kapitän James und sagt ihm, dass ich ihn sehen will. Sofort.«

Als die Tür wieder ins Schloss fiel, fragte Holburne: »Mylord, darf ich wissen, wie Sie sich entschieden haben?«

»Das dürfen Sie. Ich werde James sagen, er soll die Flotte klar Schiff machen.«

»Um nach Louisbourg zu segeln?«

»Nein, natürlich nicht nach Louisbourg. Sie haben völlig Recht, Sir. Es ist viel zu spät im Jahr, um einen Feldzug gegen Louisbourg zu unternehmen. Wir werden in die gottverfluchte Provinz New York in den widerspenstigen und undankbaren und barbarischen Kolonien zurückkehren. Gott weiß, was wir bei unserer Ankunft dort vorfinden, aber es kann nicht schlimmer sein als das, was wir hier zurücklassen.«

Mond des fallenden Laubs, die neunte Sonne
Das Dorf Singender Schnee

»Wir haben lange darauf gewartet, dich zu sehen, mein Brückenmensch-Sohn.«

»Ich bin in weiter Ferne gewesen, Vater. Es hat lange gedauert, in die Heimat meines Herzens zurückzukommen.«

Bishkek stieß einen Laut des Unwillens aus. »Mir wurde gesagt, du seist oft in Québec gesehen worden. Von der Stadt zu diesem Feuer ist es nicht so weit.«

Mit einem solchen Vorwurf hatte Cormac gerechnet. Er konnte seinem Mannheitsvater nicht sagen, dass er in Carolina gewesen war, um nach einer Weißen zu suchen. »Ich habe den Falken gefunden, Vater. Den aus meinem Traum. Zumindest glaube ich, dass er es ist.«

»Es ist unwahrscheinlich, dass du auf die Suche nach zwei Falken geschickt wirst. Also?«

Corm schüttelte den Kopf. »Er hat mir viel gesagt, aber ich weiß immer noch nicht, wer der weiße Bär ist. Kwashko sagt, das wäre er, aber …«

»Mein zweiter weißgesichtiger Sohn ist ein roter Bär, oder nicht? Hat sich sein Haar weiß gefärbt, seit ich ihn das letzte Mal sah?«

»Nein, Vater, er ist immer noch Uko Nyakwai. Deswegen … Aber selbst wenn er Recht hat, weiß ich nicht, ob die Bedrohung für die kleinen Vögel vorüber ist.«

»Roter Bär«, brummte Bishkek. »Ein entsetzlicher Name.«

Sie saßen in der Nähe eines Feuers, das von einer der zahlreichen Töchter Bishkeks gehütet wurde; darüber hing ein Topf. »*Wisnawen*«, fragte der alte Mann, »*yawukne?*« Die Frau schüttelte den Kopf. Das Essen war noch nicht fertig. Bishkek erhob sich. »Komm. Wir müssen jemanden besuchen.«

»Wen?«

»Die Priesterin.«

»Die, die mich fast erstochen hätte?«

»Fast zählt nicht. Der Feuerstein ist nicht in dein Herz gedrungen, oder?«

»Nein, aber …«

Es war windstill, doch es herrschte eine für die Jahreszeit ungewöhnliche Kälte. Bishkek zog sich die Decke enger um die Schultern. »Komm. Sonst ist das Essen kalt, bis wir zurückkehren.«

Sie machten sich auf den Weg. Bishkek sah zum Himmel, an dem schwere graue Wolken hingen. »*Pkon*«, murmelte er. »*Nagic.*«

Bald wird es schneien. »Mein Brückenmensch-Sohn darf nicht hier sein, wenn der Schnee kommt.«

»In Fallendes Laub schneit es nie.«

»Vielleicht wissen die Wolken nicht, welcher Mond gerade ist. Vielleicht ist es ihnen gleichgültig. Morgen oder am Tag darauf wird es schneien. Du musst gehen, bevor die ersten Flocken fallen.«

»Das sagst du immer. Aber ich bin keine Squaw und kein Kind. Es macht nichts, wenn es schneit. Wenn ich weg will, kann ich immer noch ...«

»Schweig. Glaubst du, du wärst der Einzige, der Träume hat?«

Sie hatten den kuppelförmigen Wickiup erreicht, den das Dorf für Shabnokis, die Midè-Priesterin, errichtet hatte. Es war gut, sie in der Nähe von Singender Schnee zu wissen. Noch besser war, dass sie nicht mitten unten ihnen lebte. Jeder wusste, dass Midewiwin-Priester oft Unfrieden stifteten.

Von Shabnokis war nichts zu sehen, doch ihre Stimme war zu hören. »*Wa hi, hi, hi. Haya, haya*«, sang sie.

»Sie betet«, sagte Corm. »Wir sollten sie nicht stören. Lass uns morgen wiederkommen.« Er wusste selbst nicht, warum ihm die Vorstellung einer weiteren Begegnung mit Shabnokis so unangenehm war.

»Ich habe dir schon gesagt, du musst morgen gehen.«

»Ja, bevor der Schnee kommt.« Corms Tonfall war anzuhören, für wie unwahrscheinlich er das hielt. »Aber die Priesterin hat zu tun. Es wird ihr nicht gefallen, wenn wir ...«

»Sie singt, weil sie weiß, dass wir gekommen sind. Damit wir von ihrer Heiligkeit beeindruckt sind und glauben, dass sie die ganze Zeit betet, selbst wenn niemand da ist.« Bishkek legte die Hände trichterförmig um den Mund. »*Ho! Jebye. Kteshyamin.*« Wir sind gekommen.

Der Singsang brach ab, und die Decke, die vor dem Eingang des Wickiups hing, wurde beiseite geschoben. Shabnokis sah älter aus, als Cormac sie in Erinnerung hatte, ihr Haar war völlig weiß geworden und hing ihr in zwei Zöpfen über die Schultern. »Warum machst du so viel Lärm? Ich habe gewusst, dass ihr kommt, und ich weiß, dass ihr hier seid. Ich habe für das Narbengesicht gebetet.« Sie deutete mit einer abrupten Kopfbewegung auf Cormac, sprach aber von ihm, als sei er nicht da. »Er braucht Gebete.«

Bishkeks Miene verfinsterte sich. »Dann bete, viele Gebete. So viele, wie er braucht.« *Ayi!* Das sah den Midewiwin ähnlich. Ständig erinnerten sie einen daran, wie wichtig sie waren. Und es war unmöglich zu wissen, wann sie die Wahrheit sprachen und wann sie nur prahlten. Trotzdem, sicher ist sicher. »Viele Gebete«, wiederholte er. »Morgen schicke ich dir eine Elchhaut. Es wird bald schneien. Du wirst sie brauchen.«

Shabnokis legte den Kopf in den Nacken und sah zum Himmel. »Fallendes Laub ist zu früh für Schnee.«

Sie wusste also nicht so viel wie er. Trotzdem. »Ich bin nicht gekommen, um mit dir über das Wetter zu reden. Sag meinem Sohn, was du mir gesagt hast.«

Shabnokis zuckte die Achseln. »Ich habe dir und anderen vieles gesagt. Außerdem bin ich alt und vergesse vieles.«

»Zwei Elchhäute«, versprach Bishkek.

»Vater, ich ...«

»Schweig. Ich habe dich hergebracht, um zuzuhören, nicht um zu reden.«

Shabnokis trat näher. »Gute Häute«, sage sie. »Keine schäbigen, bei denen die Hälfte der Haare schon ausgefallen ist.«

»Die besten«, versicherte Bishkek ihr.

Die Priesterin hockte sich auf den Boden und bedeutete den beiden Männern, es ihr gleichzutun. Corm wollte ein wenig Abstand wahren, doch Bishkek zog ihn näher. Die Frau trug ein ledernes Hemd, das dem eines *coureur de bois* ähnelte. Die Verschnürung am Hals war offen, sodass er die faltige Haut oberhalb ihrer flachen Brüste sehen konnte. Keinen Beutel aus einem ganzen Otterfell. Vielleicht hatte sie ihn im Wickiup gelassen, weil sie wusste, dass dies kein zeremonieller Besuch sein würde. Das bedeutete, dass Bishkek alles vorausgeplant hatte – was seltsam war, da Corm ohne Vorankündigung in Singender Schnee eingetroffen war, und zwar erst vor einer Stunde.

»Ein Priester meines Wigwams, ein Miami, ist im Donnermond gestorben. Vor dem Erzählen«, sagte Shabnokis. Corm wurde bewusst, dass er in letzter Zeit zu viel unter den *Cmokmanuk* gelebt hatte. Automatisch übertrug er die Zeitangabe in die Zählung der Weißen, Anfang Juli. »Ich gehörte zu denen, die sein Ende miterlebten.«

Die Priesterin schloss die Augen und begann leise vor sich hin zu summen. »*Wa, hi, hi, hi.* Es war ein schlechtes Ende«, flüsterte sie. »Er ist langsam gestorben. Sein Bauch stand in Flammen. Bevor sein Geist ihn verließ, wiederholte er immer wieder dasselbe. *Eehsipana, ayaapia, anseepikwa, papankamwa, eeyeelia, pileewa.*«

»Das sind Worte der Miami«, erklärte Bishkek.

»Ich weiß.« Corm blickte von seinem Mannheitsvater zur Priesterin. Sie hatte gerade die Miami-Namen für Waschbär, Elchbulle, Spinne, Fuchs, Opossum und Truthahn wiederholt, die Symbole, die in die Suckáuhock graviert waren. Es war undenkbar, dass Bishkek ihr das erzählt haben konnte. Er würde Cormac nie verraten. Niemals. Und zum anderen wusste er es gar nicht; Bishkek hatte sich immer geweigert, die Súki-Perlen zu sehen. Corm schlug das Herz auf einmal wie wild in der Brust. »Der Priester, der gestorben ist – hieß er Takito?« Genevieve Lydius' Priester, der Cormac für drei Tage in Schlaf versetzt und ihm fast den Tod gebracht hätte.

»Nein, das habe ich dir schon einmal gesagt. Der, der Takito heißt, gehört nicht zu meinem Wigwam. Bei seinem Ende wäre ich nie zugegen. Dieser war …« Shabnokis brach ab. »Er ist noch keine sechs Monde tot. Ich darf seinen Namen nicht aussprechen. Außerdem ist es nicht wichtig. *Eehsipana, ayaapia …*«

»Du hast mir die sechs Tiernamen schon genannt. Was sagte er noch?«

Bishkek gab einen missbilligenden Laut von sich. »*Cmokman*«, flüsterte er und hoffte, dieser Einwurf würde Cormac erinnern, dass er sich wie ein Weißer verhielt und keinen Respekt zeigte. Und lauter, damit die Priesterin ihn auch wirklich hörte: »Vergiss nicht, zwei Elchhäute. Die besten.«

Shabnokis machte eine wegwerfende Geste. Sie würde die vorlaute Bemerkung des Narbengesichts durchgehen lassen, zumindest dieses Mal. »Das Feuer im Bauch des sterbenden Priesters kam von zwei Dingen«, sagte sie. »Das eine war der böse Geist, der ihm langsam das Leben stahl. Der Geist war so groß, dass sein Bauch so weit vorstand.« Mit den Händen deutete sie eine große Rundung an. »Das andere war die Schande, sich mit einem *Cmokman*-Hundepriester eingelassen und nicht sein Wort gehalten zu haben.«

Ayi! Endlich eine Information, die ihm etwas sagte. Obwohl Cormac sich recht sicher war, dass er den Rest der Geschichte kannte. »Worauf hat er sich mit ihm eingelassen?«

Die Priesterin brummte missbilligend ob dieser erneuten Unterbrechung, dann fuhr sie fort: »Vor langer Zeit ging der Priester meines Wigwams nach Québec. Er traf den Hundehaufen-Priester und sagte ihm, dass der Miami-Häuptling Memetosia in Albany bei einem Powwow mit dem anderen Stamm war, den englischen *Cmokmanuk*.«

Das bedeutete, dass der Midè- und der christliche Priester sich 1754 getroffen hatten, im selben Jahr, in dem Memetosia ihm die Suckáuhock gab. Corm wurde die Brust eng, sein Herz schlug donnernd gegen die Rippen. »Du sagst, sie hätten eine Vereinbarung getroffen. Was …«

Shabnokis wandte sich an Bishkek. »Hast du dem überhaupt keine Manieren beigebracht?«

»*Comamden ezhawepsiyan.*« Er kann nicht anders, er ist nun einmal so. »Drei Elchhäute.« Dann, damit sie nicht glaubte, er ließe allzu leicht mit sich handeln: »Drei kleine.«

»Große«, forderte sie.

»Von großen nur zwei.«

Einen Moment sah es aus, als wollte die Priesterin weiter feilschen, doch dann winkte sie ab. »Zwei große«, stimmte sie zu. »Als er in Québec war, versprach der Midè-Priester dem Hundehaufen, er würde ihm etwas Seltenes geben, etwas, das viele *Anishinabeg* dazu bringen würde, seinem Willen zu folgen. Das sagte er alles, bevor er starb. Wir haben es alle gehört. Dann erzählte er, wie er versucht hatte, Wort zu halten, es ihm aber nicht gelang. Der Tapfere, den er beauftragte, das Ding zu bekommen, kam nie zurück. Auch wenn der Priester meines Wigwams dem Tapferen gesagt hatte, ein schrecklicher Fluch würde über ihn und seine Familie kommen, wenn er nicht wiederkäme.«

»Er konnte nicht zurückkommen«, sagte Corm leise. »Ich habe ihn skalpiert und den Fischen zum Fraß vorgeworfen.«

Shabnokis nickte. »Das haben die Geister mir gesagt. Deswegen habe ich deinem Mannheitsvater davon erzählt.«

»Noch zwei Fragen«, sagte Corm. Bishkek seufzte, aber Shabnokis verlangte keine weiteren Elchhäute. »Dieser Midè-Priester, der, der gestorben ist – was hat der *Cmokman*-Priester ihm dafür gegeben? Warum hat er eingewilligt, die *Anishinabeg* so zu verraten?«

»Für Geld. Um Feuerwasser zu kaufen.« Sie wandte den Kopf und spuckte aus. »Er konnte nicht ohne Feuerwasser leben. Und deswegen ist ein böser Geist in seinen Bauch gekommen und hat ihn so dick werden lassen.« Dieses Mal deuteten ihre Hände eine noch größere Rundung an.

»*Ahaw.*« Corm glaubte sofort, dass ein Mensch Alkohol mehr brauchen konnte als das Leben oder die Ehre. Derlei hatte er schon mehrfach erlebt, und nicht nur bei Indianern. »Weißt du den Namen des Priesters?«

»Ich habe dir doch schon gesagt, er ist noch keine sechs Monde tot, ich kann …«

»Nicht er. Der *Cmokman.*« Es musste derjenige sein, den sie Père Antoine nannten. Philippe Faucon hatte ihm gesagt, dass der Franziskaner für die Engländer spionierte.

Shabnokis schüttelte den Kopf. »Ich habe seinen Namen nie gehört. Ich weiß nur, dass er eine Schwarzkutte war und …«

»Nein, eine braune Kutte! Es muss eine braune Kutte sein!«

»Glaubst du, ich besäße so viele Elchhäute, dass du nach Belieben unhöflich sein kannst?«, fuhr Bishkek auf.

»Hör auf, ihn zu tadeln«, unterbrach Shabnokis ihn. »Es ist, wie du sagst. Er kann nicht anders. In ihm steckt zu viel Weißes, als dass er anders sein könnte.«

Cormac beugte sich vor, damit sie ihm auch wirklich in die Augen sehen konnte. »Mein Herz« – er legte sich eine Hand auf die Brust –, »mein Herz ist *Anishinabeg*. Alles, was ich tue, ist zum Wohl der Wahren Menschen.«

»*Ahaw*«, murmelte die Priesterin leise. »Das weiß ich. Das sagen auch die Geister. Aber der Hundehaufen, der das Abkommen mit dem Priester meines Wigwams traf, war eine Schwarzkutte. Die höchste der Schwarzkutten. Ich kann die Wahrheit nicht verändern zu dem, was du hören möchtest.«

Corm erhob sich. Er wollte allein sein, um sich das Gehörte durch den Kopf gehen zu lassen. »Danke. Ich werde …«

»Warte, da ist noch etwas.«

»Was noch?«

»Nur zwei Elchhäute«, warnte Bishkek. »Große, aber nur zwei.«

»Zwei«, bestätigte Shabnokis. »Außerdem ist das nur für deinen Brückenmenschen-Sohn bestimmt. Die Geister haben mir aufgetragen, es ihm zu sagen: die, nach der du suchst, die Squaw. Sie isst *kokotni*.«

Cormac starrte sie an. *Kokotni* bedeutete »Alligator«.

»Warum schaust du so düster und isst so wenig?«, fragte Bishkek. »Liegt dir das Essen meiner Tochter schwer im Bauch?« Mehr als die Hälfte von Corms Portion von getrocknetem Mais mit Wild war noch unberührt.

»Lashis Essen ist sehr gut, Vater. Ich bin voll von Gedanken, die lassen keinen Platz für Essen.«

»Eine schwarze Kutte, keine braune«, sagte Bishkek leise. »Ist das wichtig?«

»Es heißt, dass ich zwei Jahre lang den verkehrten Priester beobachtet habe.«

Der alte Mann zuckte die Achseln. »Jetzt kannst du den richtigen beobachten. Die Geister sagen uns Dinge, wann sie es für richtig halten, nicht wir. Sie irren sich nicht. Außerdem ist es gut, Bescheid zu wissen über den, den du für einen Huronen gehalten hast, oder? Das ist auch etwas, das du zuvor nicht gewusst hast.«

»Ja, das ist sehr gut. Mir war bereits klar geworden, dass sie mit dem Satz, nicht alle Bäume mit rotem Laub seien Sumach, meinte, der Tapfere könnte sich einfach als Hurone verkleidet haben, aber jetzt … Es ist besser, die ganze Geschichte zu kennen, nicht nur einen Teil.«

»*Ahaw.* Die Suckáuhock, die Memetosia dir gegeben hat – hast du sie noch?« Bishkek deutete auf den Medizinbeutel, der Corm um den Hals hing. »Wie ich sehe, hast du den Medizinbeutel mit den Symbolen des Kranichvolkes noch.«

»Ja, aber er enthält nur noch eine Perle. *Pileewa,* den Truthahn.«

»Und die anderen?«

»Die habe ich weggegeben. An die Häuptlinge anderer Stämme.«

»Und ist das der Grund, warum es heißt, dass die *Anishinabeg* im *pays d'en haut* keine Kriegsgürtel von Onontio mehr annehmen?«

»Vielleicht.« Lashi kam, um seinen ungegessenen Maisbrei abzuräumen, und warf ihm einen vorwurfsvollen Blick zu. Cormac murmelte eine Entschuldigung.

Bishkek wartete, bis die Squaw gegangen war, bevor er weiterfragte. »Und ist dein Geschenk der Grund, warum sie im *pays d'en haut* diese Sterben-ohne-Haut-Krankheit haben? Unser eigenes Volk und die Nipissing und Ottawa und die Huronen, sie alle haben diese Krankheit. Haben die Súki-Perlen diesen Fluch gebracht?«

»*Co!* Die Perlen kommen aus unserer Vergangenheit. Sie sind ein Schatz, kein Fluch.« Cormac wurde bewusst, dass diese Frage Bishkek schon eine ganze Weile beschäftigte. »Die Sterben-ohne-Haut-Krankheit ist eine Krankheit des weißen Mannes, Vater. Sie nennen sie Pocken. Niemand weiß, woher sie kommt, aber …«

»Krankheiten kommen von den Geistern. Wie kannst du sicher sein, dass es nicht dein Geschenk war, das …«

»Vater, die Pocken gehen von einem Menschen auf den anderen über, wenn er etwas berührt, das jemandem gehört, der schon krank ist. Offenbar hatten in dem Fort, das sie William Henry nennen, viele Soldaten die Pocken. Und die *Anishinabeg,* die dort kämpften, haben Skalps genommen. Vielleicht …«

»Die Skalps, die sie ehrenvoll in der Schlacht machten – die sind es, die ihnen diese Krankheit bringen?«

»Ich glaube schon. *Ahaw.*«

Bishkek schwieg eine lange Weile. Wenn der Feind einen töten konnte, auch wenn er selbst schon tot war und man ihn skalpiert hatte – was für eine Welt mochte das sein? Das war der Sinn eines Brückenmenschen: der einen Seite die andere Seite zu erklären. Obwohl er die Erklärungen manchmal lieber nicht hören wollte. Einige Fragen, dachte er, sind nicht nur zu groß, um sie zu beantworten, sondern auch zu groß, um sie zu stellen. »Komm, lass uns rauchen. Aber noch nicht mit den anderen.« Die Männer des Dorfes lagerten um ein großes Feuer und ließen eine Pfeife herumgehen. »Erst hier. Nur du und ich.«

Cormac verfolgte, wie der alte Mann die Pfeife vorbereitete und an der Glut von Lashis Feuer entzündete. Bishkek nahm einen tiefen Zug und reichte sie dann an ihn weiter. Corm sog den duftenden Rauch ein, behielt ihn kurz im Mund und blies ihn dann in Ringen aus, die die Jungen des Dorfes früher entzückt hatten. »Sag mir etwas anderes«, fuhr Bishkek fort. Er lächelte, als er die Rauchkreise im Schein des Feuers sah. »Was Shabnokis von dem *kokotni* sagte – was meinte sie damit?«

Ayi! Er hätte sich denken können, dass der alte Mann die Bemerkung nicht einfach auf sich beruhen lassen würde. »Es gab eine Frau, nach der ich jetzt suche. Ich glaube, die Priesterin wollte mir damit sagen, wo sie ist.«

»Dieses *kokotni* ist ein Tier, von dem ich gehört habe, aber ich habe es nie gesehen.«

»Es ist sehr gefährlich und lebt in den Flüssen weit im Süden. Ich habe auch nie eins gesehen«, gestand Cormac. »Nur Geschichten darüber gehört.«

»Und diese Frau – ist sie eine Squaw oder eine Weiße?«

»Eine Weiße.« Er würde den alten Mann nicht belügen, auch wenn er wusste, wie sehnlich Bishkek sich wünschte, seine Mannheitssöhne würden sich Squaws zur Frau nehmen und mit ihnen in Singender Schnee leben.

»Sie muss sehr tapfer sein, wenn sie dieses wilde Tier isst.«

»Oder sehr hungrig.« Cormac rauchte und sah zu den anderen hinüber, die beisammensaßen, rauchten und von schöneren Dingen sprachen. Er konnte sie lachen hören. »Ich möchte den jüngsten Sohn meiner Schwester Lashi auf eine Reise schicken.«

Bishkek wandte sich um und hielt nach dem Jungen Ausschau, der Pondise hieß, Winter, weil er im Mond ohne Sonne geboren war. »Wie weit ist die Reise? Er ist gerade erst ein Mann geworden.«

»Eine weite Reise«, räumte Cormac ein. »Er wird vielleicht zwei Monde unterwegs sein. Aber wenn er klug ist, wird ihm nichts passieren. Ich kann es nicht selbst tun, weil ich wieder nach Québec muss, um vielleicht mehr über die Schwarzkutte zu erfahren.«

»Pondise ist sehr klug. Er geht oft allein auf Jagd, weit fort, und kommt immer mit Beute zurück. Aber wenn du ihn auf eine Reise schicken willst, musst du mit seinem Mannheitsvater sprechen. Ich kann nicht mehr entscheiden, was er tut.«

Schließlich war der Beschluss gefasst. Pondise würde auf die Reise gehen, die der Brückenmensch ihn zu machen bat. Cormac entging nicht, wie aufgeregt der junge Mann ob dieser Vorstellung war, auch wenn er sich große Mühe gab, erwachsen und unbeteiligt zu wirken. »Wenn dir die Aufgabe gelingt, wird das allen *Anishinabeg* helfen«, versprach Cormac. Pondise sagte nichts, richtete sich nur zu seiner vollen Größe auf.

Am nächsten Tag ging Corm mit Pondise zum Rand des Dorfs und sprach lange mit ihm darüber, was er tun und wie er es anstellen sollte. Er zeichnete Stadtpläne von New York und Karten, wie Pondise dorthin kam. Und sie sprachen darüber, wie der junge Mann sich in der großen Stadt der *Cmokmanuk* verhalten sollte. Zum Schluss schrieb Cormac eine Nachricht auf ein Stück Rinde und steckte es in einen Medizinbeutel, den er Pondise um den Hals hängte. »Nur in Kwashkos Hände«, wiederholte er eindringlich. »Du darfst die Nachricht niemand anders geben.«

Es war ein wolkenloser Tag, doch als die Sonne so hoch stand, wie sie in diesem Mond des fallenden Laubs je stieg, kam Bishek zu den beiden. Er wirkte erregt. »Seid ihr noch nicht fertig? Mein Brückenmensch-Sohn muss gehen. Du hast gesagt, du müsstest nach Québec und mehr über die Schwarzkutte herausfinden. Warum bist du noch hier?«

»Ich dachte, ich würde morgen …«

»*Co!* Nicht morgen. Jetzt. Sofort. Ich bin dein Mannheitsvater, willst du dich mir widersetzen?«

Corm konnte sich nicht erklären, warum der alte Mann so aufgebracht war, aber er wusste, dass es mit seiner Gegenwart zu tun hatte. »Ich gehe, sobald ich etwas gegessen habe, Vater.«

Mit einem Blick zum Himmel nickte Bishkek zustimmend.

Während sie zu Mittag aßen, zogen Wolken auf. Dann begann der Wind heftig zu wehen. Als Cormac sich auf den Weg machte, fielen die ersten Schneeflocken. Bishkek sah, dass zwei sich in den Wimpern seines Brückenmensch-Sohns verfingen, als sie sich verabschiedeten. Er schaute Corm nach, und erst, als der junge Mann aus seinem Blickfeld verschwunden war, rollte ihm eine Träne über die faltige Wange.

Der Traum war eindeutig gewesen: Wenn in diesem Dorf Schnee auf Pohantis' Sohn fiel, würde er ihn nicht mehr lebend sehen.

23

Montag, 22. Oktober 1757
New York City

Die Fregatten von Loudouns gescheiterter Expedition nach Louisbourg säumten die Zufahrt zum äußeren Hafen. Sie lagen mit aufgerollten Segeln vor Anker, fingen aber dennoch viel Wind. Der zweimastige Schoner *Catherine Rose* musste mehrmals die Segel trimmen und kreuzen, um den Kanal zu passieren. Das schert mich den Teufel, dachte der Kapitän des Schoners. Die Flut kommt hinter mir herein, die Sonne steht golden am Himmel über mir, und die See ist wie eine türkisfarbene Riesenperle im Bauchnabel von 'ner honigfarbenen Hure. »Ein guter Tag zum Heimkommen, was, Mr. Hale?«, rief er.

Sein einziger zahlender Passagier stützte sich auf die Reling und blickte unverwandt auf die sich nähernde Küste. »Ein sehr guter Tag. Und meinen Dank für eine nicht minder gute Überfahrt.«

Eine erstaunliche Überfahrt war es gewesen. Sie waren keiner einzigen französischen Flagge begegnet. Gott sei der königlichen Marine gedankt – sie hatte praktisch den gesamten Atlantik abgeriegelt. Und was der mächtigen Marine entging, fiel den von der Krone geduldeten Piraten in die Hände, den amerikanischen Freibeutern. Ihretwegen war die *Catherine Rose* ohne Zwischenfall nach Hause gesegelt, und sowohl der Kapitän als auch sein Passagier brachten die Fracht, derentwegen sie die Reise unternommen hatten, unbeschadet mit nach Hause.

Der Schoner war beladen mit den erlesensten Waren, die London zu bieten hatte, dazu drei Männer und fünf Frauen, die sich für zehn Jahre als Dienstverpflichtete verkauft hatten, um die Überfahrt zu bezahlen. In New York würde der Kapitän sie weiterverkaufen, und zwar um mindestens das Zehnfache der Kosten, die ihre Überfahrt verursacht hatten. Der Tradition gemäß gehörte der Profit dieses Geschäfts ihm. Was die anderen Waren betraf – Seide und Satin, elegante Möbel und Fässer mit Portwein und Süßwein –, so würden sie an der Börse verkauft werden. Vier Fünftel des Gewinns, den sie erzielten, würden zwischen dem rund halben Dutzend Männern des Konsortiums aufgeteilt werden, die sein Schiff hatten bauen lassen. Vom Rest musste er seine Mannschaft bezahlen sowie notwendige Reparaturen. Keine Sorge, sagte er sich zum wiederholten Male. Diese Fahrt hatte sich gelohnt. Mit den Dienstverpflichteten und den dreißig Guineas, die dieser Mann, den sie Roter Bär nannten, ihm für die Überfahrt gab, hatte sie sich mehr als gelohnt.

Quents Fracht war völlig anderer Art, aber er war nicht minder zufrieden. »Ein guter Tag«, wiederholte er laut, obwohl niemand mehr auf ihn achtete.

Die Mannschaft war vollauf mit der Takelage beschäftigt, reffte die Segel noch mehr, um das Schiff auf seiner Fahrt durch die Enge in den inneren Hafen zu verlangsamen. Quent hörte sie rufen: »Lotse! Zwei Grad nach Steuerbord«, und spürte fast sofort, wie die *Catherine Rose* daraufhin nach Nordosten lavierte und auf die Südspitze von Manhattan zusteuerte. Eine halbe Stunde später stand er am West Dock, die Stadt vor sich ausgebreitet. Nach fast vier Monaten in London sah sie vergleichsweise klein und unbedeutend aus. Er blieb stehen und wartete, dass seine Beine sich wieder an den festen Boden unter sich gewöhnten, und dabei rief er sich ins Gedächtnis, welche Richtung er einschlagen musste, um zum Wohnsitz des Gouverneurs zu gelangen.

Am Dock herrschte reges Treiben, Menschen eilten geschäftig hin und her. Trotzdem, nichts im Vergleich zu London. Ein Mann stieß ihn am Ellbogen, Quent trat beiseite. Der Mann folgte ihm, zupfte ihn an den Schößen seines prächtigen grünen Samtrocks. Er hatte ihn vor seiner Abreise nach London gekauft und seitdem ständig getragen. Er hatte sich sogar so sehr an das Gefühl der eng sitzenden Satin-Kniehose gewöhnt, dass er kaum mehr wusste, wie eine lederne sich anfühlte.

»Mr. Hale? Verzeihung, Sir. Das ist für Sie.«

Quent nahm den gefalteten Zettel und öffnete ihn. *Bitte lass dich von Pipps zu mir nach Hause begleiten. Die Sache ist sehr dringlich.* Die Nachricht war mit B.D. unterzeichnet. Quent runzelte die Stirn.

»Bede Devrey«, erklärte der Bote hilfsbereit. »Ihr Onkel, Sir.« Der kleine Mann ging Quent gerade bis zum Ellbogen und hatte etwas Wieselartiges an sich, wie Quent fand; ein Weißer und damit höchstwahrscheinlich ein Dienstverpflichteter.

»Das heißt wohl, dass Sie Pipps sind?«

»Jawohl, Sir.« Der Mann sah sich verstohlen um. »Wir sollten schnell gehen, Sir. Es gibt vielleicht noch andere, die wissen, dass Sie mit der *Catherine Rose* ankommen.«

»Das nehme ich an. Tut das etwas zur Sache?«

»Ich glaube schon, Sir. Ihr Onkel gab mir zu verstehen, dass es wichtig sein könnte, Sir.«

»Also gut, dann gehen wir.«

Pipps griff nach Quents Tasche, doch Quent packte den Leinensack, bevor der andere ihn zu fassen bekam. Sie steuerten auf eine Gasse zu ihrer Rechten zu. Quent spürte Pipps' Erleichterung, als sie in den Schatten eintauchten.

»Danke, dass du gekommen bist, Neffe.«

»Auf deiner Nachricht stand, die Sache sei dringend. Meine Mutter …«

»Meiner Schwester fehlt nichts. Sie war vor zwei Wochen hier zu Besuch, für drei Tage. Wer krank war, ist John.«

Quent zuckte mit den Schultern. Sinnlos zu tun, als wäre ihm Johns Wohlergehen ein Anliegen. Jeder wusste um den Zwist zwischen ihnen.

»Dein Bruder kann seinen linken Arm nicht mehr benützen. Wegen der Verletzung war er wochenlang sehr krank, aber wie ich hörte, habt ihr auf Shadowbrook eine gute Heilerin, die …«

»Sally Robin. Die beste Heilerin überhaupt.«

»Das stimmt offenbar. Zu Johns Glück. Er hat's überlebt, aber wie gesagt, er wird wohl nur noch einen Arm benützen können.«

»Danke, dass du mich das wissen lässt.« Aber das ist nicht der Grund, warum du mich vom Dock aufgelesen hast wie ein Juwel, und noch weniger der Grund, warum meine Mutter dem Haus ihrer Kindheit einen ihrer seltenen Besuche abgestattet hat. »Darf ich fragen, woher du wusstest, dass ich auf der *Catherine Rose* war, Onkel? Sie ist doch kein Devrey-Schiff.«

Bede lachte. »Nein, leider nicht. Aber sobald du auf hoher See warst, warst du in meiner Welt, Neffe. Es gehört zu meinen Pflichten als Geschäftsmann zu wissen, was auf Schiffen wohin unterwegs ist.« Die beiden Männer saßen in Bedes Arbeitszimmer im Erdgeschoss des prächtigen Hauses an der Wall Street, das sein Vater, Will Devrey, der Sklavenhändler, gebaut hatte. An den Wänden hingen Zeichnungen der Devrey-Schiffe und der Routen, die sie befuhren. Die Flotte war auf dreiundzwanzig Schiffe angewachsen, und seit dem Tod seines Vaters gehörten sie alle Bede Devrey, dem ältesten Sohn.

»Ja, sicher. Aber in dem Fall … Der Gouverneur erwartet mich. Zumindest erwartet er, dass ich ihm sofort nach meiner Ankunft Bericht erstatte. Wenn du wusstest, dass ich komme, wird er …«

»Da muss erst die Hölle gefrieren, bevor ich nicht mehr weiß als James De Lancey, wenn's darum geht, was an diesen Strand angespült wird. Und jetzt lass mich dir etwas zu trinken anbieten, Neffe. Nancy wartet mit dem Essen, bis wir alles beredet haben.« Offenbar war er noch immer nicht bereit zu erklären, was es zu bereden gab. »Deine Überfahrt verlief ohne Zwischenfälle?«

»Völlig. Der Atlantik gehört uns.«

»Die Schifffahrt ist dieser Tage recht ungefährlich. Aber hier an Land … Ein Cognac für dich? Nicht zu früh am Tag?«

»Nie zu früh für deinen edlen Weinbrand, Onkel. Danke.«

»Aber immer doch. Auf dein Wohl, Junge. Und auf die Familie.« Beide Männer hoben die bauchigen Schwenker, in die Bede großzügig vom blassgoldenen Weinbrand eingeschenkt hatte. Das erlesene Bukett war ebenso angenehm wie der erste Schluck. Ein derart guter Tropfen war Quent in den ganzen Monaten in London nicht angeboten worden.

»Der letzte Rest des Cognacs aus meinem Keller«, sagte Bede nach dem ersten Schluck. »Und leider muss ich sagen, dass keine Hoffnung auf Nachlieferung aus Frankreich besteht, bis dieser verdammte Krieg vorbei ist. Dieser arrogante Schotte Loudoun ... Ich kann nicht verstehen, warum London ihn hier lässt. Der Kerl ist im Juni nach Louisbourg gesegelt, viel zu spät, wenn du mich fragst, und kam drei Monate später mit leeren Händen und eingezogenem Schwanz zurück.«

Quent blickte unbeteiligt drein. Loudoun würde zurückbeordert werden – der Brief diesen Inhalts, den er James De Lancey überreichen sollte, befand sich in seiner Tasche –, aber er sagte nichts. Nicht, bis er wusste, ob diese Vorladung nicht eher dem Informationsbedürfnis seines Onkels diente, als dass er selbst etwas mitzuteilen hatte. »Die Nachricht von Louisbourg erreichte London, kurz bevor ich absegelte. Eine Schande.«

»Eine Schmach! Aber ... ich vermute, du hast auch vom Gemetzel bei Fort William Henry gehört?«

»In der Tat.«

»Und? Was sagst du zu ...«

»Papa!« Die Tür wurde aufgerissen. Ein junger Mann stand auf der Schwelle, groß und schlank und mit ebenso rotem Haar wie Quent – ein Beweis dafür, dass sie beide mit der Frau verwandt waren, die als Rote Bess bekannt gewesen war, ihrer Großtante. »Papa, Mama möchte wissen, wie lange ihr noch braucht. Damit sie mit dem Essen Bescheid weiß.«

»Ich verstehe. Und sie hat dich und nicht eine deiner Schwestern geschickt, um das zu erfahren?«

»Eigentlich hat sie Celeste geschickt, aber ...«

»Das dachte ich mir doch.«

»Aber ich sagte, dass ich das übernehme.«

»Ah ja.« Bede wandte sich an seinen Gast. »Dir ist schon klar, dass diese Neugier dir gilt? Meine Kinder können es gar nicht erwarten, den legendären Uko Nyakwai zu sehen. Erinnerst du dich an Samuel?«

»Natürlich.« Quent erhob sich und streckte die Hand aus, die der junge Mann heftig schüttelte. Das war einer der Zwillinge, fiel Quent ein, obwohl er nicht die mindeste Ähnlichkeit mit seinem Bruder hatte. Und dann gab es noch zwei kleine Mädchen. Zumindest waren sie klein gewesen, als er sie das letzte Mal gesehen hatte. Vermutlich waren sie mittlerweile junge Damen. »Wie geht's dir, Sam?«

»Gut, danke, Quentin. Wirst du uns beim Essen von den Indianern erzählen? Alle sagen, dass du dich genau auskennst mit den ganzen schrecklichen Sachen, die sie machen. Und dass du in London gewesen bist, um der Regierung zu sagen, wie wir sie büßen lassen können für das Blutbad, das sie oben bei Fort William Henry angerichtet haben. Erzählst du uns davon?«

»Ich war schon auf hoher See, als das Fort fiel, Sam. Und nur, weil die Indianer anders sind als wir, heißt das nicht, dass sie im Unrecht sind und wir im Recht.«

Die Augen des Jungen verdüsterten sich. »Aber oben bei Lake George haben sie …«

»Bright Fish Water heißt der See.« Quent konnte sich die Bemerkung nicht verkneifen. Dass junge Leute in New York City lernten, einen Teil von Shadowbrook beim falschen Namen zu nennen und dazu die ganzen anderen Unwahrheiten – dass die Indianer heidnische Wilde waren, vertrauensunwürdig und dreckig –, missfiel ihm. »Der See liegt auf Hale-Land. Er hat immer den alten Mohawk-Namen gehabt, Bright Fish Water.«

»Aber trotzdem, ich meine …«

»Jetzt geh, Samuel.« Irgendetwas hatte Bedes Stimmung vom wohlwollenden Vater zum Familienvorstand umschwenken lassen. »Sag deiner Mutter, dass ich ihr wegen des Essens so bald wie möglich Bescheid gebe.«

»Aber Papa, ich will doch nur wissen …«

»Geh!«

Der Junge verschwand und zog die Tür hinter sich ins Schloss. Bede entschuldigte sich für die Belästigung. »Das stört mich gar nicht«, beschwichtigte Quent. »Wer in einer großen Stadt aufwächst, ist natürlich neugierig, wie es in der restlichen Provinz zugeht. Vor allem, da Sam weiß, dass das Gut im Familienbesitz ist. Vielleicht will er …«

»Das ist es nicht.«

»Entschuldigung, Onkel Bede, ich kann dir nicht ganz folgen. Was ist was nicht?«

»Shadowbrook ist nicht mehr im Familienbesitz. Das ist der Grund, warum deine Mutter herkam und worüber sie mit mir reden wollte. Ich musste dich sehen, bevor du zum Gouverneur gehst. Dein Bruder hat alles verwirtschaftet. Die De Lanceys haben jetzt das Sagen auf dem Hale-Gut.«

»Bist du eine Spielernatur, Neffe?«

Quent schüttelte den Kopf. Er hatte nur wenig von den köstlichen Gerichten gegessen, die Tante Nancys Köchin aufgetischt hatte, und nichts vom Geplauder der Kinder mitbekommen, obwohl er sich ziemlich sicher war, dass er ihre zahllosen Fragen beantwortet hatte, ohne aus seinen bitteren Gedanken aufzutauchen. So auch diese. »Nein, Onkel, ich bin kein Spieler.«

»Schade. Denn jetzt musst du bluffen können, Quent. Es gibt ein paar Karten, die du ausspielen kannst, aber du darfst sie nicht zu früh aufdecken.«

Bishkeks Mannheitslektionen ... *Dein Gegner darf in deinen Augen nie sehen, aus welcher Richtung du angreifen willst.* »Ich bin zwar kein Kartenspieler, aber im Bluffen bin ich ganz gut, Onkel.«

Bede musterte ihn einige Sekunden, dann nickte er. »Ja, das vermute ich auch.«

Fast fünf Uhr. Die meisten Leute waren zu Hause und verdauten das Mittagessen. Die Straßen waren leer wie sonst selten in New York City. Quent hörte den Widerhall seiner Schritte auf dem Broad Way. Und er hörte die Schritte von Pipps hinter sich. »Er wird dir folgen«, hatte Bede erklärt. »Wenn du mich brauchst, dann geh bei James De Lancey ans Fenster und mach ein Zeichen. Pipps wird mich holen.« Der Dienstbote folgte ihm ziemlich unauffällig. Nicht so gut, wie selbst ein sehr junger Tapferer es tun würde, aber nicht schlecht. Nach allem, was Bede erzählte, hatte er sich das Geschick in London erworben, wo er sich seinen Lebensunterhalt als Taschendieb verdient hatte. »Pipps ist sehr nützlich. Seine Dienstverpflichtung läuft erst in drei Jahren aus, aber seit einem Jahr zahle ich ihm einen Lohn. Damit er zufrieden ist und bei mir bleiben will. Und sich nicht an meinen Taschen vergreift.«

Die frühe Abenddämmerung des bevorstehenden Winters breitete sich über die Stadt, als Quent die Residenz des Gouverneurs am Ende der breiten, von Bäumen gesäumten Straße erreichte. Er ging zur imposanten Haustür hinauf und betätigte den großen Türklopfer.

James De Lancey betrachtete die Unterlagen, die vor ihm ausgebreitet waren. Die Mehrzahl war mit offiziellen Siegeln versehen, einige – die wichtigsten – trugen William Pitts persönliches Wappen und waren von ihm selbst unterzeichnet. Der Gouverneur betrachtete aber auch den Mann, der ihm diese willkommenen Nachrichten überbracht hatte. Samtrock und Satinhose. Ausnahmsweise entsprach das Äußere dem Inneren. »Ausgezeichnet, Mr. Hale. Sie haben mir ausgezeichnete Nachrichten mitgebracht.«

Quent nickte. »Stets zu Diensten, Gouverneur.«

De Lancey erhob sich. »Wenn nichts anderes ansteht …«

»Setzen Sie sich.«

»Verzeihung?«

»Ich sagte, setzen Sie sich, Gouverneur. Wir sind noch nicht fertig.«

»London hat Sie Grobheit gelehrt, Mr. Hale. Ich empfehle Ihnen, diesen Ton nicht in meiner …«

»Wenn Sie Gouverneur bleiben möchten, schlage ich Ihnen vor, sich zu setzen und mir zuzuhören.«

De Lanceys Gesicht wurde rot. »Wie können Sie es wagen …«

»Reden Sie nicht, Gouverneur, hören Sie einfach zu. Ich möchte die Pachtverträge, beide. Den, den mein Bruder und der Ihre sowie Levy und Alexander unterschrieben haben, und den, in dem das Gut Hamish Stewart überschrieben wird.«

Der Gouverneur hatte seine Fassung wieder gefunden. »Ich dachte mir doch, dass es darum geht. Ich bedaure, Ihrer Bitte nicht nachkommen zu können, Mr. Hale. Das sind legale Dokumente, die mir zur Verwahrung anvertraut wurden. Sie gehören anderen, nicht Ihnen.«

»Wir haben ein Abkommen, Sie und ich. Das haben wir in genau diesem Raum getroffen.« Ruhig, ermahnte Quent sich, ruhig. Er hörte Bishkeks Stimme im Ohr: *In der Schlacht ist glühender Zorn gut für die Tapferen. Der Häuptling muss die Eiseskälte der Weisheit bewahren.*

»Wir haben uns unterhalten«, sagte De Lancey. »Es wurden keine Versprechungen gemacht, kein Eid geleistet. Außerdem habe ich keine dieser Vereinbarungen getroffen. Ich habe sie lediglich bezeugt.«

»Das Hale-Gut gehört mir.«

»Ich möchte Sie daran erinnern, dass Sie nicht der älteste Sohn sind.«

»Ich bin der Sohn meines Vaters, Sir. Und ein Hale. Für den Augenblick genügt das.« Quent deutete mit einem Kopfnicken auf die Standuhr, die dem eleganten Schreibtisch des Gouverneurs gegenüberstand. Auf ihrem Sockel tanzten gemalte Putten, zwei weitere aus Messing saßen auf dem Gewicht des Pendels, das rhythmisch hin und her schwang. »Sie haben dreißig Sekunden Zeit, mir die Dokumente zu geben, Sir. Ich fange an zu zählen.«

»Dreißig Sekunden?«, wiederholte De Lancey ungläubig.

Das Pendel hatte drei Bewegungen vollendet. »Jetzt noch siebenundzwanzig.«

»Sonst, Mr. Hale?«

»Sonst wird der Brief, den ich schrieb, bevor ich herkam, seiner Exzellenz dem Staatsminister William Pitt überreicht. Er liegt auf einem Devrey-Schiff, das mit der Ebbe ausläuft – also in etwa einer halben Stunde –, und wird in weniger als einem Monat in London sein.«

»Das hätte ich mir denken können, dass Bede Devrey seine Hand in diesem unverschämten Spiel hat. Und was genau steht in Ihrem Brief, Mr. Hale, wenn ich fragen darf?« Leise, ohne Andeutung einer Panik. De Lancey war weder dumm noch feige.

»Darin steht, dass ich Beweise dafür habe, wie Sie gemeinsam mit John Lydius den Yorkern, die mit Braddocks Männern – Soldaten Seiner Majestät – im Ohio Country kämpften, fehlerhafte Musketen geliefert haben, ebenso fehlerhaft wie die für die Zwangsverpflichteten, die Fort William Henry verteidigten. Damit waren Sie in gewissem Maße verantwortlich für die beiden Blutbäder. Zudem ist in dem Brief vermerkt, dass die Korruption in dieser Provinz zum Himmel schreit. Auf jeden Fall etwas in der Art. Sie haben noch sieben Sekunden Zeit, Gouverneur.«

»Das stimmt nicht, also können Sie keine Beweise dafür haben.«

»Es stimmt sehr wohl. Aber selbst wenn nicht … Sind Sie sich bewusst, welche Stimmung in London herrscht, Gouverneur, nach den vielen Niederlagen? Haben Sie eine Vorstellung davon, wie dringend die Regierung einen Sündenbock braucht, den sie für ihre Fehlschläge verantwortlich machen kann?«

»Warum sollte William Pitt einem unvermögenden Zweitgeborenen glauben, der als Waldläufer sein Leben …«

»Der Minister und ich haben zahllose Stunden miteinander verbracht, Gouverneur. Ich genieße sein volles Vertrauen, eben *weil* ich unvermögend bin und kein Politiker. Fehlender Ehrgeiz in Ihrer Welt und in Pitts Welt – mehr braucht es nicht, um glaubwürdig zu sein. Und Ihr Amt wird von London bestätigt oder gar nicht. Also, Sir. Die Zeit ist abgelaufen.«

Quent stand auf, ging zum Fenster und schob den Damastvorhang beiseite.

»Was zum Teufel tun Sie da?«

»Ich gebe dem Boten meines Onkels Bescheid, dass er zum Hafen gehen und dem Devrey-Kapitän ausrichten soll, dass der Brief zugestellt wird.«

»Das glaube ich nicht.«

Quent stieß den Fensterflügel auf. »Pipps! Sind Sie da? Kommen Sie näher, damit Seine Exzellenz Sie sehen kann.«

»Ich bin hier, Mr. Hale, Sir.«

»Sehr gut. Und jetzt gehen Sie …«

»Warten Sie!« De Lanceys Stimme war ein heiseres Flüstern.

Quent wandte sich zu ihm. Der Gouverneur stand hinter dem Schreibtisch und stützte sich mit den Knöcheln beider Hände darauf.

»Warten Sie«, wiederholte er. »Das ist doch unsinnig, was Sie da machen.«

»Das ist alles andere als unsinnig.« Quent warf einen Blick zur Uhr, deren Pendel unerbittlich hin und her schwang. »Sie sollten jetzt gehen, Pipps. Bald setzt die Ebbe ein.«

»Ich habe gesagt, Sie sollen warten, verdammt! Die Ebbe setzt erst in einer guten Viertelstunde ein.«

Dich hab ich in der Tasche! Ich habe gewonnen, du alter Lügner. Ich habe gewonnen! Vor Aufregung krampfte sich Quent der Magen zusammen, am liebsten hätte er laut triumphiert. Du hast meine Einschätzung der Lage, dass die Zeit drängt, übernommen. Was heißt, dass ich dich so sicher in der Tasche habe, als hielte ich deinen noch warmen Skalp in Händen. Nie zuvor hatte Quent das Triumphgefühl eines Siegs erlebt, den er nicht mit Gewehr oder Tomahawk errungen hatte, nicht einmal mit Fäusten, sondern nur mit Worten und Gedanken, die er zu geschickten Finten und Gegenangriffen formte, denen sein Gegner hilflos ausgeliefert war. Es war ein berauschendes Gefühl. »Pipps, Sie sollten gehen. Vergessen Sie nicht zu sagen, dass …«

»Das Gut wird nie Ihnen gehören, ganz egal, was ich tue.« De Lancey schleuderte die Worte durch den Raum. »Es fällt nur wieder in den Besitz Ihres Bruders.«

»Ich habe Ihnen schon gesagt, auch ich bin der Sohn meines Vaters, Gouverneur. Und was immer mein Bruder noch sein mag, er ist ein Hale.« *John muss sterben. Damit das Gut erhalten bleibt, muss ich mich nicht nur jetzt, hier, in diesem Raum, durchsetzen, außerdem muss John sterben.* »Ein letztes Mal, Sir, geben Sie mir die Dokumente.«

Pipps stand unter dem offenen Fenster, hörte jedes Wort mit, grinste und zeigte seine langen, spitzen Zähne. »Ich brauch nur ein paar Minuten, um zum Hafen runterzulaufen, Mr. Hale, Sir. Ein bisschen Zeit bleibt schon noch. Aber nicht viel.«

De Lancey trat hinter dem Schreibtisch hervor. Ein Gemälde seines Landsitzes an der Bowery Lane, einige Meilen im Norden, in der Weite des ländlichen Manhattan, hing über einer Mahagonikonsole, die an der gegenüberliegenden Wand stand. Der Gouverneur schob das Bild beiseite, dahinter kam ein verschlossener Schrank zum Vorschein, den er öffnete. Darin befand sich eine Schatulle, die ebenfalls verschlossen war. Der Gouverneur trug sie zum Schreibtisch zurück.

»Noch ist Zeit«, rief Pipps von draußen herein. »Aber wirklich nicht mehr viel. In einer Minute muss ich los.«

»Halt den Mund, du mieser Schuft«, fuhr De Lancey auf, dann an Quent gewandt: »Ich bin es nicht gewohnt, von gemeinem Pack durchs Fenster bespitzelt zu werden.«

»Gehen Sie ein paar Schritte zurück, Pipps. Aber bleiben Sie in der Nähe.«

»Jawohl, Sir. Wie Sie wünschen, Sir.«

De Lancey hatte die Schatulle geöffnet. Er holte zwei Stapel mit Dokumenten hervor und reichte sie Quent. Der nahm sie, löste das Band, das sie zusammenhielt, und las rasch, aber gründlich, den Inhalt. Der gesamte Ablauf der doppelten Transaktion befand sich in seinen Händen. Wenn diese Papiere vernichtet waren, würde die ganze Geschichte ungeschehen sein. »Gouverneur, sagen Sie mir eins – warum haben Sie eingewilligt, an Hamish Stewart zu verkaufen? Er hat Ihnen bestimmt nicht einmal die Hälfte dessen bezahlt, was das Gut wert ist.« Quent blickte wieder auf die Unterschriften, die unter dem Kaufvertrag standen. Eine Viererbande von miesen Schurken, die ihresgleichen suchten. »Nicht einmal ein Achtel des Werts«, sagte er, als sein Blick auf den Verkaufspreis fiel. »Warum?«

»Weshalb sollte ich Ihnen noch irgendetwas sagen?« De Lancey war blass geworden. Quent roch die Wut, die von ihm ausging, und der Ekel vor sich selbst, dass er zur Kapitulation gezwungen worden war.

»Seien Sie nachsichtig, Gouverneur«, sagte er leise. »Warum haben Sie für einen so geringen Preis verkauft an einen Mann, den Sie mühelos hätten vernichten können?«

De Lancey zuckte mit den Schultern. Es schadete nichts, es ihm zu sagen, lohnte sich vielleicht sogar, um diesem arroganten roten

Teufel einen Stich zu versetzen. »Stewart hat alles veranlasst, damit die kanadischen Wilden Shadowbrook abfackeln. Er dachte, das würde niemand wissen, aber ich natürlich …« Der Gouverneur machte eine umfassende Geste, die seine Allmacht verdeutlichen sollte. »Auch wenn der Regen verhindert hat, dass das Gut wie geplant ruiniert wurde.«

Nicht nur der Regen, dachte Quent, auch die Tatsache, dass Nicole und ich in Shoshanayas Lichtung waren. Wenn ich sie in der verfluchten Lichtung genommen hätte, hätte sie nicht ins Kloster laufen können. Quent zwang sich, den Gedanken an Nicole zu verbannen. Er lenkte ihn ab. Schlimmer noch, die Vorstellung machte ihn weich.

»… der Überfall war die erste Etappe.« De Lancey ergötzte sich am gequälten Blick in Quentin Hales Augen. »Der war sozusagen der erste Streich. Danach lief alles von selbst. Hamish Stewart war ein nützliches Werkzeug. Kein Grund, ihn nicht glauben zu lassen, dass das Gut ihm gehörte. Zumindest eine Weile.«

»Ein Mittel, um John auszuschalten«, sagte Quent. »Damit Sie alles nach Ihren eigenen Vorstellungen regeln konnten.« Der Gouverneur nickte. »Stewarts unerwarteter Tod muss eine herbe Enttäuschung für Sie gewesen sein.«

»Es überrascht mich nicht, dass Sie von seinem Tod wissen, Mr. Hale. Ihre Mutter hat ihren Bruder erst vor kurzem besucht, und Ihr Onkel wird es kaum verabsäumt haben, Sie von allen wichtigen Vorfällen auf dem Gut in Kenntnis zu setzen.«

»Ich würde nie erwarten, einen so gut informierten Mann wie Sie überraschen zu können, Sir. Zumindest nicht, wenn es um derartige Dinge geht.« Noch während er sprach, ging Quent mit dem zweiten Stoß von Dokumenten, in denen Shadowbrook dem Schotten zuerkannt wurde, zum Kamin und warf die Papiere in die lodernden Flammen. »Offenbar wurde Stewart auf unserem Land begraben. Hinter dem Schweinestall.«

»Ein Detail, das ich meiner Lebtage nicht vergessen werde.«

Quent beobachtete, wie die letzten Überreste der Papiere, die Hamish Stewart zum Besitzer von Shadowbrook erklärten, zu

Asche zerfielen. Dann sah er zu den anderen Schreiben hinüber, um die es bei diesem Besuch gegangen war, die Korrespondenzen aus London. Sie lagen noch auf dem Schreibtisch des Gouverneurs. »Sie verstehen, was Pitts Pläne bedeuten, nicht wahr?«

»Aber ja. Eine gewaltige, unbesiegbare Übermacht. Dazu haben Sie ihm doch geraten, oder nicht?«

»In der Tat. Aber der Minister hatte bereits mit demselben Gedanken gespielt. Meine Vorschläge fielen auf fruchtbaren Boden.«

»Dann werden wir hier in New York sehr reich werden, und zwar sehr schnell. Das bedeuten Kriege, die richtig geführt werden, für Geschäftsleute gemeinhin, Mr. Hale. Ist Ihnen das bewusst?«

»Nur allzu bewusst, Gouverneur. Deshalb möchte ich Ihnen auch einen Vorschlag unterbreiten.«

Sofort ging De Lancey in die Defensive. »Welche Art Vorschlag?«

»Zwölf Prozent der Gewinne, die das Gut abwirft, auf eine Zeit von vier Jahren. Jeweils zur Hälfte für Sie und Oliver.«

»Ich glaube, Sie haben den Verstand verloren«, sagte der Gouverneur langsam. Er deutete auf die Dokumente, die Quent noch in der Hand hielt. »Sie haben bekommen, was Sie wollten, Mr. Hale. Warum sollten Sie …«

Weil deine Reaktion mir sagt, was ich unbedingt wissen muss, verfluchter James De Lancey. Es gibt keine weiteren Kopien von diesen vermaledeiten Dokumenten, keine andere Möglichkeit, dass du und dein durchtriebener Bruder Anspruch auf Shadowbrook erheben könnt. »Weil, Sir« – Quents Ton verriet sein Triumphgefühl nicht –, »ich Sie lieber auf meiner Seite wüsste denn als Gegner. Wie Sie bereits sagten, wird in den nächsten Jahren reger Handel getrieben werden. Es gibt zahlreiche Möglichkeiten, wie der amtierende Gouverneur von New York einem Gutsbesitzer, der von diesem Handel profitieren möchte, unter die Arme greifen kann.«

De Lancey schwieg eine Weile. Acht Mal schwangen die Putten auf dem Pendel hin und her. Quent zählte mit. »Vierzehn Prozent«, sagte der Gouverneur schließlich.

»Einverstanden.«

»Ich setze einen Vertrag auf.« De Lancey hob seine Rockschöße an, bevor er sich setzte und nach einem Kiel griff.

»Das ist überflüssig«, sagte Quent. »Das haben mein Onkel und ich bereits gemacht. Nur die Ziffer muss noch nachgetragen werden.« Er trat ans Fenster, das noch immer offen stand. »Pipps, sind Sie da?«

»Aber ja, Sir.«

»Gehen Sie zu meinem Onkel und sagen Sie ihm, er möchte zu uns hier in die Residenz Seiner Exzellenz kommen. Und Pipps ...«

»Ja, Sir?«

»Sagen Sie ihm, die Ziffer ist vierzehn.«

De Lancey lehnte sich zurück, den Kiel noch in der Hand. »Sie sind ein bemerkenswerter Mann, Mr. Hale. Darf ich fragen, was Ihr letztes Angebot gewesen wäre?«

»Sechzehn Prozent«, erklärte Quent mit einem Grinsen. »Und jetzt, Sir, schlage ich vor, dass Sie Ihren Bruder Oliver holen lassen. Ich möchte, dass auch seine Unterschrift unter dem Vertrag steht.«

»Oliver ist auf dem Land, in seinem Haus in Bloomingdale. Es wird knapp zwei Stunden dauern, bis er ...«

»Oliver sitzt im Black Horse drüben an der William Street, Sir. Keine zehn Minuten von hier.«

»Woher wissen Sie das?«

»Ich bin bei den Potawatomi groß geworden. Bei ihnen lernen alle Tapferen, das Schlachtfeld auszukundschaften, bevor sie angreifen.«

De Lancey schluckte schwer, er hatte einen bitteren Geschmack im Mund. Vierzehn Prozent. Weniger, als er gehofft hatte, und wie Hale selbst eingeräumt hatte, auch weniger, als er hätte haben können. Aber besser als nichts. Er läutete nach dem Dienstboten und trug ihm auf, Oliver zu holen. »Alles, wie Sie es veranlasst haben, Mr. Hale«, sagte der Gouverneur leise. »Aber darf ich fragen, nachdem Sie sich um meinen Bruder gekümmert haben – was wollen Sie mit Ihrem machen?«

»Nichts. Das ist nicht nötig. John wird das Gut leiten wie bisher.« *John muss sterben. Damit Shadowbrook nicht untergeht, muss John sterben.*

De Lancey hob die Augenbrauen. »Bisher hat er es mehr oder weniger zu Grunde gewirtschaftet. Was nützen Oliver und mir vierzehn Prozent von nichts?«

»Nicht einmal John wird es gelingen, unter den gegenwärtigen Umständen keinen Gewinn zu machen, Gouverneur.«

De Lancey blickte wieder zu den Papieren aus London. Beide Männer hörten, wie der Türklopfer betätigt wurde, dann die joviale Stimme Bede Devreys, der sagte, Seine Exzellenz habe nach ihm geschickt. »Das werden wir ja bald herausfinden«, sagte De Lancey, als er sich erhob, um den eintretenden Gast zu begrüßen.

Quent nickte. Er hatte gewonnen, und vor Freude darüber raste ihm der Puls, kochte sein Blut, aber es war nur eine Schlacht, die er gewonnen hatte, nicht den Krieg. *John muss sterben.*

Freitag, 27. Oktober 1757
Albany

Der Tabakrauch war so dick wie eh und je, der Lärm – falls das überhaupt möglich war – noch lauter. Seit zwei Jahren war Quent nicht mehr im Pferdekopf gewesen, aber es hatte sich wenig verändert. Die Tafel an der Wand pries noch immer die Gerichte des Tages an – die Austern kosteten einen Shilling das Dutzend, ungeheuerlich –, und in der Luft hing der Hefegeruch von Bier und der Honigduft des Rums.

Der alte Groesbeck sah allerdings jünger aus. Das kam bestimmt von dem Geld, das er scheffelte, seit es in Albany vor Rotröcken und Milizionären nur so wimmelte. Er stand in der Nähe der Tür und öffnete gerade ein neues Fass. Beim dritten Schlag gab der Zapfen nach, in den darunter stehenden Eimer ergoss sich Bierschaum. Gutes Bier, wie Geruch und Farbe bezeugten. Die Gäste, die in seiner Nähe saßen, johlten beifällig. Groesbeck steckte einen Zapfhahn aus Zinn in das Spundloch. Nachdem er seine Pflicht als Wirt erfüllt hatte, überließ er seinen Platz einer der Kellnerinnen.

Er hatte den Roten Bären sofort bemerkt, als der hereingekommen war. Jetzt ging er zu ihm hinüber. »Einen schönen guten Abend, Quent. Lang nicht mehr gesehen.«

»Zu lange, Peter. Ich bin am Verdursten.«

Der Wirt drehte sich um und rief eine Bestellung. Ein Becher mit frischem Bier wurde ihm gereicht. Quent wollte ihm einen Penny geben, aber Groesbeck winkte ab. »Nicht doch, nachdem wir dich so lange nicht gesehen haben. Außerdem«, fügte er mit einem Grinsen hinzu, das seine Zahnlücke entblößte, »verlange ich dieser Tage zwei Pennys.«

»Und wie ich gesehen habe, kosten die Austern auch das Doppelte. Das Geschäft muss gut laufen.«

Groesbecks Grinsen wurde noch breiter. »Sehr viel Kundschaft, ja. Die Yorker und die Rotröcke, sie kommen alle. Manchmal sogar die Offiziere.«

In einem Jahr oder so wirst du so viel Kundschaft haben, Alter, dass du glaubst, du seist gestorben und wärst in den Himmel für Wirte gekommen. »Und was ist mit den alten Stammgästen? Kommen die noch her?«

»Warum nicht? Sie kriegen hier immer noch das beste Essen und voll geschenkte Becher. Und der Punsch wird auch nicht gestreckt.«

»Ah, das muss wohl der Grund sein, warum der Schotte immer herkommt. Hast du den in letzter Zeit gesehen?«

Groesbeck neigte den Kopf und schaute zu Quent hoch. »Der, der bei der Witwe Krieger wohnt? Und nur ein Auge hat?« Zur Verdeutlichung legte er eine Hand über sein linkes Auge.

»Genau der.«

»Was willst du über ihn wissen?«

»Wir haben uns unterhalten, als ich das letzte Mal hier war. Wenn ich mich recht erinnere, hat er ein Gespräch zwischen dir und mir unterbrochen.«

»Ja, stimmt, ich erinnere mich. Der ist tot. Das ist bei euch oben passiert. Wie's heißt, hatte er Krach mit deinem Bruder.«

Jetzt wusste Quent, was er wissen wollte – wie die Leute hier über Hamish Stewarts Tod sprachen und dass er keine Trauer vorzutäuschen brauchte über einen Mann, den er kaum kannte. »Mit meinem Bruder kann man leicht Ärger kriegen.«

Groesbecks Miene verfinsterte sich. »Es ist nicht so schlimm, wenn's mit 'nem anderen Mann ist. Aber mit 'ner Frau, auch wenn's 'ne …«

»Welche Frau?«

Der Wirt deutete mit dem Kopf in den hinteren Teil der Schänke. »Annie, die Hure. Sie war mit dem Einauge befreundet. Sie ist heute Abend hier, aber zum ersten Mal seit drei Wochen.«

Mit einem Kopfnicken dankte Quent dem Wirt für die Auskunft und das Bier, dann bahnte er sich einen Weg in den hinteren Teil der Schänke.

Bereitwillig traten alle beiseite. Einige Gäste nickten ihm zu, murmelten eine Begrüßung oder klopften ihm auf die Schulter – großteils Einheimische, die ihn von Kind auf kannten. Die anderen hielten gebührend Abstand.

Annie Crotchett saß an ihrem üblichen Platz hinten im Zapfraum, in der Nähe der Tür, die in den Hinterhof führte. Ihr rechtes Auge war zugeschwollen, das linke war blau, aber sie konnte daraus sehen. Als sie bemerkte, dass Quentin Hale auf sie zukam, vertrieb sie die beiden Yorker, die ihr Gesellschaft leisteten. »Jungs, verschwindet. Annie kriegt 'nen ganz besonderen Gast. Der andere Hale, so wahr ich hier sitze. Der berühmte.«

Quent nickte den beiden Yorkern zu und setzte sich auf einen der frei gewordenen Schemel. »Einen schönen guten Abend, Mistress Crotchett.«

»Ich werd' Annie genannt, selbst von Leuten wie dir, Quentin Hale.«

Nicht nur ihre Augen waren zerschunden, das ganze Gesicht und auch der Hals; die blauen Flecke verblassten allmählich grünlich-gelb. »In Ordnung. Was ist mit dir passiert, Annie?«

»Was glaubst du denn, was passiert ist? Dein verfluchter Bruder ist mit dem Schürhaken auf mich losgegangen. Fast umgebracht hat er mich. So gut wie.« Vorsichtig drehte sie sich auf der Bank herum und zog ihr Kleid etwas hoch; beide Füße in den gestreiften Wollstrümpfen standen im falschen Winkel von den Beinen ab. »Beide Knöchel hat er mir gebrochen, dein Bruder, der Schuft. Ich kann nicht laufen, nie wieder, hat der Doktor gesagt. Ich brauch mir gar keine Hoffnung zu machen, weil das nichts nützt. Ich wär heut Abend gar nicht hier, wenn nicht der alte Harry mich hergetragen hätte. Wie soll ich jetzt bloß mein Geld verdienen, wenn ich nicht aufstehen und in den Hinterhof gehen kann? Mal ganz davon abgesehen, wie ich lang genug auf zwei Beinen stehen soll, damit ein Mann …« Sie verstummte, zitternd vor Elend, und legte eine Hand auf das Häufchen Münzen, vorwiegend Kupfer- und Holzpennys, die ehemalige Kunden ihr gaben als kleinen Beitrag zu ihrem Unterhalt in Erinnerung an die guten alten Zeiten.

Gütiger Gott. »Du bist dir sicher, dass es John Hale war, der das gemacht hat?«

»Natürlich bin ich mir sicher, dass es John Hale war. Der Schuft von deinem Bruder war Kunde bei mir, solang ich zurückdenken kann. Ich wünsch mir, ich hätt ihn nie gesehen, bei Gott, aber das nützt mir jetzt auch nichts mehr.«

»Aber warum, Annie? Warum ist er auf einmal auf dich losgegangen?«

Zwei dicke Tränen rannen ihr aus den geschwollenen Augen über die Wangen hinab. »Er hat gesagt, ich hätt was ausgeplaudert. Dass es meine Schuld wär, dass Hamish wusste, dass …«

»Hamish Stewart?«

Sie nickte, wich seinem Blick aber aus, als sie ihm weiter ihr Leid klagte. »Ich hab John gesagt, ich würd nichts wissen, was ich Hamish hätt sagen können, aber er hat's mir nicht geglaubt. Aber wie soll ich wissen, wann oder wieso da unten in New York City was passiert? Ich bin nie nirgends gewesen außer in Albany. Nie in meinem ganzen Leben.«

Quent wusste, dass sie log, und John musste es auch gewusst haben. Trotzdem, eine Frau zum Krüppel zu schlagen … »Du weißt, dass Stewart tot ist, oder?«

Mehr Tränen. »Klar weiß ich das. Der Schuft von deinem Bruder hat ihn umgebracht. Hamish war ein guter Kerl. Nie hat der …«

Der Mann, der einem kleinen Jungen einen Dolch schenkte und ihm beibrachte, damit umzugehen, der war ein guter Kerl gewesen. Früher einmal. Aber dann war Stewart zu einem habsüchtigen Schurken verkommen, der seine Seele aus Gier nach Land verkaufte. Quent griff in seine Tasche und fischte eine Hand voll Münzen heraus, darunter eine Goldguinea. Wenn er etwas verdiente, gab er wenig aus und konnte fast alles beiseite legen, aber seine letzte bezahlte Arbeit war fast ein Jahr her, als er für kurze Zeit im Ohio Country gekundschaftet hatte. Das Geld, das er vor Annie auf den Tisch legte, war mehr oder weniger sein letztes. Trotzdem sagte er: »Du kriegst mehr. Du hast mein Wort drauf, du wirst nicht verhungern.«

Wenn das wirklich stimmt, dachte Annie, wenn ich mit dem Ficken um Geld aufhören und mich trotzdem satt essen kann, dann war es das wert gewesen. Bei Gott, dann war es das wirklich wert gewesen.

Vor dem Palisadenzaun, der Albany umgab, in den Wäldern, die die Straße nach Norden säumten, hallte der Ruf des Seetauchers zweimal wider, dann ein drittes Mal. Cormac erschien aus dem Schatten einiger Fichten.

»*Nekané*«, sagte Quent. Kleiner Bruder.

»*Sizé.*« Älterer Bruder. Corm drückte die Handfläche gegen Quents. »*Ahaw nikan.*« Mein Geist grüßt dich.

»*Bozho nikan.*« Und der meine dich.

»Lang genug hast du ja gebraucht, um herzufinden«, sagte Corm. »Ich bin seit fast einer Woche jeden Abend in diesen Wald gekommen.«

»In deiner Nachricht stand zehn Uhr. Vor dem Erzählen von Kommende Dunkelheit. Meines Wissens ist es immer noch Letzte Frucht.«

Die Nachricht, geschrieben auf ein Stück Baumrinde, war Quent in die Hand gedrückt worden, als er das Haus des Gouverneurs verließ, am selben Abend, an dem er die Dokumente für Shadowbrook bekommen hatte. Der Indianer, der sie ihm gab, hatte auf beiden Wangen blaue Zeichnungen, wie die Mohawk sie trugen, doch im Vorbeigehen hatte er »*Nikan, Kwashko*« geflüstert. Ein Gruß der Potawatomi und dazu Quents heiliger Potawatomi-Name. »Das war Lashis Sohn, oder? Bishkeks Enkel.«

»Ja, Pondise. Die Mohawk-Verkleidung war seine Idee. Er meinte, es wäre besser, wie eine Schlange unter den Verbündeten auszusehen.«

»Für New Yorker sieht jeder Indianer gleich aus. Und eine Heidenangst haben sie vor allen. Bede war dabei, als Pondise auftauchte.« Bei der Erinnerung schmunzelte Quent. »Der Alte ist fast in Ohnmacht gefallen. Ich habe später noch mal versucht, Pondise zu finden, aber ich habe ihn nirgends gesehen.«

Jetzt war es Corm, der schmunzelte. »Das ist, weil du allmählich durch und durch weiß wirst. Schau dich bloß an – wie lange hast du keine lederne Kniehose mehr getragen?«

»Auf jeden Fall viel zu lange«, gestand Quent. »Fast fünf Monate, vermute ich mal. Aber es hat keinen Sinn, in London wie ein Waldläufer rumzurennen.« Als müsste er sich Corm gegenüber entschuldigen. »Man muss sich anpassen.«

Aber nicht hier in Albany. Quent wusste, dass er sich hätte umziehen können, bevor er New York verließ, oder auf dem Boot hierher. Und der einzige Grund, warum er das nicht getan hatte, war, weil er nicht wollte.

»Erzähl mir von Pitt«, sagte Corm.

»Wir haben alles bekommen, was wir wollten. Alles, Corm. Die Franzosen wissen es zwar noch nicht, aber sie sind am Ende. Die *Anishinabeg* bekommen Kanada.« Die Begeisterung drohte mit ihm durchzugehen, wie damals in London, als ihm klar wurde, dass er Pitt überzeugt hatte. »Die Indianer und die *Cmokmanuk*, Seite an Seite nebeneinander. Wir werden voneinander lernen.« Plötzlich wurde Quent bewusst, dass sie im Freien waren, auf einer viel befahrenen Straße. Er sah sich um. »Lass uns wohin gehen, wo wir reden können.«

Corm führte ihn tiefer in den Wald zu einer Stelle, die er bereits ausgekundschaftet hatte. Die Nacht war ungewöhnlich warm, und der Fleck, den er ausgesucht hatte, lag im Schutz eines riesigen Felsbrockens, der sie vor einem aufkommenden Wind schützen würde. Der Boden war dick mit Fichtennadeln gepolstert, die blaugrün im Schatten schimmerten. Corm setzte sich, lehnte sich gegen den Felsen und beobachtete Quent. Er wusste, er musste ihm Zeit lassen, die Geschichte auf seine Art zu erzählen.

Quent öffnete den Leinensack, der ihn auf der Reise von Amerika nach England und zurück begleitet hatte, und zog die lederne Kniehose hervor. »Ich zieh mich um, dann reden wir.«

In ihm tobt ein Krieg, dachte Corm. In gewisser Hinsicht wohl immer schon. Aber jetzt wird er in die Welt von Männern gezogen, die städtische Kleider tragen, die Welt der Mächtigen, der Weißen.

»Jetzt fühle ich mich wieder wohl in meiner Haut«, sagte Quent, als er die Satinhose und den Samtrock verstaut hatte.

»Die Sache ist bloß, dass du dich in beiden Welten wohlfühlst«, sagte Corm. »Und bei mir ist es mehr oder minder dasselbe.«

»Vielleicht«, stimmte Quent zu. Aber darüber wollte er jetzt nicht reden. Es gab zu viel anderes zu berichten. »Ich fange mal mit Pitt an. Ich war gut zwei Monate in London, bevor ich ihn endlich treffen konnte. Ich … Gütiger Gott, Corm, London ist eine Stadt, das kannst du dir gar nicht vorstellen. So viele Leute, und wie sie aussehen, und die Waren in den Geschäften, der Verkehr auf den Straßen. Es gibt so viele Kutschen, dass man sie gar nicht zählen kann. Und die Frauen … Die sind eine Sache für sich, Corm. Faszinierend.«

»Möchtest du wieder dahin? Dort leben?«

»In London?«

»Ja.«

»Natürlich nicht. Ich will dir nur erzählen, wie es dort aussieht; ich war da, du aber nicht. Aber … Ich bin Amerikaner, Corm. Die Zeit in London hat mir das nur noch deutlicher vor Augen geführt.

Die Engländer und wir – da sind große Unterschiede. Außerdem bin ich hier zu Hause. So weit weg von Shadowbrook könnte ich nie leben.«

»Du wolltest mir von Pitt erzählen«, erinnerte Corm ihn.

»Ja. Wie gesagt, ich war über zwei Monate da, bevor ich ihn treffen konnte, und das war ganz nützlich. So hatte ich Zeit herauszufinden, wie die Dinge standen. Offenbar ist Pitt mal wohl gelitten, dann wieder nicht, schon seit Jahren. Er ergreift häufig die Partei des nächsten Königs, des Prince of Wales, viel öfter als die des jetzigen Königs. Aber George II. bleibt nichts anderes übrig. Der nächste König ist unweigerlich der älteste Sohn beziehungsweise in diesem Fall der Enkel. Immer.«

»Ich weiß.« Miss Lorenes Geschichtsunterricht erwies sich immer wieder als nützlich.

»Es ist nämlich so, dass die Dinge zwischen George und seinem Enkel nicht zum Besten stehen. Und Pitt fühlt sich dem Prinzen recht nah, deshalb kann der König ihn noch weniger leiden. Trotzdem hat er Pitt endlich die volle Verantwortung für den Krieg übertragen. Es blieb ihm nichts anderes übrig. Das Volk will es so.«

»Das klingt, als hätte man nicht unbedingt viel davon, König zu sein.«

»Stimmt, manchmal hat man gar nichts davon. Georges Vorfahren kommen aus Deutschland, aus Hannover, und Frankreich führt nicht nur gegen uns Krieg, sondern auch gegen Hannover. Der König will, dass die britische Armee vor allem seiner Verwandtschaft in Europa zu Hilfe kommt und weniger uns Kolonisten hier in Amerika.«

»Ich vermute mal, dass Pitt anderer Ansicht ist.«

»Völlig anderer Ansicht. Seiner Meinung nach ist das Wichtigste, ein Reich aufzubauen, Amerika und Indien zu sichern. Wenn England eins der beiden Länder an Frankreich verliert, ist Großbritannien so gut wie am Ende, meint er. Ein zahnloser Löwe, wie er sagt. ›Aber dazu braucht es nicht zu kommen, Mr. Hale. Ich kann dieses Land retten, und ich muss es retten, denn niemand anders wird es tun.‹ Das hat er mir gesagt, Corm.«

»Stimmt es denn?«

»Was Indien betrifft, kann ich nichts sagen, aber hier … Doch, ich glaube schon, dass er hier Recht hat.« Quent suchte den Boden nach ein paar Steinchen ab. »Schau, so wird die Sache laufen.« Er legte drei Steine zu einem Dreieck auf die Erde. »Das ist Fort Duquesne unten im Ohio Country.« Er deutete auf den Stein in der rechten unteren Ecke. »Das verteidigt den Zugang zum restlichen französischen Territorium im Süden und Westen.«

»Du meinst Louisiana.« Das war, soweit Corm wusste, die einzige Region, in der *kokotni* gegessen wurde. Wenn Marni tatsächlich Alligatoren aß, musste sie in Louisiana sein.

»Ja«, bestätigte Quent. »Louisiana. Und das ganze restliche Land, auf das die Franzosen Anspruch erheben. Der Schlüssel dazu ist Fort Duquesne. Wenn wir das einnehmen, sind sie so gut wie erledigt.«

»Schon Braddock hat versucht, Fort Duquesne einzunehmen. Mit welchem Ergebnis, ist bekannt.«

»Ja, aber Braddock kam mit weniger Rotröcken, als er brauchte, und sollte die fehlenden Männer mit Kolonisten auffüllen. Das kann nicht klappen. Das habe ich Pitt auch gesagt, aber das war ihm ohnehin schon klar. Massive Truppenverbände, das ist sein Plan. So viele Soldaten werden Duquesne angreifen, dass die Franzosen keine Chance haben. Und noch etwas.« Quent schaute zu Corm, um dessen Reaktion zu sehen. »Ich habe gehört, dass es Onontio sehr viel schwerer fällt, die *Anishinabeg* dazu zu bringen, seine Kriegsgürtel anzunehmen. Weißt du etwas darüber?«

»Später«, sagte Corm. »Erzähl erst alles von Pitt.«

»Also gut. Als Erstes fällt Fort Duquesne. Wir bekommen die größten Geschütze, die du je gesehen hast, und eine überwältigende Anzahl von Rotröcken.«

»Wir Kolonisten tragen auch was dazu bei. Dein alter Freund Washington hat eine neue Truppe ausgehoben, das erste Virginia-Regiment. Wie es heißt, eine richtige Kriegstruppe, kein Vergleich mit dem zusammengewürfelten Haufen, den er damals in dem Talkessel bei sich hatte.«

Quent nickte. »Wir sind alle ein bisschen klüger als vor vier Jahren. Pitt hat das Parlament in London dazu gebracht, etwas beizusteuern, damit die Kolonialsoldaten einen anständigen Sold bekommen, von dem sie auch leben können. Also kann Washington für das erste Virginia-Regiment richtige Offiziere rekrutieren, kampferprobte Soldaten.« Er deutete auf einen der zwei verbliebenen Steine. »Das zweite Ziel ist Carillon.«

»Das Fort oben auf der französischen Seite von Bright Fish Water?«

Quent nickte.

»Wie hast du ihn dazu gekriegt, das zu einem der Hauptziele zu machen?«

»Ticonderoga ist strategisch sehr wichtig für den Korridor zwischen Kanada und dem Ohio Country. Wenn man Carillon einnimmt, ist Neufrankreich in zwei Hälften geteilt.«

Und die Tatsache, dass es für Shadowbrook besser war, wenn fünf Tagesmärsche vom Gut entfernt keine Franzosen stationiert waren, war lediglich eine glückliche Dreingabe. Das hast du dir verdient, dachte Corm. Für die ganze Mühe, die du dir für die Engländer gemacht hast. »Derselbe Plan?«

»Derselbe Plan.« Quent lachte leise. »Ich komme gerade aus der Pferdekopf-Schänke. Das Geschäft läuft so gut, dass der alte Groesbeck sein Glück kaum fassen kann. Wenn er erfährt, was geplant ist, fällt er vor Begeisterung in Ohnmacht.« Quent wischte den zweiten Stein mit der Handkante fort. »Tausende von Rotröcken, damit vertreiben wir die Franzosen von Ticonderoga. Dann beherrschen wir alles zwischen Lake Champlain und dem Bright Fish Water.«

»Die Huronen nennen das Land zwischen den beiden Seen den Großen Kriegspfad«, warf Corm leise ein. »Weil es sie zu ihren Feinden führt.«

»Egal, wie es heißt – wenn wir Carillon eingenommen haben, gehört es uns.«

Corm zeigte auf den noch verbliebenen Stein. »Was ist das?«

»Das sind eigentlich zwei Orte«, sagte Quent. »Louisbourg und Québec. Gigantische Truppenverbände«, sagte er leise. »Eine unbezwingbare Macht. Wenn nötig, die gesamte englische Flotte.« Er nahm den letzten Stein und schleuderte ihn weit von sich. »Québec fällt, und Kanada gehört uns.«

Corm erstarrte. Trotz der lauen Luft war ihm plötzlich kalt. »Uns? Meinst du damit, dass Kanada britisch wird?«

»Nur dem Namen nach«, antwortete Quent. »Ich wollte damit nicht sagen, dass englische *Cmokmanuk* die französischen ersetzen. Ich habe ihm alles erklärt, Corm. Alles, was du immer schon gesagt hast, alles, worauf wir uns geeinigt hatten. Die *Anishinabeg* bekommen Kanada, und die *Cmokmanuk* bleiben hier unten, in dem Land, das im Augenblick die Engländer besetzen. Im Gegenzug dafür gibt es Frieden zwischen uns und den Indianern, keine Störmanöver mehr, keine Überfälle. Wir ziehen eine Linie, und jeder bleibt auf seiner Seite.«

»Ich weiß, dass dir das klar ist«, sagte Corm leise. »Was ich wissen möchte, ist, ob es deinem Freund Pitt auch klar ist.«

»Ich glaube, Pitt ist sich selbst der beste Freund. Aber was Kanada betrifft … Wir haben uns vier Abende lang unterhalten, über den Krieg, über alles.« Im Palast von Westminster war Quent zu Pitts Privaträumen geführt worden, durch die prächtigsten Korridore, die er je gesehen hatte, erleuchtet mit unzähligen Kerzen, ausgelegt mit türkischen Teppichen in schimmernden Farben, wie er es sich nie hätte träumen lassen. »Am letzten Abend haben wir uns nur über die *Anishinabeg* unterhalten. Er wollte alles über sie wissen, wollte verstehen, wie sie leben und denken. Was oben bei Fort William Henry passiert ist, hat ihn darin bestärkt, dass …«

»… dass alle Indianer blutrünstige Wilde sind«, unterbrach Corm mit plötzlicher Heftigkeit. »Das sagen doch alle Weißen. Nicht nur in New York und den anderen Kolonien. Die Franzosen sind genauso dumm. Montcalm ringt die Hände und tut, als könnte er gar nicht verstehen, wieso die ›Wilden‹ sein feierliches Ehrenwort gebrochen haben. Sein Ehrenwort, bitte schön, nicht das ihre.«

»Zugegeben, das war für die Leute in London auch ziemlich schwer zu verstehen. Aber was Pitt angeht … Er ist nicht engstirnig, Corm. Ich glaube, am Ende hat er vieles verstanden. Wirklich.«

»Und hat er zugestimmt? Dass wir Kanada bekommen?«

Wohl zum ersten Mal hörte Quent, dass Corm sich ausschließlich mit der indianischen Hälfte seiner Herkunft identifizierte. »Er ist auch der Meinung, dass die Weißen und die *Anishinabeg* einen Weg finden müssen, um miteinander zu leben, wenn es in Amerika je Frieden und Wohlstand geben soll.«

»Hat er dir sein Wort gegeben, Quent?«

»Er hat mir versprochen, dass er sein Bestes versuchen wird. Er hat geschworen, dass er alles Menschenmögliche tun wird, damit es dazu kommt. Mehr konnte er mir nicht anbieten, also habe ich zugestimmt.«

Genau dasselbe hatte Pontiac gesagt, als er die Súki-Perle mit der Spinne entgegennahm – dass er es versuchen würde. Ob *Cmokmanuk* oder *Anishinabeg*, manchmal konnte man unmöglich mehr versprechen. »Noch etwas.« Corm hob einen Stein vom Boden auf und legte ihn auf die offene Handfläche. »Der Angriff auf Québec. Wenn die englischen Kriegsschiffe nah genug kommen, um Schaden anzurichten, werden sie als Erstes die Unterstadt angreifen. Hast du dir das mal überlegt?«

Quent nickte. »Ja. Das Kloster, in dem sie ist, ist keine hundert Schritte vom Hafen entfernt.«

»Eher weniger.«

»*Ahaw.*« Bislang war an diesem Abend keiner von ihnen zur Sprache der Potawatomi übergegangen. »*Wijewe*«, sagte Quent. »Da habe ich auch Pitts Wort drauf bekommen. Wenn sie Québec einnehmen, werde ich dabei sein.«

Montag, 5. November 1757
Shadowbrook

John muss sterben. Aber nicht jetzt. In der Nacht, als er seinen Bruder wegen des Tauschs von Shadowbrook gegen Zuckerrohrland zur Rede stellte, hatte Jeremiah gesagt: *Wenn ein Bruder den ande-*

ren hier umbringt, ist das Land vergiftet. Das Mal Kains ist das. Tun Sie's nicht, Ihrer Mama zuliebe. Das Kainsmal störte Quent nicht; John musste sterben, damit das Gut weiterbestehen konnte. Aber was seine Mutter betraf, da hatte Jeremiah Recht.

Lorene saß am Fenster ihres Schlafzimmers, wie so oft in letzter Zeit, Taba auf dem Boden in ihrer Nähe; das Mädchen flickte ein Stück Spitze mit sorgsamen kleinen Stichen, wie ihre Herrin es ihr gezeigt hatte. Lorene sah hinaus, und da kam Quent den Weg hinauf.

Sie flog die Treppe hinunter und zur Tür hinaus, eilte ihm entgegen, bevor er das Haus erreichte – und nur zum Teil deswegen, weil sie ihren Jüngsten so lange nicht gesehen hatte.

»Wo ist John?«, fragte er. Wenn er seinem Bruder plötzlich begegnete, ohne Vorwarnung, würde er vielleicht nicht an sich halten können. *John muss sterben,* aber nicht heute, nicht an diesem Tag, vor den Augen seiner Mutter.

»Er ist nicht hier. Quentin, es gibt so viel, was ich dir sagen muss. So viel, was du nicht weißt.« Vor Kummer waren ihre blauen Augen dunkel geworden, ihre Brust hob und senkte sich rasch.

»Beruhige dich, Mutter. Ich weiß mehr, als du denkst. Ich war bei Onkel Bede, bevor ich zum Gouverneur gegangen bin.«

»Der hinterhältige, bösartige Mensch. Eine Schlange ist das. Ich wünschte ...«

»Beruhige dich«, sagte Quent wieder. »Ich habe die Sache mit James De Lancey geregelt.«

»Wie geregelt? Quent, er hat die Übertragungsurkunde für das Gut. Die De Lanceys haben John hinters Licht geführt. Oliver hat die Urkunde und das Pfandrecht an Hamish Stewart verkauft, aber Hamish ist tot, und jetzt weiß Gott allein, wie bald die De Lanceys kommen werden und verlangen ...«

»Nein, die De Lanceys werden gar nichts verlangen.«

Quent zog seine Mutter zu der kreisförmigen Holzbank rund um die große Kastanie vor dem Haus. Das ungewöhnlich milde Herbstwetter war umgeschlagen, es herrschte die für Anfang November typische feuchte Kälte. Quent öffnete seine Tasche, holte seinen grünen Samtrock heraus und legte ihn seiner Mutter um die Schultern.

Sie wickelte sich fest darin ein. »Gehört der dir, Quent? Ich kann mich nicht entsinnen, ihn je an dir gesehen zu haben.«

»Doch, er gehört mir. Geschneidert in New York City. Damit ich mich in London als Diplomat ausgeben konnte.«

»Das glaube ich gern.« Sie begutachtete die Stiche am Revers. »Gute Arbeit. Unsere New Yorker Schneider haben dich vornehm herausgeputzt, selbst für Londoner Verhältnisse.«

»Gerade vornehm genug.« Trotz der Kleidung war er sich wie der arme Verwandte vom Lande vorgekommen. Kein Mann, den er gesehen hatte, war so groß und kräftig gewesen wie er. Und dann war nicht nur sein Akzent anders gewesen, auch einige Wörter. Wir entfernen uns mehr und mehr voneinander. Amerikanische Engländer und englische Engländer. Weiß der Teufel, wie das enden wird. »Mutter, hör mir zu. Ich habe dir viel zu sagen und wenig Zeit. Glaubst du, dass John plötzlich auftauchen wird?«

»Erst in ein paar Stunden. Er ist zum Sägewerk, um mit Ely über das Holz zu sprechen, das wir brauchen, um den Stall zu reparieren, und damit Sally Robin sich seinen Arm ansieht. Hat Onkel Bede dir erzählt …?«

»Alles. Mach dir keine Sorgen. Wie geht es Ely?«

»Gut. Er wird bald wieder heiraten. Die Witwe Krieger aus Albany.«

»Schön, das freut mich.« Quent dachte an Elys Tochter und ihren Mann und das Neugeborene und wie der Säger dagestanden und die Leichen angestarrt hatte. »Im Sägewerk ist es bestimmt sehr einsam geworden. Und wie geht es den Frankels?«

»Sehr gut. Aber John meint, dass wir im kommenden Jahr vielleicht nicht genug Arbeit haben werden, um die Mühle und das Zuckerhaus auszulasten. Er sagt, wir werden vielleicht nicht so viel anpflanzen und verkaufen können …«

»John könnte sich nicht mehr täuschen. In der Hinsicht wie in vieler anderer. Mutter, du frierst. Komm, lass uns hineingehen.«

Die Essenszeit war lange vorüber, aber Küchen-Hannah setzte ihm Maiskuchen und Brötchen vor und eine Pastete aus Schinken, Pastinaken und Kartoffeln. »Immer noch warm«, sagte sie. »Lassen Sie ja nichts über und sagen, die wär zu kalt, um nach was zu schmecken.«

»Es schmeckt köstlich, Hannah. Danke.« Sobald sie gegangen war, zog er seinen Stuhl näher zu Lorenes. »Mutter, ich möchte gehen, bevor John heimkommt, sonst …«

»Ich weiß. Aber er ist dein Bru…«

»Wir haben jetzt keine Zeit, über John zu reden. Hör mir nur zu. Du musst dafür sorgen, dass im Frühjahr jedes Feld bepflanzt wird. Lass viel Weizen anbauen, egal, was John sagt. Und nimm allen Zucker, den du kaufen kannst. Sag Moses Frankel, dass er Rum daraus machen soll, so viele Krüge wie möglich. Und gib Do Good nicht mehr ab als unbedingt nötig.«

»Der Handel in Do Good lässt immer mehr nach. Offenbar wollen die Indianer nicht mehr so viel mit uns zu tun haben. Das sagt zumindest Esther Snowberry, und sie hat noch nie gelogen.«

»Grüß Esther ganz herzlich von mir. Und mach dir keine Sorgen wegen der Kahniankehaka, die haben im Augenblick ihre eigenen Probleme.« Einige Monate zuvor, ehe Quent nach London fuhr, hatte er Scarouady eine Súki-Perle gegeben. Der Häuptling hatte *ayaapia,* den Elchbullen, im Namen der gesamten Irokesen-Föderation angenommen. Zur Sicherheit hatte Quent den Kahniankehaka auch *eesipana,* den Waschbären, überreicht. »Tu einfach, was ich dir sage, Mutter.« Quent sprach leise und eindringlich. »Im nächsten Sommer wird es in der ganzen Provinz, aber vor allem hier von Rotröcken wimmeln. Mehr, als du je gesehen hast, mehr, als du dir vorstellen kannst. Die brauchen Verpflegung, Bier und Rum und Kasernen. Sprich mit Ely, aber unter vier Augen. Wenn's geht, halte John aus der Sache raus. Sag Ely, er soll im Winter so viel Holz wie nur möglich schneiden. Das Holz für ihre Kasernen können sie von Shadowbrook beziehen.«

»Quent, ich will gerne glauben, dass du einiges über die Pläne in London weißt, aber selbst wenn wir wirklich so viel Gewinn machen können, was nützt uns das? Die De Lanceys …«

»James und Oliver De Lancey bekommen einen Anteil an unserem Gewinn, Mutter. Aber nur einen bescheidenen.«

»Nein, du verstehst mich nicht richtig. John hat ihnen alles überschrieben. Weil er die verrückte Idee hatte, Zuckerrohrfelder zu kaufen. Jetzt, da Hamish Stewart tot ist, gehört das Gut doch wieder den De Lanceys. John sagt zwar, das würde nicht stimmen, das Gut fiele nach Hamishs Tod wieder an ihn zurück, aber ...«

»John hat Recht.« Die Worte hatten einen bitteren Beigeschmack. Durch alles, was er unternommen hatte, war das Gut wieder auf seinen Bruder übergegangen. *John muss sterben.*

Er reichte ihr das Original des Dokuments, das sie zusammengeknüllt im kalten Kamin gefunden hatte, an dem Abend, als Hamish Stewart starb. Lorene blätterte alle Seiten durch, überflog die winzige Druckschrift, blieb an den Unterschriften hängen. Oliver De Lancey, James Alexander, Hayman Levy und John Hale. »Aber bist du dir sicher, dass das jetzt die einzige Kopie ist, Quentin? Und was ist mit der Urkunde, die Hamish Stewart zum Be...«

»Stewarts Urkunde gibt es nicht mehr. Ich habe sie verbrannt, eigenhändig. Und ja, ich bin mir sicher, dass das die einzige Kopie der Dokumente ist, die John unterschrieben hat.«

Sie wandte sich ab, als schmerzte es sie, ihn das sagen zu hören. »Dein Bruder wollte das Gut nicht weggeben, er wollte nur Land auf den Inseln hinzufügen zu dem Land, das wir schon haben.«

»Das ist jetzt gleichgültig. Alles ist wieder wie früher.«

»Ja, einige Dinge sind wieder wie früher. Das freut mich sehr, Quentin. Aber ... will ich wissen, wie dir das gelungen ist?«

»Es war nichts Unehrenhaftes, Mutter.«

»Glaubst du wirklich, ich kümmere mich um Ehre, wenn es um Schlangen und Lügner und Betrüger wie die De Lanceys geht?« Sie spuckte die Worte förmlich heraus. »Die möchte ich in der Hölle schmoren sehen, und dann tanze ich noch auf ihrem Grab. Aber sie sind nicht dumm. Dein Bruder vielleicht schon, aber nicht die De Lanceys, und du auch nicht. Was musstest du geben, um das Gut zurückzubekommen, Quentin Hale? Das will ich wissen.«

»James De Lancey geht es mehr um Macht als um Geld, Mutter. Und Oliver tut mehr oder minder das, was sein Bruder ihm sagt. Ich habe in London bestimmte Beziehungen aufgebaut, und London entscheidet über das Wohl und Wehe des Gouverneurs hier. Also, vierzehn Prozent des Gewinns für die nächsten vier Jahre, Mutter. Das sollte nicht so schwer sein angesichts des Gewinns, der ins Haus steht. Und es ist besser, die De Lanceys als Verbündete zu haben denn als Gegner.«

Lorene nickte. »Der Meinung wäre dein Vater auch gewesen. Aber was soll ich John sagen?«

»So wenig wie möglich. Er darf nicht wissen, dass das Gut wieder völlig frei und unbelastet ist. Sonst wird es unmöglich sein, ihn zu bändigen.«

»Aber wie soll ich das vor ihm geheim halten?«

»Du hast dein Leben lang vieles geheim gehalten«, sagte er leise. »Das wird dir bei dieser Sache wahrscheinlich leichter fallen als bei manchen anderen.«

Lorene schwieg eine Weile. Schließlich legte sie eine Hand auf seine. »Er wird nichts erfahren. Erst, wenn du es sagst.«

»Erst, wenn dieser Krieg vorbei ist und ich nach Hause komme und … mich um alles kümmern kann.« *John muss sterben.* »Du schaffst es, Mutter.« Er lächelte. »Du warst doch immer sehr diplomatisch, wenn's um uns Männer ging.«

Lorene nickte, lächelte aber nicht. Der Preis, den sie bezahlen musste, um alles so zu regeln, wie die Dinge es erforderten, war oft höher, als ihr lieb war.

»Eine Sache noch«, fuhr Quent fort. »Der Schotte. Die De Lanceys haben ihn natürlich nur benützt, und seine Gier auf Shadowbrook hat ihn so geblendet, dass er sich hat benützen lassen. Aber ich muss wissen, ob er noch etwas anderes gesagt hat, als dass er der neue Gutsherr von Shadowbrook ist. Stewart war ein Jakobit, er hatte Verbindungen zu den Papisten in Québec. Ich möchte keine Überraschungen erleben. Könnte das der Grund sein, warum John ihn umgebracht hat?«

»John hat mir nichts davon gesagt. Ich glaube nicht, dass das Wort Kanada ein einziges Mal erwähnt wurde. Und es war nicht dein Bruder, der Hamish Stewart umgebracht hat. Das war Taba, eine kleine Ibo-Sklavin. Wir haben sie gekauft, nachdem du fort warst, also wirst du sie nicht kennen.« Lorene schilderte ihm den Vorfall.

»Diese Taba – ist sie noch hier?«, fragte er dann. »Vielleicht wäre es gut, sie zu verkaufen.«

Lorene schüttelte den Kopf. »Nein, das ist nicht nötig. Sie ist eine gute Näherin. Ich bringe es ihr selbst bei; sie wird noch viele Jahre lang gute Arbeit leisten. John wird sie nicht ... Ich gab ihm zu verstehen, dass sie ihm das Leben gerettet hat«, sagte Lorene freundlich; nur ihre Augen verrieten, dass die Wahrheit düsterer war. »Er wird sie nicht bestrafen dafür, dass sie fortgelaufen ist. Und er hat aufgehört, sie ...« Sie verstummte.

Noch etwas, das er den sicheren Händen seiner Mutter überlassen konnte. Er erhob sich. »Ich muss gehen.«

»Wann kommst du wieder?«, fragte Lorene, als sie an der Haustür standen.

»Sobald ich kann. Auf jeden Fall wenn dieser Krieg vorbei ist.« *John muss sterben.* »Eines hätte ich beinahe vergessen, Mutter. In der Stadt wohnt eine Frau, Annie Crotchett. Eine bestimmte Sorte Frau, aber dank John hat sie die einzige Möglichkeit, ihren Lebensunterhalt zu verdienen, verloren. Sie ist meist in der Taverne von Peter Groesbeck. Ich habe ihr eine Guinea versprochen, alle ein oder zwei Monate. Kannst du die erübrigen? Du hast doch immer etwas zur Seite gelegt, wovon wir anderen nichts wussten.«

Jetzt musste Lorene doch lächeln. Sie legte ihrem Sohn eine Hand auf die Wange. »Jede Frau, die auch nur ein bisschen Verstand hat, tut dasselbe. Ich werde zusehen, dass Annie Crotchett das Geld bekommt.«

Der einfache Teil war vollbracht. Was ihm jetzt bevorstand, würde sehr viel schwieriger werden.

VIERTES BUCH

1758 bis 1759

Québec

24

Samstag, 8. Juni 1758
Louisbourg, Ile Royal

Fast schon Sommer, aber es war immer noch eiskalt in dieser Schreckenshölle, die der Teufel vor der Küste Kanadas geschaffen hatte. Quent saß in einem der vordersten Boote, sein Magen rebellierte, das Blut pochte ihm in den Ohren. Er betete, dass dieser Versuch nicht wieder scheitern würde. Drei Mal hatten sie sich bereits geschlagen geben müssen, die Männer, die in den zweihundert Landebooten kauerten, jedes Mal waren sie zurückgerufen worden, weil sie nicht vorankamen.

Jedes Langboot war mit zwanzig Ruderern bemannt und beförderte sechsunddreißig Soldaten, dazu einen Trommler, der mitschiffs saß und den Takt vorgab. Wie Blätter im Wind tanzten sie auf den tosenden Wellen; durch den flachen Kiel und das fehlende Gewicht wurden sie von der brodelnden Strömung umhergeworfen. Eisiger Nebel und peitschende Salzgischt steigerten noch das Elend der Männer, die bis auf die Haut durchnässt waren. Der Geruch ihrer Angst und des Erbrochenen stieg ihnen in die Nase, während sie durch den Nebel spähten in der Hoffnung, den Strand zu sichten.

Hinter der Flottille von Landungsbooten wartete eine wahre Armada von Kampfschiffen unter Segel, dreiundzwanzig Linienschiffe, achtzehn Fregatten und eine ganze Flotte von Transportbooten. Seit acht Tagen drängten sie sich am Horizont und warteten, dass der Nebel sich lichtete. Und als dies nicht geschah, versuchten sie, die elftausend regulären britischen Soldaten, amerikanischen Regimenter und Milizionäre und die Ranger anzulanden, die Louisbourg einnehmen sollten.

Zum Schutz vor der Gischt hielt Quent die Hand über die Augen und suchte die näher kommende Küste ab. Einige Stunden zuvor war er in einem kleineren Boot mit Jeffrey Amherst, dem befehlshabenden General, und Brigadekommandeur Wolfe, dem Amherst am meisten vertraute, an Land gegangen, um die Küste auszukundschaften. Die Militärs hatten sich von seinen Waldläufer-Fähigkeiten viel erhofft, doch er hatte nichts entdeckt, das einem auch nur halbwegs sicheren Landeplatz gleichkam. Des Wartens müde, berief Admiral Boscawan sich schließlich auf seine Befehlsgewalt – *ich erinnere Sie, General Amherst, solange wir zu Wasser sind, bin ich der allmächtige Gott* – und wählte eine Bucht, die ihm noch am geeignetsten schien, dann schickte er die Boote ein viertes Mal aus.

Quent blickte aus zusammengekniffenen Augen zum schmalen Landstreifen, konnte aber nichts ausmachen. Er glaubte, seinen Namen rufen zu hören, und drehte den Kopf, aber es war nur das Brüllen des Windes. Wolfe saß im Bug des Boots rechts von ihm, direkt hinter dem Matrosen, der sich über das einzige drehbare Geschoss des Boots beugte. Wolfe umklammerte den Dollbord mit beiden Händen, auf dem Gesicht den üblichen Ausdruck von gequälter Entschlossenheit.

Eine weitere Welle baute sich auf. Quent sah sie auf das Boot zudonnern und wappnete sich. Der Mann am Ruder zu seiner Rechten murmelte: »Heiliger Gott, heiliger Gott, heiliger Gott«, immer und immer wieder. Das Stoßgebet folgte dem Rhythmus seiner Schläge und dem Takt des Trommlers. Das Langboot wurde in den Bauch der Welle gezogen, hoch hinauf geschleudert und dann donnernd nach unten geknallt. Das Ruder rechts von Quent klapperte leer in der Dolle, denn der betende Soldat war über Bord gespült worden. Quent glaubte, den Kopf des Mannes mehrere Armeslängen von sich im Wasser auftauchen zu sehen; selbst das Ruder würde nicht in seine Reichweite kommen. Quent setzte sich auf den leer gewordenen Platz und fügte sich in den gleichmäßigen Ruderschlag ein. Der Trommler hatte seine Stöcke verloren und gab den Rhythmus nur noch mit der flachen Hand vor. Die Ruderer fanden rasch wieder ihren Takt. Quent musste gar nicht so stark pullen, wie er geglaubt hatte. Die Flut war mit ihnen, ihr einziger Gegner war das Wetter. Zumindest, bis sie an Land gehen würden.

Trotz des Nebels hatten die Franzosen die zahllosen Segel gesichtet, die sich am Horizont entlangzogen. Die Verteidiger von Louisbourg hatten sich an jedem denkbaren Landeplatz auf der Ile Royal eingebunkert. Sie warteten, bis die Flottille in Feuerweite kam, dann ließen sie einen tödlichen Hagel von Musketenkugeln auf sie niedergehen.

Die wenigen drehbaren Geschosse der Landungsboote konnten dem Beschuss nichts entgegensetzen, und die Musketen der Soldaten waren großteils durchnässt und damit unbrauchbar. Die See färbte sich rot mit Blut, die gellenden Schreie der Sterbenden und Ertrinkenden füllten die Luft.

Quent sah nach links. Dort war ein Küstenstrich, nur eine kleine, von Felsen übersäte Bucht, aber außer Reichweite des feindlichen Feuers. »Oberst Wolfe, da drüben!«, schrie er gegen den Wind.

Wie durch ein Wunder hörte Wolfe ihn. Er spähte in die Richtung, in die Quent deutete. »Sehr gut, Mr. Hale!«, brüllte er. »Ausgezeichnet!« Seine Stimme ging im Donnern der Wellen und im Lärmen des Geschützfeuers unter, aber das war gleichgültig. Er hob die Hand. Die Boote scherten nach links, die Landung konnte beginnen.

Am folgenden Morgen hatte sich das Wetter beruhigt, die Sonne schien vom Himmel, statt des Donnerns der französischen Kanonen war Vogelgezwitscher zu hören. Quent führte Wolfe und einige andere Offiziere die Linien entlang, an der er und fünfhundert Ranger in der vorhergehenden Nacht den Feind gestellt hatten; um nicht abgeschnitten zu werden, hatten die französischen Soldaten sich in die schützende Zitadelle zurückgezogen. Eine Kanone hatten sie zurückgelassen, und rund hundert Leichen. Jede einzelne war skalpiert.

»Nehmen Sie Skalps, Mr. Hale?«, fragte Wolfe. »Ich weiß, so will es der Brauch in diesem Land, aber tun Sie das auch?«

»Die Ranger kämpfen wie Amerikaner, Oberst, auf die Art, die den amerikanischen Gegebenheiten und der Lebensweise hier entspricht. Deswegen sind sie so wertvoll.«

»Das ist mir klar. Aber wie steht es mit Ihnen persönlich? Wie ich höre, sind Sie ein Gentleman. Skalpieren Sie Ihre Feinde?«

Quent sah ihm unverwandt in die Augen. »Wann immer ich kann, Oberst Wolfe. Auf die eine oder andere Art.«

Wolfes Haar war ebenso rot wie Quents. Aber er hatte kein Kinn, und seine Augen sahen aus, als würden sie ihm jeden Moment aus dem Kopf springen. Und er war fast ständig krank. Aber laut Pitt hatte er den Mut eines Tigers.

Die Tiger in Indien sind wirklich bemerkenswert, Mr. Hale. Die schlauesten und wildesten Raubtiere, die man sich vorstellen kann. Also sagen Sie mir, was würde wohl passieren, wenn ein Tiger mit einem Bären kämpft?

Ich weiß es nicht, Sir. Aber solange sie beide auf derselben Seite kämpfen, ist es doch gleichgültig, oder?

Wolfe starrte noch immer auf die verstümmelten Leichen. »Es wundert mich, dass so wenig Indianer darunter sind. Ich sehe nur zwei. Haben Sie eine Erklärung dafür, Mr. Hale?«

»Soweit ich das vergangene Nacht erkennen konnte, waren nur einige Mi'kmaq und Abenaki unter den Männern. Nicht viele. Nicht wie früher.«

»Dann stimmt es also? Dass die Indianer die Franzosen verlassen haben?«

»Sehr viel weniger waren bereit, Onontios Kriegsgürtel anzunehmen, das ist wahr.« Er hatte sich nicht die Mühe gemacht, William Pitt die Sache mit den Suckáuhock zu erklären – *ich kann mein Versprechen erfüllen, Sir. Wie, braucht Sie nicht zu kümmern* –, und würde es auch bei James Wolfe nicht versuchen.

Der sah ihn an und wartete offenbar auf eine weitere Erklärung. Quent erwiderte schweigend seinen Blick. Schließlich wandte sich der Engländer wieder zu den Leichen. Nach einem Moment winkte er einen jungen Leutnant zu sich. »Stellen Sie einen Trupp ab, der sie begräbt.«

Ein Neuengländer trat vor. Er trug den grünen Rock, den viele Ranger als Uniform gewählt hatten. Andere, allen voran ein Oberst Rogers, hatten sich einen militärischen Dienstgrad zugelegt, der zu ihrer so genannten Uniform passte. Quent waren seine lederne Kniehose und sein üblicher Name lieber. Aber keiner der Ranger legte großen Wert auf Förmlichkeit oder Ehrerbietung. »Mit Verlaub, Sir, aber das ist nicht nötig.«

Wolfe bedachte den Mann mit seinem eisigsten Blick. »Ihr Amerikaner lasst Leichen vielleicht einfach vermodern. Wir Engländer nicht.«

»Das wollte ich damit nicht sagen, Sir. Wir verbrennen sie.«

»Verbrennen ... Das ist barbarisch, das lasse ich ...«

»Nein, Oberst, das ist es nicht. Der Gestank des brennenden Fleischs wird zur Festung hinüberwehen und die Leute dort in Angst und Schrecken versetzen. Wenn Sie so wollen, revanchieren wir uns für den Gefallen, den sie uns bei Fort William Henry erwiesen haben.«

Quents Magen verkrampfte sich. Selbst die Waldläufer, die Amerikaner, die den Indianern und ihren Sitten am nächsten standen, hatten nichts begriffen. Trennung war die einzige Hoffnung. Gott sei gedankt für Corms Vorstellung, wie sie verwirklicht werden konnte, und für seine Beharrlichkeit. Und die Suckáuhock.

Es dauerte zehn Tage, bis alle Vorräte ausgeladen waren. Im Verlauf der Aktion zerschellten über hundert kleinere Boote an den Klippen, aber letztlich war alles an Land gebracht, einschließlich der schweren Geschütze und Kanonen. Als Amhersts Lager endgültig aufgebaut war, dauerte es den Großteil eines Vormittags, es von einem Ende zum anderen abzugehen.

Am achtzehnten Juni war alles so weit, die Belagerung von Louisbourg begann. Bevor die ersten Schüsse abgefeuert wurden, ließ General Amherst der Ehefrau des Festungskommandanten einen Korb voll Ananas schicken und dazu eine Notiz, in der er sich für den Lärm seiner Geschütze entschuldigte.

Montag, 5. August 1758
Québec, Unterstadt

Die Marienglocke vom Kloster der Armen Klarissen ließ ihr Trauergeläut erklingen. Mit großer Aufmerksamkeit zog Nicole am Seil und ließ es wieder los, und dabei sprach sie das *Miserere,* vereinte ihren Geist mit dem der Äbtissin und ihren Schwestern, die im Chor knieten und beteten.

Louisbourg war gefallen. Und fast ebenso schlimm war, dass die Engländer den tapferen französischen Soldaten, die die Festung verteidigt hatten, freien Abzug verweigerten und sie als Kriegsgefangene nach England schicken wollten. Die achttausend Frauen, Kinder und männlichen Zivilisten, die hinter den Festungsmauern gelebt hatten, wurden nach Frankreich deportiert. »Aber ma Mère, wer hat denn je dergleichen gehört?« Sœur Angéliques Augen weiteten sich vor Entsetzen, als sie in der Ruhezeit am Nachmittag die Nachricht erfuhr. »Warum werden Menschen, die nicht gekämpft haben, fortgeschickt? Das hat es noch nie gegeben.«

»Bei den Engländern offenbar schon.« Mère Marie Rose stickte. Selbst während der einen Stunde relativer Freiheit, die den Armen Klarissen am Tag zugestanden wurde, blieb keine von ihnen müßig. »Genauso, wie sie die Akadianer deportiert haben. Zumindest werden die armen Seelen von Louisbourg nach Hause geschickt, nach Frankreich, und nicht in die amerikanischen Kolonien, wo sie unter Ketzern leben müssen, wenig besser als Sklaven.«

»Die Akadianer sind englische Untertanen«, brachte Nicole zaghaft vor. Glaubten ihre Schwestern wegen ihres englischen Vaters, sie sei der französischen Sache, dem katholischen Glauben weniger treu ergeben? »Ich will das, was passiert ist, nicht verteidigen. Nie. Aber die Engländer konnten die Akadianer nicht nach Frankreich schicken, weil sie keine Franzosen mehr sein sollten.«

»*Les Anglais* sind Tiere.« Sœur Françoise, die ihre Stimme selten über ein Flüstern erhob, brüllte regelrecht. »*Cochons!* Schweine! Ohne jede Ausnahme.«

Aber nicht mein Roter Bär, dachte Nicole. Was ich von den amerikanischen Rangern gehört habe, die mit den Rotröcken und den Milizen kämpfen, die wie Indianer heulen, wenn sie töten, und Skalps nehmen wie die Indianer – ist mein Roter Bär einer von ihnen? Die Nacht damals am Feuer im Lager der Shawnee, als er tanzte und sang und mit einer Squaw im Wald verschwand, da war er ein richtiger Indianer. Aber mit mir, in Shoshanayas Lichtung … Sie beugte sich vor, stieß ihre Stopfnadel heftig in den Stoff und ließ den Schleier vor das Gesicht fallen, um ihre brennenden Wangen zu verbergen. Vergib mir, *mon Dieu*. Vergib mir meine bösen Gedanken. »Wird eine Erklärung genannt, warum die Zivilisten nach Frankreich geschickt werden, ma Mère? Wissen wir, ob es möglicherweise eine Kriegstaktik ist?«

Sehr klug, dachte Mère Marie Rose. Wie Père Antoine schon sagte. Fast zu klug für eine Nonne. Was sehe ich in deinen Augen, *ma petite sœur*? Etwas, was ich in den Augen der anderen nicht sehe, glaube ich. »Wir erfahren gar nichts. Möglicherweise wollen sie die Franzosen aus ganz Kanada vertreiben.«

Dann beauftragte sie Nicole, die Marienglocke zu läuten zum Gedenken an die Seelen der tapferen französischen Soldaten, die bei der Verteidigung von Louisbourg gefallen waren, und wegen des Leids der Überlebenden.

Zieh das Seil langsam und mit völliger Hingabe. Vergiss nicht, Glockenläuten ist wie beten. Geh in die Knie, wenn du das Seil nach unten ziehst. Lass es mit ebensolcher Vorsicht wieder los. Und weil du sie nicht läutest, um einen Sieg zu verkünden, sondern wegen einer Niederlage, verharre für die Dauer von zwei Zeilen des Psalms, bevor du sie wieder läutest. *Miserere me, Deus.* Herr, erbarme dich meiner. *Quoniam conculcavit me homo.* Denn die Menschen fechten mich an.

Alle Franzosen aus Kanada zu vertreiben, das war Cormac Sheas Plan gewesen. Nicole hatte ihn und Quent einmal heftig darüber debattieren hören, und später hatte Monsieur Shea ihr den Plan näher erklärt, als Quent nicht dabei war, um ihm zu widersprechen. »Das ist die einzige Möglichkeit, damit hier in der Neuen Welt je

Frieden herrscht. Kanada für die *Anishinabeg*, der Rest – der Teil, den die Engländer jetzt haben – für die Weißen.«

»Das klingt hart, Monsieur Shea. Gibt es denn keine …«

»Nicht so hart wie die Alternative. Die einzige andere Möglichkeit, wie die Weißen hier leben können, ohne ständig mit den Indianern Krieg zu führen, ist, jeden einzelnen roten Mann umzubringen.«

Conculcaverunt me inimici mei tota die. Meine Feinde fechten mich an den ganzen Tag. *Quoniam multi bellantes adversum me.* Es gibt viele, die mich bekriegen.

Bevor der Sommer vorüber war, läuteten die Glocken Kanadas erneut in Trauer, nun für den Fall von Fort Frontenac am Lake Ontario. Die Kette der Festungen, die sich von Kanada bis zum Ohio Country erstreckte, war zerrissen. »Jetzt können protestantische Ketzer das Ohio Country überwältigen«, sagte Marie Rose. Tränen standen ihr in den Augen. »Wie sollen die armen Indianer je die Botschaft Christi und seiner katholischen Kirche hören?«

Wenn sie überhaupt überleben, dachte Nicole. Wenn die Weißen es nicht für nötig erachten, jeden einzelnen Indianer umzubringen, wie Monsieur Shea meinte.

Mittwoch, 23. Oktober 1758

Eine Ebene in der Nähe von Easton, einem Dorf in der Kolonie Pennsylvania

Nachdem es drei Wochen unablässig geregnet hatte, war das Wetter an diesem Nachmittag zumindest trocken, wenn auch grau verhangen. Und kalt. Corm hatte sich eine Decke um die lederne Kniehose gewickelt. Er stand allein am Rand der großen Lichtung in den östlichen Vorbergen der Alleghenys. Hier war er ein Außenseiter, ein Kanadier und ein Potawatomi. Keine dieser beiden Volksgruppen stand bei diesem Powwow in hohem Ansehen. Im Gegensatz zu Quent. Der war hier viel mehr Uko Nyakwai, der legendäre Waldläufer aus dem Ohio Country, als Kwashko, der adoptierte Potawatomi-Tapfere, oder Quentin Hale, der Gentleman. Corm verfolgte, wie Quent von einem Grüppchen zum nächsten ging, überall kurz mit den Leuten redete und dann weiterschlenderte.

Die *Anishinabeg* mithilfe der Suckáuhock zu überzeugen, dass sie auf Seiten der Engländer kämpften oder neutral blieben – das war der Plan gewesen. Corms Gespräche mit den Ottawa, den Huronen und den Abenaki hatten vorwiegend zu Neutralität geführt. Quent wollte sie überreden, Verbündete der Engländer zu werden.

Fünfhundert *Anishinabeg* von dreizehn Nationen hatten sich unter den Bäumen versammelt, deren regennasses Laub in herbstlichem Rot und Gold glänzte. Die Indianer, darunter viele Häuptlinge in zeremonieller Kleidung, wetteiferten in ihrer Pracht mit den Bäumen. Die Delaware-Sachems Teedyuscung und Pisquetomen, Shingas' Bruder, saßen beisammen. Nach Corms Zählung hatten sich sechzig von Teedyuscungs Tapferen hinter ihm aufgereiht. Pisquetomen hatte lediglich ein halbes Dutzend Berater bei sich, aber er besaß die absolute Autorität, dachte Corm. Vor Monaten hatte Quent Shingas die Súki-Perle mit dem eingravierten *pileewa,* dem Truthahn, gegeben. Höchstwahrscheinlich hatte der sie für dieses Treffen an seinen Bruder weitergereicht. Pisquetomen war ein ziviler Häuptling, Shingas ein Kriegssachem. Nun hatte Pisquetomen Vorrang. Shingas' Zeit würde vielleicht später kommen.

Die Irokesen hatten die Versammlung für so wichtig erachtet, dass sie Häuptlinge aller einzelnen Stämme schickten und nicht nur einen Abgesandten, der den Großen Rat der Sechs Nationen vertrat. Nichas von den Kahniankehaka und den Seneca-Häuptling Tagashata hatte Quent bereits begrüßt. Gerade ging er zu den abgesandten Beobachtern der vielen kleinen Nationen, die von den Irokesen beherrscht wurden. Corm erkannte Nanticoke, Tutelo, Chugnut, Minisink, Mahican ... *Ayi!* Sollte es den Irokesen, mächtig wie sie waren, tatsächlich gelingen, so viele Stämme auf ein Abkommen einzuschwören? Doch, vermutlich schon, schließlich gelang ihnen das schon seit vielen Jahren. Und jetzt wurde ihre

Autorität noch durch die Macht von *eehsipana,* dem Waschbären, und *ayaapia,* dem Elchbullen, gestärkt.

Er sah, wie Quent und ein Nanticoke ihre Handflächen aneinander drückten und der Rote Bär sich dann einen Weg zum Rand der Versammlung zu bahnen versuchte. Ein großer Weißer im blauen Rock des Virginia-Regiments trat ihm in den Weg. George Washington, wurde Corm bewusst. Washington und Quent zogen sich ein wenig zurück und unterhielten sich ernsthaft. Nach einer Weile verabschiedeten sie sich, und Quent kam mit großen Schritten auf Corm zu. Als er ihn erreichte, zog ein breites Grinsen über sein Gesicht. »Ich glaube …«

»… dass es klappt«, beendete Corm seinen Satz.

»Woher weißt du das?«

»Du hast deinen *Cmokman*-Geist aus deinem Bauch aufsteigen und auf deinem Gesicht sehen lassen.«

Quent lachte, dann wurde er wieder ernst. »Hör mal, du glaubst doch nicht … Es ist nicht nur für die *Cmokmanuk* und für Shadowbrook. Das weißt du doch, oder?«

»Das weiß ich. Was hatte dein Freund Washington zu sagen?«

»Er heiratet. Eine Martha Soundso. Eine Witwe mit zwei Kindern, ganz zu schweigen von einem prächtigen Grundbesitz, der zufälligerweise an seinen angrenzt.«

»Wann soll die Hochzeit sein?«

»Im Januar. Er gibt den Militärdienst auf und will sich in Virginia um einen Sitz im House of Burgesses bewerben.«

Corm wollte gerade etwas erwidern, brach aber ab. »Jetzt ist Teedyuscung an der Reihe«, sagte er und deutete zu dem Häuptling, der in die Mitte des Kreises getreten war. »Vielleicht kommen wir jetzt wirklich zur Sache.«

Seit fünf Tagen waren sie auf dieser Grasebene, wo eine flammende Rede die andere ablöste, doch großteils waren sie rein ritueller Natur gewesen. Die Redner stellten ihr rhetorisches Geschick unter Beweis und wetteiferten darin, eine Liste der Klagen aufzuführen, die allen sattsam bekannt waren. *Ihr weißen Männer habt diesen Krieg angefangen, das ist offensichtlich. Warum kämpft ihr nicht in eurer Alten Welt oder auf dem Meer? Warum kommt ihr hierher und kämpft in dieser Welt, die für euch die Neue ist, für uns aber die Alte?* In bekannter *Anishinabeg*-Manier hatten alle Stämme die besten Redner vorgeschickt. Die Engländer hatten einer Tirade nach der anderen zugehört und sich bemüht, ihre Ungeduld zu verbergen. Jetzt waren endlich die an der Reihe, die die wahre Macht besaßen, nun würden sie ihre Überlegungen vortragen.

Teedyuscung trug eine Wampum-Kette in der Linken. Langsam und sehr bedacht, damit alle mitzählen konnten, schlang er sie sich sechs Mal um das rechte Handgelenk. Vier Windungen waren das höchste, was sie bislang gesehen hatten. Der Delaware-Häuptling gab zu verstehen, dass er etwas von großer Bedeutsamkeit zu sagen hatte.

»Onkel.« Er sah zu den Häuptlingen der Irokesen, die die Delaware vor langer Zeit unterworfen hatten. »Ihr erinnert euch vielleicht, dass ihr mein Volk nach Wyomink und Shamokin gebracht habt.« Teedyuscung deutete nach links und rechts, wo die beiden Täler lagen.

»Und das Land dann unter ihren Füßen weg verkauft«, flüsterte Corm.

»Die guten alten Schlangen«, sagte Quent. »Auf die ist immer Verlass. Hör, Washington hat mir erzählt …«

Corm brachte ihn mit einer Geste zum Schweigen. Einer der Irokesen, ein Oneida, hatte sich erhoben, während Teedyuscung noch stand. Auch er hatte sich die Wampume sechs Mal ums Handgelenk gewickelt. Er sprach schnell und gestikulierte heftig. Corm war sich nicht sicher, ob er ihn richtig verstand. »Hat er wirklich das gesagt, was ich glaube, gehört zu haben? Dass der Große Rat die Delaware weiter in den Tälern leben lassen wird?«

Quent sprach Oneida besser als Corm, denn er war öfter und länger in dieser Gegend gewesen. »Ja, genau das.«

»Es wird aber nicht reichen, sie einfach nur hier leben zu lassen. Das ist die typische Arroganz der Irokesen. Wenn die Delaware befürchten müssen, dass die Schlangen das Land jederzeit wieder verkaufen können, wird das nicht …«

Quent legte Corm eine Hand auf den Arm. »Beruhige dich. So wird es nicht kommen. Nicht dieses Mal. Warte.« Ein Weißer erhob sich und trat in die Mitte des Kreises. »Er ist der Vertreter der Penns«, flüsterte Quent. »Der Familie Penn.« Der Mann begann, sich eine Wampum-Kette ums Handgelenk zu schlingen. Als er sechs Windungen erreichte – und damit die Anzahl von Teedyuscung und dem Oneida –, fügte er ostentativ eine siebte hinzu.

»*Ayi!* Jetzt muss er auch etwas Entsprechendes sagen!«

»Das wird er. Hör genau zu, Corm. Es ist wichtig.«

Der Weiße nickte seinen Vorrednern Teedyuscung und dem Oneida-Häuptling zu. »Ich habe gehört, was meine Indianerbrüder gesagt haben. Ich möchte wissen lassen, dass ich mit der Stimme der Brüder Penn zu ihnen spreche, denen der englische König dieses Land gegeben hat.«

Die Indianer, die ihn verstanden, begannen ungeduldig zu flüstern, und sobald seine Worte übersetzt waren, breitete sich allgemeine Unruhe aus.

»Das nützt ihnen auch nichts«, sagte Corm. »Du weißt doch …«

»Bitte, halt mal den Mund und hör einfach zu. Er gibt das ganze Land westlich der Berge den Irokesen. Offiziell. Im Namen der Familie Penn.«

»Woher weißt du …« Corm brach ab. Es war gleichgültig, woher Quent es wusste. Genau das passierte. Eine Reihe der Irokesen erhob sich. Sie lächelten und nickten und waren offensichtlich begeistert.

»Was ist mit den Delaware?«, fragte Corm. »Schau sie dir an. Es sieht ganz so aus, als würden sie jeden Moment abziehen.«

»Psst … Jetzt kommt das Beste. Das ist Denny, der Gouverneur von Pennsylvania.«

Gouverneur Denny begann zu sprechen, dann wurde ihm bewusst, dass er die Wampume vergessen hatte. Er sah sich um. Ein Adjutant eilte mit einer Kette aus weißen Röhrenmuscheln zu ihm, flüsterte ihm etwas ins Ohr und kehrte wieder an seinen Platz zurück. Mit unbeholfenen Bewegungen wickelte Denny die Schnur um sein Handgelenk, aber die Windungen ließen sich trotzdem deutlich zählen. Sieben an der Zahl. Damit brachte er zum Ausdruck, dass seine Worte ebenso bedeutsam waren wie die des Mannes, der den Irokesen gerade ein fürstliches Geschenk gemacht hatte. Er wandte sich zu den Delaware, die ihn in gespannter Erwartung beobachteten.

»Ich möchte unseren Freunden, den Delaware, sagen, dass die Häuptlinge und das Volk von Pennsylvania in der Stadt, die wir Philadelphia nennen, das alte Ratsfeuer wieder entfachen möchten.«

Weder Teedyuscung noch Pisquetomen sagten ein Wort, doch die Tapferen und die Berater hinter ihnen begannen zu tuscheln.

»Wir laden unsere Freunde, die Delaware, ein, Vertreter zum Feuer in Philadelphia zu schicken«, fügte Denny hinzu.

Alle Versammelten holten erstaunt Luft, die *Anishinabeg* ebenso wie die *Cmokmanuk*, als ihnen klar wurde, dass der Gouverneur damit den Delaware anbot, künftig direkt mit ihnen zu verhandeln. Ihr Anspruch auf dieses Land im Delaware-Tal wurde von den Weißen offiziell anerkannt. Das war eine dramatische Veränderung: Viele Jahre lang hatte Pennsylvania sich geweigert, mit jemand anderem als dem Großen Rat zu verhandeln, was bedeutete, dass sie die Delaware als Untertanen der Irokesen betrachteten.

Pisquetomen saß mit gekreuzten Beinen auf dem Boden in der vordersten Reihe, wandte den Kopf und sah zu den Schlangen hinüber; er mochte sie noch so oft Onkel nennen, sein Volk verabscheute sie. Die Irokesen starrten vor sich hin und erhoben keinen Einspruch gegen Dennys Worte. Das bedeutete, dass sie von dieser Vereinbarung gewusst und ihre Zustimmung gegeben hatten, aber zu trauen war ihnen dennoch nicht unbedingt. Pisquetomen fasste an seinen Medizinbeutel und spürte die Umrisse der violettschwarzen Súki-Perle, in die *pileewa,* der Truthahn, eingraviert war.

Nichas, der Kahniankehaka-Sachem, saß ebenfalls in der ersten Reihe, auch um seinen Hals hing ein Medizinbeutel. Er berührte ihn, sein Blick begegnete dem Pisquetomens. Uko Nyakwai hatte gesagt, dass die Kahniankehaka den Waschbären, *eehsipama,* angenommen hatten. Der Rote Bär log nie. Nichas senkte den Kopf. Die Geste war kaum wahrnehmbar, vermutlich hatte niemand anders sie bemerkt, aber Pisquetomen war sich ihrer Bedeutung sicher. Der Große Rat versprach, die Vereinbarung zu ehren, die hier getroffen wurde, und leistete einen Eid darauf, besiegelt von den alten Perlen, die die Geister ihrer gemeinsamen Vorfahren bargen.

Der Bruder des mächtigen Kriegssachems Shingas wartete noch einen Moment. Wenn Teedyuscung Einspruch dagegen erheben wollte, dass er für alle Delaware sprach, würde er das jetzt tun. Es kam kein Einspruch. Pisquetomen erhob sich und wandte sich an Gouverneur Denny. »Die Delaware nehmen deine Einladung an. Wir werden mit Freude die Wärme des alten Feuers mit unseren Brüdern in Philadelphia teilen.«

Es war vollbracht. Auf die eine oder andere Art hatten alle Indianer im Ohio Country versprochen, den Franzosen ihre Unterstützung zu entziehen und die Kriegsgürtel der Engländer anzunehmen, wenn sie ihnen angeboten wurden. Corm klopfte das Herz zum Zerspringen. Er sah zu Quent. »Guter Plan«, sagte er leise.

»Guter Traum«, gab Quent zurück.

Ein dreitägiges Fest mit Essen und Trinken, Singen und Tanzen beendete die Easton-Konferenz. Corm und Quent wurden ans Kahniankehaka-Feuer eingeladen. Sie gingen als Weiße, trugen eine Kniehose und keinen Lendenschurz. Am letzten Abend setzten sie sich zu zweit zusammen, ein wenig abseits von ihren Gastgebern. Die Funken der zahlreichen Feuer stiegen auf wie Glühwürmchen, der Duft von bratendem Fleisch ließ sie beide an lang vergangene Feste denken. »Wann warst du das letzte Mal in Singender Schnee?«, fragte Quent.

»Vor zwölf Monden. Letztes Jahr während Fallendes Laub.«

»Das ist nicht gut.«

»*Ahaw.* Und du?«

»Noch schlimmer. Das letzte Mal war ich dort, bevor wir uns in Québec sahen. Das muss drei Jahre her sein. Hast du etwas von Bishkek gehört?«

»Nichts. Aber es muss ihm gut gehen, sonst würde jemand uns suchen kommen und uns Bescheid geben. Wahrscheinlich Pondise. Er hat dich schon einmal gefunden, und das in New York City.«

»*Ahaw*«, stimmte Quent zu. »Das kann Pondise gut, Leute suchen. Und da wir beim Thema sind – hast du je die Frau aus L'Acadie gefunden? Marni?«

»Marni Benoit. Nein, ich habe sie nicht gefunden.«

»Suchst du noch?«

»*Ahaw.*« Corm stand auf. »Ich suche immer noch.«

Drei Wochen später standen die Franzosen, die die Great Forks besetzt hatten, dort, wo der Allegheny und der Monongahela zusammenfließen und den Ohio bilden, einem angreifenden Heer von Engländern und deren indianischen Verbündeten gegenüber, die das Fünffache ihrer Stärke betrugen. Die französische Garnison steckte Fort Duquesne in Brand und floh. Die Beute, die zu erringen General Braddock vergeblich versucht hatte, was ihn und fünfzehnhundert Männern das Leben kostete, wurde ohne einen einzigen Schuss eingenommen. Wenige Stunden später begannen die Engländer, auf den Trümmern von Fort Duquesne ihr Fort Pitt zu errichten.

Die Nachricht von dieser neuesten Niederlage traf in Québec an einem grauen Dezembertag in der ersten Adventwoche ein. In allen Gebeten des heiligen Amtes wurde Gott angefleht, er möge einen Erlöser schicken, der die Menschheit vor dem Anheimfallen in die Sünde bewahren möge. Mère Marie Rose berichtete ihren Nonnen von dieser Botschaft während der Ruhezeit nach dem montäglichen Essen, das aus Schmorkohl bestanden hatte sowie für jede Nonne das Sechstel eines hart gekochten Enteneis, das ein barmherziger *habitant* bei der Drehlade hinterlegt hatte.

»Liebe Schwestern«, sagte die Äbtissin, sobald die Glocke den Beginn der Ruhezeit verkündet hatte. »Das Entenei war die Gabe eines Wohltäters. Es war der dritte Teil unserer Mahlzeit.« Dann sprach sie von den Belangen der Außenwelt. »Ich muss euch die traurige Nachricht überbringen, dass Fort Duquesne an die Engländer gefallen ist.«

»Aber was soll jetzt werden?«, wollte Sœur Joseph wissen. »Wie …«

»Wir werden mehr Buße tun. Und inständiger beten für unsere Soldaten und für die armen Heidenseelen, die jetzt der protestantischen Ketzerei ausgeliefert sind.«

»Und was wird mit uns hier in Québec, ma Mère?« Sœur Angéliques Augen waren weit aufgerissen, sie glühte vor Glückseligkeit. »Werden die Engländer kommen und uns alle töten und zu Märtyrern machen, die direkt in den Himmel eingehen?«

»Ich glaube, du wirst noch ein wenig auf das Märtyrertum warten müssen, *ma chère petite*. Québec ist uneinnehmbar. Kein englisches Kriegsschiff kann La Traverse passieren.«

Nicole klopfte das Herz bis zum Hals, aber sie schaute nicht von ihrer Stopfarbeit auf. Eine Navigationskarte der Gewässer rund um Québec. So wichtig, dass die Verteidigung von ganz Neufrankreich davon abhing, aus ihrer Hand Monsieur le Marquis de Montcalm überbracht.

»Außerdem«, ergänzte Sœur Céleste, die stets praktisch dachte, »was immer passiert, ob Märtyrertod oder nicht, du wirst bis zum nächsten Sommer warten müssen, Angélique. Bald ist es Winter, in den nächsten Monaten wird kein Krieg geführt.«

25

Dienstag, 18. März 1759
Bayou Isolé, Louisiana

Das Kanu glitt über den Bayou und ließ sich von der trägen Strömung treiben. Den Großteil der Zeit hielt Corm das Paddel auf dem Schoß und tauchte es lediglich ins Wasser, um die Richtung zu halten. Eine *Cmokmanuk*-Hütte am rechten Ufer, war ihm gesagt worden. Zwischen den Bäumen versteckt. Er müsse mit beiden Augen schauen, wenn er sie nicht übersehen wolle.

Etwas zu übersehen war hier leicht. Moos hing in langen Strähnen von den Bäumen herab, ließ die Landschaft vor den Augen verschwimmen und verbarg alles. Das einzige Geräusch war das Sirren von Insekten und gelegentlich der Ruf eines Vogels, den er nicht kannte.

Es war, als wäre er in einer anderen Welt, wie das Singen beim Erzählen des neuen Monds. *Haya, haya, jayek*, so, so, wir alle zusammen. Auch der Bayou ließ sein Herz in einem anderen Rhythmus schlagen. Aber nicht, weil er mit den anderen eins war. Bayou Isolé war so einsam, wie sein Name besagte. Marnis Zuhause in Louisiana, sollte er es je finden, war mindestens ebenso abgelegen wie ihr Hof in L'Acadie.

Ein paar Mal war er beinahe eingedöst und mit einem Ruck hochgeschreckt, voll Angst, er könnte an diesem fremden Ort in eine gefährliche Lethargie verfallen. Vermutlich machte es nichts. Er hatte ein paar Tage bei den hier ansässigen Choktaw verbracht, und sie waren recht freundlich gewesen. Vermutlich waren Alligatoren das Einzige, weswegen er sich sorgen musste, und bislang hatte er keine gesehen. Obwohl es welche geben musste. Jeder wusste, dass es in Louisiana Alligatoren gab. *Die, nach der du suchst, die Squaw. Sie isst* kokotni.

Jetzt machte der Bayou eine leichte Kurve. Corm stach mit dem Paddel ins Wasser, damit das Kanu die Biegung richtig nahm. In dem Moment sah er sie.

Marni war allein, sie hockte im seichten Uferwasser. Ihre blasse Haut war goldener, als er sie in Erinnerung hatte, gebräunt von der Sonne, die hier so oft schien. Sie hatte sich das weizenfarbene Haar zu einem Zopf geflochten, der ihr über die Schulter hing. Unter dem Arm trug sie einen Korb, offenbar wusch sie etwas. Als das Kanu in ihr Blickfeld kam, sah sie erschreckt auf.

»*Pierre? C'est toi? Je ne pensais pas que …* Oh.« Ein Laut zwischen Keuchen und Seufzen, als würde ihr die Luft durch ein schweres Gewicht aus der Lunge gepresst. »Oh.«

»Guten Tag, Marni.« Mit dem Paddel steuerte Corm das Kanu auf das Ufer zu.

»Oh.« Dann starrte sie ihn nur an.

Auf dem Boden des Kanus lag ein Seil. Er griff danach und deutete zu einem hohen Baum am Ufer. »*Aide-moi.*«

Sie sagte kein Wort, aber nach einer Weile, in der er glaubte, seinen eigenen Herzschlag zu hören, oder vielleicht den ihren, nickte sie und richtete sich auf. Sie hatte den Rock ihres Kleids fast bis zur Taille hochgeschürzt, und ihre langen Beine waren bloß. Er sah die Wassertröpfchen, die ihre Schenkel benetzten. Sie waren fast ebenso golden wie ihr Gesicht. Ging sie hier nackt umher? Wie eine Squaw.

Marni stellte den Korb am Ufer ab, näherte sich dem Kanu und streckte die Hand nach dem Seil aus. Als er ihr das eine Ende reichte, berührten sich ihre Finger. Sie gab denselben kehligen Laut von sich, dann wandte sie sich rasch ab und watete an Land. Corm gab ihr Seil nach, und sie schlang es um einen herabhängenden Ast und band es fest. Corm stieg aus dem Kanu und ging zu ihr. »Willst du gar nichts zu mir sagen? Nicht einmal ›Guten Tag, Cormac‹?«

»Ich …« Sie brach ab und fuhr sich mit der Zunge über die Lippen. »Ich habe nicht …«

»Du hast nicht erwartet, mich je wiederzusehen.«

»Nicht nur das. Ich dachte, dass du nicht wirklich bist. Erst als ich deine Hand berührte.«

Er betrachtete die Landschaft, die so völlig anders war als die, in der sie zusammengewesen waren. »Hier ist es schwer zu sagen, was wirklich ist und was nicht.«

»Wie hast du mich gefunden?«

»Eine alte Frau in meinem Dorf, meinem Potawatomi-Dorf …«

»Singender Schnee?«

»Ja, in Singender Schnee.« Er hatte vergessen, wie viel er ihr erzählt hatte in den langen Winternächten, als es auf der ganzen Welt nur sie beide zu geben schien. »Shabnokis. Sie sagte mir, die Frau, nach der ich suche, würde *kokotni* essen, Alligator. Das musste hier sein.«

»Ich habe noch nie Alligatorenfleisch gegessen.«

»Sie meinte es nicht wörtlich. Es war nur ihre Art, mir zu sagen, dass du hier bist.«

»Warum?«

»Ich weiß es nicht.« Marnis Frage verunsicherte ihn, ihm war nicht ganz klar, was sie wirklich damit meinte. »Ich war wegen etwas anderem bei ihr, und dann …«

»Ich meinte, warum du nach mir gesucht hast. Warum jetzt? Es sind fast vier Jahre vergangen.«

»Ich habe nie aufgehört, nach dir zu suchen.«

Marni schüttelte den Kopf. »Lüg nicht. Ich habe gewartet. Du bist nicht gekommen.«

»Doch, ich bin gekommen. Die verbrannten Trümmer von deinem Haus waren noch warm, als ich ankam. Ich habe auch den *curé* getroffen, die Schwarzkutte Monsieur Faucon. Er hatte eine Zeichnung von dir gemacht, wie du auf der Zitadelle von Halifax stehst und auf das britische Schiff wartest. Er sagte, er hätte dich gerade zwei Tage zuvor gesehen, aber du seist schon fort. Auf seinem Bild hast du gelächelt.«

»Ich habe L'Acadie gehasst, das wusstest du doch.«

»War es so schlimm, dass du nicht noch ein paar Wochen hättest warten können? Ich hatte dir gesagt, dass ich wiederkommen würde. Warum hast du mir nicht vertraut?«

»Die Vertreibung war seit sechs Monaten beschlossen. Mir war klar, dass du davon gehört haben musstest. Ich dachte, wenn du kommen wolltest, wärst du bis dahin schon aufgetaucht.«

»Da hast du falsch gedacht.«

Wortlos wandte sie sich ab und zog mit einem heftigen Ruck ihren Rock über die Beine herab. Dann hob sie den Korb auf. »Komm ins Haus«, sagte sie. »Ich mache dir etwas zu essen, dann musst du wieder gehen.«

»Einfach so? Nachdem ich den weiten …«

Ohne auf ihn zu achten, schritt Marni aus. »Kommst du?«, rief sie ihm über die Schulter zu. Corm folgte ihr.

Das Haus war ganz in der Nähe, aber er hätte es zwischen den Bäumen nie entdeckt, und die Lichtung, in der ein Garten angelegt war, lag hinter dem Haus. Es war vom Bayou aus nur zu erkennen, wenn man wusste, dass es da war.

Bevor Marni die Tür öffnete, blieb sie stehen. »Wie hast du mich hier gefunden?«

»Ich habe die Choctaw gefragt.« Mit einem Finger strich er über ihren Zopf. »Als ich ihnen deine Haarfarbe beschrieb, wussten sie genau, wen ich meine. Außerdem sagten sie, dass es hier nicht allzu viele weiße Frauen gibt.«

»Ein paar Huren«, sagte Marni. »Im Bayou Septembre. Sie sind für die Fischer da.«

Sie wollte die Tür öffnen, doch Corm unterbrach sie. »Ist Pierre ein Fischer?«

»*Non*«, sagte sie. »*Pas un pêcheur.* Pierre stellt Fallen, vor allem für Schlangen. Er ist gerade in Nouveau Orléans unterwegs, um die Häute zu verkaufen. Natürlich, der Krieg …«

Sie brach ab, biss sich auf die Unterlippe. Es war eine Eigenart von ihr, die er in seinen Träumen hundert Mal gesehen hatte. »Marni, ich …«

»Es war der Krieg, den du erwartet hast, stimmt's? Der Grund, warum du nicht bei mir bleiben konntest, sondern …«

Eine Stimme aus dem Inneren des Hauses schnitt ihr das Wort ab. »*Maman! C'est toi?*«

Es waren zwei kleine Mädchen. Zwillinge, sagte Marni. »Yvette und Cécile.« Sie sahen Marni überhaupt nicht ähnlich, und außerdem waren sie zu groß, um … »Schau nicht so überrascht«, sagte sie. »Sie sind fünf. Ihre Mutter ist bei der Geburt gestorben. Sie waren achtzehn Monate alt, als ich herkam.«

Das Mädchen, das Yvette hieß, nahm den Korb aus Marnis Hand und kreischte vor Freude. »So viele, Maman! Das wird ein Festessen!«

»Ja, ein Festessen. Das ist Monsieur Shea, ein Freund aus L'Acadie. Er wird mit uns essen. Kommt, helft mir. *Vite!*«

Während die Kinder den Tisch deckten, machte Marni eine Art Maisbrei, den sie mit Kräutern aus dem Garten würzte, und kochte das Getier, das sie im Bayou gesammelt hatte. »*Des écrevisses.*« Sie hielt eine Krabbe hoch, die beim Kochen leuchtend rot geworden war. Dann zeigte sie Corm, wie man die Schale entfernte. »Man isst nur den Schwanz. Es schmeckt sehr gut.«

Corm musste ihr Recht geben, konnte aber nur wenige essen, und auch nicht viel vom Maisbrei. In seinem Magen war ein kalter, harter Klumpen. Das Lachen der Mädchen, wie sie sich an sie klammerten, wie Marni sie ansah … Vor Pierre, dem Schlangenfänger, hatte er keine Angst. Vor keinem Mann. Aber Yvette und Cécile versetzten ihn in Panik.

Marni betrachtete seinen halb vollen Teller, bevor sie ihn abräumte. »Die Mädchen werden bald schlafen. Dann können wir reden.«

In der Abenddämmerung, als die Zwillinge im Bett lagen, ging Marni mit ihm wieder an den Bayou. Sie setzten sich, an einen Baum gelehnt, auf den Boden, in einiger Entfernung vom Fluss. »Nachts ist es gefährlich«, sagte sie. »Dann gehen die Alligatoren auf Jagd.«

»Was für ein Ort ist das hier? Wie bist du hergekommen?« Mit diesen Fragen erkundigte er sich nach weitaus mehr. Das wussten sie beide.

»Der Bayou ist vergessen, wie ganz Louisiana«, erklärte sie. »Die Menschen, die hier leben, sind auch vergessen. Ich glaube, Frankreich ist an ihnen noch weniger interessiert als an den Leuten in L'Acadie, und das war wenig genug. Die Frauen sind fast alles Huren, die Männer vorwiegend ehemalige Strafgefangene, die hierher geschickt wurden, weil niemand wusste, wohin sonst mit ihnen. Es gibt so wenig Weiße, dass sie keine Bedrohung darstellen, und so gibt es kaum Ärger mit den Indianern.«

»Dieser Pierre, war er ein Strafgefangener?«

Marni schüttelte den Kopf. »Nein, ein Siedler. Einer der wenigen. Auf der Überfahrt war seine Frau schon schwanger mit den Mädchen. Es war hart. Und dann zwei ...«

»Du bist nicht für sie verantwortlich.« Noch im gleichen Moment wusste er, wie dumm seine Worte klangen, aber er konnte sie nicht mehr zurücknehmen.

»Du weißt selbst, dass das nicht stimmt. Eine Choctaw-Squaw hat sie das erste Jahr gestillt. Sie waren noch winzig, als Pierre mich herbrachte. Ich bin die einzige Mutter, die sie kennen.«

»Wie hast du ihn kennen gelernt?«

»Mit dem Schiff von Halifax bin ich nach Providence gekommen. Ich wurde zu einer Frau geschickt, die mich für ihre Sklavin hielt. Zum Glück hatte ich etwas Geld, als ich den Hof verließ. Ich habe unterwegs bewusst nichts für Essen oder Decken ausgegeben. Nicht wie die anderen.«

Er fragte nicht, wie sie die Fahrt ohne Geld überstanden hatte. Er wollte es nicht wissen.

»Nach zwei Wochen bin ich weg aus Providence. Schließlich bin ich nach Charleston gekommen.«

»Da habe ich auch nach dir gesucht. Vor zwei Jahren war ich in Carolina, um nach dir zu suchen. Ich hatte gehört, dass einige Leute aus L'Acadie dorthin gegangen waren.«

»Vor zwei Jahren war ich schon wieder weg. Ich habe Pierre in Charleston kennen gelernt. Er hatte gehofft, er könnte dort mehr Geld für seine Häute bekommen, aber der Krieg hat den Handel sogar da lahm gelegt. Er hat mich hierher gebracht.«

»Und im Austausch dafür hast du eingewilligt, dich um seine Kinder zu kümmern.«

»So war es nicht.«

»Dieser Pierre …« Corm brach ab. Er wollte nicht wissen, ob sie diesen Schlangenfänger liebte. »Wenn ihr zusammen seid«, sagte er stattdessen, seine Stimme war rau. »Ist es wie bei dir und mir?«

»Nein, so ist es nicht.« Leise, die Worte ausdruckslos. »Es ist anders.« Sie rührte sich nicht, wenn sie unter Pierre lag, erlaubte ihm einfach, ihren Körper zu benützen. Er verlangte nicht mehr, und sie gab nicht mehr. So war es auch bei Jean gewesen, dem Ersten. Und bei den anderen, den Männern auf der Reise, ohne die sie nicht überlebt hätte. Nur bei Cormac war es anders gewesen. Deswegen hatte sie geglaubt, ein Gespenst zu sehen, als er auf dem Bayou auftauchte. Wegen der vielen fiebrigen Träume und wegen der vielen Male, wenn sie sich das Laken in den Mund stopfte, um vor Kummer nicht laut zu schreien, wenn Pierre von ihr rollte. »Pierre ist mein Mann«, sagte sie. »Wir haben uns von einem Priester in Nouveau Orléans trauen lassen, bevor wir herkamen.«

»Ich dachte, du gehst nicht in die Kirche.« Etwas anderes fiel ihm nicht zu sagen ein. Ihre Worte bohrten sich wie Messer in sein Fleisch, doch er war zu sehr *Anishinabeg*, um seinen Schmerz zu zeigen.

»Cormac Shea, hör mir zu.« Sie wandte sich zu ihm und legte ihm eine Hand auf den Arm. Das erste Mal, dass sie ihn absichtlich berührte, seit er angekommen war. »Ich hatte zwei Möglichkeiten: Ehefrau oder Hure. Ich habe mich für Ehefrau entschieden. Pierre ist ein guter Mann. Die Kinder lieben mich, und ich liebe sie.«

»Wir könnten Kinder …«

»Nein, das könnten wir nicht. Als du fort warst, habe ich darum gebetet, schwanger zu sein. Ich bete nie, aber darum habe ich gebetet. Ich wollte, dass etwas von dir in meinem Bauch wächst, und das wollte ich mehr als alles, was ich je in meinem Leben gewollt habe. Es ist nicht passiert. Damals nicht, und davor auch nicht. Und seitdem auch nicht. Ich bin unfruchtbar. Yvette und Cécile sind ein Geschenk für mich, vielleicht ein Geschenk der Muttergottes. Die einzigen Kinder, die ich je haben werde.«

Es war gerade noch hell genug, dass er die Tränen sehen konnte, die ihr über die Wangen rollten. Er berührte sie. Sie legte die Hand auf seine Narbe. So blieben sie einige Sekunden. Schließlich sagte sie: »Nimm mich. Und dann geh.«

Freitag, 20. Juni 1759

Québec, Unterstadt

Sobald der Fluss eisfrei war, machte Père Antoine es sich zur Gewohnheit, jeden Tag oben auf den Klippen zu spazieren. Sein Ziel war immer dasselbe, die Stelle hinter der Stadt, wo ein Schiff, das den südlichen Kanal nehmen und auf den Hafen zusteuern wollte, zwischen der Ile d'Orléans und der Ile Madame und damit La Traverse passieren musste. Warum waren auf der kleinen Ile Madame keine neuen Geschützbatterien aufgebaut? Er war kein Militär, aber das sah doch jeder, dass das die ideale Stellung für Geschütze war, die die Fahrrinne verteidigen sollten. Warum nicht zumindest ein paar Schiffe, die den Fluss patrouillierten? Weil sie glauben, La Traverse sei unpassierbar für Kriegsschiffe, dass ohne ortskundigen Lotsen kein Schiff La Traverse überwinden kann und dass selbst mit einem Lotsen kein Schiff von mehr als hundert Tonnen es schafft. Aber Montcalm weiß es besser, denn ich habe ihm die Navigationskarte zukommen lassen. Warum unternimmt er nichts?

Heute ist Freitag. Heute nehme ich den Nonnen die Beichte ab. Ich werde eine Antwort bekommen.

Der Abgesandte des Generalministers der Franziskaner lief in die Unterstadt zurück, so rasch, dass ihm die braune Kutte um die Knöchel wehte.

»Segnen Sie mich, mon Père, denn ich habe gesündigt.« Nicole bekreuzigte sich. »Zwei Mal habe ich in der vergangenen Woche …«

»Warum hast du mich angelogen? Weißt du nicht, dass du damit deine unsterbliche Seele in Gefahr bringst?«

Père Antoine sah sie nicht an, aber sein Zorn war auch ohne seinen brennenden, strafenden Blick spürbar. Hastig schlug Nicole erneut das Zeichen des Kreuzes. Heiliger Geist, hilf mir, die richtigen Worte zu finden. »Niemals, mon Père. Ich würde nie lügen. Ich habe nie in diesem Beichtstuhl gesessen und Sie angelo…«

»Ha! Du denkst, du kannst mich mit schlauen Worten und Verdrehungen übertölpeln. Ich habe nicht gesagt, dass du in der Beichte gelogen hast. Du hast gelogen, als du sagtest, du hättest Monsieur le Marquis de Montcalm gesehen. Du warst nie bei ihm. Was hast du mit der Rolle gemacht, die ich dir für ihn gab? Hast du sie vielleicht in Montréal in den Fluss geworfen und gedacht, niemand …«

»Mon Père, bei meiner Seele, bei der Seele meiner verstorbenen Eltern, ich habe die Rolle Monsieur le Marquis persönlich überreicht. Ich habe gesehen, wie er sie öffnete und studiert hat, die …« Sie brach ab. Das war das Einzige, das sie nie gestanden hatte – dass sie wusste, was die Rolle enthielt.

»Du bist aus deinem eigenen Mund verdammt, Sœur Stéphane. Ein Mann, der so viel zu tun hat wie Monsieur le Marquis, würde dich fortschicken, bevor er die Rolle öffnet. Er würde dafür in seine Privatgemächer gehen.« Père Antoine war den Tränen nahe. Es war ein großer Fehler gewesen, nicht selbst nach Montréal zu gehen. Er hatte sich durch seine Angst, von Louis Roget gesehen und abgefangen zu werden, zu einem fatalen Irrtum hinreißen lassen. Dass er in einer solchen Situation einen so schwer wiegenden Fehler begangen hatte, war unglaublich. Schlimmer noch, es war unverzeihlich. »Zur Buße wirst du jeden Abend die Zucht nehmen, Sœur Stéphane. Einen Monat lang, allein in deiner Zelle. Du wirst zehn Mal das *Miserere* sagen, und währenddessen wirst du dich unaufhörlich züchtigen und Gott und die Muttergottes und alle Heiligen anflehen, sich für Neufrankreich einzusetzen und wettzumachen, was du mit deiner Feigheit …«

»Ich werde alles tun, was Sie sagen, mon Père, denn ich bin zweifellos eine Sünderin und verdiene diese Strafe. Aber ich schwöre, dass ich in dieser Sache nicht lüge. Ich habe die Rolle, die Sie Monsieur le Marquis schickten, ihm selbst ausgehändigt. Ich habe gesehen, wie er sie öffnete und den Inhalt studierte. Er bestand darauf, dass ich bei ihm blieb, und ließ eine Flasche Wein öffnen. Ein Lafitte Jahrgang '49. Es war der köstlichste Wein, den ich je getrunken habe. Monsieur le Marquis erzählte mir auch von seinem Gut in der Provence. Es heißt Candiac, und dort baut er Oliven und Mandeln an, aber keine Trauben. Er erzählte mir, dass sie die Mandeln zum Überzuckern nach Montargis bringen und dass …«

»*Mon Dieu.* Das ist unmöglich.«

»Aber es ist möglich, mon Père. Es ist die Wahrheit, das schwöre ich Ihnen. Ich …«

Durch das Gitter des Beichtstuhls sah Nicole, dass der Priester sich an die Stirn fasste. »Ich weiß«, flüsterte er. »Wie könntest du das alles wissen, wenn der Marquis es dir nicht selbst gesagt hätte? Und hier im Beichtstuhl … Ich glaube nicht, dass du hier lügen würdest, ma Sœur. Die Erklärung wäre mir zwar lieber, aber ich glaube nicht, dass sie der Wahrheit entspricht.«

»Ich würde nie einen Eid brechen, mon Père.« Nicole rutschte ein wenig umher. Selbst sie, die sehr schlank war, hatte in dem engen Beichtstuhl so wenig Platz, dass es bereits eine Buße war, ihn zu betreten. Alle ihre Schwestern waren füllig und rund, ebenso wie die liebe Äbtissin. Wie gelang ihnen das nur bei der kargen Kost? »Lieber als was, mon Père?«

»Als die Vorstellung, dass Montcalm es weiß und nichts unternimmt«, flüsterte der Priester. »Das heißt, dass er nichts unternehmen will.«

Schlimmer noch war die Nachricht, die Père Antoine erfuhr, nachdem er den Armen Klarissen die Beichte abgenommen hatte und auf die Straße trat. Große Schiffe, an denen das Kreuz des heiligen Georg flatterte, waren unterhalb der Ile d'Orléans gesichtet worden. Die Flotte zog sich den Sankt-Lorenz-Strom hinab, so weit das Auge reichte.

»*Tant pis, mon Père*«, sagte ein Fischer zu ihm und lachte, aber nicht aus Freude, wie Antoine dachte. »*Ça ne fait rien.* Sie bleiben dort, bis es kalt wird und das erste Eis kommt, und dann müssen sie kehrtmachen und nach Hause zurückfahren. Sie können La Traverse nicht passieren.« Der Mann wandte den Kopf und spuckte einen Pfropfen gelblichen Schleim in die Gosse. Seine Wangen waren eingefallen, seine Augen rot gerändert. In drei aufeinander folgenden Jahren war die Ernte in Kanada sehr schlecht ausgefallen, aber Bigot mästete die Wachteln für seine Tafel noch immer mit bestem Weizen. Die *habitants* in der Stadt mussten sich mit einer Ration von vier dünnen Brotscheiben am Tag begnügen, die zu drei Vierteln aus Erbsmehl bestanden. »*Le bon Dieu* steht uns bei, *non*? Das ist es doch, was ihr Priester immer sagt. Und wenn wir sterben? Was soll's. Wir kommen in den Himmel, *non*?«

Mittwoch, 25. Juni 1759

Unterhalb der Ile d'Orléans

Mittlerweile war er General Wolfe geworden, der Held von Louisbourg. In Amerika ein Generalmajor, sonst überall ein Brigadegeneral, um nicht die zahlreichen Offiziere zu kränken, die um vieles älter waren als er. Aber was am meisten zählte: Er war der Mann, den Pitt dazu auserkoren hatte, Québec anzugreifen, selbst nachdem der frisch ernannte General auf dem bislang ungekannten Privileg bestanden hatte, die Männer für seinen Einsatz selbst auszuwählen. Aufschneider, dachte Quent, als er Wolfe beobachtete, der am Vorderdeck der *HMS Richard* stand, ein Fernrohr am Auge. Er kann nicht anders. Die Arroganz hat er mit der Muttermilch eingesogen.

Gelegentlich wandte sich die schmale Gestalt nach rechts, zum Ufer und der mächtigen Zitadelle – Quent hatte kein Fernglas, aber soweit er es beurteilen konnte, war die Steilwand unüberwindbar. Häufiger jedoch blickte Wolfe geradeaus und betrachtete das brodelnde Wasser von La Traverse; die musste die Flotte überwinden, um in Feuerweite der Stadt zu gelangen, doch sie galt als unpassierbar. Wolfe schob sein Fernrohr zusammen und drehte sich zu Admiral Saunders, dem Befehlshaber dieser Mission, solange sie sich auf dem Wasser befanden. »Und, Sir? Welcher Plan?«

Die Schar Offiziere, die in der Nähe der beiden stand, drängte nicht wirklich dichter heran, aber ihre gespannte Erwartung war spürbar. Sie hören ganz genau zu, dachte Quent. Teufel, ich auch. In Gottes Namen, was hat er vor? Selbst wenn wir den Lotsen, den wir gefangen genommen haben, in Ketten hier hinaufschleppen, können wir doch kaum erwarten, dass er …

»Ich traue dem kanadischen Lotsen nicht«, sagte Saunders. »Und Sie wahrscheinlich auch nicht, General.«

»Der Lotse hat allen Grund, uns sicher durchzusteuern, Admiral. Wenn wir kentern, geht er mit uns unter.«

»Die Möglichkeit, dass er ein Patriot ist, besteht nicht?«, fragte Saunders leise.

»Er ist ein Kanadier«, antwortete Wolfe, als sei die Frage damit erledigt.

Und du, dachte Quent, du bist ein arroganter Dummkopf. Auch wenn ich auf deine persönliche Bitte hin hier bin. Ginge es mir nicht um Nicole, wäre ich nicht hier. Er senkte den Blick und hoffte, dass seine Abscheu ihm nicht anzusehen war. Ein Mann, der neben ihm stand, räusperte sich. Zuerst leise, dann lauter. Der Admiral wandte den Kopf. »Ja, Cooke? Sie wollen etwas sagen?«

»Ich habe mit dem kanadischen Lotsen gesprochen, Sir. Als die Ranger ihn zu uns brachten. Und vergangene Nacht bin ich mit einem kleinen Boot …«

»Und wer war Befehlshaber auf der *Three Sisters*, als Sie in dem kleinen Boot einen Ausflug unternahmen?«

Cooke deutete auf sein Schiff, das ein Stück stromaufwärts vor Anker lag. »Derselbe Mann, der im Augenblick das Kommando führt, Sir. Ein fähiger Mann.«

Wolfe wollte sich mit den Rivalitäten unter Seeleuten nicht abgeben. »Mit Verlaub, Admiral, können wir erfahren, was dieser Offizier zu sagen hat?«

Saunders nickte.

»Ich kann uns durchbringen«, sagte Cooke. »Zumindest bin ich mir ziemlich sicher. Ich würde es gern versuchen, wenn Sie gestatten.«

»Was ist mit der Tiefe?«, fragte ein anderer Kapitän, der ebenfalls zu diesem Kriegsrat gerufen worden war. Er hatte den Oberbefehl auf der *HMS Goodwill*, einem drittklassigen Schlachtschiff mit nur achtzig Geschützen, aber immer noch viel größerem Tiefgang als jedes Handelsschiff. »Ich weiß aus sicherer Quelle, dass kein Schiff von mehr als …«

»Die Tiefe genügt für die *Goodwill*, Sir. Das verspreche ich Ihnen.«

Saunders sah ihn an, versuchte zu entscheiden, ob er ihm vertrauen konnte. Wie, in Gottes Namen, konnte Cooke so viel mehr wissen als alle anderen? Er war kaum älter als dreißig. War bis vor einigen Jahren auf Handelsschiffen gefahren und erst seit vier Jahren bei der Marine. Zu jung, verdammt noch eins, um ein Kommando zu übernehmen, was immer die Dummköpfe in der Admiralität denken mochten. »Selbst wenn der Tiefgang genügt, Kapitän Cooke, glauben Sie nicht, dass die Franzosen uns erwarten? Wir wären ihrem Beschuss hilflos …«

»Ich sehe kein Anzeichen dafür, dass sie uns erwarten, Sir.« Aus dem Augenwinkel sah Cooke, dass Wolfe nickte. Er fasste Vertrauen. »Lassen Sie's mich erst einmal mit einem Schiff versuchen, Admiral. Wenn es durchkommt, können die anderen nachkommen. Ich schaffe es, ich bin mir ziemlich sicher.«

Heiliger, gütiger Gott, dachte Quent, das glaubt er wirklich. »Ein Vorschlag, Admiral. Wenn Sie gestatten …«

»Ach ja, Mr. Hale. Die Stimme der Einheimischen. Nur zu, Mann, erzählen Sie uns von Ihrem Vorschlag.«

Quent dachte an Nicole, wie nah sie war und in welcher Gefahr sie schweben könnte, und schluckte seinen Zorn hinunter. Er deutete auf das Kreuz des heiligen Georg, das am Mast flatterte. »Holen Sie die englische Flagge ein, Sir, und hissen Sie die französische. Damit sollten Sie nah genug kommen, um mögliches feindliches Feuer zu erwidern.«

»Hinterhältig, das seid ihr Amerikaner«, murmelte Saunders. »Ist das Indianerart, unter falscher Flagge zu segeln?«

In der Hölle sollst du braten, du widerlicher Heuchler. Als hätte deine hochverehrte königliche Marine diese Finte nicht schon hundert Mal angewendet. »Indianer kennen keine Flaggen, Admiral. Dafür haben sie Kriegsbemalung und tätowieren sich – um sich kenntlich zu machen.«

»Wollen Sie damit sagen, meine Matrosen sollen …«

»Eine ausgezeichnete Idee«, unterbrach Wolfe. »Eine französische Flagge. Nur bis wir La Traverse passiert haben. Ich glaube, auf Kriegsbemalung und Tätowierungen können wir verzichten.«

Saunders sah zu seinen anderen Offizieren. Sie alle nickten zustimmend.

Der Admiral entschied, dass die *HMS Goodwill* als Erstes den Versuch wagen sollte. Wolfe bestand darauf, auch an Bord zu sein. Saunders fuhr ebenfalls mit. In letzter Minute wurde Quent aufgefordert mitzukommen, zweifellos auf den Wunsch Wolfes hin. Er wollte ihn offenbar immer bei sich haben, wie ein Maskottchen, das Glück verhieß, aber gleichzeitig schien er ihn zu verachten.

Sie bezogen am Achterdeck Stellung. »Sie führen das Steuer, Kapitän Cooke«, sagte Saunders. »Für die Dauer der Durchfahrt«, fügte er hinzu, als er den stechenden Blick bemerkte, den der rechtmäßige Kapitän der *Goodwill* ihm zuwarf.

»Gut, Sir.«

Quent hatte den Eindruck, dass Cooke weder von ihrer Skepsis eingeschüchtert war noch von der Schwierigkeit der bevorstehenden Aufgabe. Saunders hatte nicht gesagt, was passieren würde, wenn Cooke scheiterte, aber das brauchte nicht eigens erwähnt zu werden. Falls er einen Schiffbruch überlebte, würde er als Verantwortlicher an der nächsten Rahe gehängt werden. Allerdings war es eher unwahrscheinlich, dass in diesem brodelnden Wasser auch nur einer von ihnen einen Schiffbruch überleben würde. Und es mochte zwar Sommer sein, aber selbst auf dem obersten, dritten Deck der *Goodwill* konnte Quent die Kälte spüren, die vom Fluss aufstieg.

Cooke staffierte sich mit einem Federkiel und einem Blatt Papier aus, das er an ein Brett klemmte, und stellte einen achtjährigen Jungen in seinen Dienst ab, der bei Schlachten mit Tuch bedeckte Pulverpatronen vom Munitionslager zu den Kanonen brachte. An diesem Tag hatte er die Aufgabe, Cooke mit einem Tintenfass zu folgen. »Steuermann, immer ruhig«, rief der junge Kapitän. Die Fahrt hatte begonnen.

Zwei Lotsenboote begleiteten die *Goodwill,* eins zu jeder Seite, und setzten Flaggen in unterschiedlichen Farben, um die Fahrrinne zu markieren, doch vorwiegend fand Cooke den Weg mithilfe seines Instinkts. In der Mitte von La Traverse machte die Strömung kehrt und schien stromaufwärts zu fließen. Das Wasser war ein einziger brodelnder, tosender Kessel, in dem Strudel um Strudel wirbelte. Und trotzdem sah Cooke eine bestimmte Schnelle und befahl eine leichte Kursänderung. »Steuermann, ein halbes Grad backbord!« In Quents Augen, und offenbar auch in den Augen der anderen Seeleute, sah die Schnelle nicht anders aus als alle anderen. »Eine Bank«, murmelte Cooke, als er sie in seine Karte eintrug. »Fels, nicht Schlamm oder Kies. Sehr gefährlich.«

»In Gottes Namen, woher wissen Sie das?«, fragte Quent.

»Ich rieche es, Mr. Hale.«

Quent schnupperte. »Ich rieche überhaupt nichts.«

Cooke lachte auf. »Wenn die Truppen an Land sind und Sie wissen, wo die verdammten Indianer stecken und was sie vorhaben, werde ich auch nichts riechen, Mr. Hale. Und … Steuermann! Ein Grad backbord! Da verläuft die Fahrrinne, nicht geradeaus, verdammt!« Und rasch wurden mehr Symbole in die entstehende Navigationskarte gezeichnet.

Die Fahrrinne verlief im Zickzack und war nicht breit, aber tief genug. Als die *Goodwill* auf Höhe der unteren Spitze der Ile d'Orléans war, zogen sie die französische Flagge ein und hissten das rot-weiße Kreuz des heiligen Georg. Nichts geschah. Niemand leistete ihnen Widerstand, kein einziger Schuss fiel, der ihre Durchfahrt verhindert hätte. In zwei Tagen passierten sechzig englische Schiffe La Traverse: neunundvierzig Kriegsschiffe, der Rest Frachtschiffe, die außer der Mannschaft achteinhalbtausend Soldaten an Bord hatten sowie die Vorräte und das Gerät, das sie zur Belagerung der Zitadelle von Québec, der befestigten Stadt Neufrankreichs, brauchten.

26

Samstag, 28. Juni 1759
Québec, Oberstadt

»*Eh bien, mes amis, les Anglais sont arrivés.*« Vaudreuils Bemerkung war völlig überflüssig. Vier Männer waren im Château Saint-Louis versammelt: der Generalgouverneur und seine drei Besucher, der Bischof Pontbriand, Intendant Bigot und Louis Roget. Sie alle wussten, dass die Engländer gekommen waren. Ganz Québec wusste es. Sie hatten versucht, die Schiffe mit Brandern in Flammen aufgehen zu lassen, und *le bon Dieu* hatte eine Feuersbrunst gesandt, die zwei Fregatten zerstörte. Doch davon ließen sie sich nicht vertreiben. Wolfes Armee hatte sich auf der Ile d'Orléans verschanzt, gerade eine gute Meile entfernt gegenüber der Stadt.

»Nach allem, was ich höre, sind es weniger als neuntausend.« Seine Exzellenz, der Bischof von Neufrankreich, wurde von Intendant Bigot zwar gut versorgt, war aber dennoch dünn wie eine Bohnenstange, und unter seinen Augen lagen tiefe Ringe. Die Bischöfe vor ihm hatten mehr Zeit in Paris als in Québec verbracht. Pontbriand hatte versucht, seine Pflicht zu erfüllen und in der Kolonie zu bleiben, aber seitdem er Père Antoine gestattet hatte, mit seinen Armen Klarissen in die Wildnis zu kommen, war die Lage immer schlechter geworden. So erschien es ihm zumindest. In Abgeschiedenheit lebende Nonnen, die sich der Buße verschrieben hatten – solche Frauen sollten doch eigentlich himmlische Segnungen über sie bringen und nicht englische Kriegsschiffe, die auf geheimnisvolle Weise ihren Weg durch La Traverse fanden. *Alors*, solche Dinge lagen in der Hand Gottes. »Sie haben die doppelte Anzahl Männer, mon Général, nicht wahr?«

Montcalm schüttelte den Kopf. »Nicht ganz, Exzellenz. Wenn Ihre Zahlen korrekt sind …«

»Ich habe sie aus sicherer Quelle, mon Général.« Der Bischof unterdrückte ein Seufzen. Seine Priester bereiteten ihm nichts als Verdruss. Viele von ihnen waren kanadische Hitzköpfe, die ihr Vaterland mehr schätzten als die Kirche. Er hatte ihnen befohlen, unter allen Umständen neutral zu bleiben. Ebenso gut hätte er der Strömung befehlen können, ihre Richtung zu ändern. »Ich weiß es von einem Patrioten auf der Ile d'Orléans«, ergänzte er.

Montcalm zuckte mit den Schultern. »Wenn der Patriot zählen kann, und wenn nicht doch mehr Männer auf den Schiffen sind, sind wir den Engländern zahlenmäßig vielleicht tatsächlich überlegen. Trotzdem …« Er hatte sechzehntausend Mann, aber weniger als die Hälfte davon waren reguläre französische Soldaten, auf die er sich verlassen konnte. Die restlichen waren zumeist Kanadier. Montcalm hatte in seinem Lager fünfzehnjährige Jungen neben achtzigjährigen Greisen gesehen, und sie alle brannten darauf, Kanada zu verteidigen. Gott stehe ihnen bei, wenn es tatsächlich zur Schlacht kam.

»Wie viele Indianer?«, fragte Vaudreuil.

»Rund tausend.« Montcalm studierte angelegentlich seine Fingernägel.

»So wenige! Ich dachte …«

»Auf die Wilden ist kein Verlass, Monsieur le Général. Ihr Glaube wird uns immer ebenso fremd bleiben wie ihre Sitten. Ich habe von Zauber munkeln hören – ein paar kostbare Steine, die ihnen auftragen, nicht mit Onontio zu kämpfen.«

Louis Roget erstarrte, dann zwang er sich, sich zu entspannen. Doch dem Bischof war sein Schreck nicht entgangen. Seit Beginn der Besprechung hatte die Aufmerksamkeit Seiner Exzellenz fast ausschließlich dem Jesuiten gegolten. »Wissen Sie etwas über diese Sache, Monsieur le Provincial?«

»Nein, Exzellenz, wie sollte ich?«

»Ich habe keine Ahnung, *mon cher* Roget. Aber ihr Jesuiten wisst doch immer alles, *non*?«

Der Provinzial gestattete sich ein dünnes Lächeln. »Nicht ganz alles, Exzellenz.« *Papankamwa*, der Fuchs. *Eehsipana*, der Waschbär. *Ayaapia*, der Elchbulle. *Anseepikwa*, die Spinne. *Eeyeelia*, das Opossum. *Pileewa*, der Truthahn. Fünf Jahre war das nun her, aber Roget hörte noch immer den Midewiwin-Priester im Wald unweit von hier, der diese Worte unablässig intonierte, die Namen von sechs Zaubersteinen. Die Schwarzkutten könnten sie haben, hatte er gesagt. Um einen Preis.

Der Jesuit hatte natürlich nie an den Zauber geglaubt. Aber das war auch nicht notwendig, solange die Indianer daran glaubten. Die Tatsache allein hätte ihm ungeheure Macht über sie verliehen. Aber natürlich nur, wenn er die Steine auch besaß. Das Geld, das er dem Midè-Priester angeboten hatte, musste dem Wilden wie eine fürstliche Summe erschienen sein, aber trotzdem war er nie gekommen, um es einzufordern. Vielleicht hatte jemand anders ihm mehr geboten, oder vielleicht hatten die Steine nie existiert. Roget wandte sich ab, um sich der unablässigen Musterung des Bischofs zu entziehen. »Ich habe den Eindruck, dass man Indianer immer dazu überreden kann zu kämpfen, mon Général. Das Kämpfen liegt ihnen im Blut. Vielleicht könnten Sie etwas mehr Überzeugungsarbeit leisten.«

»Monsieur le Provincial, mit Verlaub, bei einer Belagerung, wie General Wolfe sie plant, nützen Indianer überhaupt nichts.«

»Sie sind immer nützlich«, widersprach Vaudreuil, aber nicht sehr überzeugt, wie Louis Roget zu bemerken glaubte. Der Jesuit blickte von Montcalm zum Generalgouverneur und versuchte, ihren Mienen mehr Information zu entlocken. Es gab keine. Jeder vertrat seinen eigenen Standpunkt. Versailles hatte Vaudreuil zum Marquis erhoben, aber er war ein Kanadier, er würde immer wie ein Kanadier kämpfen. Er hatte die gesamte Bevölkerung aus der Stadt evakuieren, sie nach Trois Rivières oder Montréal schicken und die Verteidigung von Québec Männern überlassen wollen, die sich hinter Bäumen verbargen und den Feind bedrängten, wenn er es am wenigsten erwartete. Und die Skalps nahmen. Roget unterdrückte ein Schaudern. Es war gleichgültig, was Vaudreuil wollte. Im Mai war eine Nachricht aus Versailles eingetroffen: Der Generalgouverneur müsse sich in allen Kriegsdingen Montcalm beugen. *Au fond*, so war es nun einmal. Und was Montcalm betraf … Sicher nicht die beste Familie, aber ein Franzose und ein traditioneller Militär. »Von welcher Art Belagerung sprechen Sie genau, mon Général?«

»Von der Art, die uns Militärs vertraut ist. Die *siège en forme*, Monsieur le Provincial.« Montcalm klang, als spreche er zu einem jungen Kadetten. »Man umstellt drei Seiten, bringt die Geschütze mithilfe bestimmter Verschanzungen immer näher und …«

»Aber es ist nicht möglich, Québec von drei Seiten zu umstellen.«

»Eben. Genau das wollte ich verdeutlichen, Monsieur le Provincial. Wir brauchen nur zu warten. Wenn der Winter kommt, werden die Soldaten Seiner britischen Majestät abziehen.«

Der Bischof räusperte sich. »Mit derselben Bestimmtheit wurde uns versichert, die Engländer könnten La Traverse nicht passieren.«

»Nicht von mir, Exzellenz.« Montcalm blickte die drei Männer unverwandt an, den Jesuiten, Vaudreuil und den Bischof. »Solche Dinge überlasse ich dem weisen Ratschluss der Einheimischen. Was könnte ich schon über die Gewässer rund um Québec wissen?«

Antoine wartete gegenüber dem Château Saint-Louis im Schatten der herrschaftlichen Häuser, die die Place d'Armes säumten. Ihn fröstelte. Es war gar nicht so kalt, doch er konnte nicht aufhören zu zittern. Und gleichzeitig war ihm ständig heiß, als fiebere er. Wie von selbst glitten die Perlen des Rosenkranzes durch seine Finger, während er die *aves* aufsagte. Er stand schon sehr lange hier, vier Mal hatte er die sieben Dekaden der Franziskanerkrone aufgesagt. Es machte nichts. Er hatte sie alle ins Schloss gehen sehen, den Bischof, Louis Roget und Monsieur le Marquis de Montcalm. Irgendwann würden sie wieder herauskommen. »*Je vous salue, Marie* …« Auf der gegenüberliegenden Seite des Platzes wurde die mittlere Tür des Schlosses geöffnet, und zwei livrierte Pagen nahmen rechts und links Aufstellung.

Als Erster erschien der Bischof. Sein Auftritt war vom wiederholten Küssen seines Rings und zahlreichen Kreuzen begleitet, die er hastig in die Luft schlug. Antoine hatte seinen Standort so gewählt, dass eine herannahende Kutsche ihm nicht die Sicht auf das Schloss nahm. Diejenige, die jetzt vorfuhr, war von vier Pferden gezogen und üppig vergoldet. Sie trug das Wappen Neufrankreichs ebenso wie das des Bistums. Seine Exzellenz raffte die Röcke seiner roten Robe zusammen und wartete, bis die Diener neben ihm standen. Ein Schemel wurde bereitgestellt, der Bischof setzte einen in Samt gehüllten Fuß darauf und verschwand dann, gestützt von den Pagen, in der Kutsche.

Louis Roget machte sich das Aufhebens zunutze, das die Abfahrt des Bischofs begleitete, um zur Tür hinauszuhuschen und zu Fuß fortzueilen. Antoine sah ihm nur einen Moment nach. Ausnahmsweise galt seine Aufmerksamkeit nicht dem Jesuiten.

Die Türen des Château Saint-Louis blieben für die Dauer fünf weiterer *aves* geschlossen. Er war halbwegs durch das sechste – »*Sainte Marie, mère de Dieu, priez …*« –, als der Marquis erschien. Die Pagen standen in Habtachtstellung. Eine weitere Kutsche fuhr vor. Antoine hastete über den Platz.

»Einen guten Tag wünsche ich Ihnen, mon Général.«

»Wer sind Sie?«

»Ich heiße Père Antoine.«

»Ah ja, der Franziskaner. Ich dachte …« Montcalm brach ab. *Ich überreiche Ihnen das im Namen von Père Antoine de Rubin Montaigne, dem Abgesandten des Generalministers des Ordens der Minderen Brüder in Neufrankreich. Père Antoine bat mich, Seiner Exzellenz mitzuteilen, dass der Inhalt dieser Sendung von höchster Bedeutung für die Verteidigung Neufrankreichs ist.* »Nicht bloß irgendein Franziskaner, nicht wahr? Sie sind der Abgesandte des Generalministers, habe ich nicht Recht, mon Père?«

»*Oui, mon Général.* Ich bin unwürdig, doch diese Ehre ist mir zuteil geworden.«

Die Kutschentür stand offen. Die Pagen warteten. »Kommen Sie«, sagte Montcalm. »Fahren Sie mit mir nach Beauport. Unterwegs können wir uns unterhalten.«

»Ich habe diesen Besuch schon länger erwartet, mon Père.«

»Ich wollte mich nicht in derartige Belage einmischen, mon Général. Ich bin ein schlichter Sohn des heiligen Franziskus. Es liegt nicht an mir …«

»Sie sind Antoine Pierre de Rubin Montaigne, Sire.«

»Nicht mehr, Sire. Jetzt bin ich nur noch Père Antoine, ein schlichter Priester.«

Montcalm zuckte mit den Schultern. »*Eh bien.* Was wünscht also dieser schlichte Priester von mir? Ich habe viel zu tun, mon Père. Wie Sie vielleicht wissen, führen wir Krieg. Und die Engländer stehen vor unseren Toren.«

Die Kutsche des Marquis, ganz in Schwarz gehalten, war weitaus bescheidener als die des Bischofs. Als einzige Verzierung trug sie das Montcalm-Wappen, das golden auf der Tür prangte. Vor den Fenstern hingen schwarze Gardinen, doch sie waren nicht geschlossen. Antoine sah die vielen Befestigungen.

Elftausend Männer hatten Schützengräben von insgesamt hundertfünfzig Meilen Länge ausgehoben und zahllose Lager und Schanzen angelegt. Fünf Wochen lang hatten sie Tag und Nacht gearbeitet – den Befehl, die Küste von Beauport zu sichern, hatte Montcalm erst Ende Mai ausgegeben –, und trotz des endlosen Regens, der zu einer wahren Fliegenplage führte, errichteten die Männer eine Verteidigungslinie, die sich von der Mündung des Sankt-Karl-Flusses in den Sankt-Lorenz-Strom, in der Nähe des Schlosses von Intendant Bigot, bis zu den gewaltigen, unüberwindbaren Montmorency-Fällen oberhalb von Beauport erstreckte. Wo immer Antoine hinblickte, waren Kanonenbatterien auf den Fluss gerichtet, Zelte um Zelte standen in dichten Reihen hintereinander, sogar einige Wigwams. »So viel, mon Général, ein so gewaltiger Einsatz. Jetzt, nachdem sie gekommen sind. Und nichts, um La Traverse zu schützen, nicht einmal eine Batterie auf der kleinen Ile Madame.«

»Sie vergessen, mon Père, La Traverse galt als unpassierbar«, sagte Montcalm leise.

»Aber Sie wussten, dass das nicht stimmt, mon Général.«

»Nein, das stimmt nicht. Wie könnte ich denen widersprechen, die hier in Québec geboren wurden?«

»Leugnen Sie, dass die junge Nonne, die Arme Klarisse, Ihnen eine Navigationskarte brachte, die der Jesuit Loualt angefertigt hatte? Dass sie eindeutig zeigte …«

Montcalm machte eine abwehrende Geste. »Ich leugne nichts, mon Père. In dieser Kutsche braucht nichts geleugnet zu werden. In der Öffentlichkeit … das wäre natürlich eine ganz andere Sache.«

Die beiden Männer musterten sich, keiner wandte den Blick ab. »In meinen Augen sind Sie von unglaublicher Arroganz besessen«, sagte Antoine schließlich. »Fürchten Sie nicht um Ihre unsterbliche Seele, Monsieur le Marquis de Montcalm?«

»Mon Père, ich kenne den Unterschied zwischen spirituellen Belangen und militärischen Tatsachen. Sie sprechen von einer Batterie auf der Ile Madame. Sie hätte nichts genützt. Selbst zwei gegenüberliegende Batterien an der Einfahrt zum Kanal hätten nichts genützt. Um La Traverse zu verteidigen, wären vierzig Kriegsschiffe nötig gewesen. Ich habe keine vierzig Kriegsschiffe, mein lieber Père Antoine, weil in Versailles die schöne Pompadour sich nicht um Kanada kümmert. Und der König – verzeihen Sie, wenn ich Ihren religiösen Gefühlen zu nahe trete –, der König kümmert sich nur um seinen Schwanz. Das sind die Tatsachen.«

»Und die Seelen der Heiden? Kümmern Sie sich nicht um die Millionen, die Ihretwegen nie das Evangelium hören werden und denen auf immer die Erlösung versagt bleibt? Ist Ihnen bewusst, dass …«

»Derartige Dinge überlasse ich Ihnen, mon Père. Und *le bon Dieu*. Der liebe Gott braucht bei seiner Fürsorge für die Seelen nicht meine armselige Unterstützung.«

»Das sind ketzerische Worte, Sire. Ich warne Sie noch einmal, Sie gefährden Ihre unsterbliche Seele.«

Sie hatten das kleine Herrenhaus erreicht, in dem Montcalm sein Hauptquartier eingerichtet hatte. Die Kutsche verlangsamte die Fahrt und blieb dann stehen. Ein Dienstbote näherte sich der Tür und wollte sie öffnen, doch der Marquis bedeutete ihm zu warten. »Ich sage Ihnen etwas, das Ihr Gewissen ein wenig beruhigen mag, Père Antoine, obwohl mir nicht klar ist, warum es Sie plagt. Sie taten, was Sie für das Beste hielten, und ich tat dasselbe. Wir werden beide zur gegebenen Zeit gerichtet werden, *non?*«

Der Priester setzte zu einer Antwort an, doch Montcalm hob abwehrend die Hand. »Lassen Sie mich ausreden. Ich habe Ihnen eine Information versprochen. Es wird Ihnen nichts nützen, das in Québec zu verbreiten. Wie Sie zweifelsohne selbst wissen, gelten Sie schon jetzt als fanatisch. Vaudreuil traut Ihnen nicht, und der Bischof meines Wissens ebenso wenig. Roget hasst Sie, und Bigot ist sich Ihrer Existenz kaum bewusst. Dennoch, um Ihr Gewissen zu beruhigen, und weil ich Ihnen dankbar bin für die Mühe, die Sie auf sich genommen haben, selbst wenn ich daraufhin nicht Ihren Wünschen gemäß gehandelt habe – die Verteidigungslinie von Québec ist nicht zu durchbrechen. Es gibt keine Stelle, an der Wolfe uns angreifen könnte. Er kann uns unter Beschuss nehmen, und das wird er auch tun. Aber wenn wir ihm keine Schlacht liefern, wird es zu keiner Schlacht kommen. Und ich werde sie ihm nicht liefern, mon Père. Wenn der Winter kommt, werden Admiral Saunders und General Wolfe abziehen, denn sonst werden sie im gefrorenen Fluss festsitzen, und wir können sie nach Belieben abschießen. Zweifellos mit der Hilfe der hiesigen Indianer, in die unser geschätzter Generalgouverneur so großes Vertrauen setzt. Bis zu dem Zeitpunkt werden die Vorräte der Engländer aufgebraucht sein, und die, die wir nicht töten, werden verhungern.«

»Aber das alles hätte verhindert werden können, wenn …«

Wieder hob Montcalm die Hand. »Ich bin noch nicht zu Ende. Wie ich höre, mon Père, geht es Ihnen insbesondere um das Ohio Country. Millionen von Heiden, sagten Sie, die nur darauf warten, erlöst zu werden. Ich weiß nicht, inwieweit sie je zivilisiert werden können, ganz zu schweigen davon, dass sie Christen werden, aber was die Bedeutung des Landes südlich von uns angeht, da sind wir einer Meinung. Das Ohio Country und Louisiana sind die Zukunft

Neufrankreichs auf diesem Kontinent. Wenn wir dieses Reich des Eises verlieren sollten, wäre das bedauerlich, aber nicht der Untergang des Königreichs.«

Der Marquis fasste nach dem Türgriff. Fast schien es, als sei selbst diese Anstrengung zu groß. Er war erschöpft. Genau dieses Argument hatte er in Briefen vorgetragen, die im Verlauf des Winters nach Versailles geschickt worden waren. Er hatte Seine Majestät angefleht, aus Kanada abzuziehen und stattdessen die Forts in Ohio und Louisiana zu verteidigen. Das Ansinnen war zurückgewiesen worden. Wie töricht diese Entscheidung war, zeigte sich bereits jetzt. Zumindest in seinen Augen.

Amherst bereitet sich darauf vor, Fort Carillon einzunehmen. Falls es fällt – *eh bien*, wenn es fällt –, werden die Englischen auch Fort Niagara einnehmen und dann Fort Frédéric. Damit gehört der gesamte Korridor ihnen, und mir sind die Hände gebunden, weil dieser kinnlose General mich und meine Armee hier in Québec festhält und ich diese Stadt verteidigen muss, ob es sich nun lohnt oder nicht. Wenn ich das hätte verhindern können mit der Karte, die du zweifelsohne gestohlen hast, mein fanatischer Franziskaner, hätte ich es getan. Es war mir nicht möglich, aber ich kann in deinen verrückten Augen sehen, dass du mir das nie glauben wirst. Also muss ich dir den Zahn etwas heftiger ziehen.

»Bemühen Sie sich nicht auszusteigen, mon Père. Unsere Unterredung ist beendet. Ich lasse Sie in die Stadt zurückfahren. Bitte richten Sie der reizenden Sœur Stéphane meine Grüße aus. Ach ja, eines noch. Sollten Sie denken, sie könnte Ihre fantastische Geschichte von einer Navigationskarte erhärten … Ich würde die Begegnung mit ihr ebenso leugnen wie diese hier. Und seitdem ich erfahren habe, dass ihr Vater ein englischer Offizier war, glaube ich nicht, dass man ihr mehr Glauben schenken wird als Ihnen. *Au revoir*, mon Père. Ich anempfehle mich Ihren Gebeten.«

Und ich verspreche dir, wenn du dies einhältst, das ewige Leben. In der gesamten Christenheit war eine Äbtissin der Armen Klarissen die einzige Frau, die diese Worte zu ihren Nonnen sagen durfte. Und sie besaß noch ein weiteres Privileg: Sie durfte ihre Gemeinschaft mit der heiligen Hostie segnen. Genauso wie ein Priester.

Weil die heilige Mutter Klara vor fünfhundert Jahren gewagt hatte, das heilige Sakrament auf die Brüstung von Assisi zu tragen und damit die sarazenischen Eroberer zurückzudrängen, war es Mère Marie Rose gestattet, von der Klosterseite des Gitters aus den Tabernakel zu öffnen und die kunstvoll gearbeitete Monstranz herauszunehmen, die die große weiße Oblate enthielt. Das tat sie nun und wandte dann wieder das Gesicht den Nonnen zu. Diese senkten den Kopf. Die Äbtissin hob die Monstranz über sich und ließ sie dann auf Brusthöhe sinken. »*Au nom du Père et du Fils et du …*« Dann brach Marie Rose ab.

Sœur Céleste wartete zwei Herzschläge lang, ehe sie den Kopf hob. Die Augen der geliebten Äbtissin waren geschlossen, reglos hielt sie die Monstranz vor sich. Sie spürt wieder die Wunde der Liebe, dachte Céleste. Aber so, mit dem heiligen Sakrament in der Hand … Céleste war die Vikarin der Gemeinschaft, Stellvertreterin der Äbtissin. Es lag an ihr zu entscheiden, was nun zu tun sei. Normalerweise, während des Offiziums oder eines Gebets, war es einfach. Dann führte sie die Schwestern aus dem Chor und gestattete *le bon Dieu*, sich der Nonne anzunehmen, die er so sehr ins Herz geschlossen hatte. Aber jetzt, mit der heiligen Hostie … Was, wenn Mère Marie Rose sie in ihrer Trance fallen ließ?

Der mächtige Sankt-Lorenz-Strom war ein einziger roter Strudel, ein Fluss von Blut. Hunderte schlugen im tosenden Wasser um sich, schrien in Todesangst und schluchzten verzweifelt. Und darüber schwebten fünf Nonnen, die den Fluss zurückdämmten, damit er nicht Québec überfluten und Tausende weiterer Seelen mitreißen und ins ewige Höllenfeuer ziehen konnte. »Es sollten sechs sein, Herr. Warum nur fünf?« Sœur Stéphane fehlte. Sie schwebte abseits, ganz allein. Sehr ruhig, einen Blütenkranz auf ihrem Schleier. »Die Wahrheit ist, was sie ist, Marie Rose, die ich dich zur Äbtissin gemacht habe. Ich habe die Seelen dieser Nonnen deiner Obhut anvertraut, doch nur, damit du in meinem Namen handelst. Um die Wahrheit zu ehren, die ich dir zeige, nicht die Wahrheit, die du erwartest.«

Die Sekunden verstrichen. Mère Marie Rose regte sich nicht. Sœur Céleste war keine Äbtissin; es wäre eine schwere Sünde, wenn sie die Monstranz mit der heiligen Hostie berührte. Doch um wie vieles schlimmer war die Vorstellung, die Mutter Äbtissin könnte die Herrlichkeit in ihren Händen fallen lassen. Céleste erhob sich aus ihrem Stuhl und trat zum Altar. »Ma Mère, bitte. Sie müssen zu uns zurückkommen. Zumindest, bis Sie die Monstranz in den Tabernakel gestellt haben. Mère Marie Rose, bitte …«

»Blut«, flüsterte die Äbtissin. »Ein Fluss von Blut und Pein. Sœur Stéphane …«

Erschreckt blickte Céleste zur jüngsten Nonne. Sœur Stéphane kniete in ihrem Stuhl und hielt den Kopf gesenkt; offenbar war ihr nicht klar, dass sie irgendetwas mit der Vision der Äbtissin zu tun hatte. »Sie ist hier, ma Mère. Möchten Sie, dass ich …«

»Ich möchte, dass du zu deinem Stuhl zurückkehrst, Sœur Céleste. Was denkst du dir?« Jetzt waren die Augen der Äbtissin weit geöffnet, sie starrte ihre Stellvertreterin erstaunt an. »Du gibst anderen ein schlechtes Beispiel, ma Sœur. Das verstößt gegen die heilige Regel.«

Céleste senkte den Kopf und fasste sich zum Zeichen, dass sie die Ermahnung annahm, ans Herz. »Ich bekenne demütig mein Vergehen, ma Mère.« Sie machte kehrt und ging zu ihrem Chorstuhl zurück.

Marie Rose wartete, bis Céleste wieder Platz genommen hatte. »*Et du Saint Esprit*«, intonierte sie dann und schloss damit den Segen. Schließlich stellte sie die Monstranz in den Tabernakel zurück und beugte das Knie. Herr, gib mir Kraft, betete sie. Lass die Schwestern nicht sehen, dass ich zittere, wenn ich zu meinem Stuhl gehe. Ein Strom von Blut. Und dass Sœur Stéphane so jung sterben muss … Errette uns, Herr, denn wir vergehen.

Wolfe konnte die Stadt nicht von der Ile d'Orléans aus unter Beschuss nehmen, doch von der Höhe von Pointe-Lévis auf dem gegenüberliegenden Ufer, so glaubte er, läge Québec in Reichweite seiner Geschütze. Er und Monckton, sein dienstältester Brigadekommandeur, waren über eine Karte gebeugt. Monckton stammte aus Yorkshire und widersprach ihm, unverblümt wie immer. »Wenn die Kanonen ihnen von dieser Biegung aus schaden könnten« – mit einem stumpfen Finger deutete er auf Pointe-Lévis –, »dann hätten sie die Stelle befestigt.«

»Wie kommt es, dass Sie weiß sagen, wenn ich schwarz sage, General Monckton?«

»Mit Verlaub, General Wolfe, das tue ich nicht. Ich möchte nur vorschlagen, dass …«

»… dass wir die französische Lesart übernehmen. Die, wie ich Sie erinnern darf, auch besagte, wir könnten La Traverse nicht passieren oder ein Schiff durchsteuern, das mehr als hundert Tonnen hat.«

Wie eine Ratte war er, eine hässliche kleine weiße Ratte mit rosafarbenen Augen. Der verfluchte Cooke, der ihnen den Weg durch den gottverdammten Kanal gezeigt hatte, und der verfluchte Wolfe, der ihn als Erster unterstützt hatte. Jetzt ließ er sich gar nichts mehr sagen. »An der gesamten Südküste ist keine einzige Batterie aufgestellt, General Wolfe. Keine einzige Kanone. Das muss heißen, dass die französischen Ingenieure glauben …«

»Sir, ich gedenke nicht, diesen Krieg nach den Vorstellungen der französischen Ingenieure zu führen. Wir nehmen Pointe-Lévis und bauen unsere Geschütze dort auf.«

»An der Drehlade steht ein Mann, ma Mère.« Weiter hatte Angélique ihre Augen noch nie aufgerissen. »Er verlangt, die Person zu sehen, die hier ›verantwortlich ist‹. Ich habe ihn in die Kapelle verwiesen, aber er hat sich geweigert, dahin zu gehen.«

»Ja, das kann ich mir vorstellen. Und er hat nicht namentlich nach mir gefragt?« In den vergangenen vier Tagen hatte der Generalgouverneur zwei Männer geschickt, und der Marquis de Montcalm einen. Alle drei waren äußerst respektvoll gewesen, aber unerbittlich.

»Nein, ma Mère, er verlangte nur nach jemandem, der Entscheidungsgewalt hat.«

Marie Rose saß an ihrem Schreibtisch und arbeitete an einem Testament, das an das Gründungskloster in Montargis geschickt werden sollte, wenn sie und all ihre Nonnen tot waren. Sœur Stéphane mochte vielleicht die Erste sein, die starb, aber früher oder später erwartete sie alle dasselbe Schicksal. »Sag ihm, er soll morgen wiederkommen. Ich habe zu viel zu tun, um jetzt gleich zur Drehlade zu gehen.«

Angélique machte keine Anstalten, sich zurückzuziehen. »Ich bitte demütigst, ma Mère …«

»Ja, Kind, was ist?«

»Der Mann, ma Mère, sein Akzent … Ich glaube nicht, dass er wie die anderen ist. Ich glaube, er ist vielleicht geschickt worden von …« – Angéliques Stimme sank zu einem Flüstern herab – »von General Wolfe, ma Mère. Vielleicht, meine ich, ich bin mir nicht …«

»Hast du keinen Schwefelgeruch bemerkt, Sœur Angélique? Nicht die Hitze des Teufels gespürt?«

»O nein, ma Mère, ich meine nicht …«

Marie Rose legte den Kiel fort. »Nun gut, ma Sœur, ich gehe zur Drehlade.«

»Ich begleite Sie, ma Mère. Mit dem heiligen Wasser und …«

»Ich stelle mich dem Teufel allein, Sœur Angélique. Du kannst zu deiner Arbeit zurückkehren.«

Die kleine Angélique hatte Recht. Der Mann sprach schlechtes Französisch und mit einem englischen Akzent. Also tatsächlich jemand, den General Wolfe geschickt hatte? Unwahrscheinlich, aber denkbar. »Bitte, Monsieur, damit ich Sie auch wirklich richtig verstehe, wiederholen Sie Ihre Worte doch bitte noch einmal …«

Quent bot all seine Geduld auf. »Ich sage Ihnen, dass Sie und Ihre Nonnen in größter Gefahr sind, Madame.«

»Auf wessen Autorität hin sagen Sie das, Monsieur?«

»Auf die Autorität des gesunden Menschenverstands hin, Madame.«

Marie Rose lehnte die Stirn gegen das Holz der Drehlade. Nur einen kurzen Moment, und auch nur, weil sie allein war. Keine ihrer Nonnen durfte je erfahren, wie erschöpft sie sich fühlte. »Offenbar ist der gesunde Menschenverstand eine recht geläufige Tugend geworden, seit ich ins Kloster eingetreten bin. Sie sind der Vierte, der mich vor der Gefahr warnt, in der wir schweben.«

»Warum sind Sie dann noch hier?«

»Darf ich fragen, inwieweit das Ihre Sache ist?« Eine Frage, um Zeit zu gewinnen. Nur aus dem Grund stellte sie sie. Während sie überlegte. Konnte er es sein? Doch, das war möglich.

»Ich mache mir Sorgen um Sie und die anderen Nonnen, Madame.«

Ein Fremder mit einem englischen Akzent, der nicht weiß, wie man eine Nonne anspricht. Der sehr große Rothaarige, der Sœur Stéphane damals herbrachte. »Machen Sie sich vielleicht mehr Sorgen um eine bestimmte meiner Nonnen, Monsieur?« Heiliger Geist, gebe mir Weisheit und Urteilsvermögen. Und lasse ihn nicht hören, wie laut mein Herz schlägt. »Wenn das so ist, dann kann ich Ihnen versichern, dass wir alle derselben Meinung sind.«

Guter heiliger Gott, wollte diese Frau keine Vernunft annehmen? »Die englischen Soldaten haben Pointe-Lévis eingenommen und sind direkt Ihnen gegenüber stationiert. Sie gehören nicht Ihrer Religion an, sie werden Ihre Lebensweise nicht respektieren. Sie müssten alle von hier fort. In der Unterstadt ist die Gefahr besonders groß.«

Die Rotröcke hatten ein derbes Lied gedichtet. Sie sangen es ständig und erfanden laufend neue Strophen, je nachdem, wonach ihnen gerade zumute war:

Und sind wir dann fertig mit Geschütz und Kanonen,
Auf ein Wort, Frau Äbtissin, mit Ihren Nonnen.
Wir stürmen das Kloster, wie Gott uns geschaffen,
Da dürfen die Fräuleins mal mehr als nur gaffen!

Über diese neueste Fassung hatte sogar Wolfe gelacht.

»Madame, hören Sie mich? Ich glaube wirklich …«

»Ich glaube, Sie haben sich in einige Gefahr begeben, um uns zu warnen, Monsieur. Ich bin überzeugt, dass Gott Ihnen Ihre Freundlichkeit entlohnen wird. Doch jetzt wäre es besser, wenn Sie gehen.«

»Tun Sie das auch, Madame?« Er unterdrückte seinen Zorn und seine Verzweiflung über ihren Starrsinn, verbot sich, sie anzuschreien.

»Nein, das werden wir nicht tun, Monsieur. Wir haben gelobt, in der Abgeschiedenheit dieses Hauses zu bleiben. Wenn wir sterben müssen, nun, so sei es.« Angélique und Françoise hatten beide eine Novene begonnen, mit der sie um den Märtyrertod baten, ebenso wie Joseph. Sie bat um ein rasches Martyrium, ohne vorher gefoltert zu werden. Stéphane sagte, sie sei davon überzeugt, dass die englischen Soldaten keine Nonne foltern würden. Alles eine Frage der Definition, dachte Marie Rose. »Gute Nacht, Monsieur. Ich schließe Sie in meine Gebete ein.«

»Nahezu alle *habitants* sind aus der Unterstadt fort«, berichtete Quent Wolfe. »Sie würden nur Ihre Munition verschwenden, General.«

»Verschwendung ist es nie. Es tut den Männern gut, die Geschütze abzufeuern. Außerdem jagen wir dem Gegner damit eine Heidenangst ein. Trotzdem … Sind Sie sicher, dass die Einheimischen alle fort sind?«

Quent nickte. »Ja, absolut sicher.«

»Sie sind drüben gewesen, stimmt's?«

»Ja.«

»Zum Teufel aber auch. Das hätte ich mir denken können. Wie haben Sie das geschafft? So, wie Sie aussehen, fallen Sie doch überall auf.«

»Es gibt Mittel und Wege, General.«

Niemand hätte sich etwas dabei gedacht, wenn ein Indianer in der Gasse stand und sich in das Portal beugte, um mit den unsichtbaren Nonnen zu reden. Der Mann mit der Zeichnung der Huronen im Gesicht und dem geschwärzten Haar, der einen Kittel und eine Kniehose trug, würde für einen christlichen Indianer gehalten werden, der von der Jesuitenmission nach Québec gekommen war, um die Stadt zu verteidigen.

»Ja, natürlich«, sagte Wolfe. »Für einen Mann mit Ihren Fähigkeiten gibt es viele Mittel und Wege.« Eben dieser Hale hatte ihn dazu überredet, die Jacken der Rotröcke etwas kürzer und weiter schneidern zu lassen, damit sie die Bewegungsfreiheit nicht so stark einschränkten. Und die leichte Infanterie mit Hauben auszustatten, die unter dem Kinn ein schwarzes Tuch hatten. Das war eine hervorragende Idee gewesen, jetzt froren die Männer nicht mehr so, wenn sie bäuchlings auf dem Boden lagen. »Mr. Hale, ich habe mir Folgendes überlegt – warum können unsere Soldaten den Tornister nicht höher tragen und auf dem Rücken, so wie die Indianer? Das wäre doch nützlich, meinen Sie nicht auch?«

»Sehr nützlich, General Wolfe. Dann haben sie beide Hände frei.«

»Ja, das dachte ich mir auch. Ich werde den Befehl ausgeben. Mr. Hale, werden Sie noch mal gehen?«

»Wie bitte, Sir?«

»Nach Québec, Hale. Gehen Sie noch mal, in meinem Auftrag. Schauen Sie sich um, wie wir die Klippen raufkommen.«

Quent musterte Wolfe mit einem durchdringenden Blick. »Wenn ich einen Weg finde, lasse ich Sie es wissen. Aber, General, der Plan, die Unterstadt unter Beschuss zu nehmen, ist wirklich nicht …«

Wolfe hatte sich bereits abgewandt.

Samstag, 12. Juli 1759
Pointe-Lévis

Noch hatte die Morgendämmerung nicht eingesetzt. Wolfe stand auf den Zinnen, dick eingehüllt zum Schutz vor dem Regen und der Kälte und dem ständigen Schmerz im Unterleib, und knöpfte sich die Hose zu. Heiliger Strohsack, was würde er geben, um ohne dieses verdammte Brennen pissen zu können? Sehr viel. Aber nicht alles. Das nicht. Nicht Québec. Diese Beute kriege ich, und wenn ich bis November hier bleiben muss. Und wenn die Stadt bloß noch ein Trümmerhaufen ist, wenn ich sie einnehme, nun, dann haben sie es nicht anders gewollt.

Er hob die Hand. Die Grenadiere in ihren hohen, spitzen Mützen liefen nach vorn und zündeten die Ladung, dann rannten sie aus der Schussbahn. Die Bombardierung Québecs begann mit einem Hagel von Kanonenkugeln, der in den Fluss fiel. Die für den Beschuss verantwortlichen Offiziere ordneten lautstark Berichtigungen an, dann konnte nachgeladen werden.

Das Ziel bestand lediglich darin zu sehen, ob die Munition das andere Ufer erreichte. Selbst wenn die französischen Ingenieure sich irrten und General Wolfe Recht hatte und die Kanonen tatsächlich Québec treffen konnten, gingen alle davon aus, dass lediglich die Unterstadt beschädigt würde. Als die Schützen schließlich richtig zielten, schlug der erste direkte Treffer ganz oben auf der Klippe ein, im Collège des Jésuites. Die Männer brachen in Jubel aus und stimmten einen Freudengesang an.

Quent hörte das Donnern der Kanonen und die Triumphschreie aus einiger Entfernung. Seit dem ersten Tageslicht trieb er sich im Wald zwischen dem Lager und dem Dorf Beaumont herum; gelegentlich blieb er stehen und pfiff den Ruf des Seetauchers. Er bekam keine Antwort, aber selbst wenn er eine bekäme, konnte er nicht sicher sein, dass der Ruf von Corm stammte. In diesen Wäldern wimmelte es von Indianern und Kanadiern, die sich als Indianer tarnten. Nachdem mehrere einzelne Wachposten rund ums Lager skalpiert aufgefunden worden waren, hatten die Rotröcke doppelte Posten aufgestellt.

Was zum Teufel erwarteten sie denn? Ehrenvolles Verhalten, sagte Wolfe. Quent pfiff erneut, doch wieder bekam er keine Antwort. Wolfe sagte, es sei das Skalpieren, das er so verabscheue. Mit dem Tod müsse man rechnen in einem Krieg, aber die Leichen zu verstümmeln … So führe ein Gentleman keinen Krieg. Nein,

Gentlemen richteten ihre Zerstörung aus der Ferne an. Der kinnlose Halunke weiß genau, dass er Québec nicht durch Beschuss einnehmen kann; er hat ja zugegeben, dass er das nur macht, um die Männer zu beschäftigen. Und was ist mit … Quent hörte ein Geräusch, Laufschritte in Mokassins.

Zu seiner Linken stand ein großer Ahorn, dessen Stamm dicker war als seine Armspanne. Dahinter verbarg Quent sich und wartete, den Tomahawk in der Hand. Sein Langgewehr hatte er zwar auch bei sich, aber das war unter diesen Umständen nutzlos. Ein Schuss, und hunderte Gegner würden aus allen Richtungen auf ihn zugelaufen kommen.

Einige Sekunden vergingen. Vielleicht hatte er sich getäuscht. Nein, jetzt hörte er es deutlicher, das stete Trommeln laufender Füße. Wenige Augenblicke später zogen sechs Abenaki an ihm vorbei. Sie liefen vom englischen Lager fort, nicht darauf zu, also brauchte er sie nicht abzufangen.

Warum war Lantak mit seinen Abtrünnigen nicht aufgetaucht und hatte ihm die Chance gegeben, die alte Rechnung zu begleichen? Er hatte noch keine Spur von ihm gesehen. Vermutlich würde er überhaupt nicht kommen. Ausgestoßene wie Lantak hielten sich immer am Rande auf; Kämpfe von dieser Größenordnung behagten seinesgleichen nicht.

Quent wartete, bis die Abenaki außer Sichtweite verschwunden waren, dann pfiff er wieder den Ruf des Seetauchers, doch noch immer bekam er keine Antwort.

Donnermond, die dritte Sonne
Das Dorf Singender Schnee

Bishkek starrte ihn an. Den Eindruck hatte Corm zumindest. Sein Mannheitsvater hockte in einer quadratischen Kiste aus geflochtenen Zweigen, quer über die Öffnung lag ein Ast, der sein Kinn stützte. Bishkek war tot.

Alle Dorfbewohner saßen auf Decken am Boden – die Squaws mit den kleinen Kindern auf einer Seite, die Männer und Jungen auf der anderen, Bishkeks Bestattungskiste zwischen ihnen – und aßen das Festmahl aus gedünstetem Mais, Beeren und Bärenfett. Niemand sprach. Das einzige Geräusch kam von Shabnokis' Trommel und ihren Gesängen. »Er ist nicht mehr in diesem Körper«, hatte sie Corm gesagt, als er am Vormittag angekommen war. »Sein Geist hat die verbrauchte Hülle zurückgelassen. Aber er ist noch bei uns.« Sie deutete in die Luft über ihren Köpfen. »Er wird erst nach einer Weile in die nächste Welt gehen.«

»Wie lange?«, fragte Corm.

Er meinte, wie lange Bishkek schon tot war, doch die Midewiwin-Priesterin glaubte, er frage nach dem nächsten Leben. »Sein Geist bleibt im Dorf, bis seine Knochen getrocknet sind und bei den anderen in der Grube liegen. Zehn Monde, vielleicht zwölf. Bis dahin musst du hier bleiben.«

»Das geht nicht. Ich will nicht unehrerbietig gegenüber meinem Mannheitsvater sein, aber ...«

»Hör mir gut zu, Brückenmensch. Dieser alte Mann hat deinen Tod gestohlen.« Shabnokis sah die Ungläubigkeit in seinen Augen. »Ich erzähle dir nur, was er mir gesagt hat. Als du das letzte Mal hier warst, als wir von den *kokotni* sprachen – wann war das?«

»Fallendes Laub. Nicht das gerade vergangene. Das davor.«

»Ja. Als Schnee fiel, obwohl die Bäume noch Laub trugen.«

»Ich erinnere mich.«

»Davor hatte dein Mannheitsvater einen Traum. Wenn Schnee auf dich fiel, solange du hier im Dorf warst, würde er dich das letzte Mal lebend gesehen haben. In dem Fallendes Laub ist Schnee auf dich gefallen.«

Corm fiel wieder ein, wie sehr Bishkek ihn gedrängt hatte zu gehen. »Nur ein paar Flocken. Ich war schon im Fortgehen.«

Shabnokis brummte empört. »Glaubst du, ein Traum ist nur halb wahr? Bishkek wusste, dass du verflucht warst. Er hat gefastet und viele Gebete gesprochen, um den Fluch von dir auf sich zu lenken. Jetzt bist du am Leben, und er ist tot.« Sie schaute wieder zum

Leichnam in der Bestattungskiste. »Weil er Shkotensi sein Leben gegen deines angeboten hat. Du wirst bis zur zweiten Bestattung bleiben.«

Corm schüttelte den Kopf und versuchte, seine Gründe zu erklären, aber Shabnokis achtete gar nicht mehr auf ihn, sondern begann einfach, ihre Trommel zu schlagen und Gebete zu intonieren. Das tat sie den ganzen Tag lang, während Bishkeks Familie seinen Leichnam für die Bestattung vorbereitete und während das Dorf das Festmahl aß.

Eine Squaw kam mit einem Blechtopf voll Maisbrei mit Bärenfett zur Decke der Männer und schöpfte den Inhalt auf ein Holzbrett, das inmitten der Tapferen, Ältesten und Jungen stand. Der Topf war *Cmokmanuk*-Ware, eingetauscht gegen Felle. Die alte Kunst, Töpfe aus Ton herzustellen, war nahezu in Vergessenheit geraten. Corm dachte an Pontiac, den Ottawa, an seine Sorge wegen der Veränderungen bei den *Anishinabeg*, und berührte den Medizinbeutel des Kranichvolks, der ihm um den Hals hing.

Die Ehre, Bishkek eine zweite Portion aufzugeben, fiel Corm zu als dem ältesten männlichen Verwandten. Wäre Quent im Dorf, würde die Ehre ihm zustehen. Die anderen warteten, bis Corm mit den Händen vom Brei aufgenommen und ihn auf den Boden vor die Bestattungskiste seines Mannheitsvaters gelegt hatte. Dann tauchten die Männer begierig die Finger in den Brei. Sie sprachen nicht, aber sie aßen hingebungsvoll, wischten sich die fettigen Hände an der Brust ab. Corm konnte nur noch wenige Bissen schlucken. Ich wünschte, ich hätte dich noch gesehen, alter Vater, bevor dein Geist deinen Körper verließ. Ich wünschte, ich wäre auch nur einen Tag früher gekommen.

Als er in Singender Schnee ankam, war Bishkek noch nicht lange tot. Die Leiche des alten Mannes lehnte noch in einer Ecke des Wickiups, die Knie fast bis zum Kinn hochgezogen, damit er in der für die Bestattung richtigen Position erstarrte. Bishkeks Töchter hatten ihm weiche Mokassins angezogen, nach Art der Potawatomi ohne Perlenverzierung, und Beinlinge aus dünner Elchhaut, die ohne das Fell gegerbt worden war, dazu einen Lendenschurz aus demselben Leder. Corm hatte die Hand seines Mannheitsvaters berührt und festgestellt, dass sie noch etwas warm war.

»Ich habe überall bei den *Cmokmanuk* nach dir gesucht«, sagte Pondise. »Wir wollten dich wissen lassen, das Bishkek krank ist und du schnell heimkommen sollst. Ich bin nach dem Erzählen von Berstendes Eis aufgebrochen und war erst zum Erzählen von Viel Fett wieder hier.«

Der junge Mann war zwei Monate unterwegs gewesen, fast den ganzen April und Mai. »Ich war an einem Ort, der sehr weit weg ist«, beruhigte Corm ihn. »Es ist keine Schande, dass du mich nicht gefunden hast.« Den Großteil der Zeit hatte er bei den Choctaw verbracht und fast jeden Tag versucht, Marni allein zu sehen, doch meist ohne Erfolg. Und wenn er sie doch ohne den Schlangenjäger oder die Mädchen antraf, weigerte sie sich, mit ihm zu reden, und schickte ihn fort. Schließlich war er wirklich gegangen.

»Kwashko konnte ich auch nicht finden«, berichtete Pondise.

»Er ist in Québec, bei den Rotröcken.«

Corm hörte das überraschte Murmeln aller, die sich in den Wickiup gedrängt hatten, um zu sehen, wie er Bishkek die letzte Ehre erwies. »Zuerst bestatten wir meinen Mannheitsvater«, sagte er. »Dann erkläre ich euch alles.«

Als der Leichnam am Nachmittag erstarrt war, bemalten Pondise und Corm dem Verstorbenen Brust und Gesicht in der roten und schwarzen Farbe, die Potawatomi-Tapfere auftrugen, wenn sie in den Krieg zogen. Corm dankte dem Großen Geist, dass er wenigstens rechzeitig genug gekommen war, um seinem Mannheitsvater diesen Dienst zu erweisen. Und für alle Fälle dankte er auch Miss Lorenes Jesus-Gott.

Nachdem die Kriegsbemalung aufgetragen war, bezeugten Bishkeks Enkelinnen ihm ihre Hochachtung und banden ihm viele Wampum-Ketten um Hals und Arme, damit in der nächsten Welt bekannt wurde, wie hoch geschätzt er gewesen war.

Dann kam Kekomoson in den Wickiup. Er hatte einen Kopfputz aus schwarzem Biberfell bei sich, in dem zwei lange graue Adlerfedern steckten sowie ein Büschel kleinerer roter Federn von der Brust eines seltenen Vogels. Als Häuptling kam Kekomoson die Aufgabe zu, Bishkek den Kopfputz aufzusetzen. Dann verfolgte er, wie Corm den Bogen des alten Mannes zu ihm in die Bestattungskiste legte und Pondise einen Köcher voll Pfeile dazutat.

Als alles fertig war, trugen vier Tapfere die Kiste aus dem Wickiup zum Totenfest an den Ort, wo sie jetzt stand, zwischen der Decke der Männer und der Frauen, und Shabnokis erklärte Bishkek, sie hätten sich versammelt, um ein letztes Mal gemeinsam mit ihm zu essen.

Schließlich hatten sich alle satt gegessen, die Squaws trugen die Reste fort, und die Männer rauchten das Kalumet. Corm und Pondise verbrachten die Nacht auf dem Boden neben Bishkeks Leiche, und da es Donnermond war und warm, schliefen auch seine Töchter und Enkeltöchter bei ihm. Am nächsten Morgen trugen die vier Tapferen, die die Bestattungskiste zum Festplatz gebracht hatten, sie an den Ort, der für die erste Bestattung ausgewählt worden war. Alle anderen folgten ihnen, Corm und Pondise an der Spitze. Ihnen schlossen sich die Squaws an; sie trugen viele in Häute gewickelte Gegenstände, die zum Teil so groß waren, dass gerade ein ganzes Fell sie verhüllte.

Die für Bishkek vorbereitete Grube war so tief, dass der untere Teil der Kiste hineingestellt werden konnte und ihr festen Halt bot. »Siehst du«, sagte Lashi, »er kann zum Dorf schauen und uns sehen.« Lashi war Pondises Mutter und Bishkeks jüngste und liebste Tochter. Sie steckte ein Wolltuch zu ihrem Vater in die Kiste. Es war leuchtend rot – *Cmokmanuk*-Ware, wie die Blechtöpfe –, und Bishkek hatte es ihr von seinem einzigen Besuch in Québec mitgebracht. »Damit ihm nicht kalt wird«, sagte Lashi. Corm gab ihm seinen Tomahawk mit und Pondise ein Messer zum Häuten. Auch das war aus Metall. Corm wünschte sich, es wäre aus Stein, aber er sagte nichts. Pondise schenkte seinem Großvater das, was er für seinen kostbarsten Besitz erachtete.

Einer nach dem anderen legten die Familienmitglieder dem Toten Gaben in die Bestattungskiste, die ihm bei seiner Reise in die nächste Welt nützlich sein würden. Zum Schluss wurde ein gewölbter Deckel aus den gleichen Zweigen wie die Kiste obenauf gelegt und mit Lederriemen festgeschnürt.

Ixtu, der Geschichtenerzähler, trat vor und erzählte die Geschichte von Bishkeks Vorfahren und wie es kam, dass er an diesem Ort weilte, als für ihn die Zeit zu sterben gekommen war, und von seinem Enkel und seinen beiden Mannheitssöhnen. Er sagte nicht, dass einer der Mannheitssöhne nicht da war, um seinen Mannheitsvater zu ehren. Wenn er das im Erzählen erwähnte, würde es immer Teil der Geschichte sein, aber vielleicht kein wahrer Teil. Der Brückenmensch hatte eine Erklärung versprochen.

Alle warteten darauf, dass Corm zu sprechen begann; er spürte ihre Blicke auf sich. Er wusste auch, dass alle daran dachten, wie gefährdet Bishkeks männliche Linie war. Weder Quent noch Corm hatte je einen Samen in den Bauch einer Squaw von Singender Schnee gepflanzt, und Pondise war noch zu jung, um zu heiraten.

Vielleicht war es nicht Marni, die unfruchtbar war. Vielleicht hatte sein Same keine Kraft und ließ den Bauch einer Frau nicht dick werden. Aber die heißen Säfte seiner Mannheit hatten ihn nie im Stich gelassen. Außerdem war er weder Marnis erster noch ihr letzter Geliebter gewesen.

Verfluchte Hure. Verfluchte unfruchtbare Hure. Das Wissen, dass sie nie ihm gehören würde, eiterte in ihm wie eine schwärende, stinkende Wunde. So, wie Bishkeks Fleisch stinken würde, wenn es von den Knochen fiel. Deswegen war die Bestattungskiste nicht allzu dicht geflochten, die Luft musste eintreten können, damit das Fleisch moderte und das Skelett trocknete. Sobald die Maden alles, was faulen konnte, weggefressen hatten, würden die gebleichten Knochen seines Mannheitsvaters aus der Kiste gehoben und zu den Gebeinen aller anderen gelegt werden, die in Singender Schnee begraben waren. Und bei dieser zweiten und endgültigen Bestattung würden alle dieselben Worte singen, die sie bei jedem Erzählen des neuen Monds sangen. *Haya, haya, jayek.* So, so, wir alle zusammen.

Als Ixtu sein Bishkek-Erzählen beendet hatte, wurden die Bündel, die die Frauen zum Bestattungsort getragen hatten, geöffnet, und alle Besitztümer des alten Mannes wurden verteilt. Corm bekam sein Kalumet, Pondise den Tabaksbeutel aus Seehundfell mitsamt allem Tabak. Die anderen Männer teilten sich Bishkeks Decken und Felle, die seinen Wickiup im Winter gewärmt hatten. Die großen Gegenstände, diejenigen, die in eine ganze Haut gehüllt werden mussten, waren sein Schlafrahmen aus Birkenholz und die Kochtöpfe, die seine Frau in seinem Wickiup zurückgelassen hatte. Es waren Tontöpfe der alten Art, die seit ihrem Tod vor vielen Jahren nicht benützt worden waren. Nachdem die Mutter gestorben war, hatten Bishkeks Töchter für ihn gekocht in den Töpfen, die ihre Schwiegermütter ihnen geschenkt hatten. Da weder Corm noch Kwashko oder Pondise eine Ehefrau aus dem Dorf genommen hatten, gab es niemanden, der die Kochtöpfe von Bishkeks Frau erben konnte. »Ich bewahre sie in meinem Wickiup, bis die Squaw, die sie bekommen soll, gewählt wird«, sagte Kekomoson. Corm war wütend auf Quent, dass er nicht hier war, um auch die allgemeine Missbilligung zu spüren. Obwohl das genauso dumm war, wie zu sagen, dass er Marni Benoit hasste und Pierre der Schlangenfänger sie bloß nehmen sollte.

»Jetzt ist die Zeit gekommen zu erklären, warum Kwashko, mein weißgesichtiger Bruder, nicht hier ist, obwohl er seinen Mannheitsvater ehrte und alle hier in Singender Schnee ehrt. Um diese Geschichte zu erzählen, bin ich hergekommen«, sagte Corm. »Wenn Ixtu und Shabnokis es gestatten, möchte ich, dass wir uns hier setzen, damit auch Bishkek meine Worte hört.«

Der Geschichtenerzähler und die Midewiwin-Priesterin beratschlagten und befanden schließlich, es sei gestattet. Alle setzten sich auf die Erde, und Corm begann zu erzählen von seinem Traum und dem Geschenk Memetosias, des Miami-Häuptlings, und vom großen Krieg, den die englischen und französischen *Cmokmanuk* führten. »Und wenn er vorbei ist und die Engländer gewonnen haben, werden alle *Cmokmanuk* dieses Land verlassen, und es gehört nur noch den *Anishinabeg*«, schloss er. »Das war die

Bedeutung meines Traums und des Traums, der Memetosia, den Miami, veranlasste, mir die Suckáuhock zu geben, die aus alter Zeit stammen.«

Corm nahm den Medizinbeutel mit den Kranichsymbolen vom Hals und reichte ihn Kekomoson. »Darin ist die Súki-Perle mit *eeyeelia,* dem Opossum. Es ist die letzte, und ich habe sie für mein Volk aufbewahrt und für mein Dorf, weil die *Anishinabeg*-Hälfte meiner Brücke hier ist und immer hier sein wird.«

27

Montag, 8. September 1759

Québec, Unterstadt

Wie durch ein Wunder hatten zwei Gebäude in der Unterstadt dem ununterbrochenen Beschuss standgehalten und waren für die *habitants* zum Symbol der Hoffnung geworden: die kleine Kirche Notre-Dame-des-Victoires und das Kloster der Armen Klarissen. Jetzt, nach beinahe zwei Monaten Geschützfeuer, waren auch sie zerstört. Ein gewaltiger Brand, der von einem nordöstlichen Chinook angefacht wurde, hatte von der Unterstadt auf die Oberstadt übergegriffen. Die Löschketten arbeiteten unermüdlich, aber vergebens. Tagelang war die Luft von Rauch erfüllt, und schwarze Wolken verdunkelten den Himmel.

In der hereinbrechenden Abenddämmerung betrachtete Quent den Schutthaufen, der vom Kloster übrig geblieben war. Er spürte die Wärme, die die Steine noch abgaben. Wahrscheinlich das einzige Mal, dass es an diesem verfluchten Ort wirklich warm gewesen war. »*Les réligieuses, oú sont les réligieuses?*«, fragte er einen *habitant,* der die Trümmer durchsuchte. Der Mann bedachte ihn mit einem merkwürdigen Blick – Quent wusste nicht, ob wegen seines unbeholfenen Französischs oder seines Aussehens – und murmelte mit einem Schulterzucken, er sei nicht Gott und brauche sich deshalb nicht um die Nonnen zu kümmern.

Gerade wollte er den Mann packen und die Information nötigenfalls aus ihm herausprügeln, als er den aus drei Tönen bestehenden Ruf hörte. Guter Gott, Cormac Shea, lang genug hast du gebraucht. Quent pfiff zur Antwort und wartete. Der Plünderer entfernte sich ängstlich, griff noch rasch nach einem großen Sack, bevor er sich zwischen zwei mächtigen Trümmern hindurch auf die Gasse hinauszwängte oder das, was früher die Gasse gewesen war.

»*Allez, larron!*«, rief Quent ihm nach. Er wollte dem Mann noch eine schreckliche Strafe androhen, falls er sich noch einmal an diesen Ort wagte, doch sein Französisch genügte nicht.

Der Plünderer hatte ihn so abgelenkt, dass er Corms Erwiderung nicht hörte. Falls denn wirklich er gepfiffen hatte und nicht ein Vogel. Quent pfiff erneut.

»Wärst du mein Feind, wärst du jetzt schon tot«, flüsterte eine Stimme direkt hinter ihm. »Dir kommt dein Instinkt abhanden.«

»Eher schon der Verstand. Wo zum Teufel hast du bloß gesteckt?«

»Eine Weile in Louisiana. Und seit Anfang Donnermond in Singender Schnee. Bishkek ist gestorben.«

Quent spürte, wie Trauer in ihm aufstieg. Und Scham. »Verflucht ... Warst du bei der Bestattung?«

»Bei der ersten, ja. Ich habe ihnen gesagt, ich würde mein Bestes tun, zur zweiten Bestattung wiederzukommen.« Diese Versicherung hatte weder Shabnokis noch die anderen zufrieden gestellt, aber mehr hatte er nicht versprechen können.

»Ich hätte dabei sein ...« Quent verstummte. Er hätte vieles tun sollen; an Bishkeks Bestattung teilzunehmen war nur eines von vielen Dingen und im Moment nicht einmal das Wichtigste. »Ich bin bei dieser gottverdammten Expedition dabei, um Nicole zu beschützen. Und schau, wie großartig mir das gelungen ist.«

Bevor Corm etwas erwidern konnte, schallte ein lautes Donnern durch die Luft. Nach einer Stunde Pause setzte die Kanonade wieder ein. Die von Pointe-Lévis abgefeuerten Geschosse explodierten wie Feuerwerk, zuckten leuchtend über der zerstörten Stadt. Corm sah sich um und entdeckte einen halb vergrabenen Überrest des Eisengitters, an das er sich erinnerte. »Sie ist doch nicht tot, oder?«

»Nein, das glaube ich nicht. Ich habe keine Leichen gefunden. Ich vermute, die Nonnen sind fortgegangen, bald nachdem die Bombardierung begann.« Er berichtete, wie sehr er die Äbtissin gedrängt hatte, das Kloster zu verlassen, noch bevor die Stadt unter Beschuss genommen wurde, und wie sie sich geweigert hatte. »Sie sagte, sie hätten gelobt, an diesem Ort zu bleiben, aber ich glaube nicht, dass sie ahnte, wie schlimm es werden würde.«

»Hast du den Priester in der braunen Kutte, Père Antoine, gesehen?«

»Nein. Nach dem suche ich noch.« Das Sperrfeuer der englischen Granaten war zum allgegenwärtigen Hintergrundgeräusch geworden. Quent und Corm achteten ebenso wenig darauf, wie die Stadtbevölkerung es seit sieben Wochen tat.

»Sein Haus steht ... stand in dieser Gasse, drei Häuser weiter zum Hafen zu. Ich vermute, das ist auch völlig zerstört.«

»Alles ist zerstört.«

Corm rief sich ins Gedächtnis, dass es so sein musste, wenn die *Anishinabeg* Kanada bekommen sollten. Alle Spuren der *Cmokmanuk* mussten vernichtet werden, damit sie abzogen und nie wiederkamen. Trotzdem entsetzte ihn die Zerstörung, die er überall sah, zumindest den weißen Teil seiner selbst. Es war einfacher, über andere Sachen zu reden. »Hast du schon deinen Dolch zurückbekommen?«

»Noch nicht. Keine Spur von Lantak.«

»Aber von anderen Indianern, oder? Die mit den Franzosen kämpfen.«

Quent hörte die Bitterkeit in Corms Stimme. »Nicht viele. Weniger, als es hätten sein können. Man konnte kaum erwarten, dass die Suckáuhock perfekt sein würden, Corm. Das ist nichts, nie.«

»Wenn die Engländer erklärt hätten, was passiert, wenn sie gesagt hätten, dass Kanada den *Anishinabeg* gehört, wenn sie den Krieg gewinnen, dann wären sie perfekt gewesen.«

»Das ist nicht ihre Art. Sie sprechen so etwas niemals offen aus.«

»Warum nicht?«

»Ich weiß es nicht. In London nennen sie das Diplomatie. So sind sie einfach.«

Corm ging ein paar Schritte auf die einstige Gasse hinaus und beobachtete, wie die Geschütze vom gegenüberliegenden Ufer abgefeuert wurden. »Werden die Engländer die Unterstadt stürmen?«

»Ganz bestimmt nicht. Die Franzosen könnten sie von dort oben einzeln abschießen. Wolfe will eine Schlacht, aber zu seinen Bedingungen. Er muss seine Armee auf die Klippen hinaufbringen, bevor er angreifen kann.«

»Das wird nicht so leicht sein.« Die Steilklippen zu beiden Seiten der Stadt waren sehr hoch. Der einzige Weg führte über die Côte de la Montagne. Wenn Wolfes Männer die Straße hinaufmarschierten, würden sie von den Soldaten oben auf den Brüstungsmauern abgeschlachtet werden. Eine Art Wettschießen, dessen Ausgang von Vornherein feststand.

»Unmöglich«, stimmte Quent zu. »Zumindest sieht's im Augenblick so aus.«

»Ich vermute, dass du drüben bei den Rotröcken bist?« Corm deutete mit dem Kopf zum englischen Lager auf Pointe-Lévis.

»Ja.« Eine weitere Feuersalve unterstrich seine Antwort.

»Geh zurück. Lass mich nach Nicole suchen. Wenn ich was herausfinde, komme ich zu dir.«

»Corm, ich …«

»Geh. Selbst verkleidet als christlicher Hurone bist du zu leicht zu erkennen. Wenn die *habitants* dich zu fassen kriegen, zerreißen sie dich bei lebendigem Leib.«

»Ich würde es ihnen nicht verdenken«, meinte Quent leise.

Mitte August, nachdem Wolfe Québec mehr als einen Monat unter Beschuss genommen hatte, ohne Montcalm zu der Schlacht verführen zu können, die er herbeiwünschte, erklärte er seine so genannte Zurückhaltung für beendet und schickte die Ranger aus. Sie hatten den Befehl, im Umland der Stadt jedes Haus und jede Scheune abzufackeln, aber Frauen und Kinder zu schonen und keine Kirchen zu zerstören. Nur Indianer und als Indianer gekleidete Kanadier durften skalpiert werden. Diese Order beruhigte offenbar sein Gewissen. Die Ranger brachen auf, nicht ohne derbe Lieder zu singen, was sie den Einheimischen alles antun würden. Quent musste mit dem Wissen leben, dass er selbst zur Bildung dieser Truppe gedrängt hatte. So oft wie möglich ging er auf die Einsätze mit, denn seine Anwesenheit bewahrte die *habitants* vor den schlimmsten Ausschreitungen, aber er konnte nicht überall gleichzeitig sein, und gelegentlich genügte selbst seine unangefochtene Autorität nicht, die Ranger zu mäßigen.

»Geh zurück nach Pointe-Lévis«, sagte Corm wieder. »Ich suche sie, und sobald ich sie gefunden habe, lasse ich dich wissen, wo sie ist.«

Quent wartete, bis Corm sich auf den Weg in die Oberstadt gemacht hatte, dann unternahm er ein paar Erkundungen auf eigene Faust. Das Haus des Franziskanerpriesters war erstaunlich gut erhalten. Die Mauer zur Gasse hin war unbeschädigt, auch wenn die Nachbarhäuser zerstört waren, und die aus dicker, schlecht gehobelter Eiche gezimmerte Tür war geschlossen. Es gab keine Glocke mehr und auch keine Klinke, falls es je eine gegeben hatte. Quent überlegte, ob er anklopfen solle, dann wurde ihm die Absurdität dieser Vorstellung bewusst. Er fuhr mit den Händen über das Holz und fühlte die Spuren der Axtschläge, mit denen die Tür einmal aus einem einzigen großen Stamm gehauen worden war. Beim leichtesten Druck schwang sie auf, als hätte jemand sie erst vor kurzem angelehnt. Er hatte das Gefühl, beobachtet zu werden.

Er hatte einen Tomahawk bei sich und ein Messer zum Enthäuten. Sein Langgewehr hätte zu viel Aufsehen erregt, zumal kein Hurone aus einer christlichen Mission eine solche Waffe besitzen würde. Er zog das Messer aus dem Gürtel.

Mittlerweile war es völlig dunkel geworden, und der abnehmende Mond war noch nicht aufgegangen, doch im fahlen Licht der Sterne konnte er erkennen, dass hinter der täuschenden Fassade nichts mehr von Père Antoines Haus erhalten war. Wie die benachbarten Gebäude war es in Schutt und Asche gelegt, verkohlte Holzbalken hingen herab. Quents Blick schweifte über die Trümmer; das Gefühl wollte ihn nicht verlassen, dass irgendetwas nicht stimmte – als wäre das Haus, nachdem die englischen Geschütze ihr

Werk verrichtet hatten, absichtlich noch weiter zerstört worden. Ein schwaches Licht glomm knapp über dem Boden in der Nähe der steinernen Kaminbrüstung, die intakt über der einstigen Feuerstelle aufragte.

Vorsichtig trat Quent näher. Er konnte das Gefühl nicht abschütteln, dass er kein lautes oder unerwartetes Geräusch machen dürfe. Verdammt! Aller Vorsicht zum Trotz wäre er beinahe geradewegs in einen Balken gelaufen, der von einer verbliebenen Ecke des Dachs zum Kamin herabhing. Der Balken hatte denselben Umfang wie dieser und war rußgeschwärzt, aber nicht nur von der Feuersbrunst. Es war einer der ursprünglichen Deckenbalken. Quent blickte nach oben. Dort, wo ein Gesteinskeil zwischen den Überresten der nördlichen Hausmauer und dem Balken herausragte, den er beinahe heruntergerissen hätte, war es noch finsterer.

Trotz des mangelnden Lichts konnte er noch das Glimmen ausmachen, das ihn in diese Ecke des zerstörten Hauses gelockt hatte. Er kniete nieder, streckte die Hand aus und spürte etwas Hartes, Kaltes. Ein großer, goldener Kelch, dessen Rand wohl mit Edelsteinen besetzt war. Darunter stand ein flacher Goldteller, der ebenfalls mit Edelsteinen verziert war. Kein Plünderer hätte eine solche Beute zurückgelassen.

»Nichts, was eine Braunkutte haben sollte, *neya*?«

Die Stimme kam aus dem tiefsten Schatten. »Lantak.«

»Ja, Uko Nyakwai, Lantak. Steh auf. Heb die Hände über den Kopf. Ich warte schon lange darauf, dich endlich wiederzusehen. Es wäre schade, wenn wir uns nicht ein wenig unterhalten würden, bevor ich dich töte.«

Wie bei ihrer letzten Begegnung hatte der abtrünnige Hurone im Gegensatz zu Quent ein Langgewehr. Die Mündung war eine Armeslänge von Quents Gesicht entfernt, nah genug, dass er Lantaks Finger am Abzug sehen konnte. Er verwarf den Gedanken, sein Todeslied zu singen. Wenn ein Feind so nah war, dass man ihn berühren konnte, konnte man ihn auch angreifen. »Ich habe nach dir gesucht, Lantak. Drüben am Westufer, wo die Skalps sind. Ich hätte nicht gedacht, dich zwischen den Trümmern alter Schlachten herumschleichen zu sehen wie einen Aasgeier.«

»Ich nehme nur die Skalps, die ich nehmen möchte, Uko Nyakwai. Lantak kämpft nicht in einem Krieg der *Cmokmanuk.*«

»Aber wie eine Squaw kommst du an den Ort der Schlacht, wenn der Kampf vorüber ist, und nimmst dir, was die Tapferen übrig gelassen haben.«

»Deine Beleidigungen können mir nichts anhaben, Bärendreck. Ich werde mich an sie erinnern, wenn ich dir die Zunge herausschneide. Lass das Gold liegen. Geh da rüber.« Lantak riss das Gewehr herum und deutete auf die Ecke, die von dem herabhängenden Balken gebildet wurde.

Jetzt. Eine bessere Gelegenheit würde er nicht bekommen. An dieser Stelle war der Balken genau in Hüfthöhe. Wenn er gegen ihn stieß, würde er nachgeben und das restliche Dach mit sich reißen. Quent machte einen Schritt und wappnete sich, auf den geschwärzten Balken zu fallen. In dem Augenblick sah er den Priester. Père Antoine saß auf einem Schemel in der Ecke der zerstörten Mauern. Er war gefesselt und geknebelt, beide Augen waren ihm ausgestochen; die leeren Höhlen bluteten noch. Das Blut verbarg fast die Wunde, wo zuvor seine Nase gewesen war.

»Wie du siehst, haben wir bei unserem kleinen Fest noch einen Bruder dabei«, sagte Lantak. »Es freut mich, dass er noch am Leben ist, um einen weiteren Gast zu begrüßen.«

Wenn mit dem Balken ein Teil des Dachs herunterstürzte, würde es den Priester erschlagen. Quent gelang es gerade noch, seinen geplanten Sturz zu verhindern, und betete, dass er Lantak durch die Drehung nicht einen Hinweis auf sein Vorhaben gegeben hatte. Offenbar nicht. Er spürte die Mündung im Rücken. »Geh!«

Quent stolperte vorwärts, übertrieb bewusst sein Taumeln, um Zeit zu gewinnen, und sagte, noch während er sich aufrichtete: »Du bist wirklich eine Squaw, Lantak. Du folterst wie eine Squaw und ergötzt dich mehr an den Schreien als am Tod.«

»Das werden wir ja bald sehen, wer eine Squaw ist, Bärendreck, und wer schreit. Die Braunkutte muss jetzt endlich dafür büßen, dass sie dir das Leben gerettet hat. Mein Totem hat dich hergeführt, damit du ihn sterben siehst, bevor du selbst stirbst.«

Quent wartete noch die Dauer eines Herzschlags, so lange, dass Lantak ihn wieder mit der Mündung seines Langgewehrs anstupsen konnte. In dem Moment, als der Abtrünnige durch die Kraft seines Stoßes einen halben Atemzug lang das Gleichgewicht verlagerte, fiel Quent auf ein Knie und packte ihn um die Beine. Der Schuss löste sich aus dem Langgewehr – ob absichtlich oder ungewollt, war unmöglich zu sagen. Die Kugel pfiff über Quents Kopf hinweg, doch durch den Rückstoß wurde der Hurone gegen den Kamin geschleudert.

Quent warf sich auf ihn und kam über ihn zu liegen. Der Indianer fuhr ihm mit gekrallten Fingern übers Gesicht und wollte ihn am Schopf packen. Quent entzog sich dem Griff, stieß einen Potawatomi-Kriegsschrei aus, legte beide Hände um Lantaks Hals und drückte zu. Aber er kniete mit nur einem Bein auf der Brust des Indianers und konnte nicht sein ganzes Gewicht einsetzen, sein Widersacher bekam ihn mit eisernem Griff um die Handgelenke zu fassen. Dann richtete er sich langsam auf, mit mehr Kraft, als Quent ihm zugetraut hätte, und setzte die ganze Länge seines drahtigen Körpers ein, um sich Quents Händen zu entwinden. Schließlich hatte er sich befreit, sprang auf und stieß ebenfalls einen Kriegsschrei aus.

Quent wollte sich erneut auf ihn stürzen, doch Lantak entkam ihm. Mittlerweile hatten beide Männer ein Messer in der Hand. Sie stachen zu, verletzten sich gegenseitig, doch nur oberflächlich, rangen miteinander und lösten sich dann wieder, um zum tödlichen Stoß auszuholen. Doch irgendwie gelang es dem Huronen, hinter Quent zu stehen zu kommen. Er packte ihn so fest um den Rumpf, dass Quent keine Luft mehr bekam. Unter Aufbietung aller Kraft umklammerte er Lantaks Hals und schwang den Indianer mit einer Anstrengung, die ihm schier das Herz zerspringen ließ, über seinen Kopf nach vorn.

Lantak fiel gegen den Balken; es folgte ein lautes Donnern, dann das Brechen von Gestein, und die Ecke des Daches, die nur von dem einen Balken gestützt worden war, landete mit einem ohrenbetäubenden Krachen auf dem Boden.

Sein Puls raste, und für eine Weile sah Quent nur verschwommen. In seinen Ohren dröhnte es, als stünde er neben einer feuernden Kanone. Er schüttelte den Kopf, und das Dröhnen verebbte, dann konnte er auch wieder klarer sehen. Durch den Balken war nicht nur die Dachecke herabgerissen worden, auch die steinerne Kaminbrüstung war eingestürzt. Hätte er nur einen Schritt weiter rechts gestanden, wäre er von den Steinen erschlagen worden.

Fast die gesamte Kate des Priesters war jetzt dem freien Himmel ausgesetzt. Das Sternenlicht fiel auf die Stelle, wo Lantak gestanden hatte, als er vom Balken zerquetscht worden war. Nur ein Arm ragte unter den Trümmern hervor. Aber wo, guter Gott, war der Priester?

Quent stolperte über den Schutt; er beruhigte sich mit dem Gedanken, dass es wohl am besten wäre, wenn der Franziskaner auch getötet worden wäre. Niemand würde in einem solchen Zustand weiterleben wollen, nicht einmal ein papistischer Priester. Und doch bedrückte ihn die Vorstellung, dass er der Braunkutte sein Leben verdankte und ihm im Gegenzug den Tod gebracht haben könnte.

Père Antoine war von den Gesteinsbrocken bis über die Knie verschüttet, doch sein Rumpf war frei. Und er lebte. Quent löste den Knebel und wischte dem Priester mit einem Stück weichem Leder das Blut vom Gesicht. »O mein Gott ... es tut mir sehr Leid ... ich wollte nicht ...«

»Nicht Ihre Schuld«, murmelte der Priester. »Meine. Ich bin hergekommen, um meinen Kelch und die Patene zu holen.«

»Ich kann sie ausgraben und hinbringen, wohin Sie ...«

»Ist jetzt nicht wichtig. Ich will ... beten.« Er flüsterte eine Reihe lateinischer Wörter, die Quent nicht verstand, und lächelte schließlich. »*Oui, mon Jésus, oui ...*«, wisperte er. Dann holte er keuchend Luft und sagte etwas, das Quent nur verstand, weil er sich dicht über den Priester beugte. »Meine Perlen ... geben Sie sie den Nonnen.«

Quent suchte nach dem Rosenkranz und entdeckte ihn am Gürtel des Franziskaners; wie durch ein Wunder waren die Perlen unbeschädigt. Als er sie losgebunden hatte, war Père Antoine bereits tot.

Einen Moment setzte er sich auf die Fersen, um zu Atem zu kommen, dann ging er zur Leiche des Huronen. Er zog an einem Arm, der aber offenbar vom Körper abgetrennt worden war. Angewidert warf Quent ihn von sich und begann, die Trümmer beiseite zu räumen, bis er die Leiche schließlich aus dem Schutt ziehen konnte. Dann untersuchte er sie gründlich, konnte aber das, wonach er suchte, nicht finden. Vor Enttäuschung krampfte sich sein Magen zusammen, er hatte einen bitteren Geschmack im Mund. Wenn er den Dolch jetzt nicht fand, würde er ihn nie wiederbekommen. Entweder hatte Lantak ihn bei sich getragen, oder er hatte ihn gegen Schnaps oder eine Frau oder etwas anderes eingetauscht. Aber dann fielen Quent Corms Worte ein, dass Lantak sich brüstete, er würde Uko Nyakwai mit dessen eigener Waffe skalpieren.

Mit den Füßen räumte er weitere Steinbrocken von der Stelle, wo der Indianer gestorben war, und schon bald stieß er auf den Dolch, spürte den geschnitzten Griff durch das weiche Leder seines Mokassins. Begierig nahm er ihn an sich und freute sich am vertrauten Gefühl, die Waffe in der Hand zu halten. Dann nahm er damit Lantaks Skalp – wegen Solomon dem Fassmacher, wegen Zucker-Willie und dem Großen Jacob, und auch wegen Père Antoine.

Louis Roget kniete betend in der Ruine der Retraite de Ste. Anne im Collège des Jésuites in der Oberstadt. Ein Großteil des Daches war eingestürzt, ebenso wie Teile einer Mauer, doch im Gegensatz zur Hauptkirche stand die Kapelle noch, und auch das Bleiglasfenster, das das Leben der Mutter Mariens darstellte, war noch intakt, ebenso wie die exquisite Statue Annas, die die *ébénistes* von Reims geschnitzt und die dortigen Jesuiten ihren Brüdern in Québec zum Geschenk gemacht hatten. Die Heilige thronte hoch über dem Altar und blickte auf die Zerstörung herab.

Der Provinzial war allein. Seine Priester und die Brüder waren in der Stadt unterwegs, um den geschundenen und halb verhungerten *habitants* jede mögliche Hilfe zukommen zu lassen. In Rogets Gemächern stand noch ein Bett, doch er hatte beschlossen, die Nacht in der Kapelle zu verbringen und sie zu bewachen. Morgen würden von Bigot geschickte fachkundige Handwerker kommen, um das Bleiglasfenster zu entfernen und die Statue abzunehmen, beides sorgsam verpacken und nach Louisiana schicken. Es wäre zu schade, wenn diese Kostbarkeiten, nachdem sie so vieles überstanden hatten, von Plünderern erbeutet würden.

Mon Dieu, ich glaube nicht, dass es eine Sünde ist, wenn ich nicht um einen Sieg der Franzosen hier in Québec bete. Dieses Königreich des Schnees, *mon Dieu* – ich habe es mit all meinem Verstand, den du mir geschenkt hast, betrachtet und bin davon überzeugt, dass es keinen Wert besitzt.

»*Bon soir, Jésuite.* Entschuldigen Sie, dass ich Sie im Gebet störe.«

Neben dem Tabernakel, der das allerheiligste Sakrament enthielt, brannte eine Kerze, und durch das Loch im Dach fiel ein wenig Sternenlicht – hell genug, dass der Provinzial den Mann ausmachen konnte, der am Rand des Schattens stand. Ein Waldläufer in lederner Kniehose und dickem Hemd, aber nicht irgendein beliebiger *coureur de bois*. Dieser hatte eine lange Narbe, die die eine Gesichtshälfte zur Grimasse erstarren ließ. »Dies ist ein Gotteshaus, Monsieur Shea. Wenn Sie Diebstahl oder, schlimmer noch, Gewalt im Sinn haben … Damit gefährden Sie Ihre unsterbliche Seele.«

»Meine Seele ist allein meine Sache, Jesuit. Aber es geht mir gar nicht um Ihre Schätze, und ich habe auch nicht vor, Ihnen etwas anzutun, es sei denn, Sie zwingen mich dazu. Ich möchte nur eine Information. Und da Sie wissen, wer ich bin, werden Sie sie mir sicher geben.«

»Das kommt darauf an – welche Auskunft denn?«

»Die Armen Klarissen – wo sind sie jetzt?«

Langsam bekreuzigte sich Roget, dann erhob er sich aus dem halb zerbrochenen Betstuhl, den er aus den Trümmern geborgen hatte. »Sie haben es doch selbst gesagt, Monsieur Shea – ich bin ein Jesuit, eine Schwarzkutte. Die Armen Klarissen sind Franziskanerinnen. Was soll ich wissen von ... *Mon Dieu!* Haben Sie den Verstand verloren?«

Cormac hatte den Tomahawk über den Kopf gehoben und richtete ihn drohend auf die Statue der heiligen Anna. »Ich kann sie aus dieser Entfernung mühelos zerschmettern, Jesuit. Ihr Katholiken liebt eure Statuen doch, oder nicht? Und diese ist angeblich ganz besonders wertvoll.«

»Sie ist das Werk der besten *ébénistes* von Reims. Für einen Mestizen wissen Sie erstaunlich viel, Monsieur Shea.«

»Nicht so viel, wie ich gern wüsste. Ich verspreche Ihnen, Ihre Statue wird nicht wiederzuerkennen sein, wenn ich fertig bin. Ich zähle bis fünf. Wo sind die Armen Klarissen?«

»Sagen Sie mir, warum Sie das wissen möchten?«

»Nein. Zwei, drei ...«

Roget zuckte die Achseln. Es war kein Geheimnis, das sich mit der heiligen Anna aus Reims zu bewahren lohnte. »Alle Nonnen von Québec sind im Hôpital Général bei den Augustinerinnen untergebracht, Monsieur Shea. Zumindest sind die Ursulinen dort, seit ihr Kloster zerstört ist. Ich vermute, dass die Armen Klarissen dort ebenfalls Zuflucht gefunden haben. Vielleicht haben Sie bemerkt, dass in der Stadt so gut wie kein anderes Gebäude mehr steht.«

Corm steckte den Tomahawk in seinen Gürtel zurück. »Das habe ich in der Tat bemerkt. Ich habe auch Ihre Truhen draußen gesehen, Jesuit. Verraten Sie mir, wohin die Reise geht?«

»Auch das ist kein Geheimnis. Wenn es nötig werden sollte, fahren meine Gemeinschaft und ich mit dem nächsten Schiff nach Louisiana.« Er bemerkte, dass der Mestize zusammenfuhr. »Das interessiert Sie, Monsieur Shea?«

Corm schüttelte den Kopf. »Nein. Sollte es?«

Alors, etwas an der Art, wie er den Kopf hielt, wie er seinem Blick auswich … Der Mestize log. Vielleicht war dieser doch kein gewöhnliches Halbblut, auch wenn er so aussah. Roget unterdrückte ein Lächeln. Dies war kein Spiel, das zu spielen er erwartet hatte, aber möglicherweise lohnte sich der Einsatz. Er war natürlich schwarz. Weiß hatte bereits eröffnet. »Sagen Sie mir doch, warum Ihnen die Armen Klarissen so am Herzen liegen, Monsieur Shea. Einige Frauen, die ihr Leben mit Bußübungen verbringen – warum bekümmern die Sie?«

»Eine Bekannte von mir ist bei ihnen. Ich möchte nur wissen, ob ihr nichts passiert ist.«

»Lassen Sie mich raten, Monsieur. Ihre Bekannte ist diejenige, die Sœur Stéphane genannt wird, *non*? Die Junge, deren Vater ein englischer Offizier war.« Schwarzer Springer zur weißen Dame.

»Sie sind in der Tat so gut informiert, wie Ihnen nachgesagt wird, Jesuit.«

»Manchmal noch besser.« Du hast mir eine Lücke gezeigt, Mestize. Wenn ich mich in eine Position bringen kann, die es mir ermöglicht, einen oder zwei Bauern zu schlagen, sind deine Figuren angreifbar. »*Papankamwa*«, sagte Roget leise, »*eehsipana, ayaapia, anseepikwa, eeyeelia, pileewa.*«

Corms Miene veränderte sich nicht, als er die Namen der Symbole auf den Súki-Perlen hörte. »Ich weiß bereits, dass Sie dem abtrünnigen Midè-Priester Geld für die Suckáuhock geboten haben, Jesuit. Ich habe den Mann, von dem Sie mich töten lassen wollten, skalpiert.«

Alors, échec dem schwarzen König, aber das war nur ein kurzer Rückschlag. »Ich wollte Sie von niemandem töten lassen, Monsieur Shea. Ich konnte nicht wissen, dass der Mann, der mir die Steine anbot, das im Sinn hatte. Aber jetzt weiß ich zumindest, dass sie tatsächlich so wichtig sind, wie er behauptete. Die meisten Indianer haben Onontio wegen dieser Steine verlassen, stimmt das?«

Corm machte eine wegwerfende Geste. »Nennen Sie mir einen Grund, warum Indianer in den Kriegen von euch weißen Männern kämpfen und sterben sollten. Vielleicht werden sie einfach nur klüger.«

»Indianer kämpfen und sterben für Skalps, Gefangene und Beute, Monsieur Shea. Außer ihnen wird etwas Wertvolleres angeboten. Und was diese wertvolle Sache ist, das würde ich gern wissen. Wissen Sie es vielleicht?«

»Und wenn – glauben Sie, dass ich es Ihnen sagen würde?«

Rogets Finger fanden wie von selbst die Perlen des Rosenkranzes, der um seine Taille hing. Du hast mir eine wunderbare Gelegenheit geschickt, *Mère de Dieu*. Bitte lass mich keinen Fehler machen. »Möglicherweise, Monsieur. Wenn ich Ihnen im Gegenzug etwas von gleichem oder größerem Wert bieten könnte.«

»Ich traue Ihnen nicht, Jesuit.« Corm klopfte das Herz bis zum Hals. Das war das Spiel eines Weißen, das wusste er. Er wusste nur nicht, ob er selbst weiß genug war, um mithalten zu können. »Wenn es einen Tauschhandel gibt, dann müssen beide Seiten sehen, was geboten wird.«

Endspiel. Um den weißen König zu bedrohen, muss Schwarz mit seinem ziehen. »Ihr General Wolfe«, begann Roget, »muss General Montcalm begegnen, wenn …«

»Wolfe ist nicht mein General.«

»Ah, aber in dieser Frage glaube ich doch. Ich habe das Gefühl, dass Sie in diesem *contretemps* wie die Indianer Onontio Ihre Unterstützung versagen. Ist das nicht korrekt?«

»Ich bin halb indianisch, Jesuit. Ein Mestize, wie Sie mich immer wieder zu erinnern pflegen.«

»In der Tat. Wenn also Ihr Volk dieses Mal nicht mit seinen französischen Verbündeten kämpft, dann doch sicher nur deshalb, weil es möchte, dass die Engländer siegen. Und wenn die Engländer siegen wollen, muss General Wolfe sich mit General Montcalm eine Schlacht liefern. Ist das nicht korrekt, Monsieur Shea? Die Militärs sagen uns, dass Québec eine Festung ist, kein Fort. Sie kann nicht durch den herkömmlichen *siège en forme* eingenommen werden.«

»Selbst wenn das stimmen sollte – was hat das mit unserem Tauschhandel zu tun?«

In Roget regte sich ein erstes Triumphgefühl. Der Mestize begann sich auf ihn einzulassen. »Es hat sehr viel damit zu tun. Sprechen wir doch Klartext, Monsieur. Wenn Wolfe nicht seine Schlacht bekommt, muss er vor Wintereinbruch abziehen. Andererseits, um Vaudreuil und Montcalm zum Kampf zu zwingen, müssen die Engländer die Oberstadt heftig bedrängen, bis unsere beiden widerstrebenden Krieger zu dem Schluss kommen, dass eine Schlacht der einzige Ausweg ist. Um das zu erreichen, dürfen die Engländer nicht auf Pointe-Lévis oder der Ile d'Orléans sein, sie dürfen auch nicht im Umland wüten und die *habitants* peinigen und nicht einmal durch die Unterstadt streifen. Sie müssen hier oben sein, wo wir jetzt sind, sich vor die Stadttore drängen. Wolfe hat schon etliche Versuche unternommen, hier heraufzugelangen, und ist zurückgetrieben worden, weil er das an den falschen Stellen getan hat.«

Je vous salue, Marie, pleine de grâce. Die Perlen glitten rasch durch Rogets Finger. Das Gebet an die Muttergottes sprach irgendeinen Teil seiner selbst ganz von allein, so wie sein Herz schlug, so wie der Atem in seine Lunge eintrat und entwich. »Ich kann Ihnen die richtige Stelle verraten. Und Sie, Monsieur Shea, können das an General Wolfe weitergeben.«

»Und im Gegenzug gebe ich Ihnen was, Jesuit?«

Der Mestize sprach sehr leise, war aber einen Schritt näher gekommen. Nah genug, sodass Roget die Ader sehen konnte, die oberhalb von Cormac Sheas Narbe pulsierte. Das war sein einziger Hinweis, aber auf den musste Schwarz alles setzen, die Dame und beide Türme. »Ich habe meine Forderung bereits genannt. Ich handle mit Wissen. Das ist die einzige Waffe, die ich besitze, um die Sache Gottes und seiner heiligen Kirche zu befördern. Ich möchte die Macht der Steine begreifen, Monsieur. Was haben die Engländer den Indianern versprochen dafür, dass sie sich aus diesem Krieg heraushalten?«

»Kanada.«

... et Jésus, le fruit de vos entrailles ... »Wiederholen Sie das doch bitte. Ich glaube, Sie sagten ...«

»Ich sagte, wenn die Engländer diesen Krieg gewinnen, geben sie den Indianern Kanada. Sie behalten das Land im Süden, wo die Kolonien jetzt sind. Weiße und Rote sind getrennt. Damit sie beide in Frieden leben und ihren jeweiligen Sitten und Bräuchen folgen können.«

Louis Roget lockerte seinen Griff am Rosenkranz. Seine Finger waren zu verschwitzt, um die Perlen noch zu zählen. Das Blut pochte ihm so laut in den Ohren, dass er kaum sprechen konnte. *Échec et mate.* Sein Sieg war vollständiger, als er sich hätte vorstellen können. Wenn Kanada endlich verloren war, würden selbst die Dummköpfe in Versailles begreifen, dass man seine ganze Kraft auf Louisiana verwenden musste und darauf, das im Ohio Country verlorene Land wiederzugewinnen. Warum nicht? Die Indianer würden sie nach Kräften unterstützen. Undenkbar, dass die Engländer ihr Versprechen halten würden. Sobald die Franzosen nicht mehr über die Macht in Kanada verfügten, würden englische Siedler das Land überfluten. Und wenn die Wilden sich verraten fühlten, wären sie mehr bereit als je zuvor, sich für die französische Sache einzusetzen. Nicht nur das Ohio Country, *mon Dieu*. Womöglich die gesamten englischen Kolonien. New York und Pennsylvania und Virginia ... das alles, vielleicht sogar das Land, das sie Neuengland nannten, stünde dann dem heiligen Glauben offen.

»Ich warte, Jesuit.«

»Sie warten, Monsieur Shea?« Rogets Stimme klang selbst in seinen eigenen Ohren sehr dünn. Ein ungeheuerlicher Gedanke, unglaublich kühn. So viel wagten nur Heilige. Aber Heilige wurden mit einer goldenen Krone belohnt.

»Ja. Auf Ihren Teil des Handels.«

»*Bien sûr* ...« Roget zwang sich, in die Gegenwart zurückzukehren. Wenn seine Vision sich in all ihrer Pracht und Herrlichkeit entfalten sollte, gab es Dinge, so schwierig und abstoßend sie auch sein mochten, die er tun musste. »Monsieur Shea, Sie kennen die Hochebene, die Plains of Abraham heißt? Im Westen der Stadt, in der Nähe der Gärten der Ursulinen-Klosterschule oder wo sie vor diesem Beschuss waren.« Er wartete, bis der andere nickte. »Sehr gut. Wenn Sie der Klippenstraße an den Gärten und an der Ebene vorbei folgen, kommen Sie zu einem Ort oberhalb einer Bucht, die l'Anse au Foulon heißt. Dort gibt es einen Pfad, den angeblich die Wäscherinnen manchmal …«

Corm schüttelte den Kopf. »Ich will nicht wissen, was es angeblich gibt, Jesuit. Worte allein genügen nicht. Zeigen Sie mir die Stelle.«

Roget zögerte. Die Statue der heiligen Anna, das Bleiglasfenster … *Eh bien,* nachdem die Muttergottes ihm so vieles gegeben hatte, würde sie auch diese Schätze behüten. Und wenn nicht, dann sei's drum. Die Wege Gottes waren unergründlich. Jetzt verstand er, warum er gezwungen worden war, das traurige und sündige Ereignis zu beobachten, den Selbstmord des verletzten Falken. »Kommen Sie, Monsieur Shea. Ich zeige Ihnen die Stelle, die ich meine.«

Corm verfolgte, wie Roget sich seinen langen Umhang um die Schultern legte. Als sie aufbrechen wollten, sagte er: »Jesuit, eines noch. Wenn Sie mich hereinlegen wollen, skalpiere ich Sie bei lebendigem Leibe, dann schneide ich Ihnen das Herz heraus und esse es.« Vielleicht nicht *Cmokmanuk* genug für Diplomatie, aber gewiss reichlich *Anishinabeg.*

»Das bezweifle ich nicht, Monsieur Shea. Lassen Sie uns gehen.«

Samstag, 13. September 1759

Der Sankt-Lorenz-Strom, oberhalb von Québec

Es war die dunkelste Stunde der Nacht. Die Morgendämmerung würde erst in einigen Stunden einsetzen, die schmale Sichel des abnehmenden Mondes war bereits untergegangen. Der Fluss war von den Regenmassen der vergangenen drei Tage angeschwollen, der Sog der Ebbe stärker als sonst. Die Dollen der Langboote waren gepolstert worden, und auf Wolfes Befehl hin schwiegen die Instrumente der Trommler, die sonst die Schläge vorgaben.

Die Küste war unbewacht, doch auf den Klippen waren Posten aufgestellt. Einer glaubte, ein Geräusch zu hören, und kniff die Augen zusammen, um mehr zu sehen. Zuerst nichts. Dann … ja, doch, ein schwarzer Schatten in der Dunkelheit, das schwappende Geräusch von Rudern im Wasser. »*Qui vive?*«

Die Männer, die in den Booten saßen, hörten den Ruf und erstarrten. Sollten sie entdeckt werden, würden die französischen Schützen, die sich entlang der gesamten Klippe postiert hatten, sie von der Höhe herab abschießen. Es war unmöglich, dass die Langboote ihnen entkommen oder sich verstecken konnten.

Der Wachposten wartete auf Antwort. Er bekam keine. Die verfluchte Feuchtigkeit des endlosen Regens hatte ihm fast die Stimme geraubt. Er räusperte sich und rief erneut, nun etwas lauter: »*Qui vive?*«

Wolfe saß im vordersten Boot. Er nickte dem jungen Kapitän zu, der die Achtundsiebzigsten Highlander kommandierte und perfekt Französisch sprach. »*La France et vive le roi!*«, rief er. Wolfe freute sich über seine Voraussicht. Er hatte genügend französischsprachige Männer unter seinen Soldaten gefunden und sie auf alle Langboote verteilt. Aber wenn ein Losungswort verlangt würde … Quentin Hale saß mit Wolfe im Boot, der Amerikaner hatte sein Langgewehr im Anschlag und versuchte, den französischen Soldaten über ihnen ins Visier zu bekommen.

Der Wachposten oben auf der Höhe machte sich nicht die Mühe, nach dem Losungswort zu fragen; er dachte nur an seinen leeren Magen und wie lange er schon nichts mehr zu essen bekommen hatte. Ein Gefühl der Erleichterung durchflutete ihn. *Merci, mon Dieu.* Seit Tagen war ihnen ein Konvoi mit Vorräten aus Montréal versprochen worden. Er lief die Klippe entlang zum nächsten Wachposten. »*Ce sont nos gens avec les provisions. Laissez-les passer.*« Seine Stimme hallte zu den Engländern auf dem Fluss hinab, wenn auch nur als leises Echo. Es genügte. Sie ruderten weiter.

Wenige Augenblicke später landete Wolfes Langboot mit drei weiteren in der Anse au Foulon. Vier andere verpassten die Stelle und wurden weiter stromabwärts getrieben, doch sich um sie zu sorgen war jetzt nicht die Zeit. »Mr. Hale« – ein so leises Flüstern, dass Quent es kaum hören konnte, obwohl er direkt neben dem General stand –, »wo ist der Pfad Ihres Freundes?«

Einige Männer hatten bereits begonnen, eine Felsklamm von Geröll und Ästen freizuräumen. Doch Corm hatte betont, dass dieser breite Felsspalt nicht der Pfad war. »Diese Klamm soll nur vom richtigen Weg ablenken. Sieben große Schritte weiter nach links ist der eigentliche Pfad. Leicht zu verpassen und so steil wie den Big Two hinauf. Der Weg führt ganz nach oben.«

Quent hatte sich die Stelle nicht von Corm zeigen lassen aus Sorge, sie könnten beobachtet werden und ihr Interesse an der Foulon-Bucht könnte Verdacht erregen. Schwierig war nur, Wolfe davon zu überzeugen, dass er sich auf Corms Wort absolut verlassen konnte, bis schließlich Corm es ihm selbst darlegte. Quent vermutete, dass der Engländer letztlich nur aus Verzweiflung Corms Beschreibung geglaubt hatte. Allmählich wurde die Zeit knapp, der Winter rückte näher, und Admiral Saunders würde darauf drängen, mit seiner Flotte abzuziehen. Außerdem war es dem kinnlosen General weniger wichtig, Québec einzunehmen; ihm ging es mehr um einen schnellen Heldentod. So krank er oft war, konnte man das vielleicht auch verstehen.

Quent ging die sieben Schritte nach links und betrachtete die Felswand, vor der er nun stand. Sie sah genau so aus, wie Corm sie beschrieben hatte – ein schmaler Spalt, den man nur mit einiger Fantasie als Pfad deuten konnte und der auf geradem Weg in die Höhe führte. Deswegen hatte Corm ihn auch mit dem Pfad auf den Big Two verglichen, auf den sie damals als Jungen geklettert waren. Unglaublich steil, aber doch zu bewältigen für jemanden, der trittsicher war. Bloß, dass oben auf dem Big Two keine feindlichen Soldaten gelauert hatten.

Die erste Gruppe war bereits zusammengestellt, sechzehn der behändesten Rotröcke unter Anführung von Oberst Howe von der Achtundfünfzigsten leichten Infanterie. Er war fast so groß wie Quent und ebenso leichtfüßig. Es hatte zu nieseln begonnen, aber zu warten erschien sinnlos. Sollte erneut heftiger Regen einsetzen, würden sie den Pfad nie hinaufkommen. Howe und seine Leute traten zu Quent, der Oberst nickte auffordernd. Seine Männer pflanzten ihre Bajonette auf und machten sich an den Aufstieg.

Oben angekommen, trafen sie bis auf eine kleine Abordnung auf keine feindlichen Soldaten. Die Männer schliefen in ihren Zelten und hatten offensichtlich keinen Wachposten aufgestellt, oder wenn, dann hatte er seine Stellung verlassen. Der Kampf war rasch vorüber. Am Ende sah Quent, wie einer der Rotröcke mit der Spitze seines blutigen Bajonetts einen der Franzosen skalpierte. Offenbar hatte er Geschmack an dieser Praxis gefunden. Howe reinigte noch seine Muskete, als er auf Quent zutrat; er war nicht einmal außer Atem. »Gut gemacht, Mr. Hale.«

»Das Kompliment kann ich erwidern, Oberst Howe. Aber einer der französischen Soldaten ist entkommen, ich habe ihn auf die Stadt zulaufen sehen.« Quent berührte sein Langgewehr. »Er war außer Sichtweite, bevor ich schießen konnte. Soll ich ihm nachsetzen?«

»Ich glaube nicht, Mr. Hale. Der Sinn und Zweck dieses Einsatzes ist doch, sie rauszulocken, oder nicht? So, und jetzt holen wir die anderen.«

Der Oberst ging zum Rand der Klippe, schlug einen Feuerstein an und signalisierte dem General und den anderen Männern, die unten in der Bucht warteten.

Als schließlich Wolfe und zweihundert weitere Soldaten oben auf der Höhe standen, war es vier Uhr morgens, und am Himmel zog die erste Dämmerung auf. Der einzige Widerstand kam von einer Batterie französischer Kanonen, die aus einiger Entfernung abgefeuert wurden, aber keine Treffer landeten. Wolfe schickte Howe und seine Leute los, um die Geschütze zum Schweigen zu bringen. Unten in der Bucht landeten immer weiter Langboote an, ein Trupp Soldaten nach dem anderen wurde den steilen Pfad hinaufgeschickt.

Hin und wieder gab es einen Regenschauer, aber der befürchtete Guss blieb aus. Mittlerweile hatte Wolfe das Gelände ausgekundschaftet und eine Stelle bestimmt, auf der er den Feind erwarten wollte. Er gab das Zeichen. Die Männer nahmen weniger geordnet als sonst Aufstellung, fanden ihren Platz nur anhand der bekannten Gesichter, die üblicherweise neben ihnen standen. Schließlich marschierte Wolfes Armee so leise, wie es einem derart großen Heer möglich war, auf Québec zu.

Als die Sonne aufging, standen sieben britische Bataillone in Kampfordnung auf der Ebene gegenüber der Rue St. Louis, sechs Meilen vor der Westmauer der Stadt. Fünf weitere Bataillone waren noch auf dem Fluss oder in der Bucht, von wo die Soldaten paarweise den Pfad hinaufkletterten. Eine Abordnung von zwanzig Mann bewachte die Stelle, wo der Pfad auf die Klippenanhöhe mündete, doch näher zur Stadt hin wurden sie von Scharfschützen aus den umliegenden Wäldern beschossen. Zumeist Indianer, vermutete Quent, möglicherweise auch einige Kanadier, doch von Montcalms Armee war bislang nichts zu sehen. Vielleicht hatte der Soldat, den Quent vom Lager oberhalb der Foulon-Bucht weglaufen sah, die Stadt nicht erreicht. Es war gleichgültig. Die Briten würden ihre Anwesenheit sehr bald kundtun. Zwei kräftigen Seeleuten war es gelungen, zwei Messing-Sechspfünder die Klippe hinaufzuschaffen. Quent sah, dass die Kanonen aufgestellt waren, und wusste, dass er keine Zeit mehr zu verlieren hatte. »Das Hospiz, General.«

»Ach ja. Wie besprochen. Nehmen Sie zehn Leute und gehen Sie, Mr. Hale. Bitte empfehlen Sie mich der Mutter Oberin. Sagen Sie ihr, dass die Nonnen und ihre Patienten sich auf meine Schonung verlassen können.«

An dem Abend im August, an dem die Armen Klarissen schließlich eingewilligt hatten, ihr Kloster zu verlassen, hatte Père Antoine über jeder Nonne die Exklaustrierungsformel gemurmelt, bevor sie die zerschossenen Klostermauern verließ. »Kraft der Macht, mit der der Generalminister in Rom mich ausgestattet hat, dispensiere ich dich für die nötige Dauer von deinem Gelübde der Abgeschiedenheit.« Aus dem Grund mussten weder Nicole noch ihre Schwestern während ihres Aufenthalts im

Hôpital Général das Gesicht mit einem Schleier verdecken. Sie alle beteiligten sich an der Pflege der Kranken, Verwundeten, Obdachlosen und Verzweifelten, die seit Beginn der Bombardierung in das geräumige Hospiz geströmt waren, das ursprünglich für wohlhabendere Patienten eingerichtet worden war. Durch eine glückliche Fügung lag das Hôpital Général außerhalb der Feuerweite der britischen Kanonen.

So groß das Hospiz auch war, nun erwies es sich doch als zu klein. Wie sollte es auch anders sein? Die Ersten, die dort um Zuflucht baten, waren die Familienangehörigen der Nonnen. Sie wurden auf dem weitläufigen Gelände in Schuppen und Scheunen untergebracht. Als mehr *habitants* kamen, wurden die Scheunen geräumt und zu Schlafsälen für Mütter mit kleinen Kindern erklärt. Als die Ursulinen nicht mehr in ihrem zerstörten Kloster bleiben konnten, suchten auch sie Zuflucht bei den Augustinerinnen; ihnen wurden die Räume der dortigen Nonnen zugewiesen, die nun in Schichten in einem Vestibül neben der Eingangstür schliefen. Bald beherbergte das Hospiz sechshundert *étrangers*. Nur dank der sehr guten Verbindungen der Oberin Mère St. Claude – ihr Vater war Gouverneur von Trois Rivières gewesen, ihr Bruder trug den Titel des Königsleutnants von Québec – gewährte Bigot ihnen genügend Lebensmittel für so viele Menschen. Als die Armen Klarissen eintrafen und ihnen das winzige Eishaus neben dem größten Brunnen zugewiesen wurde, waren es sechshundertundsechs. Bei dieser Zahl war es unabdingbar, dass alle Hände mit anpackten. Mère Marie Rose sagte, sie und ihre Nonnen würden die Aufgabe übernehmen, die großen Zinnkrüge mit Wasser zu füllen und vom Brunnen in die Hospizküche zu tragen. An diesem Vormittag, gleich nach dem Singen der Laudes, war Nicole mit dem Wassertragen an der Reihe.

Sie füllte zwei große Metallbehälter – in jeden passte der Inhalt von zehn Weinflaschen – und hob sie hoch, einen in jede Hand. Der gepflasterte Weg vom Eishaus zur Küchentür des Hauptgebäudes führte durch eine Gruppe von Bäumen. Nicole ging, so schnell sie konnte, mühte sich mit ihrer schweren Last und dachte an die kleine Freude, die sie am Ende des Wegs erwartete: Um diese Stunde bereiteten die Krankenschwestern eine Suppe zu – einige Hände voll Gerste wurden in das Gemüsekochwasser des Vortags gestreut –, die die kränkesten Patienten zum Frühstück bekamen, und Nicole freute sich auf die kurzen Momente, die sie in der Nähe des warmen Herds stehen konnte. Der Sommer war eindeutig vorüber, sie konnte bereits ihren Atem sehen.

Aus dem Augenwinkel nahm sie im roten Laub der Ahornbäume zu ihrer Linken ein Huschen wahr. Sie wandte den Kopf. Nichts. Sie hatte es sich wohl nur eingebildet. Wahrscheinlich wurde ihr schwindelig. Wie dumm von ihr zu glauben, sie könnte zwei Wasserkrüge auf einmal tragen. Es wäre besser gewesen, nur einen zu nehmen.

Quent bemerkte, dass sie in seine Richtung sah, und hielt die Luft an. Sollte er sich ihr hier nähern? Gütiger Gott, nichts wünschte er sich mehr. Er konnte sein Glück kaum fassen. Die perfekte Gelegenheit, allein mit ihr zu sprechen. Die anderen warteten, dass er zurückkäme und sie gemeinsam die Gegend auskundschafteten, bevor sie Stellung bezogen, aber vielleicht hatte er doch Zeit, ein, zwei Worte mit ihr zu wechseln. Père Antoines Perlen steckten in seiner Tasche; die Tatsache, dass er ihr etwas geben musste, würde er als Druckmittel einsetzen, um sie zu zwingen, ihn noch einmal zu sehen. Mit ihr zu reden erschien ihm fast ebenso unabdingbar wie die Luft zum Atmen.

Der Dolch lag in seiner Hand. Quent steckte ihn an den gewohnten Platz auf den Rücken und freute sich, wie gut er sich anfühlte. Wenn dieser verfluchte Krieg erst einmal vorbei war, würde vieles wieder sein wie früher. Nein, besser als früher. Er verließ den Schutz der Bäume und trat ins Freie.

Ein Musketenschuss zerriss die Stille des frühen Morgens. Nicole fiel zu Boden.

Quent rannte zu ihr und beugte sich über sie, um sie mit seinem Körper abzuschirmen. Der Heckenschütze, der aus den Bäumen auf der anderen Seite des Eishauses gefeuert hatte, schien auf ihn gezielt zu haben. Jetzt lud er sicher nach, um einen zweiten, tödlichen Schuss abzugeben. Quent hatte sein Langgewehr bereits geladen und angelegt, aber er konnte nichts entdecken, auf das er schießen konnte.

Die Rotröcke kamen angelaufen, aufgeschreckt durch den Musketenknall. Quent hörte ihre Stiefelschritte im Eiltempo durch die Ahornbäume kommen. Sobald sie auf den Pfad traten, rief er: »Ein Heckenschütze. In den Bäumen da hinter dem Weg. Gebt mir Deckung, während ich sie wegtrage.«

Drei Rotröcke standen Schulter an Schulter nebeneinander und bildeten eine menschliche Mauer zwischen den Bäumen und Quent. Die übrigen Soldaten liefen zur anderen Seite, um, von den Bäumen geschützt, die Verfolgung aufzunehmen. Noch vor einigen Monaten wäre ihnen diese Taktik fremd gewesen. Geschützt von den drei Männern, hob Quent Nicole vom Boden. Sie atmete. Gott sei gedankt, sie lebte. Aber ihr Gesicht war leichenblass, er sah die blauen Äderchen, die ihre Augenlider durchzogen. Das derbe graue Gewand, das sie trug, war durchnässt; einer der Blechkrüge war zerschossen worden, der andere war ausgelaufen, als Nicole ihn fallen ließ. Als er sie aufhob, spürte er etwas über seinen Arm hinabrinnen und sah Blut auf die Pflastersteine tropfen. Im Laufschritt eilte er zum Hospiz.

Drei Nonnen standen in der Tür und sahen ihn und die ihm nacheilenden Rotröcke mit weit aufgerissenen Augen an. Eine ältere Nonne kam zu ihnen. »Geht wieder an die Arbeit, mes Sœurs. Sofort. *Pas toi,* Sœur St. Louis. Geh und sag der Äbtissin der Armen Klarissen, dass eine ihrer Nonnen sie braucht. *S'il vous plaît,* Monsieur, folgen Sie mir.«

Quent zögerte und sah der Frau nach, die Sœur St. Louis genannt wurde, wie sie zur Küchentür eilte. »Da draußen, Madame.« Er deutete mit dem Kopf auf die Bäume und den gepflasterten Weg. »Ich weiß nicht, ob es da draußen nicht noch sehr gefährlich ist.«

»Das ist gleichgültig«, sagte die Nonne. »Eine Arme Klarisse darf nicht ohne den Beistand ihrer Äbtissin sterben.«

Hoch zu Ross sitzend, verschaffte Marquis de Montcalm sich einen Überblick über die gegnerischen Linien. Seine grün-goldene Uniform glänzte im leichten Regen des frühen Morgens. Als er von der Landung der Engländer erfahren hatte, wollte er die Nachricht anfangs nicht glauben. Er war erschöpft, die ganze Nacht hatte er den Bau der Verteidigungsanlagen am Strand von Beauport beaufsichtigt, wo der englische Angriff erwartet worden war. Er hatte sich Zeit genommen, Tee zu trinken und sich umzuziehen, bevor er sich zu einer Besprechung mit Vaudreuil zusammensetzte. *Eh bien,* wer konnte es ihm verdenken? Der Mann, der ihm die Botschaft von den Klippen oberhalb l'Anse au Foulon brachte, war so aufgebracht, dass er sich kaum verständlich machen konnte. Es war unverkennbar, dass er glaubte, die Wahrheit zu sagen. Aber dass die Engländer auf der Anhöhe im Westen der Stadt gelandet sein sollten … Er und der Generalgouverneur stimmten darin überein, dass es zwar nicht unmöglich, aber doch höchst unwahrscheinlich war. Doch angesichts dessen, was er hier vor sich sah, musste er zustimmen, dass der unwahrscheinliche Fall leider tatsächlich eingetreten war.

Die gesamten knapp drei Meter, die die Hochebene breit war, wurde von den Rotröcken besetzt. Sie lagen auf dem Bauch, bewegten sich nicht und gaben auch nicht zu erkennen, ob sie bemerkten, dass die französischen Soldaten ihnen gegenüber Stellung bezogen.

Die indianischen und kanadischen Scharfschützen machten dem Feind weiterhin vom Rand des Schlachtfelds aus mit Störfeuer zu schaffen, schossen von jedem Hügel, jeder Schlucht und aus jedem Baum, aber sie fanden einfach nicht genügend Deckung, als dass sie wirklich etwas ausrichten konnten. Währenddessen beeilten sich die Franzosen, so rasch wie möglich hinter ihrem General Aufstellung zu beziehen. Die Kolonialtruppen und die Milizen an den Flanken, die weiß gekleideten regulären französischen Soldaten in der Mitte. Montcalm beschloss, die regulären Soldaten selbst zu befehligen. Sie würden standhalten, was immer passieren mochte.

Eine halbe Meile vom Feind entfernt hörte Wolfe das Knirschen seiner Stiefel, als er die Linie abging. Das einzige andere Geräusch war gelegentlich eine Explosion von den Waffen der Heckenschützen und das Klopfen seines Herzens. Gott sei gelobt, genau so hatte er sich die Schlacht vorgestellt. Es störte ihn auch nicht, dass eine Musketenkugel bereits sein Handgelenk zerfetzt hatte. Ein Adjutant hatte die Blutung mit einem festen Verband gestillt, den pochenden Schmerz nahm er gar nicht wahr. Alles war gemäß seiner Anordnung ausgeführt. Viereinhalbtausend Soldaten hatten auf der Ebene in Schlachtordnung Position bezogen, in zwei dicht aneinander stehenden Reihen mit genau einem großen Schritt Abstand zueinander. Drei Reihen wären besser gewesen, aber dafür verfügte er nicht über genügend Leute, oder er hätte nicht die gesamte Breite der Ebene abgedeckt. Es machte nichts. Er hatte zweiunddreißig Jahre nur in Vorbereitung auf diesen Tag gelebt. Jeder Soldat hatte seine Muskete mit einer Doppelkugel geladen, jedes Bajonett war aufgepflanzt, und all das war geschehen, bevor die Franzosen überhaupt wussten, dass sie da waren. Nun lagen sie bäuchlings am Boden, damit sie keine leichte Zielscheibe für die Scharfschützen abgaben, beobachteten den Gegner und warteten. Niemand bewegte sich. Was immer passieren mochte, sie waren so gut ausgebildet, dass sie sich nicht von der Stelle bewegen würden, bis er den Befehl dazu gab. Und damit würde er warten, bis die Franzosen angriffen.

»Die Stille, Sir«, flüsterte ein junger Infanterist.

Wolfe ging in die Hocke, um ihn besser zu hören. »Ja, was ist damit?«

»Sie ist unheimlich, Sir.«

»Du hast Recht, Junge, das stimmt. Und da sie jetzt wissen, dass wir hier sind, brauchen wir gar nicht mehr so leise zu sein.« Wolfe erhob sich, rief einen Melder zu sich und gab einen Befehl aus. Wenige Sekunden später begannen die Trommeln und Pfeifen zu spielen. Kurz darauf war, auf ausdrückliche Bitte eines Schotten hin, auch das Pfeifen der Dudelsäcke zu vernehmen. In seinen Ohren klang es wehmütig, aber nichts feuerte die Highland-Regimenter mehr an als dieser Klang.

»Sie hat eine Musketenkugel in den Oberschenkel bekommen, ma Mère.« Der Chirurg war ein junger Mann aus Trois Rivières. Als die Bombardierung begann, stattete er gerade seiner Verwandtschaft in Québec einen Besuch ab und blieb, um, wo immer möglich, seine Hilfe anzubieten. »Sie wäre sehr viel weiter eingedrungen, wenn sie nicht zuerst den Wasserkrug durchschlagen hätte und dabei viel an Geschwindigkeit verloren hätte.«

»Im Oberschenkel«, wiederholte Mère Marie Rose. »Muss das Bein abgenommen werden?«

Nicole schrie auf. »Nein, bitte das nicht!«

Marie Rose beugte sich über sie. »Wir dachten nicht, dass du bei Bewusstsein bist, *ma petite*.«

Nicole antwortete nicht. Sie starrte über die Schulter der Äbtissin hinweg.

Quent stand im Schatten bei der Tür, aber sie sah ihn trotzdem. Er konnte unmöglich im Hôpital Général von Québec sein, also war sie gestorben und in den Himmel gekommen. Aber im Himmel würde sie doch nie solche Schmerzen haben. Dann in der Hölle. Wie wunderbar, dass *le bon Dieu* ihr in der Hölle gestattete, ihren Geliebten zu sehen. »Grüß dich, mein geliebter Roter Bär«, murmelte sie. »Es freut mich sehr, dich zu sehen. Versprich mir, dass du nicht zulassen wirst, dass sie mein Bein abnehmen. Ich möchte mit beiden Beinen in den Himmel kommen.« Dann schloss sie die Augen.

Mère Marie Rose legte der jungen Frau, die sie zum Lobopfer für den Ruhm des heiligen Glaubens und für die Eroberung des Ohio Country hatte machen wollen, die Hand auf die Stirn. Sœur Stéphanes Haut war brennend heiß.

»Der Körper wehrt sich gegen das Gift in der Wunde, Mutter Äbtissin«, erklärte der Chirurg leise. »Wir müssen es entfernen, bevor es sie tötet. Ich werde den Schnitt sehr hoch ansetzen müssen, direkt unter der Hüfte.«

»Können Sie die Musketenkugel nicht einfach entfernen?«

»Das wage ich nicht. Der Knochen ist zersplittert. Selbst wenn ich die Kugel entfernen könnte, das Gift wirkt immer noch weiter.

Das Bein wird schwarz werden, das Gift wird in ihren ganzen Körper gelangen, und dann muss sie sterben.«

»Also gut, tun Sie, was Sie tun müssen.«

»Nein.« Quent trat näher an den Tisch, wo der Chirurg seine Tasche öffnete. Auf der Innenseite des Deckels waren drei Sägen unterschiedlicher Größe befestigt. »Verzeihen Sie, aber Sie haben gehört, was sie sagte. Sie will es nicht.«

»Monsieur, denken Sie an Ihr Versprechen.« Mère St. Claude, die für das Hospiz zuständige Nonne, hatte Quent gestattet zu bleiben. »Sie haben mir Ihr Wort gegeben, dass Sie sich nicht einmischen würden, Monsieur. Sie müssen verstehen, dass diese junge Nonne sich ganz Gott hingegeben hat, verkörpert von ihrer Äbtissin. Mère Marie Rose wird entscheiden, was zu tun ist.«

Quent trat einen weiteren Schritt vor und stand damit zwischen den Sägen des Chirurgen und Nicole. Er wandte sich an Mère Marie Rose. »Es gibt Möglichkeiten zu verhindern, dass das Blut vergiftet wird. Ich kann Nicole zur besten Heilerin bringen, die es gibt, morgen oder spätestens übermorgen. Sie kennen mich nicht, und es gibt keinen Grund, warum Sie ...«

»Ich kenne Sie sehr wohl, Monsieur.« Äbtissin Marie Rose musste den Kopf in den Nacken legen, um ihm in die Augen zu blicken. Stéphane hatte ihn ihren Roten Bären genannt. Zwei dieses Namens konnte es nicht geben. »Ich glaube, wir haben bereits einmal miteinander gesprochen. Bei der Drehlade, *non*?« Quent nickte. »Sie haben uns gewarnt, damit wir das Kloster verlassen. Wie wir beide jetzt sehen, hatten Sie Recht.«

»Ich wollte nicht arrogant erscheinen, Madame, weder damals und auch jetzt nicht, aber ...«

Sie hob den Kopf. »Wir brauchen uns nicht zu streiten, Monsieur. Wir verschwenden nur die Zeit, die Sœur Stéphane noch bleibt.« Sie wandte sich an den Chirurgen. »Sie entfernen die Musketenkugel, sonst nichts. So, wie Sœur Stéphane es gewünscht hat. Wenn es ihr bestimmt ist zu sterben, will sie mit beiden Beinen in den Himmel kommen.«

»Keinen Schuss«, ordnete Wolfe an. »Erst wenn wir die Knöpfe an ihren Röcken zählen können.« Die Linie regte sich nicht. Die beiden Geschütze, die aufs Schlachtfeld gebracht worden waren, wurden wiederholt abgefeuert und richteten einigen Schaden an. Auch die kanadischen Scharfschützen und ihre indianischen Verbündeten waren im Einsatz. Im Vergleich zur Schlacht, die kommen würde, war beides bedeutungslos. Das wusste Wolfe ebenso wie Montcalm.

Der französische General ritt seine Linien auf und ab, nahm Veränderungen vor und machte sie dann wieder rückgängig. »Mon Général, wie lange noch?«, fragte einer seiner Offiziere. In der Tat, das war die einzige verbliebene Frage. Die Schlacht stand bevor, so sehr er sich auch bemüht hatte, sie zu vermeiden. Die regulären Soldaten waren nicht aus der Ruhe zu bringen, und das würde auch so bleiben. Aber die Kanadier, die Wilden … Er glaubte nicht, dass sie noch recht viel länger warten würden. Verstärkungstruppen mussten unterwegs sein – Vaudreuil hatte fünfzehnhundert Männer zurückgehalten –, aber wann würden sie eintreffen? In zwei Stunden, vielleicht auch erst drei? Er murmelte eine ausweichende Antwort und ritt weiter.

Aus einer englischen Kanone donnerte ein Schuss, dann folgte ein weiterer aus dem zweiten Geschütz. Vier Männer brachen in einem Haufen auf dem Boden zusammen. Ein fünfter wurde entzweigerissen und fiel in die andere Richtung. Die Leichen wurden weggeschleppt und die Lücken in den Reihen geschlossen, aber Montcalm vernahm allseits leichten Unmut. Nein, das stimmte nicht ganz, er spürte ihn. Er wendete das Pferd und stand der Mitte der Verteidigungslinie von Québec gegenüber. »*Alors, mes enfants, la gloire est arrivée.*« Trotz des Grauens, das in seinen Gedärmen rumorte, wusste er, was er zu tun hatte. Er war ein Mann des Militärs. Es war seine Pflicht. Gott steh ihm bei, es war sein Schicksal.

Montcalm zog leicht am Zügel, und das Pferd wendete erneut und stand dem Feind gegenüber. Er hob das Schwert, hielt es so lange über den Kopf, wie er brauchte, um seine Seele und die Seelen seiner Männer dem Schutz der Muttergottes anzuvertrauen, dann deutete er damit über die Ebene zu den Engländern. Sofort entrollten die Träger der Regimentsfahnen ihre Flaggen, die Trommler begannen zu schlagen.

Die Soldaten brachen lauthals in Jubel aus, in dem sich die entsetzliche Anspannung des langen Wartens löste, und rückten mehr oder minder gemeinsam vier Schritte vor. Montcalm sah sich um und atmete erleichtert auf. Bis jetzt zumindest hielt die Linie stand. Und *mon Dieu*, die Sonne. In diesem Augenblick bricht sie durch die Wolken. Das ist ein Zeichen.

Auch Wolfe spürte die Wärme der Sonnenstrahlen. Die Ebene wurde in Licht getaucht. Er konnte die Franzosen anrücken sehen. »Leutnant, alle Männer aufstehen!« Auf dem offenen Feld wogten Wellen von Scharlachrot und Tartan auf.

Die Franzosen waren nah genug, um jede Einzelheit in der Formation des Gegners zu erkennen. Die Scharfschützen von den umliegenden Hügeln hatten sich so gut wie möglich in den Sturm eingereiht. Montcalm führte noch, war sich aber bewusst, dass die Reihen in seinem Rücken ungleichmäßig wurden. Die regulären Truppen bewegten sich im Tempo des Paradeplatzes vorwärts, während die kanadischen Milizionäre, ihrer Gewohnheit folgend, auf den Feind zustürmten. Innerhalb weniger Sekunden waren die vorderen Linien zu weit voraus, die linke Flanke lag zurück, einige der Männer waren auf dem unebenen Gelände gestürzt und vergrößerten das Durcheinander noch.

Eh bien, daran lässt sich jetzt nichts ändern. Ich habe die Armee, die mir zur Verfügung steht, zu den Bedingungen, die eben herrschen. Unter dem Diktat von Wolfe, der mich überrumpelt hat. Aber den Befehl zu schießen gebe ich erst, wenn wir … Hinter ihm hallte ein Schuss. Ein Kanadier, es musste ein Kanadier sein. In der Hölle sollte er verrotten!

Wie befürchtet, wurde der Schuss als Signal verstanden. Eine Feuersalve folgte, doch die Franzosen waren noch zu weit entfernt, als dass sie wirklich etwas ausrichten konnte. Montcalm sah, dass einige Engländer fielen, aber sofort von anderen ersetzt wurden, und die Männer rechts und links von ihnen regten sich nicht. *Sainte Vierge*, was müssen wir tun, um ihre Reihen aufzubrechen? Wir müssen angreifen. Eine andere Hoffnung haben wir nicht. Montcalm wandte den Kopf, um seine Soldaten anzufeuern, musste aber feststellen, dass sich die verfluchten Kanadier, ihrem Brauch folgend, nach jedem Schuss zu Boden geworfen hatten und auf die Seite rollten, um nachzuladen. Ein weiteres Hindernis, dem die Truppen ausweichen mussten. Er wirbelte sein Pferd herum und stürzte sich ins Gemenge, rief die Befehle, mit denen er sein Heer in die ursprüngliche Formation zurückzubringen hoffte.

Wolfe verfolgte alles und wartete eine ganze Minute ab, zählte einzeln die vielen langen Sekunden. Dann gab er den Befehl aus, der seine Linien drei Schritte vorwärts und ein wenig zur Seite drehen ließ, sodass sie eine kleinere Zielscheibe abgaben. Wieder zählte er, diesmal bis zwanzig, doch es erschien ihm wie eine Ewigkeit. Und noch immer behielten die Rotröcke eisern die Disziplin bei. »Highlander!«, rief Wolfe. »Ein Knie!« Das Kommando wurde ausgeführt und die Reihe entlang weitergegeben, die vordere kniete nieder, während die dahinter aufrecht stehen blieb. »Macht euch schussbereit!« Jede Muskete wurde an die Schulter gehoben. Die Franzosen kamen noch immer auf sie zu, schossen mittlerweile wild umher, doch keine einzige englische Waffe antwortete. Bis Wolfe endlich, als sie tatsächlich die Messingknöpfe an den Röcken der Gegner zählen konnten, den Befehl brüllte: »Feuer!«

In der Mitte wurden die Musketen gleichzeitig abgeschossen, die Kugeln durchtrennten die französische Linie, Haut und Knochen zerbarsten, Sehnen wurden zerfetzt, Blut spritzte. Auf der rechten und linken Flanke, wohin der Befehl wegen der Entfernung weitergegeben werden musste, feuerten die englischen Soldaten zugweise. Die Folge davon war eine Salve, die sich schier endlos hinzuziehen schien und nicht enden wollendes Sterben und Chaos auslöste.

Vaudreuil befand sich am nördlichen Ende der Ebene, weit jenseits des Schlachtfelds, in einer Kalesche. Er wusste noch immer nicht, ob er die fünfzehnhundert Mann, die unter seinem Oberbefehl standen, in diese Schlacht führen sollte. Er sah, dass die englische Front einen weiteren Schritt vortrat. Die Schreie der Sterbenden waren so laut, dass er den Befehl für die zweite Musketensalve nicht hörte, doch er war offensichtlich erfolgt. Wieder gingen die vorderen Rotröcke auf ein Knie und feuerten ihre Gewehre ab, während die hinter ihnen Stehenden über ihre Köpfe schossen. Unwillkürlich legte der alte Mann die Hände über die Ohren. Er konnte nicht anders. Das Dröhnen klang wie eine riesenhafte Höllenkanone. Es war verrückt, schlicht und ergreifend Wahnsinn. Wenn man den Kanadiern und Indianern erlaubt hätte ... *Alors*, ein kleiner Trost. Wolfe war gestürzt, seine Offiziere umdrängten ihn und trugen ihn aus der Schusslinie.

Montcalms rechte Flanke fiel; die Kanadier stürmten in den Schutz der Wälder, wo sie etwas länger leben würden, um weiterzukämpfen, und die Highlander liefen ihnen nach, schrien ihre schottischen Kriegsrufe und schwangen ihre Claymores. Eine Gruppe kanadischer Milizen stellte sich in der Militärbäckerei direkt vor den Toren der Stadt den Engländern so lange tapfer entgegen, dass die fliehende französische Armee die Mauern erreichen und in Québec Zuflucht finden konnte; doch die Kanadier mussten ihren Wagemut allesamt mit dem Leben bezahlen. Schließlich kam das Ende. Eine halbe Stunde nachdem Monsieur le Marquis mit dem Schwert auf den Gegner gedeutet hatte, wurden die Tore der Festungsstadt erneut geschlossen. Die Überreste der Armee, die Neufrankreich verteidigen sollte, waren hinter den Mauern. Montcalm war noch bei ihnen, saß noch immer zu Pferd, doch auf dem Schlachtfeld war ihm eine Musketenkugel in den Unterleib gedrungen, und während des Rückzugs hatten englische Hagelgeschosse ihm ein Bein aufgerissen. *Alors.* Ich glaube, *mon Dieu,* mit all diesem Blut verlässt mich mein Leben. Es tut mir Leid, dass ich Candiac nie wiedersehen werde. Und auch die Zuckermandeln von Montargis nicht noch einmal kosten kann.

Wolfe war zwei Mal getroffen worden, in der Brust ebenso wie im Bauch. Er lag auf dem Schlachtfeld, seinen Umhang ausgebreitet unter sich; er war blutbedeckt, und sein Atem ging mühsam. Ein

Soldat kniete neben ihm nieder und berichtete von der wilden Flucht. »Sie laufen, General. Und bei Gott, wie sie laufen!«

»Wer läuft? Doch nicht unsere …«

»Die Franzosen, Sir. Überall. Sie laufen davon, und unsere Jungs ihnen nach.«

»Gott sei gelobt. Ich sterbe in Frieden.«

Während der Chirurg die Kugel entfernte, musste Quent im Garten warten. Er hörte die Feuersalven herüberdröhnen, die Schreie der Menschenmengen, die die Schlacht von den Wällen aus beobachteten, aber das alles zog wie im Traum an ihm vorbei. Nicole musste die Qualen des Skalpells ertragen, weil eine ihm bestimmte Kugel sie getroffen hatte. Die für die Apotheke verantwortliche Nonne hatte Wein gebracht, etwas Stärkeres zur Betäubung der Schmerzen hatte sie nicht. »Wir haben kein Laudanum mehr, ma Mère. Ich habe überall nach einem kleinen Rest gesucht, aber …«

»Machen Sie sich keine Sorgen«, hatte die Mère Marie Rose genannte Schwester gesagt. »Sœur Stéphane wird ihr Leiden Gott weihen.«

Der Himmel möge ihm verzeihen, aber ihre Art zu denken würde er nie verstehen.

Er schaute auf. Die Äbtissin der Armen Klarissen näherte sich. Sie hatte sich einen schwarzen Strickschal um die Schultern gelegt, doch ihre Füße waren bloß. Als er Nicole sich mit den Wasserkrügen abmühen sah, hatte er bemerkt, dass auch ihre Füße bloß waren. In Kanada, kurz vor Wintereinbruch. Vielleicht war Wahnsinn eine ansteckende Krankheit.

»Sie lebt, Monsieur«, sagte Marie Rose. »*Le bon Dieu* hat offenbar entschieden, sie noch nicht zu sich zu rufen.«

»Kann ich sie sehen?«

»Noch nicht. Sie schläft. Sœur Céleste wird bei ihr sitzen, und die Krankenschwestern werden sie pflegen. Wir tun alles, was in unserer Macht steht, Monsieur.« Die Äbtissin schaute in die Richtung des Schlachtfelds. »Sie können zu Ihrem Krieg zurück.«

»Ich glaube, er ist zu Ende.« In den letzten Minuten hatte er kein Gewehrfeuer mehr gehört.

»So schnell«, flüsterte Marie Rose. Dann sah sie zu ihm. »Ich vermute, die Franzosen haben verloren?«

»Ich glaube, ja. Die Menge, die auf der Brüstung steht und zuschaut, hat schon länger nicht mehr gejubelt.«

Sie biss sich auf die Unterlippe. Durch diese Geste kam sie ihm fast menschlich vor. »Ich bete, dass der Fluss nicht rot fließt vor Blut«, sagte sie. »Ich habe ihn so gesehen, aber vielleicht habe ich mich getäuscht.«

Quent starrte sie an. »Sie und Corm und der alte Thoyanoguin.«

»Verzeihung, Monsieur, ich verstehe nicht …«

»Ich auch nicht.« Er steckte die Hand in eine Tasche und holte Père Antoines Rosenkranz hervor.

Marie Roses Augen weiteten sich vor Erstaunen. »Sie sind katholisch, Monsieur?«

»Nein. Sie gehörten dem Priester Père Antoine. Er bat mich, sie Ihnen zu geben.«

»Wo ist er? Wir haben seit Tagen nichts gehört, und …«

»Er ist tot.«

Die Äbtissin bekreuzigte sich, schien aber nicht überrascht. Quent reichte ihr die Perlen, sie hielt sie in ihrer geröteten, rissigen Hand. »Wir werden für ihn beten. Und für Sie, Monsieur.«

Am Dienstag, drei Tage nach der Operation, durfte er sie das erste Mal sehen. Als er schließlich zu ihr geführt wurde, saß Nicole, auf viele Kissen gestützt, im Bett; sie war leichenblass, Schmerzensfalten durchzogen ihr Gesicht, aber sie lächelte. »Die geliebte Äbtissin sagt, dass Sie mir das Leben gerettet haben, Monsieur Hale. Wären Sie nicht gewesen, wäre ich verblutet.«

Eine junge Arme Klarisse, die er zuvor noch nie gesehen hatte, war bei ihnen, den Kopf über eine Näharbeit gebeugt. Vermutlich verstand sie kein Wort Englisch. Und wenn, dann war ihm das jetzt gleichgültig. »Die Kugel hat mir gegolten. Und dass ich dir das Leben gerettet habe – das habe ich nicht getan, damit du mich wieder Monsieur Hale nennen kannst. Ich dachte, darüber hätten wir uns schon vor langer Zeit geeinigt.« Sie errötete. Es war wunderbar zu sehen, wie ihr Gesicht etwas Farbe bekam.

»Das ist Sœur Angélique«, sagte Nicole, nun auf Französisch. »Meine Schwestern haben abwechselnd Tag und Nacht bei mir gewacht.«

»Aber jetzt muss ich dich verlassen.« Angélique warf einen zweifelnden Blick auf den riesigen Mann, der dieses kleine Zimmer vollständig auszufüllen schien. »Die geliebte Äbtissin sagt, ich soll es sie wissen lassen, sobald du wach bist und Monsieur Hale gekommen ist. Wenn du möchtest, kann ich eine der Augustinerinnen bitten …«

»Alle haben viel zu viel zu tun, um sich mit mir abzugeben, Angélique. Außerdem habe ich von Monsieur Hale nichts zu befürchten. Er ist ein alter Freund.«

Quent wartete, bis die Frau fort war, dann trat er näher ans Bett. Nicole trug ein graues Gewand und einen schwarzen Schleier. »Trägst du dieselben Sachen tags und nachts?«

»Sie sehen genauso aus, aber wir haben Kleider für den Tag und solche für die Nacht.«

Ihre rechte Hand lag auf der Zudecke. Wenn er die Finger ausstreckte, könnte er sie berühren. »Nicole, ich muss dir sagen, was mich bewegt. Ich …«

»Nein, bitte nicht. Sag nichts, das aus dem Herzen kommt. Nicht jetzt, da ich so schwach bin.« Tränen stiegen ihr in die Augen, doch sie hatte nicht die Kraft, sie fortzuwischen. »Erzähl mir, was passiert ist. Angélique sagt, es hätte eine Schlacht gegeben, und wir hätten verloren.«

»Ja, aber …«

»Und was ist mit Monsieur le Marquis de Montcalm?«

»Er ist tot. Genauso wie Wolfe, der englische General.«

»Und Québec?«

»Die Kapitulationsbedingungen wurden heute Morgen unterzeichnet. Nicole, wir müssen …«

Marie Rose trat in den Raum, begleitet von Sœur Céleste. »Es freut mich zu sehen, dass es dir gut genug geht, um zu reden, *ma petite*. Ich glaube, Monsieur Hale wollte gerade sagen, dass du von der Zukunft sprechen musst. Er hat Recht.« Sie trat ans Bett und zeichnete Nicole das Kreuz auf die Stirn. »Dass du bis jetzt überlebt hast, ist ein Wunder, mein Kind, aber wenn du weiterleben willst, müssen wir dich fortschicken.«

»Aber ma Mère, ich bin eine Nonne. Ich habe ein Gelübde abgelegt. Wohin kann ich ...«

»Dein Gelübde soll in ein paar Tagen erneuert werden. Ich werde es nicht annehmen.« *Sœur Stéphane allein, abseits von den anderen, mit Blumen im Haar. Sie hatte geglaubt, das bedeute, das Mädchen müsse sterben. Vielleicht bedeutete es etwas anderes. Wichtig war nur, dass sie den Willen Gottes erfüllte. In dieser Hinsicht war sie, Marie Rose, Äbtissin, das Lobopfer.*

Nicole starrte die Frau an, deren Obhut sie ihre unsterbliche Seele anvertraut hatte. »Ma Mère, wollen Sie mir sagen, dass ich abgelehnt werde? Von Ihnen und von Gott? Bin ich doch nicht berufen, eine Arme Klarisse zu sein?«

»Ich glaube, du warst dazu berufen, mein Kind. Aber jetzt nicht mehr. Unser Herr hat mir das selbst mitgeteilt.«

»Aber warum teilt er es nicht mir mit?«

Die Äbtissin lächelte. »Ich glaube, das tut er sehr wohl, *ma petite*. Im Moment bist du noch meine Tochter, deswegen musst du mir die Wahrheit sagen. Bist du glücklich, bei uns zu sein?«

»Ja, natürlich ...« Sie brach ab und setzte dann erneut an. »Ich hatte das Gefühl, dass ich Gottes Willen erfülle.«

»Und dafür wirst du belohnt werden. Aber du warst nie wirklich glücklich, mein Kind. Wir anderen, für uns ist es eine Freude, eine Arme Klarisse zu sein. Es gibt keinen anderen Ort, an dem wir lieber wären. Aber du ...« Die Äbtissin sah kurz zu dem Mann, der nun auch für sie den Namen Roter Bär trug. Er hatte den Anstand besessen, einige Schritte zurückzutreten und dieses Gespräch ihr zu überlassen. »Du, Sœur Marie Stéphane, die nun wieder Mademoiselle Crane werden muss, warst immer gespalten.«

Nicole konnte die Tränen nicht mehr zurückhalten. »Ich habe mich bemüht, das Richtige zu tun, ma Mère.«

»Ich weiß. Und Gott weiß es auch. Und jetzt ist es das Richtige, dass du uns verlässt. Monsieur Hale hat mir gesagt, dass er dich in Sicherheit bringen kann und dass du in diesem Shadowbrook gut gepflegt werden wirst.«

»Sally Robin«, warf Quent erklärend ein. »Erinnerst du dich, wie gut sie heilen kann?«

»Ja, ich erinnere mich.« Gütiger Gott im Himmel, erinnerte sie sich nicht an jede Einzelheit? Hatte sie sich nicht jede Minute jeden Tages in den vergangenen vier Jahren daran erinnert? Nicole erlaubte sich nicht, zu Quent zu blicken, sah nur unverwandt die Äbtissin an. »Aber wenn ich bei Ihnen und meinen Schwestern bliebe, würde ich doch sicher auch gut gepflegt werden, ma Mère.«

»Wenn ich dich hier behielte, würde ich meine Pflicht verabsäumen, meine Pflicht dir und den anderen Schwestern gegenüber. Ich weiß nicht, was Monsieur Hale dir alles erzählt hat, aber der Generalgouverneur ist mit seinen letzten Truppen abgezogen. Angeblich marschieren sie zur Festung bei Jacques Cartier, um sich neu zu formieren. Heute Vormittag hat sich Québec den Engländern ergeben. Innerhalb der Stadtmauern sind jetzt Tausende von Rotröcken, die den Winter hier verbringen werden. Es gibt wenig Platz und noch weniger zu essen. Das Leben hier wird sehr schwer werden. Wenn ich dafür sorgen kann, dass eine Kranke weniger zu versorgen ist, dann ist es meine Pflicht, das zu tun.«

»Wie geht es ihr?« Corm erwartete Quent außerhalb des Hospizes. »Ich habe gehört, dass Nicole verletzt wurde.«

»Ja.« Quent war zu erschöpft, um zu erklären, wie es dazu gekommen war. »Ein Chirurg hat die Musketenkugel aus ihrem Bein entfernt. Sie lebt, aber der Arzt hat Angst, dass die Wunde giftig wird und Nicole stirbt. Ich soll sie nach Shadowbrook bringen.«

»Zu Sally Robin«, sagte Corm. Und als Quent nickte: »Will sie dahin?«

»Um ehrlich zu sein, ich weiß es nicht. Sie …« Das Lärmen von Pfeifen und Trommeln schnitt ihm das Wort ab. Die letzten französischen Truppen verließen die Stadt. Ihnen war freies Geleit zugesichert worden – das erste Mal seit dem Blutbad bei Fort William Henry, dass eine ehrenhafte Niederlage gewährt wurde –, und sie marschierten zu den Schiffen, die im Hafen warteten, um sie im Besitz ihrer Waffen und mit wehenden Fahnen nach Frankreich zu bringen.

Quent und Corm sahen ihnen nach, bis die Prozession über die Côte de la Montagne entschwunden war. »Die Milizen sind nicht dabei«, bemerkte Corm.

»Sie haben sich zur Garnison bei Jacques Cartier abgesetzt, bevor die Kapitulationsbedingungen ausgehandelt wurden.«

»Und die Rotröcke haben sie einfach ziehen lassen.«

»Sei vernünftig, Corm. Sie konnten nicht wissen, ob die Stadt kapitulieren würde oder sie sie nicht doch belagern mussten.«

»Was ist mit den Frauen und Kindern? Sollen die hier bleiben?«

»Ich habe nichts Gegenteiliges gehört.«

»Ich auch nicht. Aber sie müssen fortgeschickt werden, wie die Frauen und Kinder von Louisbourg. Sonst geht der Plan nicht auf.«

»Ich weiß. Hör, ich habe mir gedacht, ich könnte mit General Amherst sprechen, er ist oben beim Bright Fish Water. Sobald ich Nicole nach Shadowbrook gebracht habe, kann ich ihn aufsuchen. Er hat den Oberbefehl über den gesamten Einsatz, Corm, und er ...«

»Nach allem, was ich gehört habe, heißt es in den Kapitulationsbedingungen, dass die *habitants* ihren Glauben und ihren Besitz behalten dürfen.«

»Ich habe sie nicht gelesen. Und soweit ich weiß, du auch nicht.«

»Nicht gelesen, aber alle reden davon. Und dass alles, wenn sie nur diesen Winter überstehen, gar nicht so schlimm werden wird.«

»Corm, hör doch ...«

Corm schüttelte den Kopf. »Ich habe zugehört. Und was ich höre, läuft darauf hinaus, dass es nicht sein wird. Nicht so, wie sie es uns versprochen haben. Die *Cmokmanuk* haben die *Anishinabeg* wieder einmal belogen.«

»Das ist nicht sicher. Ich weiß, dass es im Augenblick so aussieht, aber denk an Louisbourg. Und an Easton.« Corm sah noch immer bekümmert drein. Quent legte ihm eine Hand auf den Arm. »Als ich in London mit Pitt sprach … Er hat es verstanden, das weiß ich genau. Es ist einfach die Art der Engländer, alles auf eine verquere Weise zu tun.«

Die gesamte Flotte musste unter Segel gehen, bevor der Fluss zufror. Admiral Saunders willigte ein, einige Schiffe sofort abfahren zu lassen. Die *Three Sisters* unter James Cooke war eines der ersten; es würde am Monatsende Anker lichten. Es bereitete nicht die mindeste Schwierigkeit, Quentin Hale und die junge Frau in seiner Obhut mitzunehmen.

Sie kamen zur Mittagszeit des Montags, an dem die *Three Sisters* auslaufen sollte, an Bord. Die Mannschaft war vollauf damit beschäftigt, das Schiff klarzumachen. Quent trug Nicole genau so, wie die Nonnen sie ihm in die Arme gelegt hatten, von Kopf bis Fuß in Decken eingehüllt, nur ihr Gesicht war zu sehen. Die Matrosen achteten kaum auf die beiden, und auch er selbst sah sie erst richtig, als sie die kleine Kabine erreichten, die Nicole zugewiesen war.

»Eine der Wäscherinnen, die die Truppen begleitet hat, fährt mit uns zurück. Sie wird sich um dich kümmern. Und natürlich bin ich immer in der Nähe.« Sie lächelte nicht. Sie hatte Schmerzen, das wusste er, und oft auch Fieber, aber er hätte vieles darum gegeben, sie lächeln zu sehen. »Dass ich dich nach Shadowbrook bringe, damit du gesund werden kannst, braucht nichts für dich und mich zu bedeuten«, fügte er hinzu. »Was ich sagen will … Wenn du nicht mehr das Gefühl hast …«

Sie wandte sich von ihm ab. »Bitte, ich bin jetzt müde.«

»Ja, natürlich. Ich mach's dir nur noch ein bisschen bequemer.« Er schob die Decken, die ihren Kopf umhüllten, zur Seite. »Du hast keinen Schleier mehr.« Vor Überraschung platzte er einfach damit heraus.

»Heute ist der Tag des Erzengels Michael. Heute hätte ich mein Gelübde erneuern sollen. Das habe ich nicht. Mère Marie Rose hat mir gesagt, dass ich keine Nonne mehr bin, und deswegen darf ich keinen Schleier mehr tragen.«

Ihr schwarzes Haar war unbeholfen kurz geschnitten, so kurz wie bei einem Mann. Dadurch erschienen ihre Augen in ihrem blassen Gesicht wie riesenhafte schwarze Kohlenstücke. »Aber du fühlst dich noch wie eine, nicht wahr?«

»Ich weiß nicht, wie ich mich fühle. Außer, dass ich sehr müde bin.«

In die Wand neben der schmalen Koje war ein kleines Bullauge eingelassen. Er warf einen Blick hinaus und sah, dass die Küste von Québec außer Sicht verschwand. Sie waren unterwegs.

FÜNFTES BUCH

1759 bis 1760

Das Abkommen

28

Samstag, 11. Oktober 1759
New York City

Als die *Three Sisters* an einem kalten, feuchten Frühherbsttag auf Burnett's Key zusegelte, stand Quent an Deck. Die Nachricht von Wolfes glorreichem Sieg war vor ihnen eingetroffen. Überall in den Straßen hingen rote und weiße Flaggen, überall flatterte die Standarte des Königs im Wind. Nicole bemerkte nichts davon. Sie lag in der Koje und glühte vor Fieber, das zwei Tage nach der Abfahrt aus Québec eingesetzt hatte.

Noch bevor das Schiff vertäut war, sprang Quent an Land und kehrte eine Stunde später mit seinem Onkel zurück, Dr. Caleb Devrey, dem Bruder Bedes und Lorenes, der fünf Jahre zuvor bei Ephraim Wassersucht festgestellt hatte. »Warum ist das Bein nicht amputiert worden?«, fragte er, sobald er Nicole untersucht hatte. »Wissen die in Québec nicht, dass Schusswunden das Blut vergiften?«

»Der Chirurg wollte es tun, aber sie hat es nicht zugelassen.«

Caleb Devrey sah aus wie eine Vogelscheuche, ganz in Schwarz gekleidet. Solange er sich über die Patientin beugte, hatte er seinen Umhang abgelegt, aber nun warf er ihn sich wieder um die Schultern. »Damit hat sie ihr eigenes Todesurteil unterschrieben. Willst du sie an Land bringen? Wenn du willst, nimmt Bede sie bestimmt bei sich auf. Da hat sie es bequemer, bis das Ende kommt.«

»Nein.« Quent hatte die Hände zu Fäusten geballt, seine steife Haltung zeugte von seiner Entschlossenheit, diese Niederlage nicht hinzunehmen. »Ich habe ihr versprochen, sie nach Shadowbrook zu bringen.«

Am Nachmittag strich er durch die Kneipen und Schänken am Hafen und hörte schließlich von einem Schoner, der im Morgengrauen bei Ebbe den Hudson hinaufsegelte und bereit war, ihn mitzunehmen. Als er Nicole auf das neue Schiff trug – sie war in Decken gehüllt und zuckte wild in seinen Armen, murmelte unverständliche lateinische Gebete –, empfing die Mannschaft sie mit düsteren Mienen. Matrosen waren von jeher abergläubisch, und ein Tod an Bord galt als böses Omen.

Regen und Kälte begleiteten sie auf der Fahrt, aber auch ein günstiger Wind. Innerhalb von drei Tagen hatten sie Albany erreicht. Auch wenn Quent bisweilen fast verzweifelte, überlebte Nicole die Reise. Nun musste sie wieder umgebettet werden, auf ein kleines, bescheidenes Boot mit einem einzigen gaffelgetakelten Mast. Es gehörte einem Matrosen namens Henry Morris, der Quent ebenso kannte wie Shadowbrook und häufig Vorräte auf dem Gut anlieferte. Das Boot verfügte über eine winzige stickige Kabine unterdecks, wo eine schmale, mit rauen, nicht ganz sauberen Decken gepolsterte Bank als Bett diente. Quent legte Nicole darauf, setzte sich auf den Boden neben sie und betete, der Tod möge noch ein paar Stunden warten.

Jetzt war er allein mit ihr. Die Wäscherin, die sie von Québec bis nach Albany begleitet hatte, war in der Stadt geblieben, wo es von Rotröcken und Provinzmilizen wimmelte. Quent wachte die gesamten vier Stunden der Fahrt neben Nicole, tupfte ihr das heiße Gesicht mit einem feuchten Tuch ab und achtete darauf, dass sie durch ihr Wälzen und Herumwerfen nicht aus dem schmalen Bett fiel. Als Morris einmal fürsorglich den Kopf zur Luke hereinsteckte, um zu sehen, wie es seinen Passagieren ging, nutzte Quent die Gelegenheit und fragte: »Was gibt's Neues von meinem Bruder?«

»Nichts, soweit ich weiß. John Hale ist genauso wie immer, nur noch 'n bisschen mehr. Wenn er in der Stadt ist, trinkt er beim alten Groesbeck. Mittlerweile drei Wochen im Monat.«

John muss sterben. »Und Shadowbrook?«

»Das sieht gut aus. Dafür sorgt schon Miss Lorene. Um Shadowbrook brauchen Sie sich keine Sorgen zu machen.«

Wenn ein Bruder den anderen hier umbringt, ist das Land vergiftet, Master Quent. Das Mal Kains ist das.

Bei Sonnenaufgang legten sie an. Ein prächtiges goldenes Licht tauchte die herbstlich gefärbte Landschaft in einen warmen Schein. Morris warf eine Leine über den Dollbord und vertäute das Boot mit geübten Griffen an der Anlegestelle des Guts, dann steckte er wieder den Kopf durch die Luke. »Wir sind da, und draußen ist ein schöner Tag. Soll ich zum Haus raufgehen und jemanden holen, der Ihnen helfen kann?«

»Ja, bitte«, sagte Quent. Er fuhr sich über die geröteten Augen und spürte zum ersten Mal, seit sie Québec verlassen hatten, wie müde er war. »Sagen Sie oben Bescheid, sie sollen sofort nach Sally Robin schicken. Sagen Sie, dass es dringend ist.«

In der letzten Stunde hatte Nicole etwas ruhiger geschlafen, doch als Quent sie wieder aufhob, kam sie ihm federleicht vor, fast körperlos. Einen Augenblick fürchtete er, sie atme nicht, doch dann spürte er ihren Herzschlag an seiner Brust. »Bleib am Leben«, flüsterte er eindringlich. »Ich hab dich nicht den ganzen Weg hergebracht, damit der Tod dich mir jetzt wegnimmt.«

Als Quent sie an Deck trug, wartete Sally Robin bereits auf ihn.

»Ich kann mein Glück nicht fassen, dass du gerade im großen Haus bist.«

»Ich bin schon seit ein paar Wochen da. Der Herrin geht's nicht so gut.«

»Wie schlimm?«

»Nicht allzu schlimm, Quentin«, sagte Lorene, die gerade vom Pfad auf die Anlegestelle trat. Sie ging am Stock und stützte sich mit dem anderen Arm auf Sechs-Finger-Sam. »Sally Robin und ihre Tinkturen bewirken Wunder bei mir, und wenn du jetzt auch noch da bist, wird es mir bestimmt bald sehr viel besser gehen. Stimmt meine Vermutung, dass es sich bei der Person in deinen Armen um Mademoiselle Crane handelt?«

»Ja, das stimmt. Sie ist in Québec von einer Kugel getroffen worden, die mir galt. Der Chirurg wollte ihr das Bein abnehmen, aber das hat sie nicht zugelassen und wollte nur, dass die Kugel entfernt wird. Jetzt glüht sie vor Fieber. In New York hat Onkel Caleb sie untersucht und gesagt, Schusswunden würden das Blut vergiften, und sie müsste sterben. Selbst wenn er Recht haben sollte, ich habe ihr Sally Robin versprochen, und ich wollte Wort halten.«

»Caleb weiß nicht so viel, wie er glaubt. Außerdem war ich immer der Meinung, dass Mademoiselle eine widerstandsfähige Natur ist. Genau das Richtige für Shadowbrook. Ich freue mich, dass du sie nach Hause bringst, Quentin.«

»Wir haben nichts vereinbart«, sagte er, auf ihre Andeutung antwortend. »Ich weiß nicht, ob …«

Lorene hob abwehrend die Hand. »Das hat Zeit bis später. Sam, du nimmst …«

»Lassen Sie mich mal, Herrin.« Sally Robin trat vor, bevor Sechs-Finger-Sam einen Schritt machen konnte, und streckte die Arme aus. »Sieht nicht so aus, als wär sie besonders schwer, und ich muss sie mir ans Herz drücken, damit's mir sagt, was ich zu tun hab. Geben Sie sie mir ruhig, Master Quent. Jetzt kümmert Sally Robin sich um sie.«

Quent überließ ihr seine kostbare Fracht, und Sally Robin ging zum Haus hinauf, dicht gefolgt von Sam. Quent blieb bei seiner Mutter, passte sich ihrem Schritt an und reichte ihr den Arm, damit sie sich auf ihn stützen konnte. »Seit wann brauchst du einen Stock?«, fragte er.

Lorene zuckte mit den Schultern. »Erst seit ein paar Monaten. Ich bin erschöpft, Quent, sonst fehlt mir nichts. Wir hatten sehr viel Arbeit.«

»Ich habe gehört, dass du hier wahre Wunder vollbracht hast. Es tut mir Leid, dass ich nicht da war, um dir zu helfen.«

»Es hat mir viel Freude bereitet, und wir haben in der Tat viel geschafft. Das wirst du später selbst sehen.«

»John?«, fragte er. Es war unvermeidlich. Besser sofort als später.

»Er ist nicht da. Das ist er dieser Tage selten, Quent. Dein Bruder ist … geringer als früher. Ich kann es nicht anders sagen.«

Aber Shadowbrook war gewachsen. Das sah er, sobald sie das Haus erreichten. Sally Robin war bereits verschwunden, aber Küchen-Hannah und Flinke Ruth und Maisbesen-Hannah standen vor der offenen Tür und strahlten übers ganze Gesicht. »Willkommen zu Hause, Master Quent.«

Die Morgensonne flutete in den geräumigen Flur. Jede noch so kleine Holzfläche funkelte vor frischer Farbe, glänzte vor Politur, und der Kerzenleuchter aus Zinn glänzte. Von der Tür aus konnte Quent in den großen Salon blicken. Die Möbel waren neu bezogen, auf den Kastanienholzböden prangten türkische Teppiche. In jedem der drei Kamine, die er sehen konnte, brannte ein munteres Feuer. Da niemand von seiner Heimkunft gewusst hatte, war dies offenbar mittlerweile im großen Haus an der Tagesordnung. »Sehr gut hast du das gemacht, Mutter. Wirklich sehr gut.«

Küchen-Hannah eilte davon, um etwas zu essen herzurichten, und Maisbesen-Hannah öffnete die Tür zu dem kleinen Raum, der vom Flur abging und wo Lorenes Schreibtisch stand. »Ich hab alles hier drin für Sie hergerichtet, Herrin.«

Quent sah ein Bett an der Wand stehen. »Schläfst du jetzt hier unten?«

»Manchmal, wenn ich bis spät am Schreibtisch sitze. Aber genug von mir. Erzähl mir von Québec und der Schlacht. Sie muss großartig gewesen sein.«

»Ich habe sie nicht miterlebt. Ich war im Hos…«

Er wurde von einem Klopfen an der Tür unterbrochen. Es war Sally Robin, und sie lächelte. »Will Ihnen nur sagen, dass es nicht schwarz ist, Master Quent. Das Bein ist so heiß wie alles andere, aber da ist kein Schwarz.«

»Was heißt das?«

»Das ist gut, Master Quent. Wissen Sie noch, was Sie mir erzählt haben, als Sie damals los sind, um Solomon von den Indianern zu holen, die ihn mitgenommen haben?«

»Dass Hoffnung besteht, aber keine Gewissheit.«

»Genau. Und genauso ist es jetzt auch. Sie können hoffen, aber gewiss können wir nicht sein.«

»Das ist schön, Sally Robin. Und was immer passiert, vielen Dank.«

Er war zu Hause, und Nicole auch.

Lorene wartete, bis Sally Robin verschwunden war. »Damals, als wir fast abgebrannt waren, als du davongegangen bist, um den Fassmacher zu retten, und nicht hier geblieben bist, um zu helfen, da war ich sehr verbittert, Quentin. Ich hatte das Gefühl, du hättest nur aus Stolz Shadowbrook und uns alle Johns weniger fähigen Händen überlassen. Aber du hattest Recht. Solomon ist mir in den vergangenen zwei Jahren eine große Stütze gewesen, wie ein Felsen. Ohne ihn hätte ich nicht die Hälfte dessen geschafft, was ich unternommen habe.«

Sie griff nach den Rechnungsbüchern, konnte es kaum erwarten, ihm zu zeigen, worin diese Leistung tatsächlich bestand. »Als sie kamen, waren wir darauf vorbereitet, Quent. Dank dir und dem, was du mir erzählt hattest.«

Die Flut von Rotröcken, die Albany 1758 und 1759 überschwemmte, hatte in Kasernen geschlafen, die mit Holz vom Shadowbrook-Sägewerk gebaut waren, wurde verpflegt mit Getreide, das in Shadowbrook angebaut worden war, und es war der Rum von Shadowbrook, der für einen Gutteil des für die britische Marine benötigten Grogs verwendet wurde. »Das war für die Matrosen«, erklärte Lorene. »Die Quartiermeister des Heers wollen eher Bier. Da wir nie viel Hopfen angebaut haben, war ich mir zuerst unsicher, wie wir genügend brauen konnten, damit es sich lohnt. Aber dann habe ich einen ganz ungewöhnlichen kleinen Mann kennen gelernt, Quentin. Er reicht mir gerade bis zur Taille und hat kein einziges Haar auf dem Kopf, aber er hat im Süden, in Chappaqua, eine sehr gute Brauerei. Er baut mehr Hopfen an, als er verarbeiten kann, und da unsere Betriebe weit genug voneinander entfernt sind, um sich keine Konkurrenz zu machen, haben wir uns geeinigt.«

»Ist das Zuckerhaus denn groß genug für eine Brauerei?«

»Nein, das wäre nicht gegangen. Deswegen habe ich von Solomon hinter den Stallungen ein Brauhaus bauen lassen. Ich habe Taba zur Wäscherin gemacht und Clemency fürs Bierbrauen abgestellt. Das kann sie erstaunlich gut, aber Clemency ist alt, und wir müssen an die Zukunft denken. Also habe ich ihr George Junior zugewiesen. Seit gut einem Jahr bringt sie ihm jetzt das Brauen bei. Wir erzeugen genug, um unser Bier direkt an die Rotröcke zu verkaufen, und können auch noch die offiziellen Bestellungen erfüllen. Sie holen es ziemlich regelmäßig in Do Good ab.«

Quent lachte bei der Vorstellung, dass Esther Snowberry eine Schänke betrieb, aber Lorene sagte, so dürfe er sich das nicht vorstellen. »Es ist nur eine kleine Haltestation für Reisende. Sie dürfen nicht in Do Good trinken, sondern sich nur die Krüge füllen lassen, dann müssen sie verschwinden.«

Ein für Quäker typischer Kompromiss, dachte Quent. »Wenn George Junior das Brauen lernt, wer hilft dann Jeremiah im Stall?«

»Einer von den jungen Ashanti, die John damals zusammen mit Taba gekauft hat. Er hat einen Namen, den man unmöglich aussprechen kann, also nennen wir ihn Großer. Er ist fast so groß wie du, Quentin. Der größte Neger, den ich je gesehen habe.«

»Kann er gut mit Pferden umgehen?«

»So gut, wie's nötig ist.« Emsig schloss sie die Rechnungsbücher und stellte sie auf ihren Platz im Regal über dem Schreibtisch zurück. »Ich komme nicht oft raus; ich habe hier zu viel zu tun. Und John ist selten zu Hause.« Und schnell, bevor er etwas dazu sagen konnte: »Deswegen haben wir jetzt fast nur noch Arbeitstiere, zum Pflügen und für die Karren. Für die Art von Pferden ist Großer allemal gut genug. Und ich habe ein paar Felder auf Hopfen umgestellt. Der Zwerg ist zuverlässig, aber wir wollen ja nicht für immer auf Zulieferungen anderer angewiesen sein.«

Es war drei Uhr, Essenszeit, und in Groesbecks Schenke zum Pferdekopf herrschte großes Gedränge. Der Geruch von Eichhörncheneintopf hing in der Luft und vermischte sich mit dem Aroma von hefigem Bier und starkem Rum und dem Schweiß schwer arbeitender Männer. Henry Morris zwängte sich in die Menge und rief nach der Punschschale, genehmigte sich zwei Becher hintereinander, als sie schließlich kam, und bezahlte dafür mit zwei glänzenden Kupfermünzen aus der Hand voll, die er von Quentin Hale für die Passage nach Shadowbrook bekommen hatte. Das war pure Verschwendung von gutem Hale-Geld, er hätte das Mädel genauso gut gleich begraben können, aber reiche Leute hatten eben immer ganz eigene Vorstellungen. Und dieser Tage besaßen die Hales reichlich Geld, wo sie doch, Teufel noch eins, vor ein paar Jahren weniger gehabt hatten als alle anderen. Verflucht, weniger noch als er. Er hatte die Münzen gehabt, sich hier in der Schänke 'n heißes Essen zu leisten, und hatte sich nicht mit den Pasteten der Verkäuferin draußen auf der Straße bescheiden müssen.

Er hatte Hunger, aber im vorderen Teil der Schänke waren alle Bänke besetzt. Morris bahnte sich durch das Gewühl, bis er einen freien Platz an einem langen Tisch fast direkt am rückwärtigen Kamin fand, fast schon in der Tür, die in den Hof führte, wo die Huren ihrem Gewerbe nachgingen. »'ne Schüssel von dem Eintopf, der so gut riecht«, rief er. »Und 'n Bier, um's runterzuspülen.« Die Kellnerin machte ihm ein Zeichen, dass sie seine Bestellung verstanden hatte. Morris zählte ein paar weitere Münzen ab; das Wasser lief ihm im Mund zusammen, wenn er daran dachte, wie lecker Eichhörnchen um diese Jahreszeit schmeckten. Voll gestopft mit Eicheln waren sie und rund und fett von dem, was sie angesetzt hatten für den bevorstehenden Winter.

Ein Scheit Apfelbaumholz, das zu feucht war, um richtig zu brennen, knackste laut, als ein Harzklumpen Feuer fing, und rollte an den Rand des Kamins. Der Mann, der neben Morris saß, wollte es mit einem Fußtritt wieder in die Flammen befördern, doch seine Beine waren nicht lang genug. Er stand auf, um das Scheit richtig zurückzuschieben. Sobald er sich erhoben hatte, belegte jemand anders seinen Platz. »He, da sitze ich!«

»Jetzt nicht mehr.«

Der Mann, der am Kamin stand, wusste, dass John Hale gern gewalttätig wurde. Außerdem hatte er schon zu Ende gegessen. Er griff sich seinen Bierkrug und verschwand, murmelte nur leise etwas von Leuten, die sich offenbar für was Besseres hielten. John wandte sich an Morris. »Ich habe gehört, dass du letzte Nacht zu mir hochgefahren bist.«

»Stimmt.«

»Und ich habe auch gehört, dass mein Bruder dich angeheuert hat.«

»Hier gibt's wohl 'n paar Leute, deren Klappe größer ist, als ihnen gut tut.« Morris beugte sich zurück, damit die Bedienung eine Holzschüssel mit dampfendem Eintopf und einen Zinnkrug voll Bier vor ihn stellen konnte. Sie nahm das Häufchen Münzen auf, das er auf den Tisch gelegt hatte, und verschwand. Der Matrose begann zu essen.

»Es gibt Leute, die wissen, mit wem sie es sich nicht verscherzen sollten«, sagte John. Sein linker Arm hing an der Seite herab, er hob ihn mit der Rechten auf die Tischplatte. »Was ich wissen will – wen hat er dabeigehabt?«

»Weiß ich nicht. Hab ich mir nicht angeguckt.«

»Aber er war nicht allein?«

»Die Leute zahlen für die Fahrt. Ich stell keine Fragen. Fahr sie nur hin, wo sie hinwollen.«

John zog das Messer aus dem Gürtel und begann, die Fingernägel seiner nutzlosen linken Hand damit zu säubern. »Auf dem Fluss gibt's dieser Tage reichlich Konkurrenz, stimmt's?«

Der Matrose kaute einen Bissen Eichhörnchen, der besonders saftig schmeckte, und schluckte ihn. »Schon, aber es gibt genug Arbeit für alle.«

»Weißt du, dass wir dieses Jahr auf dem Gut eine neue Anlegestelle bauen?«

»Nee.«

»Aber jetzt weißt du's. Und bei der Menge, die ich dann zu befördern habe, kann ich mir genau aussuchen, wer bei mir auflädt und wer nicht.«

Morris wandte den Kopf ab und spuckte zwei Knöchelchen auf den Boden. »Was ich so sehe, ist es die Herrin, die sagt, wer für Shadowbrook liefert und wer nicht.« Dann, bevor John antworten konnte: »Dein Bruder hat 'ne junge Frau dabeigehabt. Wie sie heißt, hab ich keine Ahnung. Braucht's auch nicht. Die verbrennt am Fieber. Was ich so gesehen hab, hat er sie nach Shadowbrook gebracht, damit er sie da begraben kann.«

Einige Momente starrte John ins Leere, dann stand er auf und schob sich durch das Gedränge zum Ausgang.

Zehn Uhr abends. Quent stieg die Treppe hinauf, spürte, wie schwer seine Beine waren, und dachte, dass er sich nach einer Nacht in seinem alten Bett unter dem Dach von Shadowbrook wie neugeboren fühlen würde. Er wollte den Flur entlanggehen, blieb dann vor dem Zimmer stehen, in dem Nicole untergebracht war. Die Tür stand einen Spalt offen, er konnte ihre schmale Gestalt im Bett liegen sehen. Neben ihr saß eine junge Schwarze und tupfte ihr das Gesicht ab. Sie musste die Ibo sein, die John gekauft hatte. Als das Mädchen aufblickte und ihn bemerkte, verließ sie ihre Patientin und kam zur Tür. »Sie brauchen mich, Master?«

»Ich möchte nur wissen, wie's ihr geht.«

»Sie schläft. Und das Fieber ist nicht mehr so schlimm. Sally Robin hat was ins Wasser getan, mit dem ich sie abreiben soll.«

»Wo ist Sally?«

»Unten, Master. Sie macht was für die Herrin. Was zum Schlafen, das macht sie jeden Abend für sie.«

»Dann bist du hier oben verantwortlich?«

»Nur bis Sally Robin wiederkommt, Master. Aber Sally Robin bringt mir bei, wie man Kranke pflegt, und ich mach alles genau so, wie sie's mir sagt.«

»Schön. Das ist gut. Du heißt Taba, nicht?«

»Ja, Master.«

Vierzehn, vielleicht auch fünfzehn. Nicht hübsch, aber in ihren Augen war etwas Kluges. »Es freut mich, dich kennen zu lernen, Taba. Meine Mutter spricht sehr gut von dir. Pass schön auf Mademoiselle auf, dann sind wir alle sehr zufrieden mit dir.«

»Ja, Master. Ich sollt jetzt auch wieder zu ihr.«

Die Verlockung seines Betts war unwiderstehlich. Quent ging auf sein Zimmer zu, doch als er ein Geräusch hörte, trat er ans Geländer und spähte nach unten. Sally Robin lief über den Flur mit einer dampfenden Tasse in der Hand. Er wartete nur, bis er sah, dass sie an Lorenes Tür klopfte, dann betrat er sein Zimmer. Das Bett war aufgedeckt, sein Morgenmantel lag auf dem Stuhl bereit. Maisbesen-Hannah oder Flinke Ruth, die alles wie früher für ihn hergerichtet hatten. Und ihn daran erinnerten, dass er ein Gentleman sein sollte, zumindest hier in Shadowbrook. Zum Teufel damit, er war zu müde, um sich auszuziehen. Noch in der ledernen Kniehose warf er sich auf die Federmatratze und schlief augenblicklich ein.

Unten murmelte Lorene: »Herein«, als sie Sally an die Tür klopfen hörte.

»Was Heißes für Sie zu trinken, Mistress.«

»Danke, Sally.« Lorene saß im Bett, ihr üppig mit Spitzen besetztes Leinennachthemd verbarg, wie unnatürlich dünn sie geworden war. Sie hatte die Haube abgenommen, und ihr Haar, das mittlerweile mehr grau als braun war, hing in einem Zopf herab. Sie nahm das Glas entgegen und trank von der heißen Milch mit Honig und allen Kräutern, die Sally Robin dazutat, damit sie schlafen konnte. »Ich weiß nicht, was ich ohne dich und deine Zaubermittel tun würde. Wie geht es deiner neuen Patientin?«

»Ein bisschen besser. Taba ist jetzt bei ihr.«

»Gut. Du musst zusehen, dass sie wieder ganz gesund wird, Sally Robin. Wegen Shadowbrook genauso wie wegen Master Quent. Sie wird euch allen eines Tages eine gute Herrin sein.«

»Mir gefällt die Herrin, die wir jetzt haben. Und den anderen auch.«

Lorene lächelte. »Ich komme euch allen sehr viel besser vor, jetzt, da ihr wisst, dass ich bald gehe, stimmt's nicht?«

»Reden Sie nicht so, Mistress. Sie müssen schöne Gedanken denken. Das hilft Ihnen mehr als jedes Heilmittel.«

Lorene blickte zum Regal über ihrem Schreibtisch. Neben dem säuberlichen Stapel der Rechnungsbücher stand eine blaue Glasflasche. Sie war fest verschlossen, eine Wachsschicht versiegelte den Holzkorken. »Deine Tinkturen helfen mir sehr, Sally Robin. Zu wissen, dass ich die Schmerzen nicht ertragen muss, wenn sie zu schlimm werden, ist mir ein großer Trost.«

Die Schwarze folgte dem Blick ihrer Herrin. »Jetzt noch nicht«, sagte sie fest. »Es gibt noch ganz viel, was Sally Robin für Sie tun kann, bevor Sie die Flasche aufmachen.«

»Jetzt noch nicht«, versprach Lorene. Aber vielleicht eher früher als später. Vor allem, wenn Nicole wieder richtig gesund wird und das Gut in Quents Händen ist, mit einer Frau, die sich um ihn ebenso kümmert wie um Shadowbrook. Ich komme bald, Ephraim. Lange brauchst du nicht mehr zu warten.

Trotz Sally Robins Tinkturen hatte Lorene seit vielen Wochen keine Nacht mehr durchgeschlafen. Tagsüber waren die Schmerzen erträglich, doch nachts drohten sie, sie zu überwältigen. Sehnsüchtig blickte sie zur blauen Flasche. Aber wenn sie es schaffte, noch ein paar Wochen durchzuhalten, nur, bis sie sicher sein konnte, dass Nicole überleben würde, oder wenn nicht, dass Quent auch ohne sie hier bleiben würde, dann könnte sie …

Sie hörte die Haustür aufgehen. Es gab nur einen Menschen, der nachts durch die Vordertür ins große Haus kam. Sie erhob sich, um ihn zu begrüßen. »Guten Abend, John.«

John sah die Treppe hinauf zu dem schwachen Lichtschein, der unter der Tür zum Schlafzimmer in der Ecke drang. »Die Französin?«

»Mademoiselle Crane, ja.«

»Warum hat er die hergebracht?«

»Sie ist in Québec verwundet worden. Quent hat sie nach Hause gebracht, damit Sally Robin sie gesund pflegen kann.«

»Es ist nicht sein Zuhause«, murrte John. »Da muss er schon mich fragen, bevor er sich von meinen Sklaven bedienen lässt.«

Sie konnte den Rum riechen, den er getrunken hatte, obwohl er in der Tür stehen geblieben war. Wie schade, dass ihn das Pferd nicht unterwegs abgeworfen hatte. Ein gebrochener Hals hätte die Situation sehr viel einfacher gemacht. John setzte einen Fuß auf die unterste Stufe. »Wo willst du hin?«

»Zu meinem Bruder. Den verlorenen Sohn begrüßen. So heißt's doch in der Bibel, Mutter. Du weißt doch alles, was in der

Bibel steht. Dann könnt ihr jetzt das gemästete Kalb schlachten. Oder etwas in der Art. Ein großes Fest feiern, weil mein Bruder heimgekommen ist. Da gehört es sich, dass ich nach oben gehe und ihn begrüße.«

»John, er bringt dich um.« Ihr Ältester hatte noch immer einen Fuß auf der Treppe. »Du willst Quent töten, das weiß ich. Aber so wird es nicht sein. Er wird dich töten.« Und deswegen den Rest seines Lebens Scham und Bitterkeit empfinden.

John zögerte und sackte in sich zusammen. Er hatte ihr den Rücken zugewandt, sodass sie sein Gesicht nicht sehen konnte, aber sie spürte seine Angst. Der arme John. Am liebsten hätte sie um ihn geweint. Und sie hatte schon weiß Gott wie oft um ihn geweint, viele nutzlose Tränen, die nichts bewirkt hatten. Er war der Mensch, der er war. Wenn es ihre Schuld sein sollte, dann helfe ihr Gott. Sie würde früh genug vor den Richter treten müssen. »Komm, setz dich ein Weilchen zu mir. Es geht mir nicht gut, John. Du und Quent, ihr habt den Rest eures Lebens vor euch, um euren Streit beizulegen.«

Er drehte sich zu ihr. »Es tut mir Leid, dass es dir nicht gut geht, Mutter.«

»Es wird bald vorbei sein«, sagte Lorene und deutete auf die offene Tür zu ihrem Zimmer. »Und im Augenblick brennt dort ein warmes Feuer. Und ich habe einen sehr guten Brandy, den dein Onkel Bede uns geschickt hat. Du und ich haben schon lange keinen Abend mehr gemeinsam verbracht.«

John sah ein letztes Mal die Treppe hinauf zu dem Zimmer, in dem sein Bruder schlief. Furcht und Hass vermischten sich, bewirkten, dass sein Magen sich aufbäumte und er einen schalen Geschmack im Mund hatte. »Onkel Bedes Brandy, das klingt gut«, murmelte er, als er seiner Mutter in ihr Zimmer folgte.

Am folgenden Morgen wurde Quent von Sally Robins Stimme geweckt. Er lief die Treppe hinab und wusste, noch ehe er sie in der Tür zu Lorenes Zimmer stehen sah, warum sie dieses eine bestimmte Lied sang. Quent drängte sich an ihr vorbei. Lorene lag auf dem Bett. Sie sah friedlich aus. John saß zusammengesunken auf einem Sessel, seine Beine zum Kamin ausgestreckt, der Kopf zur Seite gekippt. Er könnte schlafen oder maßlos betrunken sein, aber Quent wusste, dass er tot war.

Sally Robins Lied verklang, und sie kam ins Zimmer. Auf dem Tisch neben Lorenes Bett standen eine Karaffe und eine leere blaue Flasche. »Was ist das?«, fragte Quent, als Sally danach griff und sie in ihre tiefe Schürzentasche steckte.

»Bloß 'ne Tinktur, die ich für die Herrin gemacht hab. Damit sie schlafen konnte, wenn die Schmerzen zu groß waren. Sie war am Sterben, Master Quent. Früher oder später, das war ziemlich einerlei.«

Er schaute zu seinem Bruder. »Und John …«

»Der war auch am Sterben. Das tun wir nämlich alle, wissen Sie.«

»Aber hier und so, ich …«

»Lassen Sie's gut sein, Master Quent. Ihre Mama, wenn sie hier wär, tät Ihnen sagen, Sie sollen's gut sein lassen.«

Das Doppelbegräbnis fand am folgenden Tag bei Squirrel Oaks statt. Sie begruben Lorene neben Ephraim. Pohantis lag ein Stück weit entfernt, ihnen beiden gegenüber. Johns Grab befand sich neben denen seiner sechs früh verstorbenen Geschwister. Quent hatte beschlossen, nicht auf einen Pfarrer aus Albany zu warten, und so las er selbst aus der Bibel. Sally Robin sang.

»Mein Lied, um in den Himmel zu kommen, ist das«, erklärte sie ihm anschließend. »Da, wo sie ist, ist es ganz friedlich, haben Sie keine Bange.«

»Und John?«

»Das weiß ich nicht, Master Quent. Und Sie auch nicht. Ihre Mama, die wollte nie, dass Sie sich zu viele Gedanken machen um Ihren Bruder John.«

Er hatte immer gewusst, dass das stimmte. Ihm war nur nicht klar gewesen, wie sehr.

Die Sklaven standen auf einer Seite des kleinen Friedhofs, die Pächter auf der anderen. Ely Davidson und seine neue Frau waren da, ebenso wie sämtliche Frankels. Tim war noch immer nicht verheiratet, aber Ellie hatte einen zweiten Mann und hieß jetzt Ellie Frankel Bleecker Hodges. Larky Hodges war Schuster; den hatte es zuvor auf dem Gut nicht gegeben, und deswegen war Lorene sehr glücklich über diese Heirat gewesen. Ellises Bauch ragte so weit vor, dass Quent einen Schritt zur Seite treten musste, um ihr Beileid entgegenzunehmen. »Sie wird uns schrecklich fehlen, Quent. Ich weiß wirklich nicht, was Shadowbrook ohne sie machen wird.« Und dann die Frage, die alle beschäftigte: »Und Sie, Sie wollen hier bleiben?«

»Ich bleibe hier, Ellie.« Er sprach so laut, dass alle ihn hören konnten. Fast konnte er spüren, wie die Spannung von allen abfiel. »Einmal muss ich noch weg, einen Monat lang vielleicht. Im Frühjahr.« Was immer passierte, er musste zu Bishkeks zweiter Beisetzung gehen. »Aber jetzt bin ich der Gutsherr. Auf Shadowbrook geht alles weiter wie bisher. Für alle.«

Einiges veränderte sich allerdings doch. Quent ging zu dem jungen Ashanti, der im Stall arbeitete. »Du bist der, den sie Großer nennen?«

»Der bin ich, Master.«

»Wie heißt du richtig? Wie wurdest du in Afrika genannt?«

»Weiße Leute sagen meinen Namen nie nicht, Master. Großer, das geht in Ordnung.«

»Versuch's doch mal«, sagte Quent. Der Sklave zögerte. »Eine direkte Frage verlangt eine direkte Antwort. Wie heißt dein Name auf afrikanisch?«

»Ajibwamemelosu.«

Quent lächelte. »Das ist wirklich ziemlich lang, da gebe ich dir Recht. Was würdest du dazu sagen, wenn wir dich Ajib nennen?«

In den vergangenen fünf Jahren, seit die Sklavenjäger ihn bei einem Überfall auf sein Dorf in ihrem Netz gefangen hatten, hatte niemand Ajibwamemelosu je um Erlaubnis für etwas gebeten. »Ajib ist gut«, sagte er. »Das ist schön, wenn Sie mich Ajib nennen.«

Zwei Tage nachdem Lorene und John begraben worden waren, brach Nicoles Fieber. Sie schlug die Augen auf. »*Ma Mère, je voudrais …*« Dann sah sie, dass eine Schwarze sich über sie beugte, und erinnerte sich wieder, was passiert war. Sie war keine Nonne mehr, Gott hatte sie zurückgewiesen. »Du bist Sally Robin, nicht wahr? Die, die so wunderschöne Lieder singt.«

»Ich singe manchmal, ja, das stimmt, Kleine Herrin.«

Nicole wollte sie fragen, warum sie sie so nannte, aber es gab Dringenderes. »Bitte, ich habe solchen Durst.«

»Das hab ich mir gedacht. Hier ist was, was ich eigens gemacht hab für Sie.« Sally Robin hielt Nicole einen Becher mit lauwarmem Tee an die Lippen, zubereitet aus Rinde und Blütenknospen und mit Honig gesüßt.«

»Danke«, murmelte Nicole. »Ich glaube, jetzt mag ich schlafen. Kannst du ein Lied für mich singen, Sally Robin?«

»Ein ganz besonderes Lied, um sanft zu ruhen und wieder gesund zu werden«, versprach Sally. Sie hatte erst wenige Zeilen gesungen, als Quent sich in die Tür stellte.

Sobald das Lied verklang, fragte er: »Wie geht es ihr?«

»Müde ist sie, Master Quent. Aber die Kleine Herrin hat 'nen großen Kampf mit dem Gift gekämpft, und sie hat gewonnen. Jetzt schläft sie. Das ist gut.«

Er trat ans Bett. »Nennt ihr sie alle Kleine Herrin?«

»Ja.«

»Wessen Idee war das?«

»Weiß nicht genau. Jetzt gehen Sie, Master Quent. Haben Sie Geduld. Sobald die Kleine Herrin reden kann, sag ich's Ihnen.«

Am folgenden Tag wurde er an ihr Bett gerufen. »Nicole, ich freue mich so, dich so zu sehen.« Sie hatten ihr eine Haube auf die kurz geschnittenen Haare gesetzt und ihr ein frisches weißes Leinennachthemd angezogen. Sie roch nach Flieder, nicht nach Krankheit. Quent ergriff ihre Hand. »Sally Robin sagt, dass du wieder ganz gesund werden wirst.«

Sie entzog ihm die Hand zwar nicht, erwiderte den Druck seiner Finger aber auch nicht. »Ich bin dir sehr dankbar. Und Sally Robin auch. Dankbarer, als ich dir je sagen kann. Ich werde jeden Tag für euch beten.«

Sie waren allein. Er beugte sich nah zu ihr und grinste. »Ich freue mich zwar über deine Gebete, mein Herz, aber erwarte nicht, dass ich mich damit zufrieden gebe. Sobald du wieder bei Kräften bist, zeige ich dir ein paar andere Möglichkeiten, mir zu danken.«

Nicole wandte den Kopf ab und schwieg.

So war es jedes Mal, wenn er sie aufsuchte. Nach einer Weile ging es ihr so gut, dass sie zu einem Sessel am Fenster getragen werden konnte, und zu Beginn des neuen Jahres machte sie die ersten zaghaften Schritte, gestützt auf Möbelstücke oder auf einen Arm – Sally Robins oder Tabas, gelegentlich auch auf seinen, aber jedes Mal war sie reserviert wie am ersten Tag. Quent brachte ihr zwei Stöcke, die er aus Ulmenholz geschnitzt hatte. »Ich glaube, die haben die richtige Länge. Ich habe dich gemessen, als du geschlafen hast.«

Die Stöcke waren wunderschön gearbeitet, er hatte sie mit eigenen Händen zugeschnitten und geglättet, wie die Planken für die Plattform über dem Wasserfall auf Shoshanayas Lichtung. »Danke. Ich bin dir für alles so dankbar.«

»Guter Himmel, Nicole, ich will deine Dankbarkeit nicht. Ich liebe dich. Ich glaube, du liebst mich auch. Trotz allem glaube ich das immer noch. In Shoshanayas Lichtung wolltest du …« Sie warf ihm einen derart betroffenen Blick zu, dass er verstummte. »Du hast gewollt«, murmelte er. »Das weiß ich genau.«

»Ich habe mein Gelübde gebrochen. All die Leute sind meinetwegen gestorben.«

»Aber du hast doch dein Gelübde gehalten. Das hat auch die Äbtissin gesagt. Ich habe selbst gehört, wie sie das sagte. Du hast dein Gelübde gehalten, und jetzt hat Gott dich zu mir zurückgeschickt.«

»Ich wünschte, ich könnte es glauben«, flüsterte sie. »Ich kann's nicht. Bitte geh.«

Wochen verstrichen. Mindestens einmal am Tag schaute er zu ihr ins Zimmer, aber nie sah er sie lächeln. Im April, als der Schnee schon geschmolzen war, doch der Boden noch gefroren und kein Zeichen von Frühling zu sehen war, ging er um die Mittagszeit in ihr Zimmer, doch sie war nicht da. Von Panik gepackt, rannte Quent durchs Haus und rief lauthals nach Sally.

»Ich bin hier, Master Quent. Was wollen Sie von der alten Sally?«

»Ich kann Nicole nicht finden. Die Kleine Herrin, Sally. Wo ist sie?«

»Sie hat das Grab von Ihrer Mama besuchen wollen, Master. George Junior hat ihr ein Pferd gesattelt, und nach dem Frühstück ist sie los.«

»Ein Pferd? Ich wusste gar nicht, dass es ihr gut genug geht, um zu reiten.«

»Der Kleinen Herrin geht's so gut, dass sie fast alles tun kann, wozu sie Lust hat. Nach außen hin ist die Kleine Herrin fast wieder ganz gesund.«

»Warum ist sie dann …«

»Die Kleine Herrin fühlt sich nicht, als wär sie ein Teil von dieser Welt, Master Quent. Die Kleine Herrin ist zwischen dieser Welt und der nächsten.«

»Kannst du sie hersingen, Sally Robin?«

»Ich hab's versucht, aber mein Lied ist nicht groß genug. Die Kleine Herrin schaut immer nur in das Jenseits-Nachher und hat gar keine Zeit für das Hier-Jetzt. Sie müssen was machen, um ihr zu zeigen, dass sie fest auf der guten Erde steht, Master Quent. Sally Robin hat alles getan, was sie kann. Jetzt müssen Sie was machen.«

Quent sattelte ein Pferd und ritt im Galopp nach Squirrel Oaks. Er hatte wahnsinnige Angst, Nicole könnte das Gut heimlich verlassen haben und er würde sie nie wiedersehen. Doch schon aus der Ferne sah er sie auf dem Friedhofshügel stehen, ihre Silhouette hob sich vor dem Nachmittagshimmel ab. »Nicole!« Er brüllte ihren Namen in den Wind. »Nicole!«

Sie wandte ihm den Kopf zu, rührte sich aber nicht von der Stelle. Er ritt zu ihr und glitt aus dem Sattel.

»Ich wollte Madame Hale meine letzte Achtung erweisen. Es tut mir sehr Leid, dass es mir nicht gut genug ging, um bei der Beerdigung dabei zu sein. Ich habe ihr die ersten Forsythien gebracht. Man kann sie früher zum Blühen bringen, wenn man sie pflückt und …«

Quent zog sie an sich und schnitt ihr das Wort mit einem Kuss ab. Nicole erstarrte in seinen Armen. »Du liebst mich«, sagte er schließlich. »Das weiß ich doch.«

»Das habe ich nie geleugnet. Ich werde dich immer lieben.«

»Also warum …«

»Es steht mir nicht frei, dich oder sonst einen Mann zu lieben. Ich habe ein Gelübde abgelegt.«

»Und es gehalten. Aber …«

Sie legte ihm einen Finger auf die Lippen. »Ich mache dir einen Vorschlag, Quent. Ich weiß, dass Shadowbrook eine Herrin braucht. Ich kann die Rolle übernehmen, aber ich kann nie deine Ehefrau sein.«

Gütiger Gott, das war ein teuflisches Abkommen. Wie konnte er einem derart widernatürlichen Vorschlag zustimmen? Aber wenn er ablehnte, würde sie fortgehen. »Also gut. Aber …« Die Idee kam ihm, ohne dass er lange darüber nachgedacht hatte. »Nicole, ich habe dir das Leben gerettet, nicht wahr? Dass ich dich hergebracht habe, damit Sally Robin dich pflegen kann, ist doch der Grund, warum du noch am Leben bist und auf deinen zwei Beinen laufen kannst, oder?«

»Ja, und deswegen werde ich dich immer in meine Gebete einschließen.«

»Ich will mehr als deine Gebete. Ich möchte, dass du mir etwas versprichst. Im Juni muss ich nach Singender Schnee.«

»Das Potawatomi-Dorf, wo du und Monsieur Shea …«

»Genau. Ich möchte, dass du mitkommst. Gib mir dein Wort darauf, Nicole. Das schuldest du mir. Versprich mir, dass du mitkommst.« *Sie müssen was machen, um ihr zu zeigen, dass sie fest auf der guten Erde steht, Master Quent.*

»Also gut«, sagte sie. »Ich gebe dir mein Wort darauf.«

29

Mond von Viel Fett, die fünfte Sonne
Das Dorf Singender Schnee

»*Haya, haya, jayek.*« Alle Dorfbewohner standen im Kreis, die Arme eingehakt. Die verblichenen Knochen in der offenen Grube lagen in einem wirren Durcheinander. Nur wenige Minuten zuvor waren Bishkeks Gebeine auf den Berg gelegt worden, doch schon jetzt vermochte Quent nicht mehr zu sagen, welche von seinem Mannheitsvater stammten. »*Haya, haya, jayek.*« So, so, wir alle zusammen. Der Rhythmus des Gesangs hatte Besitz von ihm ergriffen. Er war sich nicht mehr bewusst, dass Corm neben ihm stand oder dass Nicole in einiger Entfernung von ihm war.

Als die Beisetzung der Gebeine vorüber war, kehrte er so weit in die Gegenwart zurück, um zu bemerken, dass Nicole ergriffen wirkte. Die Zeremonie hatte sie offenbar bewegt. »Es muss dir sehr fremd vorkommen«, meinte er.

»Nicht so fremd, wie ich erwartet hätte.« Gewohnt, wie sie es war, ihn als Gutsherr von Shadowbrook gekleidet zu sehen, hatte sie ganz vergessen, wie breit seine bloße Brust war.

»Das verstehe ich nicht.«

»Es war ein heidnischer Brauch oder soll es gewesen sein. Aber es war …« Sie suchte nach dem richtigen Wort. »Es war heilig. Ich bin mir sicher, dass Gott da war.«

»Es freut mich, dass du das so siehst.«

In den vielen Monaten seit Québec lächelte Nicole ihn zum allerersten Mal an. »Ich glaube, ich sehe für die Leute hier viel fremder aus als sie für mich.« Sie trug dasselbe schlichte graue Kleid und die weiße Haube, die sie auch auf Shadowbrook immer trug. »Aber das ist nicht wichtig. Wir werden uns sicher aneinander gewöhnen. Was passiert jetzt?«

»Ich muss mit Corm reden. Lashi kümmert sich um dich. Später gibt es ein Fest.«

»Sie werden nicht dazu bereit sein. In Kanada wimmelt es von Rotröcken – in Québec, Trois Rivières, Montréal, aber alle weißen Franzosen leben noch genau da, wo sie früher auch gelebt haben.«

Quent hätte Corm gern Hoffnung gemacht, aber er hatte ihn nie belogen und würde es auch jetzt nicht tun. »Pitt hat mir geschrieben. Er hat mich daran erinnert, dass er immer nur versprochen hätte, sein Bestes zu tun. In der Regierung regt sich großer Widerstand gegen ihn. Trotz allem, was er geleistet hat, möchten viele ihn loswerden.«

Corm spuckte aus. Es war die Art der Indianer, seine Meinung zu äußern. »Pontiac hat auch nur gesagt, er würde es versuchen. Aber er hat es geschafft, während Pitt gescheitert ist.«

»Noch ist nicht alles vorbei«, sagte Quent. »Vielleicht wird es ja doch noch …«

»Jeffrey Amherst hasst alle Indianer, und er hat von Carolina bis Québec Garnisonen zu unterhalten. Das tut er, indem er allen, die in *Anishinabeg*-Jagdrevieren Wild erlegen, eine Prämie zahlt. Solange Amherst das Sagen hat, ist es vorbei.«

Quent wollte ihm widersprechen, doch das war unmöglich. »Es wird ihnen schwer fallen, Amherst in der Position zu belassen. Die Bataillone hatten nie volle Kampfstärke, und jetzt, da so viele gestorben oder verwundet sind oder einfach auch nur desertiert … Er wird schwächer, Corm.«

Corm sah auf. »Glaubst du das wirklich?«

»Ja. Er versucht zwar, hiesige Männer zu rekrutieren, aber du weißt ja, welchen Erfolg das im Allgemeinen hat.«

»Das Soldatenwesen passt nicht zu den Kolonisten, oder wie?«

»Zumindest nicht die englische Art. Nicht dieser blinde Gehorsam, einfach stehen zu bleiben und sich abschießen zu lassen, wenn es Wälder gibt, die einem Deckung bieten. Und nicht, etwas aus Angst vor der Peitsche oder dem Galgen zu tun.« Er legte Corm eine Hand auf die Schulter. »Ich weiß, dass dir der Mut sinkt. Ich kann's dir nicht verdenken. Aber es könnte sein, dass sich das alles sehr bald ändert. Vielleicht in eine Richtung, die wir gar nicht erwarten.«

»Verändern, das sicher. Aber nicht für die *Anishinabeg*. Zumindest nicht in die Richtung, die sie sich erhoffen.«

»Du kannst dir nicht ...«

Corm hob abwehrend die Hand. Seine Enttäuschung war zu bitter, als dass er hier, an diesem Tag darüber sprechen wollte. Das würde ihren letzten Besuch bei Bishkeks Geist vergiften. »Lass uns von was anderem reden. Nicole sieht gut aus. So hübsch wie eh und je.«

»Das stimmt.«

»Aber?«

»Sie will nichts von mir. Sie sagt, sie wäre immer noch an ihr Gelübde gebunden, eine Nonne zu sein.«

»Verrückt«, sagte Corm. Dann kam Shabnokis Trommel schlagend näher und verkündete den Beginn des Festes.

Etwas verlegen trat Nicole aus Lashis Wickiup. Sie trug die Beinlinge einer Squaw und ein kurzes Kleid darüber, ihr Haar war zu einem Zopf geflochten und endete in einem Büschel bunter Federn.

»Du siehst großartig aus«, sagte Quent.

»Ich war mir nicht sicher, ob du es richtig finden würdest.«

»Warum nicht?«

»Ich weiß es nicht genau. Zu tun, als wäre ich jemand, der ich nicht bin, vielleicht.«

»Wird, wer wir sind, bestimmt von dem, was wir tragen?«

Sie schien überrascht. »Nein, natürlich nicht. Ich dachte nur ...«

»Du bist du, Nicole. Ob du nun den schwarzen Schleier der Armen Klarissen trägst, die weiße Haube im großen Haus oder Beinlinge mit aufgenähten Perlen.« Er fasste an den Ausschnitt des Kleids. Darunter würde sie kein Korsett tragen. Als sie damals Pohantis' weiße Kleidung anzog, hatte sie darauf verzichtet, und als er die wenigen Minuten auf ihr lag, bevor sie ihm sagte, dass alles anders geworden war, war ihr Körper weich und nachgiebig gewesen.

Es schien ein vertrautes Gefühl, seine Finger auf der bloßen Haut zwischen den Schnüren zu spüren. Richtig für diesen Tag und diesen Ort. So, wie der Schleier im Kloster richtig gewesen war.

Ich habe mich bemüht, das Richtige zu tun, ma Mère.

Ich weiß. Und Gott weiß es auch. Und jetzt ist es das Richtige, dass du uns verlässt.

Er sah den Schatten, der über ihr Gesicht zog. »Woran denkst du?«

»Dass ich wenig verstehe.« Bevor sie noch mehr sagen konnte, wurde sie von Lashi fortgezogen. Es war Zeit zu essen, und die Frauen mussten getrennt von den Männern sitzen.

Nach dem Essen kam das Kalumet, und dann, das wusste sie, würde getanzt werden. Würden die Frauen sich einen Mann aussuchen, wie damals im Lager der Shawnee, und mit ihm in den Wald gehen? Und wenn, was würde sie tun? Ich kann es nicht, so sehr ich es möchte. Es ist eine Sünde. Hilf mir, *mon Dieu*.

Die Trommeln setzten ein, sehr viele, und sie spielten nicht den feierlichen Rhythmus wie bei der Bestattungszeremonie. Corm kam herüber und beugte sich zu ihr. »Jetzt kommt der fröhliche Teil. Wir feiern Bishkeks Reise in die nächste Welt.«

»Monsieur Shea, sagen Sie mir doch bitte ... Damals, als wir im Lager der Shawnee waren und alle Frauen sich einen Mann aussuchten, wird ...« Sie wusste, dass sie über und über rot geworden war. Sie spürte es und sah ihre Verlegenheit in Cormacs breitem Grinsen gespiegelt. Wenn sie nur nicht so weit im Norden wären und es nicht Juni wäre, wäre es wenigstens dunkel.

»Hier läuft es etwas anders ab. Wir Potawatomi haben unsere eigenen Bräuche. Aber machen Sie sich keine Sorgen. Das, was jetzt kommt, wird Ihnen ganz bestimmt gefallen.« Daraufhin verließ er sie. Sie sah ihn einige Worte mit dem Mann sprechen, der ihr als der Häuptling vorgestellt worden war, an dessen Namen sie sich aber nicht erinnern konnte. Die Trommeln wurden eindringlicher, und Nicole konnte an nichts anderes denken als daran, dass ihr Rhythmus mit dem Takt ihres Herzens zu schlagen schien, und wie Quent aussah, der mit den anderen tanzte. Alle Frauen sangen. »*Ahaya, haya, haya.*«

Quent sah, wie sie sich gemeinsam mit den Squaws bewegte. Die Frauen hatten sich bei ihr eingehakt, und so konnte sie nicht anders. Ihre Lippen waren leicht geöffnet, ihre Augen glänzten, und die Art, wie ihre Brust sich hob und senkte, sagte ihm, dass sie die Erregung der anderen spürte. Er verlangte so nach ihr, dass ihm sein ganzer Körper schwer war, und gleichzeitig würgte ihn die Angst, nichts könnte sich geändert haben, wenn der Tanz vorüber war. *Sie müssen was machen, um der Kleinen Herrin zu zeigen, dass sie fest auf der guten Erde steht, Master Quent.* Und nirgends war die Erde fester und besser als in Singender Schnee.

Der Kreis, in dem er tanzte, drehte sich, und er musste sich mitdrehen, musste Nicole und den anderen Frauen den Rücken zukehren. Als er sie das nächste Mal sah, stand Kekomoson vor ihr. Er bot ihr die alten Steingut-Kochtöpfe an, die Bishkeks Frau gehört hatten.

Nicole blickte zum Häuptling auf und bemühte sich, respektvoll dreinzublicken. Weiß er denn nicht, dass ich kein Wort verstehe von dem, was er mir sagt? Das hat Lashi ihm doch bestimmt erklärt. Oder Quent oder Monsieur Shea. Mit unendlicher Erleichterung sah sie die beiden Männer auf sich zukommen.

Corm war schneller als Quent. »Das ist ein Geschenk«, sagte er zu Nicole. »Wenn Sie höflich sein wollen, dürfen Sie es nicht ablehnen.«

»Warum sollte ich ein Geschenk von ihm denn ablehnen wollen? Sagen Sie ihm, dass ich mich geehrt fühle. Bitte sagen Sie ihm, dass die Töpfe wunderschön sind und ich stolz bin, sie zu besitzen.« Nicole streckte die Arme aus und nahm die aufgestapelten Kochtöpfe entgegen. Die Dorfbewohner brachen in Jubel aus. Dann schlugen die Trommeln noch dröhnender als zuvor, und der Häuptling zog sie auf die Beine und ging mit ihr auf Quent zu.

Wieder wurde etwas gesagt, das sie nicht verstand, Quent grinste sie an und sagte schließlich: »Kekomoson möchte wissen, ob du ihm die Töpfe zurückgeben willst.«

»Aber nein, warum sollte ich? Bitte sag ihm, dass ich seine Freundlichkeit sehr zu schätzen weiß.«

Er wusste, dass er es ihr erklären sollte, aber in dem Moment, so wie sie aussah und so wie es ihn nach ihr verlangte … Ich erkläre es ihr später, gelobte er. Wenn wir allein sind. »Du musst jetzt mit mir tanzen«, sagte er. »Damit bedankst du dich für die geschenkten Töpfe.«

»Aber ich hinke immer noch. Außerdem weiß ich nicht, wie.«

»Das ist einfach. Ich zeig's dir.«

Sie hielt die Töpfe in den Armen, und er legte ihr eine Hand auf die Schulter und führte sie zum Feuer. Die Trommeln schlugen weiter, Corm klapperte im selben Rhythmus mit zwei Rasseln, und die Squaws sangen wie zuvor. »*Ahaya, haya, haya.*«

»Warum dreht sich Monsieur Shea im Kreis um uns?«

»Das ist eben der Brauch. Jetzt komm, denk nicht so viel. Beweg dich einfach.«

Anfangs war sie ein wenig zögerlich, dann wurde sie langsam sicherer. Er befürchtete, ihr Bein könnte unter ihr nachgeben, und legte ihr stützend einen Arm um die Taille. »Lass die Töpfe nicht fallen, das ist sehr wichtig.«

Sie wandte sich zu ihm, und ihr Lächeln war wie ein Sonnenstrahl, ihr Körper bewegte sich in Einklang mit seinem. Quent führte sie noch drei Mal um das Feuer und dann vom Lager fort in den Wald.

Der Gesang begleitete sie. »*Ahaya, haya, haya.*« Nicole trug noch immer die Keramiktöpfe, die der Ehefrau seines Mannheitsvaters gehört hatten.

»Wir sind verheiratet«, sagte Quent.

»Wie bitte?!«

»Bei den Potawatomi gibt es keine großen Hochzeitsfeierlichkeiten. Aber wenn ein Tapferer sich eine Squaw erwählt, gibt seine Mutter ihr Kochtöpfe. Und wenn die Frau sie annimmt, sagt sie damit, dass sie den Tapferen will. Die Töpfe gehörten der Ehefrau meines Mannheitsvaters Bishkek. Sie ist schon vor längerer Zeit gestorben. Also hat Kekomoson die Töpfe aufbewahrt, bis entweder Corm oder ich eine Squaw wählen.«

»Und du hast ihm gesagt, dass du mich gewählt hast.«

»Nicht ganz. Corm hat's ihm gesagt.«

»Quent, ich ...«

»Sei still, verdammt. Ich habe dir die ganzen Monate lang nur zugehört. Ach was, seit Jahren. Aber Tatsache ist doch – wir sind beide am Leben, wir sind beide hier, und wir lieben uns.«

Sie saßen am Ufer eines Bachs. Er drehte sich zu ihr, schlang die Arme um sie und zwang sie durch das Gewicht seines Körpers, sich hinzulegen. Nicole wusste, dass sie sich ihm entziehen sollte, dass er sich ihr nicht aufzwingen würde, wenn sie Widerstand leistete, aber für die Dauer eines einzigen Kusses ... Eine so große Sünde konnte das doch nicht sein.

Quent lockerte die Schnüre ihres Gewands und spürte die zarte Haut ihrer Brust unter seiner Hand.

»Nein, mein Schatz. Ich darf nicht. Es ist eine Sünde.«

»Nein, ist es nicht. Ich hab's dir doch gesagt. Wir sind verheiratet.«

Der Katechismus, den sie, auf Mamans Knien sitzend, gelernt hatte, nannte die Ehe ein Sakrament, das ein Paar einander spendete. Der Priester sei lediglich ein Zeuge. Sie wandte den Kopf ab, um sich seinen Lippen zu entwinden und sprechen zu können. »Quentin Hale, wirst du mich immer und ewig lieben? Werde ich deine Ehefrau vor Gott sein?«

»Für immer und ewig«, versprach er. »Vor jedem Gott, Potawatomi- oder Christengott oder ...«

»Psst. Es gibt nur einen Gott, mein Liebling. Je nachdem, wie wir beten. Ich werde deine Ehefrau sein, Quentin Hale. Für immer und ewig.«

»Für immer, von diesem Moment an«, flüsterte er und bedeckte ihren Körper mit seinem.

EPILOG

1763 bis 1769

Die Welt der Tränen

Zum ersten Mal überhaupt schlossen sich die *Anishinabeg* unter einem einzigen Anführer zusammen. Angesichts des gebrochenen Versprechens der Engländer und Jeffrey Amhersts Weigerung, ihnen auch nur Lebensmittel, Tabak, Gewehre oder Pulver zu geben, forderte Pontiac sein Volk auf, dafür zu kämpfen, dass die Franzosen zurückkamen. Er berief ein Powwow von Ottawa, Chippewa, Huronen und Potawatomi ein – über vierhundert Häuptlinge und Sachems –, und sie lauschten dem Ottawa-Sachem und erinnerten sich an die Worte der Propheten, die besagten, dass die Wahren Menschen verdammt seien, wenn sie nicht zu den alten Traditionen zurückkehrten. Und bald tanzten sie einen Kriegstanz, der völlig anders war als alle anderen. *Papankamwa, eehsipana, ayaapia, anseepikwa, eeyeelia, pileewa … So, so, wir alle zusammen.*

Brände wüteten, und Weiße starben von Niagara im Norden bis Carolina im Süden. Miami schlossen sich dem Aufstand an, Lenape und Kickapoo und Seneca und Shawnee. *So, so, wir alle zusammen.* Fort Sandusky fiel und Fort Wayne und Fort Venango und Fort LeBœuf. Als zwei Monate später Fort Edward Augustus in Green Bay erobert wurde, hatten die Engländer jede Bastion im *pays d'en haut* und im Ohio Country verloren bis auf Fort Detroit und Fort Pitt, die beide belagert wurden. *So, so, wir alle zusammen.*

Amherst entsandte einen Trupp handverlesener Soldaten zu Pontiacs Lager bei Fort Detroit, darunter auch Ranger, aber die *Anishinabeg* erwarteten sie, und der Wasserlauf, an dem die beiden Gegner aufeinander trafen, floss rot vor Blut. Bloody Creek wurde er danach genannt. Cormac Shea, der vom ersten Tag des großen Aufstands an an Pontiacs Seite gekämpft hatte, gehörte zu denen, die dort starben, aber niemand nahm seinen Skalp. Pontiac brachte die Leiche des Mestizen zum Lager zurück, und sie wurde geehrt und bestattet, aber der Ottawa wusste, dass sein Krieg ohne dessen *wabnum* sein Herz verloren hatte. Er bot den Engländern Verhandlungen an, aber der Hass, den Amherst und die anderen auf die Rothäute empfanden, war zu groß. Pontiacs Angebot wurde abgelehnt, die anderen Stämme verloren den Glauben an seine Führungsstärke und verließen einer nach dem anderen den Bund. Für die Indianer war das Leben auf der Seite der Erde, auf der die Sonne kommt, so gut wie vorüber. Die meisten zogen nach Westen, aber die *Cmokmanuk* folgten ihnen, und die Wahren Menschen begannen ihre traurige Wanderung auf einem langen Pfad der Tränen.

1763 wurde der Vertrag von Paris unterzeichnet, und einzig Louisiana verblieb bei den Franzosen. Zu der Zeit hatten die Jesuiten dort Fuß gefasst, doch einer, Louis Roget, unternahm eines Tages einen Spaziergang und wurde eine Woche später skalpiert und ohne Herz aufgefunden. Vaudreuils Fluch hatte sich erfüllt: Roget war Kanada entkommen, aber er starb den Tod eines Kanadiers.

Vaudreuil selbst saß eine Zeit in der Bastille ein, wurde aber später entlastet.

Bigot wurde des Betrugs für schuldig befunden und aus Frankreich verbannt.

Mère Marie Rose und ihre vier Töchter aus Frankreich kehrten in das Kloster in Montargis zurück. Sie wurden von der Geschichte vergessen, und heute datieren die Armen Klarissen ihre Anfänge in Kanada auf die Gründung eines Klosters in Québec gut fünfzig Jahre später zurück.

Pontiac wurde 1769 von Peoria-*Anishinabeg* ermordet.

Im großen Haus in Shadowbrook gab es Lachen und Geburten und Todesfälle und Hoffnung, und ein großes Freudenfeuer brannte, als im Hochsommer 1776 in Philadelphia die Unabhängigkeitserklärung proklamiert wurde. Im Juli 1788 kamen die Abgeordneten der Versammlung in Poughkeepsie zu dem Schluss, dass der Staat New York die Verfassung ratifizieren solle. Sie vertrauten darauf, dass die Bill of Rights, für die sie sich so lange eingesetzt hatten, in das Dokument aufgenommen würde, mit dem eine Union aller ehemaliger Kolonien gegründet wurde. Die Menschen, die den Boden bearbeiteten, auf den kleinen Gehöften und großen Gütern im Norden und den Plantagen im Süden, wollten sich mit den Einwohnern der Handelsstädte von Boston bis Savannah zusammenschließen. Gemeinsam wollten sie zu dem großen und kühnen Experiment aufbrechen, das zum Teil auch durch den schrecklichen Krieg ermöglicht wurde, den sie fünfundzwanzig Jahre zuvor gekämpft und gewonnen hatten.

Der Morgendunst lag noch über Shadowbrook, als Quentin Hale und Cormac Shea Hale, mit zweiundzwanzig sein ältester Sohn, auf den höchsten Gipfel des Big Two stiegen, doch als sie schließlich eine Stange aufgestellt und die Flagge mit dreizehn Sternen gehisst hatten, die Nicole mit großer Hingabe genäht hatte, schien die Sonne auf einen neuen, prächtigen Tag.

Haya, haya, jayek. So, so, wir alle zusammen.

Danksagung

Wie jeder Autor stütze ich mich auf die Arbeit all meiner Vorgänger. Ohne die Bücher vieler anderer Schriftsteller hätte ich dieses nicht schreiben können, eine Aufzählung der wesentlichsten folgt unten. Zwei jedoch wiesen mir wie Fixsterne den Weg: *1759 – The Battle for Canada* von Laurier L. Lapierre, das mir unschätzbare Einblicke und Informationen über das damalige Québec lieferte, darunter die Geschichte einer geheimen jesuitischen Karte von La Traverse, die sich in den Händen des großen Montcalm befand und von ihm ignoriert wurde; und *Crucible of War: The Seven Years' War and the Fate of Empire in British North America, 1754–1766* von Fred Anderson, das mich auf Washingtons Zusammentreffen mit Jumonville im Talkessel aufmerksam machte und die Geschichte des Kriegs anschaulich von der anderen Seite der Grenze schilderte. Andere waren: *The Middle Ground: Indians, Empires, and Republics in the Great Lakes Region, 1650–1815* von Richard White; *Indians and English: Facing Off in Early America* von Karen Ordahl Kupperman; *Into the American Woods: Negotiators on the Pennsylvania Frontier* von James H. Merrell; dort erfuhr ich von der Existenz der »Brückenmenschen«; *Montcalm and Wolfe: The French and Indian War* von Francis Parkman; *A People's Army: Massachusetts Soldiers and Society in the Seven Years' War* von Fred Anderson; *Empire of the Bay: The Company of Adventurers That Seized a Continent* von Peter C. Newman; *A Few Acres of Snow: The Saga of the French and Indian Wars* von Robert Leckie; *The Indian Tribes of the Upper Mississippi Valley and Region of the Great Lakes: As Described by Nicolas Perrot, French Commandant in the Northwest*; *Redcoats Along the Hudson: The Struggle for*

North America 1754–63 von Noel St. John Williams; *The Founders of America: How Indians Discovered the Land, Pioneered in It, and Created Great Civilizations* von Francis Jennings; *The Ordeal of the Longhouse: The Peoples of the Iroquois League in the Era of European Colonization: British Military Sites from Albany to Crown Point* von Daniel K. Richter; *The Great Warpath* von David R. Starbuck; *Redcoats, Yankees and Allies: A History of Uniforms* von Brenton C. Kemmer, illustriert von Joe Lee; *Sons of a Trackless Forest* von Mark A. Baker (Mark Baker ist ein sachkundiger Berater in allen Fragen dieser Zeit und zeigte dem Hauptdarsteller Daniel Day-Lewis für den Film *Der letzte Mohikaner* der Twentieth Century Fox, wie man mit einem Langgewehr feuert).

Das Internet war unersetzlich als Informationsquelle. Dort fand ich Wörterbücher mit Sprachen der amerikanischen Ureinwohner, Reproduktionen von Landkarten und Dokumenten, den Erfahrungsschatz der vielen Folklore-Historiker der Kolonialzeit (zweifellos eine Quelle, die von allen, die sich in historischen Filmen und Romanen um Authentizität bemühen, stark unterschätzt wird), Geschichten von zahlreichen Stämmen der amerikanischen Ureinwohner sowie zahllose Berichte aus der Zeit, in der der Roman spielt, ohne die ich die hier beschriebene Welt nicht zum Leben hätte erwecken können. Es wäre unmöglich, alle Websites aufzuzählen, die ich konsultierte, viele davon immer wieder, aber jeder, der meinen Weg nachverfolgen möchte, braucht nur die entsprechenden Schlüsselwörter in die großen Suchmaschinen einzugeben und den Links zu folgen.

Und gemäß dem biblischen Wort, dass die Letzten die Ersten sein werden, bedanke ich mich herzlich bei meinen Agenten Henry Morrison und Danny Baror, meiner herausragenden Lektorin Sydny Miner – die mir einmal mehr ein besseres Buch zurückgab, als sie von mir erhielt –, und ein besonderes Dankeschön Andrée Pagès für die höchst seltene Gabe, einfühlsam und aufschlussreich zu redigieren.

Ihnen allen gilt mein aufrichtigster Dank.